7ª edição

MARKETING DE SERVIÇOS

PESSOAS, TECNOLOGIA E ESTRATÉGIA

Christopher **LOVELOCK**
Jochen **WIRTZ**
Miguel Angelo **HEMZO**

7ª edição

MARKETING DE SERVIÇOS

PESSOAS, TECNOLOGIA E ESTRATÉGIA

Tradução
Midori Yamamoto

Pearson

© 2011 by Pearson Education do Brasil
© 2011, 2007, 2004 by Christopher H. Lovelock e Jochen Wirtz, © 2001, 1996 by Christopher H. Lovelock

Tradução autorizada a partir da edição original, em inglês, *Services marketing: people, technology, strategy*, 7th edition, publicada pela Pearson Education, Inc., sob o selo Prentice Hall.

Todos os direitos reservados. Nenhuma parte desta publicação poderá ser reproduzida ou transmitida de qualquer modo ou por qualquer outro meio, eletrônico ou mecânico, incluindo fotocópia, gravação ou qualquer outro tipo de sistema de armazenamento e transmissão de informação, sem prévia autorização, por escrito, da Pearson Education do Brasil.

Diretor editorial: Roger Trimer
Gerente editorial: Sabrina Cairo
Editor de aquisição: Brunno Barreto
Coordenadora de produção editorial: Thelma Babaoka
Editoras de desenvolvimento: Marina Sandron Lupinetti e Arlete Sousa
Editor assistente: Alexandre Pereira
Preparação: Christiane Colas
Revisão: Débora Baroudi e Mell Brites
Capa: Aline Sousa sobre projeto original de Suzanne Duda
Editoração eletrônica e diagramação: Globaltec Editorial & Marketing

---

Dados Internacionais de Catalogação na Publicação (CIP)
(Câmara Brasileira do Livro, SP, Brasil)

Lovelock, Christopher
  Marketing de serviços : pessoas, tecnologia e estratégia / Christopher Lovelock, Jochen Wirtz, Miguel Angelo Hemzo ; tradução de Sônia Midori Yamamoto. -- 7. ed. -- São Paulo : Pearson Prentice Hall, 2011.

  Título original: Services marketing : people, technology, strategy.
  ISBN 978-85-7605-888-5

  1. Serviços (Indústria) - Marketing
  I. Wirtz, Jochen. II. Hemzo, Miguel Angelo. III. Título.

11-01233   CDD-658.8

Índice para catálogo sistemático:
1. Marketing de serviços : Administração de empresas   658.8

Direitos exclusivos cedidos à
Pearson Education do Brasil Ltda.,
uma empresa do grupo Pearson Education
Avenida Santa Marina, 1193
CEP 05036-001 - São Paulo - SP - Brasil
Fone: 11 2178-8609 e 11 2178-8653
pearsonuniversidades@pearson.com

Distribuição
Grupo A Educação
www.grupoa.com.br
Fone: 0800 703 3444

Com gratidão e em memória de Christopher Lovelock.
Uma das estrelas-guias em marketing de serviços.
Coautor, mentor e amigo.
E acima de tudo, uma inspiração.
— JW

Sumário

Prefácio ix

PARTE I   **Entendendo produtos de serviços, consumidores e mercados** 1

Capítulo 1   **Novas perspectivas de marketing na economia de serviços** 3
- Por que estudar serviços? 4
- Quais os principais setores da economia de serviços? 12
- Forças poderosas estão transformando os mercados de serviços 13
- O que são serviços? 19
- Quatro amplas categorias de serviços – uma perspectiva de processo 24
- Serviços trazem desafios distintos de marketing 27
- O tradicional composto de marketing aplicado aos serviços 29
- O composto de marketing de serviços ampliado para gestão da interface com os clientes 33
- O marketing deve ser integrado a outras funções gerenciais 36
- Uma estrutura para desenvolver estratégias eficazes de marketing de serviços 37

Capítulo 2   **Comportamento dos consumidores em um contexto de serviços** 45
- O modelo de três fases de consumo de serviços 47
- Fase de pré-compra 48
- Fase de encontro de serviço 59
- Fase pós-encontro 66

Capítulo 3   **Posicionamento de serviços em mercados competitivos** 74
- O que é necessário para posicionar serviços eficazmente? 75
- Obtenha vantagem competitiva por meio de foco 76
- A segmentação de mercado forma a base para estratégias focadas 79
- Atributos e níveis de serviço 82
- O posicionamento distingue uma marca de suas concorrentes 84
- Desenvolvendo uma estratégia de posicionamento eficaz 85
- Mapas de posicionamento para preparar a representação gráfica da estratégia competitiva 90
- O posicionamento competitivo pode ser alterado 96

PARTE II   **Aplicando os 4 Ps do marketing aos serviços** 100

Capítulo 4   **Desenvolvimento de serviços: elementos principais e suplementares** 102
- Planejando e criando serviços 103
- Flor de serviço 107
- Gestão de marcas de produtos que são serviço e de experiências de serviço 118
- Desenvolvimento de um serviço novo 125

Capítulo 5   **Distribuição de serviços por meio de canais físicos e eletrônicos** 136
- Distribuição em um contexto de serviços .. 137
- Opções para entrega de serviço: determinando o tipo de contato 139
- Decisões sobre local e horário 144
- Entrega de serviço no ciberespaço 147
- O papel dos intermediários 150
- O desafio da distribuição de âmbito nacional em grandes mercados 154
- Serviços distribuídos internacionalmente ... 156

Capítulo 6   **Determinação de preços e implementação de gestão de receita** 167
- Apreçamento eficaz é fundamental para o sucesso financeiro 168
- Três fundamentos da estratégia de apreçamento 171
- Gerenciamento de receita: o que é e como funciona 179
- Questões éticas em apreçamento 184
- Pondo em prática o apreçamento de serviços 190

Capítulo 7   **Promoção de serviços e educação de clientes** 200
- O papel das comunicações de marketing .. 201
- Desafios da comunicação de serviços 205

Planejamento de comunicações de marketing...........208
O composto de comunicações de marketing...........213
O papel da comunicação visual corporativa...........234
Integrando comunicações de marketing....235

PARTE III **Gerenciando a interface com o cliente...........242**

Capítulo 8 **Projetando e gerenciando processos de serviços...........244**
Fluxograma de processos de serviços ao cliente...........246
Desenhando blueprints de serviços para criar experiências de valor e operações produtivas...........250
Redesenho do projeto do processo de serviço...........261
O cliente como coprodutor...........265
Tecnologias de autosserviço...........268

Capítulo 9 **Equilibrando demanda e capacidade....277**
Flutuações em demanda ameaçam a lucratividade...........278
Gerenciando a capacidade...........281
Analisando padrões de demanda...........283
Gerenciando a demanda...........286
Estocar demanda por meio de filas e outros sistemas de espera...........291
Percepções de clientes quanto ao tempo de espera...........297
Estocar demanda por meio de sistemas de reserva...........300

Capítulo 10 **Planejando o ambiente de serviço...........308**
Qual é o propósito dos ambientes de serviço?...........309
Teoria das reações do consumidor a ambientes de serviço...........314
As dimensões do ambiente de serviço...........319
Juntando tudo...........327

Capítulo 11 **Gerenciando pessoas para obter vantagem em serviço...........338**
O pessoal de serviço tem importância crucial...........340
Trabalhar na linha de frente é difícil e estressante...........342
Ciclos de fracasso, mediocridade e sucesso...........346
Gestão de recursos humanos: como fazer a coisa certa...........351
Cultura e liderança em serviço...........367

PARTE IV **Implementando estratégias lucrativas de serviços...........375**

Capítulo 12 **Gerenciando relacionamentos e desenvolvendo fidelidade...........377**
Em busca da fidelidade do cliente...........378
Entendendo o relacionamento cliente/empresa...........384
A Roda da Fidelidade...........387
Construindo uma base para a fidelidade....388
Estratégias para desenvolver vínculos de fidelidade com clientes...........396
Estratégias para reduzir deserções de clientes...........402
Sistemas de gerenciamento do relacionamento com clientes...........404

Capítulo 13 **Administração de reclamações e recuperação do serviço...........415**
O comportamento de reclamação do cliente...........416
Respostas do cliente à recuperação eficaz de serviço...........421
Princípios de sistemas eficazes de recuperação de serviços...........422
Garantias de serviço...........427
Desestimulando o abuso e o comportamento oportunista...........432

Capítulo 14 **Melhorando a qualidade e a produtividade do serviço...........447**
Integrando estratégias de qualidade e produtividade de serviços...........450
O que é qualidade em serviços?...........451
Identificando e corrigindo problemas de qualidade de serviço...........454
Medindo e melhorando a qualidade de serviço...........455
Aprendendo com o *feedback* de clientes....458
Métricas tangíveis de qualidade de serviço..464
Ferramentas para analisar e tratar problemas de qualidade de serviço.........467
Identificando e medindo a produtividade...472
Melhorando a produtividade de serviço.....474

Capítulo 15 **Buscando a liderança em serviços...........489**
A cadeia de lucro em serviços...........490
Integrando marketing, operações e recursos humanos...........494
Criando uma organização líder em serviços..497
Em busca da liderança...........503

Glossário...........516
Índice remissivo...........522
Sobre os autores...........529

Prefácio

O setor de serviços domina a economia mundial em expansão como nunca se viu, e nada permanece estático. A tecnologia continua a evoluir de modo drástico. Setores bem estabelecidos e suas empresas, muitas delas famosas e antigas, declinam e podem até desaparecer à medida que surgem novos modelos de negócios. A competição é feroz e as empresas frequentemente empregam novas estratégias e táticas em resposta a necessidades, expectativas e comportamentos em constante mutação. É evidente que as habilidades de marketing e gestão de serviços jamais foram tão relevantes! Este livro foi escrito em resposta à transformação global de nossas economias em serviços.

Para acompanhar a evolução do marketing de serviços, cada nova edição deste livro representa uma significativa revisão da anterior. Esta 7ª edição não foge à regra. Ela reflete a realidade do mundo contemporâneo, incorpora os avanços das ideias acadêmicas e gerenciais e esclarece conceitos inovadores de serviço.

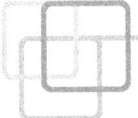

O que é novo nesta edição?

Esta 7ª edição incorpora os contínuos desdobramentos da economia de serviços, as novas descobertas resultantes de pesquisas e as melhorias na estrutura e apresentação do livro, em resposta ao *feedback* de revisores e leitores.

Nova estrutura, novos tópicos

- Cada capítulo foi organizado em torno de uma estrutura revisada para o desenvolvimento de estratégias eficazes de marketing de serviços, fundamentada nos tópicos de qualquer curso de princípios ou de gestão de marketing. A estrutura é apresentada na Figura 1.1 e compõe-se de quatro partes:
    - *Parte I* — explica a natureza dos serviços, como compreendê-los, como eles se relacionam com o comportamento dos consumidores e como posicioná-los. Estabelece os pilares para estudar serviços e aprender como se tornar um profissional eficaz nessa área;
    - *Parte II* — cobre o desenvolvimento do conceito de serviço e sua proposição de valor; também explica o produto, a distribuição, a determinação de preço e as estratégias de comunicação, conhecimentos necessários para desenvolver um modelo de negócio bem-sucedido. Revisita os 4 Ps do composto tradicional de marketing (Produto, Praça, Preço e Promoção) e expande-os de modo a abranger as características que diferenciam o marketing de serviços do marketing de produtos;
    - *Parte III* — enfoca o gerenciamento da interface entre clientes e a organização que oferece o serviço. Ela cobre os 3 Ps adicionais (Processo, Ambiente Físico (*Physical Environment*) e Pessoas) que são específicos do marketing de serviços;
    - *Parte IV* — a mais longa e instigante do livro, trata de quatro questões fundamentais da implementação de estratégias eficazes de marketing de serviços: fidelidade de clientes, administração de reclamações e recuperação do serviço, melhoria da qualidade e produtividade do serviço e, por fim, a busca pela liderança em serviço.

- Os 15 capítulos foram revisados e todos trazem novos exemplos e referências a pesquisas recentes. Alguns capítulos foram renomeados de modo a refletir importantes mudanças nas questões enfatizadas.
- Com base no *feedback* de revisores, a 7ª edição não mais apresenta leituras separadas. Em vez disso, os principais pontos decorrentes das leituras e das pesquisas mais recentes foram sintetizados, conceitualizados e integrados nos capítulos pertinentes. Além disso, a remoção dessas leituras permitiu o acréscimo de novos tópicos e também de reforços à aprendizagem, como os sucintos, porém abrangentes, resumos de capítulo em itens.
- O Capítulo 1, "Novas perspectivas de marketing na economia de serviços", foi reescrito. Aprofundamos a análise da essência da economia de serviços moderna e apresentamos uma nova e concisa conceitualização da natureza dos serviços, baseada em uma pesquisa premiada de um dos autores. Introduzimos ainda os sete principais elementos do composto de marketing de serviços (conhecidos como os 7 Ps) e apresentamos a estrutura de organização do livro.
- Novas aplicações de tecnologia — desde estratégias baseadas na Internet e biometria até otimização dos sites de busca, Twitter e M-*commerce* —, bem como oportunidades e desafios que elas apresentam aos clientes e aos profissionais de marketing de serviços, permeiam o texto em pontos relevantes no decorrer de quase todos os capítulos, além de serem discutidas em quadros.
- O leitor também verá que o texto de todos os capítulos foi aperfeiçoado, de modo a minimizar redundâncias (com referências a outras seções do livro quando necessário). Isso melhorou bastante a clareza e a estrutura do texto.
- Muitos capítulos estão agora estruturados de acordo com modelos gerenciais de organização, tais como o modelo de três fases de consumo de serviços (Capítulo 2), a flor de serviço (Capítulo 4), o ciclo de talento em serviços (Capítulo 11), a roda da fidelidade (Capítulo 12) e a cadeia de lucro em serviços (Capítulo 15).
- Ao reescrever e reestruturar os capítulos, nós nos empenhamos em criar um texto que fosse claro, de fácil leitura e objetivo. Os casos de abertura e os quadros visam a capturar o interesse do aluno e favorecer a discussão em classe. Esses recursos descrevem pesquisas significativas, ilustram aplicações práticas de importantes conceitos de marketing de serviços e descrevem as melhores práticas adotadas por organizações inovadoras de serviços ao redor do mundo.

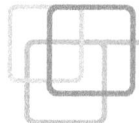

Como este livro pode ser usado?

Trata-se de um texto destinado a alunos de graduação em nível avançado, alunos de MBA e de MBA executivo. Este livro coloca as questões de marketing em um contexto gerencial mais amplo e por isso interessará tanto a estudantes de graduação focados em uma carreira em administração quanto a participantes de MBAs ou programas para executivos que estão conduzindo seus estudos ao mesmo tempo em que trabalham em posições gerenciais.

Qualquer que seja a função específica de um gerente, argumentamos que ele deve entender e assimilar os vínculos estreitos entre as funções de marketing, operações e recursos humanos. Com essa perspectiva em mente, elaboramos este livro para que os instrutores possam selecionar capítulos e ministrar cursos de diferentes durações e formatos em marketing e gestão de serviços.

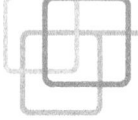

Diferenciais deste livro

Entre as principais características deste livro de fácil leitura estão:
- forte orientação para o foco gerencial, sustentada pelas mais recentes pesquisas acadêmicas. Não só trata da importância de os profissionais de marketing compreen-

derem as necessidades e o comportamento dos clientes, mas também analisa como utilizar esses *insights* para criar estratégias eficazes para competir no mercado;

- texto organizado em torno de uma estrutura integrada, que os alunos identificam de imediato, visto que está fundamentada nos tópicos de qualquer curso de princípios ou gestão de marketing;
- a utilização de esquemas conceituais fáceis de lembrar, com relevância e eficiência testadas em sala de aula. Como exemplos, o modelo de três fases de consumo de serviços, a flor de serviço, a roda da fidelidade, o ciclo de talento em serviços e a cadeia de lucro em serviços;
- cada capítulo segue uma metodologia de aprendizagem clara e fácil de seguir, e contém:
    - Uma vinheta de abertura, que introduz os conceitos ensinados no capítulo.
    - Objetivos de aprendizagem claros.
    - Resumo dos capítulos em itens que condensam os principais conceitos e mensagens.
    - Exemplos e ilustrações interessantes extraídos de uma ampla gama de empresas e localizações geográficas, ligando a teoria à prática.
    - Questões para revisão que se destinam a consolidar a compreensão dos principais conceitos por meio de discussões e estudo.
    - Exercícios de aplicação que estendem a compreensão para além do formato pergunta-e-resposta e que enfocam a aplicação e internalização dos conceitos, teorias e principais mensagens de cada capítulo.
- Referências bibliográficas abrangentes e atualizadas ao final de cada capítulo..

Marketing de serviços destina-se a complementar textos tradicionais de princípios e gestão de marketing. Reconhecendo que o setor de serviços pode ser mais bem caracterizado por sua diversidade, acreditamos que nenhum modelo conceitual único é capaz de abranger questões de marketing em organizações que vão de imensas corporações internacionais (companhias aéreas, bancos, seguradoras, operadoras de telecomunicações, transportadoras e serviços de consultoria) a pequenas empresas locais (como restaurantes, lavanderias, centrais de táxi, óticas e serviços B2B). Em resposta, o livro oferece uma 'caixa de ferramentas' que mostra aos alunos como diferentes conceitos, modelos e procedimentos analíticos podem ser utilizados para examinar e resolver os desafios enfrentados por profissionais em diversas situações.

Material de apoio do livro

No site www.grupoa.com.br professores e alunos podem acessar os seguintes materiais adicionais:

Para professores:

- Apresentações em PowerPoint.
- Manual do professor (em inglês).
- Banco de exercícios (em inglês).

Esse material é de uso exclusivo para professores e está protegido por senha. Para ter acesso a ele, os professores que adotam o livro devem entrar em contato através do e-mail divulgacao@grupoa.com.br.

Para estudantes:

- Seis estudos de caso (Banyan Tree, American Airlines, Gondolas, Red Lobster, Accellion e Starbucks).

Agradecimentos

Durante anos, muitos colegas dos mundos acadêmico e empresarial forneceram-nos valiosas percepções do gerenciamento e do marketing de serviços por meio de artigos que escreveram, conferências ou discussões em seminários e estímulo a conversas pessoais. Também nos beneficiamos muito de discussões, durante as aulas ou depois delas, com nossos alunos e participantes de cursos para executivos.

Somos muito gratos aos pesquisadores e professores que contribuíram como pioneiros no estudo do marketing da gestão de serviços, e de cujo trabalho nós continuamos a extrair inspiração. Entre eles, citamos: John Bateson, do SHL Group; Leonard Berry, da Texas A&M University; Mary Jo Bitner e Stephen Brown, da Arizona State University; Richard Chase, da University of Southern California; Pierre Eiglier, da Université d'Aix-Marseille III; Raymond Fisk, da University of New Orleans; Christian Grönroos, da Swedish School of Economics in Finland; Stephen Grove, da Clemson University; Evert Gummesson, da Stockholm University; James Heskett e Earl Sasser, da Harvard University; e Benjamin Schneider, da University of Maryland. Estendemos nossos agradecimentos também às contribuições dos finados Eric Langeard e Daryl Wickoff.

Em particular, devemos um agradecimento especial a seis pessoas por suas excepcionais contribuições a esse campo de estudo, não somente por seu papel como pesquisadores e professores, mas também como editores de periódicos, encaminhando a publicação de muitos dos importantes artigos citados neste livro. São elas: Bo Edvardsson, da University of Karlstad e editor do *Journal of Service Management* (JOSM); Robert Johnston, da University of Warwick e editor fundador do JOSM; Jos Lemmink, da Maastricht University e ex-editor do JOSM; Roland Rust, da University of Maryland e editor fundador do *Journal of Service Research* (JSR); A. 'Parsu' Parasuraman, da University of Miami e ex-editor do JSR; e Katherine Lemon, do Boston College e atual editora do JSR.

Embora seja impossível mencionar a todos que influenciaram nosso pensamento, queremos expressar nossa particular apreciação a: Tor Andreassen, da Norwegian School of Management; David Bowen, da Thunderbird Graduate School of Management; John Deighton, Theodore Levitt e Leonard Schlesinger, todos atualmente ou anteriormente da Harvard Business School; Loizos Heracleous, da University of Warwick; Douglas Hoffmann, da Colorado State University; Sheryl Kimes, da Cornell University; Jean-Claude Larréché, do INSEAD; David Maister, da Maister Associates; Anna Mattila, da Pennsylvania State University; Anat Rafaeli, do Technion-Israeli Institute of Technology; Frederick Reichheld, da Bain & Co.; Bernd Stauss, da Katholische Universität Eichstät; Charles Weinberg, da University of British Columbia; Lauren Wright, da California State University, Chico; George Yip, da London Business School; e Valarie Zeithaml, da University of North Carolina.

Também obtivemos importantes *insights* de nossos coautores nas adaptações internacionais e somos gratos pela amizade e colaboração de: Guillermo D'Andrea, da Universidad Austral, Argentina; Harvir Singh Bansal, da Wilfrid Laurier University, Canadá; Jayanta Chatterjee, do Indian Institute of Technology em Kanpur, Índia; Patricia Chew, da UniSIM, Cingapura; Luis Huete, da IESE Business School, Espanha; Keh Hean Tat, da Peking University, China; Laura Iacovone, da Università Bocconi, Itália; Denis Lapert, do INT-Management, França; Barbara Lewis, da Manchester School of Management, Reino Unido; Lu Xiongwen, da Fudan University, China; Annie Munos, da Euromed Marseille École de Management, França; Javier Reynoso, da Tec de Monterrey, México; Paul Patterson, da University of New South Wales, Austrália; Sandra Vandermerwe, do Imperial College, Reino Unido; Rhett Walker, da LaTrobe University, Austrália; e Shirai Yoshio, da Takasaki City University of Economics, Japão.

A IBM tem sido um dos principais catalisadores no desenvolvimento do novo campo da ciência de serviços, e gostaríamos de agradecer especialmente a James Spohrer, Paul Maglio e Wendy Murphy do Almaden Research Center da IBM por contribuírem com a noção de serviços através de fronteiras funcionais e disciplinares.

É com prazer que prestamos nosso reconhecimento aos comentários criteriosos e proveitosos de revisores desta edição e das anteriores: David M. Andrus, da Kansas State University; Charlene Bebko, da Indiana University of Pennsylvannia; Michael L. Capella, da Villanova University; Susan Carder, da Northern Arizona University; Frederick Crane, da University of New Hampshire; Harry Domicone, da California Lutheran University; Lukas P. Forbes, da Western Kentuck University; Bill Hess, da Golden Gate University; Ben Judd, da University of New Haven; P. Sergius Koku, da Florida Atlantic University; Robert P. Lambert, da Belmont University; Martin J. Lattman, da Johns Hopkins University; Daryl McKee, da Louisiana State University; Terri Rittenburg, da University of Wyoming; Cynthia Rodrigues Cano, da Augusta State University; e Lisa Simon, da California Polytechnic State University. Eles desafiaram nosso modo de pensar e incentivaram-nos a incluir muitas modificações significativas. Além disso, nós nos beneficiamos do valioso aconselhamento de Sharon Beatty, da University of Alabama, e Karen Fox, da Santa Clara University, que proporcionaram sugestões atenciosas de melhoria.

É preciso mais do que autores para criar um livro e seus suplementos. Nossos sinceros agradecimentos a nossas três assistentes de pesquisa: Valery Phay, Lisa Tran e Nicole Wong, por seu excelente apoio a vários aspectos do texto. Também apreciamos sobremaneira todo o árduo trabalho da equipe de edição e produção, que se esforçou para transformar nosso manuscrito em uma bela publicação: James Heine, editor de aquisições; Kierra Kashickey, gerente de projeto editorial; Karin Williams, assistente editorial; Judy Leale, editora sênior; Clara Bartuneck, gerente de projeto de produção; e Emily Winders, da Elm Street Publishing Services. Agradecemos também a Gavin Fox, da Texas Tech University, autor do banco de testes desta edição.

Por fim, agradecemos a você, nosso leitor, por seu interesse neste campo de estudo tão estimulante e em rápida evolução que é o marketing de serviços. Se você tiver uma pesquisa interessante, exemplos, histórias, estudos de caso, vídeos ou qualquer outro material que figurariam bem na próxima edição, ou ainda qualquer outro *feedback*, contate-nos por meio do www.jochenwirtz.com. Vamos gostar muito de seu contato!

Christopher Lovelock
Jochen Wirtz

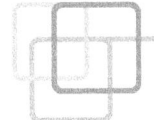

Agradecimentos à edição brasileira

O setor de serviços corresponde a quase dois terços do PIB brasileiro, mas cursos de gestão de marketing ainda costumam enfatizar apenas o marketing de produtos manufaturados, influenciados pela Revolução Industrial e seus conceitos de produção e mercado. Esta edição brasileira foi desenvolvida para dar suporte ao crescente número de executivos atuando no setor de serviços, discutindo de forma detalhada as diferenças entre serviços e bens e o maior grau de complexidade que eles enfrentam para oferecer seus serviços ao mercado de forma competitiva. A intangibilidade característica dos serviços e sua dependência da participação das pessoas em seu uso leva ao acréscimo de outros três elementos — processos, pessoas e paisagem de serviço — ao composto tradicional de marketing — produto (serviço), preço, ponto e promoção —, que precisa, então, ser revisto. Dentro desta discussão, procuramos trazer inúmeros casos de empresas brasileiras para ilustrar o planejamento e a gestão de marketing de serviços no Brasil.

Esta edição brasileira é o resultado do trabalho de muitas pessoas. Agradeço inicialmente a meus pais, Dezso e Suzel, pelas oportunidades de vida que me deram, e à Liliana, por todo seu apoio. Este livro não seria possível sem o trabalho pioneiro e excelente do professor Lovelock, referência mundial na área de serviços, e do professor Wirtz, coautor do livro e meu colega de pós-graduação na London Business School. Agradeço pelo trabalho em conjunto e às muitas ideias que trocamos ao longo de todo o processo de elaboração desta obra, desde que começaram a desenvolver o manuscrito da sexta edição (não traduzida). Tenho uma grande dívida de gratidão com Sabrina Cairo, gerente editorial da Pearson Education do Brasil, e toda sua equipe, pela oportunidade de desenvolver o livro e pelo apoio, pelos comentários e sugestões durante todo o processo.

Agradeço ainda a colaboração de minhas ex-alunas: Daniela Motta Romeiro Khauaja, professora da ESPM, na elaboração do caso sobre o Magazine Luiza (Capítulo 15); Bruna Laura Segatto e Luana Menna Ibedi, pelos dados sobre serviços no Brasil (Capítulo 1); e Paula Sayuri Uchiyama, pelo caso sobre o Cirque du Soleil (Capítulo 13).

Agradeço também a meus alunos, colegas e professores, com quem muito aprendi por meio da análise e discussão das edições anteriores.

E agradeço a você, leitor, tanto o que lê o livro pela primeira vez, quanto o que conhece as edições anteriores e continua conosco no estudo desse importante setor de nossa economia. Espero, ao final, ter contribuído para que você tenha uma visão mais abrangente da gestão de marketing de serviços e, assim, espero colaborar para sua evolução profissional e pessoal.

PARTE I

Entendendo produtos de serviços, consumidores e mercados

Esta Parte I explica a natureza dos serviços, como compreendê-los, como o comportamento dos consumidores relaciona-se com eles e como posicioná-los. Ela estabelece os pilares para estudar serviços e aprender como se tornar um profissional eficaz na área, e é composta de três capítulos:

CAPÍTULO 1 Novas perspectivas de marketing na economia de serviços

O Capítulo 1 ressalta a importância dos serviços em nossas economias, define sua natureza e apresenta a maneira como eles criam valor aos clientes sem transferir sua propriedade. O capítulo salienta alguns desafios proeminentes envolvidos nos serviços de marketing e apresenta os 7 Ps do marketing de serviços.

A estrutura mostrada na Figura I.1 nos acompanhará por todo o livro, visto que forma a base de suas quatro partes. De modo sistemático, ela descreve o que está por trás do desenvolvimento de estratégias de marketing para diferentes tipos de serviço e é apresentada e explicada no Capítulo 1.

CAPÍTULO 2 Comportamento dos consumidores em um contexto de serviços

O Capítulo 2 provê uma base para compreender as necessidades e o comportamento dos consumidores tanto em serviços de alto quanto nos de baixo contato. O capítulo é organizado em torno do modelo de três estágios de consumo de serviço, que explora: na fase 1, como os consumidores buscam e avaliam as alternativas de serviços e tomam decisões de compra; na fase 2, como eles vivenciam a entrega dos serviços e como reagem a ela; e, por fim, na fase 3, como avaliam o desempenho do serviço recebido.

CAPÍTULO 3 Posicionamento de serviços em mercados competitivos

O Capítulo 3 discute como uma proposição de valor deve ser posicionada de modo a criar vantagem competitiva para a empresa; mostra também como as empresas podem segmentar um mercado de serviços, posicionar sua proposição de valor e, finalmente, concentrar-se em atrair seu segmento-alvo.

Figura I.1 Organização de uma estrutura para marketing de serviços

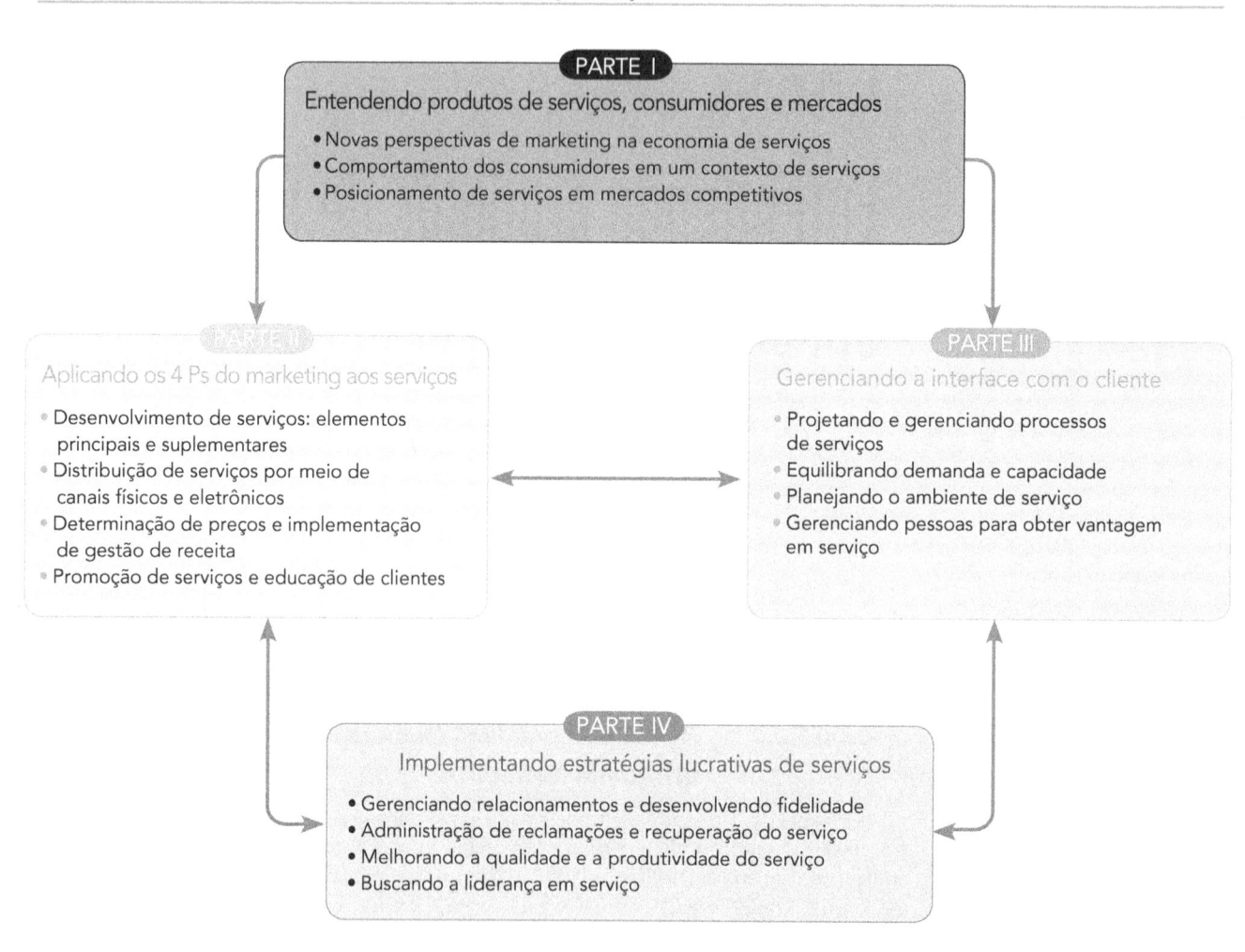

PARTE I
Entendendo produtos de serviços, consumidores e mercados
- Novas perspectivas de marketing na economia de serviços
- Comportamento dos consumidores em um contexto de serviços
- Posicionamento de serviços em mercados competitivos

PARTE II
Aplicando os 4 Ps do marketing aos serviços
- Desenvolvimento de serviços: elementos principais e suplementares
- Distribuição de serviços por meio de canais físicos e eletrônicos
- Determinação de preços e implementação de gestão de receita
- Promoção de serviços e educação de clientes

PARTE III
Gerenciando a interface com o cliente
- Projetando e gerenciando processos de serviços
- Equilibrando demanda e capacidade
- Planejando o ambiente de serviço
- Gerenciando pessoas para obter vantagem em serviço

PARTE IV
Implementando estratégias lucrativas de serviços
- Gerenciando relacionamentos e desenvolvendo fidelidade
- Administração de reclamações e recuperação do serviço
- Melhorando a qualidade e a produtividade do serviço
- Buscando a liderança em serviço

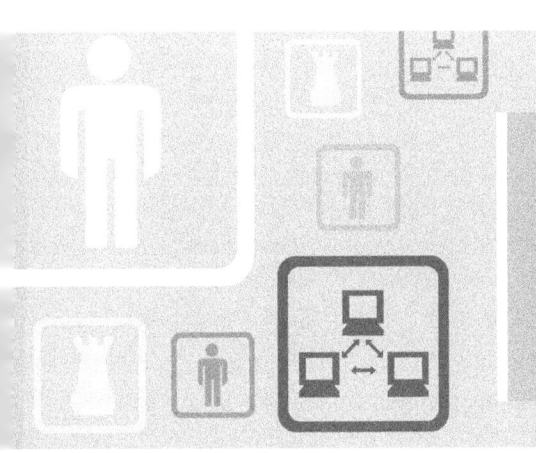

CAPÍTULO 1

Novas perspectivas de marketing na economia de serviços

Nossa economia é de serviços e tem sido assim há algum tempo.
— Karl Albrecht e Ron Zemke

No mercado atual, os consumidores têm mais poder de escolha do que nunca.
— The Economist

Objetivos de aprendizagem (OA)

Ao final deste capítulo, você será capaz de:

OA1 Compreender como os serviços contribuem para a economia de um país.

OA2 Conhecer os principais setores da economia de serviços.

OA3 Identificar as forças poderosas que estão transformando os mercados de serviços.

OA4 Definir serviços usando a estrutura de serviço sem transferência de propriedade.

OA5 Identificar as quatro categorias gerais de 'processamento' de serviços.

OA6 Estar familiarizado com as características de serviços e os desafios específicos de marketing que elas apresentam.

OA7 Compreender os componentes do composto expandido de marketing de serviços (os 7 Ps do marketing de serviços).

OA8 Saber por que a função de marketing deve integrar-se à gestão operacional e de recursos humanos nas empresas de serviços.

OA9 Conhecer a estrutura de desenvolvimento de estratégias eficazes de marketing de serviços.

Introdução ao mundo do marketing de serviços

Como todo leitor deste livro, você é um experiente consumidor de serviços, pois usa uma variedade deles todos os dias, embora alguns — como falar ao telefone, comprar com cartão de crédito, andar de ônibus ou sacar dinheiro em um caixa eletrônico — sejam tão rotineiros que mal são notados, a não ser quando algo sai errado. Outras aquisições de serviços podem ser mais planejadas e memoráveis — por exemplo, fazer uma reserva para um cruzeiro, obter conselhos financeiros com seu gerente ou submeter-se a um exame médico. Matricular-se em uma universidade ou em uma faculdade talvez seja uma das maiores aquisições de serviço que você fará na vida: uma instituição de ensino superior é uma complexa organização de serviços, que oferece não só serviços educacionais, mas também bibliotecas, alojamento para os alunos, serviço médico, ginásio de esportes, museus, segurança, aconselhamento e colocação profissional. No *campus*, principalmente nas universidades públicas brasileiras, é possível encontrar livrarias, agências dos Correios, serviços de fotocópia, acesso à Internet, bancos, alimentação, entretenimento e muito mais. Usar esses serviços é um exemplo de consumo no nível individual ou de uma empresa para um consumidor (também conhecido como B2C, do inglês *business-to-consumer*).

Empresas e organizações sem fins lucrativos usam uma ampla gama de serviços trocados entre empresas (forma de negócio também conhecida como B2B, do inglês *business-to-business*), em graus que variam de acordo com a natureza de seu segmento de atuação, mas que geralmente envolvem uma escala de compras muito maior do que a de indivíduos ou domicílios. Atualmente, as empresas estão terceirizando cada vez mais atividades para fornecedores externos de serviços para que possam se concentrar em seu negócio principal. A escolha de parceiros para terceirização é uma decisão estratégica, já que a organização deve encontrar empresas que tenham se especializado no uso de seus recursos com alto padrão de desempenho, e que ofereçam sinergia nesse relacionamento, permitindo melhor desempenho naquilo que tem competência para criar diferenciais. Se não forem capazes de identificar esses terceirizados e obter esses serviços a um valor razoável, as empresas contratantes não poderão ter expectativa de sucesso.

Infelizmente, nem sempre os clientes estão contentes com a qualidade e com o valor dos serviços que recebem. Talvez você já tenha ficado encantado com suas experiências de serviços, mas é bem provável que já tenha se decepcionado muito. Tanto os compradores individuais quanto os corporativos reclamam de promessas não cumpridas, pouco valor recebido com relação ao que pagaram, falta de entendimento de suas necessidades, rispidez ou incompetência de funcionários, horário de atendimento inconveniente, procedimentos burocráticos, tempo perdido, máquinas de autosserviço defeituosas, sites complicados e uma profusão de outros problemas. As promessas de entrega de serviços criam uma expectativa que nem sempre é cumprida, seja por falha humana, de equipamentos ou de processos. Tente se lembrar de uma empresa que, para você, seja exemplo de qualidade no atendimento e nos serviços — embora possível, você verá que não é uma tarefa simples. Por outro lado, as empresas de serviços lideram os diversos *rankings* de reclamações e são facilmente lembradas.

Já os fornecedores de serviços, que muitas vezes enfrentam concorrência acirrada, costumam ter um conjunto de preocupações bastante diferente. Muitos proprietários e gerentes queixam-se da dificuldade de manter baixos os custos e obter lucro, de encontrar pessoal qualificado e motivado ou de agradar a seus clientes que — como eles, algumas vezes se queixam — se tornaram exigentes demais. Não é fácil encontrar pessoas que 'vistam a camisa' da empresa e saibam compreender e aceitar sua cultura — isso envolve um trabalho constante de seleção daqueles que apresentam maior potencial de treinamento para que executem seu papel com propriedade, e de avaliação para que recebam *feedback* e incentivos apropriados. Também não é fácil entender e atender as necessidades dos clientes: no mundo de hoje, existe muita oferta e informação, e as pessoas desenvolvem preferências diferentes, segmentando os mercados e tornando cada vez mais difícil encontrar a maneira adequada de atender a essa variedade de demandas que muitas vezes podem até ser opostas. Felizmente, como veremos nos diversos casos apresentados neste livro, alguns fornecedores sabem como agradar a seus clientes e, ao mesmo tempo, manter suas operações de forma produtiva e lucrativa.

É provável que você tenha algumas empresas de serviços de sua preferência. Mas já parou para pensar como elas conseguem fornecer serviços que atendem a suas necessidades e até superam suas expectativas? Este livro ensinará como administrar os negócios de serviços para atingir tanto a satisfação do cliente quanto a lucratividade. Além de estudar os principais conceitos, estruturas organizacionais e ferramentas de marketing de serviços, você também será apresentado a um amplo leque de exemplos de organizações do Brasil e do mundo. Com base nessas experiências, será possível extrair importantes lições sobre como obter sucesso em mercados de serviços cada vez mais competitivos.

Neste capítulo inicial, apresentamos uma visão geral da dinâmica da economia de serviços hoje (no Brasil e no mundo), definimos a natureza dos serviços e destacamos alguns desafios significativos que envolvem os serviços de marketing. Concluímos o capítulo mostrando uma estrutura de desenvolvimento e implementação de estratégias de marketing de serviços — e é essa estrutura que forma a base deste livro.

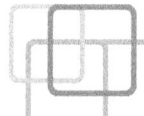

Por que estudar serviços?

Eis aqui um paradoxo: vivemos em uma economia de serviços, mas na maioria das escolas de administração o estudo acadêmico e o ensino de marketing ainda são dominados por uma perspectiva industrial. Se você já fez um curso de marketing, provavelmente aprendeu mais sobre marketing de produtos manufaturados, sobretudo bens de consumo, do que sobre marketing de serviços. Felizmente, um grupo crescente e entusiasmado de estudiosos, consultores e professores — incluindo os autores deste livro — optou por focar o marketing de serviços. Juntos, eles se valem de extensas pesquisas realizadas nesse campo nas últimas três décadas.[1] Esteja certo de que este livro lhe trará conhecimentos e habilidades altamente relevantes ao ambiente de negócios do futuro: você irá entender melhor o peso desse setor na economia e poderá se preparar para participar melhor dele, seja como gestor, seja como consumidor mais consciente.

Os serviços dominam a economia moderna na maioria das nações

A participação percentual do setor de serviços está crescendo em quase todas as economias do mundo. À medida que uma economia nacional se desenvolve, a participação relativa do emprego entre os setores agrícola, industrial (incluindo manufatura e mineração) e de serviços muda drasticamente.[2] Até mesmo em economias emergentes, a produção de serviços vem crescendo rapidamente e muitas vezes chega a representar a metade do Produto Interno Bruto (PIB). O PIB representa o quanto foi gerado em valor pelos setores produtivos de um país em um determinado período, geralmente em um ano. A Figura 1.1 mostra como provavelmente se dará a evolução de uma economia ao longo do tempo, ou seja, uma evolução para uma economia dominada por serviços, à medida que a renda *per capita* aumenta. Em países desenvolvidos, os serviços baseados em conhecimento — definidos como os que fazem uso intensivo de alta tecnologia e/ou que possuem força de trabalho relativamente capacitada — têm se revelado o componente mais dinâmico.[3] Nesses países, aproveita-se o efeito do crescimento da riqueza sobre o conhecimento, gerando novos mercados em que capacidades e competências são oferecidas, enquanto empregos ligados a atividades mais rotineiras, como na manufatura ou na agricultura, são reduzidos pela automação — embora mantendo a produtividade — ou exportados para outros países onde o custo de mão de obra é mais barato. O aumento de riqueza gerado pelo valor do conhecimento permite que seus proprietários tenham renda para pagar pela prestação de outros tipos de serviço — o que aumenta a demanda no mercado de serviços —, enquanto eles concentram seu tempo em atividades mais rentáveis ligadas à comercialização do conhecimento. O valor mais alto de sua hora de trabalho permite ao proprietário de conhecimento contratar terceiros para executar tarefas por ele, pagando valores menores pela hora de trabalho. O domínio do setor de serviços já é uma realidade mundial, como mostra a Figura 1.2, na qual podemos observar que já responde por quase dois terços do valor do PIB anual global. Não devem ser considerados no cálculo os insumos ou bens de consumo intermediários.

Figura 1.1 Mudança na estrutura de empregos à medida que a economia se desenvolve

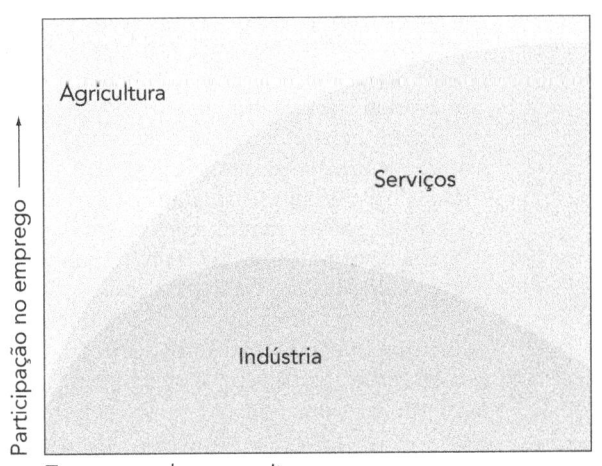

Fonte: adaptado de Fundo Monetário Internacional, 1997.

Figura 1.2 Contribuição do setor de serviços ao PIB global, 2008

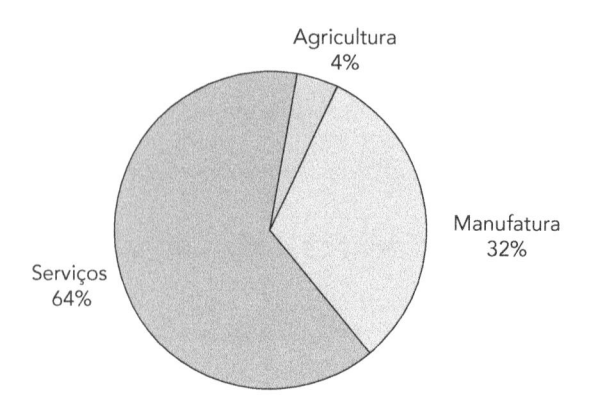

- Agricultura 4%
- Manufatura 32%
- Serviços 64%

Fonte: The World Factbook 2008, Central Intelligence Agency.
Disponível em: <https://www.cia.gov/library/publications/the-world-factbook/fields/2012.html>. Acesso em: 26 mar. 2009.

Os serviços que buscam lucro diferem daqueles sem fins lucrativos no tocante a suas metas, embora ambos busquem criar valor para seus vários *stakeholders* (ou seja, para todos os que, de alguma forma, são afetados pelas atividades da empresa, desde os mais próximos, como acionistas, consumidores e funcionários, até comunidades e membros da sociedade em geral. A expressão *at stake*, que gerou o termo em inglês *stakeholder*, significa 'estar em jogo' e representa o grupo de pessoas que tem algo em jogo em relação às atividades da empresa). Os serviços que pretendem lucrar buscam atingir resultados *financeiros*, atuando dentro de restrições *sociais*, ao passo que os que não almejam lucro têm em vista resultados *sociais*, atuando dentro de restrições *financeiras*.[4] Muitos órgãos públicos e instituições sem fins lucrativos cobram por seus serviços um preço que cobre parcialmente seus custos, e costumam depender de donativos, subvenções ou subsídios fiscais para cobrir o restante. (Embora exista diferenças entre essas designações, para simplificar, usaremos ao longo deste livro os termos *negócios*, *empresa*, *corporação*, *firma* e *organização* para nos referir genericamente a todos os tipos de fornecedor de serviço.)

Assim como nos Estados Unidos e no Brasil, a maioria dos países emergentes e desenvolvidos tem verificado um acelerado crescimento de suas economias de serviços. A Figura 1.3 mostra o tamanho relativo do setor de serviços em uma seleção tanto de economias grandes quanto de pequenas. Na maioria das nações mais desenvolvidas, os serviços representam entre dois terços e três quartos do PIB, embora a Coreia do Sul, com sua forte orientação à manufatura (58 por cento), seja uma exceção. Quais são as economias mundiais mais dominadas pelos serviços? Uma delas são as Ilhas Caimã (95 por cento), um grupo de pequenas ilhas administrado pelo Reino Unido no Caribe ocidental, conhecido por suas atividades predominantes: serviços de turismo, financeiros *offshore* e de seguros. Jersey, Bahamas e Bermuda — pequenas ilhas com uma combinação econômica semelhante — também são dominadas pelos serviços. Luxemburgo (86 por cento) possui a economia de serviços mais predominante da União Europeia. A forte participação dos serviços no Panamá (78 por cento) reflete não somente a operação do Canal do Panamá — bastante usado tanto por navios de cruzeiros como por embarcações de carga —, mas também os serviços relacionados a ele, como terminais de contêiner, registros na capitania e uma zona de porto livre, além dos serviços financeiros, de seguros e de turismo (Figura 1.4).

Próximo à ponta oposta da escala está a China (40 por cento), uma economia emergente dominada por um setor agrícola substancial e por setores industriais e de construção em franca expansão. Entretanto, o crescimento econômico do país leva agora a um aumento na demanda por serviços para empresas e consumidores, o que deve alterar substancialmente este perfil nos próximos anos, assim como ocorreu com o Japão após a Segunda Guerra Mundial. O governo chinês investe pesado em infraestrutura de serviços, incluindo instalações portuárias e novos terminais aéreos. Xangai, o maior centro comercial do país, orgulha-se do serviço ferroviário de aeroporto mais rápido do mun-

Figura 1.3   Tamanho estimado (como porcentagem do PIB) do setor de serviços em países selecionados

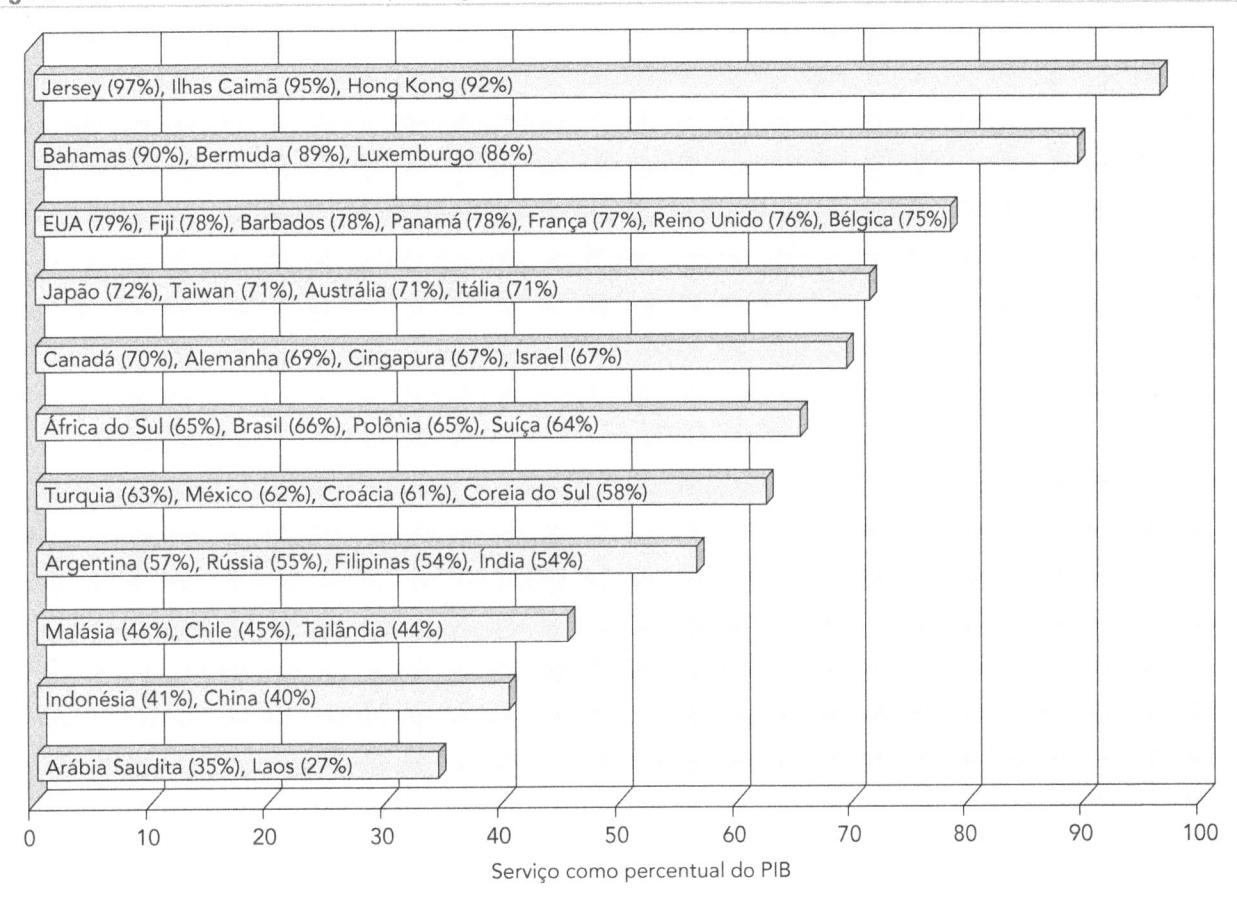

- Jersey (97%), Ilhas Caimã (95%), Hong Kong (92%)
- Bahamas (90%), Bermuda (89%), Luxemburgo (86%)
- EUA (79%), Fiji (78%), Barbados (78%), Panamá (78%), França (77%), Reino Unido (76%), Bélgica (75%)
- Japão (72%), Taiwan (71%), Austrália (71%), Itália (71%)
- Canadá (70%), Alemanha (69%), Cingapura (67%), Israel (67%)
- África do Sul (65%), Brasil (66%), Polônia (65%), Suíça (64%)
- Turquia (63%), México (62%), Croácia (61%), Coreia do Sul (58%)
- Argentina (57%), Rússia (55%), Filipinas (54%), Índia (54%)
- Malásia (46%), Chile (45%), Tailândia (44%)
- Indonésia (41%), China (40%)
- Arábia Saudita (35%), Laos (27%)

Serviço como percentual do PIB

Fonte: The World Factbook 2008, Central Intelligence Agency. Disponível em: <https://www.cia.gov/library/publications/the-world-factbook/fields/2012.html>. Acesso em: 26 mar. 2009.

Figura 1.4   Canal do Panamá forma a espinha dorsal da economia de serviços do país

do, com veículos projetados na Alemanha, movidos a levitação magnética e capazes de atingir velocidades de até 260 mph (420 km/h). O último dos países relativamente ricos é a Arábia Saudita, com sua economia dominada pelo petróleo e para quem os serviços contribuem com apenas 35 por cento do PIB.

Já a economia do Brasil teve origem no setor agrário, de que até hoje é importante exportador de produtos, como a soja e o café. Com muitos recursos naturais, é grande explorador de minérios e petróleo, além de ser forte na indústria de base (como a siderurgia) e no setor de tecnologia avançada (como a aviação). Ainda assim, o Brasil faz parte dos países onde o setor de serviços predomina (66 por cento), e esta participação vem crescendo com as transformações ocorridas nos últimos 50 anos, graças ao desenvolvimento do setor industrial no período pós-guerra e ao desenvolvimento do setor de serviços, principalmente a partir dos anos 1990, com a comercialização de produtos e a prestação de serviços comerciais, pessoais ou comunitários à população.[5]

Cenário brasileiro 1.1

O setor de serviços no Brasil

Dados do Banco Mundial (Figura 1.5) mostram a evolução da participação dos três setores de atividade — agricultura, indústria e serviços — no PIB nas últimas cinco décadas (1960-2009). Nesse período, o setor agrícola reduziu sua participação de 20 para cerca de 6 por cento. A indústria (ou manufatura), que já representou 40 por cento da economia, hoje participa com parcela em torno de 27 por cento. O setor de serviços saiu da faixa dos 40 para os 50 por cento na década de 1990, e hoje ultrapassa os 60 por cento, estabelecendo definitivamente o Brasil entre os países de economia de serviços.

Em 2009, a participação do setor de serviços no PIB brasileiro foi de 66,2 por cento, conforme gráfico da Figura 1.6.

Figura 1.5 Evolução da participação dos setores de atividade no período de 1960 a 2009

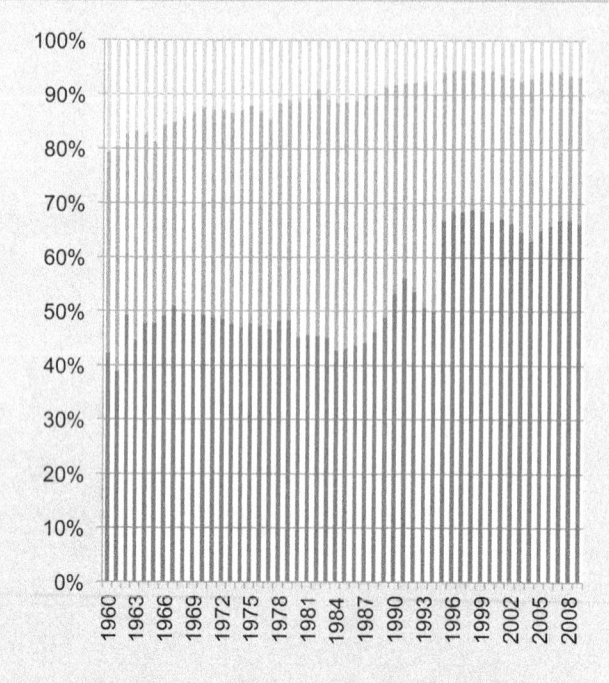

Fonte: Indicadores de Desenvolvimento Mundial do Banco Mundial. Disponível em: <http://data.worldbank.org/data-catalog>. Acesso em: 13 out. 2010.

Figura 1.6 — Fatores que estimulam a transformação da economia de serviços

- 6.6% — Agricultura, valor adicionado (% do PIB)
- 27.2% — Indústria, valor adicionado (% do PIB)
- 66.2% — Serviços, valor adicionado (% do PIB)

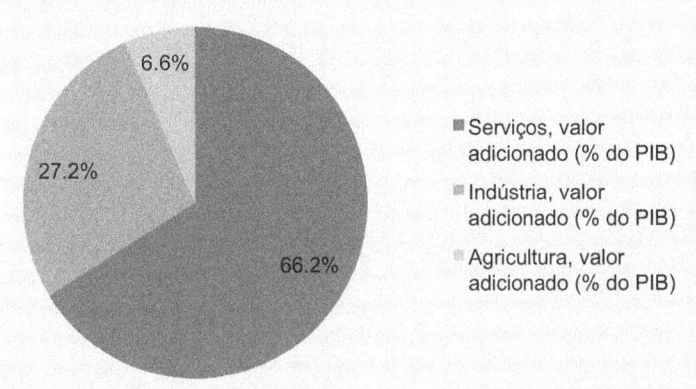

Fonte: Indicadores de Desenvolvimento Mundial do Banco Mundial. Disponível em: <http://data.worldbank.org/data-catalog>. Acesso em: 13 out. 2010.

O setor de serviços vem mostrando um expressivo crescimento ao longo da última década. Como se pode observar pelo gráfico a seguir (Figura 1.7), em menos de dez anos o tamanho de sua receita mais do que triplicou, passando de R$ 160 milhões em 1998 para R$ 580 milhões em 2007, o que corresponde a um crescimento de 360 por cento no período.

O setor de serviços é composto de uma variedade de grupos de atividade, e, para comparar o crescimento deles, utilizamos a classificação proposta pela PAS (Pesquisa Anual de Serviços) do IBGE, a qual, desde 2002, identifica sete subsetores de atividade da seguinte forma:

- **Serviços prestados às famílias**: serviços de alojamento; serviços de alimentação; atividades recreativas e culturais; serviços pessoais; e atividades de ensino continuado.

- **Serviços de informação**: telecomunicações; atividades de informática; serviços audiovisuais; e agências de notícias e serviços de jornalismo.

- **Serviços prestados às empresas**: serviços técnico-profissionais; seleção, agenciamento e locação de mão de obra temporária; serviços de investigação, segurança, vigilância e transporte de valores; e serviços de limpeza em prédios e domicílios, dentre outros.

- **Transportes, serviços auxiliares aos transportes e correios**: transporte ferroviário e metroviário; transporte rodoviário de passageiros; transporte rodoviário de cargas e outros tipos de transportes; transporte aquaviário; transporte aéreo; agências e organizadoras de viagens; serviços auxiliares dos transportes; e correio, além de outras atividades de entrega.

- **Atividades imobiliárias e de aluguel de bens móveis e imóveis**: incorporação, compra e venda de imóveis por conta própria; administração, corretagem e aluguel de imóveis de terceiros; e aluguel de veículos, máquinas e objetos pessoais e domésticos.

Figura 1.7 — Evolução da receita operacional líquida de serviços no período 1998–2007

Receita operacional líquida segundo as atividades de serviços

Ano	Receita
1998	160.991.477
1999	183.946.052
2000	222.008.131
2001	250.723.675
2002	297.150.400
2003	325.322.478
2004	380.514.968
2005	438.912.351
2006	492.249.503
2007	580.583.449

Fonte: Pesquisa Anual de Serviços (PAS) — IBGE (1998–2007).

- **Serviços de manutenção e reparação**: manutenção e reparação de veículos; manutenção e reparação de objetos pessoais e domésticos; e manutenção e reparação de máquinas de escritório e de informática.

- **Outras atividades de serviços**: serviços auxiliares da agricultura; agentes de comércio e representação comercial; serviços auxiliares financeiros, dos seguros e da previdência complementar; e limpeza urbana e esgoto.

O crescimento interno desses grupos de atividades tem sido constante e leva o País a uma posição de destaque no cenário internacional, a qual merece uma breve discussão. Em 2008, a exportação de serviços excedeu a exportação de bens — 27,4 contra 23,2 por cento, respectivamente. Os subsetores que mais participam da exportação de serviços são os serviços empresariais, profissionais e técnicos; as viagens internacionais e os transportes, respondendo por 80 por cento das receitas de serviços em 2008. Isso comprova que o setor no Brasil tem se desenvolvido com qualidade, o que lhe permite ser competitivo no mercado internacional.

Em contrapartida, nesse mesmo período, as importações de serviços cresceram a um ritmo inferior ao das importações de bens: 27,9 contra 43,6 por cento. Além disso, as importações brasileiras estão fortemente concentradas em quatro setores: viagens internacionais, transportes, aluguel de equipamentos e serviços empresariais, profissionais e técnicos, respondendo por 72 por cento das despesas dessa conta de serviços. Esses números sugerem que o governo tem atuado segundo uma política de estímulo da importação de bens de capital, para desenvolvimento de infraestrutura, e restringido o acesso dos serviços estrangeiros ao mercado nacional, com exceção de algumas categorias.

No Capítulo 5, quando falarmos de distribuição internacional, comentaremos as dificuldades específicas que as empresas de serviços encontram para levar sua oferta a outros mercados.

A maioria dos novos empregos é gerada pelos serviços

Estima-se que, com a evolução da economia, o nível de emprego continuará a diminuir nos setores manufatureiro, extrativista e agrícola tanto em países desenvolvidos, como os Estados Unidos, quanto naqueles em desenvolvimento, como o Brasil. Aqui, além de o setor ser o responsável pela maior parte da economia do país, ele também emprega um pouco mais da metade dos trabalhadores formais, como mostra a Figura 1.8.

Diante disso, tanto os países desenvolvidos quanto os em desenvolvimento deverão recorrer ao setor de serviços para gerar novos empregos. Ao contrário da crença popular, muitos novos empregos de serviços demandarão significativos níveis de treinamento e qualificação educacional, o que deverá refletir em melhor remuneração para os funcionários.[6] Espera-se que parte do crescimento mais acelerado aconteça nos setores baseados em conhecimento, como serviços profissionais e para empresas,[7] educativos e de saúde.

Embora muitos de nós vivamos e trabalhemos em economias dominadas por serviços, a maioria dos estudantes sai das universidades com formação gerencial ou técnica[8]— a influência da cultura de produção e dos princípios gerenciais propostos por seus estudiosos, como Fayol, Taylor e Ford, ainda é sentida em muitas empresas e no conteúdo das disciplinas universitárias. Durante anos, a IBM chamou a atenção para o fato de não treinarmos profissionais para a área de serviços. Refletindo a integração cada vez mais estreita da criação de valor na economia de serviços, a IBM cunhou o termo Ciência, Gestão e Engenharia de Serviços (SSME, do inglês, *service science, management and engineering*), conhecido como *ciência de serviços*, que integra as principais disciplinas exigidas para projetar, melhorar e escalar sistemas de serviços. Para alcançar isso — e a eficácia nas atuais economias orientadas a serviços —, a IBM crê que os futuros graduados devem seguir o modelo "T", isto é, devem conhecer a fundo sua própria disciplina, como administração, engenharia ou ciências da computação (a parte vertical do T) e compreender o básico dos tópicos relacionados a serviços em outras disciplinas (a parte horizontal do T).[9]

Os maiores centros de pesquisa atenderam ao apelo da IBM e passaram a focar cada vez mais a integração das principais disciplinas para capacitar os futuros profissionais de serviços. Assim, profissionais das diversas áreas envolvidas com serviços, como engenheiros de produção, profissionais de marketing e de gestão de pessoas, entre outros, partici-

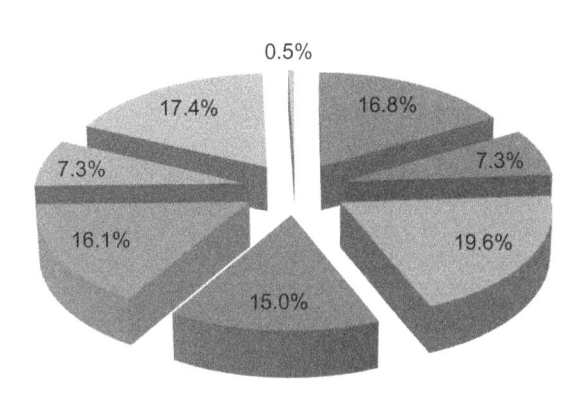

Figura 1.8 Distribuição percentual dos empregados formais por setor de atividade (Dez. 2008)

- 16.8% — Indústrias extrativa e de transformação, produção e distribuição de eletricidade, gás e água
- 7.3% — Construção
- 19.6% — Comércio, reparação de veículos automotores e de objetos pessoais e domésticos e comércio a varejo de combustíveis
- 15.0% — Intermediação financeira e atividade imobiliária, aluguéis e serviços prestados à empresa
- 16.1% — Administração pública, defesa, seguridade social, educação, saúde e serviços sociais
- 7.3% — Serviços domésticos
- 17.4% — Outros serviços
- 0.5% — Outras atividades

Fonte: PME/IBGE. Disponível em: <http://www.mte.gov.br/observatorio/boletim_01_Crise_Financeira_Brasil_2010.pdf>. Acesso em: 13 out. 2010.

pam juntos dos programas desenvolvidos por esses centros, para que haja uma visão integrada de diferentes aspectos e seus impactos sobre a oferta de serviços, permitindo melhor atendimento das necessidades dos clientes.

Alguns dos principais centros estrangeiros que abraçaram a causa da ciência de serviços incluem (por ordem alfabética): o Center for Excellence in Service, da Robert H. Smith School of Business da University of Maryland; o Center for Services Leadership, da W. P. Carey School of Business da Arizona State University; e o The Service Research Center, da Universidade de Karlstad na Suécia. Recentemente, foi lançado o periódico acadêmico *Service Science* para servir como canal de divulgação das pesquisas sobre ciência de serviços.[10] No Brasil, essa ciência ainda é uma área de estudos recente e o primeiro simpósio do setor foi realizado em 2010. Como fonte de pesquisa sobre o tema, estão disponíveis os sites Ciência de serviços e o da IBM Brasil.

Compreendendo que os serviços oferecem uma vantagem competitiva pessoal

Este livro foi escrito em resposta à transformação global de nossas economias na direção dos serviços. Aprender sobre as características específicas dos serviços e como elas afetam tanto o comportamento dos consumidores quanto a estratégia de marketing lhe proporcionará importantes *insights*, podendo até criar uma vantagem competitiva para sua própria carreira. A menos que você esteja predestinado a trabalhar na fábrica ou nas terras de sua família, é grande a probabilidade de passar a maior parte de sua vida profissional em empresas de serviços, ou acabar atuando como voluntário ou membro do conselho de uma organização sem fins lucrativos. Talvez o conhecimento adquirido com o estudo deste livro até o estimule a pensar em iniciar seu próprio negócio na área!

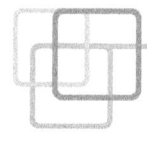

Quais os principais setores da economia de serviços?

Quais setores compõem a economia de serviços e quais são os maiores? Os maiores podem não ser aqueles que lhe vêm primeiro à mente, pois esse diversificado segmento abrange muitos serviços voltados a clientes corporativos, e alguns deles não são altamente visíveis, a menos que você trabalhe nessa área. Para responder à pergunta inicial, as estatísticas econômicas nacionais constituem um bom ponto de partida. Para proporcionar melhor entendimento da atual natureza da economia dominada por serviços, agências governamentais de estatística desenvolveram novas maneiras de classificar os setores: no Brasil, temos a classificação em sete setores adotada pelo PAS do IBGE, como vimos no Cenário brasileiro 1.1. Nos Estados Unidos, o Standard Industrial Classification (SIC), orientado ao setor manufatureiro e desenvolvido na década de 1930, está sendo substituído pelo novo North American Industry Classification System (NAICS),[11] que também foi adotado por Canadá e México. (Veja o quadro Novas ideias em pesquisa 1.1.)

Contribuição ao Produto Interno Bruto

Considerando que o setor de serviços tem a maior contribuição para o PIB brasileiro — mais de 66 por cento (Figura 1.6) —, é interessante verificar o quanto cada um dos maiores grupos desse segmento contribui para tais valores. A Figura 1.9 apresenta a participação econômica das atividades classificadas pelo PAS, no setor de serviços brasileiro entre 2002 e 2007. Verificamos que, ao longo dos últimos anos, a participação de cada uma das atividades possui pouca variação entre elas e que os maiores subsetores de serviços no Brasil são os de transportes e os de informação, cada um representando 28 por cento do total.

Os setores ligados a serviços de transportes e de informação são os maiores no mercado e as maiores empresas brasileiras de serviços são ligadas aos setores de distribuição (atacado e varejo), transportes e telecomunicações. Pela participação do setor de serviços na economia, são grandes as chances de você trabalhar em uma empresa do setor, seja em uma microempresa, seja em uma das maiores do Brasil. O Cenário brasileiro 1.2 mostra quais as empresas de serviços que mais se destacam no País, seus subsetores de atividade e faturamento em 2009. Ao longo deste livro, veremos casos de aplicação dos conceitos discutidos em várias delas.

Figura 1.9 Origem da receita operacional líquida segundo as atividades

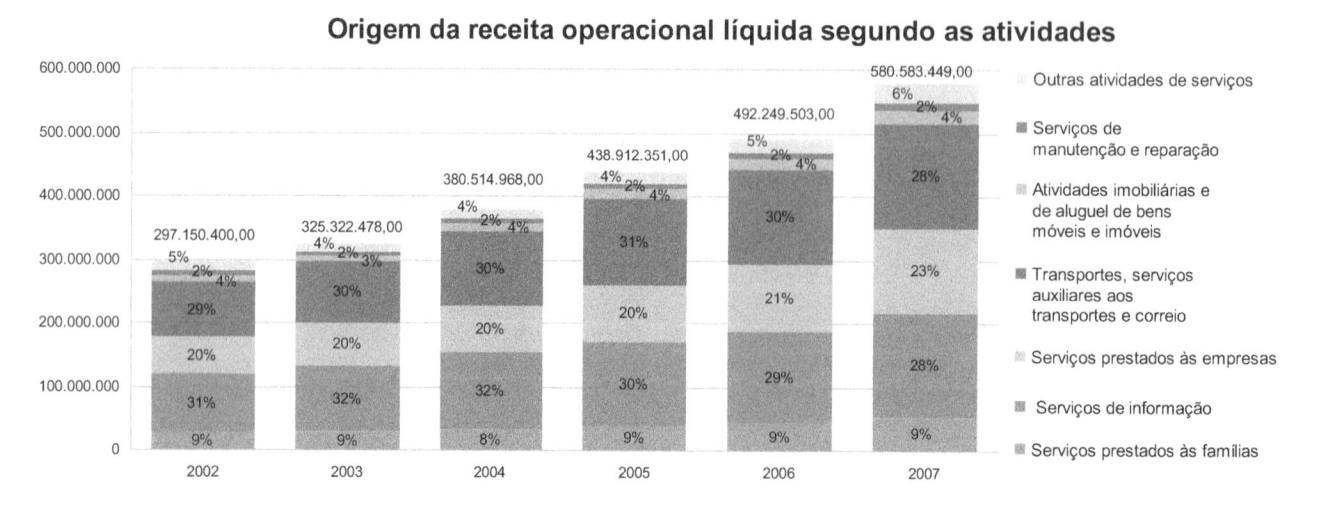

Fonte: Pesquisa Anual de Serviços (PAS) — IBGE.

Cenário brasileiro 1.2

As principais empresas de serviços no Brasil

Mais de 40 por cento (21) das 50 maiores empresas do Brasil, em 2009, são do setor de serviços — atacado, varejo, telecomunicações, prestação de serviços e distribuição de energia (Tabela 1.1). Como outros setores, além dos classificados como serviços, essas empresas constituem prestação de serviços e são agrupadas como tal.

Tabela 1.1 Empresas de serviços entre as 50 maiores do Brasil em vendas em 2009

Posição	Empresa	Atividade	Vendas (US$ milhão)
2	BR Distribuidora	Atacado	39.494,50
7	Carrefour	Varejo	13.583,80
9	Telefônica	Telecomunicações	12.536,20
10	Vivo	Telecomunicações	11.980,30
11	Telemar	Telecomunicações	11.792,20
12	Tim Celular	Telecomunicações	11.382,80
16	Pão de Açúcar	Varejo	9.349,20
17	Brasil Telecom	Telecomunicações	8.878,30
18	Wal-Mart	Varejo	8.622,20
23	Casas Bahia	Varejo	8.042,60
24	Embratel	Telecomunicações	7.988,70
25	Claro	Telecomunicações	7.946,20
28	E.C.T.	Serviços	7.274,30
34	Cosan Cl	Atacado	6.094,10
35	Cemig Distribuição	Energia	6.007,80
37	TAM	Transporte	5.898,30
38	Oi – Tnl Pcs	Telecomunicações	5.886,50
42	Light Sesa	Energia	4.854,10
47	CPFL – Paulista	Energia	4.303,00
48	Sabesp	Serviços	4.236,90
49	Ale	Atacado	4.068,80

Fonte: As 1.000 maiores empresas do Brasil em vendas em 2009. Disponível em: <http://portalexame.abril.com.br/>. Acesso em: 13 out. 2010.

Forças poderosas estão transformando os mercados de serviços

Por que o setor de serviços está crescendo? Grandes transformações econômicas ocorrem por influência de um conjunto variado de fatores. Políticas governamentais, mudanças sociais, tendências de negócios, avanços em tecnologia da informação e globalização estão entre as forças poderosas que atualmente transformam os mercados de serviços (Figura 1.10). Em conjunto, essas forças estão remodelando a demanda, a oferta, o cenário competitivo e até os estilos de vida, o consumo e a tomada de decisão dos consumidores.

Novas ideias em pesquisa 1.1

NAICS e as novas maneiras de classificar as economias

O North American Industry Classification System (NAICS) — desenvolvido em conjunto por agências de estatística do Canadá, México e Estados Unidos — oferece uma nova maneira de classificar setores na estatística econômica dos três países-membros do North American Free Trade Agreement (NAFTA). Ele substitui sistemas nacionais anteriores, como o Standard Industrial Classification (SIC), até então utilizados nos Estados Unidos.

O NAICS (pronuncia-se 'Neics' em inglês) inclui muitos novos setores de serviços que surgiram nas últimas décadas e também reclassifica como serviços os estabelecimentos 'auxiliares' que fornecem serviços a indústrias manufatureiras — como contabilidade, alimentação e transporte. Cada um dos setores da economia foi reestruturado e redefinido. O NAICS inclui: 358 novos setores que o SIC não considerava; 390 setores provenientes da revisão de suas contrapartes no SIC; e 422 setores que continuam sem mudanças substanciais. Tais setores são agrupados e, em seguida, subdivididos em subsetores, grupos industriais e estabelecimentos.

Entre os novos setores voltados a serviços, estão: *informação*, que reconhece o surgimento e a exclusividade de empresas na 'economia da informação'; *serviços de saúde e assistência social; serviços profissionais, científicos e de negócios; serviços educacionais; serviços de hotelaria e alimentação;* e *artes, entretenimento e recreação* (que inclui grande parte das empresas que se dedicam a atender interesses culturais, de lazer ou de entretenimento dos consumidores).

O NAICS utiliza um consistente princípio de classificação, agrupando os negócios que usam processos de produção semelhantes. Seu objetivo consiste em tornar as estatísticas econômicas mais úteis e capturar os desdobramentos que envolvem as aplicações de alta tecnologia (por exemplo, telefonia celular), novos negócios que não existiam anteriormente (como consultoria ambiental) e mudanças na prática de negócios (como clubes de atacadistas).

Os códigos do NAICS são estabelecidos de tal modo que os pesquisadores podem esmiuçar setores abrangentes para obter informações sobre tipos compactamente definidos de estabelecimentos de serviços. Por exemplo, o código NAICS 71 designa artes, entretenimento e recreação. O código 7112 designa esportes abertos ao público e o 711211, times e clubes esportivos. Analisando-se as variações ao longo do tempo em dólares 'reais' (ajustados pela inflação), é possível determinar quais setores têm crescido e quais não. Os códigos NAICS também são utilizados para categorizar estatísticas de emprego e número de estabelecimentos dentro de um setor em particular. E um novo North American Product Classification System (NAPCS) define milhares de produtos de serviços. Para quem deseja pesquisar setores e produtos de serviços, os dados do NAICS são um bom ponto de partida.

A fim de criar classificações para os serviços, alguns países, baseados na CPC e na NAICS, desenvolveram suas classificações próprias. Exemplos são o desenvolvimento da Classificação de Produtos da Austrália e Nova Zelândia (Australian and New Zealand Standard Product Classification — ANZSPC). A Comunidade Europeia, por meio do Statistical Office of the European Communities (Eurostat), desenvolveu a Classificação de Produtos por Atividade (CPA), que teve sua estrutura baseada na classificação das atividades econômicas do continente, a Nomenclatura de Atividades Econômicas da Comunidade Europeia (NACE), que foi elaborada visando a padronização e a comparabilidade das estatísticas.

Criada em 1990, a Comissão Nacional de Classificação (CONCLA) tem como objetivo estabelecer e monitorar as normas e a padronização do sistema de classificações usadas no sistema estatístico brasileiro. Em função de sua determinação, em 2000, o IBGE começou a publicar, em conjunto com o desenvolvimento da PAS, o suplemento de Produtos e Serviços do PAS, que constitui a etapa inicial da elaboração de uma classificação nacional de produtos para o setor de serviços.

Com base nas empresas cadastradas na pesquisa PAS, no Cadastro Central de Empresas (Cempre) e nos padrões de classificação existentes, a primeira versão foi elaborada com uma detalhada nomenclatura de produtos do setor de serviços, para atividades selecionadas, visando conhecer o peso relativo desses produtos em termos da receita por eles gerada. Para tal, foram selecionados: (1) os segmentos de maior participação em receita nos serviços não financeiros analisados no PAS; (2) os segmentos considerados modernos, ligados às novas tecnologias de informação e comunicação; (3) um setor tradicional da economia — o de transportes; e (4) o segmento das empresas prestadoras de serviços de engenharia e arquitetura.

Ao longo desta década, essa classificação experimental tem sido modificada anualmente, sempre em função dos dados do ano anterior. Ela foi desenvolvida a partir da atividade de origem e dos códigos da Classificação Nacional de Atividades Econômicas (CNAE), atualmente na versão 2.1. A relação detalhada de todos os setores de serviços abrangidos pela PAE encontra-se em seu relatório.

Fontes: Economic Classification Policy Committee, "NAICS — North American Industry Classification System: new data for a new economy". Washington, DC: Bureau of the Census, out. 1998. North American Industry Classification System, Estados Unidos 2002 [manual NAICS oficial], Washington, DC: National Technical Information Service, PB2002101430*SS, 2002. Disponível em: <http://www.census.gov/eos/www/naics/>. Acesso em: 29 jun. 2009.

Figura 1.10 Fatores que estimulam a transformação da economia de serviços

Políticas governamentais
- Mudanças nas regulamentações
- Privatização
- Novas regras de proteção ao consumidor, funcionários e ambiente
- Novos acordos comerciais em serviços

Mudanças sociais
- Maiores expectativas dos consumidores
- Maior afluência
- Mais pessoas com falta de tempo
- Maior desejo de comprar experiências *versus* objetos
- Número crescente de pessoas que têm computadores, telefones celulares e equipamentos de alta tecnologia
- Facilitar o acesso a mais informações
- Imigração
- População em expansão, porém envelhecendo

Tendências de negócios
- Pressão dos acionistas para aumentar o valor
- Ênfase sobre produtividade e redução de custos
- Empresas manufatureiras agregam valor por meio de serviços e vendem serviços
- Mais alianças estratégicas e terceirização
- Foco na qualidade e na satisfação dos clientes
- Crescimento de franquias
- Ênfase no marketing por organizações sem fins lucrativos

Avanços na tecnologia da informação
- Crescimento da Internet
- Maior largura de banda
- Equipamento móvel compacto
- Redes sem fio
- Softwares mais rápidos e potentes
- Digitalização de textos, gráficos, áudio e vídeo

Globalização
- Mais empresas operando em bases transacionais
- Aumento no número de viagens internacionais
- Fusões e alianças internacionais
- *Offshoring* do atendimento ao cliente
- Concorrentes estrangeiros invadem mercados domésticos

↓

Novos mercados e categorias de produtos criam maior demanda por serviços em muitos mercados existentes, intensificando a competição.

↓

Inovação em produtos de serviços e sistemas de entrega, estimulados pela aplicação de tecnologias novas e aprimoradas.

↓

Os consumidores têm mais escolhas e exercem mais poder.

↓

O sucesso depende de (1) compreender os consumidores e os concorrentes, (2) modelos de negócios viáveis e (3) criar valor tanto para os clientes quanto para a empresa.

Maior foco em marketing e gestão de serviços.

A Internet, que aumenta o acesso à informação, transfere o poder dos fornecedores para os clientes, sobretudo nos mercados de consumo.[12] Por exemplo, o setor de viagens nunca mais será o mesmo, agora que os viajantes podem facilmente pesquisar alternativas e fazer suas próprias reservas. Os agentes de viagem precisam se adaptar a essa nova realidade, buscando, por exemplo, oferecer informações mais detalhadas e especializadas que o viajante comum teria mais dificuldade em obter, ou uma experiência presencial na entrega de serviço que não possa ser imitada virtualmente; ou seja, é necessário oferecer sua competência especializada e única como um serviço diferenciado. A distribuição eletrônica está modificando relacionamentos e papéis entre fornecedores, intermediários e clientes à medida que membros dos canais tradicionais (como as agências de viagens locais) são substituídos por novos competidores inovadores como Orbitz, Travelocity e Priceline.[13] No Brasil, temos o Decolar, o Submarino Viagens, entre outros.

A Tabela 1.2 mostra exemplos específicos de cada uma dessas forças e seu impacto sobre a economia de serviços e até sobre a forma como os consumidores compram e utilizam os serviços.

Tabela 1.2 Exemplos específicos de forças que transformam e impactam a economia de serviços

Políticas governamentais	Exemplo	Impacto sobre a economia de serviços
> Mudanças nas regulamentações	> Proibição ao fumo em restaurantes e limitação de gordura *trans* no preparo de alimentos	> Medidas que garantam mais conforto e saúde em restaurantes estimularão as pessoas a jantarem fora com maior frequência
> Privatização	> Privatização de serviços de infraestrutura, como serviços de utilidade pública e de transportes	> Possível entrincheiramento dos fornecedores existentes em um ambiente mais competitivo, porém geração de emprego e investimentos por parte de novos competidores que entram no mercado
> Novas regulamentações de proteção ao consumidor, aos funcionários e ao ambiente	> Maior taxação à indústria da aviação por emissão de gases prejudiciais à saúde, como no caso da Comunidade Europeia, que estabeleceu taxas máximas para empresas estrangeiras, o que afeta os voos de empresas como TAM e GOL para esses destinos	> Maiores custos de viagens aéreas podem refrear a demanda; a política estimula o desenvolvimento de motores a jato que consomem menos combustível e são menos poluentes
> Novos acordos comerciais em serviços	> Empresas do exterior podem assumir a provisão de serviços básicos, como água, saúde, transporte e educação	> Transferência de experiência além das fronteiras. Novos investimentos resultam em melhor infraestrutura e maior qualidade
Políticas sociais	**Exemplo**	**Impacto sobre a economia de serviços**
> Aumento das expectativas dos consumidores	> Maior expectativa de qualidade de serviço e conveniência	> Treinamento das equipes de atendimento para a prestação de um bom serviço; horário de funcionamento ampliado oferece mais oportunidades de empregos de meio período
> Maior afluência	> Mais gasto em turismo	> Criação de uma variedade mais ampla de ofertas; desenvolvimento de novos serviços em novos pontos fomenta as economias locais
> Terceirização de serviços pessoais	> Serviços de faxina domiciliar e de babá	> Novos prestadores de serviços incluem tanto empresas locais quanto cadeias nacionais/regionais

> Maior desejo de comprar experiências *versus* objetos	> Mais gasto em serviços de luxo, como tratamentos em spa	> Novos competidores surgem; centros de estética e hotéis do tipo *resort* agregam spas
> Número crescente de pessoas que têm computadores, telefones celulares e equipamento de alta tecnologia	> Maior demanda por notebooks e telefones celulares 3G	> Maior necessidade de projetistas, engenheiros e profissionais de marketing para esses tipos de equipamento
> Facilidade de acesso a mais informações	> Internet e *podcast*	> Permite às empresas estabelecer relacionamentos mais próximos e focados com clientes e novas oportunidades de fazer contato com eles em tempo real
> Migração	> Muitos indianos que emigraram para os Estados Unidos agora retornam ao país de origem	> Transfere talento para o país de origem, mas pode criar um vácuo no mercado de empregos das economias desenvolvidas
> População em expansão, porém envelhecendo	> Países europeus maduros	> Mais serviços para atender às necessidades dos mais velhos, incluindo cuidados com a saúde e a construção de casas de repouso

Tendências de negócios	Exemplo	Impacto sobre a economia de serviços
> Pressão dos acionistas para aumentar valores	> Acionistas pressionam os conselhos das empresas por retornos mais altos	> Busca por novas fontes de receita, como taxas adicionais, preços mais elevados e adoção de estratégias de gestão de receita, além de cortes no atendimento ao cliente para reduzir custos
> Ênfase sobre produtividade e redução de custos	> Migração para tecnologias de autosserviço	> Repensar o sistema de entrega de serviços, investir em novas tecnologias que substituam os funcionários
> As empresas manufatureiras agregam valor por meio de serviços e vendem serviços	> Consultoria e serviços de TI da IBM para mercados financeiros	> Concorrência com provedores de serviços de outros setores, como as tradicionais consultorias em gestão
> Mais alianças estratégicas e terceirização	> Companhias aéreas que formam alianças, como a Star Alliance e a Oneworld	> As rotas são racionalizadas para evitar duplicações; os cronogramas e a emissão de bilhetes são coordenados; o marketing é alavancado e a eficiência operacional aprimorada
> Foco na qualidade e na satisfação dos clientes	> Hotéis de todas as categorias definem padrões mais rigorosos e buscam atingi-los de modo consistente	> Programas de treinamento para capacitar a equipe de atendimento; investimento em modernização das instalações existentes e construção de novas instalações que ofereçam mais conforto
> Crescimento de franquias	> Expansão mundial das redes de restaurantes de *fast-food*	> Desafio de manter padrões de serviço consistentes por todo o mundo sem deixar de se adaptar às preferências alimentares e culturas locais
> Ênfase no marketing por organizações sem fins lucrativos	> Os museus buscam expandir seu público e gerar revisitas mais frequentes, o que deve servir de exemplo para as instituições brasileiras desses setores	> Levantamento de fundos para melhorar as instalações; acréscimo de novos serviços de geração de receita, como restaurantes e locação de espaço

Avanços em tecnologia da informação	Exemplo	Impacto sobre a economia de serviços
> Crescimento da Internet	> Informações na ponta dos dedos dos clientes, tornando-os mais bem informados	> Criação de novos serviços que reúnam as várias fontes de informações e que as recombinem de modo a oferecer valor aos clientes
> Maior largura de banda	> Permite a entrega de conteúdo educacional sofisticado e interativo	> Processos de entrega de serviços precisam ser replanejados
> Equipamento móvel compacto	> Telefones celulares 3G que integram muitas funções de alta tecnologia	> Serviços avançados de marketing e manutenção necessários
> Redes sem fio	> Shoppings, cafeterias e hotéis fornecem esse serviço (gratuito ou pago) para atrair clientes	> Espera-se que mais empresas físicas ofereçam benefícios semelhantes para se manterem competitivas
> Softwares mais rápidos e potentes	> Desenvolvimento de software customizado por empresas de consultoria especializada, como a Infosys	> Aumento do treinamento de engenheiros de software para desenvolver pacotes de serviços em vez de serviços fragmentados
> Digitalização de textos, gráficos, áudio e vídeo	> Provedores de serviços de download on-line	> Necessidade de os provedores de serviço investirem na manutenção de um site seguro e confiável, com garantia de arquivos livres de vírus para download

Globalização	Exemplo	Impacto sobre a economia de serviços
> Mais empresas operando em bases transnacionais	> Multinacionais, como bancos e auditorias "Big 4" (as quatro maiores internacionais), possuem inúmeras operações ao redor do mundo	> Aumento do escopo do serviço a ser fornecido; treinamento da equipe sobre os mercados locais para aprimorar suas habilidades, competências e padrões de atendimento
> Aumento no número de viagens internacionais	> Mais serviços oferecidos para mais localidades; novas opções de viagem para negócios e lazer	> Mais serviços oferecidos por companhias aéreas, barcos e navios de cruzeiro, excursões de ônibus e trens internacionais levam ao acirramento da concorrência
> Fusões e alianças internacionais	> Fusão entre companhias aéreas internacionais (como Lan Chile e TAM), bancos, seguradores etc.	> Maior alavancagem de mercado e eficiência operacional, mas a consolidação pode acarretar perda de empregos
> *Offshoring* do atendimento ao cliente	> Operações de *call center* transferidas para Índia, Filipinas etc.	> Investimento em tecnologia e infraestrutura estimula as economias locais, eleva o padrão de vida e atrai setores correlacionados
> Concorrentes estrangeiros invadem mercados domésticos	> Bancos internacionais, como HSBC e ING, fazem negócios nos Estados Unidos	> Desenvolvimento de rede de filiais pela aquisição de um ou mais bancos regionais; investimento maciço em filiais novas e melhoradas e em canais eletrônicos

Será que os empregos na área de serviços serão perdidos para países onde o custo é mais baixo? A nova tecnologia de comunicações permite que algumas atividades de serviços sejam conduzidas longe de onde estão os clientes. Um estudo da consultoria internacional McKinsey & Co. estimou que 11 por cento dos empregos de serviços no mundo poderiam ser realizados remotamente. Mas, na prática, a McKinsey previu que a porcentagem desses empregos efetivamente transferidos para o exterior será bem mais limitada: somente 1 por cento de todo o índice de emprego de serviços nos países desenvolvidos em 2008.[14] É evidente que mesmo a perda de uma porcentagem tão pequena afetará grande número de trabalhadores, incluindo alguns profissionais muito bem remunerados, cujo trabalho pode ser executado de modo mais econômico por, digamos, engenheiros altamente qualificados na Índia.[15]

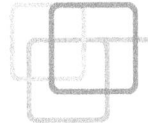

O que são serviços?

Até aqui nossa discussão sobre serviços focou os diferentes tipos de setor da área. Mas chegou a hora de perguntar: o que é exatamente um *serviço*?

A visão histórica

As tentativas de descrever e definir serviços remontam a mais de dois séculos. No final do século XVIII e início do século XIX, os economistas clássicos concentraram-se na criação e propriedade da riqueza. Eles argumentavam que os bens (inicialmente referidos como *commodities*) eram objetos de valor que podiam ter direitos de propriedade estabelecidos e intercambiados. A propriedade implicava a posse tangível de um objeto adquirido por meio de compra, escambo ou doação do produtor ou antigo proprietário e legalmente identificável como uma propriedade do atual dono.

O famoso livro de Adam Smith, *A riqueza das nações*, publicado na Grã Bretanha em 1776, fez a distinção entre produtos daquilo que ele denominou trabalho "produtivo" e "improdutivo".[16] Segundo Smith, o primeiro gerava bens que podiam ser armazenados após a produção para posterior troca por dinheiro ou outros itens de valor. Por outro lado, o trabalho improdutivo, por mais "honroso, (...) útil ou (...) necessário" que fosse, criava serviços que *pereciam* no momento da produção e, portanto, não contribuíam para a riqueza. Ou seja, reconhecia como riqueza apenas o que permanecia como posse. Desenvolvendo esse tema, o economista francês Jean-Baptiste Say argumentou que a produção e o consumo eram inseparáveis nos serviços, cunhando o termo "produtos imateriais" para descrevê-los.[17]

Atualmente sabemos que, dentro de certas condições, a produção e o consumo são realmente *separáveis* para muitos serviços (como no caso de lavanderia, jardinagem e previsão do tempo) e que nem todos os serviços executados são perecíveis (como no caso de filmagem de shows e eventos esportivos). De modo bastante significativo, muitos serviços destinam-se a criar *valor durável* para seus destinatários (sua própria educação ilustra esse ponto!). Contudo, a distinção entre propriedade e *não propriedade*, que discutiremos na próxima seção, permanece válida, enfatizada por diversos renomados estudiosos do marketing de serviços.[18]

Uma nova perspectiva: benefícios sem propriedade

Suponha que, no fim de semana passado, você tenha se hospedado em um hotel, consultado um ortopedista por causa de um joelho machucado ou assistido a um espetáculo. Naturalmente, nenhuma dessas compras resultou na efetiva propriedade de qualquer desses serviços. Mas, se não recebeu uma transferência de posse na última vez que adquiriu um serviço, o que afinal você comprou? O que você obteve de tangível em troca de seu dinheiro, tempo e esforço? Quais são, ou foram, os benefícios? Quais problemas o serviço ajudou a resolver? Em resumo: onde está o valor?

Christopher Lovelock e Ever Gummesson argumentam que os serviços envolvem uma forma de *locação* por meio da qual os consumidores podem obter benefícios.[19] Os clientes valorizam experiências e soluções desejadas e estão dispostos a pagar por elas. Usamos o termo *locação* como uma forma genérica de denotar o pagamento efetuado para usar ou acessar algo — geralmente por um período de tempo predeterminado — em vez de comprá-lo diretamente. Não se pode possuir uma pessoa, mas é possível alugar seu trabalho e sua experiência.

Pagar pelo uso temporário de um objeto ou pelo acesso a uma instalação física constitui um modo de os consumidores usufruírem de itens que não podem comprar, que não se justifica que comprem ou que preferem não adquirir e após o uso deixar guardado. Hoje existem diversas empresas no Brasil que alugam bens de luxo, desde bolsas e roupas a carros e iates, o que os torna muito mais acessíveis aos consumidores. A carioca BoBags, por exemplo, é especializada no aluguel de bolsas de luxo. Além disso, alugar — sob taxas de acesso ou uso — possibilita participar de sistemas de rede que os indivíduos e a maior parte das organizações possivelmente não teriam condições financeiras de possuir ou operar sozinhos. A maioria das pessoas não deseja possuir uma máquina profissional de café expresso, por exemplo, e prefere dirigir-se a uma cafeteria quando deseja tomar um expresso, com vantagens adicionais: a bebida é preparada da maneira correta por um profissional e servida em ambiente especial; não é necessário preocupar-se com o estoque de grãos ou pó torrado, nem com as xícaras etc.

Podemos identificar cinco amplas categorias no âmbito da estrutura de não propriedade:

- *Serviços de locação de bens.* Esses serviços permitem aos consumidores obter o direito temporário de usar um bem físico que eles preferem não possuir. Exemplos: barcos, trajes a rigor e colhedeiras de grãos.

- *Locação de espaços e locais delimitados.* Nesse caso, os consumidores obtêm o uso de uma porção delimitada de um espaço maior em um prédio, em um veículo ou em uma área. Exemplos: um conjunto em um prédio comercial, um assento em um avião ou uma mesa em um restaurante. Normalmente, designa-se o espaço em si como localização, mas seu propósito pode variar amplamente. Em outras palavras, alugar um espaço pode ser um fim em si mesmo (como um contêiner em um armazém), ou simplesmente um meio para atingir um fim (como uma mesa em um restaurante ou a poltrona em um teatro).

- *Locação de mão de obra e experiência.* Os consumidores contratam outras pessoas para executar um trabalho que optam por não fazer eles mesmos (por exemplo, limpar a casa) ou são incapazes de executar por falta de experiência, ferramentas ou habilidades necessárias. Em muitos casos, os clientes podem efetivamente alugar os serviços de uma equipe inteira (como em um conserto de carro, uma cirurgia e uma consultoria em gestão).

- *Acesso a ambientes físicos compartilhados.* Esses ambientes podem localizar-se interna ou externamente — ou ser uma combinação de ambos. Podemos citar como exemplos museus, parques temáticos, feiras comerciais, ginásios, *resorts*, campos de golfe e rodovias pedagiadas. Em troca de uma taxa, os consumidores alugam o direito de compartilhar o uso do ambiente com outros clientes.

- *Acesso a sistemas e redes e seu uso.* Nesse caso, os consumidores alugam o direito de participar de uma rede específica, como de telecomunicações, serviços públicos, bancos, seguros ou serviços especializados de informações. Com frequência, os provedores de serviços criam um verdadeiro menu de termos para acesso e utilização em resposta às diversas necessidades dos clientes e suas diferentes capacidades de pagamento.

Em muitos casos, duas ou mais dessas categorias podem ser combinadas. Ao tomar um táxi, você estará alugando tanto um motorista quanto um veículo. Ao passar por uma cirurgia, estará, na realidade, alugando uma equipe qualificada de profissionais médicos, liderados por um cirurgião, além de locar o uso temporário (mas exclusivo) de equipamento especializado em uma sala de cirurgia em um hospital ou em uma clínica.

Definindo serviços

Os serviços cobrem um vasto leque de atividades diferentes e, com frequência, bastante complexas, que os tornam difíceis de definir.[20] Originalmente, a palavra *serviço* era associada ao trabalho que os servos faziam para seus mestres. Com o tempo, uma associação mais ampla surgiu, corporificada na definição do dicionário como "a ação de servir, ajudar ou beneficiar; conduzir para o bem-estar ou a vantagem de outro".[21] As primeiras definições do marketing para os serviços contrastavam-os com os bens e descreviam os serviços como "ações, feitos, desempenhos ou esforços" e argumentavam que eles possuíam características diversas dos bens — definidos como "artigos, dispositivos, materiais, objetos ou coisas".[22] Nessas definições iniciais, a intangibilidade e a perecibilidade eram as duas características mais citadas para distinguir de modo crucial os serviços dos bens.

No entanto, acreditamos que os serviços devam ser definidos por si mesmos e não em comparação com os bens. Uma definição sucinta e direta, como a frequentemente mencionada "algo que pode ser comprado e vendido, mas não pode ser colocado a seus pés"[23], é divertida e memorável, mas pode não ser tão útil como guia para uma estratégia de marketing. Em vez disso, apresentamos a seguinte definição abrangente:

Definição de serviços

Serviços são atividades econômicas que uma parte oferece a outra. Geralmente baseadas no tempo, seu desempenho traz a seus destinatários os resultados desejados, objetos ou outros ativos pelos quais os compradores têm responsabilidade.

Em troca de dinheiro, tempo e esforço, os consumidores de serviços esperam receber o valor do acesso a bens, mão de obra, habilidades profissionais, instalações, redes e sistemas, mas eles não costumam deter a propriedade de qualquer um dos elementos físicos envolvidos.[24]

Note que definimos serviços como *atividades econômicas* entre duas partes, implicando um intercâmbio de valor entre vendedor e comprador em um mercado. Descrevemos serviços como *desempenho*, que são mais comumente *baseados no tempo*. Enfatizamos que os compradores adquirem serviços porque buscam por *resultados desejados*. Na verdade, muitas empresas explicitamente comercializam seus serviços como "soluções" a necessidades de clientes em potencial. E, por fim, nossa definição ressalta que, embora os consumidores *esperem valor* de suas compras de serviços *em troca de dinheiro, tempo e esforço*, esse valor advém do *acesso a uma variedade de elementos geradores de valor em vez da transferência de propriedade*. (Peças sobressalentes instaladas durante reparos e comida e bebida preparadas em restaurantes estão entre as raras exceções, mas o valor agregado por esses itens é geralmente menor do que aquele dos elementos de serviço que os acompanham. Ainda assim, o valor da competência em escolher a peça para o reparo ou o ingrediente de uma refeição, e da habilidade na sua instalação ou utilização, pode ser maior que o da peça ou ingrediente em si.)

Elementos intangíveis dominam a criação de valor

Quase sempre os serviços incluem elementos tangíveis importantes, como camas de hotéis, refeições em restaurantes, cartões bancários e talões de cheques. Contudo, de acordo com a perspectiva de não propriedade e nossa definição, são os elementos intangíveis — entre eles o trabalho e os conhecimentos técnicos do pessoal de serviço — que dominam a criação de valor em desempenho de serviços. A intangibilidade pode consistir dimensões tanto mentais quanto físicas. A *intangibilidade mental* não pode ser facilmente visualizada e compreendida, ao passo que a *intangibilidade física* não pode ser tocada nem experimentada pelos outros sentidos.[25] Um modo útil de distinguir bens e serviços, sugerido pela primeira vez por Lynn Shostack, é colocá-los em uma escala que vai de dominantemente tangíveis a dominantemente intangíveis (veja a Figura 1.11).[26]

É claro que há alguns produtos potencialmente ambíguos quando nos aproximamos do centro dessa escala. Um teste econômico sugerido para determinar se um produto deve ser considerado um bem ou um serviço é verificar se mais da metade de seu valor vem de elementos de serviço.[27] Em um restaurante de serviços completos, por exemplo, o custo do alimento em si pode ser responsável por apenas 20 a 30 por cento do preço da refeição. A maior parte do valor agregado vem da preparação e do cozimento dos alimentos, do serviço à mesa, do ambiente do restaurante e de comodidades como estacionamento, banheiros e chapelaria. A ideia do serviço como desempenho que não pode ser embrulhado e levado conosco está diretamente associada à estrutura de não propriedade. Ao comprar um serviço, raramente os consumidores adquirem a posse dos elementos que criam a maior parte do valor.

Figura 1.11 Valor agregado a bens e serviços por elementos tangíveis em comparação com os intangíveis

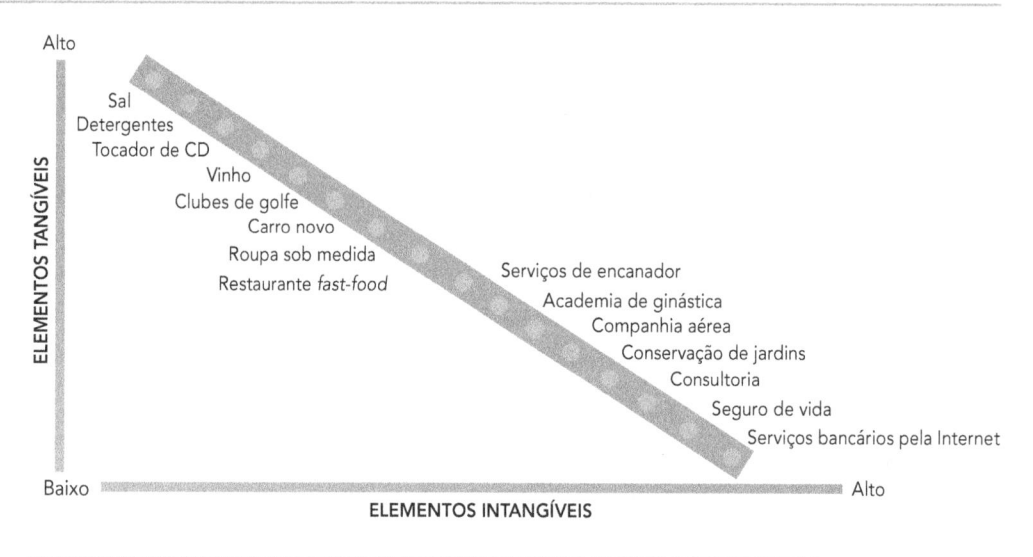

```
ELEMENTOS TANGÍVEIS
Alto
    Sal
    Detergentes
    Tocador de CD
       Vinho
       Clubes de golfe
          Carro novo
          Roupa sob medida
          Restaurante fast-food
                       Serviços de encanador
                          Academia de ginástica
                          Companhia aérea
                          Conservação de jardins
                          Consultoria
                             Seguro de vida
                             Serviços bancários pela Internet
Baixo                                                    Alto
            ELEMENTOS INTANGÍVEIS
```

Produtos de serviços *versus* serviço ao cliente e serviço pós-venda

Com o crescimento da economia de serviços e a ênfase cada vez maior na adição de valor a bens por meio de serviços, a linha entre serviços e manufatura às vezes se torna indistinta. Muitas empresas manufatureiras — da montadora de automóveis Toyota e dos fabricantes de motor de avião GE e Rolls Royce até as indústrias de equipamento de alta tecnologia como IBM e Xerox — estão migrando de forma agressiva para os negócios na área de serviços.[28] Como há muito tempo observou Theodore Levitt, "não existe essa coisa de setor de serviço. Existem apenas setores cujos componentes de serviço são maiores ou menores do que os de outros setores. Todos estão no setor de serviços".[29] Recentemente, Roland Rust sugeriu que as empresas manufatureiras tinham entendido essa mensagem ao observar que "a maioria dos negócios de bens agora se considera primariamente como serviços".[30] Uma visão ainda mais radical foi apresentada por Stephen Vargo e Robert Lusch em seu premiado artigo sobre uma nova mentalidade, a lógica dominante de serviço. Esse conceito sugere que todos os produtos são valorizados pelos serviços que oferecem e que o valor resultante de um bem físico, por exemplo, não é o produto em si, mas o serviço que ele provê durante seu consumo.[31] Não obstante, para um profissional de marketing, é importante esclarecer a distinção entre produto de serviço e o que comumente se denomina serviço ao cliente (ou suporte ao cliente). Todo negócio deve ter uma orientação de serviço ao cliente, mas nem todo negócio comercializa o que os dados da NAICS categorizam como um produto de serviço. O produto de serviço engloba a oferta total que entrega a solução para a necessidade do cliente. Nesse sentido, usamos a palavra "produto" de forma abrangente para soluções por meio de bens ou de serviços, não restringindo apenas a bens físicos um conceito que deriva da cultura de produção. O produto de serviço, portanto, é um produto, na medida em que entrega a solução, e é de serviço, porque nessa solução predomina a componente serviço ou intangível, em relação à componente física ou tangível.

Neste livro, descrevemos as ofertas de marketing divididas em elementos de *produto principal* e elementos de *serviço suplementar* — aquelas atividades ou comodidades que facilitam e intensificam o uso da oferta principal. Fazemos uma clara distinção entre *marketing de serviços* — quando um serviço é o produto principal — e *marketing por meio de serviços*, quando serviços são oferecidos como parte de uma oferta, para aumentar seu valor percebido pelo cliente. Certamente, um bom serviço, em geral, ajuda a vender um bem físico e até a torná-lo mais útil — e, por conseguinte, mais valioso — ao comprador. Muitas empresas nos setores manufatureiro, agrícola, de recursos naturais ou de construção passaram a basear suas estratégias de marketing em uma filosofia de servir bem aos clientes e agregar elementos de serviço suplementar ao produto principal. Entretanto, esse produto principal continua sendo um bem físico (um termo que utilizamos aqui de modo a abranger estruturas e *commodities*), quando o objetivo do marketing é vender o item e transferir sua propriedade. Os serviços suplementares podem incluir consultoria, serviços financeiros, remessa, instalação, customização, treinamento, manutenção, atualizações, remoção e descarte ambientalmente responsável. Esses serviços podem ser oferecidos 'gratuitamente' (isto é, o custo é embutido no preço da compra inicial do produto) ou cobrados à parte.

Muitas empresas deixaram de meramente embutir serviços suplementares a seus produtos de serviços e passaram a reformular e intensificar certos elementos de modo que possam ser comercializados como serviços independentes (veja o exemplo da TAM na Figura 1.12). Nesse caso, a empresa pode visar novos clientes que nunca compraram seus produtos de serviços — e podem até nem ter interesse em fazê-lo. A TAM, fundada pelo lendário comandante Rolim Amaro, estendeu seu portfólio de serviços a partir da oferta básica de transporte aéreo de passageiros e cargas e tornou-se a principal empresa brasileira do setor, com cerca de 42 por cento de participação de mercado, seguida de perto pela GOL. A TAM diversificou suas atividades com a operadora TAM Turismo, de modo que hoje parte de sua receita provém de viagens de ônibus e barcos. A empresa cogita também participar da gestão de aeroportos, não pela aquisição, mas na governança, e aguarda a definição do governo de seu modelo de expansão de aeroportos para investir no setor. Seu Centro Tecnológico em São Carlos está certificado pelas autoridades aeronáuticas do Brasil, Chile e Europa a prestar serviços de manutenção em grandes aeronaves, como os Airbus e Fokkers, para outras empresas do setor.

À medida que sua experiência aumenta, uma empresa pode agregar novos serviços e deixar de apenas acoplar serviços suplementares a seus produtos físicos e passar a comercializar certos elementos como serviços independentes.[32] A IBM, antigamente conhecida sobretudo como fabricante de computadores e equipamentos de escritório, atualmente oferece quatro grupos principais de serviços como parte dos Serviços Globais IBM: terceirização estratégica, consultoria de negócios, serviços integrados de tecnologia e manutenção. Outra história de sucesso é a da Rolls-Royce, apresentada na seção Melhor prática em ação 1.1.

Verificaremos que a mesma distinção entre serviço ao cliente e produtos de serviços existe para bens de consumo, sobretudo os duráveis. Compradores de um carro de luxo, como o Lexus da Toyota, recebem não somente excelente cobertura em termos de garantia, mas também um nível excepcional de serviço do revendedor, um franqueado que administra um negócio de serviços. Contudo, automóveis são produtos manufaturados e é preciso distinguir entre o marketing desses produtos no momento da venda e o marketing de serviços pelo qual os clientes pagarão para manter o carro em bom estado de funcionamento durante vários anos após a venda. Os revendedores do Lexus não concorrem com os da Jaguar ou da BMW por venda de serviços; em vez disso, competem com as melhores oficinas independentes que, além de oferecer excelente serviço de conserto e manutenção, também podem estar mais bem localizadas em relação às residências ou aos escritórios de muitos proprietários de Lexus.

Figura 1.12 A TAM oferece serviços de manutenção e suporte, além dos de transporte, por meio de seu Centro Tecnológico, em São Carlos, SP

Melhor prática em ação 1.1

A Rolls-Royce vende potência por hora

A Rolls-Royce prosperou ao buscar incansavelmente a inovação técnica e a fabricação de motores de avião de classe mundial — os motores da empresa equipam cerca de metade das versões mais recentes de jatos de passageiros *wide-body* (de corredor duplo) e um quarto de todas as aeronaves *single-aisle* (de corredor único). Um ingrediente crucial para seu sucesso foi migrar da fabricação para a venda de "potência por hora" — uma oferta complexa de serviços e manufatura que mantém os motores de seus clientes tinindo.

Imagine a seguinte situação: sobrevoando o Pacífico, passageiros cochilam em um voo longo de Tóquio a Los Angeles. De repente, um raio corta o ar. Aqueles que acordaram assustados com o clarão logo voltarão a se recostar em suas poltronas e sonhar. Mas, no outro lado do mundo, em Derby na Inglaterra, engenheiros da Rolls-Royce estão alvoroçados. Relâmpagos sobre jatos são comuns e normalmente inofensivos, mas esse provocou um solavanco em um dos motores. O avião aterrissará com segurança e o faria mesmo com um de seus motores parado. A questão é se ele necessitará de uma inspeção completa de motor em Los Angeles, o que seria uma prática normal, porém causaria incômodo a centenas de passageiros aguardando na sala de embarque.

Em casos como esse, uma profusão de dados é enviada do avião para Derby. Números enchem as telas, gráficos são traçados e engenheiros coçam a cabeça. Antes da aterrissagem, vem a notícia de que o motor está funcionando normalmente e a aeronave pode pousar de acordo com o cronograma.

Especialistas do setor estimam que os fabricantes de motores a jato possam faturar sete vezes mais com a prestação de serviços e a venda de peças sobressalentes do que com a venda dos motores. Essas gordas receitas atraíram uma multidão de empresas de serviços independentes, que podem oferecer peças avulsas por um terço do preço cobrado pelos fabricantes originais. É por isso que a Rolls-Royce integrou sua tecnologia ao serviço, dificultando aos concorrentes roubar seus clientes. Em vez de vender motores e mais tarde peças e serviços, a empresa criou um pacote atrativo, batizado de TotalCare®, que cobra por hora o uso do motor. Seu site anuncia que essa solução assegura "paz de espírito" enquanto durar o motor. A Rolls-Royce promete fazer a manutenção do motor e substituí-lo em caso de quebra. A sala de operações em Derby monitora continuamente o desempenho de aproximadamente 3.500 motores, permitindo à empresa prever quando pode ocorrer uma falha nos motores e, dessa forma, possibilitando às companhias aéreas agendar trocas de motor com eficiência e redução de reparos e passageiros insatisfeitos. Atualmente, cerca de 80 por cento dos motores vendidos são cobertos por esse tipo de contrato!

Fontes: The Economist, "Briefing Rolls-Royce. Britain's lonely high flyer", 10 jan. 2009, p. 58-60. Disponível em: <www.rolls-royce.com>. Acesso em: 03 abr. 2009.

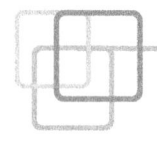

Quatro amplas categorias de serviços – uma perspectiva de processo

Mesmo que aceitemos que os serviços se caracterizam por não envolver uma transferência de propriedade, grandes diferenças persistirão entre os tipos de serviços, dependendo daquilo que está sendo processado. Em serviços, podem ser processadas pessoas, objetos físicos e informações, e a natureza do processamento pode ser tangível ou intangível. As ações tangíveis impactam o corpo das pessoas ou suas posses físicas. As intangíveis ocorrem na mente das pessoas ou envolvem seus ativos intangíveis. Isso permite a classificação dos serviços em quatro amplas categorias com base em processos: processamento de pessoas, processamento de posses, processamento de estímulo mental e processamento de informações (Figura 1.13).[33] Embora os setores pertencentes a cada categoria possam parecer muito diferentes, a análise mostrará que eles, na verdade, compartilham importantes características relacionadas a processo. O resultado é que gerentes de diferentes setores pertencentes à mesma categoria podem obter percepções úteis, estudando um ao outro e criando, então, inovações valorizadas para sua própria organização. Vamos examinar por que esses quatro tipos de processos muitas vezes têm implicações distintas para estratégias de marketing, de operações e de recursos humanos.

Figura 1.13 — Quatro categorias de serviços

Qual é a natureza do ato de serviço?	Quem ou o que recebe diretamente o serviço?	
	Pessoas	**Posses**
Ações tangíveis	**Processamento de pessoas** (serviços dirigidos ao corpo das pessoas) • Transporte de passageiros, hospedagem • Serviços de saúde	**Processamento de posses** (serviços dirigidos às posses físicas) • Transporte de cargas, reparos e manutenção • Lavanderia convencional e a seco
Ações intangíveis	**Processamento de estímulo mental** (serviços dirigidos à mente das pessoas) • Educação • Propaganda/Relações Públicas • Psicoterapia	**Processamento de informações** (serviços dirigidos a ativos intangíveis) • Contabilidade • Serviços bancários • Assessoria jurídica

Processamento de pessoas

Desde os tempos antigos, pessoas procuram serviços para si mesmas: serviços que as ajudem com questões como transporte, alimentação, acomodação, saúde ou beleza. Para recebê-los, os clientes devem participar fisicamente do sistema de serviços. Como fazem parte integral do processo, eles não podem obter os benefícios que desejam tratando a distância com fornecedores. Em suma, devem adentrar uma *fábrica de serviços*, um local físico em que pessoas ou máquinas (ou ambos) criam e entregam benefícios de serviços aos clientes. É claro que há casos em que os prestadores de serviço se dispõem a ir até o consumidor, levando as ferramentas de seu ofício necessárias para produzir os benefícios desejados no local de preferência do cliente.

Os consumidores que buscam os benefícios de um serviço de processamento de pessoas devem estar preparados para cooperar ativamente com a operação do serviço, seja interagindo com o prestador para especificar o que deseja, seja movendo seu corpo para receber melhor o serviço. Por exemplo, quem quiser fazer as unhas deve colaborar com a manicure especificando o que deseja, sentar-se quieto e estender uma mão por vez quando solicitado. Quem precisar de um exame de vista deve submeter-se a uma série de testes e, para os de verificação da acuidade visual, deve repetir o que enxerga em um quadro.

O nível de envolvimento requerido dos clientes em serviços de processamento de pessoas varia muito, desde pegar um ônibus municipal para uma viagem curta até passar por uma longa bateria de tratamentos em um hospital. Entre esses extremos, há atividades como fazer o pedido e servir-se de uma refeição; lavar, cortar e pentear os cabelos e hospedar-se por algumas noites em um hotel. O resultado desses serviços (após um período de tempo que pode variar de minutos a meses) é um cliente que chegou a seu destino ou que ostenta um corte de cabelo novo e moderno, que dormiu bem fora de casa ou está gozando de melhor saúde.

É importante que os gerentes pensem em processos e resultados em termos do que acontece com o cliente. Refletir sobre o processo de serviço em si ajuda a identificar quais benefícios estão sendo criados em cada ponto, além dos custos não financeiros, nos quais os clientes incorrem no tocante a tempo, esforço físico e mental e até medo e dor.

Processamento de posses

Muitas vezes, clientes solicitam a uma organização de serviços que forneça tratamento a uma posse física, que pode ser uma casa invadida por insetos, um jardim descuidado, um elevador quebrado, um pacote a ser enviado para outra cidade, roupas sujas ou até mesmo um cão doente.

Muitas dessas atividades são operações de quase manufatura e não envolvem produção e consumo simultâneos. Exemplos disso são: limpeza, manutenção, armazenagem, melhoria ou reparo de objetos físicos — sejam eles vivos ou inanimados — que pertencem ao cliente, visando ampliar sua vida útil. Outros serviços de processamento de posse incluem transporte e armazenagem de bens; distribuição por atacado ou varejo e instalação, remoção e descarte de equipamentos — em suma, toda a cadeia de valor agregado de atividades que podem ocorrer durante o ciclo de vida do objeto em questão.

Os clientes envolvem-se menos fisicamente nesse tipo de serviço do que nos de processamentos de pessoas. Considere a diferença entre o transporte de passageiros e o de carga. No primeiro caso, você tem de fazer todo o percurso para obter o benefício de se deslocar de um local para outro. Entretanto, no caso de um pacote, você o coloca em uma caixa postal ou o despacha em uma agência de correio (ou ainda solicita que um serviço de entrega expressa retire-o em sua casa ou escritório) e aguarda até que seja entregue ao destinatário.

Na maior parte dos serviços de processamento de posses, o envolvimento do cliente normalmente se limita a levar ou a entregar o item que precisa de tratamento, requisitar o serviço, explicar o problema e retornar mais tarde para apanhá-lo e pagar a conta. Nesses casos, a produção e o consumo podem ser descritos como *separáveis*. Entretanto, em outros, o cliente pode preferir estar presente durante a entrega do serviço, talvez disposto a supervisionar o corte da grama ou o conforto do cãozinho da família enquanto recebe uma injeção na clínica veterinária (Figura 1.14).

Processamento de estímulo mental

Entre os serviços que interagem com a mente das pessoas estão educação, notícias e informações, consultoria profissional, psicoterapia, entretenimento e certas práticas religiosas. Qualquer coisa que toque a mente das pessoas tem o poder de moldar atitudes e influenciar comportamentos. Não basta estar presente e fazer alguns movimentos mecânicos, é necessário que haja um esforço cognitivo por parte do cliente. Nesses casos, eles podem estar em uma posição de dependência ou pode existir potencial para manipulação de suas atitudes e comportamentos, sendo então exigidos padrões éticos rígidos e monitoração cuidadosa. Da parte do cliente, receber esses serviços requer um investimento de tempo e certo

Figura 1.14 Uma manutenção veicular é um serviço de processamento de posses, geralmente com limitado envolvimento do cliente

grau de esforço mental, uma vez que é preciso participar ativamente para que o serviço seja efetivado. Contudo, esse cliente não precisa necessariamente estar presente em uma fábrica de serviços — basta que esteja em comunicação mental com a informação que está sendo apresentada. Aqui, há um contraste interessante com os serviços de processamento de pessoas: embora os passageiros possam dormir durante um voo e, ainda assim, obter o benefício de chegar ao destino desejado, um estudante que adormece durante uma aula não terá, ao final, mais conhecimento do que o que tinha no início!

Serviços como entretenimento e educação quase sempre são criados em um lugar e transmitidos por TV, rádio ou Internet, ou impressos em livros e revistas, e distribuídos a clientes individuais em locais distantes. Contudo, também podem ser entregues pessoalmente a grupos de clientes em locais como auditórios ou salas de conferência. É fácil reconhecer que a experiência de assistir a um concerto ao vivo pela televisão não é a mesma que assistir a ele em uma sala de concertos e na companhia de centenas, ou até milhares, de pessoas. Os gerentes de salas de concertos enfrentam muitos dos mesmos desafios de seus colegas que prestam serviços de processamento de pessoas. De modo análogo, participar de uma aula interativa por TV a cabo carece da intimidade de debates entre pessoas em uma mesma sala, obrigando o gestor a buscar outras estratégias para suprir essa carência.

Como o conteúdo principal de todos os serviços dessa categoria baseia-se em informações (seja música, texto, voz ou imagens visuais), tais serviços podem ser facilmente convertidos para formato digital ou analógico, gravados para reprodução subsequente ou transformados em um produto manufaturado, como um CD ou DVD, que podem ser então empacotados e comercializados como qualquer outro bem, embora com perda parcial da experiência do serviço. Por exemplo, um concerto pode ser assistido ao vivo, visto ou ouvido ao vivo, gravado pela TV ou vendido como gravação digital. Os serviços dessa categoria podem ser 'estocados' para consumo posterior; na realidade, a mesma apresentação pode ser consumida repetidas vezes. Para alguns clientes, comprar um vídeo educacional para assistir em casa pode ser uma solução mais conveniente do que fazer um curso. Cada vez mais, os consumidores podem fazer download de conteúdo eletrônico, por meio de seus computadores ou telefones celulares, recorrendo a fornecedores como a loja virtual de música e vídeo da Apple.

Processamento de informações

O processamento de informações foi revolucionado pela tecnologia da informação, mas nem toda informação é processada por máquinas. Profissionais de uma ampla variedade de campos também usam seus cérebros para processar e acumular informações. Estas constituem a forma mais intangível de serviço, mas elas podem ser transformadas em formas mais duradouras e tangíveis, representadas por cartas, relatórios, planos, CD-ROMs ou DVDs, embora muito de sua intangibilidade ainda permaneça. Entre os serviços que dependem intensamente da coleta e do processamento eficazes de informação estão serviços financeiros e profissionais, como contabilidade, assistência jurídica, pesquisa de mercado, consultoria em gerenciamento e diagnóstico médico.

A linha divisória entre o processamento de informações e o processamento de estímulo mental pode ser vaga. Por exemplo, um corretor de ações pode usar uma análise das transações de um cliente para recomendar o tipo mais apropriado de estratégia de investimentos futuros. Ele estaria analisando dados, que é o processamento de informações, para oferecer orientações, que é o processamento mental. O mesmo ocorre com um advogado para assuntos corporativos, que pode identificar padrões isolados que representam riscos jurídicos a seus clientes e alertá-los conforme o caso. E pesquisadores de mercado podem enxergar oportunidades de publicar *insights* úteis que obtiveram ao estudar as tendências ao longo do tempo. Para simplificar, com frequência combinaremos nossa discussão sobre serviços de processamento de estímulo mental com os de processamento de informações sob o termo *guarda-chuva* de *serviços baseados em informações*.

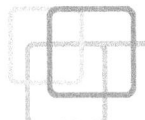

Serviços trazem desafios distintos de marketing

Os conceitos e as práticas de marketing desenvolvidos em empresas manufatureiras são diretamente transferíveis às organizações de serviços em que não há transferência de propriedade? Em geral, a resposta é 'não'. O envolvimento de pessoas prestando e recebendo serviços aumenta o grau de complexidade da gestão, exigindo um novo paradigma. A Tabela 1.3 relaciona oito diferenças comuns entre serviços e bens. Juntas, elas fazem as tarefas de gestão de marketing no setor de serviços serem distintas daquelas do setor manufatureiro em vários aspectos relevantes. É importante reconhecer que essas diferenças, como generalizações úteis, *não se aplicam igualmente a todos os serviços*. Na realidade, existem grandes diferenças entre as quatro categorias de serviços que discutimos na seção anterior. Por exemplo, as pessoas tendem a fazer parte da experiência do serviço somente se o consumidor tiver contato com a equipe de atendimento, o que costuma ser o caso dos serviços de processamento de pessoas, mas não de muitas transações de serviço de processamento de informações, como serviços bancários on-line. Você perceberá isso quando tratarmos do composto de marketing para serviços mais adiante neste capítulo e no decorrer do livro.

Os 7Ps do composto de marketing de serviços

Quando discutem estratégias de marketing de bens manufaturados, profissionais de marketing geralmente abordam quatro conjuntos de elementos estratégicos básicos: produto, preço, praça (ou distribuição) e promoção (ou comunicação). Juntos, esses quatro elementos são conhecidos como os 4 Ps do composto de marketing.[34] Como indica a Tabela 1.3, a natureza dos serviços acarreta desafios de marketing distintos. Dessa forma, os 4 Ps do marketing, da forma como foram desenvolvidos para bens, não são adequados para lidar com questões decorrentes do marketing de serviços e devem ser adaptados e ampliados. Por isso, revisitaremos os tradicionais 4 Ps do composto de marketing neste livro, visando focar questões específicas de serviços. Eles se tornarão mais complexos, para abranger a maior complexidade que as características dos serviços, em particular sua intangibilidade, implicam.

Além disso, o tradicional composto de marketing não abrange a administração da interface com os clientes. Em consequência, precisamos ampliar o composto, acrescentando três novos elementos associados à entrega de serviços: processos, ambiente físico ("P" de *physical environment*, em inglês) e pessoas.[35] Passamos então a considerar sete elementos que, denominados coletivamente como os 7 Ps do composto de marketing de serviços, englobam o conjunto de variáveis que representam as decisões gerenciais de marketing necessárias para criar estratégias viáveis, voltadas ao atendimento das necessidades dos clientes de modo lucrativo em um mercado competitivo. Pode-se pensar nesses elementos como as sete alavancas do marketing de serviços. Cada uma delas deve ser alinhada adequadamente para que sejam atingidos os objetivos estratégicos de marketing da empresa. Vamos analisar brevemente cada um dos 7 Ps.

Tabela 1.3 Implicações gerenciais de oito características comuns dos serviços

Diferenças	Implicações	Tópicos relacionados a marketing
> A maioria dos serviços não pode ser estocada	> Clientes podem ser recusados ou ter de esperar	> Demanda regulada por meio de promoções, preços dinâmicos e reservas > Trabalhar com operações para ajustar a capacidade
> Elementos intangíveis geralmente dominam a criação de valor	> Clientes não podem provar, cheirar nem tocar esses elementos e podem não ser capazes de enxergar ou ouvi-los > Mais difícil avaliar o serviço e distingui-lo em relação à concorrência	> Tornar os serviços tangíveis por meio de ênfase nos atributos físicos > Empregar metáforas concretas e imagens vívidas em anúncios e marcas

> Serviços são normalmente difíceis de visualizar e compreender	> Clientes percebem maior risco e incerteza	> Educar os clientes para fazerem boas escolhas, explicar pelo que devem procurar, documentar desempenho, oferecer garantias
> Clientes podem ser envolvidos na coprodução	> Clientes interagem com equipamentos, instalações e sistemas do fornecedor > Má execução da tarefa pelos clientes pode prejudicar a produtividade, estragar a experiência do serviço e restringir benefícios	> Desenvolver equipamentos amigáveis a usuários, instalações e sistemas > Treinar clientes para executar com eficiência; oferecer suporte ao cliente
> As pessoas podem fazer parte da experiência do serviço	> Aparência, atitude e comportamento da equipe de atendimento e de outros clientes podem modelar a experiência e afetar a satisfação	> Recrutar, treinar e recompensar funcionários, para reforçar o conceito de serviço planejado > Encontrar o cliente certo na hora certa define o seu comportamento
> Insumos e produtos operacionais tendem a variar de modo mais amplo	> Mais difícil manter consistência, confiabilidade e qualidade de serviço ou reduzir custos por meio de maior produtividade > Difícil proteger os clientes das consequências de falhas de serviço	> Estabelecer padrões de qualidade com base nas expectativas dos clientes; redesenhar elementos de produtos para simplificar e deixá-los à prova de falhas > Instituir bons procedimentos de reparação de serviços > Automatizar as interações cliente-fornecedor; executar trabalho enquanto os clientes estão ausentes
> Fator tempo geralmente assume grande importância	> Clientes consideram o tempo um recurso escasso que deve ser usado com sabedoria; detestam perder tempo esperando, desejam ser atendidos em horários que lhes sejam convenientes	> Encontrar meios de competir em agilidade de entrega, minimizar o ônus da espera, oferecer horário de funcionamento ampliado
> Distribuição pode ocorrer por meio de canais não físicos	> Serviços baseados em informações podem ser entregues por meio de canais eletrônicos, como a Internet ou telecomunicações por voz, mas não os produtos principais que envolvem atividades ou produtos físicos	> Buscar criar sites amigáveis e seguros ao usuário e livre acesso por telefone > Assegurar o download pelo site de todos os elementos de serviços baseados em informações

O tradicional composto de marketing aplicado aos serviços

Elementos do produto

Os serviços estão no centro da estratégia de marketing de uma empresa. Se um produto for mal projetado, não criará valor significativo aos clientes, mesmo que o restante dos 7 Ps seja bem executado. O planejamento do composto de marketing começa com a criação de um conceito de serviço que oferecerá valor para segmentar os consumidores e satisfazer melhor suas necessidades do que as alternativas concorrentes. A transformação desse conceito em realidade envolve a formação de um agrupamento (ou *cluster*) de elementos diferentes, mas mutuamente reforçadores. Os serviços consistem de (1) um produto principal que atenda à necessidade básica dos consumidores e (2) um leque de elementos de serviço suplementar que reforce mutuamente as melhorias de valor agregado que ajudarão os clientes a usarem o produto principal de forma mais eficaz.

Lugar (praça) e hora

A distribuição de um serviço pode envolver canais físicos ou eletrônicos, ou ambos, dependendo da natureza do serviço fornecido (veja Tabela 1.3). Atualmente, por exemplo, os bancos oferecem aos clientes opções de canais de distribuição, como ir a uma agência, usar a rede de caixas eletrônicos, fazer negócios por telefone ou realizar transações bancárias pela Internet. Muitos serviços baseados em informações podem ser entregues quase instantaneamente a qualquer lugar do mundo que tenha acesso à Internet. Além disso, as empresas podem entregar serviços aos clientes diretamente ou por meio de organizações intermediárias, como lojas de varejo, que recebem uma comissão ou uma porcentagem sobre o preço de venda para realizar certas tarefas associadas a vendas, serviços e contato com clientes. Para entregar os elementos de um serviço aos clientes, decisões precisam ser tomadas sobre onde e quando, bem como sobre os métodos e canais utilizados.[36]

Distribuição de serviços principais *versus* suplementares. A Internet está remodelando a estratégia de distribuição para uma ampla gama de setores. Inicialmente, necessitamos distinguir entre seu potencial de entregar *produtos principais,* baseados em informações (aquelas que atendem aos requisitos primários dos consumidores), e de prover *serviços suplementares,* que facilitam a compra e o uso de bens físicos e ajudam a diferenciar sua oferta da dos concorrentes. Como exemplos do primeiro caso, podemos citar os programas de educação on-line oferecidos pela University of Phoenix, USP, FGV, Ibmec e UNOPAR, e a cobertura de seguro de automóveis da Progressive Casualty Co. e de todas as grandes seguradoras brasileiras que têm parte de seus processos de seguros baseados em site.

Compare esses dois serviços disponíveis pela Internet com o site da Recreational Equipment Inc. (REI) e da Decathlon, renomados fornecedores de equipamentos e roupas especiais para atividades ao ar livre, que possuem diversas lojas físicas pelos Estados Unidos e Brasil, respectivamente. Ao acessar os sites, você poderá saber mais sobre as vantagens e desvantagens dos diferentes acessórios de camping, por exemplo. Da mesma forma, sem sair de casa, e muito menos do país, você pode examinar os itinerários mundiais da British Airways no site da empresa, assim como os da TAM e da GOL, em seus respectivos sites, além de verificar as variações de tarifas de acordo com o horário ou o dia da semana (podem-se encontrar enormes variações em tarifas econômicas de algumas rotas), fazer reserva, indicar necessidades especiais e pagar pelo bilhete eletrônico. Entretanto, em ambos os casos, a entrega do produto principal deve ocorrer por meio de canais físicos. A barraca e o saco de dormir que você comprou da REI serão entregues em sua casa por algum serviço dos Correios ou de seus concorrentes, como UPS ou Fedex (conforme sua escolha), e você terá de ir ao aeroporto pessoalmente para embarcar no voo da GOL. Grande parte da atividade de comércio eletrônico refere-se a serviços suplementares baseados em *transferência de informações e pagamentos relativos a um produto,* em oposição a fazer download do produto principal em si. Ao fazermos uma busca no site do Buscapé (Figura 1.15), por exemplo, encontramos informações sobre diversos fornecedores alternativos e podemos entrar em seus sites para mais detalhes e fechamento da compra. O serviço em si pode ser obtido por meio de outros canais.

O fator tempo com frequência assume grande importância. Agilidade e conveniência de lugar e hora tornaram-se fatores determinantes para uma eficaz distribuição e entrega de serviços (veja Tabela 1.3), além de gerar muitas oportunidades para novos negócios, se você achar maneiras de economizar o tempo de outras pessoas. Muitos serviços são entregues em tempo real, na presença dos clientes. Os consumidores de hoje são os mais sensíveis ao tempo de toda a história, estão sempre com pressa e consideram o desperdício de tempo um custo que deve ser evitado.[37] (Provavelmente, você também pensa assim.) Eles geralmente estão dispostos a pagar mais para poupar tempo ou para apressar a execução de uma tarefa, como pegar um táxi quando um ônibus faz o mesmo percurso. Cada vez mais, clientes ocupados esperam receber um serviço quando lhe for conveniente, e não por conveniência do fornecedor. Quando uma empresa amplia seu horário de funcionamento, seus concorrentes sentem-se obrigados a seguir o exemplo. Nos dias de hoje, um número crescente de serviços está disponível 24 horas por dia, sete dias por semana e por meio dos mais diversos canais de distribuição, incluindo filiais de lojas, máquinas de autosserviço (como os caixas eletrônicos), *call centers* e Internet.

Figura 1.15 Sites podem entregar serviços progressivos de seguros diretamente

Fonte: copyright©2009 Progressive Insurance. Usado com permissão.

Preço e outros desembolsos do usuário

Assim como no caso do valor de um produto, aquele inerente aos pagamentos é fundamental para o papel do marketing na facilitação de uma troca de valores entre uma empresa e seus clientes. Para os fornecedores, a estratégia de preço é o mecanismo financeiro pelo qual a receita é gerada para compensar os custos de prestar o serviço e obter uma margem de lucro. Com frequência, a estratégia de preço é altamente dinâmica, com níveis de preço ajustados ao longo do tempo, de acordo com fatores como tipo de cliente, lugar e hora da entrega, nível de demanda e capacidade disponível, uma vez que esses fatores alteram a percepção de valor de um serviço.

Por outro lado, os clientes consideram o preço parte importante dos custos incorridos para obter os benefícios desejados, mas não o único fator. Para calcular se um serviço em particular entrega o valor percebido e esperado, eles vão além do valor monetário e avaliam os custos relativos a dispêndio de tempo e esforço. Portanto, os profissionais de marketing precisam não só estipular preços que o público-alvo esteja disposto e capacitado a pagar, mas também compreender — e buscar minimizar, sempre que possível — outros desembolsos incômodos que os clientes podem incorrer ao usar o serviço. Esses desembolsos podem incluir custos monetários adicionais (como despesas de deslocamento até um local de serviço), dispêndio de tempo, esforço físico e mental indesejados e exposição a experiências sensoriais negativas.

Muitos produtos e serviços não podem ser estocados. Como serviços envolvem ações e desempenhos, eles são efêmeros — transitórios e perecíveis — e, de modo geral, não podem ser estocados após sua produção (veja Tabela 1.3). Embora instalações, equipamentos e mão de obra possam estar disponíveis para criar o serviço, cada um desses elementos representa capacidade produtiva e não o produto em si. Se não há demanda, a capacidade não usada é perdida, e a empresa perde a oportunidade de criar valor a partir desses ativos. Nos períodos em que a demanda excede a capacidade, clientes podem ser recusados e sentirem-se decepcionados ou ter de esperar até que haja disponibilidade. Uma tarefa-chave para o profissional de marketing de serviço, portanto, é a de encontrar maneiras de suavizar os níveis de demanda para se adequarem à capacidade disponível, por meio de estratégias de apreçamento dinâmico.

Promoção e educação

O que devemos dizer a clientes e consumidores em potencial sobre nossos serviços? Nenhum programa de marketing pode ser bem-sucedido sem comunicações eficazes. Esse componente desempenha três papéis vitais: prover informações e conselhos necessários, persuadir consumidores-alvo quanto aos méritos de um produto específico e incentivá-los a agir em momentos específicos. Em marketing de serviços, grande parte da comunicação é de natureza educacional, especialmente para novos clientes. Os fornecedores devem instruir esses clientes quanto aos benefícios do serviço, onde e como obtê-lo e como participar na coprodução de processos de serviços para que os melhores resultados possam ser obtidos. Comunicações podem ser entregues por indivíduos, como vendedores e pessoal da linha de frente, em sites, nas telas de equipamentos de autosserviço e por meio de várias outras mídias. Ações promocionais — que podem incluir um incentivo financeiro — costumam ser realizadas para estimular compras experimentais instantâneas, acelerando a aceitação ao propiciar familiaridade ou fomentar o consumo quando a demanda está baixa.

Serviços são geralmente difíceis de visualizar e compreender. A intangibilidade é uma das principais características distintivas dos serviços em relação aos bens físicos. Elementos intangíveis como processos, transações pela Internet e experiência, interação e atitude da equipe de atendimento, com frequência, criam o maior valor dos desempenhos de serviços. Uma vez que os consumidores não podem provar, cheirar, tocar nem ouvir esses elementos (por serem fisicamente intangíveis), para eles pode ser mais difícil avaliar antecipadamente as importantes características dos serviços e a qualidade da execução em si (ver Tabela 1.3).

Além disso, muitos serviços podem ser descritos como "mentalmente intangíveis", o que significa que é difícil para os clientes visualizar a experiência antes da compra e compreender o que estão levando. Essa situação pode levá-los a considerar a compra de serviços arriscada. É mais provável que a intangibilidade mental represente um problema (e, desse modo, um risco percebido) para clientes que compram pela primeira vez e carecem de exposição anterior a determinado tipo de serviço;[38] e a falta de pontos de referência pode tornar difícil para os consumidores distinguir os fornecedores concorrentes.

Dessa forma, um papel importante das comunicações de uma empresa de serviços consiste em estabelecer confiança em suas competências pela ênfase de sua reputação e das credenciais e pela experiência de seus funcionários. Nesse caso, o papel dos funcionários de atendimento bem treinados em comunicações é crucial para reduzir o risco percebido da compra, pois esses funcionários podem dar suporte a consumidores em potencial para que estes façam boas escolhas, educá-los sobre o que esperar durante e após a entrega do serviço e ajudá-los a seguir tranquilamente pelo processo de serviço. Documentar o desempenho, explicar o que foi feito e por que e oferecer garantias são meios adicionais de tranquilizar os clientes e reduzir sua ansiedade. No caso de viagens de navio, por exemplo, existe uma variedade muito maior de opções de serviços disponíveis do que em um hotel, e como o cliente passa mais tempo dentro do navio do que passaria em um hotel, a complexidade e a incerteza na escolha são muito maiores. Nesse caso, o papel do agente de viagens também tem maior importância, já que ele deve ser capaz de oferecer informações e detalhes suficientes. O cliente quer muito mais detalhes sobre o cruzeiro do que sobre o hotel, como pormenores do quarto, das opções de lazer, dos horários de alimentação etc. Provavelmente, o cliente não se preocuparia tanto em ver uma foto de seu quarto de hotel quanto gostaria de ver fotos do interior de sua cabine antes de embarcar.

Clientes precisam ser educados sobre a melhor forma de usar um serviço. As empresas de serviços terão muito a ganhar se ajudarem seus clientes a se tornarem mais competentes e produtivos.[39] Os próprios clientes também sairão ganhando. Afinal, se você sabe usar bem um serviço, não só terá melhor experiência e resultado, como também sua maior eficiência poderá impulsionar a produtividade da empresa, reduzir seus custos e até capacitá-la a reduzir o preço que cobra de você (veja Tabela 1.3). Um papel importante das comunicações e promoções de uma empresa de serviços consiste em educar e treinar clientes sobre como utilizar com eficácia seus canais de entrega de serviço. Em procedimentos cirúrgicos, por exemplo, o paciente deve passar por detalhado processo pré-operatório antes de estar pronto para a cirurgia em si. Talvez tenha de submeter-se a uma dieta, mudar hábitos e comportamentos e até mudar seu condicionamento físico. Se ele não aprender esses procedimentos e entender sua importância, o serviço principal pode ter seu risco de fracasso aumentado significativamente.

Interações entre clientes afetam a experiência do serviço. Quando você encontra outros clientes em um ponto de serviço, sabe que eles também podem afetar sua satisfação. A forma como se vestem, quem são e como se comportam servem para reforçar ou enfraquecer a imagem que uma empresa tenta projetar e a experiência que ela quer criar. Você se incomodou com um cliente, em um cinema, falando alto ao telefone sobre problemas no trabalho, ou com o executivo apressado que furou a fila de venda de bilhetes? Ou sentiu-se bem em um restaurante ao reconhecer na mesa ao lado uma pessoa famosa? Um dos autores deste livro nunca se esqueceu da vez em que ficou hospedado em um hotel no qual metade dos hóspedes participava de um congresso acadêmico e a outra metade era formada por fãs de futebol que viajaram no fim de semana para torcer por seu time. Divergimos em nossas expectativas sobre o que constitui uma boa experiência! Outros clientes devem intensificar a experiência, não diminuir seu valor. As implicações são claras: as comunicações de marketing precisam ter o cuidado de atrair o segmento correto para o ponto de serviço, e, feito isso, devem educá-lo quanto ao comportamento adequado e conscientizá-lo a evitar comportamentos desagradáveis que possam prejudicar a experiência de serviço dos outros a seu redor.

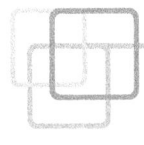

O composto de marketing de serviços ampliado para gestão da interface com os clientes

Vimos anteriormente que os tradicionais 4 Ps do marketing de bens físicos precisam ser revistos e ampliados para abranger maior complexidade e incerteza dos serviços. Precisamos também adicionar 3 Ps para melhor representar o conjunto de decisões relativas às pessoas e ao ambiente onde o serviço é prestado. Vejamos então esses novos 3 Ps mais detalhadamente.

Processo

Gerentes inteligentes sabem que, quando se trata de serviços, *como* uma empresa faz as coisas — os processos subjacentes —, em geral, é tão importante quanto *o que* ela faz. Dessa forma, criar e entregar elementos de produto a clientes requer a elaboração, o planejamento e a implementação de processos eficazes. Processos mal elaborados quase sempre levam a uma entrega de serviço lenta, burocrática e ineficaz, ao desperdício de tempo e a uma experiência frustrante. Variações no processo geram heterogeneidade na entrega que pode nem sempre satisfazer às necessidades do cliente. De modo semelhante, processos precários dificultam a boa execução dos serviços pelo pessoal da linha de frente, resultando em baixa produtividade e maior probabilidade de falhas no serviço, desmotivação e rotatividade de pessoal.

Insumos e produtos operacionais podem variar amplamente. Bens manufaturados podem ser fabricados em uma instalação distante, sob condições controladas por especialistas, como engenheiros de produção, e examinados quanto à conformidade a padrões de qualidade muito antes de chegar ao consumidor. Entretanto, no caso dos serviços, os insumos e produtos operacionais tendem a variar enormemente e tornar a gestão do processo de serviço ao cliente um desafio (ver Tabela 1.3). Mas, quando um serviço é entregue pessoalmente e consumido no instante em que é produzido, a 'montagem' final: (1) ocorre em tempo real; (2) é 'realizada' por pessoas diferentes (as quais podem ter habilidades e motivações distintas), com a produção do cliente (que normalmente conhece pouco sobre o serviço), geralmente cercado de outros clientes (que podem ter comportamentos inesperados e mesmo inaceitáveis); e (3) pode contar com operações distribuídas, às vezes, por milhares de pontos ou filiais, como no caso de franquias — a perfumaria O Boticário ou a escola de línguas Wizard, por exemplo. Operações distribuídas (em vez de uma fábrica central) tornam difícil para as organizações de serviços a garantia de entrega confiável, controle de qualidade e melhoria da produtividade. Como observou um ex-profissional de marketing de bens embalados, após assumir um novo cargo em um hotel da rede Holiday Inn:

> Não podemos controlar a qualidade de nosso produto tão bem quanto um engenheiro de qualidade de uma linha de produção da Procter e Gamble(...) Quando você compra uma caixa de sabão em pó Tide, pode ter 99,44 por cento de certeza de que esse produto funcionará bem para limpar suas roupas. Quando reserva um quarto no Holiday Inn, não pode ter tanta certeza assim de que terá uma boa noite de sono, sem qualquer perturbação e pessoas batendo nas paredes ou todas as outras coisas ruins que podem acontecer em um hotel.[40]

No entanto, as melhores empresas de serviços fizeram grande progresso na redução da variabilidade ao tomar cuidado em planejar os processos de atendimento ao cliente, adotar procedimentos padronizados, implementar rigorosa gestão da qualidade de serviço, treinar funcionários com esmero e automatizar tarefas antes executadas por pessoas, adaptando técnicas desenvolvidas pelas grandes empresas manufatureiras, como a produção enxuta, os controles de qualidade seis-sigma, entre outras.

Clientes são envolvidos com frequência no processo de coprodução. Alguns serviços exigem que os clientes participem de sua criação (ver Tabela 1.3 e Figura 1.16). Por exemplo, espera-se que você coopere com a equipe de atendimento em ambientes como restaurantes *fast-food* e bibliotecas. Na realidade, os estudiosos de serviços argumentam que os clientes costumam atuar como *funcionários de tempo parcial*.[41] (Como você se sente sendo descrito dessa maneira?) Cada vez mais, seu envolvimento assume a forma de autosserviço usando, por exemplo, tecnologias de autosserviço (SSTs, do inglês, *self-service technology*) facilitadas por máquinas inteligentes, telecomunicações e pela Internet.[42] Independentemente de os clientes coproduzirem ou usarem SSTs, processos de atendimento ao cliente bem projetados são necessários para facilitar a entrega do serviço.

Oferta e demanda precisam ser equilibradas. No setor manufatureiro, a área de marketing desenvolve estratégias para explorar ao máximo, dentro da capacidade produtiva da empresa, a demanda disponível. Ela estima as vendas futuras e passa essas informações para a área de produção, que estabelece seu planejamento de modo a assegurar um fluxo de processo regular, estocando materiais ou peças. No caso dos serviços, estocar significa deixar clientes esperando no processo! Portanto, tópicos intimamente relacionados com a gestão do processo de serviços são a gestão do equilíbrio entre oferta e demanda, o planejamento dos sistemas de espera e reservas, das configurações de fila e a gestão da psicologia de espera do cliente.

Figura 1.16 Coprodução do serviço: fazendo ginástica sob a supervisão de um *personal trainer*

Ambiente físico

Se você trabalha em um negócio que requer que os clientes entrem na fábrica de serviços, você também terá de dedicar tempo para pensar no projeto do ambiente físico ou *servicescape*,[43] como veremos no Capítulo 10. A aparência de edifícios, paisagismo, veículos, mobiliário, equipamento, uniforme do pessoal, sinalização, material impresso e outros elementos visuais proporcionam evidências tangíveis da qualidade de serviço de uma empresa, facilitam sua entrega e orientam os clientes por seu processo. A experiência de serviço para o consumidor pode começar quando ele sai de casa, e não apenas quando entra na fábrica de serviços. A localização pode ter um significado associado aos frequentadores da região, que reforçam ou contradizem seu posicionamento. A facilidade de acesso e de estacionamento, o cuidado do manobrista, a fachada ou vitrine, a atenção da recepcionista e dos seguranças, os outros clientes que frequentam o ponto: tudo é importante. Empresas de serviço precisam gerenciar o *servicescape* com cuidado, uma vez que cria impacto sobre a satisfação dos clientes e a produtividade dos serviços.

Pessoas

Apesar dos avanços tecnológicos, muitos serviços dependem da interação direta entre os clientes e os profissionais de uma empresa (veja Tabela 1.3). O próprio conceito de serviços baseia-se na ideia de que, cada vez mais, as soluções para as necessidades das pessoas são desenvolvidas com base na oferta de competências pessoais aplicadas na coprodução com clientes, ou seja, pessoas interagindo com outras para criar soluções. Isso tem profunda influência na qualidade final do serviço. Você deve ter notado diversas vezes como a diferença entre um prestador de serviço e outro reside nas atitudes e habilidades de seus funcionários. Essas empresas precisam trabalhar em proximidade com o departamento de recursos humanos (RH) e dedicar atenção especial à seleção, ao treinamento e à motivação de sua equipe de atendimento (veja Figura 1.17). Além de possuir as habilidades técnicas requeridas pela função, esses indivíduos também necessitam ter boas habilidades interpessoais e atitudes positivas. Os gerentes de RH que pensam estrategicamente reconhecem que funcionários leais, talentosos e motivados, capazes de trabalhar bem de modo independente ou em equipes, representam uma vantagem competitiva essencial.

Figura 1.17 A hospitalidade fica evidente como o sorriso dos funcionários e suas roupas elegantes

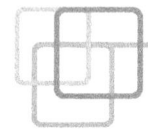

O marketing deve ser integrado a outras funções gerenciais

Na seção anterior, descrevemos os 7 Ps como alavancas estratégicas do marketing de serviços. Ao refletir sobre esses diferentes elementos, logo deve ficar claro que os profissionais de marketing que atuam no setor de serviços não podem esperar ter sucesso sem a participação dos gerentes de outras funções. Na verdade, três funções gerenciais desempenham papéis fundamentais e inter-relacionados para atender às necessidades do cliente: marketing, operações e recursos humanos. A Figura 1.18 ilustra essa interdependência. Uma das principais responsabilidades da alta gerência consiste em assegurar que gerentes e outros funcionários em cada uma dessas três funções não atuem em silos departamentais. Isso significa que o moderno profissional de marketing de serviços, além de dominar os conceitos de sua área, também deve aprofundar seu conhecimento nessas outras áreas cada vez mais importantes: operações e recursos humanos.

As operações constituem a função de linha básica em um negócio voltado para serviços, responsáveis por administrar a entrega deles por meio de equipamentos, instalações, sistemas e muitas tarefas executadas por funcionários em contato com os clientes. Na maioria das organizações de serviços, pode-se esperar ver gerentes operacionais, em conjunto com os de marketing, ativamente envolvidos na estruturação de produtos e processos, de muitos aspectos do ambiente físico e da implementação de programas de melhoria de produtividade e qualidade.

O departamento de RH é tido como uma função de *staff*, responsável por descrição de cargos, recrutamento, treinamento, sistemas de remuneração e qualidade de vida no trabalho — todos, evidentemente, essenciais ao elemento pertinente a pessoas. Mas em um negócio bem administrado de serviços, os gerentes de RH enxergam essas atividades de um ponto de vista estratégico, e: (1) tomam parte na estruturação e no monitoramento de todos os processos de entrega de serviços que envolvam funcionários; (2) trabalham em conjunto com o pessoal de marketing para garantir que os funcionários sejam selecionados adequadamente, tenham as habilidades e o treinamento necessários para transmitir mensagens promocionais e educar os clientes; e (3) projetam aspectos do ambiente físico que dizem respeito aos funcionários — como uniformes, aparência pessoal e comportamento adequado.

Por essas razões, não limitamos nossa discussão exclusivamente ao marketing neste livro. Em muitos capítulos, também nos referimos a operações de serviços e gestão de recursos humanos. Os profissionais de marketing de serviços devem estar acostumados a cruzar as fronteiras entre essas áreas. Algumas empresas fazem rodízio deliberado de seus gerentes por diversas funções, sobretudo entre as posições de marketing e operações, exatamente para que aprendam a considerar diversas perspectivas. Sua própria carreira em serviços pode seguir um caminho semelhante. Se não seguiu até agora, avalie se não está na hora de buscar essas novas experiências.

Imagine que você seja o gerente de um pequeno hotel. Ou, se preferir, pense grande e veja-se como o principal executivo de um grande banco. Em ambos os casos, você precisa se preocupar em satisfazer seus clientes diariamente, operando seus sistemas de maneira contínua e eficiente e certificando-se de que seus funcionários não só trabalham de modo produtivo, mas também entregam um bom serviço. Em suma, a integração de atividades entre essas três funções é a regra quando se trata de serviços. Problemas em qualquer uma delas podem afetar negativamente a execução de tarefas nas demais áreas e resultar em clientes insatisfeitos. Somente uma minoria das pessoas que trabalham em uma empresa de serviços ocupa cargos formais de marketing. Entretanto, segundo Evert Gummesson, todos aqueles cujo trabalho afeta o cliente de alguma forma — seja por contato direto, seja pela estruturação de processos e políticas que modelem as experiências dos clientes — necessitam considerar-se profissionais de marketing de tempo parcial (do inglês, *part-time marketer*).[44] Para a empresa, isso pode ser uma grande mudança cultural que valorizará diferentes atitudes, valores e

Figura 1.18 Funções de marketing, operações e recursos humanos devem cooperar entre si para atender ao cliente

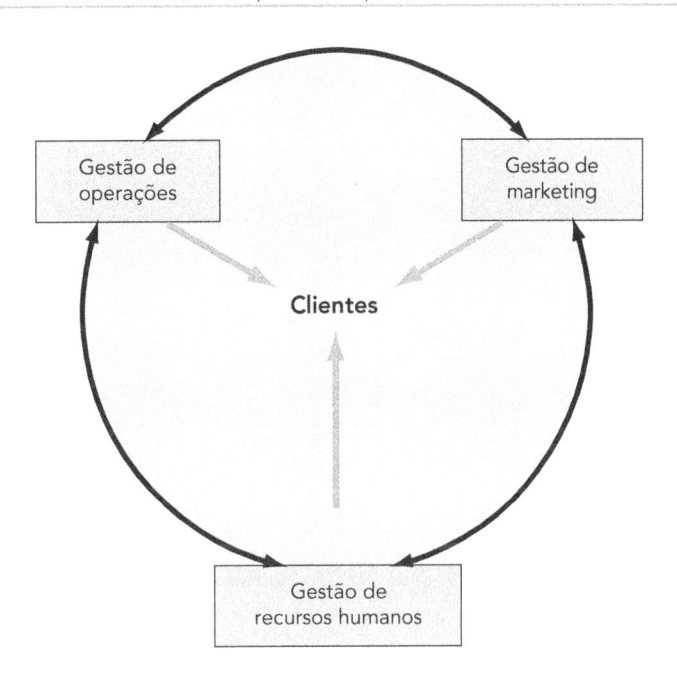

comportamentos. Para alguns funcionários, essa mudança pode não ser fácil, ou nem esteja entre seus objetivos profissionais assumir essas novas responsabilidades. Um processo de mudança cultural envolve grande esforço e talvez leve anos de trabalho intenso para gerar resultados.

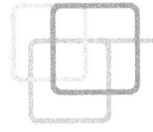

Uma estrutura para desenvolver estratégias eficazes de marketing de serviços

Os 7 Ps estão integrados à estrutura de organização geral deste livro, combinando-a com a análise de consumidores e concorrentes, bem como a implementação. Ela mostra como cada capítulo se ajusta aos outros ao tratar de tópicos e questões relacionados. A Figura 1.19 apresenta a forma de organização deste livro, que se divide em quatro partes: (1) *entendendo produtos de serviços, consumidores e mercados*; (2) *aplicando os 4 Ps do marketing aos serviços*; (3) *gerenciando a interface com o cliente* e (4) *implementando estratégias lucrativas de serviços*. Observe as setas que ligam as diversas caixas no modelo: elas reforçam a interdependência entre as várias partes e deixam claro que o processo de criar uma estratégia não é como ligar uma série de pontos em uma reta de direção única. Em vez disso, trata-se de um processo interativo, isto é, aquele cujos componentes são revisitados várias vezes porque são interdependentes. Decisões em uma área devem ser coerentes com as tomadas em outra, de modo que cada elemento estratégico reforce mutuamente os demais.

O principal conteúdo das quatro partes deste livro é:

Figura 1.19 Organização de uma estrutura para marketing de serviços

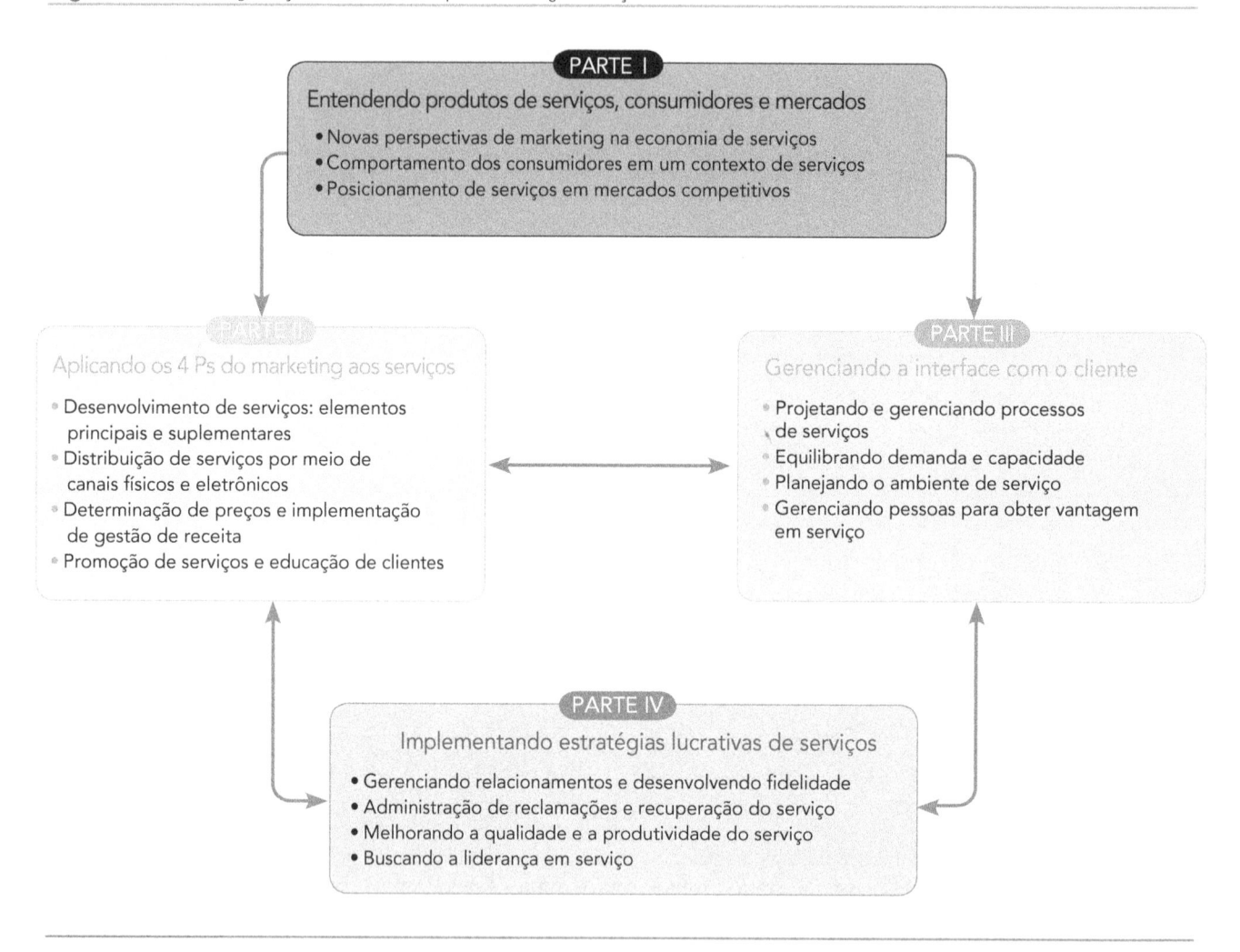

PARTE I
Entendendo produtos de serviços, consumidores e mercados
- Novas perspectivas de marketing na economia de serviços
- Comportamento dos consumidores em um contexto de serviços
- Posicionamento de serviços em mercados competitivos

PARTE II
Aplicando os 4 Ps do marketing aos serviços
- Desenvolvimento de serviços: elementos principais e suplementares
- Distribuição de serviços por meio de canais físicos e eletrônicos
- Determinação de preços e implementação de gestão de receita
- Promoção de serviços e educação de clientes

PARTE III
Gerenciando a interface com o cliente
- Projetando e gerenciando processos de serviços
- Equilibrando demanda e capacidade
- Planejando o ambiente de serviço
- Gerenciando pessoas para obter vantagem em serviço

PARTE IV
Implementando estratégias lucrativas de serviços
- Gerenciando relacionamentos e desenvolvendo fidelidade
- Administração de reclamações e recuperação do serviço
- Melhorando a qualidade e a produtividade do serviço
- Buscando a liderança em serviço

PARTE I

Entendendo produtos de serviços, consumidores e mercados

A Parte I estabelece os pilares para estudar serviços e aprender como se tornar um profissional eficaz nessa área.

- Capítulo 1 — define serviços e mostra como criar valor sem transferência de propriedade.

- Capítulo 2 — aborda o comportamento dos consumidores tanto em serviços de alto quanto de baixo contato. O modelo de três etapas de consumo de serviço é utilizado para explorar como os consumidores buscam e avaliam as alternativas de serviços, tomam decisões de compra, vivenciam e reagem aos encontros de serviços e, por fim, avaliam seu desempenho.

- Capítulo 3 — discute como uma proposição de valor deve ser posicionada de modo a criar vantagem competitiva para a empresa. Mostra também como as empresas podem segmentar um mercado de serviços, posicionar sua proposição de valor e finalmente se concentrar em atrair seu segmento-alvo.

PARTE II

Aplicando os 4 Ps do marketing aos serviços

A Parte II revisita os 4 Ps do tradicional composto de marketing ensinado nos cursos de gestão de marketing. Entretanto, esses conceitos são expandidos de modo a incorporar as características de serviços que diferem daquelas dos bens.

- Capítulo 4 — *Produto* abrange tanto os elementos do serviço principal quanto os do serviço suplementar. Os elementos suplementares facilitam e intensificam a oferta do serviço principal.
- Capítulo 5 — *Lugar* e *hora* referentes à entrega dos elementos dos produtos aos clientes.
- Capítulo 6 — *Preços* de serviços necessitam ser estabelecidos em referência a custos, concorrência e valor, além de considerações a respeito da gestão de receita.
- Capítulo 7 — *Promoção* e *educação* explicam como as empresas devem informar os clientes sobre seus serviços. No marketing de serviços, grande parte da comunicação é educativa por natureza, visando ensinar aos clientes como seguir de modo eficaz pelos processos de serviços.

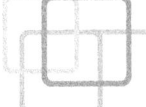

PARTE III

Gerenciando a interface com o cliente

A Parte III do livro foca a gestão da interface entre clientes e fornecedores de serviços. Ela cobre os 3 Ps adicionais específicos do marketing de serviços e não encontrados no marketing de produtos.

- Capítulo 8 — *Processos* criam e entregam os elementos do produto. O capítulo começa com o planejamento de processos de entrega eficazes, especificando como os sistemas operacionais e de entrega unem-se para criar a proposição de valor. Com muita frequência, os clientes envolvem-se nesses processos como coprodutores, e processos bem estruturados são necessários para dar conta disso.
- Capítulo 9 — Também aborda a gestão de processos e foca a administração das flutuações de demanda e seu equilíbrio com a oferta. Inclui a compreensão dos padrões e fatores determinantes da demanda. As estratégias de marketing para administrar a demanda envolvem regularizar suas flutuações, estocá-la por meio de sistemas de reserva e formalizar a fila de espera. Gerenciar a espera de clientes também é explorado neste capítulo.
- Capítulo 10 — *Ambiente físico*, conhecido também como *servicescape*, precisa ser concebido de forma a gerar a impressão correta e facilitar o efetivo processo de entrega do serviço. O *servicescape* fornece a prova concreta da qualidade da imagem e do serviço de uma empresa.
- Capítulo 11 — *Pessoas* desempenham um papel importantíssimo no marketing de serviços. Muitos serviços demandam interação direta entre clientes e funcionários.

A natureza dessas interações tem forte influência sobre o modo como clientes percebem a qualidade do serviço. Daí as empresas dedicarem tanto esforço para recrutar, treinar e motivar seu pessoal.

PARTE IV

Implementando estratégias lucrativas de serviços

A Parte IV foca as quatro principais questões de implementação, cada qual discutida nos seguintes capítulos:

- Capítulo 12 — Atingir lucratividade requer a criação de relacionamentos com clientes dos segmentos certos para, então, encontrar meios de construir e reforçar sua fidelidade. Este capítulo introduz a roda da fidelidade, que mostra três etapas sistemáticas do desenvolvimento dessa atitude do cliente. O capítulo termina com uma discussão sobre os sistemas de gestão de relacionamento com clientes (CRM, do inglês, *customer relationship management*).

- Capítulo 13 — Uma base de clientes fiéis geralmente se forma a partir de um atendimento a reclamações e uma reparação de serviços eficazes, tópicos discutidos neste capítulo. As garantias de serviço são exploradas como um meio poderoso de institucionalizar uma bem-sucedida reparação de serviços e como uma ferramenta de marketing eficaz é indicativa de um serviço de alta qualidade.

- Capítulo 14 — Produtividade e qualidade são necessárias e estão relacionadas com o sucesso financeiro em serviços. Este capítulo cobre a qualidade de serviços e o diagnóstico das falhas de qualidade, utilizando o modelo de lacunas e as estratégias para preenchê-las. Apresentamos os sistemas de *feedback* de clientes como uma ferramenta eficaz para ouvi-los e aprender com eles de forma sistemática. A produtividade é abordada como elemento intimamente relacionado à qualidade, e enfatiza-se que nos mercados competitivos contemporâneos as empresas necessitam melhorar qualidade e produtividade simultaneamente, e não uma em detrimento da outra.

- Capítulo 15 — A cadeia de lucratividade de serviços é usada como um modelo integrativo para demonstrar os vínculos estratégicos envolvidos na administração de uma organização de serviços bem-sucedida. Implementar a cadeia de lucratividade requer a integração das três principais funções: marketing, operações e recursos humanos. Discutimos como mover uma organização de serviços para níveis mais elevados de desempenho em cada área funcional. O capítulo termina com uma discussão sobre o papel da liderança tanto em ambientes de evolução quanto nos de reviravolta e sobre a criação e manutenção de um clima propício a serviços.

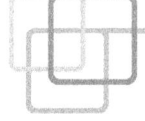

CONCLUSÃO

Por que estudar serviços? Porque as economias modernas são impulsionadas por empresas de serviços que operam em uma notável gama de setores. Em conjunto, são responsáveis pela criação de uma maioria substancial de novos empregos, capacitados ou não, em todo o mundo. Muitos desses setores passam por transformações radicais, impulsionadas por avanços tecnológicos, globalização, mudanças em políticas governamentais, evolução das necessidades dos consumidores e estilos de vida. Nesse cenário, o marketing eficaz desempenha um papel vital em determinar se uma organização vai sobreviver e prosperar ou declinar e fracassar.

Neste capítulo, demonstramos que os serviços requerem uma abordagem distinta de marketing, porque seu contexto e suas tarefas, com frequência, diferem em aspectos relevantes daqueles do setor manufatureiro. Ter êxito como gerente de marketing em uma empresa de serviços requer não só o entendimento dos principais conceitos e ferramentas de marketing, mas também saber como usá-los efetivamente. Cada um dos 7 Ps — as alavancas estratégicas do marketing de serviços — tem uma função a desempenhar, mas o que vai fazer a diferença é conectá-las da melhor forma possível. Ao estudar este livro, assistir a aulas e assumir projetos, lembre-se de que os vencedores nos mercados de serviços altamente competitivos dos dias de hoje obtêm sucesso repensando continuamente a forma como fazem negócios, buscando meios inovadores de atender melhor a seus clientes, tirando proveito dos novos avanços tecnológicos e adotando um enfoque disciplinado e bem organizado ao desenvolvimento e à implementação da estratégia de marketing de serviços.

Resumo do capítulo

OA1. Os serviços representam uma importante e crescente contribuição para a maioria das economias mundiais. À medida que as economias se desenvolvem, os serviços formam a maior parte de seu PIB. Globalmente, a maioria dos novos empregos é gerada no setor de serviços.

OA2. Os principais setores incluem:
- serviços empresariais e profissionais;
- serviços financeiros, de seguros e de bens imóveis;
- comércio atacadista e varejista;
- serviços de transportes, utilidade pública e comunicações;
- serviços de saúde;
- artes, entretenimento, recreação, hotelaria e alimentação;
- serviços governamentais.

OA3. Muitas forças estão transformando nossas economias, tornando-as mais *orientadas aos serviços*. Entre elas estão as políticas governamentais, as mudanças sociais, as tendências de negócios, os avanços na tecnologia da informação e a globalização.

OA4. O que é exatamente um serviço? A principal característica distintiva de um serviço é que ele é uma forma de locação e não de propriedade. Os consumidores de serviços obtêm os direitos de uso de um objeto ou espaço físico, contratam o trabalho e a experiência de pessoas, ou pagam pelo acesso a ambientes físicos, instalações e redes compartilhadas. Os serviços são desempenhos que trazem os resultados ou as experiências desejadas para o cliente.

OA5. Os serviços variam amplamente e podem ser categorizados de acordo com a natureza do processo subjacente: é dirigido a clientes ou a suas posses? As ações são tangíveis ou intangíveis por natureza? Essas distinções exercem importantes implicações de marketing e levam a quatro categorias amplas de serviço:
- processamento de pessoas;
- processamento de posses;
- processamento de estímulo mental;
- processamento de informações.

O processamento de estímulo mental e o de informações podem ser combinados no que se denomina "serviços baseados em informações".

OA6. Serviços têm características únicas que os diferenciam de produtos, como:
- a maioria dos serviços não pode ser estocada;
- elementos intangíveis geralmente dominam a criação de valor;
- serviços são frequentemente difíceis de visualizar e compreender;
- clientes podem se envolver na coprodução de serviços;
- pessoas podem fazer parte da experiência do serviço;
- insumos e produtos operacionais tendem a variar muito;
- o fator tempo normalmente assume grande importância;
- a distribuição pode ocorrer por meio de canais não físicos.

OA7. Devido às características únicas dos serviços, o tradicional composto de marketing dos 4 Ps necessita ser complementado. Algumas inclusões importantes são:
- *Elementos de produto* incluem mais do que os elementos principais — incluem elementos de serviço suplementar.
- *Elementos de lugar e hora* referem-se à entrega dos elementos de produtos ao cliente; muitos elementos de processamento de informações são entregues eletronicamente.
- *Preço* inclui custos não monetários ao consumidor e questões de gestão de receita.
- *Promoção* também é tida como uma forma de comunicação e educação, orientando os clientes ao longo dos processos de serviço, em vez de simplesmente fazer anúncios e promoções.

O marketing de serviços requer 3 Ps adicionais abrangendo a gestão da interface com clientes:
- *Processo* refere-se ao planejamento e gerenciamento dos processos de atendimento ao cliente, incluindo a gestão da demanda e da capacidade produtiva e as possíveis esperas de clientes.
- *Ambiente físico* provê evidência tangível da imagem e da qualidade de serviço de uma empresa e facilita a entrega do processo.

- *Pessoas* cobrem o recrutamento, o treinamento e a motivação dos funcionários de serviços para agregar qualidade e produtividade a ele.

OA8. O composto de marketing de serviços ampliado mostra que as funções gerenciais de marketing, operações e recursos humanos (RH) têm influência direta sobre a experiência do cliente. Portanto, as três funções devem estar intimamente integradas nas empresas de serviços.

OA9. Uma estrutura para a estratégia de marketing de serviços organiza este livro. Essa estrutura consiste das seguintes quatro partes interligadas:

- A Parte I começa com a necessidade de as empresas de serviços entenderem seus mercados, consumidores e concorrentes.
- A Parte II mostra como aplicar os tradicionais 4 Ps ao marketing de serviços.
- A Parte III cobre os 3 Ps do composto de marketing de serviços ampliado e demonstra como gerenciar a interface com os clientes.
- A Parte IV ilustra como implementar estratégias de serviços lucrativas e discute como desenvolver relacionamentos com clientes, administrar reclamações e reparação de serviços e como melhorar a qualidade do serviço e a produtividade. Esta parte termina com uma discussão sobre como a gestão de mudanças e a liderança podem impulsionar uma empresa a se tornar líder em serviços.

Questões para revisão

1. É possível que uma economia seja baseada inteiramente em serviços? É um sinal de fraqueza uma economia nacional manufaturar pouco dos bens que consome?
2. Quais são as principais razões para o crescimento da participação do setor de serviços nas maiores economias do mundo?
3. Quais são as cinco forças poderosas que transformam o cenário de serviços e qual impacto elas exercem sobre a economia de serviços?
4. "Um serviço é alugado e não possuído." Explique essa declaração e use exemplos para sustentar sua explicação.
5. Descreva as quatro amplas categorias de "processamento" de serviços e exemplifique cada uma delas.
6. O que é tão diferenciado no marketing de serviços que requer uma abordagem, um conjunto de conceitos e um corpo de conhecimentos especiais?
7. "Os 4 Ps são tudo de que um gerente de marketing precisa para criar uma estratégia de marketing para uma empresa de serviços!" Prepare uma resposta que argumente o contrário e justifique suas conclusões.
8. Que tipos de serviço você acha que são (a) mais afetados e (b) menos afetados pelo problema de insumos e produtos variáveis? Por quê?
9. Por que o tempo é tão importante em serviços?
10. Como o desenvolvimento de tecnologias de autosserviço afetou a estratégia de marketing de serviços? Quais fatores determinam se os clientes fazem uso delas ou não?
11. Por que marketing, operações e recursos humanos têm de estar mais estreitamente interligados no caso de serviços do que na manufatura? Dê exemplos.
12. O termo 'composto de marketing' poderia sugerir que os gerentes de marketing são responsáveis por misturar ingredientes. Essa perspectiva é uma receita de sucesso ao empregar os 7 Ps para desenvolver uma estratégia de marketing de serviços?

Exercícios

1. Visite os sites das seguintes agências de estatística: United States Bureau of Economic Analysis (www.bea.gov), Statistics Canada (www.statcan.ca), Eurostat <http://europa.eu.int/en/comm/eurostat/>; Japanese Statistics Bureau <www.stat.go.jp>; Central Bureau of Statistics (Indonésia) <www.bps.go.id>; Statistics South Africa <www.statssa.gov.za> e Instituto Brasileiro de Geografia e Estatística — IBGE <www.ibge.gov.br>. Em cada um dos sites, obtenha dados sobre as últimas tendências em serviços, como (a) uma porcentagem sobre o Produto Interno Bruto, (b) a porcentagem de empregos gerada por serviços, (c) subdivisões desses dois conjuntos (a e b) de dados estatísticos por tipo de setor e (d) por serviços de exportação e importação. Analisando essas tendências, quais são suas conclusões sobre os principais setores dessas economias, e, no âmbito de serviços, para setores específicos de serviços?
2. Examine o relatório anual da IBM <www.ibm.com/annualreport>; relatórios trimestrais recentes <www.ibm.com/investor>; e outras informações no site da empresa que descrevam seus diversos negócios. Quais conclusões você tira sobre as oportunidades futuras em diferentes mercados? Em sua opinião, quais são as ameaças competitivas?
3. Escritórios de advocacia e auditoria passaram a anunciar seus serviços em muitos países. Procure alguns desses anúncios e examine o seguinte: o que essas empresas fazem para lidar com a intangibilidade desses serviços? O que poderiam fazer melhor? Como lidam com as percepções de qualidade e risco do consumidor e como poderiam melhorar esse aspecto de seu marketing?
4. Dê exemplos de como a Internet e as tecnologias de telecomunicações, como sistemas interativos de res-

posta por voz (*interactive voice response systems* — IVRs) e comércio móvel (*m-commerce*) mudaram alguns dos serviços que você utiliza.

5. Escolha uma empresa de serviços com a qual você está familiarizado e mostre como cada um dos sete elementos (7 Ps) do marketing de serviços se aplica a um produto específico.

Notas

1. Henry Chesbrough, "Towards a new science for services", *Harvard Business Review*, fev. 2005, p. 43–44.
2. Organisation for Economic Co-operation and Development. *The service economy*. Paris: OECD, 2000.
3. Michael Peneder, Serguei Kaniovsky e Bernhard Dachs, "What follows tertiarisation? Structural change and the rise of knowledge-based industries", *The Service Industries Journal*, 23, mar. 2003, p. 47–66.
4. Christopher H. Lovelock e Charles B. Weinberg, *Public and nonprofit marketing*, 2.ed. Redwood City, CA: The Scientific Press, 1989; Paul Flanagan, Robert Johnston e Derek Talbot, "Customer confidence: the development of 'pre-experience' concept", *International Journal of Service Industry Management*, 16, n. 4, 2005, p. 373–384.
5. Ministério do Desenvolvimento, Indústria e Comércio Exterior. Secretaria de Comércio e Serviços. *Importância do Comércio Internacional de Serviços*. Disponível em: <http://www.mdic.gov.br/sitio/interna/interna.php?area=4&menu=1773>. Acesso em: 8 jun. 2010.
6. "The great jobs switch", *The Economist*, 1º out. 2005, p. 11–14.
7. Marion Wiessenberger-Eibl e Daniel Jeffrey Koch, "Importance of industrial services and service innovations", *Journal of Management and Organization*, 13, n. 2, 2007, p. 88–101.
8. Mary Jo Bitner e Stephen W. Brown, "The service imperative", *Business Horizons*, 51, 2008, p. 39–46.
9. Para mais informações sobre SSME, veja IFM e IBM, *Succeeding through service innovation: a discussion paper*. Cambridge, UK: University of Cambridge Institute for Manufacturing, 2007; Paul P. Maglio e Jim Spohrer, "Fundamentals of service science", *Journal of the Academy of Marketing Service*, 36, n. 1, 2008, p. 18-20.
10. Veja no site da Service Science a mais recente pesquisa nesse campo. Disponível em: <http://www.sersci.com/ServiceScience>. Acesso em: 2 jun. 2009.
11. U.S. Department of Commerce. *North American industry classification system — United States*. Washington: National Technical Information Service PB 2002-101430, 2002.
12. "Crowned at last", *The Economist*, 2 abr. 2005, p. 3–6.
13. Bill Carroll e Judy Siguaw, "The evolution of electronic distribution: effects on hotels and intermediaries", *Cornell Hotel and Restaurant Administration Quarterly*, 44, ago. 2003, p. 38–51.
14. Diana Farrell, Martha A. Laboissière e Jaeson Rosenfeld, "Sizing the emerging global labor market", *The McKinsey Quarterly*, n. 3, 2005, p. 93–103.
15. Thomas H. Davenport e Bala Iyer, "Should you outsource your brain?", *Harvard Business Review*, fev. 2009. p. 38
16. Adam Smith, (1776). *The wealth of nations, Books I-III*. Apresentação de Alan B. Krueger. Londres: Bantam Classics, 2003.
17. Jean-Baptiste Say, (1803). *A treatise on political economy: the production distribution and consumption of wealth*. Traduzido por e com notas de C.R. Prinsep. M.A: Scholarly Publishing Office, University of Michigan Library, 2005.
18. Robert C. Judd, "The case for redefining services", *Journal of Marketing*, 28, jan. 1964, p. 59; John M. Rathmell, *Marketing in the service sector*. Cambridge, MA: Winthrop, 1974; Christopher H. Lovelock e Evert Gummesson, "Whither services marketing? In search of a new paradigm and fresh perspectives", *Journal of Service Research*, 7, ago. 2004, p. 20–41.
19. Lovelock e Gummesson, op. cit.
20. Robin G. Qiu, "Service science: scientific study of service systems", *Service Science*. Disponível em: <http://www.sersci.com/ServiceScience/paper_details.php?id=1>. Acesso em: 22 nov. 2008.
21. Lesley Brown (ed.). *Shorter Oxford English Dictionary*. 5.ed.. 2002.
22. John M. Rathmell, "What is meant by services?", *Journal of Marketing*, 30, out. 1966, p. 32–36.
23. Evert Gummesson, "Lip service: a neglected area in services marketing", *Journal of Consumer Services*, 1, verão 1987, p. 19–22 (citando uma fonte desconhecida).
24. Adaptado de uma definição por Christopher Lovalock (identificado anonimamente como Expert 6, Tabela II, p. 112). *In*: Bo Edvardsson, Anders Gustafsson e Inger Roos, "Service portraits in service research: a critical review", *International Journal of Service Industry Management*, 16, n. 1, 2005, p. 107–121.
25. John E. G. Bateson, "Why we need service marketing". In: O. C. Ferrell, S. W. Brown e C. W. Lamb Jr., (eds.). *Conceptual and theoretical developments in marketing*. Chicago: American Marketing Association, 1979, p. 131–146.
26. G. Lynn Shostack, "Breaking free from product marketing", *Journal of Marketing*, abr. 1977.
27. W. Earl Sasser, R. Paul Olsen e D. Daryl Wyckoff. *Management of service operations: text, cases, and readings*. Boston: Allyn & Bacon, 1978.
28. Rogelio Oliva e Robert L. Kallenberg, "Managing the transition from products to services", *International Journal of Service Industry Management*, 14, n. 2, 2003, p. 160–172; Mohanbir Sawhney, Sridhar Balasubramanian e Vish V. Krishnan, "Creating growth with services", *MIT Sloan Management Review*, 45, inverno 2004, p. 34–43; Wayne A. Neu e Stephen A. Brown, "Forming successful business-to-business services in goods-dominant firms", *Journal of Service Research*, 8, ago. 2005.
29. Theodore Levitt. *Marketing for business growth*. Nova York: McGraw-Hill, 1974, p. 5.
30. Roland Rust, "What is the domain of service research?" (editorial), *Journal of Service Research*, 1 nov. 1998, p. 107.
31. Stephen L. Vargo e Robert R. Lusch, "Evolving to a new dominant logic for marketing", *Journal of Marketing*, 9, n. 2, 2004, p. 1–21; Stephen L. Vargo e Robert R. Lush, "Service-dominant logic: continuing the evolution", *Journal of the Academy of Marketing Science*, 36, n. 1, 2008, p. 1–10.
32. Sobre recomendações para empresas manufatureiras que oferecem serviços com sucesso, veja Werner Reinartz e Wolfgang Ulaga, "How to sell services profitably", *Harvard Business Review*, mai. 2008, p. 90–96.
33. Essas classificações são derivadas de Christopher H. Lovelock, "Classifying services to gain strategic marketing insights", *Journal of Marketing*, 47, verão 1983, p. 9–20.

34. A classificação dos 4 Ps para as variáveis de decisão de marketing foi criada por E. Jerome McCarthy, *Basic marketing: a managerial approach* (Homewood, IL: Richard D. Irwin, Inc., 1960). Era um refinamento da longa lista de ingredientes inclusos no conceito de composto de marketing, criado pelo professor Neil Borden de Harvard na década de 1950. Borden teve a ideia de um colega que descreveu o trabalho do gerente de marketing como o de um 'misturador de ingredientes'.

35. Um composto de marketing expandido dos 7 Ps foi primeiramente proposto por Bernard H. Booms e Mary J. Bitner, "Marketing strategies and organization structures for service firms". In: J. H. Donnelly e W.R. George. *Marketing of services*. Chicago: American Marketing Association, 1981, p. 47–51.

36. Philip J. Coelho e Chris Easingwood, "Multiple channel systems in services: pros, cons, and issues", *The Service Industries Journal*, 24, set. 2004, p. 1–30.

37. Gary Stix, "Real time", *Scientific American*, set. 2002, p. 36–39.

38. Paul Flanagan, Robert Johnston e Derek Talbot, op. cit., "Customer confidence: the development of 'pre-experience' concept", *International Journal of Service Industry Management*, 16, n. 4, 2005, p. 373–384.

39. Bonnie Farber Canziani, "Leveraging customer competency in service firms", *International Journal of Service Industry Management*, 8, n. 1, 1997, p. 5–25.

40. Gary Knisely, "Greater marketing emphasis by Holiday Inns breaks mold", *Advertising Age*, 15 jan. 1979.

41. O termo "funcionário em tempo parcial" foi cunhado por P. K. Mills e D. J. Moberg, "Perspectives on the technology of service operations", *Academy of Management Review*, 7, n. 3, p. 467–478. Para pesquisa recente nesse tópico, veja Karthik Namasivayam, "The consumer as transient employee: consumer satisfaction through the lens of job performance models", *International Journal of Service Industry Management*, 14, n. 4, 2004, p. 420–435; An-Tien Hsieh, Chang-Hua Yen e Ko-Chien Chin, "Participative customers as partial employees and service provider workload", *International Journal of Service Industry Management*, 15, n. 2, 2004, p. 187–200.

42. Para pesquisa sobre SST, veja Matthew L. Meuter, Mary Jo Bitner, Amy L. Ostrom e Stephen W. Brown, "Choosing among alternative delivery modes: an investigation of customer trial of self service technologies", *Journal of Marketing*, 69, abr. 2005, p. 61–84; A. Parasuraman, Valarie Zeithaml e Arvind Malhotra, "E-S-QUAL: a multiple item scale for assessing electronic service quality", *Journal of Service Research*, 7, fev. 2005, p. 213–233; Devashish Pujari, "Self-service with a smile: self-service technology (SST) encounters among Canadian business-to-business", *Internationl Journal of Service Industry Management*, 15, n. 2, 2004, p. 200–219; Angus Laing, Gillian Hogg e Dan Winkelman, "The impact of the Internet on professional relationships: the case of health care", *The Service Industries Journal*, 25, jul. 2005, p. 675–688.

43. O termo '*servicescape*' foi cunhado por Mary Jo Bitner, "Servicescapes: the impact of physical surroundings on customers and employees", *Journal of Marketing*, 56, abr. 1992, p. 57–71.

44. O termo '*part-time marketer*' foi cunhado por Evert Gummesson, "The new marketing: developing long-term interactive relationships", *Long Range Planning*, 4, 1987. Veja também Christian Grönroos. *Service management and marketing*. 2.ed. Chichester, UK: John Wiley & Sons Ltd., 2001 e Evert Gummesson. *Total relationship marketing*. 2.ed. Oxford: Butterworth Heinemann, 2002.

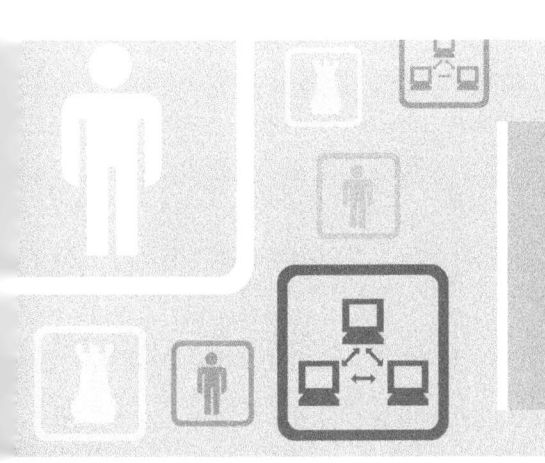

CAPÍTULO 2

Comportamento dos consumidores em um contexto de serviços

I can get no satisfaction. (Não consigo ter satisfação.)
— Mick Jagger

Um indivíduo que busca a informação necessária e faz a escolha mais sensata tem mais chance de obter satisfação do que Mick Jagger.
— Claes Fornell

O mundo todo é um palco, e homens e mulheres, não mais que meros atores, entram e saem de cena e durante sua vida nada mais fazem do que desempenhar muitos papéis.
— William Shakespeare

Objetivos de aprendizagem (OA)

Ao final deste capítulo, você será capaz de:

OA1 Compreender o modelo de três fases de consumo de serviços.

OA2 Aprender como os consumidores avaliam e escolhem entre ofertas opcionais de serviços e por que eles sentem dificuldade de fazer essas avaliações.

OA3 Conhecer os riscos percebidos pelos consumidores ao adquirir serviços e as estratégias que as empresas podem usar para reduzi-los.

OA4 Compreender como os consumidores formam expectativas em relação aos serviços e aos componentes dessas expectativas.

OA5 Comparar como os consumidores experimentam e avaliam serviços de alto contato em relação aos de baixo contato.

OA6 Familiarizar-se com o modelo *servuction* e entender as interações que, juntas, criam a experiência de serviço.

OA7 Obter *insights* ao visualizar o encontro de serviços de forma teatralizada.

OA8 Saber como a teoria de papéis e roteiros contribui para uma melhor compreensão das experiências de serviços.

OA9 Saber como os consumidores avaliam serviços e o que determina sua satisfação.

Ana Luísa, consumidora de serviços

Ana Luísa acorda já atrasada para a aula na faculdade. Depois de se arrumar, cumprimenta os pais e a empregada Aparecida e toma o café da manhã que Cida preparou. Ana é aluna do terceiro ano de artes plásticas e ainda se lembra de quando prestou vestibular: foi aprovada em várias escolas e escolheu aquela que tinha a melhor reputação, em sua opinião e na de seus pais, mesmo sendo paga — e bem paga. Não ser longe de casa foi outro fator que ajudou.

Pega o carro na garagem do prédio, no caminho cumprimenta o porteiro, o faxineiro e o zelador e, chegando à faculdade, passa o cartão magnético na cancela para deixar o carro no estacionamento em que é mensalista.

Ana está gostando muito do curso, embora não consiga se interessar pelos assuntos de algumas aulas e comece a divagar... Quando percebe, a aula já acabou e ela nem consegue lembrar-se do que foi dito.

Ela agora precisa aproveitar o horário do almoço para resolver algumas pendências. Vai até a secretaria pedir uma cópia do histórico escolar, pois está procurando estágio, mas outros alunos pensaram a mesma coisa e ela tem de ficar na fila. Esperar em pé não é muito agradável, principalmente quando um aluno quer furar a fila, com o pretexto de estar atrasado para uma prova. Ana começa a sentir fome e resolve ir ao restaurante na praça de alimentação, mas a fila é grande e os pratos do dia não parecem interessantes, o que a faz preferir um suco e um sanduíche da lanchonete.

Em seguida, passa na biblioteca, pois precisa da ajuda das funcionárias para encontrar algumas referências sobre processos gráficos para seu trabalho semestral, e ainda conhece pouco sobre o assunto. Ela espera encontrar Renata, a bibliotecária que a atendeu na última vez, quando Ana estava atrasada com um trabalho e Renata conseguiu um empréstimo com urgência do livro de que ela precisava, pois entendeu seu problema. Felizmente, a funcionária está lá e, mais uma vez, é muito solícita.

Com o problema da biblioteca solucionado, pega o carro e vai ao shopping, que fica no mesmo bairro. Ela precisa pegar dinheiro no caixa eletrônico e tirar um extrato, e espera que seu cartão não tenha problemas — seu banco foi recentemente comprado por outro e algumas colegas tiveram dificuldades com o novo sistema unificado. Depois disso, Ana precisa pegar o vestido que deixou para ajustar na loja onde o comprou na semana passada — ela realmente espera que tenham entendido como queria os ajustes. Então sua mãe liga e pede que, no fim da tarde, no caminho de volta, a filha passe na lavanderia. Ela não gosta muito: o local é antiquado e os atendentes são pouco simpáticos, mas a mãe estará ocupada por todo o dia, preparando um projeto para um cliente, e não vai ter tempo.

A estudante se dá conta de que o fim de semana está chegando e calcula que, até as roupas da lavanderia estarem prontas, dá tempo de passar no salão de beleza do shopping e se preparar. Ela frequentava o salão perto de casa, mas na última vez não a atenderam bem — ela precisava de um horário após às 18 horas e, mesmo alegando já ser cliente, eles não abriram exceção —, então resolveu experimentar um novo. Como é a primeira vez e ainda não conhece os profissionais, decide apenas aparar as pontas e fazer as unhas, para ver como eles se saem. Para não perder tempo, Ana resolve telefonar primeiro: usa seu *smartphone* para procurar o número no Google e consegue agendar para meia hora mais tarde, o que lhe dá tempo de sacar o dinheiro e retirar o vestido antes.

Quando chega ao salão, Ana é recebida de forma atenciosa e a cabeleireira pede uma série de informações sobre o que ela já fez no cabelo e sobre o que ela gosta. A funcionária dá várias dicas de como cuidar dos fios para manter o brilho e a força por mais tempo e mostra uma nova linha de tinturas, com novas tonalidades, que parece interessante. Mas, por serem produtos um pouco mais fortes, Ana acha melhor deixar para uma próxima vez.

A jovem sai contente do cabeleireiro. Gostou muito da decoração, moderna e de bom gosto; da aromatização, que deixa um perfume agradável e suave no ar e uma sensação relaxante; dos funcionários elegantes, uniformizados e muito atenciosos; e ainda da facilidade de pagamento, pois parcelam em três vezes no cartão. O único problema foi que, mesmo com horário agendado, demoraram mais de 15 minutos para atendê-la. Mas ela aproveitou esse tempo: checou seus e-mails para ver se havia chegado a renovação do seguro do carro, comprou o mp3 com as novas músicas de sua banda preferida — que descobriu no blog de fãs no dia anterior — e deu uma olhada no Facebook e no Twitter para saber as novidades e se haveria festa de algum amigo no fim de semana.

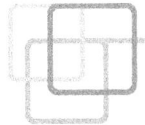

O modelo de três fases de consumo de serviços

A história de Ana Luísa descreve o comportamento de consumo em diversas situações e fases. Compreender como se comportam os consumidores está no coração do marketing. É satisfazendo as necessidades de pessoas e empresas e respeitando os interesses da sociedade e do meio ambiente que construímos negócios financeiramente saudáveis. Precisamos entender como as pessoas tomam decisões de compra e de uso de um serviço, bem como o que determina sua satisfação após o consumo. Sem isso, nenhuma empresa pode esperar criar e entregar serviços que resultem em clientes satisfeitos e em sua fidelização.

O *consumo de serviços*, de forma geral, se desenvolve por meio de processos complexos que podem ser divididos em três fases principais: pré-compra, encontro de serviço e pós--encontro. A Figura 2.1 mostra que cada fase consiste de duas ou mais etapas. A fase de pré-compra inclui quatro etapas: (1) conscientização da necessidade, (2) busca de informa-

Figura 2.1 O modelo de três fases de consumo de serviços

Serviços de alto contato	Serviços de baixo contato	Três fases	Principais conceitos
Podem-se visitar locais físicos, observar (+ opções de baixo contato)	Navegar pela Web, folhear as páginas amarelas, telefonar	1. Fase pré-compra Conscientizar-se da necessidade Buscar informações • Esclarecer necessidades • Explorar soluções • Identificar serviços e fornecedores alternativos	Despertar da necessidade Conjunto evocado
Pode-se visitar pessoalmente e observar (talvez testar) equipamentos e operações em ação; fazer contato com funcionários e clientes (+ opções remotas)	Principalmente contato remoto (sites, blogs, telefone, e-mail, publicações)	Avaliar alternativas (soluções e fornecedores) • Examinar informações de fornecedores (folhetos, anúncios publicitários, sites) • Examinar informações de terceiros (por exemplo, avaliações publicadas, classificações, comentários na Internet, blogs, reclamações a órgãos públicos, pesquisas de satisfação, prêmios) • Discutir opções com equipe de atendimento • Obter recomendações e *feedback* de consultores e outros clientes Decidir comprar o serviço e frequentemente fazer reserva	Atributos de busca, experiência e credibilidade Risco percebido Geração de expectativas • Nível de serviço desejado • Nível de serviço previsto • Nível de serviço adequado • Zona de tolerância
No local físico (ou reserva remota)	Remoto	2. Fase de encontro de serviço Solicitar serviço do fornecedor escolhido ou iniciar autosserviço (pagamento pode ser antecipado ou faturado posteriormente) Entrega por funcionários ou autosserviço	Momentos de verdade Encontros de serviço Sistema *servuction* Teorias de papéis e roteiro Metáfora teatral
No local físico somente	Remoto	3. Fase de pós-encontro Avaliar o desempenho do serviço Futuras intenções	Confirmação/não confirmação de expectativas Insatisfação, satisfação e encantamento Recompra Boca a boca

ções, (3) avaliação de alternativas e (4) tomada de decisão de compra. Na etapa de encontro de serviço, o consumidor inicia, experimenta e consome o serviço. A fase de pós-encontro abrange a avaliação do desempenho do serviço, que determinará intenções futuras, como querer comprar de novo da mesma empresa e recomendar o serviço a amigos, ou seja, lealdade e fidelização, dois dos principais objetivos do trabalho de marketing.

Como indica o lado esquerdo da Figura 2.1, a natureza dessas etapas depende de o serviço ser de alto contato (em que existe alto grau de interação entre prestadores de serviço e clientes, o que é mais característico de serviços de processamento de pessoas) ou de baixo contato (quando há pouco ou nenhum contato face a face entre prestadores de serviço e clientes, comum em muitos serviços de processamento de informações que podem ser realizados a distância, quando o contato é processado por alguma interface). Além disso, a cada etapa, diferentes conceitos proporcionam *insights* que podem nos ajudar a entender, analisar e gerenciar o que está ocorrendo. Os principais conceitos deste capítulo estão no lado direito da Figura 2.1, e o restante do capítulo se organiza em torno das três fases e dos principais conceitos do consumo de serviços.

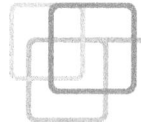

Fase de pré-compra

A fase de pré-compra se inicia com o *despertar da necessidade* — a conscientização de uma necessidade por parte do consumidor em potencial — e continua com a busca de informações e avaliação das alternativas para que se decida pela compra ou não de um serviço em particular.

Figura 2.2 Um estímulo pode levar à conscientização de uma necessidade, como no caso da visão de um casal com aparência feliz. A imagem nos faz pensar o que devemos fazer para chegar a essa idade com a mesma felicidade do casal e a buscar serviços que ofereçam soluções para isso

Conscientização da necessidade

A decisão de comprar ou usar um serviço é desencadeada pela necessidade básica de uma pessoa ou empresa ou pelo *despertar da necessidade*. A necessidade surge a partir da percepção de desequilíbrio entre uma situação real do consumidor e uma situação desejada, que ele gostaria de alcançar. A conscientização de uma necessidade impulsionará a busca por informações e a avaliação das alternativas que reduzam ou eliminem esta sensação de desequilíbrio ou desconforto, antes que a decisão seja tomada. As necessidades podem ser desencadeadas por:

- Pensamento inconsciente (por exemplo, identidade e aspirações pessoais, como o caso do casal apresentado na foto da Figura 2.2).
- Sensações físicas (por exemplo, a fome levou Ana Luísa à praça de alimentação da faculdade).
- Fontes externas (por exemplo, as atividades de marketing de uma empresa de serviço, como no caso de anúncios em revistas).

Quando uma necessidade é reconhecida, as pessoas podem ser motivadas a tomar uma ação para atendê-la. Na história de Ana Luísa, a necessidade da estudante pelos serviços do salão de cabeleireiro foi desencadeada pela lembrança de que o fim de semana se aproximava. Ela queria estar com boa aparência para sair com as amigas. Nas economias desenvolvidas, à medida que seu poder aquisitivo sobe, acompanhando o crescimento da renda *per capita* da economia, os consumidores passam a ter mais necessidade de gastar com férias, lazer e outras experiências de serviços mais sofisticadas. Essa disponibilidade financeira também permite pagar a terceiros para executar tarefas que antes seriam feitas pessoalmente, desde atividades simples, como lavar o carro ou costurar roupas, até atividades mais complexas, como preparar festas ou fazer consertos. O aumento da renda discricionária, aquela que sobra depois de pagas as contas rotineiras, também permite o consumo mais variado, entre eles o de experiências de serviço, como lazer. Tal mudança no comportamento e nas atitudes dos consumidores proporciona oportunidades para que os provedores desses serviços compreendam e atendam essas necessidades em transformação. Veja em Melhores práticas em ação 2.1, "Maridos de aluguel", a seguir como essas mudanças têm feito surgir oportunidades de novos negócios.

Melhores práticas em ação 2.1

Marido de aluguel

Até algumas décadas atrás, o marido 'prendado' era aquele que cuidava da casa e de sua manutenção. Fazia pequenos consertos, trocava lâmpadas, buchas de torneiras e fusíveis, cuidava do gramado e levava o cachorro para passear, entre muitas outras coisas. Hoje o casal geralmente trabalha fora e passa a maior parte do tempo longe de casa. Além disso, algumas empresas esperam e até consideram normal que seus funcionários façam também horas extras, além da jornada oficial de oito horas. Com isso, durante a semana as pessoas gastam quase todo o tempo de que dispõem em casa apenas com refeições, banho e sono. Resolver um problema doméstico pode então tomar maiores proporções devido à falta de tempo ou mesmo de energia.

Percebendo essa nova demanda ainda não atendida, em muitas das grandes cidades surgem diversas empresas sob o conceito comum de 'marido de aluguel', para a solução de problemas domésticos. Uma rápida busca na Internet encontra diversos sites de empresas como Marido de aluguel, Seu marido de aluguel, Maridoservice.com e Pra que marido.

Muitos desses casos são de profissionais tradicionais que adotaram o conceito ao perceberem que ele comunica bem seus serviços — pedreiros, carpinteiros, eletricistas, encanadores e marceneiros. Mas também entraram nesse mercado pessoas que gostam das atividades 'de marido' e perceberam a oportunidade de oferecê-las de forma profissional. Surgiram, ainda, novas formas de serviços relacionados ao lar: os *personal organizers*, que ensinam e orientam como organizar as coisas dentro de casa, os *personal shoppers*, que avaliam o que precisa ser trocado, como roupas de cama ou de mesa, móveis etc., e ajudam a fazer a compra desses itens, encontrando os melhores produtos com os melhores preços e condições; os 'passeadores de cachorro', que levam os animais para passear; os *personal stylists*, que orientam seus clientes na escolha e compra do vestuário; e até o *personal arborist*, que orienta na escolha e no cuidado das plantas da casa e do jardim.

Mais recentemente, as mulheres perceberam que os homens, principalmente os solteiros, também precisavam de serviços. Surgiu a 'esposa de aluguel', que oferece as tradicionais prendas domésticas: pregar botão, cerzir meias, jogar fora a roupa velha já furada, entrevistar e selecionar candidatas a diaristas, orientar e treinar diaristas para fazerem a limpeza com cuidado, trocarem a roupa de cama, não misturarem roupas claras e escuras na mesma lavagem, estenderem a roupa no varal de forma a facilitar na hora de passar, passarem bem, fazerem bolos e quitutes em geral, levarem o cachorro ao *pet shop* e muitas coisas do dia a dia. Com outros nomes, como consultora do lar ou governanta por um dia, este é um mercado que está crescendo rapidamente.

Em outro exemplo de crescimento e diversificação do setor, alguns prestadores de serviços têm se aproveitado do aumento de interesse por esportes radicais e oferecem aventuras de escaladas monitoradas, *paragliding*, *rafting* e *mountain biking* (veja Figura 2.3). A ideia da *experiência* de serviço também se estende a situações empresariais e setoriais, por exemplo, feiras comerciais modernas em que os expositores atraem o interesse de clientes em potencial por meio de apresentações interativas e lazer.[1]

Na economia de serviços, as pessoas adquirem diversos serviços que resultam em uma experiência, enquanto na economia de experiências, elas contratam o pacote total de uma empresa que fornece a experiência em si. Ao longo das diversas eras econômicas, uma experiência como um aniversário ocorreria de formas diversas. Em uma economia agrícola, o trigo e os outros elementos do bolo seriam cultivados, colhidos, preparados pela família em sua cozinha e servidos aos convidados. Em uma economia industrial, um pacote industrializado de preparo para bolo seria adquirido em uma loja, misturado a ovos e outros ingredientes, assado no forno da família e servido aos convidados. Em uma economia de serviços, o bolo seria encomendado a uma confeitaria e servido. Na economia de experiências, a festa de aniversário seria organizada por uma empresa contratada que cuidaria de todos os detalhes, como o local, os convites, as distrações e, é claro, o bolo.

Figura 2.3 Acompanhando o aumento dos adeptos de esportes radicais no mundo, mais prestadores de serviço oferecem atividades como a escalada de montanha

Busca de informações

Quando uma necessidade ou um problema é reconhecido, os consumidores são motivados a buscar soluções para satisfazê-los. As necessidades podem ser físicas ou sociais, e soluções alternativas para a sua satisfação podem envolver a decisão de escolha entre diversas abordagens que tratam o mesmo problema, como contratar uma empresa de paisagismo para cortar uma árvore que está morrendo em seu quintal, ou alugar uma serra elétrica e fazer isso por conta própria. Para uma necessidade de lazer, a escolha fica entre ir ao cinema, alugar um DVD ou assistir a um filme pela TV a cabo. E, é claro, sempre existe a opção de não fazer nada — ao menos por enquanto.

Diversas alternativas podem vir à mente, e elas formam o *conjunto evocado* (também conhecido como *conjunto considerado*), que é o conjunto de produtos ou marcas que um cliente pode levar em consideração no processo decisório. Para Ana Luísa, a primeira escolha em seu conjunto evocado foi a refeição no restaurante da praça de alimentação, mas, devido à longa fila, ela se contentou com a segunda opção em seu conjunto evocado, o sanduíche e o suco de uma das lanchonetes. O conjunto evocado pode originar-se de fonte interna, como a memória, onde experiências passadas e seus desempenhos estão armazenados, ou de fontes externas, como propagandas, vitrines, notícias, buscas pela Internet, revistas especializadas e recomendações de funcionários, amigos e familiares. Uma vez que um conjunto evocado se estabelece, as diferentes alternativas precisam ser avaliadas antes da escolha final.

Avaliação de alternativas

Atributos de serviços. Quando estão diante de várias alternativas, os consumidores necessitam comparar e avaliar as diferentes ofertas de serviço, e cada opção pode ter um valor percebido diferente. Muitos serviços, porém, são difíceis de avaliar antes da compra. A facilidade ou dificuldade de avaliação de um produto antes da aquisição decorre de atributos que distinguimos entre três tipos.[2]

- *Atributos de busca* são características tangíveis que permitem aos clientes avaliar um produto antes de efetuar a compra. Estilo, cor, textura, sabor e som são alguns aspectos que possibilitam aos consumidores potenciais experimentarem, degustarem ou testarem um produto antes da aquisição. Esses atributos tangíveis ajudam os clientes a entender e a avaliar o que receberão em troca de seu dinheiro e reduzem o sentimento de incerteza ou risco associado à ocasião de compra. Roupas, móveis, carros, equipamentos eletrônicos e alimentos são bens com alto grau de atributos de busca. Tais atributos, entretanto, também podem ser encontrados em diversos serviços. Por exemplo, podem-se avaliar muitos atributos antes de ir a determinado restaurante, como o tipo de comida servido, a localização, o ambiente (sofisticado, casual, familiar etc.) e o preço cobrado. É também possível visitar diferentes quartos de um hotel antes de hospedar-se, examinar um campo de golfe antes de efetivamente jogar uma partida ou conhecer uma academia de ginástica e frequentá-la por alguns dias antes da matrícula.

- *Atributos de experiência* são aqueles que não podem ser avaliados antes da compra. Os clientes têm de 'experimentar' o serviço antes de avaliar aspectos como confiabilidade, facilidade de uso e suporte ao cliente. No exemplo de um restaurante ou hotel, você não saberá se realmente gosta da comida, do atendimento do garçom ou do ambiente antes que esteja realmente consumindo o serviço.

    Férias, entretenimento ao vivo e até procedimentos médicos encontram-se nessa categoria. Embora possam examinar folhetos, navegar por sites que descrevem o destino de férias, assistir a filmes de viagens ou ler comentários feitos por especialistas em turismo, as pessoas não podem avaliar nem sentir a incrível beleza associada a uma escalada nas Montanhas Rochosas canadenses ou a mágica de um mergulho no mar do Caribe a menos que vivenciem essas experiências. Nem sempre também podem depender de informações de amigos, familiares ou outras fontes pessoais quando avaliam esses ou outros serviços semelhantes, pois cada pessoa pode interpretar ou reagir aos mesmos estímulos de modo diferente. Pense em suas próprias experiências quando seguiu recomendações de amigos em relação a determinado filme. Embora você tenha ido ao cinema com grandes expectativas, talvez tenha se desapontado após a sessão por não ter gostado tanto quanto aqueles que lhe recomendaram o filme. Também é possível que, devido a situações de momento, um serviço positivamente avaliado por um amigo não saia a seu contento por causa de algo que tenha ocorrido em sua experiência, mas não na dele. Um serviço pode ter diversos componentes que nem sempre são utilizados por todos os usuários. Por exemplo, no caso de bagagem perdida, a experiência de um passageiro pode ter sido bem avaliada por não ter havido o extravio, mas para outro passageiro ele ocorreu e os procedimentos não foram adequados, gerando insatisfação.

Por fim, avaliações e recomendações não podem prever todas as circunstâncias específicas e/ou que fogem ao controle. Por exemplo, o excelente chefe de cozinha do restaurante pode estar de férias ou uma animada festa de aniversário na mesa ao lado pode estragar o romântico jantar à luz de velas que você desejava para celebrar seu aniversário de casamento.

- *Atributos de credibilidade* são características que os clientes acham difícil de avaliar com confiança, mesmo após a compra e o consumo. Nesse caso, o cliente é forçado a crer ou confiar que certos benefícios foram entregues no nível de qualidade prometido. No exemplo do restaurante, os atributos de credibilidade incluem as condições de higiene da cozinha e a condição salutar dos ingredientes da comida.

É difícil para um cliente determinar a qualidade do serviço de reparo e manutenção de um carro, e pacientes não podem avaliar quão bem seus dentistas executaram procedimentos dentários complexos. Considere também a contratação de serviços profissionais: as pessoas buscam esses serviços justamente porque carecem do treinamento e da experiência necessários — como nos casos de aconselhamento, cirurgia, assessoria jurídica e consultoria. Como ter certeza de que o melhor serviço possível foi executado? Às vezes, só nos resta confiar nas habilidades e no profissionalismo do prestador de serviço e esperar, algumas vezes por anos, para que os resultados comprovem se a qualidade esperada foi realmente atingida, como no caso de um curso universitário ou de uma terapia contra o câncer.

Todos os produtos podem ser colocados em um contínuo que vai de 'fácil' a 'difícil', dependendo de seu grau de atributos de busca, de experiência ou de credibilidade. Como ilustrado na Figura 2.4, a maioria dos bens físicos está localizada mais à esquerda do espectro porque tem alto grau de atributos de busca, ao passo que a maioria dos serviços tende a estar localizada do centro para a direita do *continuum* por causa do alto grau de atributos de experiência e de credibilidade. Entretanto, ao discutir esses três tipos de atributo, devemos tomar o cuidado de não generalizar demais, porque outros fatores também podem ser relevantes na avaliação, como uma grande diferença entre a capacidade de um consumidor experiente e a de um usuário de primeira viagem para avaliar um serviço. A predisposição ao risco pode ser outro fator, já que os que aceitam mais riscos podem se satisfazer com menos informações, percebendo um serviço como mais palpável do que os mais sensíveis ao risco.

Quanto maior a dificuldade de um cliente em avaliar um serviço antes de comprá-lo, mais alto será o risco percebido associado a essa decisão. Analisaremos o risco percebido a seguir.

Risco percebido. Ao avaliar serviços concorrentes, os consumidores tentam avaliar o provável desempenho de cada serviço com base em atributos que são importantes para eles e escolhem o serviço que esperam que melhor atenda a suas necessidades. De modo geral, eles evitam tomar uma decisão de consumo enquanto o risco percebido é alto. Primeiro, os consumidores buscam informações que lhes permitam conhecer e avaliar melhor as opções, o que reduz o risco percebido. Devido à alta proporção de atributos de experiência e credibilidade, os clientes podem se preocupar com o risco de fazer uma compra sem informações suficientes, que depois tenha uma razoável probabilidade de se revelar decepcionante. Se você adquire um bem físico que é insatisfatório, em geral, pode devolvê-lo ou substituí-lo. Essas opções não estão facilmente disponíveis quando se trata de serviços. Ana Luísa preferiu não colorir os cabelos antes de conhecer melhor a nova técnica que lhe foi sugerida. Embora alguns serviços possam ser repetidos em caso de insatisfação, como lavar novamente roupas que não foram bem lavadas da primeira vez, essa pode não ser uma solução prática no caso de uma peça de teatro mal representada ou de um curso mal ministrado (por exem-

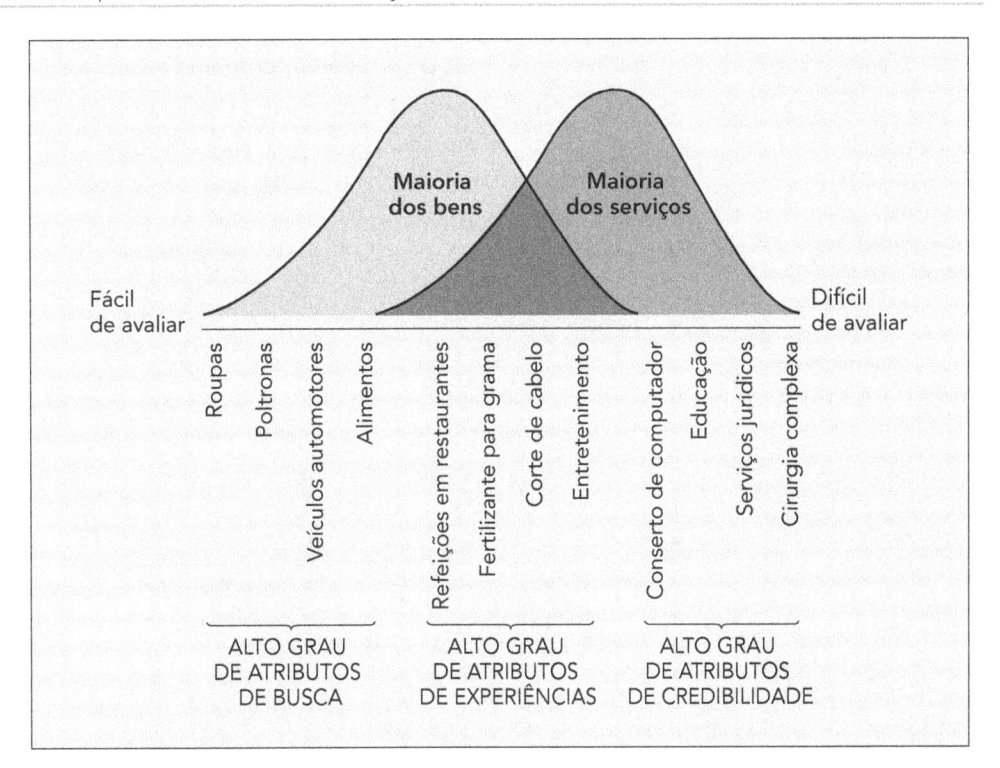

Figura 2.4 — Como características do produto afetam a facilidade de avaliação

- **Fácil de avaliar** ← Maioria dos bens / Maioria dos serviços → **Difícil de avaliar**

Alto grau de atributos de busca: Roupas, Poltronas, Veículos automotores, Alimentos

Alto grau de atributos de experiências: Refeições em restaurantes, Fertilizante para grama, Corte de cabelo, Entretenimento

Alto grau de atributos de credibilidade: Conserto de computador, Educação, Serviços jurídicos, Cirurgia complexa

Fonte: Adaptado de Valarie A. Zeithaml."How consumer evaluation processes differ between goods and services". In: J. H. Donnelly e W. R. George. *Marketing of services*. Chicago: American Marketing Association, 1981.

---

plo, você gostaria de estudar contabilidade financeira novamente no próximo semestre?). Como o serviço é produzido no momento de seu consumo, geralmente a reposição de uma prestação insatisfatória implica a necessidade de dedicar mais tempo para recebê-la, o que se torna um custo adicional ao cliente.

O risco percebido é especialmente relevante para serviços difíceis de avaliar antes da compra e do consumo, e é provável que os usuários de primeira viagem enfrentem maior incerteza. Pense em como se sentiu na primeira vez que teve de tomar uma decisão sobre um serviço desconhecido, sobretudo aqueles com sérias consequências, como adquirir um plano de saúde ou escolher qual universidade cursar. É bem provável que tenha se preocupado com a probabilidade de um resultado negativo. Ao escolher a faculdade, por exemplo, alguns alunos dão preferência às de melhor reputação, evitando uma intensa busca de informações que ainda poderiam dar margem a dúvidas. Quanto pior o resultado possível e maior a probabilidade de sua ocorrência, maior a percepção de risco. A Tabela 2.1 a seguir descreve sete categorias de risco percebido.

Como lidar com o risco percebido? É comum as pessoas não se sentirem bem com riscos percebidos e lançarem mão de uma variedade de métodos para reduzi-los, como:

- Procurar informações de fontes pessoais respeitadas (familiares, amigos, colegas). Como exemplo, as escolas mais tradicionais são as mais procuradas porque no mercado de trabalho há muitos profissionais formados por elas, e o sucesso deles indica a qualidade de sua instituição de origem.

- Usar a Web para comparar ofertas de serviço e buscar avaliações e classificações independentes. Um site detalhado, com vídeos, depoimentos e tabelas de informações pode ser muito importante para levar o consumidor a escolher seus serviços.

- Confiar em uma empresa que tenha boa reputação. Pode ser de boca a boca, pela associação entre preço elevado e qualidade e por referências de líderes de opinião.

- Procurar garantias financeiras e materiais. As garantias devem ser voltadas para reduzir o custo percebido do serviço.

Tabela 2.1 Riscos percebidos na compra e no uso de serviços

Tipo de risco	Exemplos de preocupações dos consumidores
Funcional (desempenho insatisfatório)	■ Este treinamento me dará as habilidades necessárias para obter um emprego melhor? ■ Este cartão de crédito será aceito sempre que eu quiser fazer uma compra e em qualquer lugar? ■ A lavanderia conseguirá remover as manchas desta jaqueta?
Financeiro (perda monetária, custos inesperados)	■ Perderei dinheiro se fizer o investimento recomendado por meu corretor? ■ Meus dados pessoais poderão ser roubados, se fizer esta compra pela Internet? ■ Terei muitos gastos imprevistos, se sair de férias? ■ Consertar o carro custará mais do que a estimativa inicial?
Temporal (perda de tempo, consequências de atrasos)	■ Terei de esperar em uma fila para visitar a exposição? ■ E se o serviço deste restaurante for tão lento que me fará atrasar para o compromisso da tarde? ■ A reforma de nosso banheiro será terminada antes que nossos amigos venham se hospedar aqui?
Físico (ferimento pessoal ou danos a objetos)	■ Poderei me machucar se fizer a trilha que o monitor do *resort* indicou? ■ O conteúdo do pacote poderá ser danificado se enviado por correio? ■ E se eu ficar doente ao viajar em férias para o exterior?
Psicológico (temores e emoções)	■ Como posso ter certeza de que este avião não cairá? ■ O consultor fará que eu me sinta um idiota? ■ O diagnóstico do médico me aborrecerá?
Social (pensamentos e reações)	■ O que meus amigos pensarão de mim se souberem que fiquei neste hotel barato? ■ Meus parentes aprovarão o restaurante que escolhi para o jantar de família? ■ Meus colegas de trabalho reprovarão minha escolha por um escritório de advocacia desconhecido?
Sensorial (efeitos indesejados sobre qualquer dos cinco sentidos)	■ Terei vista para o estacionamento em vez de para a praia a partir de minha mesa no restaurante? ■ A cama do hotel será desconfortável? ■ Será que o barulho dos hóspedes do quarto ao lado não me deixará dormir? ■ Meu quarto terá cheiro de cigarro? ■ O café da manhã vai ser ruim?

- Visitar instalações de serviço ou experimentar aspectos do serviço antes de comprá-lo, além de examinar indícios tangíveis ou outras evidências físicas, como o ambiente em que se presta o serviço ou prêmios conquistados pela empresa.
- Consultar funcionários informados e outros especialistas sobre serviços concorrentes.

Consumidores têm aversão ao risco e, a partir de certo grau e sendo iguais as demais condições, escolherão o serviço com o menor risco percebido. Portanto, as empresas precisam atuar de modo proativo para reduzir as percepções de risco dos consumidores. Estratégias adequadas variam de acordo com a natureza do serviço e podem incluir todos os seguintes aspectos ou parte deles:

- Incentivar os consumidores em potencial a avaliarem previamente o serviço por meio de materiais informativos, como folhetos, sites e vídeos.
- Incentivar os consumidores em potencial a visitarem as instalações do serviço antes da compra.
- Oferecer uma 'degustação', um período de teste gratuito para serviços com altos atributos de experiência. Alguns provedores de serviços de computação on-line adotaram essa estratégia. Por exemplo, a America Online (AOL) ofereceu a usuários potenciais em software grátis e a chance de testar seus serviços sem ônus por um período limitado de tempo. Tal estratégia reduz as incertezas dos clientes quanto a firmar um contrato pago sem antes testar o serviço. A AOL esperava que os consumidores fossem 'fisgados' por seus serviços ao final do período de teste gratuito.

- Informar. Isso proporciona aos consumidores uma interpretação e um senso de valor para qualquer produto ou serviço. No caso de serviços com alta credibilidade e alto envolvimento com os clientes, as empresas devem se concentrar nas principais dimensões do serviço e prover informações tangíveis sobre os resultados de desempenho do serviço.

- Apresentar credenciais. Comumente, profissionais como médicos, arquitetos e advogados deixam expostos seus diplomas de graduação e outras certificações porque desejam que os clientes 'vejam' as credenciais que os qualificam a prestar serviço especializado (veja Figura 2.5). Muitos sites de empresas profissionais informam a clientes em potencial sobre seus serviços, apresentam seus currículos, destacam sua experiência e até exibem parcerias bem-sucedidas.

- Usar a *gestão da percepção do ambiente*, um método organizado pelo qual os consumidores são apresentados a evidências coerentes da imagem visada pela empresa e sua proposição de valor. Isso inclui a aparência de móveis, equipamentos e instalações, bem como o modo de vestir e o comportamento dos funcionários.[3] Por exemplo, a decoração agradável do salão de beleza experimentado por Ana Luísa a ajudou a avaliar positivamente o estabelecimento e certamente contribuiu para que ela se sentisse satisfeita ao final do serviço — embora a cabeleireira a tivesse feito esperar por 15 minutos.

- Adotar procedimentos de segurança visíveis que inspirem confiança.

- Oferecer aos clientes acesso a informações pela Internet sobre o *status* de um pedido ou procedimento. Muitos provedores de serviço de entrega expressa fazem isso (como os Correios, FedEx, DHL e UPS). De modo geral, ter ciência das etapas já concluídas do serviço dão ao consumidor maior confiança de que a entrega será feita adequadamente.

- Oferecer garantias de serviço, como as de reembolso financeiro, de bom desempenho ou de reposição de serviços para os casos de insatisfação.

Quando uma empresa faz um bom trabalho de administração das percepções de risco dos clientes, o nível de incerteza é reduzido e aumentam as chances de o prestador de serviço ser escolhido. Outro importante fator de escolha dos consumidores (e posterior satisfação) são as expectativas, discutidas a seguir.

Figura 2.5 Este médico exibe seus diplomas na parede do consultório para tornar suas credenciais mais tangíveis

Panorama de serviços 2.1

Hospitais cinco-estrelas

O setor hospitalar brasileiro é composto de mais de 70 mil estabelecimentos registrados na ANVISA, e previsões indicam que esses estabelecimentos devem movimentar mais de US$ 600 bilhões nos próximos dez anos. Em muitos deles, a forte concorrência tem levado à necessidade de implantar processos de cortes de custos. A concorrência no setor se deve, em parte, ao rápido crescimento do número de hospitais no início no século XXI, o que levou muitas cidades a terem uma oferta maior que a demanda.

Muitos hospitais, entretanto, são mal estruturados e mais familiares que profissionalizados. Um levantamento da Federação Brasileira de Hospitais (FBH) indica que em mais de 90 por cento dos estabelecimentos não há sistemas de informação nem controle confiáveis para gerenciar custos e evitar desperdícios. Segundo a FBH, existem no Brasil cerca de 6.900 hospitais — 4.600 deles privados — que oferecem cerca de 440 mil leitos. No setor público, a situação não é das melhores por causa dos baixos investimentos governamentais em saúde. Para se ter uma ideia, enquanto o Brasil destina 7,6 por cento de seu PIB ao setor, a Argentina destina 9,5 por cento e o Uruguai, 10,9 por cento.

Para o cliente, o risco percebido é grande tanto pela variabilidade da qualidade do atendimento quanto pelos riscos psicológicos característicos dos serviços médicos: o medo do insucesso do procedimento, o ambiente desconhecido do hospital, a perda do relacionamento e da rotina familiar, a dependência de pessoas desconhecidas, as diversas situações desagradáveis — como o gosto ruim do remédio e a falta de tempero da comida —, a incerteza sobre o que está acontecendo e as decisões vitais a serem tomadas em relação à própria saúde ou à de um ente querido.

Nesse contexto, as empresas que desejam se tornar mais competitivas e melhorar sua rentabilidade, além do investimento em processos, têm de (1) identificar o que pode ser cortado e que não adiciona valor percebido e, principalmente, (2) buscar a inovação ao desenvolver novas ofertas que estabeleçam diferenciais e adicionem valor a seus clientes de forma reconhecida, reduzindo o risco percebido de seu serviço.

Uma forma de justificar o valor de seus serviços é destacar os que são mais perceptíveis. Os principais hospitais de ponta possuem os melhores equipamentos, que, com custos elevados, são constantemente modernizados. Isso, porém, é dificilmente percebido pelo cliente. Assim, esses hospitais vêm investindo na hotelaria hospitalar e seu atendimento passa a ser comparável ao de hotéis cinco-estrelas, o que cria uma imagem de excelência, estendida então para seus equipamentos, estrutura e pessoal. O cliente não sabe se o equipamento de tomografia é de última geração, mas reconhece como de qualidade serviços que incluem *concierge* e *bellboy* no atendimento, recepções projetadas por arquitetos e decoradores famosos, banheiros de mármore, quartos espaçosos com frigobar e TVs LED e gastronomia assinada por *chefs* de renome.

O hospital Alemão Oswaldo Cruz, em São Paulo, por exemplo, tem vários destaques. A extensa área verde tem centenas de árvores, plantas, gramado muito bem cuidado e até viveiro de beija-flores. Sua gastronomia contribuiu para o recebimento do prêmio Top Hospitalar como hospital do ano.

Já o hospital Sírio-Libanês tem iluminação natural na recepção, onde um pianista costuma tocar; o atendimento é de hotel cinco-estrelas, com recepção por *concierge* e *bellboy* que carrega as malas para as suítes com TVs, livros e assinatura de revistas. Sua gastronomia já recebeu o prêmio Nestlé Hospital Gourmet.

No Hospital Albert Einstein, além de serviços como gastronomia premiada, suítes completas e decoração assinada, o *concierge* também atende a desejos específicos dos clientes, como serviço de beleza. O espaço conta com brinquedotecas e oficinas de arte para crianças e, na maternidade, são oferecidas atividades especiais para as mães e acompanhantes das gestantes.

Na maternidade do hospital São Luiz, a TV tem um canal a cabo especial com programas sobre cuidados com o bebê, as pacientes desfrutam de serviço de cromoterapia e hidromassagem. O próprio quarto de pré-parto se transforma em sala de parto, para evitar deslocamentos.

Também na maternidade Pro Matre, para partos normais, as unidades de suítes para parto dispensam o deslocamento do ambiente, que já é decorado para se parecer o máximo possível com o da residência da gestante. Os aparelhos ficam embutidos nos móveis e só aparecem na hora em que são necessários. Além disso, serviços de cabeleireiro, maquiador, massagista e manicure vão até o quarto da paciente.

Expectativas de serviço. As expectativas surgem durante o processo de busca e tomada de decisão, além de serem profundamente modeladas pela busca de informações e avaliação de atributos. Se você não tem experiência prévia relevante, pode basear suas expectativas de pré-compra em comentários de boca a boca, notícias ou nas próprias ações de marketing da empresa. As expectativas também podem ser circunstanciais. Por exemplo, em épocas de pico, as expectativas de entrega de serviço serão mais baixas do que em outros períodos. Elas mudam ao longo do tempo e são influenciadas por fatores controlados pelos fornecedores — como publicidade, preço, novas tecnologias e inovação —, bem como por tendências sociais, órgãos de defesa do consumidor e maior acesso a informações por meio da mídia impressa e da Internet. Por exemplo, o atual consumidor de serviços de saúde é bem informado e geralmente busca um papel participativo nas decisões relativas a tratamento médico. As expectativas também variam de acordo com o grau de familiaridade do cliente com o serviço e seus prestadores. Na seção Panorama de serviços 2.1, na página anterior, veja como os hospitais estão buscando alternativas para adicionar valor a seus serviços e torná-los mais tangíveis.

Quais são os componentes das expectativas dos clientes? Elas se formam com base em um conjunto de diversos elementos, que incluem serviço desejado, serviço adequado, serviço previsto e uma zona de tolerância que fica entre os níveis de serviço desejado e adequado.[4] O modelo apresentado na Figura 2.6 mostra os fatores que influenciam os diferentes níveis de expectativas de clientes. São eles:

- **Serviço desejado.** O tipo de serviço que os clientes esperam receber é denominado serviço desejado. É um nível 'ideal': uma combinação do que os clientes acreditam que pode e deve ser entregue no contexto de suas necessidades pessoais. O serviço desejado também é influenciado por promessas explícitas e implícitas feitas por fornecedores, comentários de boca a boca e experiências anteriores.[5] É o serviço que o cliente acredita poder receber, se tudo ocorrer de forma adequada. Todavia, grande parte dos clientes é realista e entende que nem sempre as empresas podem entregar o nível desejado de serviço; por conseguinte, eles também têm um patamar mínimo para o nível de expectativas, denominado *serviço adequado*.

- **Serviço adequado.** É o nível mínimo de serviço que os clientes aceitarão sem ficar insatisfeitos.

- **Serviço previsto.** O nível de serviço que os clientes esperam receber é conhecido como *serviço previsto* e também pode ser afetado por promessas de fornecedores,

Figura 2.6 Fatores que influenciam as expectativas de serviço dos clientes

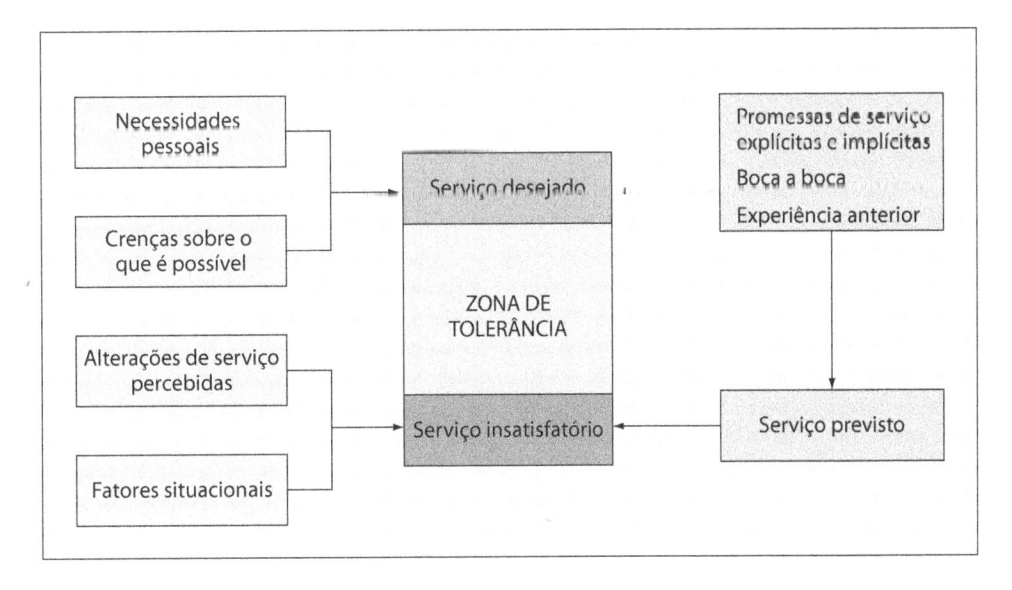

Fonte: Adaptado de Valarie A. Zeithaml, Leonard L. Berry e A. Parasuraman, "The nature and determinants of customer expectations of service", *Journal of the Academy of Marketing Science*, 21, n. 1, 1993, p. 1–12.

comentários de boca a boca e experiências anteriores. O nível de serviço previsto afeta diretamente o modo como os clientes definem "serviço adequado" em determinada ocasião. Se for previsto um bom serviço, o nível adequado será mais alto do que quando se prevê um serviço inferior. Previsões de serviço feitas por clientes podem ser contextuais. Por exemplo, com base em experiência anterior, clientes que visitam um museu em um dia de verão podem esperar encontrar maior quantidade de pessoas se o tempo estiver ruim do que se o sol estiver brilhando. Portanto, uma espera de dez minutos para comprar entradas em um dia frio e chuvoso não deve ficar abaixo do que consideram um nível de serviço adequado. Outro fator que pode determinar essa expectativa é o nível de serviço previsto de fornecedores alternativos.

- **Zona de tolerância.** Os clientes entendem que pode ser difícil para as empresas realizar uma entrega consistente de serviço em todos os pontos de contato passando por vários canais, filiais e, em geral, milhares de funcionários. Até o desempenho do mesmo profissional de serviço pode variar de um dia para outro. A proporção dessa variação que os clientes estão dispostos a aceitar é denominada *zona de tolerância*, que corresponde ao intervalo entre o nível mínimo adequado e o nível máximo desejado pelo cliente. Um desempenho que fique abaixo do nível de serviço adequado causará frustração e insatisfação, ao passo que um desempenho que exceda o nível de serviço desejado surpreenderá e encantará os clientes. Outra maneira de enxergar a zona de tolerância é imaginá-la como a faixa dentro da qual os clientes não dão atenção explícita ao desempenho do serviço.[6] Quando o serviço ficar fora dessa faixa, a reação dos clientes será positiva ou negativa.

A zona de tolerância pode aumentar ou diminuir para cada cliente, dependendo de fatores como concorrência, preço ou importância de atributos de serviço específicos — cada um dos quais pode afetar o nível de serviço adequado. Por outro lado, os níveis de serviço tendem a subir muito lentamente em resposta às experiências acumuladas pelos clientes. Considere a proprietária de uma pequena empresa que precisa de orientação de seu contador. O nível ideal de serviço profissional que ela deseja pode ser uma resposta atenciosa no dia seguinte. Mas, se o serviço for solicitado na época do ano em que todos os contadores estão atarefados preparando declarações de imposto de renda de pessoas jurídicas e físicas, ela provavelmente saberá, por experiência, que não deve esperar uma resposta rápida. Embora seu nível de serviço ideal provavelmente não tenha mudado, sua zona de tolerância para o tempo de resposta pode ser muito mais ampla, porque o patamar do que ela considera um serviço adequado é mais baixo. O nível de serviço adequado também tende a subir ao longo do tempo. À medida que, em um mercado competitivo, as empresas desenvolvem suas ofertas e lançam novas com mais benefícios, o cliente já não aceita níveis tão baixos, pois a oferta no mercado em geral melhora.

É importante para as empresas compreender a amplitude da zona de tolerância de seus clientes. Por exemplo, um estudo de hóspedes de hotéis quatro-estrelas, cinco-estrelas e *resorts* em Chipre do Norte (localizada ao leste do Mediterrâneo) constatou uma zona de tolerância relativamente estreita entre níveis de serviço desejados e adequados.[7] O exame de atributos individuais demonstrou que os hóspedes eram mais sensíveis a aspectos intangíveis, como pronto atendimento, cortesia dos funcionários e conveniência dos horários de funcionamento, do que aos tangíveis como instalações físicas e equipamentos modernos. O estudo reforça a necessidade de a empresa treinar seus funcionários nesses aspectos intangíveis de relacionamento, porque ajudarão a manter a satisfação dos clientes e também porque são mais passíveis de afetá-la.

O nível de serviço previsto é provavelmente o mais importante no processo de escolha dos consumidores e será discutido na próxima seção. Níveis desejados e adequados e a zona de tolerância tornam-se importantes fatores determinantes da satisfação do cliente, que será abordada na seção sobre a fase de pós-encontro.

Decisão de compra

Após o consumidor avaliar as possíveis alternativas, por exemplo, comparando o desempenho de atributos que ele considera importantes de ofertas de serviço concorrentes; examinar o risco percebido associado a cada oferta; e formar suas expectativas de nível de serviço desejado, adequado e previsto — ele estará pronto para selecionar sua opção preferida.

Muitas decisões de compra para serviços adquiridos em bases frequentes são bastante simples e podem ser tomadas rapidamente. Quando os riscos percebidos são baixos, as alternativas são claras e, como já foram usados, suas características são facilmente compreensíveis. Se o consumidor tiver um fornecedor favorito, provavelmente poderá escolhê-lo novamente, caso não haja um grande motivo para trocá-lo.

No entanto, em muitos casos, as decisões de compra envolvem a avaliação das compensações que diferentes componentes de cada alternativa podem oferecer. O preço costuma ser um fator chave. Por exemplo, vale a pena pagar mais por um serviço mais rápido, como na escolha entre um táxi e um ônibus? Ou alugar um carro maior que proporcionará aos membros da família mais espaço em uma longa viagem de férias? No caso de decisões mais complexas, as compensações envolvem múltiplos atributos: ao escolher uma companhia aérea, a conveniência de horários de voo, confiabilidade, conforto das poltronas, atenção da tripulação e disponibilidade de refeições variam entre as diversas empresas, mesmo que a tarifa seja a mesma. Cada pessoa atribui valores diferentes a essas opções e, portanto, toma decisões diferentes perante as mesmas alternativas.

Uma vez tomada a decisão, o consumidor estará pronto para mover-se para a fase de encontro de serviço. Essa próxima etapa pode ocorrer imediatamente, como na decisão de entrar em um restaurante *fast-food*, ou envolver uma reserva antecipada, como geralmente ocorre ao se tomar um voo ou assistir a uma peça teatral.

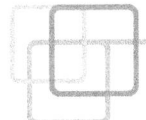

Fase de encontro de serviço

Após tomar uma decisão de compra, os consumidores passam para a essência da experiência de serviço: a fase de encontro de serviço, que geralmente inclui uma série de contatos com o fornecedor escolhido. Com frequência, essa fase inicia-se com um pedido, uma solicitação de reserva ou até o encaminhamento de um formulário de requerimento (pense no processo de obter um empréstimo, procurar um seguro ou matricular-se em uma faculdade). Os contatos assumem a forma de intercâmbios pessoais entre clientes e funcionários de serviços ou interações impessoais com máquinas e sites. Durante a entrega do serviço, muitos clientes já começam a avaliar a qualidade do serviço que estão recebendo e decidem se ela está atendendo a suas expectativas.

Um *encontro de serviço* é um período durante o qual clientes interagem diretamente com um serviço.[8] Esse encontro ocorre tanto com o pessoal de frente como com o pessoal de bastidores, pois, mesmo que o cliente não veja o que acontece, ele percebe seu impacto sobre a qualidade do serviço. Embora alguns encontros de serviço — como uma corrida de táxi ou um telefonema — sejam muito breves e consistam em apenas algumas etapas, outros podem se estender por um tempo mais longo e envolver múltiplas etapas de variados graus de complexidade. Uma refeição desfrutada sem pressa em um restaurante pode se estender por duas horas, já uma internação em um hospital pode durar vários dias.

Utilizamos uma série de modelos e estruturas para melhor compreender o comportamento dos consumidores durante a experiência de encontro de serviço. Primeiro, a metáfora da 'hora da verdade' demonstra a importância de administrar com eficácia os pontos de contato. Em seguida, o modelo de serviço de alto/baixo contato ajuda-nos a entender melhor a extensão e a natureza dos pontos de contato. Depois, o modelo *servuction* foca os vários tipos de interação que juntos criam a experiência de serviço do cliente. Por fim, a metáfora teatral comunica eficazmente como analisar a 'encenação' dos desempenhos de serviço para criar a experiência desejada pelos clientes.

Encontros de serviço como a 'hora da verdade'

Richard Normann tomou emprestada das touradas a metáfora da 'hora da verdade' para mostrar a importância de pontos de contato com clientes (Figura 2.7):

> [Poderíamos] dizer que a qualidade percebida é realizada na hora da verdade, quando o provedor do serviço e o cliente se confrontam na arena. Naquele instante, eles estão inteiramente por conta própria [...]. São a habilidade, a motivação e as ferramentas empregadas pelo representante da empresa e as expectativas e o comportamento do cliente que criarão o processo de entrega do serviço.[9]

Figura 2.7 O prestador de serviço é o toureiro que habilmente gerencia o encontro de serviço

Na tourada, o que está em jogo é a vida do touro ou do toureiro ou, possivelmente, de ambos. A 'hora da verdade' é o instante em que o toureiro mata habilmente o touro com sua espada — uma analogia que não é lá muito agradável para uma organização de serviços que pretende construir relacionamentos de longo prazo com seus clientes! É claro que o ponto de vista de Normann é que o que está em jogo é a vida desse relacionamento. O toureiro está no momento decisivo em que ele deve provar que sabe fazer o melhor para conseguir seu objetivo. Ao contrário da tourada, a meta do marketing de relacionamento — que estudaremos a fundo no Capítulo 12 — é evitar que um encontro (ou desencontro) infeliz destrua o que já se tornou, ou tem o potencial de se tornar, um relacionamento de longo prazo, valorizado por ambos.

Jan Carlzon, antigo diretor-presidente da Scandinavian Airline Systems (SAS), usou a metáfora da 'hora da verdade' como um ponto de referência para transformar a SAS, de uma empresa direcionada para operações, em um negócio dirigido ao cliente. Carlzon fez os seguintes comentários sobre sua companhia aérea:

> No ano passado, cada um de nossos 10 milhões de clientes entrou em contato com aproximadamente cinco funcionários da SAS, e cada contato durou, em média, 15 segundos. Dessa forma, a SAS é 'criada' 50 milhões de vezes por ano, 15 segundos por vez. Esses 50 milhões de 'horas da verdade' são os momentos que, em última instância, determinam se a SAS será bem-sucedida ou fracassará como empresa. São os momentos em que temos de provar a nossos clientes que a SAS é sua melhor alternativa.[10]

Cada empresa de serviço enfrenta desafios semelhantes ao definir e gerenciar a hora da verdade em que seus clientes e funcionários se encontrarão.

Encontros de serviço variam de alto para baixo contato

Os serviços envolvem diferentes níveis de contato com sua operação. Alguns desses contatos são muito breves e consistem em poucas etapas, como quando um cliente liga para uma central de atendimento. Outros se estendem por um período mais longo e envolvem múltiplas interações de variados graus de complexidade. Por exemplo, uma visita a um parque temático pode durar um dia inteiro. Na Figura 2.8, de acordo com o contato com o cliente, agrupamos os serviços em três níveis que representam a extensão da interação com a equipe de atendimento e os elementos físicos do serviço, ou ambos. Note que os bancos, em suas três modalidades — pessoal, por telefone e pela Internet —, estão localizados em diversas partes do gráfico. Embora admitamos que o nível de contato com o cliente cubra um amplo espectro, é útil examinar as diferenças entre organizações nos extremos alto e baixo, respectivamente.

Serviços de alto contato. A utilização de um serviço de alto contato acarreta uma interação por todo o processo de entrega do serviço entre os clientes e a empresa, seu pessoal e seus elementos físicos. A exposição do cliente ao prestador de serviço assume uma natureza física e tangível. Quando os clientes visitam o local onde se realiza o serviço, é como se entrassem em uma 'fábrica' de serviços, já que o serviço, na maioria das vezes, é produzido no momento do consumo — uma visita que raramente ocorre em um ambiente industrial. Sob esse ponto de vista, um hotel é uma fábrica de hospedagem, um hospital é uma fábrica de tratamento de saúde, um avião é uma fábrica de transporte aéreo e um restaurante é uma fábrica de serviço de alimentação. Como cada um desses setores foca o 'processamento' de pessoas em vez de objetos inanimados, o desafio do marketing consiste em tornar a experiência atrativa aos clientes no que se refere tanto ao ambiente físico quanto a suas interações com a equipe de atendimento. No curso da entrega de um serviço, geralmente os clientes são expostos a muitas evidências físicas sobre a organização — a parte externa e a interna de suas instalações, os equipamentos e a mobília, a aparência e o comportamento dos funcionários e até dos demais clientes.

Serviços de baixo contato. Na extremidade oposta do espectro estão serviços que envolvem pouco, ou nenhum, contato físico entre clientes e provedores de serviços. Ao contrário, o contato ocorre em momentos curtos e específicos, ou a distância por meio de canais de distribuição físicos ou eletrônicos — uma tendência em acelerado crescimento na atual sociedade voltada para a conveniência. Muitos serviços de alto e médio contato estão sendo transformados em serviços de baixo contato, à medida que clientes adotam mais o autosserviço; realizam suas transações bancárias e de seguros por correspondência, telefone ou e-mail e adquirem uma profusão de serviços baseados em informações visitando sites em vez de lojas físicas. Ainda assim, as pessoas continuam sendo importantes mesmo nos casos de baixo contato físico, porque elas são o *backup* dos sistemas — quando ele não prevê uma situação ou falha no processo, é preciso que alguém intervenha para manter a entrega e a qualidade do serviço. Esse contato pode ser mais curto, mas também mais crítico para o sucesso.

Figura 2.8 Níveis de contato de clientes com empresas de serviço

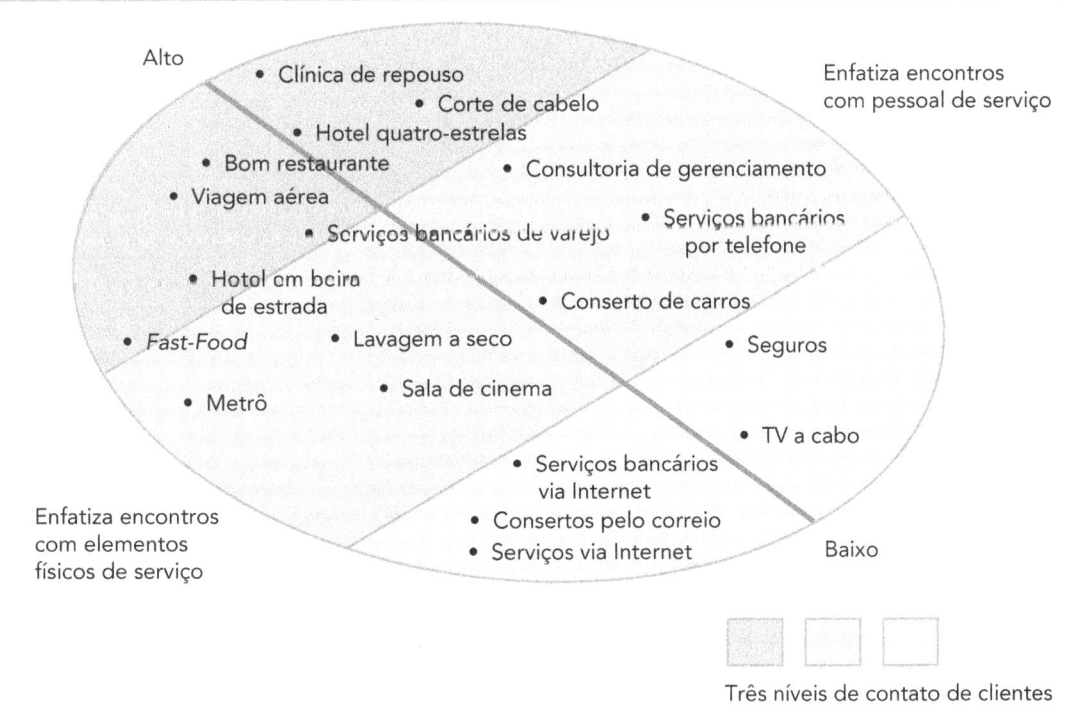

- Clínica de repouso
- Corte de cabelo
- Hotel quatro-estrelas
- Bom restaurante
- Viagem aérea
- Consultoria de gerenciamento
- Serviços bancários de varejo
- Serviços bancários por telefone
- Hotel em beira de estrada
- Conserto de carros
- Fast-Food
- Lavagem a seco
- Seguros
- Metrô
- Sala de cinema
- TV a cabo
- Serviços bancários via Internet
- Consertos pelo correio
- Serviços via Internet

Alto / Baixo

Enfatiza encontros com pessoal de serviço

Enfatiza encontros com elementos físicos de serviço

Três níveis de contato de clientes

O sistema *servuction*

Os pesquisadores franceses Pierre Eiglier e Eric Langeard foram os primeiros a conceitualizar o negócio de serviços dentro da teoria de sistemas, como um sistema que integra marketing, operações e clientes. Eles cunharam o termo *sistema servuction* (combinando os termos *service* e *production*) para descrever o conjunto composto de parte do ambiente físico de uma empresa de serviço que é visível aos clientes e das partes que, mesmo não visíveis, contribuem para sua experiência.[11] Pierre e Eric veem a produção e experimentam o serviço em sua frente, e são afetados pela qualidade do suporte das áreas não visíveis.

Os consumidores compram um serviço por seu pacote de benefícios ou valor. Em muitos casos, o valor de um serviço deriva da experiência criada para o cliente. O modelo *servuction* mostra, na Figura 2.9, todas as interações que, juntas, compõem uma experiência de serviço característica de um serviço, em particular o de alto contato. Os clientes interagem com o ambiente de serviço, os funcionários e até mesmo outros clientes presentes durante o encontro de serviço. Os funcionários também participam dos bastidores, que o cliente não vê, mas cujo trabalho gera o impacto sentido na qualidade do serviço oferecido. Cada tipo de interação na parte visível ou suporte na área invisível pode criar valor (por exemplo, um ambiente agradável, funcionários cordiais e competentes e outros clientes que são interessantes de observar) ou destruir valor (por exemplo, outro espectador bloqueando sua visão em um cinema ou uma sala que não foi limpa depois da sessão anterior). As empresas têm de projetar todas as interações para certificarem-se de que seus clientes obtenham a experiência de serviço desejada.

O sistema *servuction* consiste de um núcleo técnico *invisível* para o cliente e um sistema de entrega de serviço *visível* para o cliente e experimentado por ele.

- **Núcleo técnico** — onde os insumos são processados e os elementos do serviço são criados. Esse núcleo técnico costuma ocorrer nos bastidores e ser invisível ao cliente (pense, por exemplo, na cozinha de um restaurante). Como em um teatro, os componentes visíveis são denominados 'cenário' ou 'linha de frente', ao passo que os invisíveis são chamados de 'bastidores' ou 'pessoal de apoio'.[12] O que ocorre nos bastidores geralmente não interessa aos clientes, mas, se afetar a qualidade das atividades de linha de frente, poderá ser notado por eles. Por exemplo, se uma cozinha entrega os pedidos errados, os clientes ficarão contrariados.

- **Sistema de entrega de serviço** — onde a 'montagem' final ocorre e o produto é entregue ao cliente. Esse subsistema inclui a parte visível do sistema operacional do serviço — instalações, equipamento e pessoal — e outros clientes que possam estar presentes. Usando a analogia teatral, a linha de frente visível é como o palco de uma peça de teatro em que encenamos a experiência do serviço para nossos clientes.

Figura 2.9 O modelo *servuction*

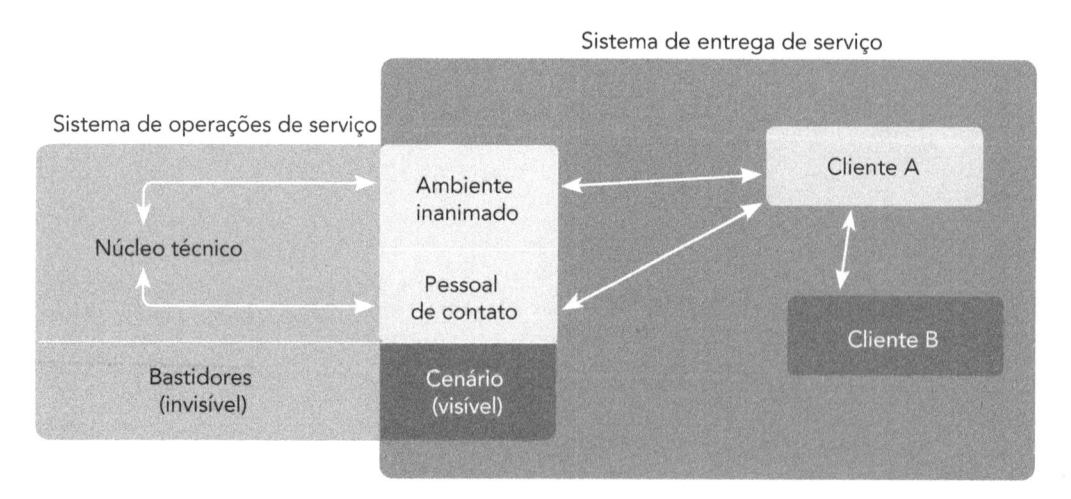

Fonte: Adaptado e expandido de um conceito original de Pierre Eiglier e Eric Langeard.[12]

A parcela da operação geral do serviço que é visível aos clientes varia de acordo com o nível de contato com eles. Quando o contato é rápido, ele tende a perceber menos o ambiente de serviço. Como os serviços de alto contato afetam diretamente a pessoa física do cliente, o componente visível de todas as operações do serviço tende a ser significativo, e muitas interações — ou 'horas da verdade' — acontecem e devem ser administradas. Em contraste, os serviços de baixo contato geralmente têm a maior parte do sistema operacional nos bastidores, com elementos de linha de frente limitados a correspondências e contatos telefônicos. Nesse caso, os clientes costumam não ver a 'fábrica' em que o trabalho é executado, tornando o projeto e a administração dessas instalações mais fáceis. Por exemplo, os clientes de cartões de crédito podem nunca ter de visitar uma agência bancária — eles só falam com o prestador de serviço por telefone, se houver algum problema, e há pouca oportunidade para uma 'encenação' teatral. Ainda assim, quando os contatos acontecem, eles tendem a ser mais críticos do que o normal, já que não são rotineiros, e o pessoal de contato deve estar mais bem preparado para atender a tais eventos de forma satisfatória.

Exploraremos em profundidade os três componentes principais do sistema de entrega de serviço em profundidade mais adiante neste livro. O Capítulo 7 foca em educar os clientes sobre como passar pelo processo de entrega de serviço de modo a desempenhar seu papel na execução do serviço, o Capítulo 10 discute o processo de engenharia do ambiente de serviço e o Capítulo 11 aborda como administrar os funcionários de serviços. Estes três itens — processos, paisagem de serviço e pessoas — são os componentes adicionais fundamentais para a estratégia de marketing, que irão compor os elementos adicionais da estratégia de marketing de serviços, a qual será estudada ao longo deste livro.

Teatro como metáfora da entrega de serviço: uma perspectiva integrativa

Visto que a entrega de serviço consiste em uma série de eventos que os clientes vivenciam sob a forma de um *desempenho* (ou atuação), o teatro é uma boa metáfora para serviços e a criação de experiências de serviço por meio do sistema *servuction*.[14] Essa abordagem é particularmente útil para prestadores de serviço de alto contato, como médicos e hotéis, e também para empresas que atendem a muitas pessoas simultaneamente, como arenas para esportes profissionais, hospitais e centros de entretenimento. Vamos discutir o palco (isto é, as instalações dos serviços) e o elenco (o pessoal de linha de frente).

- **Instalações de serviços.** Imagine as instalações de serviços como um *palco* onde uma peça teatral se desenrola. Às vezes, o cenário muda de um ato para o outro (por exemplo, quando os passageiros de um avião passam da entrada do terminal para os balcões de *check-in* e depois seguem para o portão de embarque até, por fim, entrarem no avião). Alguns palcos têm poucos 'objetos de cena', como um táxi, enquanto outros apresentam 'objetos de cena' elaborados, como hotéis de luxo, que têm sofisticada arquitetura, decoração e paisagismo.

- **Pessoal.** Os funcionários de linha de frente são como os componentes de um elenco, desempenhando papéis como os de *atores* em uma peça e contando com o apoio de uma equipe de produção nos bastidores. Em alguns casos, espera-se que o pessoal de serviço use trajes especiais quando em cena (como os uniformes extravagantes usados por porteiros de hotéis ou os básicos amarelo e azul usados pelos entregadores dos Correios), caso em que a escolha do modelo e das cores do uniforme é cuidadosamente integrada com outros elementos do projeto visual corporativo. Os funcionários de linha de frente devem se adequar a um padrão de vestimenta e aparência (como a regra da Disney que determina que seus funcionários não podem usar barba, a menos que seja exigido por seus papéis).

A metáfora do teatro também inclui os papéis dos atores no palco e os roteiros que eles devem seguir, conforme discutiremos adiante.

Teorias de papéis e roteiro

O modelo *servuction* é estático e descreve um único encontro de serviço, ou uma única hora da verdade. No entanto, os processos de serviço geralmente se compõem de uma série de encontros, como suas experiências em uma viagem aérea, desde a reserva até o *check-in*, o voo e a recuperação da bagagem no destino. Como atores de teatro, as organizações devem conhecer as teorias de papéis e roteiro para melhor entender, projetar e administrar tanto os comportamentos dos funcionários quanto os dos clientes durante os encontros de serviço.

Teoria de papéis. Se analisarmos a entrega de serviço do ponto de vista teatral, tanto os funcionários quanto os clientes atuam na peça de acordo com papéis predeterminados. Stephen Grove e Ray Fisk definem um papel como:

> [...] um conjunto de padrões de comportamento, aprendidos por meio da experiência e da comunicação, a serem desempenhados por um indivíduo em determinada interação social, a fim de atingir eficiência máxima na realização de metas.[15]

Papéis também já foram definidos como combinações de evidências sociais, ou expectativas da sociedade, que orientam o comportamento em um cenário ou contexto específico.[16] Nos encontros de serviço, funcionários e clientes têm de desempenhar papéis. A satisfação e a produtividade de ambas as partes dependem da coerência dos papéis ou da intensidade com que cada pessoa representa o papel que lhe foi designado durante um encontro de serviço. Os funcionários devem desempenhar seus papéis em relação às expectativas dos clientes, sob pena de deixá-los insatisfeitos. E um cliente, por sua vez, também deve 'agir conforme as regras' ou poderá causar problemas à empresa, a seus funcionários e até a outros clientes e, principalmente, prejudicar a qualidade do serviço que vai receber.

Teoria de roteiro. Assim como um roteiro de cinema, o de serviço especifica as sequências de comportamento que funcionários e clientes devem aprender e seguir durante a entrega. Funcionários recebem treinamento formal, ao passo que clientes assimilam roteiros por experiência, comunicação com outros e padrões de comunicação e educação.[17] Quanto mais experiência um cliente tiver com um fornecedor de serviço, mais familiarizado ficará com seu roteiro em particular. A falta de disposição de aprender um novo roteiro pode ser o motivo por que ele não substitui uma empresa por outra. Qualquer desvio desse roteiro conhecido, que não adicione claramente valor, pode frustrar tanto clientes quantos funcionários e levar à insatisfação. Se uma empresa decide mudar um roteiro de serviço (por exemplo, usando a tecnologia para transformar um serviço de alto contato em baixo), a equipe de atendimento e os consumidores devem ser instruídos sobre o novo método e os benefícios que proporciona.

Muitos serviços seguem roteiros rígidos (pense no estilo formal de serviço em restaurantes requintados), que reduzem a variabilidade e garantem uma qualidade uniforme. Entretanto, nem todos os serviços envolvem desempenhos estritos. Os roteiros tendem a ser mais flexíveis para provedores de serviços altamente customizados — como designers, educadores, consultores — e podem variar de acordo com a situação e o cliente, oferecendo oportunidades de o funcionário utilizar seu julgamento, sua competência e experiência na produção do serviço voltado a um cliente específico.

Dependendo da natureza de seu trabalho, os funcionários podem ter de aprender e repetir textos específicos, que variam de anúncios em vários idiomas em um local que atraia um público diversificado a discursos de venda ensaiados (pense só no último atendente de telemarketing que ligou para você) ou uma saudação de despedida como "Tenha um bom dia!". Tal como no teatro, é comum as empresas usarem o roteiro para definir o comportamento dos atores, assim como aquilo que dizem — contato visual, sorrisos e apertos de mão também são necessários, em complemento a uma saudação verbal. Mesmo em contato pelo telefone, a postura e o tom de voz são importantes, o que algumas empresas chamam de "sorrir ao telefone". Outras regras de conduta bem aceitas por muitos clientes podem incluir proibição de fumar, comer, beber, mascar chiclete ou usar telefone celular durante o expediente.

A Figura 2.10 mostra o roteiro de uma consulta odontológica simples envolvendo três partes — o paciente, a recepcionista e o dentista. Cada um tem um papel específico a desempenhar, refletindo o que trazem para o encontro. O papel do cliente (que provavelmente

Figura 2.10 — Roteiro para uma consulta odontológica

Paciente	Recepcionista	Dentista
1. Telefona para marcar uma consulta.		
	2. Confirma as necessidades do paciente e agenda uma consulta.	
3. Chega ao consultório.		
	4. Cumprimenta o paciente, confirma o propósito da consulta, encaminha o paciente para a sala de espera e avisa ao dentista sobre sua chegada.	
		5. Examina as anotações sobre o paciente.
6. Senta-se na sala de espera.		
		7. Cumprimenta o paciente e leva-o para a sala de tratamento.
8. Entra na sala e senta-se na cadeira.		
		9. Verifica o histórico médico e dental e pergunta sobre ocorrências desde a última consulta.
10. Responde às perguntas do dentista.		
		11. Coloca a toalha de proteção sobre o tórax do paciente.
		12. Baixa a cadeira, coloca a máscara, as luvas e os óculos de proteção.
		13. Examina os dentes do paciente (opcionalmente, faz perguntas).
		14. Coloca o sugador de saliva na boca do paciente.
		15. Utiliza equipamento de alta velocidade e ferramentas manuais para limpar os dentes em sequência.
		16. Remove o sugador, completa o processo de higienização.
		17. Levanta a cadeira, pede ao paciente para enxaguar a boca.
18. Enxágua a boca.		
		19. Remove e descarta a máscara e as luvas e retira os óculos.
		20. Completa as anotações sobre o tratamento, devolve a ficha do paciente à recepcionista.
		21. Remove a toalha que cobre o paciente.
		22. Dá ao paciente uma escova de dentes como cortesia, explica a melhor forma de ser usada e faz recomendações para cuidados futuros.
23. Levanta-se da cadeira.		
		24. Agradece ao paciente e despede-se.
25. Deixa a sala de tratamento.		
	26. Cumprimenta o paciente, confirma o tratamento recebido, apresenta a conta.	
27. Paga a conta.		
	28. Fornece o recibo, combina a data da próxima consulta e marca a data combinada em um cartão.	
29. Pega o cartão de agendamento.		
	30. Agradece ao paciente e despede-se.	
31. Sai do consultório.		

não está nada ansioso por esse encontro) é diferente daquele dos dois prestadores de serviço, enquanto o da recepcionista difere daquele do dentista, em razão de sua participação em processos distintos. Esse roteiro é parcialmente direcionado pela necessidade de administrar um consultório eficiente, mas também, mais importante que isso, pela necessidade de executar uma atividade técnica com competência e segurança (note a máscara e as luvas). O serviço essencial de examinar e higienizar os dentes só pode ser realizado de modo satisfatório se o paciente cooperar com a entrega do serviço.

Vários elementos desse roteiro estão relacionados com fluxos de informações. Confirmar e honrar agendamentos evita atrasos para os clientes e garante o uso eficaz do tempo dos dentistas. Obter o histórico dos pacientes e documentar a análise e o tratamento são vitais para a manutenção de registros dentários completos e também para uma cobrança justa. Para a empresa, o pagamento do tratamento melhora o fluxo de caixa e evita o problema dos maus pagadores. Por fim, acrescentar cumprimentos, agradecimentos e despedidas são formas de demonstrar boas maneiras, e ajudam a humanizar o que a maioria das pessoas vê, na melhor das hipóteses, como uma experiência nada agradável. Como veremos nos próximos capítulos, hospitalidade é um elemento importante do produto de serviço.

Teorias de papéis e de roteiro são complementares. Essas teorias regem a conduta de consumidores e do pessoal de atendimento durante um encontro. Por exemplo, pense nos *papéis* de professores e alunos nas aulas a que você já assistiu. Qual o papel do professor? Normalmente, ministrar uma aula bem estruturada, concentrando-se nos principais tópicos programados para o dia, tornando-os interessantes, estimulando os alunos a interagir e atingindo os objetivos de aprendizagem estabelecidos para aquela aula. Qual o papel do aluno? Basicamente, ir à aula preparado, com as tarefas — como leituras e exercícios — feitas, chegar pontualmente, ouvir atentamente, participar das discussões e não perturbar o ambiente e a experiência de aprendizagem de seus colegas. Já a parte inicial do *roteiro* de uma aula descreve ações específicas para cada parte. Por exemplo, os alunos devem chegar à sala antes do início da aula, escolher um lugar, sentar-se e abrir seus cadernos ou computadores; o professor entra na sala, coloca seu material sobre a mesa, cumprimenta a classe, faz os anúncios preliminares e começa a aula sem atraso. Como se vê, as estruturas oferecidas por ambas as teorias são complementares e descrevem o comportamento durante o encontro a partir de duas perspectivas diferentes. Os bons gerentes de marketing compreendem as duas perspectivas e, de modo proativo, definem, comunicam e treinam seus funcionários e clientes em seus papéis e roteiros de serviço para atingir um desempenho que gere alta satisfação de clientes e produtividade de serviços.

Voltaremos a abordar o tema de como educar e 'treinar' clientes em seus papéis e roteiros no Capítulo 7, "Promovendo serviços e educando clientes", e de como elaborar roteiros e papéis no Capítulo 8, "Estruturando e gerenciando processos de serviço".

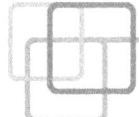

Fase pós-encontro

Durante a fase pós-compra do consumo de serviços, os clientes avaliam o desempenho do serviço que experimentaram comparando-o com suas expectativas prévias. Vamos explorar em detalhes como as avaliações de satisfação são formadas.

Satisfação dos clientes com experiências de serviço

A *satisfação* pode ser definida como uma avaliação atitudinal, que se segue a uma experiência de consumo. Grande parte dos estudos baseia-se na teoria de que a confirmação ou não confirmação de expectativas pré-consumo é o principal fator determinante da satisfação.[18] Isso significa que os consumidores têm certos padrões de serviço em mente (suas expectativas) antes do consumo, construídos com base em informações do mercado, comentários boca a boca e suas experiências anteriores. Esse nível previsto costuma resultar do processo de busca e escolha, quando eles decidiram adquirir um serviço em particular. As informações são processadas pelo cliente e, com base nelas, cada um estabelece uma projeção ou expectativa do que deve acontecer. Durante o encontro de serviço, os clientes experimentam o desempenho e o comparam com o nível previsto. As avaliações da satisfação são então formadas com base nessa comparação. O julgamento resultante é denominado *não confirmação positiva*, se o serviço foi melhor do que o esperado; *não confirmação negativa*, se foi pior do que o esperado; ou simples *confirmação*, se foi como o esperado.[19] Em suma, para definir seu grau de satisfação, os clientes avaliam o desempenho de um serviço, comparando o que esperavam com aquilo que percebem ter recebido de determinado fornecedor. É importante destacar que, como já vimos, tais expectativas são subjetivas, dependem das características de cada cliente e, portanto, o satisfatório para um pode não o ser para outro.

Os clientes ficarão razoavelmente satisfeitos se perceberem que o desempenho recai na zona de tolerância, isto é, acima do nível de serviço adequado. À medida que as percepções de desempenho se aproximam dos níveis desejados, ou os excedam, eles ficarão muito satisfeitos e mais provavelmente repetirão a compra e se tornarão fiéis ao fornecedor, espalhando comentários positivos de boca a boca. Contudo, se a experiência de serviço não atender a suas expectativas, ficando abaixo da zona de tolerância, eles poderão se queixar da má qualidade do serviço, sofrer em silêncio (mas pensando em alternativas e fazendo comentários negativos de boca a boca) ou trocar de fornecedor.[20] Em mercados altamente competitivos, muitos clientes de serviços esperam que seus provedores se antecipem a suas necessidades implícitas e as entreguem.[21] Essa capacidade de antecipação passa a ser vista como componente do serviço e reflete na avaliação de sua qualidade.

Expectativas de serviço

Onde se originam as expectativas de serviço de nosso modelo de satisfação? Durante o processo de tomada de decisão, os consumidores avaliam os atributos e riscos associados a uma oferta de serviço. No processo, desenvolvem expectativas sobre como o serviço que escolheram será executado (isto é, nossos níveis de serviço previsto, desejado e adequado, como discutimos na seção de tomada de decisão do consumidor). A zona de tolerância poderá ser estreita e rígida, se estiver relacionada aos atributos que eram importantes no processo de escolha. Por exemplo, se um consumidor pagou um ágio de R$ 700 por um voo direto em vez de outro com escala de quatro horas, não aceitará de bom grado um atraso de seis horas. Um cliente também terá altas expectativas se pagar um preço *premium* por um serviço de alta qualidade e ficará profundamente decepcionado se o serviço falhar no que foi prometido. As empresas inteligentes administram as expectativas dos clientes em cada etapa do encontro de serviço, de modo que eles só esperem aquilo que ela pode entregar.[22]

Expectativas sempre são o padrão de comparação correto?

Comparar o desempenho às expectativas funciona bem em mercados razoavelmente competitivos, em que os clientes detêm conhecimento suficiente para escolher um serviço que satisfaça suas necessidades e desejos. Então, quando as expectativas são atendidas, os consumidores ficam satisfeitos. Entretanto, em mercados não competitivos ou em situações nas quais os consumidores não têm livre escolha (porque os custos de troca são proibitivos ou devido a restrições de tempo ou localização, por exemplo), existem riscos em definir a satisfação do cliente em relação a suas expectativas prévias. Por exemplo, se as expectativas do cliente são baixas e a entrega do serviço efetiva atender ao nível ínfimo que era esperado, ele dificilmente sentirá que recebeu um serviço de boa qualidade. Nessas situações, é melhor usar necessidades ou desejos como padrões de comparação e definir a satisfação em relação ao atendimento dessas necessidades ou desejos em vez das expectativas.[23] É importante lembrar que a situação sempre pode mudar e que os mercados hoje pouco competitivos podem se tornar competitivos, seja por regulamentação governamental ou pela entrada de novos concorrentes; assim, uma empresa deve aproveitar o tempo que já está presente em determinado mercado para construir as bases da fidelização de seus clientes de forma que, quando a situação mudar, ela não precise partir do zero.

Grande parte das pesquisas de satisfação leva em conta que os consumidores lidam com produtos que têm altos atributos de busca e experiência. Entretanto, um problema surge quando eles são solicitados a avaliar a qualidade de serviços com altas características de credibilidade, como casos jurídicos ou tratamentos médicos complexos, que julgam difícil avaliar após a entrega. Nesse caso, é possível que os consumidores fiquem inseguros sobre quais expectativas prévias formar, e passem anos sem saber — e talvez jamais saibam — se o profissional realmente fez um bom trabalho. Uma tendência natural nessas situações é o cliente ou paciente usar evidências tangíveis e suas experiências para avaliar a qualidade por aproximação. Como vimos na seção Hospitais cinco-estrelas (Panorama de serviços 2.1), hospitais que investem em serviços de hotelaria podem reforçar a boa avaliação de seus atributos intangíveis por meio da oferta de atributos mais tangíveis. Fatores ligados à experiência abrangem os sentimentos do cliente sobre o estilo pessoal de cada fornecedor e níveis de satisfação com os elementos do serviço que eles se sentem competentes em avaliar (por exemplo, o sabor da comida dos hospitais). Por conseguinte, as percepções dos consumidores sobre a qualidade de serviço podem ser fortemente influenciadas por sua avaliação dos atributos do processo e dos elementos tangíveis do serviço — um efeito halo.[24] Dessa forma, as empresas precisam entender como os consumidores avaliam seus serviços, para gerenciar de modo proativo os aspectos de suas operações que exercem forte efeito sobre a satisfação do cliente, mesmo que esses atributos não estejam relacionados com os atributos essenciais (por exemplo, um diagnóstico correto e a qualidade de uma cirurgia).

Encantamento do cliente

Os resultados de um projeto de pesquisa realizado por Richard Oliver, Roland Rust e Sajeev Varki sugerem que o encantamento, ou seja, quando o resultado fica acima da zona de tolerância, é uma função de três componentes: níveis inesperadamente altos de desempenho, estímulo (por exemplo, surpresa e entusiasmo) e sentimento positivo (por exemplo, prazer, alegria ou felicidade).[25] Por outro lado, a alta satisfação é decorrente de expectativas positivamente não confirmadas (melhor do que o esperado) e sentimento positivo. Dessa forma, para despertar encantamento é necessário focar aquilo que é desconhecido ou inesperado pelo cliente. Em suma, é mais do que apenas evitar problemas: a estratégia de "defeito zero".

Esses pesquisadores perguntaram: "Se o encantamento decorre de um prazer surpreendentemente inesperado, é possível que se manifeste em serviços e produtos verdadeiramente corriqueiros, como a entrega de jornais ou a coleta de lixo?". Além disso, uma vez encantados, os clientes elevam suas expectativas. Eles ficarão insatisfeitos se os níveis de serviço voltarem aos anteriores e será preciso mais esforço para 'encantá-los' no futuro.[26] Com base em uma análise de dez anos de dados extraídos do American Customer Satisfaction Index (ACSI), Claes Fornell e seus colegas advertem contra tentar superar as expectativas dos clientes em bases contínuas, argumentando que ao buscar metas inatingíveis o tiro pode sair pela culatra. Eles observam que tais esforços geralmente chegam perto do ponto de diminuir os retornos.[27]

No entanto, algumas empresas inovadoras e centradas nos clientes parecem encantá-los mesmo em campos aparentemente triviais como o de seguros (veja a seção Melhor prática em ação 2.2). Além disso, essa discussão revela que as empresas devem analisar cuidadosamente quais dos atributos que encantam seus clientes possuem potencial de lucratividade a longo prazo. Exploraremos mais esse conceito de posicionamento de serviços no Capítulo 3.

A inovação é fundamental para a sobrevivência de uma empresa; na medida em que o consumidor e seu ambiente mudam, concorrentes desenvolvem novos serviços e as ofertas da empresa já existentes perdem sua atratividade. No Brasil, temos diversos casos de empresas que souberam encontrar um nicho que pudessem atender por meio da inovação. Entre muitas, temos, por exemplo, o caso da catarinense BS Construtora, que descobriu um nicho inexplorado no mercado de construção, fazendo casas pré-fabricadas, em sua maioria vendidas para empresas que oferecem moradia a seus funcionários. Todos os componentes saem da fábrica e são montados no local da obra, com mais rapidez que os processos tradicionais. A Asys, de Porto Alegre, percebeu que os notebooks estavam se tornando cada vez mais comuns no dia a dia das pessoas, e entrou no mercado de suportes para notebooks que pudessem ser usados em casa, o que ainda não havia sido pensado pelas grandes empresas de móveis. A InVoice observou que muitas empresas possuíam estrutura de relacionamento com o consumidor, por meio de SACs, mas não possuíam ferramentas de controle do sistema, para gerenciar seus custos. Ela cresceu rapidamente nesse mercado, desenvolvendo softwares que relacionam todos os custos de chamadas e custos com diferentes operadoras. Esses softwares também gerenciam as ligações para tarifas menores, em função do momento, e checam se as faturas estão corretas.

Melhor prática em ação 2.2

Progressive Insurance Corp. encanta seus clientes

A Progressive Insurance Corp. orgulha-se de oferecer extraordinário serviço ao cliente — e seus números na área de regulação de sinistros são particularmente impressionantes. Para reduzir custos e ao mesmo tempo melhorar a satisfação e a retenção de clientes, a empresa introduziu um serviço de resposta imediata, oferecendo-lhes acesso 24 horas por dia, sete dias por semana, para tratamento de sinistros. Seus avaliadores trabalham em vans móveis em vez de escritórios, e a Progressive trabalha com uma meta de nove horas para um avaliador inspecionar um veículo danificado. Em muitos casos, os agentes de sinistro chegam ao local de um acidente enquanto a prova ainda está fresca.

Imagine o seguinte cenário. O local da colisão em Tampa, na Flórida, está caótico e tenso. Dois carros sofreram danos e, embora os passageiros não estejam sangrando, estão assustados. Lance Edgy, um agente de sinistro sênior da Progressive Corp., chega ao local minutos após a colisão. Ele acalma as vítimas e as aconselha sobre cuidados médicos, oficinas, boletins de ocorrência e procedimentos legais. Edgy convida William McAllister, um segurado da empresa, a entrar em uma van com ar-condicionado e equipada com cadeiras confortáveis, uma escrivaninha e dois telefones celulares. Antes mesmo que os guinchos retirem os destroços, Edgy consegue oferecer a seu cliente uma indenização pelo valor de mercado de seu Mercury. McAllister, que aparentemente não tivera culpa nesse acidente, mais tarde declarou-se surpreso: "Isso é ótimo — alguém vir até aqui e cuidar de tudo. Eu não esperava por isso.".

O ciclo de atendimento mais curto traz vantagens para a Progressive também. Os custos são reduzidos, há menos probabilidade de advogados serem envolvidos quando as ofertas de indenização são apresentadas prontamente e é mais fácil evitar fraudes. A empresa busca continuamente encontrar novos meios de encantar seus clientes. Seu site tem sido frequentemente classificado pela Gómez.com (uma empresa de mensuração de qualidade na Internet) como o melhor entre as corretoras de seguros baseadas na Internet, que atribui prioridade aos aspectos de educação, facilidade de compra e prestação de serviço de um site. A Progressive também tem sido citada por surpreender positivamente seus clientes com inovações amigáveis e extraordinário atendimento.

Fontes: Ronald Henkoff, "Service is everybody's business", *Fortune*, 27 jun. 1994, p. 50; Michael Hammer, "Deep change: how operational innovation can transform your company", *Harvard Business Review*, 82, abr. 2004, p. 84-95. Disponível em: <www.progressive.com>. Acesso em: 12 dez. 2005.

Ligações entre satisfação do cliente e desempenho corporativo

Por que a satisfação é tão importante aos administradores de serviços? Há evidências convincentes de ligações estratégicas entre o nível de satisfação de clientes em relação a uma empresa e o desempenho geral desta. Pesquisadores da Universidade de Michigan constataram que, em média, cada 1 por cento de aumento na satisfação do cliente está associado a um aumento de 2,37 por cento no retorno sobre o investimento (ROI — *return of investment*) de uma empresa.[28] Análises das classificações de empresas no ACSI revelam que, em média, entre as empresas de capital aberto, uma variação de 5 por cento na classificação do ACSI está associada a uma variação de 19 por cento no valor de mercado de ações ordinárias.[29] Em outras palavras, ao criar mais valor para o cliente, conforme medido por um maior índice de satisfação, a empresa cria mais valor para seus proprietários. Clientes satisfeitos representam mais dinheiro para a empresa. Susan Fournier e David Mick declaram:

> A satisfação do cliente é crucial para o conceito de marketing [...]. Agora é comum encontrar declarações de missão elaboradas em torno da noção de satisfação, planos de marketing e programas de incentivo que visam à satisfação como meta e comunicações dirigidas a consumidores que proclamam o recebimento de prêmios por realizações relativas ao nível de satisfação obtido no mercado.[30]

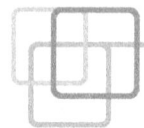

CONCLUSÃO

O modelo de três fases de consumo de serviços — pré-compra, encontro de serviço e pós-encontro — contribui para que compreendamos como os indivíduos reconhecem suas necessidades, buscam soluções alternativas, tratam os riscos percebidos, escolhem, usam e experimentam um serviço em particular e, por fim, avaliam sua experiência de serviço culminando em satisfação do cliente. Os vários modelos que exploramos para cada fase são complementares e, juntos, proporcionam uma rica e profunda compreensão do comportamento dos consumidores em um contexto de serviços. Em todos os tipos de serviço, gerenciar o comportamento dos clientes nas três fases do consumo é efetivamente essencial à geração de clientes satisfeitos, que estarão dispostos a fazer parte de relacionamentos de longo prazo com o provedor de serviço. Como tal, obter um melhor entendimento do comportamento do cliente deve residir no coração de toda estratégia de marketing de serviços, que discutiremos em grande parte do restante deste livro.

Resumo do capítulo

OA1. O consumo de serviço é dividido nas seguintes fases: (1) pré-compra, (2) encontro de serviço e (3) pós-encontro.

A fase de pré-compra consiste nestas quatro etapas: (1) conscientização da necessidade, (2) busca por informações, (3) avaliação de soluções e fornecedores alternativos e (4) tomada de decisão de compra.

As seguintes teorias nos ajudam a compreender melhor o comportamento de consumo dessa fase:

OA2. ■ *Atributos de serviço*. É comum as pessoas terem dificuldade em avaliar serviços, porque estes tendem a apresentar uma elevada proporção de atributos de experiência e credibilidade, que dificultam aos consumidores julgá-los antes da compra.

■ *Risco percebido*. Visto que diversos serviços são difíceis de avaliar, os consumidores percebem maiores riscos. Como eles não gostam de correr riscos e preferem escolhas seguras, as empresas devem adotar estratégias de redução de risco, como oferecer experimentações gratuitas e garantias.

OA3. ■ *Expectativas de serviço*. São modeladas pelos atributos de busca por informações e avaliação de serviços. Os componentes das expectativas incluem níveis de serviço desejado, adequado e previsto. Entre os níveis de serviço desejado e adequado está a zona de tolerância, dentro da qual os clientes estão dispostos a aceitar certa variação nos níveis de serviço.

■ *Decisão de compra*. O resultado da fase de pré-compra é uma decisão de compra, em grande parte baseada nas expectativas de desempenho de atributos e percepções de risco de soluções alternativas. Muitas decisões envolvem concessões complexas em relação a diversos atributos, normalmente incluindo preço.

Na fase de encontro de serviço, o cliente inicia, experimenta e consome serviços. Uma série de conceitos e modelos contribui para o melhor entendimento do comportamento do consumidor nessa fase:

OA4. ■ A *metáfora da 'hora da verdade'* se refere aos pontos de contato com o cliente que podem formar ou romper um relacionamento.

OA5. ■ Fazemos a distinção entre *serviços de alto contato* e *de baixo contato*. Os primeiros são desafiadores por terem muitos pontos de contato e 'horas da verdade' a serem administrados. Em contraste, os serviços de baixo contato são, em sua maior parte, entregues por meio de sites, equipamentos (como os caixas eletrônicos) ou centrais de telemarketing com relativamente poucas interfaces com os clientes.

OA6. ■ O *modelo servuction* abrange um núcleo técnico e um sistema de entrega de serviço.

■ O *núcleo técnico* fica nos bastidores e é *invisível* aos clientes, mas o que ocorre ali pode afetar a qualidade das atividades na linha de frente. Portanto, as atividades de bastidores devem ser coordenadas com as de linha de frente.

■ O *sistema de entrega de serviço* é de linha de frente e visível aos clientes. Abrange todas as interações que, juntas, criam a experiência de serviço, a qual, em um serviço de alto contato, inclui interações de clientes com o ambiente de serviço, seus funcionários e com outros clientes. Cada tipo de interação pode criar ou destruir valor. Cabe às empresas orquestrar todas elas de modo a criar uma experiência de serviço satisfatória.

OA7. ■ O *teatro pode ser usado como metáfora* para a entrega de serviço, e as empresas podem vislumbrar os serviços como a 'encenação' de uma representação com objetos de cena e atores, e gerenciá-los conforme o caso. Os objetos de cena são os funcionários e os clientes.

OA8. ■ Cada um dos atores necessita compreender seus papéis e roteiros para representar bem sua parte do serviço. As empresas podem fazer uso das teorias de *papéis* e *roteiro* para melhor estruturar, treinar, comunicar e administrar a atuação tanto de funcionários quanto de clientes.

OA9. Na fase de pós-encontro, os clientes avaliam o desempenho dos serviços, comparando-o com suas expectativas prévias.

- A satisfação é um *continuum* que vai desde a satisfação muito alta até a insatisfação profunda. Caso o desempenho percebido recaia dentro da zona de tolerância, isto é, acima do nível de serviço adequado, os clientes estarão razoavelmente satisfeitos. À medida que as percepções se aproximam dos níveis desejados, ou os excedem, os clientes ficam muito satisfeitos.

- O encantamento do cliente ocorre quando uma não confirmação positiva é acompanhada por prazer e surpresa.

- Clientes muito satisfeitos mais provavelmente repetirão a compra, permanecerão fiéis ao fornecedor e espalharão uma recomendação por boca a boca. Por outro lado, clientes insatisfeitos podem reclamar ou trocar de fornecedor.

Questões para revisão

1. Explique o modelo de três fases de consumo de serviços.
2. Descreva os atributos de busca, de experiência e de credibilidade e dê exemplos de cada um deles.
3. Explique por que a avaliação de serviços tende a ser mais difícil para os clientes do que a avaliação de bens.
4. Por que a percepção de risco do cliente representa um importante aspecto da seleção, aquisição e utilização de serviços? Como as empresas podem reduzi-la?
5. Como são formadas as expectativas dos clientes? Explique a diferença entre serviço desejado e serviço adequado com referência a uma experiência de serviço que você tenha vivenciado recentemente.
6. O que é a 'hora da verdade'?
7. Esclareça a diferença entre serviços de alto e de baixo contato e explique como a natureza da experiência do cliente pode ser diferente entre eles. Dê exemplos.
8. Selecione um serviço com o qual esteja familiarizado e crie um fluxograma que represente o sistema *servuction*. Defina as atividades de 'palco' e de 'bastidores'.
9. Como os conceitos de perspectiva teatral, teorias de papéis e roteiro podem contribuir com *insights* sobre o comportamento dos consumidores durante o encontro de serviço?
10. Descreva a relação entre expectativas e satisfação do cliente.

Exercícios

1. Selecione três serviços de alto nível: um de atributos de busca, um de experiência e outro de credibilidade. Especifique quais características de produto tornam a avaliação do serviço fácil ou difícil para os consumidores e sugira estratégias específicas que os profissionais de marketing possam adotar em cada caso para facilitar a avaliação e reduzir o risco percebido.
2. Desenvolva um questionário simples destinado a medir os principais componentes das expectativas dos clientes (isto é, serviço desejado, adequado e previsto e zona de tolerância). Conduza dez entrevistas com os principais clientes alvo de um serviço de sua livre escolha, para entender a estrutura de suas expectativas. Com base nessas descobertas, desenvolva recomendações para empresas fornecedoras desse serviço.
3. Quais são os elementos de bastidores de (a) uma oficina mecânica, (b) uma empresa aérea, (c) uma universidade e (d) uma empresa de consultoria? Em quais situações seria apropriado permitir que clientes vissem alguns desses elementos de bastidores e como você faria isso?
4. Que papéis são desempenhados pelo pessoal de linha de frente em organizações de serviço de baixo contato? Esses papéis são mais ou menos importantes para a satisfação do cliente do que em serviços de alto contato?
5. Visite as instalações de duas empresas de serviço concorrentes do mesmo setor (por exemplo, bancos, restaurantes ou postos de gasolina) que adotem diferentes enfoques sobre o serviço. Compare esses enfoques usando as estruturas apresentadas neste capítulo.
6. Aplique as teorias de papéis e de roteiro a um serviço de sua escolha. Quais *insights* você obtém que seriam úteis à administração desse serviço?
7. Desenvolva dois roteiros para clientes: um deles para um serviço altamente padronizado e o outro para um serviço altamente customizado. Mapeie todas as principais etapas relativas ao cliente nesse roteiro, passando pelas três fases do consumo de serviços. Quais são as principais diferenças entre o serviço padronizado e o customizado?
8. Descreva um encontro insatisfatório que você vivenciou com (a) um serviço de baixo contato por e-mail, correspondência ou telefone e (b) um serviço de alto contato, face a face. Quais foram os principais fatores desencadeadores de sua insatisfação nesses encontros? Em cada caso, o que o prestador do serviço poderia ter feito para melhorar a situação?

Notas

1. B. Joseph Pine e James H. Gilmore, "Welcome to the experience economy", *Harvard Business Review*, 76, jul./ago. 1998, p. 97–108.

2. Valarie A. Zeithaml. "How consumer evaluation processes differ between goods and services". In: J. H. Donnelly e W. R. George. *Marketing of services*. Chicago: American Marketing Association, 1981. p. 186–190.

3. Leonard L. Berry e Neeli Bendapudi, "Clueing in customers", *Harvard Business Review*, 81, fev. 2003, p. 100–107.

4. Valarie A. Zeithaml, Leonard L. Berry e A. Parasuraman, "The behavioral consequences of service quality", *Journal of Marketing*, 60, abr. 1996, p. 31–46; R. Kenneth Teas e Thomas E. DeCarlo, "An examination and extension of the zone-of-tolerance model: a comparison of performance-based models on perceived quality', *Journal of Service Research*, 6, n. 3, 2004, p. 272–286.

5. Cathy Johnson e Brian P. Mathews, "The influence of experience on service expectations", *International Journal of Service Industry Management*, 8, n. 4, 1997, p. 46–61.

6. Robert Johnston, "The zone of tolerance: exploring the relationship between service transactions and satisfaction with the overall service", *International Journal of Service Industry Management*, 6, n. 5, 1995, p. 46–61.

7. Halil Nadiri e Kashif Hussain, "Diagnosing the zone of tolerance for hotel services", *Managing Service Quality*, 15, n. 5, 2005, p. 259–277.

8. Lynn Shostack, "Planning the service encounter". In: J. A. Czepiel, M. R. Solomon e C. F. Surprenant (eds.), *The service encounter*. Lexington: Lexington Books, 1985, p. 243–254.

9. Normann usou pela primeira vez o termo 'hora da verdade' em um estudo realizado na Suécia, em 1978; em seguida, o termo apareceu em inglês, em Richard Normann, *Service management: strategy and leadership in service businesses*, 2. ed. Chichester: John Wiley, 1991. p. 16–17.

10. Jan Carlzon. *Moments of truth*. Cambridge, MA: Ballinger Publishing Co., 1987, p. 3.

11. Pierre Eiglier e Eric Langeard. "Services as systems: marketing implications". In: Pierre Eiglier, Eric Langeard, Christopher H. Lovelock, John E. G. Bateson e Robert F. Young (eds.). *Marketing consumer services: new insights*. Cambridge, MA: Marketing Service Institute, Report # 77–115, nov. 1977, p. 83-103; Eric Langeard, John E. Bateson, Chistopher H. Lovelock e Pierre Eiglier. *Services marketing: new insights from consumers and managers*. Cambridge, MA: Marketing Science Institute, Report # 81–104, ago. 1981.

12. Richard B. Chase, "Where does the customer fit in a service organization?", *Harvard Business Review*, 56, nov./dez. 1978, p. 137–142. Stephen J. Grove, Raymond P. Fisk e Joby John. "Services as theater: guidelines and implications". In: Teresa A. Schwartz e Dawn Iacobucci (eds.). *Handbook of services marketing and management*. Thousand Oaks, CA: Sage, 2000, p. 21–36.

13. Adaptado de Pierre Eiglier e Eric Langeard. "Services as systems: marketing implications". In: Pierre Eiglier, Eric Langeard, Christopher H. Lovelock, John E. G. Bateson e Robert F. Young (eds.). *Marketing consumer services: new insights*. Cambridge, MA: Marketing Service Institute, Report # 77-115, nov. 1977, p. 83-103; Eric Langeard, John E. Bateson, Chistopher H. Lovelock e Pierre Eiglier. *Services marketing: new insights from consumers and managers*. Cambridge, MA: Marketing Science Institute, Report # 81–104, ago. 1981.

14. Stephen J. Grove, Raymond P. Fisk e Joby John. "Services as theater: guidelines and implications". In: Teresa A. Schwartz e Dawn Iacobucci. *Handbook of service marketing and management*. Thousand Oaks, CA: Sage, 2000, p. 21–36; Steve Baron, Kim Harris e Richard Harris, "Retail theater: the 'intended effect' of the performance", *Journal of Service Research*, 4, maio 2003, p. 316–332; Richard Harris, Kim Harris e Steve Baron, "Theatrical service experiences: dramatic script development with employees", *International Journal of Service Industry Management*, 14, n. 2, 2003, p. 184–199.

15. Stephen J. Grove e Raymond P. Fisk. "The dramaturgy of services exchange: an analytical framework for services marketing". In: L. L. Berry, G. L. Shostack e G.D. Upah (eds.). *Emerging perspectives on services marketing*. Chicago IL: The American Marketing Association, 1983, p. 45–49.

16. Michael R. Solomon, Carol Suprenant, John A. Czepiel e Evelyn G. Gutman, "A role theory perspective on dyadic interactions: the service encounter", *Journal of Marketing*, 49, inverno de 1985, p. 99–111.

17. Veja R. P. Abelson, "Script processing in attitude formation and decision-making". In: J. S. Carrol e J. W. Payne (eds.). *Cognitive and social behavior*. Hillsdale, NJ: Erlbaum, 1976. p. 33–45; Richard Harris, Kim Harris e Steve Baron, "Theatrical service experiences: dramatic script development with employees", *International Journal of Service Industry Management*, 14, n. 2, 2003, p. 184–199.

18. Richard L. Oliver. "Customer satisfaction with service". In: Teresa A. Schwartz e Dawn Iacobucci (eds.). *Handbook of service marketing and management*. Thousand Oaks, CA: Sage Publications, 2000, p. 247–254; Jochen Wirtz e Anna S. Mattila, "Exploring the role of alternative perceived performance measures and needs-congruency in the consumer satisfaction process", *Journal of Consumer Psychology*, 11, n. 3, 2001, p. 181–192.

19. Richard L. Oliver. *Satisfaction: a behavioral perspective on the consumer*. Nova York: McGraw-Hill, 1997.

20. Jaishankar Ganesh, Mark J. Arnold e Kristy E. Reynolds, "Understanding the customer base of service providers: an examination of the differences between switchers and slayers", *Journal of Marketing*, 64, n. 3, 2000, p. 65–87.

21. Uday Karmarkar, "Will you survive the service revolution?", *Harvard Business Review*, jun. 2004, p. 101–108.

22. Ray W. Coye, "Managing customer expectations in the service encounter", *International Journal of Service Industry Management*, 15, n. 4, 2004, p. 54–71.

23. Jochen Wirtz e Anna S. Mattila, "Exploring the role of alternative perceived performance measures and needs-congruency in the consumer satisfaction process", *Journal of Consumer Psychology*, 11, n. 3, 2001, p. 181–192.

24. Jochen Wirtz, "Halo in customer satisfaction measures — the role of purpose of rating, number of attributes and customer involvement", *International Journal of Service Industry Management*, 14, n. 1, 2003, p. 96–119.

25. Richard L. Oliver, Roland T. Rust e Sajeev Varki, "Customer delight: foundations, findings, and managerial insight", *Journal of Retailing*, 73, outono de 1997, p. 311–336.

26. Roland T. Rust e Richard L. Oliver, "Should we delight the customer?", *Journal of the Academy of Marketing Science*, 28, n. 1, 2000, p. 86–94.

27. Claes Fornell, David VanAmburg, Forrest Morgeson, Eugene W. Anderson, Barbara Everitt Bryant e Michael D. Johnson, *The American Customer Satisfaction Index at ten years — a summary of findings: implications for the economy, stock returns*

and management. Ann Arbor, MI: National Quality Research Center, University of Michigan, 2005, 54.
28. Eugene W. Anderson e Vikas Mittal, "Strengthening the satisfaction-profit chain", *Journal of Service Research*, 3, nov. 2000, p. 107–120.
29. Claes Fornell, David VanAmburg, Forrest Morgeson, Eugene W. Anderson, Barbara Everitt Bryant e Michael D. Johnson, *The American Customer Satisfaction Index at ten years — a summary of findings: implications for the economy, stock returns and management*. Ann Arbor, MI: National Quality Research Center, University of Michigan, 2005, 40.
30. Susan Fournier e David Glen Mick, "Rediscovering satisfaction", *Journal of Marketing*, 63, out. 1999, p. 5–23.

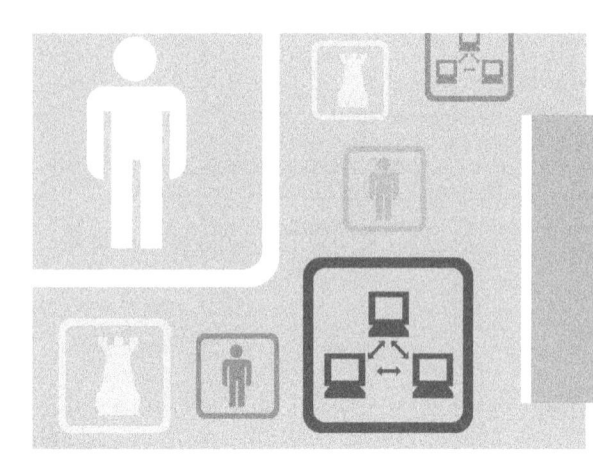

CAPÍTULO 3

Posicionamento de serviços em mercados competitivos

Para ter sucesso em nossa sociedade saturada de comunicação, uma empresa deve criar uma posição na mente do cliente em potencial, uma posição que leve em consideração não só as forças e fraquezas da empresa, mas também as de seus concorrentes.
— Al Ries e Jack Trout

A essência da estratégia consiste em optar por executar atividades de um modo diferente do da concorrência.
— Michael Porter

Objetivos de aprendizagem (OA)

Ao final deste capítulo, você será capaz de:

OA1 Conhecer estratégias de posicionamento em um contexto de serviços.

OA2 Entender as quatro estratégias de foco para atingir vantagem competitiva.

OA3 Aprender a identificar e selecionar segmentos-alvo.

OA4 Distinguir atributos importantes e determinantes para a escolha dos consumidores e o posicionamento dos serviços.

OA5 Entender como usar os níveis de serviço para posicionar serviços.

OA6 Compreender como se desenvolve uma estratégia de posicionamento eficaz usando análises de mercado, interna e da concorrência.

OA7 Demonstrar como os mapas de posicionamento contribuem para analisar a dinâmica do posicionamento competitivo e responder a ela.

Posicionando uma rede de creches de modo a se diferenciar da concorrência

Roger Brown e Linda Mason se conheceram na faculdade de administração, depois de uma experiência como consultores de gestão. Já formados, administraram programas para crianças refugiadas no Camboja e, em seguida, coordenaram um programa do 'Save the Children' no leste africano. Quando retornaram aos Estados Unidos, constataram a necessidade de creches que oferecessem cuidados, ambiente educativo e transmitissem confiança aos pais quanto ao bem-estar de seus filhos.

Fazendo pesquisas, eles descobriram um mercado cheio de pontos fracos: não havia barreiras à entrada; as margens de lucro eram baixas, assim como as economias de escala; o uso de mão de obra era intensivo; não existia diferenciação clara de marcas e faltava regulamentação.

Roger e Linda desenvolveram então um conceito de serviço que lhes permitiria transformar esses pontos fracos do mercado em pontos fortes de sua empresa, a Bright Horizons (BH). Em vez de divulgar seus serviços diretamente aos pais — uma venda individual —, a BH firmou parcerias com empresas que tinham interesse em oferecer em suas instalações uma creche aos funcionários com filhos pequenos. As vantagens dessas parcerias eram:

- um canal de marketing poderoso e de baixo custo;
- um parceiro/cliente que financiaria a construção e os equipamentos da creche e, portanto, estaria disposto a ajudar a BH a atingir a meta de prestar cuidados com alta qualidade;
- os benefícios oferecidos aos pais, que seriam atraídos a uma creche BH (em vez de optar por alternativas concorrentes) devido à proximidade ao local de trabalho, o que reduzia o tempo de deslocamento e proporcionava maior tranquilidade.

Altos salários e um pacote de benefícios oferecidos pela BH atraíam excelentes equipes, de modo que a empresa pôde prestar serviço de qualidade, algo que faltava aos outros fornecedores. Visto que as creches tradicionais não ofereciam um plano de ensino adequado ou limitavam-se a aulas básicas e padronizadas, a BH desenvolveu um plano de ensino flexível denominado 'O mundo na ponta dos dedos'. O plano consistia de um esboço de curso, mas cabia aos professores controlar os planos diários das aulas.

A empresa obteve certificação da National Association for the Education of Young Children (NAEYC) para suas filiais e passou a divulgar isso ativamente. A ênfase da BH na qualidade significava que ela poderia atender ou superar os mais altos padrões de licenciamento locais/governamentais. Por conseguinte, a falta de regulamentação tornou-se uma oportunidade — em vez de uma ameaça — e até uma fonte de vantagem competitiva para a empresa.

Com o suporte e a contribuição de clientes, entre eles muitas empresas de alta tecnologia, a BH desenvolveu tecnologias inovadoras, como transmissão de vídeo das salas de aula para os computadores dos pais; trabalhos de arte digitalizados por scanner ou fotografia; postagem eletrônica de cardápios, calendários e avaliações, bem como recursos on-line de avaliação de alunos. Inovações como essas serviram para diferenciar a BH e ajudá-la a manter-se à frente da concorrência.

A Bright Horizons considera a mão de obra uma vantagem competitiva e, por isso, recruta e mantém os melhores profissionais. Em 2008, foi pela nona vez citada na revista *Fortune* entre as '100 melhores empresas para se trabalhar' nos Estados Unidos. No Reino Unido, a BH foi reconhecida como um dos 50 melhores locais de trabalho de 2007 pelo *Financial Times*. Em meados de 2009, a BH empregava cerca de 20 mil funcionários em todo o mundo e operava mais de 600 creches nos Estados Unidos, Canadá e Europa, para mais de 700 dos maiores empregadores mundiais, incluindo corporações, hospitais, universidades e órgãos governamentais. Os clientes desejam contratar a BH como parceira porque sabem que podem confiar em sua equipe.

Fonte: Roger Brown, "How we built a strong company in a weak industry", *Harvard Business Review*, fev. 2001, p. 51-57. Disponível em: <www.brighthorizons.com. Acesso em: 2 jun. 2009.

O que é necessário para posicionar serviços eficazmente?

Em um setor com poucas barreiras à entrada e muita competição, a Bright Horizons conseguiu encontrar uma posição em um nicho e diferenciar-se dos concorrentes. A empresa associou-se a empregadores, em vez de fazê-lo diretamente com os pais, enfatizou a qualidade de serviço e usou a certificação como um argumento de venda. À medida que a concorrência se intensifica, torna-se mais importante para as organizações diferenciar seus produtos de maneira significativa aos consumidores. Isso é especialmente válido para muitos setores de serviço implantados há mais tempo (como o de bancos, seguradoras, hotéis e instituições de ensino), nos quais, para crescer, uma empresa precisa tomar a participação de mercado de seus concorrentes ou expandir-se para novos mercados.

Em geral, enquanto tudo corre bem, os consumidores mantêm os fornecedores com que já estão acostumados; apenas em casos de problemas ou de novas soluções que apresentem vantagens significativas, eles pensam em mudar de parceiro, pois essa mudança pode acarretar custos, financeiros ou não. Pergunte a gerentes de diversos segmentos como eles competem, e é bem provável que muitos dirão simplesmente 'em serviço'. Pressione-os um pouco mais e talvez eles acrescentem frases como 'bom custo-benefício', 'qualidade de serviço', 'nosso pessoal' ou 'conveniência'. Nada disso, entretanto, é muito útil para um especialista em marketing, que tenta desenvolver uma proposta diferenciada de valor e um modelo de negócio viável, que permitirá a um serviço competir de modo lucrativo no mercado.

A questão é: o que faz consumidores ou compradores corporativos selecionarem — e permanecerem fiéis a — um fornecedor em detrimento de outro? Eles esperam receber um serviço que, por suas características específicas, lhes entregue os benefícios esperados para atender a suas necessidades. Termos como 'serviço' costumam abranger uma variedade de características, que vão desde a agilidade na entrega até a qualidade das interações com a equipe de atendimento, e desde evitar erros até oferecer 'extras' proveitosos que complementem o serviço principal.

De modo análogo, 'conveniência' pode referir-se a um serviço entregue no local desejado, disponível em horários apropriados ou fácil de usar. Sem saber qual característica do produto suscita o interesse do consumidor, fica difícil para o gerente de marketing desenvolver uma estratégia adequada e, por isso, ele deve usar as diversas técnicas de pesquisa para segmentar o mercado e levantar seus interesses específicos. Caso contrário, em um ambiente altamente competitivo, corre-se o risco de os clientes perceberem pouca diferença real entre opções concorrentes e, por isso, escolherem aquela com menor preço.

A estratégia de posicionamento preocupa-se em criar, comunicar e manter diferenciais que serão notados e valorizados pelos consumidores com que a empresa mais gostaria de manter um relacionamento de longo prazo e que foram selecionados como público-alvo. O posicionamento eficaz requer que os gerentes compreendam, por meio de pesquisas, as preferências desse público, sua concepção de valor e as características das ofertas concorrentes. Os atributos de preço e produto são dois dos 4 Ps do marketing associados com mais frequência à estratégia de posicionamento. Contudo, no caso dos serviços, o posicionamento refere-se também aos outros Ps do mix de marketing de serviços, incluindo a promoção e o ponto, além dos processos de serviço (como conveniência, facilidade de uso), sistemas de distribuição, cronogramas, locais, ambiente e equipe de atendimento. A estratégia competitiva pode seguir muitos caminhos. George Day observa:

> A diversidade de modos pelos quais uma empresa pode conquistar uma vantagem competitiva não dá lugar a nenhuma generalização ou prescrição fácil [...]. Antes de tudo, uma empresa deve se destacar de sua concorrência. Para ser bem-sucedida, deve se identificar e se promover como a melhor fornecedora de atributos que sejam importantes para os clientes-alvo.[1]

Isso significa que os gerentes precisam pensar em todos os ângulos da oferta de serviço sistematicamente e enfatizar a vantagem competitiva dos atributos que oferecem e que são valorizados pelos clientes em seu segmento-alvo. Atingir vantagem competitiva requer foco, o que discutiremos a seguir.

Obtenha vantagem competitiva por meio de foco

Tentar atrair todos os compradores em potencial de um mercado, de modo geral, não é uma tarefa realista, pois os consumidores diferem em suas necessidades, em seu comportamento de compra e em seus padrões de consumo, além de geralmente serem numerosos demais e geograficamente dispersos. Deve-se também considerar que as empresas de serviços variam amplamente em suas habilidades de atender a diferentes tipos de cliente; elas geralmente têm recursos escassos, sendo então necessário escolher onde investi-los, e os retornos financeiros variam para cada segmento (em nem todos vale a pena o investimento). Portanto, em vez de tentar competir no mercado como um todo, cada empresa deve focar seus esforços nos consumidores que melhor poderá atender, valorizando seus recursos e suas competências e obtendo maior rentabilidade.

Em marketing, *focar* significa fornecer um composto de produtos relativamente estreito, mas direcionado a um segmento de mercado específico — um subconjunto de compradores que têm características, necessidades, comportamentos de compra ou padrões de consumo semelhantes. Esse conceito está na essência de praticamente todas as empresas de serviços bem-sucedidas, que identificaram elementos estrategicamente importantes em suas operações e neles concentraram seus recursos.

A abrangência do *foco* de uma empresa pode ser descrita em duas dimensões: foco de mercado e foco de serviços.[2] O *foco de mercado* determina o grau em que uma empresa atende a poucos ou a muitos mercados, ao passo que o *foco de serviços* descreve o grau em que uma empresa oferece poucos ou muitos serviços. Essas duas dimensões definem as quatro estratégias básicas de foco mostradas na Figura 3.1 e descritas a seguir.

- **Totalmente focada.** Uma organização *totalmente focada* fornece uma faixa muito limitada de serviços (talvez apenas um produto principal) a um segmento de mercado restrito e específico. Ter experiência reconhecida em um nicho bem definido pode gerar proteção contra eventuais concorrentes e permite cobrar preços superiores.
  Um exemplo de empresa totalmente focada é a Stella Barros Turismo, famosa por focar em viagens para a Disney, com a imagem da vovó Stella Barros personificando o cuidado com os jovens, que muitas vezes viajam sem os pais. Mesmo depois do falecimento de Stella Barros e da venda da agência para o grupo Águia, o forte posicionamento mantém a imagem na mente dos clientes do segmento.

- **Focada em mercado.** Uma empresa *focada em mercado* concentra-se em um segmento estreito, mas tem amplo leque de serviços.
  A seção Cenário brasileiro 3.1 apresenta exemplos de uma prática comum relacionada às empresas focadas em mercado que vem crescendo no âmbito nacional: o de empresas que terceirizam serviços de TI ou serviços para condomínios, como os de portaria, limpeza e manutenção.

- **Focada em serviços.** Empresas *focadas em serviços* oferecem um leque estreito de serviços a um mercado razoavelmente amplo e, à medida que novos segmentos são acrescentados, elas necessitam desenvolver conhecimento e habilidades para atender a cada um deles.
  As clínicas que utilizam a técnica de cirurgias de olhos Lasik e as lojas de café Starbucks seguem essa estratégia, atendendo a uma ampla base de clientes com um produto amplamente padronizado. Outro exemplo são as cafeterias como Café do Ponto, que oferecem variações do café expresso para segmentos que vão dos clientes que preferem o cafezinho simples aos que apreciam drinks mais sofisticados à base de café.

- **Sem foco.** Por fim, muitos provedores de serviços situam-se na categoria *sem foco*, pois tentam atender a mercados amplos e fornecem grande variedade de serviços. O perigo dessa estratégia é que as organizações sem foco costumam ser 'tudo para todos', sem se especializar em nada e, em geral, essa não é uma boa ideia, embora empresas de utilidade pública e órgãos governamentais sejam obrigados a fazer isso, oferecendo serviços a qualquer cidadão, pelos seus direitos constitucionais.
  Algumas lojas de departamento seguiram essa estratégia e têm tido problemas para competir com concorrentes mais focados (como hipermercados e lojas especializadas).

Figura 3.1 Quatro estratégias básicas de serviço

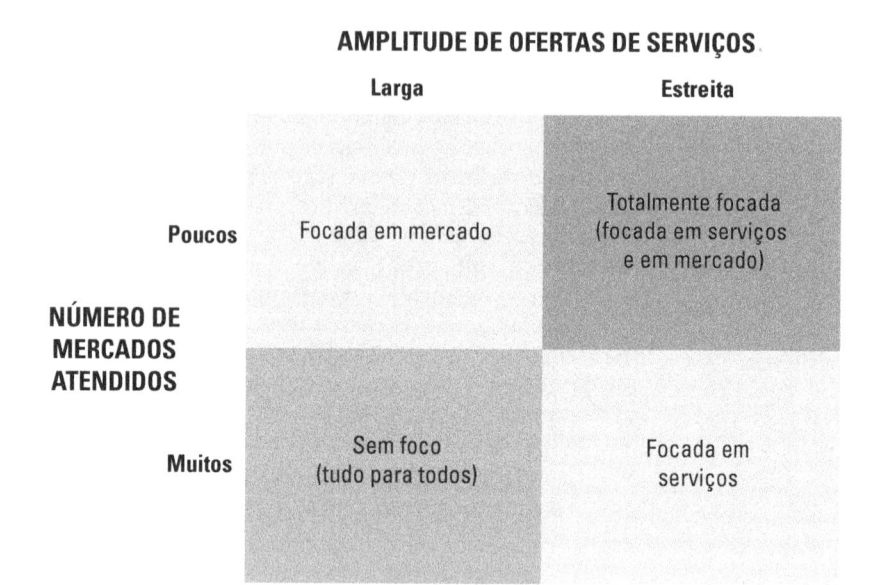

AMPLITUDE DE OFERTAS DE SERVIÇOS

	Larga	Estreita
Poucos	Focada em mercado	Totalmente focada (focada em serviços e em mercado)
Muitos	Sem foco (tudo para todos)	Focada em serviços

NÚMERO DE MERCADOS ATENDIDOS

Fonte: Robert Johnston, "Achieving focus in service organizations", *The Service Industries Journal*, 16, jan. 1996, p. 10-20.

Cenário brasileiro 3.1

A tendência da terceirização

A possibilidade de entregar a uma empresa especializada parte das atividades de uma organização, pela terceirização ou *outsorcing*, tem crescido no Brasil, na medida em que essas empresas terceirizadas podem oferecer serviços melhores com custos menores, graças à maior especialização. A necessidade de redução de custos e de direcionamento dos recursos às atividades principais das organizações tem tornado essa modalidade mais atrativa.

Na terceirização é importante, no entanto, tomar cuidado para que a qualidade dos serviços da contratante e a motivação dos funcionários não diminuam, a fim de não afetar a imagem da organização e a satisfação de seus clientes. A empresa fornecedora deve mostrar que realmente possui competência para oferecer o serviço, que conta com profissionais qualificados e não apresenta riscos trabalhistas, garantindo que não haja vínculo trabalhista dos funcionários da terceirizada com a contratante.

Na área de Tecnologia da Informação (TI) existem diversas empresas com estrutura e funcionários competentes para a terceirização. Elas atendem mercados informatizados que buscam serviços de gerenciamento de dados e de voz, como bancos, manufatura e varejo, e forte potencial para exportação de serviços pela atualização tecnológica, proximidade cultural e geográfica com grandes mercados, como o americano e o europeu.

A gestão de condomínios terceirizada também tem crescido, com muitas pequenas empresas regionais atendendo o mercado. Na autogestão, o síndico tem de se dedicar praticamente com exclusividade às atividades de seu condomínio. Antes, geralmente um aposentado, com maior disponibilidade de tempo, assumia a função e gerenciava funcionários, cuidava das compras e das contas, fazia a manutenção e até se revezava com o porteiro. Hoje, os condomínios são maiores e mais complexos, o movimento de pessoas e carros é maior, as áreas de lazer se comparam à estrutura de clubes, e a segurança precisa ser muito mais intensa, principalmente nas grandes cidades.

Em São Paulo, por exemplo, o SECOVI estima que 80% dos condomínios terceirizam sua administração, pois as pessoas têm menos tempo e poucos se dispõem a gerenciar um condomínio. Limpeza, manutenção, contratação de funcionário, cobrança de taxas, contabilidade, assessoria jurídica, equipamento, segurança e até serviço de manobrista são serviços oferecidos por empresas especializadas, e os condôminos os recebem sem a preocupação com décimo terceiro ou férias. O gasto é maior, mas a relação custo-benefício é compensadora na maioria dos casos.

O síndico, assim, pode se dedicar mais a gerenciar o relacionamento dentro do condomínio; ele passa a atuar em conflitos, informar moradores e servir de elemento de ligação entre a vontade dos moradores, discutida nas assembleias, e seus fornecedores.

Como em todo mercado, é possível haver problemas; daí a importância de se fazer uma boa seleção da prestadora, procurando por uma empresa com referências e firmando um contrato claro e detalhado.

Fontes: Clive Thompson, "Rentokil initial: building a strong corporate brand for growth anddiversity,". In F. Gilmore (ed.). *Brand Warriors* London: HarperCollinsBusiness, 1997, p. 123–124; TXTTechnology 4 Pest Control, 6 dez. 2005. Disponível em: <www.rentokil-initial.com>. Acesso em: 5 maio 2009.

Recomenda-se que as empresas adotem uma das três primeiras estratégias, ou seja, que tenham algum tipo de foco, seja em segmentos de mercado, em serviços ou em ambos. O ideal é que não usem a estratégia sem foco, pois tentar fazer muitas coisas ao mesmo tempo diluirá seus esforços e recursos, deixando, inclusive, clientes e funcionários confusos. Então como uma empresa deve selecionar uma das três alternativas indicadas anteriormente.

Cada estratégia apresenta oportunidades (como já vimos), mas também riscos. O maior risco da estratégia totalmente focada é que o mercado pode ser demasiadamente pequeno e não gerar o volume de negócios necessário ao sucesso financeiro. Outros riscos incluem o perigo de a demanda pelo serviço diminuir por causa da oferta de produtos alternativos ou de novas tecnologias por outros fornecedores, ou pelo fato de os compradores no segmento escolhido serem afetados por uma recessão econômica.

Para se proteger desses riscos, algumas empresas cuja linha de produtos é restrita preferem atender a vários segmentos e, assim, criar uma carteira de clientes (ou seja, adotar uma estratégia focada em serviços). Todavia, à medida que novos segmentos são acrescentados à carteira, a organização precisa desenvolver conhecimento técnico para atendê-los, o que pode exigir maior esforço de vendas e aumento do investimento em comunicações de marketing, principalmente no contexto B2B (*business-to-business*). Uma vez que, pela escolha da estratégia, seus recursos e esforços tenham sido concentrados, supõe-se que a empresa conte com os melhores especialistas do mercado em que atua, e isso facilita esse desenvolvimento do conhecimento técnico de que necessita.

Por fim, muitas vezes parece atraente oferecer ampla linha de produtos a um segmento-alvo estreitamente definido (isto é, uma estratégia focada em mercado), porque proporcionaria o potencial de vender vários serviços a um único comprador. Mas, antes de adotar essa estratégia, é preciso estar certo de que sua empresa tem capacidade operacional para fazer um excelente trabalho na entrega de cada um dos serviços selecionados, além de conhecer as práticas e preferências de compra dos clientes. Ao tentar fazer vendas cruzadas de serviços adicionais ao mesmo cliente em um contexto B2B, muitas empresas ficam desapontadas quando descobrem que as decisões de compra do novo serviço são tomadas por um grupo totalmente diferente dentro da empresa-cliente — o que talvez signifique ter de trabalhar como se houvesse diferentes segmentos a atender.

A segmentação de mercado forma a base para estratégias focadas

A segmentação representa um dos mais importantes conceitos de marketing. A capacidade que diferentes empresas de serviços têm de atender diferentes tipos de cliente varia muito. Por conseguinte, em vez de tentar competir em todo o mercado, talvez contra concorrentes superiores, cada empresa deve adotar uma estratégia de segmentação, identificando as partes (ou os segmentos) do mercado que ela pode atender melhor. Organizações em sintonia com requisitos de clientes podem optar por uma segmentação baseada em necessidade, focando os clientes que valorizam atributos específicos (os quais são identificados por meio de pesquisa).[3] A segmentação também pode basear-se em outras variáveis, como as demográficas, psicográficas e de uso do serviço, e a escolha da variável mais adequada é fundamental para um bom resultado.

Identificando e selecionando segmentos-alvo

Um *segmento de mercado* é composto de um grupo de compradores que têm em comum características, necessidades, comportamentos de compra ou padrões de consumo. Uma segmentação efetiva agrupa compradores não só pela maior similaridade possível em características relevantes em cada segmento, como também pela dissimilaridade dessas mesmas características entre os segmentos em si. Ou seja, os elementos considerados devem ser homogêneos dentro dos subconjuntos, e estes devem ser heterogêneos entre si.

Um *segmento-alvo* é aquele selecionado pela empresa entre os demais segmentos presentes no mercado como um todo e que pode ser definido com base em diversas variáveis. Por exemplo, uma loja de departamentos de uma cidade pode visar os moradores da área metropolitana (segmentação geográfica) que tenham renda dentro de certa faixa (segmentação demográfica), valorizem serviço pessoal prestado por funcionários aptos e cuja sensibilidade ao preço não seja muito alta (ambos segmentação por atitudes manifestadas e intenções comportamentais). Como provavelmente os varejistas concorrentes da cidade visariam os mesmos clientes, a loja de departamentos teria de criar um apelo distintivo (entre as características adequadas a realçar, poderiam estar a diversidade de categorias de mercadorias, a amplitude de seleção em cada categoria de produto e a disponibilidade de serviços suplementares, como consultoria e entrega em domicílio). Empresas de serviços que desenvolvem estratégias baseadas no uso de tecnologia afirmam que os clientes também podem ser segmentados de acordo com seu grau de competência e desenvoltura para usar sistemas de entrega baseados em tecnologia.[4]

Alguns segmentos de mercado oferecem melhores oportunidades de vendas e lucros do que outros. Profissionais de marketing devem selecionar segmentos-alvo não apenas com base em seus potenciais de vendas e de lucro, mas também com referência à capacidade da empresa de igualar ou superar ofertas concorrentes dirigidas ao mesmo segmento. Às vezes, a pesquisa mostra que certos segmentos de mercado são 'subatendidos', o que significa que suas necessidades não têm sido bem atendidas pelos fornecedores existentes. Muitas vezes, esses mercados são mais amplos do que se pensava.

Uma empresa precisa identificar apelos pelos quais os clientes estejam dispostos a pagar mais e que ela tenha condições de entregar com qualidade superior à dos concorrentes. Primeiro, é preciso selecionar os segmentos com maior potencial de retorno e, entre eles, definir em quais se têm (ou se pode obter de forma viável) capacidades, competências e recursos. Mesmo que um mercado tenha alta atratividade, a organização talvez não disponha nem tenha condições de obter, em um prazo razoável, a tecnologia, o pessoal ou os recursos financeiros necessários para competir nele.

Na seção Melhor prática em ação 3.1, vemos como a segmentação pode ser baseada em perfis muito específicos, como o de pessoas que têm alta afinidade com determinado tema e dão preferência a serviços de hotelaria que se inspiram nele.

Melhor prática em ação 3.1

Hotéis temáticos

Em um mercado competitivo como o da hotelaria, não é fácil encontrar um diferencial rentável que atraia um público-alvo. Uma tendência recente no setor tem sido o crescimento dos hotéis temáticos, ou seja, de estabelecimentos que adotam um estilo específico para atrair clientes com interesse em determinado tema — resorts, hotéis-fazenda, hotéis ecológicos, especializados em esportes etc. Assim surgiram estabelecimentos com as ideias mais variadas, espalhados por todo o mundo; entre eles, alguns temas são mais recorrentes, como saúde ou natureza, e outros são realmente diferentes e criativos, com apelo à emoção, fantasia ou nostalgia.

Entre esses estabelecimentos temáticos estão as pousadas voltadas para a natureza e os tradicionais hotéis-fazenda, que reproduzem a vida no campo. Nestes, é possível fazer passeios a cavalo, beber leite tirado da vaca na hora, desfrutar de um farto café colonial semelhante aos da época do apogeu do café, conhecer plantações, manter contato direto com a natureza, fazer passeios por trilhas ou se distrair com a pesca. Um exemplo é o Hotel-fazenda Mazzaropi, em Taubaté, inspirado no sítio de Jeca Tatu, personagem de Monteiro Lobato, com museu e filmes do ator no circuito interno de TV. Na Serra Gaúcha, alguns hotéis recriam o ambiente dos imigrantes italianos no fim do século XIX, permitindo aos hóspedes ver o trabalho no campo, provar da cultura italiana (pratos típicos, música, roupas e danças) e dormir em quartos sem eletricidade.

No Amazonas, temos o Ariaú Amazon Towers Hotel, a 50 quilômetros de Manaus, no Parque Nacional do Rio Negro, construído no nível da copa das árvores. Os quartos, como casas na árvore, são ligados por 6 quilômetros de pontes de cordas. O hotel busca oferecer contato direto com a fauna e a flora sem agredir o meio ambiente. É possível brincar com golfinhos-rosa no rio, fazer passeio noturno de barco para ver jacarés e passeio de helicóptero sobre a floresta. Um dos casos mais interessantes é o da empresa paulista Exploranter, que possui um hotel sobre rodas equipado com cozinha industrial, 28 leitos e 30 assentos. A companhia trabalha com duas temporadas. Na temporada andina, de dezembro a maio, os passeios, com duração de 9 a 30 dias, oferecem as opções de visitas à Patagônia, Bariloche, Mendonza e Atacama. Na temporada brasileira, de junho a novembro, os passeios com duração de 2 a 9 dias têm outros temas: balão, surfe, baleias, rock, rodeio, entre outros.

Na Europa, diversos países já oferecem hotéis temáticos. O Hard Day's Night é um hotel-boutique quatro-estrelas em Liverpool, Inglaterra, onde todos os quartos são decorados com fotos e objetos inspirados nos Beatles. O Ice Hotel, na Suécia, é feito totalmente de gelo, neve e água congelada; nele existem opções de suítes aquecidas ou frias — as frias são mais caras. Na Espanha, o Hotel Sol Princesa Dacil é inspirado no desenho dos *Flintstones*: tem troncomóvel, filés de brontossauro e a decoração é inspirada na cidade pré-histórica de Bedrock, onde vivem Fred e seus amigos.

Os Estados Unidos têm grande variedade de estabelecimentos temáticos. Las Vegas é uma das cidades onde muitos hotéis são inspirados em um tema: o Mirage Hotel and Cassino tem uma floresta tropical chamada Secret Garden, que recria o hábitat de espécies em extinção, um vulcão artificial ativo (que entra em erupção a cada quinze minutos) e um grande aquário com tubarões, raias e peixes tropicais. O Excalibur reconstrói o castelo do Rei Arthur e dos Cavaleiros da Távola Redonda, promove justas a cavalo e banquetes nos quais as pessoas comem com as mãos, como na Idade Média. O Luxor, inspirado no Egito Antigo, é uma pirâmide quase do tamanho da Grande Pirâmide de Quéops, com centenas de quartos, e sua frente tem uma esfinge em tamanho natural. Na Flórida está o Jules Undersea Lodge, um hotel submerso em um canal de navegação. A entrada é somente pela água, o que exige roupa de mergulho, e fica a sete metros de profundidade — o acesso é por uma passagem no piso. A bagagem segue separada em embalagem à prova d'água. São apenas dois quartos, com TV e telefone, e a principal atração é uma escotilha com ampla visão para o fundo do mar. Em Nova York, o Library é um hotel com um acervo de cerca 6 mil livros, cujos quartos são divididos por áreas de interesse — história, economia, moda, astronomia, erotismo, autores específicos como James Joyce e Shakespeare etc.

Com a crescente busca por experiências específicas e diferentes, os hotéis temáticos formam um segmento em grande expansão e um bom estudo desse mercado pode revelar diversas outras oportunidades interessantes para empreendedores atuarem no setor.

Fontes: Geri Smith, "Buy a toaster, open a banking account," *Business Week*, 13 jan., 2003, p. 54; Keith Epstein and Geri Smith, "The ugly side of microlending: how big mexican banks profit as many poor borrowers get trapped in a maze of debt," *Business Week*, 12 dez., 2007, Disponível em: <http://www.businessweek.com/magazine/content/07_52/b4064038915009.htm>, Acesso em: 18 fev. 2009. Disponível em: <https://www.gruposalinas.com/companies/banco.aspx>. Acesso em: 18 fev. 2009, rescpectivamente.

Alguns mercados, apesar de atrativos, são de difícil entrada, pois os concorrentes já existentes ergueram barreiras à chegada de novos entrantes. Além disso, deve-se considerar não apenas o potencial de momento, mas as tendências de futuro: o mercado pode estar em crescimento, oferecer maiores oportunidades no futuro ou já ter atingido sua maturidade; mas também pode decair em alguns anos, o que provavelmente não permitiria obter retornos adequados sobre possíveis investimentos.

Por exemplo, em muitas economias emergentes, há quantidades imensas de consumidores com renda muito baixa para atrair o interesse de empresas de serviços já acostumadas a focar as necessidades de clientes abastados. Contudo, coletivamente, os clientes de baixa renda representam um mercado amplo e podem oferecer um potencial ainda maior para o futuro, pois muitos deles podem tornar-se parte da classe média. O aquecimento da economia brasileira nos últimos anos exemplifica essa questão, já que o poder aquisitivo das classes populares aumentou, e muitas empresas passaram a direcionar seus esforços para esse novo segmento.

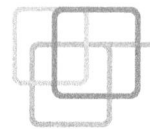

Atributos e níveis de serviço

Selecionado um segmento-alvo, as empresas necessitam prover seu mercado com o conceito de serviço correto. Para isso, é necessário identificar, por meio de pesquisa, quais atributos são importantes para segmentos específicos e como os potenciais consumidores percebem a execução desses atributos pelas concorrentes. Para isso, entretanto, é preciso reconhecer que um mesmo indivíduo pode estabelecer prioridades diferentes para determinado atributo de acordo com o contexto em que está inserido, ou seja, de acordo com:

- a finalidade para a qual utiliza o serviço;
- quem toma a decisão de compra;
- o momento do uso (hora do dia/dia da semana/estação do ano);
- o uso do serviço individualmente ou em grupo — e, neste caso, a composição do grupo.

Pense em seus critérios ao escolher um restaurante para (1) almoçar com amigos ou familiares em um feriado; (2) um almoço de negócios com um cliente em potencial; ou (3) fazer um lanche rápido com um colega de trabalho. Dada a variedade das alternativas, é pouco provável que você escolha o mesmo tipo de restaurante em todas essas ocasiões, muito menos o mesmo estabelecimento. Também é possível que, se você deixar outra pessoa do grupo decidir, ela faça uma escolha diferente. Portanto, é importante ser bastante preciso sobre a ocasião e o contexto em que um serviço é adquirido.

Atributos importantes *versus* atributos determinantes

Em geral, consumidores escolhem entre ofertas alternativas de serviços com base nas diferenças percebidas entre elas. Mas os atributos que distinguem um serviço dos concorrentes nem sempre são os mais importantes. Por exemplo, muitos viajantes classificam 'segurança' como sua preocupação número um em viagens de avião. Eles podem evitar companhias aéreas que não conheçam ou que não tenham boa reputação em segurança, mas, depois de eliminadas tais alternativas, um passageiro que utilize rotas importantes ainda terá à disposição diversas opções de empresas tidas como seguras. Percebemos então que, em geral, segurança é um atributo importante, mas não um atributo determinante, ou seja, não influencia a escolha do cliente, ela apenas reduz o número de candidatos. A segurança é algo que todos devem obrigatoriamente oferecer. Mesmo nos parques temáticos, onde o apelo é fortemente voltado para a diversão, não se permite que sejam quebradas as regras de segurança. Clientes que não as respeitam podem até ser retirados do local; mesmo assim, ninguém escolhe um parque de diversões da Disney, por exemplo, apenas porque é mais seguro.

Atributos determinantes, ou aqueles que determinam as escolhas dos compradores por uma das alternativas concorrentes, costumam ocupar um lugar pouco importante na lista de características consideradas, por esses clientes, fundamentais ao serviço. No entanto, são nelas que são vistas significativas diferenças entre alternativas concorrentes. Por exemplo, conveniência de horários de embarque e chegada, disponibilidade de programas de milhagem e privilégios de fidelidade, qualidade do serviço de bordo — inclusive alimentação — ou facilidade de fazer reservas podem ser exemplos de características determinantes para homens de negócios escolherem uma empresa aérea. Por outro lado, para quem está em férias com orçamento apertado, o preço pode assumir importância primordial e passará a ser um atributo determinante, enquanto a segurança continua sendo um atributo importante, já que dificilmente alguém arriscaria a vida, mesmo para voar de graça.

Cabe aos pesquisadores de marketing, certamente, fazer levantamentos de clientes no segmento-alvo, identificar a importância relativa de vários atributos e então questionar quais foram determinantes em decisões recentes que envolveram a escolha de fornecedores. Também cabe a eles buscar informações sobre o modo como os clientes percebem o desempenho de serviços de empresas concorrentes no que se refere a esses atributos. Os resultados dessas pesquisas formam a base necessária para o desenvolvimento da campanha de posicionamento ou reposicionamento.[5]

Estabelecendo níveis de serviço

Embora precisemos entender a diferença entre atributos importantes e determinantes para nosso público-alvo, criar uma estratégia de posicionamento requer mais que essa simples identificação. Decisões sobre qual nível de desempenho oferecer em cada atributo também devem ser tomadas.[6] Alguns atributos são quantitativos, enquanto outros são qualitativos. O preço, por exemplo, é uma medida quantitativa. A pontualidade em serviços de transporte pode ser expressa pela porcentagem de trens, ônibus ou aviões que chegam dentro de uma margem de minutos próxima ao horário programado. Esses dois casos envolvem medidas fáceis de entender e, por isso, podem ser generalizadas. A qualidade do pessoal de serviço ou o grau de luxo de um hotel, entretanto, são características mais qualitativas e, portanto, sujeitas à interpretação individual.

Para facilitar tanto a estruturação do serviço quanto a mensuração de seu desempenho, cada atributo deve ser operacionalizado e padrões, estabelecidos. Por exemplo, se os clientes afirmam valorizar o conforto físico, o que isso significa para um hotel ou uma companhia aérea, além do tamanho do quarto ou da poltrona? Em hotelaria, isso se refere a condições ambientais, como ausência de ruído? Ou a elementos visíveis e tangíveis, como a maciez da cama? Na prática, gerentes de hotéis necessitam abordar tanto as condições ambientais quanto os elementos tangíveis. Caso não seja criado um indicador de desempenho quantitativo, mesmo para aspectos mais qualitativos, não é possível controlar realmente seu desempenho e, portanto, a satisfação do cliente.

De modo geral, os consumidores podem ser segmentados de acordo com sua disposição em trocar preço por nível de atendimento em uma ampla gama de atributos dentro do conceito de serviços. Clientes insensíveis a preço estão dispostos a pagar mais para obter um elevado nível de serviço em cada atributo que considerem importante. Por outro lado, clientes sensíveis a preço procurarão um serviço de baixo custo que ofereça um nível relativamente baixo de desempenho em muitos atributos essenciais (veja a seção Panorama de serviços 3.1) — embora possa haver outros, como segurança, dos quais não estão dispostos a abrir mão.

Panorama de serviços 3.1

Hotéis-cápsula

Os hotéis-cápsula são formados por pequenos quartos, quase do tamanho de um armário, que custam a partir de US$ 18 a diária. Os principais benefícios desses hotéis são a conveniência e o preço. Surgiram na década de 1980 no Japão, notório pela restrição de espaço, e apenas recentemente passaram a ser bem aceitos em outras partes do mundo. Atualmente, redes de hotéis-cápsula foram lançadas em muitos países e incluem Pod Hotel em Nova York, Yotel em Londres, Citizen M e Qbic em Amsterdã e StayOrange.com Hotel em Kuala Lumpur, na Malásia.

Essas novas redes também modificaram suas ofertas de serviço, diferenciando-se de seus congêneres originais do Japão. Por exemplo, o grupo Yotel oferece diferentes categorias de apartamento — que chamam de cabines. Esse conceito derivou-se dos hotéis-cápsulas japoneses e das cabines de primeira classe da British Airways. Por exemplo, o quarto superior inclui uma cama de casal que pode ser convertida em sofá ao toque de um botão; mesas que acomodam bagagem de mão; um banheiro luxuoso; uma escrivaninha que se desdobra e possui todos os pontos de tecnologia disponíveis, incluindo livre acesso à Internet, uma TV de tela plana e um serviço de quarto 24 horas. O custo desse quarto superior no Aeroporto de Heathrow, em Londres, é de £ 80 por noite, enquanto o de um quarto-padrão é de apenas £ 55, uma fração do preço comum de um quarto de hotel em Londres.

Yotel e Qbic possuem planos agressivos de expansão, e é possível que hotéis-cápsulas se tornem a principal tendência entre os viajantes no futuro.

Em São Paulo, a Slaviero Hotéis inaugurou um conceito similar, o 'repouso e banho', com o Fast Sleep, hotel de rápida permanência. As unidades dos aeroportos de Guarulhos (São Paulo), Rio de Janeiro e de Curitiba (Paraná) oferecem cabines de aproximadamente 3,5 m² equipadas com banheiro, TV, ar-condicionado central, tomada de energia elétrica, Internet grátis e telefone. As cabines são locadas por hora (por um mínimo de uma hora), por período (para uma quantidade grande de horas) ou por dia. O cliente também pode utilizar apenas o banho, sem alugar a cabine.

Fontes: Disponível em: <www.stayorange.com>; <www.yotel.com>; <www.thepodhotel.com/index.html>; <http://en.wikipedia.org/wiki/Capsule_hotel>. Acesso em: 5 maio 2009. "Capsule hotel: thinking small", *The Economist*, 17 nov. 2007. Disponível em: <www.fastsleep.com.br/conceito.html>. Acesso em: 23 fev. 2011.

Figura 3.2 Hotel-cápsula perto da estação ferroviária Shinjuku-eki, no Japão

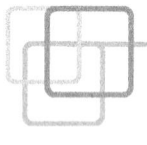

O posicionamento distingue uma marca de suas concorrentes

Uma vez segmentado o mercado, selecionado o mercado-alvo e compreendidos os atributos determinantes e seus serviços correlacionados, precisamos verificar a melhor forma de posicionar nosso serviço. A estratégia de posicionamento competitivo baseia-se em determinar e manter um lugar diferenciado no mercado para uma organização e/ou para suas ofertas individuais de produtos. Jack Trout resumiu a essência do posicionamento em quatro princípios:[7]

1. uma empresa deve ocupar uma posição na mente de seus clientes-alvo;
2. essa posição deve ser singular e transmitir uma mensagem simples e consistente;
3. essa posição deve destacar a empresa de suas concorrentes;
4. uma empresa não pode ser tudo para todos; ela deve concentrar seus esforços.

Esses princípios aplicam-se a qualquer tipo de organização que esteja competindo por clientes e entendê-los é fundamental para desenvolver uma postura competitiva eficaz.

O conceito de posicionamento não está limitado a serviços — na verdade, ele teve sua origem no marketing de bens embalados —, mas possibilita valiosos *insights*, uma vez que orienta gerentes de serviços a analisar as ofertas de suas empresas e responder de maneira específica às seguintes perguntas:

1. O que nossa empresa representa na mente de nossos clientes (atuais e potenciais)?
2. Quais clientes atendemos agora e quais gostaríamos de atender no futuro?
3. Quais são as características de nossas ofertas de serviços atuais (produtos principais e elementos suplementares) e a quais segmentos de mercado cada serviço está voltado?
4. Quais são as diferenças entre nossa oferta de serviços e as dos concorrentes?
5. Até que ponto os clientes dos mercados-alvo percebem que nossas ofertas de serviços atendem a suas necessidades?
6. Que mudanças precisamos fazer nas ofertas para fortalecer nossa posição competitiva nos mercados-alvo de interesse de nossa empresa?

Um dos desafios de estabelecer uma estratégia de posicionamento viável é evitar que se invista demasiadamente em pontos de diferenças que possam ser copiados com facilidade. Como observam os pesquisadores Kevin Keller, Brian Sternthal e Alice Tybout: "O posicionamento precisa manter os concorrentes fora, e não atraí-los para dentro".[8] Quando Roger Brown e Linda Mason, fundadores da rede Bright Horizons, apresentada no início deste capítulo, estavam desenvolvendo seu modelo de negócio, examinaram o setor a fundo e constataram que as empresas que se dedicavam a cuidar de crianças tinham adotado estratégias de baixo custo; eles então optaram por um enfoque diferenciado e de maiores investimentos (em funcionários, tecnologia etc.) que seria difícil para a concorrência copiar.

Algo similar, com empresas buscando serviços diferenciados, acontecia quando grandes organizações procuravam por serviços de auditoria: em geral, elas recorriam a uma das 'Big Four' (as quatro empresas mais prestigiadas do setor que ofereciam cobertura global). Entretanto, um número crescente de clientes passou a recorrer a outras organizações conhecidas como 'Tier Two', ou Nível Dois, em busca de melhor atendimento, menores custos, ou ambos.[9] Grant Thornton, a quinta maior do setor nos Estados Unidos, obteve êxito em se posicionar como a que oferecia fácil acesso a seus sócios e tinha 'uma paixão por contabilidade'. Sua propaganda passou a promover uma premiação da J. D. Powers que a classificou como 'Maior desempenho entre as empresas de auditoria que atendem a empresas com receita anual de até US$ 12 bilhões'. É o caso de empresas como a Trevisan e a Boucinhas, que disputam esse mercado do Nível Dois.

Desenvolvendo uma estratégia de posicionamento eficaz

Agora que compreendemos a importância do foco e os princípios de posicionamento, vamos discutir como desenvolver uma estratégia de posicionamento, o que envolve decisões sobre atributos relevantes aos consumidores. Para aumentar a atratividade de um produto a um segmento-alvo, pode ser necessário mudar suas características, as ocasiões e os locais onde ele é encontrado, ou então, alterar as formas de entrega. Também podem ser necessários ajustes posteriores, já que a percepção dos atributos mais valorizados muda ao longo do tempo, à medida que o consumidor aprende sobre o mercado e que os concorrentes reagem com novas ofertas.

O posicionamento desempenha um papel fundamental na estratégia de marketing, porque associa a análise de mercado e a competitiva à análise corporativa interna. A partir desses três fatores, pode-se chegar a um posicionamento que habilite a empresa a responder: a) qual é nosso produto (ou conceito de serviço)? b) em que queremos transformá-lo? c) que ações devemos tomar para chegar a isso? O Quadro 3.1 resume os principais usos da análise de posicionamento como ferramenta de diagnóstico, fornecendo subsídios para decisões relacionadas a desenvolvimento de produto, entrega de serviços, apreçamento e estratégia de comunicação.

Quadro 3.1 Principais usos de análise de posicionamento como ferramenta de diagnóstico

1. Fornece uma ferramenta de diagnóstico útil para definir e entender as relações entre produtos e mercados:
   - Como o produto se compara com ofertas concorrentes no que diz respeito a atributos específicos?
   - Como o desempenho do produto atende às necessidades e expectativas do consumidor nos critérios específicos de desempenho?
   - Qual o nível previsto de consumo para um produto com determinado conjunto de características de desempenho oferecido a um determinado preço?

2. Identifica oportunidades de mercado para:
   a. Introduzir novos produtos.
      - Quais segmentos visar?
      - Quais atributos oferecer em relação à concorrência?
   b. Redesenhar (reposicionar) produtos existentes.
      - Atrair os mesmos segmentos ou segmentos novos?
      - Quais atributos acrescentar, descartar ou mudar?
      - Quais atributos enfatizar na propaganda?
   c. Eliminar produtos que:
      - Não satisfaçam às necessidades do consumidor.
      - Enfrentem concorrência excessiva, sem diferenciais competitivos.

3. Toma outras decisões de mix de marketing para se antecipar ou reagir às manobras de concorrentes:
   a. Estratégias de distribuição.
      - Onde oferecer o produto (localizações, tipos de pontos de venda)?
      - Quando disponibilizar o produto?
   b. Estratégias de apreçamento.
      - Quanto cobrar?
      - Que procedimentos de cobrança e pagamento adotar?
   c. Estratégias de comunicação.
      - Qual público-alvo é mais fácil convencer de que o produto oferece vantagem competitiva em atributos que são importantes para ele?
      - Qual(is) mensagem(ns)? Quais atributos devem ser enfatizados e quais concorrentes (se houver algum) devem ser mencionados como base de comparação?
      - Quais canais de comunicação: venda pessoal ou diferentes mídias de propaganda? (Selecionadas não apenas pela capacidade de transmitir a(s) mensagem(s) escolhida(s) ao(s) público(s)-alvo, mas também por reforçar a imagem desejada do produto.)

É possível em desenvolver uma estratégia de posicionamento em diversos níveis, dependendo da natureza do negócio. Entre empresas de serviços com multilocalizações e multiprodutos, pode-se estabelecer uma posição para toda a organização, para determinado ponto de venda ou para um serviço específico oferecido por esse ponto de venda. É importante haver consistência no posicionamento de serviços oferecidos no mesmo local, pois a imagem de um deles pode se estender aos outros. Por exemplo, se um hospital tiver uma excelente reputação por serviços de obstetrícia, isso poderá realçar percepções de seus serviços em ginecologia e pediatria. Ao contrário, se o posicionamento for conflitante, será prejudicial para os três serviços.

Pela natureza intangível e experimental de muitos serviços, uma estratégia de posicionamento explícita é ferramenta valiosa para ajudar clientes potenciais a criar uma imagem mental do que esperar, uma vez que o adequado posicionamento fornece informações importantes que o ajudam a tomar sua decisão de compra. A falha na seleção da posição no mercado — e no desenvolvimento de um plano de ação de marketing elaborado para conquistar e manter essa posição — pode resultar em uma das indesejadas situações:

- a organização (ou um de seus produtos) é colocada em uma posição na qual enfrenta concorrência direta de organizações mais fortes, sem apresentar diferenciais percebidos pelos clientes que a apontem como a melhor alternativa;
- a organização (produto) é colocada em uma posição que ninguém mais quer, por haver pouca demanda de clientes;
- a posição da organização (do produto) é tão nebulosa que ninguém sabe de fato qual sua competência diferencial. Ela é vista como mais uma em meio a tantas outras, e passa a ser avaliada pelo preço, como uma *commodity*.

Análises de mercado, interna e de concorrência

O posicionamento associa a análise de mercado e a competitiva à análise corporativa interna. A partir delas, pode-se desenvolver uma declaração de posição que habilite a empresa a responder às seis perguntas necessárias a uma estratégia de posicionamento eficaz. A Figura 3.3 estabelece as etapas básicas envolvidas na identificação de uma posição de mercado adequada e no desenvolvimento de uma estratégia para alcançá-la.

- **Análise de mercado.** Essa análise abrange fatores como nível geral e tendência da demanda e sua localização geográfica. A demanda pelos benefícios nesse tipo de serviço está crescendo ou diminuindo? Há variações regionais ou internacionais

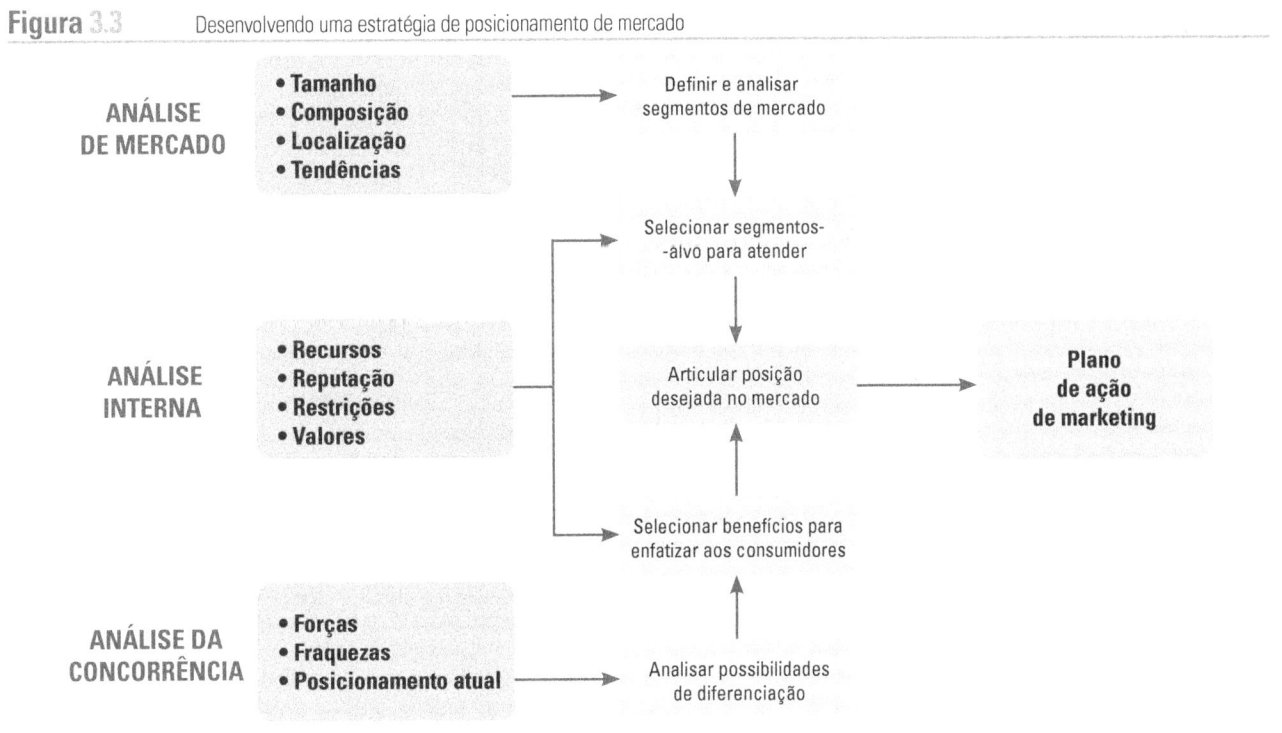

Figura 3.3 Desenvolvendo uma estratégia de posicionamento de mercado

Fonte: Desenvolvido a partir de esquema anterior elaborado por Michael R. Pearce.

no nível de demanda? Modos alternativos de segmentação do mercado devem ser considerados, bem como uma avaliação do tamanho e do potencial de vários segmentos. Talvez seja preciso fazer pesquisas para entender melhor não apenas as necessidades e preferências de clientes em cada um dos segmentos, mas também como cada um deles percebe a concorrência. Qual o tamanho da demanda por segmento, no próximo ano, no seguinte, daqui a cinco anos?

- **Análise corporativa interna.** Aqui, o objetivo é identificar recursos organizacionais (financeiros, mão de obra, *know-how* e ativos físicos), quaisquer limitações ou restrições, metas (lucratividade, crescimento, preferências profissionais e assim por diante) e como seus valores determinam o modo como a organização faz negócios. Utilizando as informações obtidas por essa análise, a gerência seleciona como alvo um número limitado de segmentos que podem ser atendidos com serviços novos ou já existentes.

- **Análise da concorrência.** A identificação e a análise da concorrência podem dar ao estrategista de marketing uma ideia dos pontos fortes e fracos das demais empresas, a partir dos quais podem surgir oportunidades de diferenciação. Qual o poder de barganha de fornecedores e clientes no setor? Qual a facilidade para novos entrantes e substitutos? Qual o grau de rivalidade entre os concorrentes? Relacionar essas informações com a análise corporativa interna deve proporcionar oportunidades viáveis para atingir diferenciação e vantagem competitiva e, por conseguinte, habilitar gerentes a decidir quais benefícios devem ser enfatizados para quais segmentos-alvo. Essa análise deve considerar tanto a concorrência direta como a indireta.

Antes de passar para um plano de ação específico, é preciso antecipar respostas a potenciais estratégias de posicionamento. Por exemplo, deve-se considerar a possibilidade de que um ou mais concorrentes também estejam em busca da mesma posição no mercado. Talvez outra organização de serviços tenha realizado a mesma análise de posicionamento por seus próprios meios e chegado a conclusões semelhantes. É mais difícil ocupar um posicionamento que já está ocupado, que outro ainda inexplorado. Ou então, um concorrente atual persuadiu parte do mercado de seus diferenciais e já criou confiança e fidelidade, as quais precisam ser revertidas para que outra organização possa 'tomar' essa posição. Em situações como essa, o esforço de marketing necessário terá de ser sensivelmente maior para se obter resultados, e talvez a rentabilidade final não justifique a ação. Também pode acontecer de um concorrente se sentir ameaçado pela nova estratégia e tomar providências para reposicionar seu serviço, a fim de competir com mais eficácia. Esse aumento do esforço de marketing do concorrente deverá ser acompanhado por esforço equivalente ou maior da empresa que deseja entrar no mercado, para que ela possa ser competitiva. Outra alternativa é que uma empresa estreante decida brincar de 'siga o mestre': ela aprende com os erros dos concorrentes, propõe soluções inovadoras que não incorram nos mesmos erros, com investimentos adequados, e ainda oferecer um nível de serviço mais alto em um ou mais atributos e/ou um preço menor.

A melhor maneira de antecipar possíveis respostas da concorrência é identificar todos os concorrentes atuais ou potenciais e se colocar no lugar de seus gerentes, realizando uma análise corporativa interna para cada uma dessas empresas.[10] É importante que tanto os gerentes executivos quanto os profissionais de linha de frente participem dessa análise para que sejam levados em consideração tanto os dados do sistema de informações de marketing quanto as experiências dos que estão no mercado, próximos dos clientes. A combinação das percepções obtidas por essa análise com os dados das análises de mercado e de concorrência (com a própria empresa desempenhando o papel de concorrente) deve proporcionar uma boa noção de como os concorrentes poderiam agir. Se parece haver alta probabilidade de um concorrente mais forte mover-se para ocupar o mesmo nicho com um conceito superior de serviços, será sensato reconsiderar a estratégia de posicionamento. Algumas empresas mantêm a postura de reagir com dureza a qualquer tentativa de entrada em seu mercado, para deixar claro que novos concorrentes não serão aceitos com facilidade. Essa pode ser uma informação importante para não entrar em uma disputa com um concorrente disposto a defender seu mercado com obstinação.

- **Declaração de posição.** O resultado da integração dessas três formas de análise (de mercado, corporativa interna e da concorrência) é uma declaração que articula a posição desejada da organização no mercado e, se preciso, a de cada um dos serviços que oferece. Com esse conhecimento, os profissionais de marketing podem desenvolver um plano de ação específico. É claro que o custo de implementação desse plano deve ser condizente com o retorno esperado e, portanto, para a estimativa dos custos, ele deve ser detalhado e utilizar previsões realistas de mercado. É possível que já nesse estágio diversas pesquisas de marketing precisem ser elaboradas para fornecer esses números.

A análise de posicionamento e sua implementação devem ser realizadas periodicamente, visto que as posições costumam mudar com o tempo. Elas evoluem em resposta a mudanças nas estruturas do mercado, tecnologia, atividade competitiva e à própria evolução da empresa. Concorrentes atualizam suas ofertas constantemente para se manter competitivos no mercado, inclusive com o uso de novas tecnologias. Movimentações entre os principais executivos podem trazer decisores com perfis mais agressivos e que disputam mais fortemente o mercado. O cliente aprende com a experiência de uso dos serviços, com informações de mercado e de boca a boca e aumenta suas expectativas ao longo do tempo — portanto, a organização precisa acompanhar essa evolução e adaptar-se. A própria empresa pode trazer novos talentos do mercado que a tornem mais agressiva e inovadora. Segmentos que sustentavam a demanda de linhas de produto podem, com o tempo, migrar para outras soluções. Todas essas mudanças podem ser motivos para um reposicionamento.

Em geral, o reposicionamento implica acrescentar ou descartar serviços e segmentos-alvo. Algumas empresas reduzem suas ofertas e desistem de certas linhas de negócios para aprimorar seu foco e explorar novas oportunidades. Outras expandem suas ofertas na expectativa de aumentar as vendas a clientes atuais e atrair novos. Como exemplo, supermercados e outros varejistas adicionaram, de início, serviços bancários e posteriormente áreas inteiras de serviços, como lavanderia, alimentação, postos de gasolina, lava-rápidos etc., enquanto provedores de acesso a Internet oferecem novos e inovadores serviços, como o Google Earth, GPS, YouTube e acesso a mídias sociais. Também é comum o processo de reposicionamento desenvolver uma nova mensagem sobre modernização ou atualização da imagem corporativa da empresa, para mostrar que ela atende a novas tendências que se desenvolveram, como vemos na seção Panorama de serviços 3.2, sobre o Bradesco.

Panorama de serviços 3.2

Bradescompleto e Cirque du Soleil[11] — o reposicionamento do Bradesco

O Bradesco foi fundado em 1943, em Marília, no interior de São Paulo, com o nome de Banco Brasileiro de Descontos. No início, sua estratégia foi a de atrair o pequeno comerciante, o funcionário público e os clientes das classes populares, na contramão do que faziam outros bancos, que se voltavam para os grandes proprietários de terras, por seu maior patrimônio. Em 1946, o Bradesco transferiu sua matriz para o centro da cidade de São Paulo e, em 1951, tornou-se o maior banco privado do país. Em 1956, criou a Fundação Bradesco e com uma forte ação de aquisições, em 1978, chegou à milésima agência. Atualmente, a instituição atua em diversos setores, principalmente no varejo, voltada para micros, pequenas e médias empresas.

No início do século XXI, a empresa constatou, em pesquisas, que sua imagem havia envelhecido e estava associada a um banco burocrático, conservador, com filas e com atendimento deficiente. Em 2005, foi iniciado um projeto para mudança de posicionamento, que modernizou sua logomarca, reavaliou a segmentação de seus clientes e alterou sua oferta de serviços (descartando alguns e criando outros).

Foi adotado o tema de reposicionamento 'Bradescompleto', a fim de reforçar a imagem de banco sólido, inovador e tecnológico, preocupado com as necessidades dos clientes. Seu público foi segmentado em diferentes perfis de consumidores (três perfis para pessoas jurídicas e três para pessoas físicas) e seus produtos e serviços foram adequados ao novo posicionamento da marca, alinhando-se às comunicações institucionais e de produto. Sua mensagem passou a ser de que o banco não era apenas grande, mas completo, atendendo a todas as necessidades de seus clientes. A comunicação buscou apelos emocionais e a valorização de projetos de responsabilidade social e ambiental.

Para avaliar os resultados dessas ações, foram estabelecidos objetivos de imagem de marca — melhoria na percepção de suas competências, dinamismo no atendimento e oferta completa — e de desempenho de seus funcionários, como engajamento do *staff*, abertura de conta e concessão de crédito.

Como parte da estratégia de reposicionamento, o Bradesco patrocinou o Cirque du Soleil, com o espetáculo *Saltimbanco*. Além da associação de imagem pelo patrocínio, o banco fez uma analogia entre seus valores e cultura com os do Cirque du Soleil: comparou a ousadia e excelência do Cirque a sua inovação e dedicação. Conseguiu, assim, melhorar a imagem para um público de perfil mais qualificado, que conhece e assiste ao Cirque du Soleil. O banco escolheu um patrocinado do setor de entretenimento para ganhar maior impacto e penetração entre seu público-alvo.

A alteração da logomarca — parte integrante desse processo de reposicionamento — visou estimular associações a conceitos de vida, abrigo e crescimento, percebidas nos elementos geométricos do desenho em forma de árvore, que busca representar o relacionamento sólido do banco com seus clientes, sugerindo a criação de ligações que se renovam ao longo do tempo.

No ano seguinte ao sucesso da campanha com o espetáculo *Saltimbanco*, o Bradesco também investiu no retorno do Cirque, com o espetáculo *Alegria*.

Em 2007, foi desenvolvida a campanha de endomarketing '120 razões para ser cliente Completo', que foi veiculada em mídia de massa e apoiada com a edição de um livro sobre o tema. Diversas outras campanhas solidificaram a estratégia de comunicação do Bradescompleto, que esteve no ar entre 2005 e 2009. Em 2009, foi inaugurado o Teatro Bradesco, dentro do Bourbon Shopping São Paulo, com área de mais de 7 mil metros quadrados e capacidade para 1.457 espectadores. Em 2010, o banco patrocinou a apresentação do Balé Popular da China em seu teatro.

O processo de posicionamento trouxe resultados expressivos à companhia: (1) houve um crescimento na avaliação dos atributos de imagem, que colocou sua campanha entre as dez mais lembradas pelo consumidor, e o comercial com o Cirque du Soleil foi considerado um dos dez preferidos pelo público por um período de dois meses; (2) como resultado de quatro anos de veiculação, a campanha Bradescompleto foi a de mais alto *recall* da categoria por mais de três anos consecutivos; (3) o Bradesco foi o único banco a ter suas campanhas posicionadas quatro vezes entre as dez preferidas do consumidor, na pesquisa IPSOS/ M&M e foi Top of Mind no Ranking ABA Top Brands em 2005 e 2006. Além disso, (4) a alta rejeição ao banco caiu para quase zero; a intenção de abrir conta, de recomendar o banco e de utilizá-lo mais subiram substancialmente e os atributos de imagem ligados à *expertise* e ao dinamismo cresceram em todas as pesquisas realizadas; (5) de acordo com a BrandAnalytics, o Bradesco passou a ser a marca mais valiosa do Brasil, avaliada em mais de R$ 12 bilhões em 2008 (o valor dobrou considerando-se 2005, quando se iniciou o novo posicionamento) e a campanha do Cirque du Soleil colaborou muito para esse resultado, juntamente com outras campanhas veiculadas.

Fonte: Baseado parcialmente e adaptado de F. P. M. G. Malvestiti; K. Caetano, *Identidades visuais e estratégias enunciativas: a logomarca corporativa do Bradesco*. Intercom — Sociedade Brasileira de Estudos Interdisciplinares da Comunicação. IX Congresso de Ciências da Comunicação na Região Sul, Guarapuava, 29/31 maio 2008.

Mapas de posicionamento para preparar a representação gráfica da estratégia competitiva

Mapas de posicionamento são ferramentas excelentes para visualizar o posicionamento competitivo, identificar desdobramentos ao longo do tempo e desenvolver cenários de potenciais respostas da concorrência. Montar um mapa de posicionamento — tarefa também denominada 'mapeamento perceptual' ou 'escalonamento multidimensional' — é uma maneira útil de representar graficamente percepções de clientes sobre produtos alternativos. Um mapa normalmente se limita a dois atributos, embora seja possível utilizar modelos tridimensionais para retratar três deles. Existem também técnicas estatísticas que identificam as duas dimensões ortogonais mais importantes. Quando são necessárias mais do que três dimensões para descrever o desempenho do produto em um mercado, é preciso desenhar uma série de diagramas separados ou usar uma animação para efeito de apresentação visual, mas tais casos são pouco comuns.

Informações sobre a posição de um produto, serviço, atributo ou segmento de consumidores podem ser inferidas de dados de mercado derivados de notas fornecidas por consumidores que representam o público-alvo. Se as percepções dos consumidores sobre as características de serviços forem muito diferentes do desejado, ou seja, daquilo definido pela gerência, talvez sejam necessários esforços de marketing para mudar essas percepções, o que discutiremos no Capítulo 7. Ou talvez seja o momento de alterar os atributos da oferta para se aproximar da preferência do público-alvo.

Um exemplo: aplicação de mapas de posicionamento ao setor de hotelaria

O negócio da hotelaria é de alta competitividade, em especial durante os períodos de alta temporada, em que a oferta de quartos fica acima da demanda. Consumidores que visitam uma cidade grande constatam que há diversas alternativas em cada categoria de hotéis, entre as quais podem selecionar uma para se hospedar. O grau de luxo e conforto é um dos critérios determinantes de escolha. Pesquisas demonstram que executivos em viagem se preocupam tanto com o conforto e com as facilidades das acomodações, onde talvez queiram dormir e também trabalhar, quanto com outros espaços físicos, que vão da área de recepção, salas de reunião e uma central de negócios até piscinas e instalações para exercícios físicos. Depois de inicialmente avaliar atributos importantes, como segurança e acesso, há diversos atributos determinantes que podem diferenciar o hotel no mercado.

A qualidade e o leque de serviços oferecidos pelo pessoal é critério determinante: o hóspede dispõe de serviço de quarto 24 horas? É possível ter roupas lavadas e passadas de um dia para o outro? O *concierge* é bem informado? Existe pessoal disponível para oferecer serviços executivos de apoio? Outro critério determinante da escolha pode estar relacionado à ambientação do hotel (arquitetura e decoração modernas são apreciadas por alguns clientes, ao passo que outros preferem o charme do campo e a mobília antiga). Entre os atributos adicionais figuram fatores contextuais como silêncio, segurança, limpeza e programas especiais de bônus para hóspedes frequentes.

Vamos examinar um exemplo, baseado em uma situação real, de como desenvolver um mapa de seu próprio hotel e de hotéis concorrentes ajudou os gerentes do Palace, um hotel quatro-estrelas bem-sucedido, a entenderem melhor as futuras ameaças a sua posição no mercado em uma cidade grande, a qual chamaremos 'Belleville'.

Localizado nas proximidades do fervilhante centro financeiro, o Palace era um hotel antigo e elegante, que tinha passado por ampla reforma e modernização alguns anos antes. Entre seus concorrentes, figuravam oito estabelecimentos quatro-estrelas e o Grand, um dos hotéis mais antigos da cidade, classificado com cinco-estrelas. O Palace tinha sido muito lucrativo para seus proprietários nos últimos anos e podia se gabar de taxas de ocupação acima da média. Durante muitos meses ficava lotado em dias de semana, o que refletia o forte apelo sobre executivos em viagem. Esses hóspedes eram muito atraentes para o hotel, pois estavam dispostos a pagar uma diária mais alta do que turistas ou participantes de conferências.

O gerente geral e seu pessoal, entretanto, viam problemas no horizonte. Pouco tempo antes tinham sido concedidos alvarás de projetos para quatro novos grandes hotéis na cidade, e o Grand acabara de iniciar um significativo projeto de reforma e expansão, inclusive, com a construção de uma nova ala. O risco era os clientes acharem que o Palace estava ficando para trás.

Para entender melhor a natureza da ameaça da concorrência, a gerência trabalhou com um consultor para preparar diagramas que demonstravam a posição do Palace no mercado dos executivos em viagem, antes e após o advento da nova concorrência. Foram selecionados quatro atributos para estudo: preço da diária, nível de serviço pessoal, nível de luxo físico e localização.

Fontes de dados. Para colher informações, não seria necessário obter dados primários (ou seja, diretamente dos clientes), sendo possível optar pelo uso de dados de publicações especializadas no segmento, como um guia de hotéis. Assim, não foi realizada nova pesquisa com consumidores e preferiu-se inferir percepções de clientes advindas de várias fontes:

- informações publicadas;
- dados de levantamentos anteriores contratados pelo hotel;
- relatórios de agentes de viagens e pessoal do hotel que interagiam frequentemente com os hóspedes.

Não foi difícil obter informações sobre hotéis concorrentes, pois as localizações eram conhecidas. As informações provinham de:

- visitas e avaliações das estruturas físicas;
- informações vindas do pessoal de vendas, que se mantinha a par sobre políticas de preços e descontos;
- uma relação entre o número de quartos por funcionário, que se podia calcular com facilidade a partir do número de quartos publicado e de dados de emprego fornecidos por órgãos municipais;
- dados obtidos de um levantamento realizado pelo Palace com agentes de viagens que proporcionaram percepções adicionais sobre a qualidade do pessoal de serviço de cada concorrente.

A gerência também tinha a opção de, na coleta de dados, comparar os resultados dos mapas com as diferentes percepções do pessoal de vendas, pessoal de frente, agentes de viagens e avaliadores independentes, pois caso diferenças significativas fossem detectadas, isso seria um indício da necessidade de trabalhar melhor o posicionamento entre diferentes *stakeholders*.

Escalas e classificações de hotéis. Em seguida, foram criadas escalas para cada atributo e os hotéis foram classificados em relação a eles, para que mapas de posicionamento pudessem ser desenhados.

- A escala de preços foi simples, pois o preço médio cobrado de executivos em viagem pela diária de um quarto-padrão de solteiro já estava quantificado.

- A relação 'número de quartos por funcionário' formou a base de uma escala de nível de serviço, sendo que taxas baixas equivaliam a alto nível de serviço. Então, essa escala foi ligeiramente modificada em vista do que se sabia sobre a qualidade do serviço entregue pelos principais concorrentes, uma vez que os dados quantitativos devem sempre ser usados após uma análise crítica, cruzados com outras fontes.

- O nível de luxo físico era mais subjetivo. Por consenso de seus participantes, a equipe da gerência identificou o hotel mais luxuoso (o Grand) e então o hotel quatro-estrelas cujas instalações físicas considerava menos luxuosas (o Airport Plaza). Em seguida, todos os hotéis quatro-estrelas foram classificados por esses atributos em relação a esses dois parâmetros de comparação.

- A localização foi definida tomando-se como referência o edifício da Bolsa de Valores, no coração do centro financeiro, pois uma pesquisa anterior tinha demonstrado que grande parte dos executivos que se hospedava no Palace estava a trabalho nessa área. A escala de localização mostrava graficamente a distância de cada hotel em relação à Bolsa. O conjunto de dez hotéis concorrentes ficava em um raio de seis quilômetros, que se estendia do edifício da Bolsa, atravessava a principal área de comércio varejista da cidade — onde também estava localizado o centro de convenções — e alcançava os subúrbios e o aeroporto próximos.

Foram criados dois mapas de posicionamento, com base nos principais atributos, para retratar a situação de concorrência. O primeiro (Figura 3.4) mostrava os dez hotéis segundo as dimensões de preço e nível de serviço, e o segundo (Figura 3.5) apresentava-os segundo a localização e o grau de luxo.

Figura 3.4 Mapa de posicionamento dos principais hotéis dirigidos a executivos de negócios de Belleville: nível de serviço *versus* nível de preço (antes de novos concorrentes)

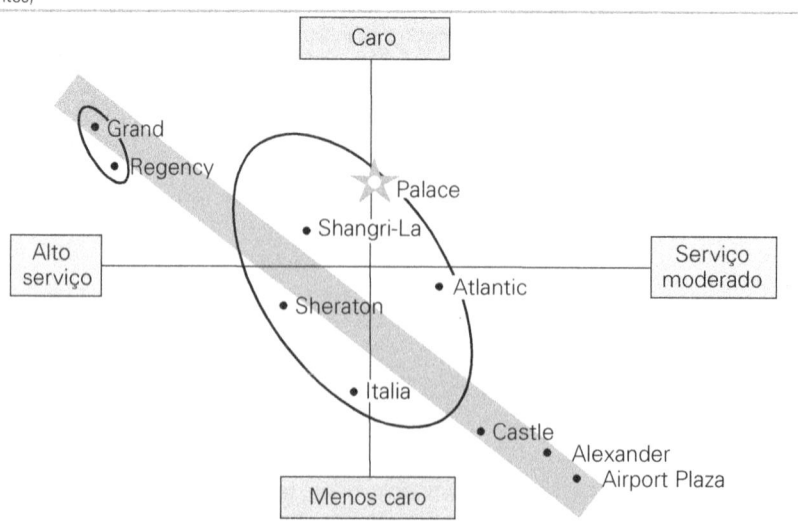

Figura 3.5 Mapa de posicionamento dos principais hotéis dirigidos a executivos de negócios de Belleville: localização *versus* luxo físico (antes de novos concorrentes)

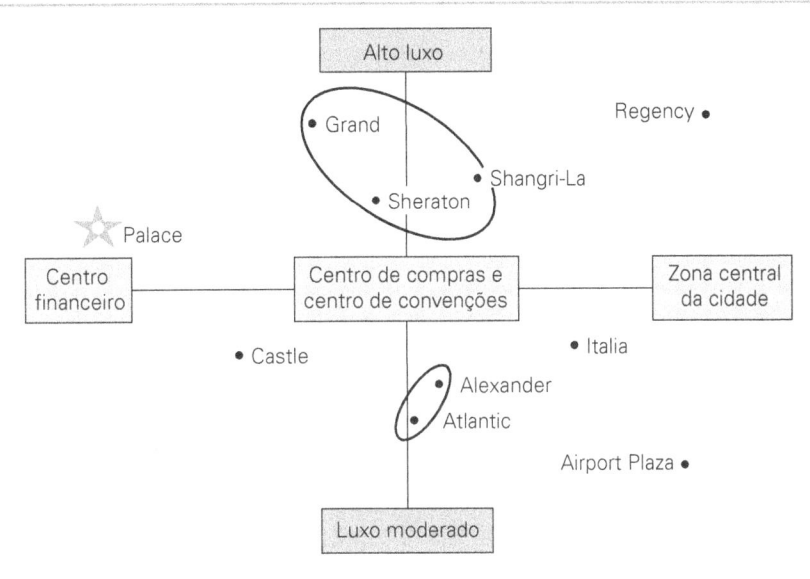

```
                        Alto luxo

              ● Grand                    Regency ●
                         ● Shangri-La
                    ● Sheraton
         ☆ Palace
   ┌──────────────┐  ┌──────────────────┐  ┌──────────────┐
   │    Centro    │──│ Centro de compras e │──│ Zona central │
   │  financeiro  │  │ centro de convenções│  │  da cidade   │
   └──────────────┘  └──────────────────┘  └──────────────┘
                  ● Castle          ● Italia
                           ● Alexander
                           ● Atlantic
                                       Airport Plaza ●

                        Luxo moderado
```

Constatações. Algumas constatações foram intuitivas, mas outras forneceram valiosos *insights*:

- Um rápido exame da Figura 3.4 mostra uma clara correlação entre os atributos de preço e serviço: hotéis que oferecem níveis superiores de serviço são relativamente mais caros. A barra sombreada que corta a figura na diagonal, de cima para baixo, realça essa relação, que não é nenhuma surpresa (e pode-se esperar que continue para baixo, na mesma diagonal, até os estabelecimentos três-estrelas ou de classificações inferiores).

- Uma análise mais profunda mostra três aglomerados de hotéis dentro do que já é uma categoria superior de mercado. Na extremidade superior, o Regency (quatro-estrelas) está próximo ao Grand (cinco-estrelas); no meio, o Palace aparece em um aglomerado com mais quatro outros hotéis; e na extremidade inferior há outro aglomerado de três hotéis. Uma percepção surpreendente apresentada por esse mapa é que o Palace aparece como um hotel que cobra significativamente mais (em termos relativos) do que seu nível de serviço poderia justificar. Como sua taxa de ocupação é muito alta, fica evidente que os hóspedes estão dispostos a pagar o valor pedido.

- Na Figura 3.5, vemos como o Palace está posicionado em relação à concorrência nos quesitos localização e grau de luxo. Não se esperava que essas duas variáveis estivessem relacionadas, e parece que não estão mesmo. Uma percepção fundamental aqui é que o Palace ocupa uma porção um tanto vazia do mapa. Ele é o único hotel localizado no centro financeiro — fato que provavelmente explica sua possibilidade de cobrar mais do que seu nível de serviço ou grau de luxo físico poderiam justificar.

- A localização aparenta ter um peso maior que a luxuosidade do hotel para seus clientes executivos, que preferem o conforto e a praticidade oferecidos pela proximidade ao centro financeiro. É possível também que fosse mais difícil justificar para os empregadores a escolha de um hotel mais luxuoso (e mais caro), porém longe do cliente localizado no centro financeiro.

- Há dois aglomerados de hotéis nas vizinhanças do centro comercial e do centro de convenções: um grupo de três hotéis relativamente luxuosos, liderados pelo Grand, e um segundo grupo de dois hotéis que oferecem um grau moderado de luxo.

Mapeamento de cenários futuros para identificar respostas potenciais da concorrência

E quanto ao futuro? Em seguida, a equipe do Palace procurou prever as posições dos quatro novos hotéis que estão sendo construídos em Belleville, bem como o provável reposicionamento do Grand (veja as figuras 3.6 e 3.7). Sempre que ocorrem mudanças significativas no mercado (entre os clientes), na indústria (entre os concorrentes) ou nos fatores macroambientais, como economia, tecnologia, cultura etc., é importante refazer o mapa e avaliar as mudanças que podem ter ocorrido.

Prever as posições dos quatro novos hotéis não foi difícil para especialistas na área, sobretudo porque detalhes preliminares referentes a eles já haviam sido divulgados ao departamento de planejamento da Prefeitura e à comunidade empresarial.

Os locais de construção já eram conhecidos — dois seriam no centro financeiro e dois nas vizinhanças do centro de convenções, também em expansão. Comunicados à imprensa distribuídos pelo Grand já tinham declarado as intenções de sua administração: o 'novo' Grand seria não somente maior, mas também ainda mais luxuoso, e havia planos de oferecer novos itens de serviços. Três dos novos hotéis seriam afiliados de redes internacionais e suas estratégias podiam ser estimadas examinando hotéis recém-abertos em outras cidades por essas mesmas redes. Os proprietários de dois dos hotéis tinham declarado sua intenção de buscar a classificação cinco-estrelas e, embora isso talvez demorasse alguns anos, o fato já sinalizava que eles deveriam investir em estrutura e pessoas para oferecer serviços no mesmo nível.

O preço também era fácil de projetar. Novos hotéis usam uma fórmula para estabelecer preços de diárias anunciados, ou preço cheio (os que são normalmente cobrados de indivíduos que se hospedam por uma noite durante a semana na alta temporada). Esse preço está ligado ao custo médio da construção civil por quarto e à taxa de um dólar por noite para cada mil dólares de custo de construção. Assim, um hotel de 200 quartos cuja construção custou US$ 80 milhões de dólares (incluindo o custo do terreno) teria um custo médio de US$ 400 mil dólares por quarto e precisaria estabelecer um preço de US$ 400 dólares por pernoite.

Usando essa fórmula, os gerentes do Palace concluíram que os quatro novos hotéis teriam de cobrar significativamente mais do que o Grand ou o Regency, estabelecendo, na verdade, o que os profissionais de marketing denominam *guarda-chuva de preço*. Eles teriam de estabelecer valores acima dos níveis de preços existentes, o que daria aos concorrentes a opção de elevar seus próprios preços. Para justificar as tarifas altas, os novos hotéis teriam de oferecer aos clientes um padrão muito alto de serviço e de luxo. Ao mesmo tempo, o 'novo' Grand precisaria elevar seus próprios preços para recuperar os custos de reforma, nova construção e ofertas de serviços melhorados (veja a Figura 3.6).

Figura 3.6 Mapa de posicionamento dos principais hotéis dirigidos a executivos de negócios de Belleville: nível de serviço *versus* nível de preço

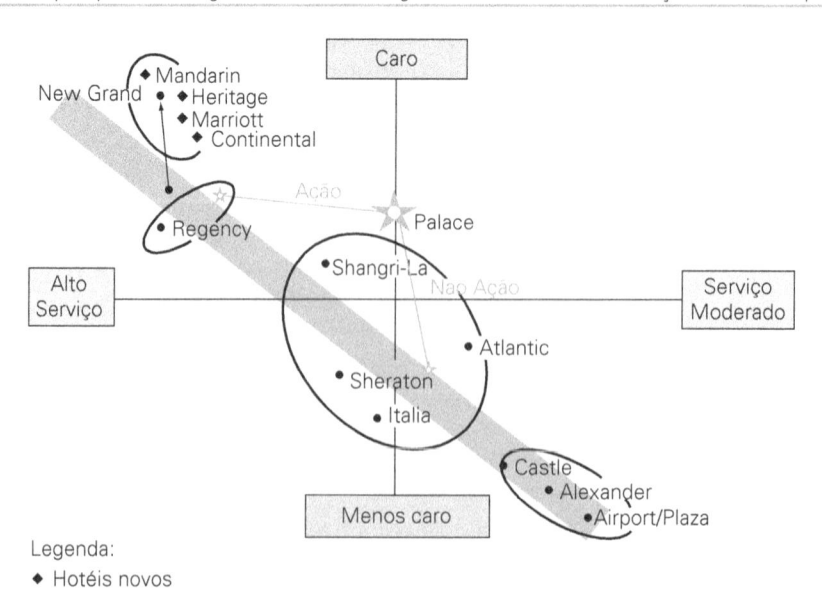

Legenda:
♦ Hotéis novos

Admitindo que não haveria mudanças no Palace nem em outros hotéis existentes, o impacto da nova concorrência no mercado representava claramente uma ameaça significativa para o Palace, pois:

- Ele perderia a vantagem de sua localização exclusiva e, no futuro, seria um de três hotéis nas vizinhanças imediatas do centro financeiro (veja a Figura 3.7).
- O pessoal de vendas acreditava que muitos dos atuais clientes de negócios do Palace seriam atraídos para o Continental e o Mandarim e estariam dispostos a pagar suas taxas mais altas a fim de obter os benefícios superiores oferecidos.

Os outros dois estreantes eram vistos mais como uma ameaça ao Shangri-La, ao Sheraton e ao 'novo' Grand no aglomerado da área comercial/centro de convenções. Entretanto, o 'novo' Grand e os novos no mercado criariam um aglomerado de alto preço/alto serviço (e alto luxo) na extremidade mais alta do mercado, deixando o Regency com o que poderia se revelar um espaço distintivo só seu — e, por conseguinte, protegido.

Diagramas de posicionamento para ajudar a visualizar a estratégia

O exemplo do Palace Hotel demonstra as percepções obtidas pela visualização de situações competitivas. Um dos desafios que os planejadores estratégicos enfrentam é assegurar que todos os executivos entendam bem a posição estratégica atual da empresa antes de iniciar a discussão sobre mudanças de estratégia de posicionamento. Chan Kim e Renée Mauborgne argumentam que representações gráficas do perfil estratégico de uma empresa e das posições de seus produtos são mais fáceis de entender do que tabelas de dados quantitativos ou parágrafos de texto. Diagramas e mapas podem facilitar o que eles chamam de 'estimulação visual'. Por permitirem que gerentes sêniores comparem suas empresas com as de concorrentes e entendam a natureza de ameaças e oportunidades competitivas, apresentações visuais podem enfatizar as lacunas existentes entre o modo como clientes (atuais ou potenciais) e gerentes veem a organização. Dessa forma, diagramas e mapas ajudam a confirmar ou descartar crenças de que um serviço ou uma empresa ocupa um nicho exclusivo na praça.[12]

Figura 3.7 Mapa de posicionamento futuro dos principais hotéis dirigidos a executivos de negócios de Belleville: localização *versus* luxo físico

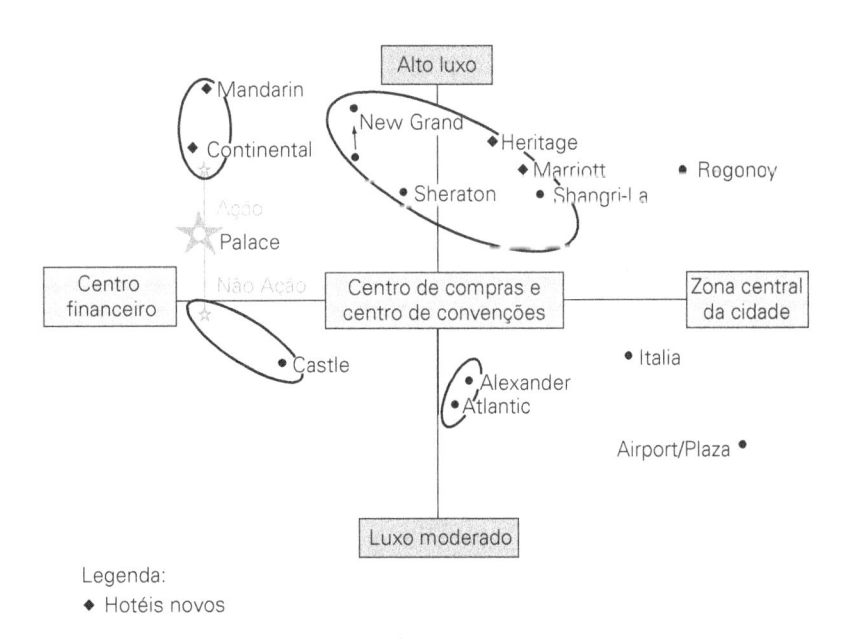

Após examinar como mudanças previstas no ambiente competitivo redesenhariam o mapa de posicionamento atual, a equipe gerencial do Palace percebeu que não haveria nenhuma esperança de que o hotel mantivesse sua posição atual de mercado tão logo perdesse a vantagem de localização. Os fortes investimentos dos concorrentes levariam a mudanças significativas na percepção da oferta pelos clientes. A menos que sua equipe fizesse uma manobra proativa para elevar o nível de serviço e o luxo físico — permitindo, assim, um aumento no valor das diárias —, o hotel provavelmente se veria obrigado a passar para uma faixa de preços mais baixa, que poderia até mesmo dificultar a manutenção dos atuais padrões de serviços e de conservação do patrimônio físico.

Agora, o passo seguinte para a empresa seria avaliar qual posição estratégica ocupar no futuro desse mercado.

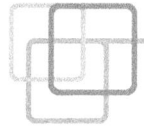

O posicionamento competitivo pode ser alterado

Os mercados estão em constante transformação, criando tanto ameaças quanto oportunidades entre as empresas concorrentes. Com isso, empresas têm de fazer uma mudança significativa em sua posição atual para se ajustarem ao novo cenário competitivo, por meio de sua estratégia de marketing. Tal estratégia, conhecida como reposicionamento, pode ser executada pela revisão das características de serviço e outros elementos de seu composto de marketing, ou pela redefinição dos segmentos de mercado visados, seus mercados-alvo. No âmbito da organização, reposicionamento pode também acarretar o abandono de certos produtos e a saída da empresa de alguns segmentos de mercado.

Mudando percepções por meio de propaganda

Melhorar percepções negativas de uma marca pode exigir extensivo redesenho do produto principal e/ou de serviços suplementares. Contudo, em outros casos, as fraquezas, às vezes, são perceptuais e não reais — a empresa pode possuir esses pontos fortes e o mercado não estar ciente disso. A seção Panorama de serviços 3.3 descreve o caso da UPS que mudou as percepções de mercado sobre suas ofertas de serviço.

Inovação em posicionamento

Muitas empresas de sucesso são imitadas pelos concorrentes. Organizações que tentam competir em um espaço em que já existe intensa concorrência podem acabar em uma briga 'sangrenta' que manchará o oceano de vermelho, porque uma estratégia de se equiparar aos rivais e ultrapassá-los tende a enfatizar as mesmas dimensões básicas de competição. A saída consiste em adotar a estratégia do 'Oceano Azul', buscando um espaço no mercado que torne a concorrência irrelevante.[13] O desafio está em introduzir novas dimensões na equação de posicionamento de modo que outras empresas não possam se igualar de imediato. James Heskett define a questão com elegância:

> As empresas de serviços mais bem-sucedidas destacam-se 'do bando' e conquistam uma posição distintiva em relação a suas concorrentes. Elas se diferenciam [...] alterando características típicas de seus respectivos setores em favor de sua vantagem competitiva.[14]

Panorama de serviços 3.3

A UPS se reposiciona para entregar

Fundada como uma empresa de entregas por mensageiros nos Estados Unidos em 1907, a UPS tornou-se uma das maiores marcas mundiais de serviços, desenvolvendo novas soluções e se expandido para novos mercados globais. Recentemente, a empresa precisou desenvolver estratégias de comunicação para mudar as percepções tanto dos clientes atuais quanto dos potenciais. Embora reconhecida como líder em entregas terrestres, buscava um reconhecimento mais amplo de seus outros serviços até então menos conhecidos, como gestão da cadeia de suprimentos, transporte multimodal e serviços financeiros. Por isso, iniciou um exercício de revisão da marca e reposicionamento, para assegurar que todas suas soluções fossem identificadas com o nome da UPS.

Uma pesquisa revelou que a UPS era fortemente associada à cor marrom, usada nos caminhões e no uniforme dos funcionários. Essa cor também transmitia uma imagem de respeito e confiança. Com a intenção de esclarecer que podia fazer mais pelos clientes do que entregar encomendas, ela adotou o slogan 'O que o marrom pode fazer por você?' e combinou-o com um novo 'Sincronizando o mundo do comércio'.

A empresa entendia que mudar a percepção de uma marca tinha de começar com os funcionários. Embora possa ser difícil mudar a mentalidade das pessoas sobre a visão de uma empresa, a UPS obteve êxito. Os funcionários aceitaram a nova estratégia de posicionamento da marca e aprenderam a trabalhar em conjunto com as demais unidades de negócios. Trabalhando juntos puderam atender melhor aos clientes.

Atualmente a empresa opera em mais de 200 países e territórios pelo mundo, incluindo o Brasil. Em 2009, atendeu cerca de oito milhões de clientes diariamente e apresentou receitas operacionais de mais de US$ 50 bilhões. A UPS tinha forte presença no varejo norte-americano, com 4.700 lojas, 1.300 caixas postais, mil centrais de atendimento ao cliente, 16 mil pontos de venda autorizados e 40 mil caixas de coleta. Seu site possui uma média de 18,5 milhões de solicitações de rastreamento diariamente, e sua frota de aviões é a oitava maior do mundo! Na América Latina, seu maior mercado é o México, onde está presente desde 1982, seguido pelo Brasil, onde se estabeleceu em 1989, e de onde a empresa espera crescimento anual superior a 10 por cento. Sua estratégia no mercado brasileiro tem sido oferecer amplo portfólio de serviços para clientes, que variam desde grandes empresas privadas e estatais até pessoas físicas. Esse mercado é um dos principais focos da empresa, junto com a Índia.

Fontes: Vivian Manning-Schaffel, "UPS competes to deliver", 17 maio 2004. Disponível em: <http://www.brandchannel.com/features_effect.asp?pf_id=210>; <http://www.ups.com/content/sg/en/about/facts/worldwide.html>. Acesso em: 6 maio 2009.

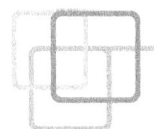

CONCLUSÃO

A maioria das empresas de serviços enfrenta concorrência ativa. Profissionais de marketing precisam descobrir modos de criar vantagens competitivas significativas para seus produtos, as quais delimitem uma *posição* distintiva e defensiva no mercado contra as alternativas concorrentes. A natureza de serviços introduz inúmeras possibilidades distintivas para diferenciação competitiva, que vão além das características de preço e físicas do produto, para incluir localização e programação, níveis de desempenho — como rapidez da entrega de serviços e a qualidade do pessoal —, além de um leque de opções para que o cliente se envolva no processo de produção.

Quase todas as empresas de serviços bem-sucedidas perseguem uma estratégia de foco. Elas identificam os elementos estrategicamente importantes de suas operações e neles concentram seus recursos. Visam os segmentos aos quais podem atender melhor do que outros fornecedores, oferecendo e promovendo um alto nível de desempenho nos atributos particularmente valorizados por seu público-alvo.

Resumo do capítulo

OA1. A *estratégia de posicionamento* preocupa-se com a criação, comunicação e manutenção de diferenças evidentes, que serão notadas e valorizadas por aqueles consumidores com os quais a empresa mais gostaria de manter um relacionamento de longo prazo. Posicionar serviços está geralmente associado a:
- atributos de preço e de produto (como termos e condições de um empréstimo para compra de imóvel);
- processos de serviço ao cliente (como conveniência e facilidade de uso);
- sistemas de distribuição e entrega, programações de serviços e localizações (como cobertura e concentração de redes de filiais e caixas eletrônicos);
- ambiente de serviço (como funcionalidade e grau de luxo);
- pessoal de atendimento (como sua competência e orientação de serviço ao cliente).

OA2. Em setores de serviços competitivos, a maioria das empresas necessita de foco para atingir vantagem competitiva. São três as estratégias de foco que as empresas podem seguir para se habilitarem a alcançar vantagem competitiva:
- *totalmente focada*: uma empresa fornece uma faixa muito limitada de serviços (talvez apenas um produto principal) a um segmento de mercado restrito e específico (por exemplo, a Stella Barros Turismo);
- *focada em mercado*: uma empresa concentra-se em um segmento de mercado estreito, mas tem um amplo leque de serviços para atender às diversas necessidades desse segmento (por exemplo, empresas de administração de condomínios);
- *focada em serviços*: uma empresa oferece um leque estreito de serviços a um mercado razoavelmente amplo (por exemplo, as clínicas de cirurgias de olhos Lasik e as lojas de café Starbucks);
- há uma quarta, a estratégia sem foco. Contudo, em geral, não é recomendável que as empresas optem por uma estratégia sem foco, visto que isso implicará pulverizar seus negócios para permanecerem competitivas (por exemplo, lojas de departamento).

OA3. A *segmentação de mercado* forma a base das três estratégias de foco. Em uma segmentação de mercado, uma empresa necessita identificar e selecionar segmentos-alvo aos quais pode atender melhor.

OA4. Ao posicionar um serviço em um segmento-alvo, é crucial compreender a diferença entre atributos importantes e determinantes para a escolha dos consumidores.
- *Atributos importantes*. São importantes para o consumidor, mas podem não ser tão determinantes para a tomada da decisão de compra (por exemplo, segurança é fundamental, mas todas as companhias aéreas que um viajante leva em consideração são tidas como seguras). Nesse caso, tal atributo não deve ser usado como base de segmentação.
- *Atributos determinantes*. Costumam ocupar um lugar pouco importante na lista de características de serviços que são fundamentais para quem compra. No entanto, são os atributos nos quais clientes veem significativas diferenças entre alternativas concorrentes (por exemplo, qualidade do serviço de bordo ou frequência de voos para um destino e, por conseguinte, conveniência de horários de embarque).

OA5. Uma vez compreendidos os atributos importantes e os determinantes, a gerência necessita decidir qual *nível de serviço* a empresa deve oferecer em cada atributo. Os níveis de serviço são comumente usados para segmentar os consumidores de acordo com sua disposição em trocar preço por nível de serviço em ampla variedade de atributos.

OA6. Um posicionamento eficaz exige das empresas *associar análises de mercado e da concorrência à análise corporativa interna*. O resultado dessas análises é a declaração do posicionamento, que visa colocar a oferta da empresa na posição desejada no mapa perceptual de seu mercado.

OA7. *Mapas perceptuais* ou *de posicionamento* são uma ferramenta importante para ajudar as empresas a desenvolverem sua estratégia de posicionamento. Eles fornecem um meio visual de resumir as percepções dos clientes sobre o desempenho de diferentes serviços quanto a atributos determinantes.

Questões para revisão

1. Por que as empresas de serviços focalizam seus esforços? Descreva as opções básicas de foco e ilustre-as com exemplos.
2. Por que a segmentação de mercado é importante para as empresas de serviços?
3. Como identificar e selecionar segmentos de mercado-alvo?
4. Qual a diferença entre atributos importantes e determinantes nas decisões de escolha do consumidor? Que tipo de pesquisa pode ajudá-lo a entender cada um deles?
5. Como os níveis de serviço de atributos determinantes estão relacionados com o posicionamento de serviços?
6. Quais as seis perguntas necessárias para desenvolver uma estratégia de posicionamento eficaz?

7. Descreva o que quer dizer 'estratégia de posicionamento' e como as análises de mercado, interna e da concorrência, relacionam-se com esse conceito.

8. Como os mapas de posicionamento ajudam gerentes a entenderem a dinâmica competitiva e a reagirem melhor a ela?

Exercícios

1. Procure exemplos de empresas que ilustrem cada uma das quatro estratégias de foco discutidas neste capítulo.

2. Lojas físicas de produtos eletrônicos sofrem a concorrência de sites de comparação de preços e de lojas on-line. Os clientes vão até a loja física, recebem uma demonstração das diversas marcas e modelos da categoria de produto que têm interesse, tiram suas dúvidas pessoalmente com o vendedor, escolhem a marca e o modelo do produto e, chegando em casa, fazem uma busca nos sites de comparação de preços, como o Buscapé, da loja onde o produto escolhido está sendo vendido pelo preço mais baixo, e efetivam a compra. Identifique algumas opções de focos que as lojas físicas podem desenvolver para não perder negócios para esses concorrentes.

3. Cite dois exemplos de empresas de serviço que usam os níveis de serviço (exceto companhias aéreas, hotéis, hospitais e locadoras de veículos) para diferenciar seus produtos. Explique os atributos determinantes e os níveis de serviço usados para diferenciar o posicionamento de um serviço em relação ao outro.

4. Escolha um setor que lhe seja familiar (por exemplo, serviços de telefonia celular, cartões de crédito ou lojas virtuais de música) e crie um mapa perceptual mostrando as posições competitivas de vários concorrentes no setor. Utilize atributos que você considera representativos de critérios de escolha fundamentais dos clientes. Identifique lacunas no mercado e crie ideias para uma estratégia potencial de 'Oceano Azul'.

5. Imagine que você é um consultor do Palace Hotel. Considere as opções que se apresentam ao hotel com base nos quatro atributos que aparecem nos diagramas de posicionamento (veja as figuras 3.4 e 3.5). Quais providências você recomendaria ao Palace nessas circunstâncias? Justifique.

Notas

1. George S. Day. *Market driven strategy*. Nova York: The Free Press, 1990, p. 164.
2. Robert Johnston, "Achieving focus in service organizations", *The Service Industries Journal*, 16, jan. 1996, p. 10-20.
3. Um exemplo de melhor prática em um contexto B2B é discutido em: Ernest Waaser, Marshall Dahneke, Michael Pekkarinen e Michael Weissel, "How you slice it: smarter segmentation for your sales force", *Harvard Business Review*, 82, n. 3, 2004, p. 105-111.
4. Shun Yin Lam, Jeongwen Chiang e A. Parasuraman, "The effects of the dimensions of technology readiness on technology acceptance: an empirical analysis", *Journal of Interactive Marketing*, 22, n. 4, 2008, p. 19-39; Jonas Matthing, Per Kristensson, Anders Gustafsson e A. Parasuraman, "Developing successful technology-based services: the issue of identifying and involving innovative users", *Journal of Services Marketing*, 20, n. 5, 2006, p. 288-297.
5. Se quiser mais percepções sobre modelagem multiatributos, consulte William D. Wells e David Prensky, *Consumer behavior*. Nova York: John Wiley, 1996, p. 321-325.
6. Frances X. Frei, "The four things a service business must get right", *Harvard Business Review*, abr. 2008, p. 70-80.
7. Jack Trout. *The new positioning*: the latest on the world's # 1 business strategy. Nova York: McGraw-Hill, 1997.
8. Kevin Lane Keller, Brian Sternthal e Alice Tybout, "Three questions you need to ask about your brand", *Harvard Business Review*, 80, set. 2002, p. 84.
9. Nanette Byrnes, "The little guys doing large audits", *BusinessWeek*, 22/29 ago. 2005, p. 39.
10. Para uma abordagem detalhada, consulte Michael E. Porter, "A framework for competitor analysis". In: *Competitive strategy*. Nova York: The Free Press, 1980, p. 47-74, capítulo 3.
11. Baseado parcialmente e adaptado de F. P. M. G. Malvestiti; K. Caetano, *Identidades visuais e estratégias enunciativas: a logomarca corporativa do Bradesco*. Intercom — Sociedade Brasileira de Estudos Interdisciplinares da Comunicação. IX Congresso de Ciências da Comunicação na Região Sul, Guarapuava, 29/31 maio 2008.
12. W. Chan Kim e Renée Mauborgne, "Charting your company's future", *Harvard Business Review*, 80, jun. 2002, p. 77-83.
13. W. Chan Kim e Renée Mauborgne. *Blue ocean strategy: how to create uncontested market space and make competition irrelevant*. Boston: Harvard Business School Press, 2005.
14. James L. Heskett. *Managing in the service economy*. Boston: Harvard Business School Press, 1984, p. 45.

PARTE II

Aplicando os 4 Ps do marketing aos serviços

Proposição de valor é o conjunto de benefícios percebidos pelo consumidor que uma empresa promete entregar a seu mercado-alvo. Para isso, os profissionais de marketing de serviços precisam criar uma oferta coerente, de modo que cada elemento seja compatível com os demais e todos se reforcem mutuamente. A Parte II aborda o desenvolvimento de conceito de serviço e sua proposição de valor, produto, distribuição, determinação de preço e estratégias de comunicação necessárias ao desenvolvimento de um modelo de negócio bem-sucedido. Esta parte revisita os 4 Ps do composto de marketing tradicional (Produto, Praça, Preço e Promoção) e os expande de modo a abranger as características dos serviços que os diferenciam do marketing de bens físicos. É composta dos quatro capítulos a seguir.

CAPÍTULO 4 Desenvolvimento de serviços: elementos principais e suplementares

Discute o serviço como um produto significativo, que inclui tanto os elementos principais quanto os suplementares. Os elementos suplementares facilitam e também aprimoram a oferta dos principais.

CAPÍTULO 5 Distribuição de serviços por meio de canais físicos e eletrônicos

Examina os elementos de hora e local de distribuição. Em geral, fabricantes utilizam canais de distribuição física para movimentar seus produtos. Entretanto, algumas empresas de serviço podem usar canais eletrônicos para entregar todos (ou pelo menos alguns) de seus elementos. No caso de serviços entregues em tempo real, na presença dos consumidores, rapidez e conveniência de hora e local tornaram-se importantes fatores determinantes de uma entrega eficaz.

CAPÍTULO 6 Determinação de preços e implementação de gestão de receita

Proporciona a compreensão de como se determina preço, tanto do ponto de vista da empresa quanto do dos consumidores. Para as empresas, a estratégia de preço define a geração de receita. As empresas de serviço precisam implementar a gestão de receita para maximizar aquelas que podem ser geradas pela capacidade disponível em qualquer momento.

Do ponto de vista do consumidor, o preço é parte essencial dos custos em que incorrem para obter os benefícios desejados. Entretanto, o custo ao cliente também costuma incluir substanciais custos não monetários que têm relevantes implicações de marketing.

■ CAPÍTULO 7   Promoção de serviços e educação de clientes

Trata da forma como as empresas devem se comunicar sobre seus serviços com os clientes, por meio de promoção e educação. Como os clientes são coprodutores e contribuem com o modo como os outros vivenciam os desempenhos dos serviços, grande parte da comunicação nessa área é de natureza educacional, visando ensiná-los a se mover com eficácia por um processo de serviço.

Figura II.1   Organização de uma estrutura para marketing de serviços

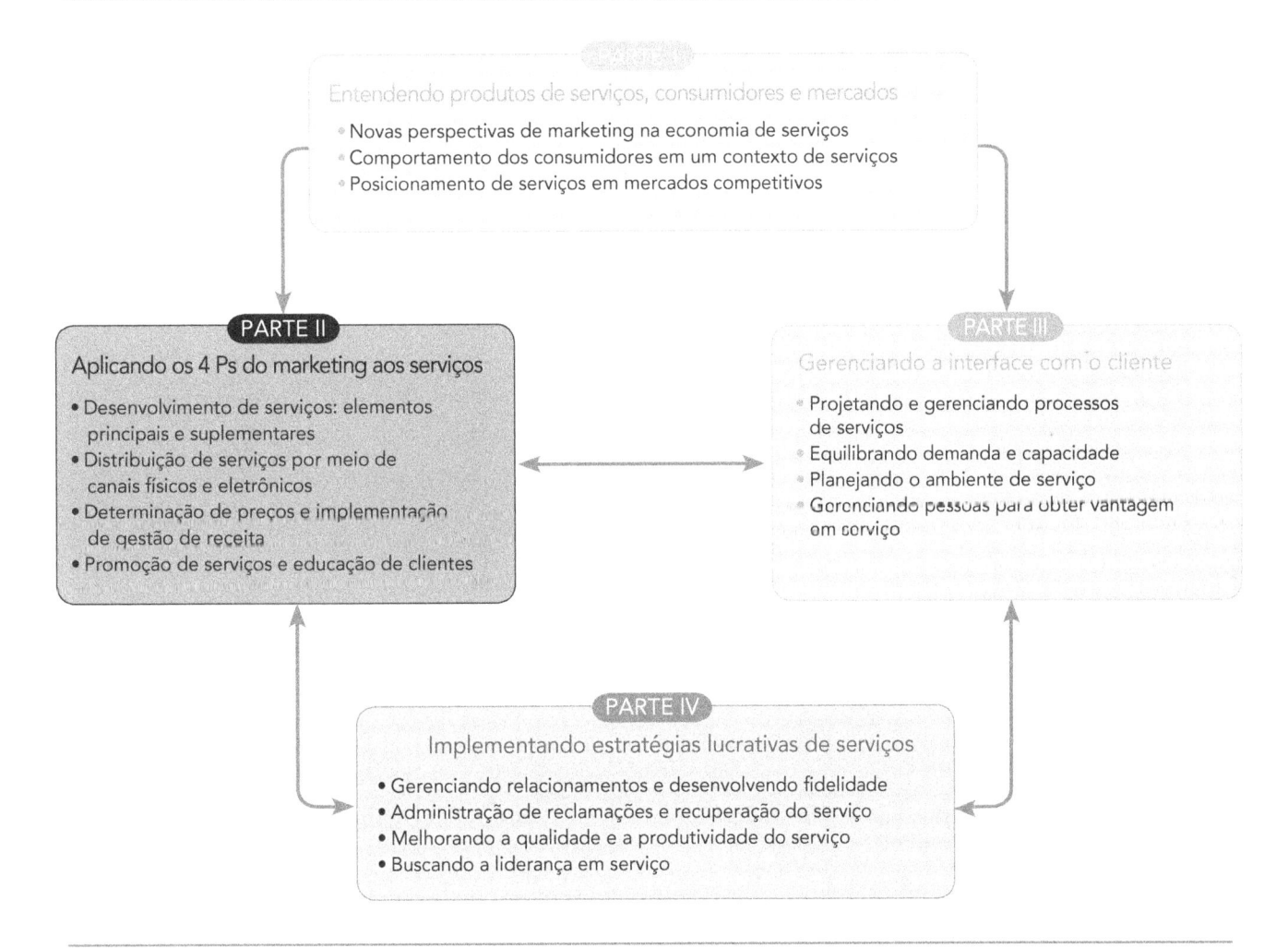

PARTE I
Entendendo produtos de serviços, consumidores e mercados
- Novas perspectivas de marketing na economia de serviços
- Comportamento dos consumidores em um contexto de serviços
- Posicionamento de serviços em mercados competitivos

PARTE II
Aplicando os 4 Ps do marketing aos serviços
- Desenvolvimento de serviços: elementos principais e suplementares
- Distribuição de serviços por meio de canais físicos e eletrônicos
- Determinação de preços e implementação de gestão de receita
- Promoção de serviços e educação de clientes

PARTE III
Gerenciando a interface com o cliente
- Projetando e gerenciando processos de serviços
- Equilibrando demanda e capacidade
- Planejando o ambiente de serviço
- Gerenciando pessoas para obter vantagem em serviço

PARTE IV
Implementando estratégias lucrativas de serviços
- Gerenciando relacionamentos e desenvolvendo fidelidade
- Administração de reclamações e recuperação do serviço
- Melhorando a qualidade e a produtividade do serviço
- Buscando a liderança em serviço

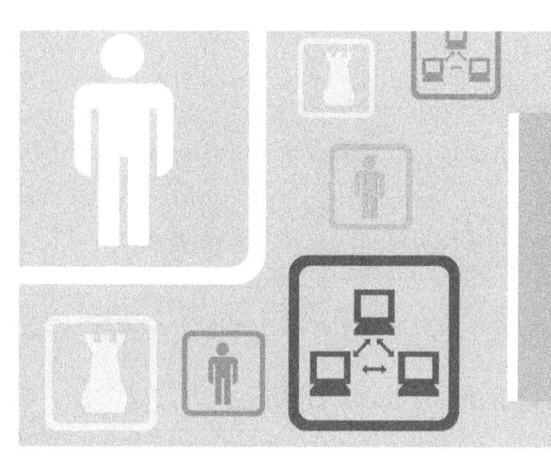

CAPÍTULO 4

Desenvolvimento de serviços: elementos principais e suplementares

Cada um de vocês cumprirá ou quebrará a promessa que nossa marca faz aos clientes.
— Um gerente da American Express falando a seus funcionários

Objetivos de aprendizagem (OA)

Ao final deste capítulo, você será capaz de:

OA1 Compreender o que constitui um serviço como um produto.

OA2 Descrever a 'Flor de serviço' e saber como os elementos suplementares relacionam-se com os elementos principais.

OA3 Saber como as empresas de serviço utilizam diferentes estratégias de marca.

OA4 Listar as categorias do desenvolvimento de um novo serviço, desde simples mudanças de estilo até grandes inovações.

OA5 Familiarizar-se com os fatores de sucesso do desenvolvimento de novos serviços.

Inovação de serviço na Starbucks[1]

Marca globalmente dominante de cafés especiais, a Starbucks é, antes de tudo, o local que você associa a café feito artesanalmente por um de seus baristas para cada consumidor. A empresa, com milhares de lojas em centenas de países, atribui sua história de sucesso — um verdadeiro conto de fadas — a três componentes: (1) o que ela acredita ser o café de melhor qualidade do mundo; (2) seu atendimento ao cliente, que visa criar uma experiência positiva sempre que alguém passa pela porta e (3) o ambiente de suas lojas: sofisticado, porém convidativo para quem quer ficar mais tempo.

Você sabia que a Starbucks tem sido inovadora em uma série de serviços não relacionados a café? Foi a primeira a oferecer acesso gratuito a Internet sem fio em muitas de suas lojas. Desde então, continua experimentando serviços inovadores que seus clientes podem usar enquanto tomam café. Exemplos disso são uma extensa variedade de CDs de músicas cuidadosamente selecionadas à venda na Starbucks Hear Music Coffeehouses; ou a opção de gravar CDs personalizados a partir de um repertório de mais de 1 milhão de trilhas sonoras, entre as quais alguns lançamentos exclusivos. Além disso, a empresa tem colaborado com o iTunes Wi-Fi Music Stores da Apple, o que permite que as últimas dez músicas tocadas nas lojas selecionadas da rede sejam ouvidas, compradas e baixadas pela conexão sem fio para os iPhones e iPods dos clientes. Essa música será sincronizada para o computador do cliente da próxima vez que for conectado. A Starbucks também vende filmes em DVD e livros de autores estreantes ou renomados.

Para estar presente em diversos países, a Starbucks adota a estratégia de selecionar sócios locais que abrem lojas próprias. Graças a essa política, a empresa atua no Brasil desde 2006 e aqui sua oferta foi adaptada às características do mercado nacional: a inclusão do tradicional pão de queijo e um *blend* específico de café são exemplos desse ajuste.

Talvez um dia não mais associemos a Starbucks apenas a nossos mocas de baunilha ou frapês de chocolate favoritos, mas também a um local onde é possível relaxar e explorar o que há de mais recente em música, filmes e livros. A empresa tem desenvolvido inovações em serviços com grande sucesso, mas não pode repousar sobre seus louros um cenário de intensa concorrência. Precisa continuar reinventando os vários serviços suplementares que cercam o principal — o bom e artesanal café.

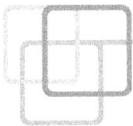

Planejando e criando serviços

Todas as organizações de serviços passam por escolhas sobre os tipos de produto a oferecer e as formas de entregá-los aos clientes. Para entender melhor a natureza dos serviços, vale a pena distinguir entre seu produto principal e os elementos suplementares, que facilitam o uso e realçam seu valor para os clientes. Projetar novos serviços é uma tarefa complexa que demanda compreender como os serviços principais e os suplementares devem ser combinados, sequenciados, entregues e programados para criar uma proposição de valor que atenda às necessidades dos segmentos-alvo.

O conceito de 'produto', em marketing, é definido como qualquer solução que atenda a uma necessidade. Pode ser um bem físico, com as características do marketing tradicional; um serviço com suas especificidades (como veremos a seguir); uma causa social, como a preservação do meio ambiente, a proteção das minorias, atividades não governamentais, entre outras; uma proposta política voltada para necessidades que são de responsabilidade do Estado, como educação, habitação, emprego, moradia, saúde e transporte; entre outras possibilidades. Diferentes tipos de produtos têm características específicas que tornam as decisões de marketing mais complexas ou específicas para atender a tais qualidades. Veja na seção Panorama de serviços 4.1 como são desenvolvidos os produtos no mercado de cartão de crédito *premium*.

Serviço como produto

O que significa dizer que um serviço também é um 'produto'? Serviços são atos e desempenhos experimentados, e não possuídos. Mesmo quando há elementos físicos, cuja propriedade o cliente adquire — como uma refeição (que é consumida imediatamente), um marca-passo implantado no corpo ou uma peça de reposição instalada em um carro —, uma parte significativa do preço refere-se ao valor agregado pelos elementos de serviço que os acompanham, inclusive uso de mão de obra e equipamento especializados. Um serviço como produto compõe-se de todos os elementos de seu desempenho, tanto físicos quanto intangíveis, tanto os elementos principais quanto os suplementares, que criam valor aos clientes.

Criando o conceito do serviço como produto

Como devemos tratar a criação de um conceito de produto, que no nosso caso é um serviço? Profissionais experientes de marketing de serviços admitem a necessidade de se adotar uma visão holística do desempenho que eles querem que os clientes experimentem. A proposição de valor deve abordar e integrar três componentes fundamentais: (1) *serviço principal*, (2) *serviços suplementares* e (3) *processos de entrega*.

Serviço principal. Os serviços são definidos em relação a um setor em particular — por exemplo, saúde ou transporte — com base no conjunto principal de benefícios e soluções entregue aos clientes. O serviço principal fornece os benefícios principais de resolução de

Panorama de serviços 4.1

Banco Safra e Daslu — desenvolvendo um cartão de crédito para o mercado de luxo

Cartões de crédito hoje fazem parte da vida do brasileiro. A possibilidade de financiamento, por boletos, cheques pré-datados ou cartão de crédito, permitiu a uma camada considerável da população o acesso inédito ao consumo, o que mudou seus padrões de compra e o próprio mercado nos últimos dez anos.

Hoje existem os mais variados cartões, dos populares até os 'top de linha', geralmente em versões denominadas 'platinum' ou 'black'. Para esses últimos, os bancos exigem dos clientes padrões mais elevados de renda e crédito. A anuidade, nesses casos, também é mais alta; em troca, são oferecidos outros benefícios que adicionam valor aos clientes.

Segundo dados do Banco Central, cartões 'top' representam 4,5 por cento desse mercado e têm se mostrado o segmento de maior crescimento nos últimos anos: de seis anos para cá, a participação praticamente dobrou. Seus clientes são responsáveis por 13,5 por cento da quantidade de transações e por 40 por cento das receitas geradas por cartões. Declarações do setor indicam tratar-se de um fenômeno comum a toda a América Latina, por causa das melhorias gerais de renda e da estabilidade financeira da região.

Os cartões são propostos a clientes com base em sua renda média. Cartões 'platinum' exigem renda média mínima acima de 5 mil reais; alguns, como o Visa Infinite e o MasterCard Black, exigem renda superior a 20 mil reais. Para a classe média, cuja demanda também tem crescido, os bancos oferecem cartões intermediários, geralmente denominados 'gold', para renda mínima de 2 mil reais.

O desenho desses produtos 'top' deve ser mais cuidadoso e complexo — pelo perfil dos clientes, que desejam mais benefícios exclusivos —, que o do 'gold' e outros para renda menor. Graças a seu poder aquisitivo, tais clientes viajam com mais frequência e querem um cartão aceito internacionalmente, que ofereça suporte em diversos países, seja seguro e facilite o acesso a eventos e diversões em geral. Alguns cartões já têm parcerias com casas de espetáculos, o que dá ao titular direito a descontos especiais, compra antecipada e vantagens exclusivas.

Também é comum esses clientes terem dois ou mais cartões, a fim de ampliar o limite de crédito, escolher datas diferentes de pagamento, conseguir mais vantagens e ter à disposição mais opções de aceitação. Além disso, procuram mais benefícios em programas de fidelidade, como acúmulo de pontos para cada dólar gasto e a possibilidade de trocá-los por produtos ou milhas de viagem. Alguns cartões 'top' chegam a oferecer mais que o dobro da pontuação que um cartão comum.

Todos os cartões 'premium' oferecem os benefícios básicos do setor: demonstrativo de despesas, proteção contra roubo após comunicação, crédito rotativo, diferentes opções de datas de pagamento, saques emergenciais, central de atendimento ao cliente e cartões adicionais. Entretanto, são os benefícios adicionais que tornam o cartão mais atrativo para os clientes. Recentemente o banco Safra, em parceria com as lojas Daslu, lançou o cartão Safra Daslu, reunindo duas marcas reconhecidas no setor de luxo brasileiro. Como diferenciais são oferecidos benefícios: seguros de viagem exclusivos; atendimento Visa no exterior a cobrar; caixa exclusivo nas lojas Daslu; compras parceladas em até 12 vezes; provador individual (uma característica da Daslu é que ela não tem provadores, já que algumas seções são exclusivas para mulheres); desconto de 5 por cento em produtos selecionados toda segunda-feira; programação semanal de oportunidades; promoções, eventos e cursos; e acesso antecipado em um dia ao *special sales*, o período das liquidações. O cliente pode escolher entre cinco modelos: pink, verde, vermelho, preto ou estampa de onça — opção esta que teve grande procura entre seu público, predominantemente feminino.

O cartão pode ser solicitado via Internet ou adquirido no *lounge* da loja. No primeiro dia do lançamento, cerca de mil clientes pegaram a proposta de associação na loja, que indicou o nome de 4 mil clientes para o banco Safra prospectar.

Fontes: baseado em http://daslu.com.br/safra/ e "Cartões de crédito 'premium' dobram em seis anos no Brasil", Folha de São Paulo, 13/8/2010.

---

problemas que os clientes buscam. Assim, por exemplo, serviços de transporte resolvem a necessidade de levar uma pessoa ou um objeto de um lugar para outro; espera-se que uma consultoria de gestão dê um parecer especializado sobre as ações que uma empresa deve executar; e serviços de assistência técnica consertam uma máquina danificada ou em mau funcionamento.

Serviços suplementares. A entrega do serviço principal costuma ser acompanhada por várias outras atividades relacionadas, os chamados *serviços suplementares*, que ampliam o serviço principal, pois facilitam sua utilização e realçam seu valor e apelo à experiência geral do cliente.[2] Os serviços principais tendem a se tornar *commodities* à medida que um setor fica maduro e a concorrência aumenta, de modo que a busca por vantagem competitiva quase sempre enfatiza os suplementares. Adicionar elementos suplementares ou elevar o nível de desempenho pode agregar valor ao serviço principal e habilitar o prestador a cobrar um preço mais alto.

Processos de entrega. Este componente trata dos procedimentos para entregar tanto o serviço principal como cada um dos suplementares. A criação da oferta de serviço deve abordar as seguintes questões:

- como os vários componentes de serviço serão entregues ao cliente;
- a natureza do papel do cliente nesses processos;
- quanto tempo levará a entrega;
- o nível e o estilo do serviço a ser oferecido.

A integração entre serviço principal, serviços suplementares e processos de entrega é retratada na Figura 4.1, que ilustra o pernoite em um hotel de luxo e os respectivos componentes entregues nesse serviço. O serviço principal — aluguel de um quarto por uma noite — é dimensionado por nível de serviço, programação (quanto tempo o quarto pode ser utilizado antes do vencimento da diária), natureza do processo (nesse caso, processamento

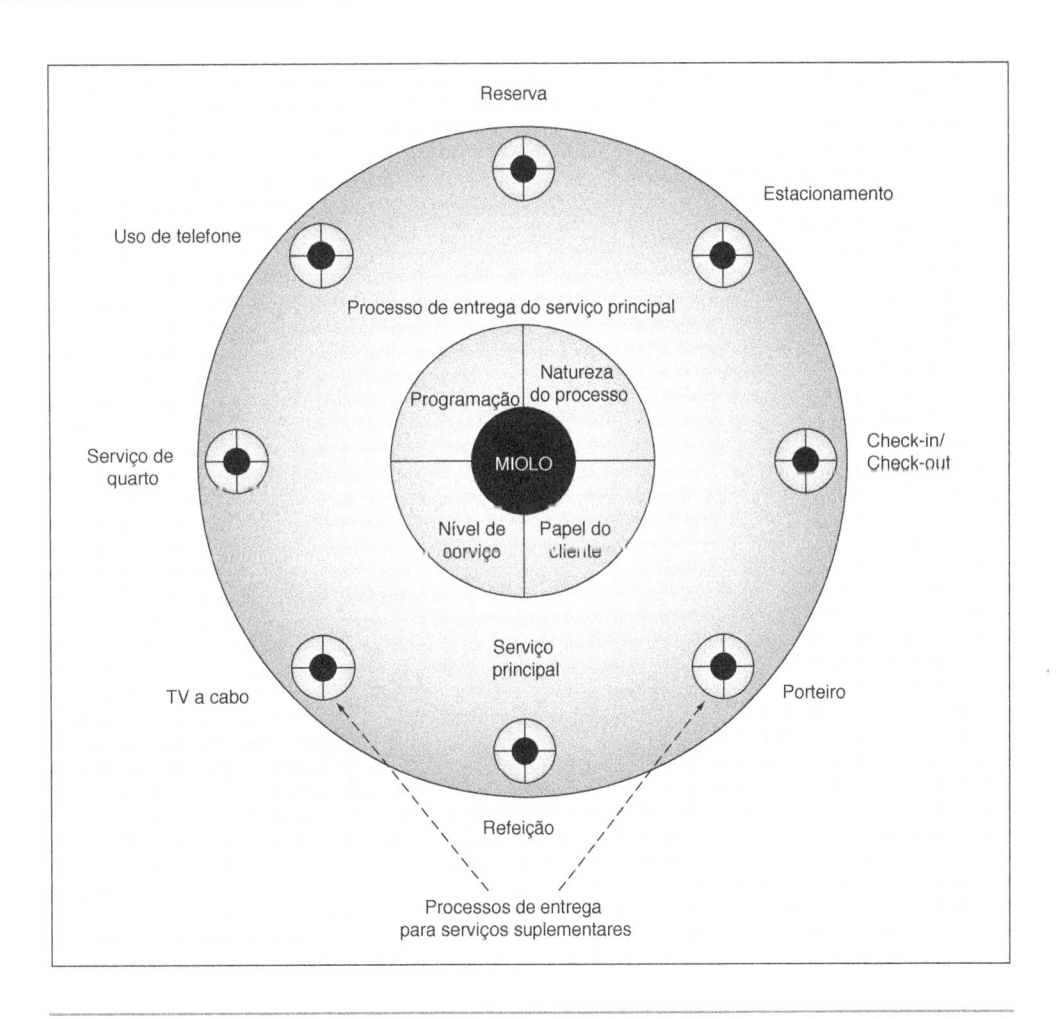

Figura 4.1 Descrição de uma oferta de serviço para pernoite em um hotel

de pessoas) e papel dos clientes em termos do que se espera que eles façam por si mesmos e do que o hotel fará para eles, como arrumar a cama, fornecer toalhas de banho e limpar o quarto.

Em torno do serviço principal giram os serviços suplementares, que vão de reservas e refeições a elementos do serviço de quarto. Processos de entrega devem ser especificados para cada elemento. Quanto mais caro for o hotel, mais alto será o nível de serviço de cada elemento. Hóspedes muito importantes podem ser recebidos no aeroporto e transportados em uma limusine. Durante o percurso, o check-in pode ser adiantado, de modo que quando chegarem ao hotel, sejam diretamente conduzidos a seus quartos, onde um mordomo estará pronto para atendê-los. Uma alternativa adotada em outros hotéis é o adiamento do check-in, para que o cliente tenha tempo de desfazer as malas e se acomodar. O mordomo se encarrega de fazer o check-in posteriormente, quando o hóspede já estiver descansado da viagem.

Documentando a sequência de entrega ao longo do tempo. Um aspecto de grande importância do planejamento do processo é a sequência na qual os clientes usarão os serviços principais e suplementares e o tempo aproximado requerido em cada caso. Essa informação, que deve refletir um bom entendimento entre necessidades, hábitos e expectativas de clientes, é necessária não somente para propósitos de marketing, mas também para planejamento de instalações, gerenciamento de operações e alocação de pessoal. Em alguns casos, como no roteiro para atendimento odontológico (veja Figura 2.11 no Capítulo 2), certos elementos de serviço devem ser entregues na sequência prescrita. Em outros, pode haver alguma flexibilidade.

O tempo desempenha papel fundamental em serviços, tanto do ponto de vista operacional — no que diz respeito a propósitos de alocação e programação — quanto da perspectiva dos clientes. Na indústria hoteleira, nem o serviço principal nem seus elementos suplementares são todos entregues de modo contínuo enquanto durar o desempenho do serviço. Certos elementos devem ser usados antes de outros. Nessa área e em muitas outras, o consumo do serviço principal fica espremido entre a utilização de serviços suplementares que, mais cedo ou mais tarde, são necessários na sequência de entrega. A Figura 4.2 dá dimensão temporal aos vários elementos do conceito de serviço de um hotel de luxo (conforme ilustrado na Figura 4.1), identificando quando e por quanto tempo eles serão consumidos por um cliente comum de um dado segmento.

Um aspecto importante do planejamento de serviços é determinar o tempo adequado para o cliente despender nos vários elementos do serviço. A pesquisa pode mostrar que clientes de um segmento esperam destinar certo tempo para uma atividade considerada por eles como de valor e desejam não ser apressados (por exemplo, ter oito horas para dormir, uma hora e meia para um jantar de negócios e 20 minutos para o café da manhã). Em outros casos, como fazer uma reserva, efetuar o check-in, pagar a conta ou esperar que o carro seja trazido pelo manobrista, talvez desejem minimizar ou até eliminar o tempo gasto naquilo que percebem como atividades não produtivas. Ou seja, o tempo pode ter tanto um valor positivo

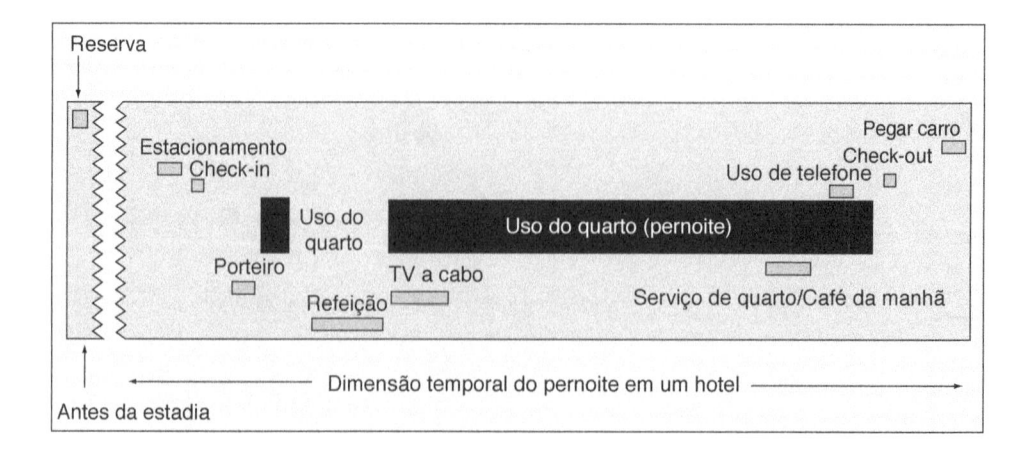

Figura 4.2 Dimensão temporal do serviço ampliado de um hotel

(quanto mais tempo gasto com a prestação do serviço em si, maior a percepção de valor recebido — uma hora de massagem vale mais que meia) quanto negativo (tempo gasto antes ou depois da prestação do serviço em si, principalmente se não for visto como produtivo, como a espera, por exemplo). Discutiremos sobre os processos de criação de serviço ao cliente com detalhes no Capítulo 8, em que focaremos a criação dos serviços principais e suplementares.

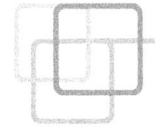

Flor de serviço[3]

Os serviços principais costumam compartilhar uma gama de elementos de serviços suplementares. Estes podem ser de dois tipos: (1) *serviços suplementares facilitadores*, demandados para entrega ou auxílio no uso do serviço principal e (2) *serviços suplementares realçadores*, que adicionam valor extra aos clientes. Existem dezenas de potenciais serviços suplementares, mas quase todos eles podem ser classificados em um dos oito grupos apresentados na Figura 4.3, que são identificados como facilitadores ou realçadores. Esses grupos são exibidos como pétalas que cercam o miolo de uma flor chamada 'Flor de serviço'. As pétalas são dispostas no sentido horário, conforme a provável sequência em que

Figura 4.3 Flor de serviço: o serviço principal cercado por um grupo de serviços suplementares

Pétalas da flor (sentido horário): Informação, Consulta, Recebimento de pedidos, Hospitalidade, Salvaguarda, Exceções, Cobrança, Pagamento.

Centro: SERVIÇO PRINCIPAL

Legenda:
Elementos suplementares facilitadores
Elementos suplementares realçadores

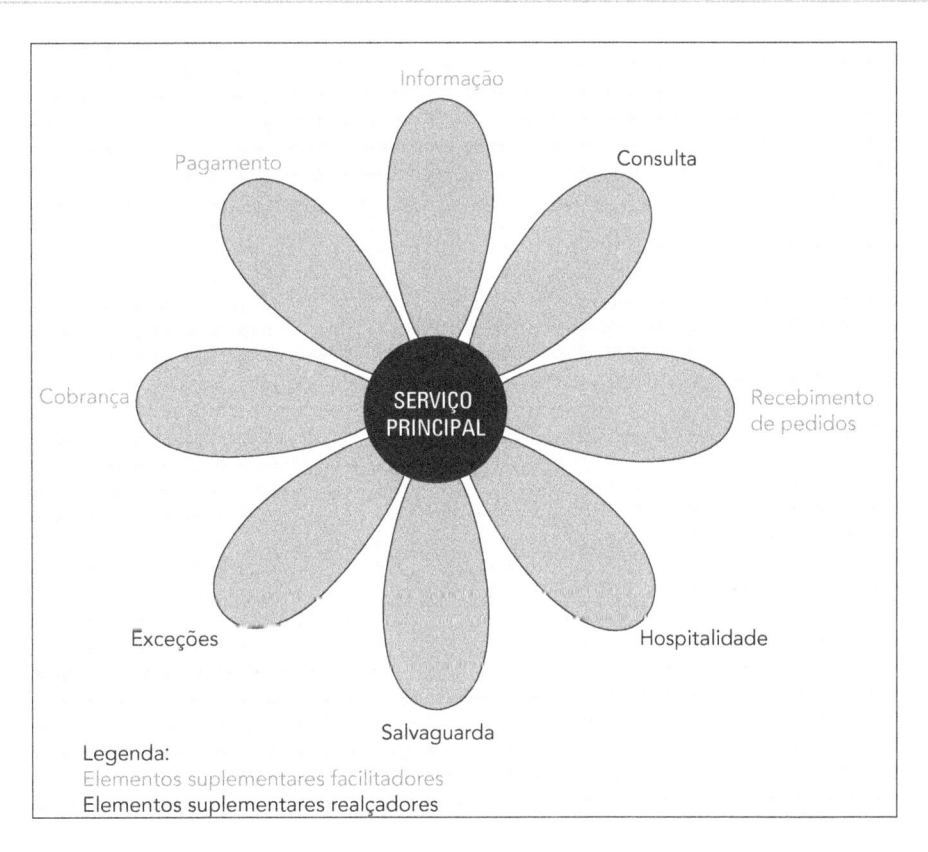

Serviços facilitadores	Serviços realçadores
> Informação.	> Consulta.
> Recebimento de pedidos.	> Hospitalidade.
> Cobrança.	> Salvaguarda.
> Pagamento.	> Exceções.

serão encontradas pelos clientes (embora possa variar: o pagamento, por exemplo, pode ser feito antes da entrega do serviço, e não depois). A analogia com a flor pode nos ajudar a compreender a necessidade de um desempenho consistente em todos os elementos suplementares, para que a fraqueza em um elemento não estrague a impressão geral do cliente sobre o serviço. Em um serviço bem projetado e bem administrado, as pétalas e o miolo são frescos e bem formados. Já um serviço mal planejado ou mal executado é como uma flor com pétalas arrancadas, murchas ou descoloridas: mesmo que o miolo esteja perfeito, a impressão geral da flor é pouco atrativa, pois, em serviços, pequenos detalhes podem ter impacto significativo sobre a satisfação como um todo. Pense em suas próprias experiências como cliente (ou em quando efetuou uma compra em nome de uma empresa): quando ficou insatisfeito, foi por falha do miolo ou de um problema com uma ou mais pétalas?

Elementos suplementares são muitas vezes usados de forma compartilhada por diferentes setores. Por exemplo, vários serviços utilizam 'sistemas de reservas', de aluguel de carros a parques temáticos e teatros de ópera. Assim, gerentes devem estudar negócios e fornecedores fora do setor em que atuam, buscando identificar quais são as empresas de melhor desempenho de outros setores, que podem ser utilizadas para lhe oferecer serviços suplementares.

Facilitando serviços suplementares

1. Informação. Para obter valor total de qualquer bem ou serviço, clientes precisam de informações relevantes (Figura 4.4). Os tipos de informação variam de horários de trens e voos a ajuda para localizar lojas de fábrica e informações sobre profissionais liberais. O cliente precisa saber onde o serviço está disponível, assim como as opções oferecidas, suas características, formas de utilização, preços etc. Clientes novos e potenciais, em especial, são carentes de informações, pois ainda conhecem pouco o serviço, e o risco percebido acaba sendo mais alto nesse grupo.

Necessidades dos consumidores podem incluir: orientação sobre onde um produto é vendido (ou detalhes sobre como fazer um pedido), horários de atendimento, preços e instruções de uso. Nos casos de coprodução (vimos esse tópico no Capítulo 1), manter o cliente bem informado é fundamental para se obter a qualidade desejada do serviço. Informações adicionais, às vezes exigidas por lei, podem incluir condições de venda e uso, avisos, lembretes e comunicação de mudanças. Clientes também apreciam conselhos sobre como obter o máximo valor de um serviço e como evitar problemas. Por fim, talvez eles queiram um registro do que já ocorreu, como confirmação de reservas, recibos e ingressos, além de extratos mensais resumidos da movimentação da conta.

As empresas devem se certificar de que sua informação seja oportuna e exata, caso contrário podem aborrecer os clientes ou lhes causar problema. Como os serviços são intangíveis, os clientes dependem das informações para estabelecer suas expectativas, avaliar a qualidade recebida e definir seu grau de satisfação.

Figura 4.4   Exemplos de elementos de informação

- Endereço do local do serviço.
- Programação/horário de atendimento.
- Preços.
- Instruções sobre uso de serviço principal/serviços suplementares.
- Lembretes.
- Avisos.
- Condições de venda/suporte.
- Comunicação de mudanças.
- Documentação.
- Confirmação de reservas.
- Extratos de atividades contábeis.
- Recibos e ingressos.

Os modos tradicionais de informar clientes incluem a utilização de pessoal da linha de frente (que nem sempre está tão bem informado quanto os clientes gostariam, o que sugere falta de treinamento específico), anúncios impressos e manuais de instrução. Outros meios são vídeos ou softwares tutoriais, monitores com telas de toque ou sites corporativos. Muitas empresas de logística oferecem a quem despacha encomendas a oportunidade de monitorar a movimentação de suas mercadorias por meio de um número de identificação exclusivo (Figura 4.5). Por exemplo, os Correios fornecem aos clientes um número de referência que lhes permite rastrear o trajeto de uma remessa até chegar às mãos do carteiro e ao destinatário. Há ainda empresas que já usam a tecnologia de etiquetas de identificação por radiofrequência (RFID) para acompanhar processos do início ao fim. São pequenas peças plásticas que contêm um chip com diversas informações sobre seu conteúdo; essas informações são transmitidas continuamente e podem ser acessadas a qualquer momento. Resistentes a choques e a condições climáticas adversas, têm vida útil duradoura e podem armazenar um volume maior de informações que o código de barras.

Figura 4.5 Entregas podem ser rastreadas por todo o mundo graças a scanners a laser e seus códigos de identificação

2. Recebimento de pedidos. Tão logo clientes estejam prontos para comprar, entra em cena um elemento suplementar fundamental: a aceitação de inscrições, pedidos e reservas (Figura 4.6). Esse processo inclui preenchimento de formulários, entrada do pedido e procedimentos de reserva ou check-in. Bancos, seguradoras e serviços públicos exigem

Figura 4.6 Exemplos de elementos de recebimento de pedidos

Inscrições
- Associar-se a clubes ou programas
- Serviços que exigem inscrição (por exemplo, serviços públicos: exames, concursos, licitações etc.).
- Serviços baseados em pré-requisitos (por exemplo, crédito financeiro, matrícula em uma faculdade).

Entrada de pedidos
- Preenchimento de pedido no local.
- Pedido por correio/telefone/e-mail/site.

Reservas e check-in
- Assentos/mesas/quartos.
- Locação de veículos ou equipamentos.
- Consultas profissionais.
- Visitas a instalações restritas (por exemplo, museus, aquários).

que clientes potenciais passem por um processo de inscrição ou cadastro que visa reunir informações relevantes e recusar quem não atenda aos critérios de aceitação (como um mau histórico de crédito ou sérios problemas de saúde). Universidades também exigem que estudantes potenciais se inscrevam para admissão e um dos critérios avaliados é a conclusão do Ensino Médio. Informações para controle fiscal e legal e endereços de entrega e fatura também são coletados, bem como outras informações pessoais que possam ser usadas como base de um programa de relacionamento ou para a customização do serviço, como preferências e hábitos.

Reservas, incluindo consultas e check-in, são um tipo especial de pedido que habilita o acesso dos clientes a uma unidade de serviço especificada, como uma poltrona de avião, uma mesa de restaurante, o acesso a uma conta bancária ou a um e-mail, um quarto de hotel, o tempo de um profissional qualificado ou a entrada para um teatro ou estádio de futebol com assentos numerados. A exatidão da programação é vital; reservar lugares para o dia errado ou colocar dois clientes no mesmo assento são situações que provavelmente não serão bem aceitas pelos clientes.

Os pedidos podem ser recebidos por diversas fontes, como pessoal de vendas, telefone e e-mail, ou on-line (Figura 4.7). A aceitação deve ser cortês, rápida e precisa, para que os clientes não percam tempo nem façam esforços mentais ou físicos desnecessários. Pode-se usar tecnologia para facilitar e acelerar o recebimento de pedidos tanto para clientes quanto para fornecedores — a chave é minimizar o tempo e o esforço requeridos de ambas as partes e, ao mesmo tempo, garantir completude e exatidão. Por exemplo, atualmente as companhias aéreas operam sistemas sem emissão de bilhetes, baseados em reservas por telefone ou sites. Os clientes recebem um número de confirmação no ato da reserva e basta que apresentem um documento de identidade no aeroporto para fazer o check-in e receber o cartão de embarque. É preciso considerar, entretanto, que processos automáticos com base em tecnologia estão mais sujeitos a fraudes e podem ter menos aceitação pelos clientes.

3. Cobrança. É comum a quase todos os serviços, a menos que sejam fornecidos gratuitamente. Faturas erradas, ilegíveis ou incompletas correm o risco de desapontar clientes que, até então, poderiam estar bem satisfeitos; ou pior, deixam ainda mais insatisfeito e bravo o consumidor que já não estava feliz com o serviço. A cobrança também deve ser feita a tempo para estimular a rapidez no pagamento. Os procedimentos vão de informação verbal a máquinas que apresentam o preço (cupom fiscal) e de faturas escritas a mão a elaborados extratos mensais de movimentação da conta e taxas (Figura 4.8). A abordagem mais simples talvez seja a autocobrança, quando o cliente calcula a quantia relativa a um pedido e entrega o valor em dinheiro, preenche um cheque ou passa o cartão de crédito, fazendo sua assinatura ou digitando a senha. Nesses casos, cobrança e pagamento são combinados em um único ato, embora o vendedor ainda tenha de conferir se as contas estão corretas.

Figura 4.7 Diversas tecnologias de segurança para e-commerce permitem pagamentos com o uso do cartão de crédito, por meio da Internet, com praticidade e rapidez

Figura 4.8 Exemplos de elementos de cobrança

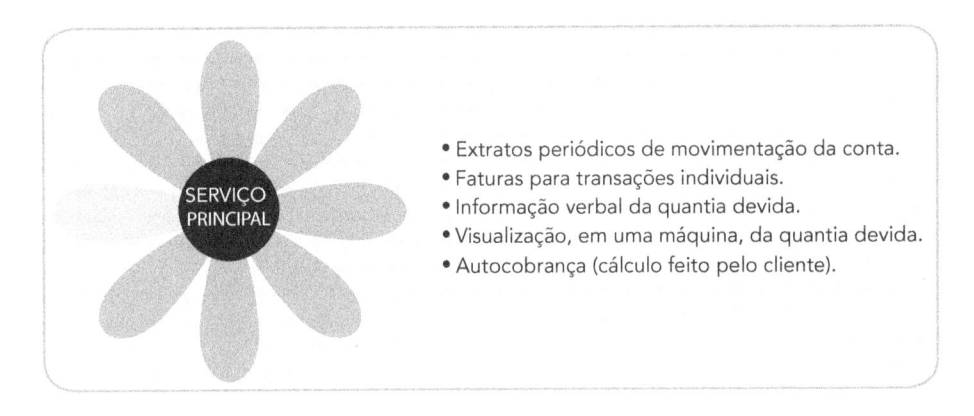

SERVIÇO PRINCIPAL

- Extratos periódicos de movimentação da conta.
- Faturas para transações individuais.
- Informação verbal da quantia devida.
- Visualização, em uma máquina, da quantia devida.
- Autocobrança (cálculo feito pelo cliente).

Os clientes esperam que as faturas sejam claras, informativas e discriminadas para que fique bem evidente tudo o que está sendo cobrado e como o total foi calculado, incluindo taxas e extras. Símbolos inexplicáveis, misteriosos, que significam tanto quanto hieróglifos em um monumento egípcio (e só podem ser decifrados pelos sumos sacerdotes da contabilidade e do processamento de dados) não criam uma impressão favorável do fornecedor. O mesmo acontece com impressão borrada, tinta fraca ou caligrafia ilegível. Impressoras a laser, com sua capacidade de trocar de fontes e tipos e fazer quadros e destaques, podem gerar extratos não somente mais legíveis, mas também organizam informações de maneiras mais úteis. Pesquisas de marketing podem ajudar nesse ponto em particular, ao perguntarem aos clientes quais informações desejam em suas faturas e como gostariam que essas fossem organizadas. Oferecer a informação adequada e correta de forma acessível também é uma maneira de adicionar valor percebido ao serviço.

Clientes atarefados detestam esperar enquanto uma fatura é emitida em um hotel ou em uma locadora de automóveis. Muitos desses estabelecimentos já criaram opções de check-out expresso. Para isso, anotam dados do cartão de crédito de seus clientes e posteriormente enviam a documentação de cobrança pelo correio. Mas nesses casos a exatidão é essencial. Clientes que utilizam check-outs expressos com certeza não querem perder tempo em busca de correções e reembolsos. Um procedimento alternativo de check-out expresso é utilizado por algumas locadoras de automóveis. Um agente vai ao encontro dos clientes quando eles devolvem o carro, verifica a quilometragem e o nível de combustível e então imprime uma fatura por um terminal portátil sem fio. Muitos hotéis colocam sob as portas dos quartos faturas demonstrativas dos gastos do hóspede até a manhã da partida; outros oferecem aos clientes a opção de verificar suas faturas nos monitores de TV de seu quarto ou em seus smartphones e laptops antes do check-out.

4. Pagamento. Na maioria dos casos, uma fatura requer que o cliente execute uma ação de pagamento (o que pode ser rápido ou demorar bastante!). Exceções são extratos bancários e outras contas com débito automático, que detalham as cobranças deduzidas diretamente da conta do cliente, sempre que ele precisa agir, e que se tornam apenas elementos informativos que confirmam a ação.

Existem diversas opções de pagamento, mas o que todo cliente espera é facilidade e conveniência (Figura 4.9). Há sistemas de autosserviço, por exemplo, que exigem que clientes insiram moedas, notas, fichas ou cartões em máquinas. Mas falhas de equipamentos destroem todo o propósito de um sistema como esse, portanto boa manutenção e resolução rápida de problemas de funcionamento são essenciais. Grande parte dos pagamentos ainda é realizada em de dinheiro vivo ou por cartões de crédito. Alternativas são comprovantes, cupons ou bilhetes pré-pagos e outros meios eletrônicos como o PayPal, que oferece um sistema simples e seguro de efetuar pagamentos, sobretudo agora que cada vez mais compras são feitas pela Internet. Empresas se beneficiam do pagamento imediato, que reduz a quantidade de contas a receber. Também estão se tornando mais comuns sistemas de pagamento via SMS e Bluetooth, pelo celular.

Figura 4.9 Exemplos de elementos de pagamento

Autosserviço
- Inserir cartão de pagamento, dinheiro ou ficha em uma máquina.
- Transferência eletrônica de fundos.
- Envio de cheque pelo correio.
- Inserção do número de cartão de crédito on-line.

Direto ao recebedor ou intermediário
- Manuseio de dinheiro vivo e devolução de troco.
- Manuseio de cheques.
- Manuseio de cartão de crédito/cobrança/débito.
- Resgate de cupom.
- Fichas, comprovantes etc.

Dedução automática de depósitos financeiros
- Sistemas automatizados (por exemplo, bilhetes lidos por máquinas que acionam portas e portões de entrada, ou como o sistema por radiofrequência Sem Parar, para pagamento de pedágio).
- Sistemas humanos (por exemplo, cobradores de pedágio, cobradores de ônibus, agentes de segurança que controlam o ingresso em um recinto).

Para garantir que as pessoas paguem, algumas empresas instituíram sistemas de controle, como a verificação de bilhetes antes de entrar em um cinema ou tomar um trem. Contudo, fiscais e agentes de segurança devem ser treinados para combinar cortesia com firmeza na ação, para que clientes honestos não se sintam importunados. Muitas vezes, a simples presença de um fiscal já desencoraja clientes mal-intencionados. Para reforçar o bom comportamento, há empresas que enviam periodicamente notas de agradecimento a clientes que pagam em dia, enquanto outras inserem mensagens de agradecimento em recibos e extratos.

Realçando serviços suplementares

1. Consulta. Passemos aos serviços suplementares realçadores, liderados pela consulta. Ao contrário da informação, que sugere uma simples resposta às perguntas dos clientes (ou informações impressas que se antecipam a suas necessidades), a consulta envolve um diálogo para sondar demandas de consumidores e então desenvolver uma solução sob medida. A Figura 4.10 apresenta exemplos de diversos serviços suplementares nessa categoria.

Figura 4.10 Exemplos de elementos de consulta

- Recomendação personalizada.
- Aconselhamento pessoal.
- Tutorial/treinamento na utilização do produto.
- Consulta administrativa ou técnica.

Em sua forma mais simples, a consulta consiste no conselho imediato de um funcionário capacitado em responder à pergunta: 'O que você sugere?' Por exemplo, você poderia pedir a seu cabeleireiro uma opinião sobre estilos de corte ou sobre produtos. A consulta é uma forma característica da prestação de serviço, pela qual é oferecida ao mercado certa competência. Em troca do pagamento pelo acesso temporário a essa competência, o cliente toma decisões melhores e aprende com o consultor, podendo, inclusive, melhorar desempenhos futuros. A consulta eficaz requer entender a situação de cada cliente antes de sugerir uma ação adequada (Figura 4.11). Manter bons históricos de clientes pode ser um grande aliado nesse caso, em particular se for fácil acessar dados importantes em um terminal remoto, já que esse atendimento tende a ser feito sob medida. Um bom histórico pode encurtar a fase inicial de diagnóstico.

Figura 4.11 Um consultor interage com seus clientes durante o processo de consulta

O *aconselhamento* é uma abordagem mais sutil da consulta, porque implica ajudar clientes a entender melhor sua situação para que consigam criar suas 'próprias' soluções e programas de ação. O componente educacional é mais forte, com vistas a mudar atitudes e comportamentos. Essa abordagem pode ser um complemento muito valioso para tratamentos de saúde. Nesses casos, parte do desafio está em conseguir que clientes tenham uma visão de longo prazo de sua situação e adotem comportamentos mais saudáveis — o que muitas vezes envolve significativas mudanças de estilo de vida. Programas de emagrecimento, como os Vigilantes do peso, utilizam aconselhamento para ajudar clientes a mudar comportamentos de modo que a perda de peso se mantenha após a dieta inicial.

Esforços mais formalizados para prover consultas de gerenciamento e técnicas para clientes corporativos incluem a 'venda de soluções' associada a equipamentos industriais e serviços dispendiosos. O engenheiro de vendas pesquisa a situação do cliente e lhe oferece conselhos objetivos sobre qual pacote de equipamentos e sistemas daria os melhores resultados. Alguns serviços de consulta são oferecidos gratuitamente, na expectativa de se realizar uma venda. Contudo, em outros casos, o serviço 'não faz parte do pacote' e espera-se que os clientes paguem por ele (como exames diagnósticos antes de uma cirurgia ou um estudo de viabilidade antes que uma solução seja proposta). Também é possível oferecer conselhos por meio de tutoriais, programas de treinamento em grupo e demonstrações.

2. Hospitalidade. É a arte de bem receber e caracteriza-se pelo acolhimento caloroso. Serviços relacionados com hospitalidade deveriam refletir o prazer de conhecer novos clientes e saudar os antigos, quando estes retornam. Empresas bem gerenciadas tentam, ao menos em pequena escala, garantir que seus funcionários tratem clientes como hóspedes. Cortesia e consideração pelas necessidades dos clientes aplicam-se tanto aos contatos pessoais como aos telefônicos (Figura 4.12). A hospitalidade revela-se plenamente em contatos pessoais. Em alguns casos, começa e termina com uma oferta de transporte para e do local do serviço, em vans exclusivas de cortesia (um exemplo são as empresas aéreas que disponibilizam ônibus para levar seus clientes ao aeroporto). Se os clientes tiverem de esperar ao ar livre que o serviço seja entregue, um prestador atencioso oferecerá proteção contra as intempéries; se tiverem de esperar no local, oferecerá uma área de espera com poltronas e até mesmo algum entretenimento (TV, jornais ou revistas) para passar o tempo. Recrutar para serviços de contato com clientes profissionais que sejam, por natureza, cordiais, acolhedores e atenciosos ajuda a criar uma atmosfera hospitaleira. Muitas empresas treinam seus funcionários para darem um caloroso 'olá' e 'obrigado', mesmo para aqueles que não compram nada.

A qualidade dos elementos de hospitalidade desempenha um papel importante na determinação da satisfação dos clientes. Isso se aplica em especial aos serviços de processamento de pessoas, em que os clientes devem permanecer nas instalações até que o serviço principal seja completado. Hospitais particulares procuram realçar seus apelos ao oferecer serviços de quarto (incluindo refeições de qualidade) comparáveis aos de um bom hotel. Algumas empresas aéreas procuram se diferenciar com melhores refeições e tripulação mais atenciosa. As empresas aéreas asiáticas se destacam nestes quesitos — as dez primeiras colocadas no World Airline Awards de 2010, apresentadas no Quadro 4.1, consideradas as melhores do mundo, são todas deste continente (das dez, apenas Singapore, Qatar, Qantas e Emirates operam com escritórios no Brasil).

Figura 4.12 Exemplos de elementos de hospitalidade

SERVIÇO PRINCIPAL

Cumprimentos
Comidas e bebidas
Banheiros e lavatórios
Salas, de estar, áreas de espera, lugares para sentar
• Proteção contra intempéries.
• Entretenimento, como revistas e jornais.
Transporte
Segurança

Quadro 4.1 As dez primeiras colocadas no World Airline Awards de 2010

1. Asiana Airlines
2. Singapore Airlines
3. Qatar Airways
4. Cathay Pacific
5. Air New Zealand
6. Etihad Airways
7. Qantas Airways
8. Emirates
9. Thai Airways
10. Malaysia Airlines

Embora a hospitalidade antes e depois do voo seja importante, uma viagem de avião não termina enquanto os passageiros não chegarem a seus destinos. Passageiros de avião estão acostumados com saguões de embarque nos aeroportos. Mas a British Airways (BA) teve a ideia de criar saguões de desembarque em seus terminais, nos aeroportos de Heathrow e Gatwick, em Londres, e depois no aeroporto de Guarulhos, em São Paulo. Ali são atendidos passageiros que chegam de manhã após voos noturnos de longa duração vindos de outros continentes. A BA disponibiliza aos clientes da primeira classe, da classe executiva e aos portadores do cartão ouro do BA Executive Club (concedido aos viajantes mais frequentes) uma área especial onde podem tomar banho, trocar de roupa, tomar café e telefonar ou checar e-mails antes de prosseguirem para seu destino final, agora bem mais descansados. Outras companhias aéreas sentiram-se obrigadas a copiar essa inovação, embora poucas consigam equiparar-se ao leque de serviços oferecidos pela BA. A Emirates Airlines, por exemplo, também opera nesse sistema no aeroporto de Guarulhos.

3. Salvaguarda. Quando visitam um local de serviço, clientes querem cuidados com seus pertences pessoais. Na verdade, a menos que sejam oferecidos certos serviços de salvaguarda, como estacionamento seguro e conveniente para o carro, alguns clientes sequer frequentarão o local. Serviços de salvaguarda incluem: chapelaria; transporte, manuseio e armazenagem de bagagem; guarda de valores e mesmo cuidados com crianças e animais de estimação (Figura 4.13). Empresas responsáveis também se preocupam com a segurança pessoal e dos pertences de clientes que frequentam suas instalações. O banco Itaú, por exemplo, desenvolve campanha com seus clientes, distribuindo cartilhas que os instrui sobre o uso responsável da conta e de financiamentos. Os bancos também instalam suas máquinas em locais bem iluminados e de alta visibilidade — embora, por motivos de segurança, essas máquinas operem apenas até as 22h. Além disso, quando enviam o cartão de crédito para o cliente, os bancos empregam algum mecanismo que bloqueia seu uso até que o próprio cliente, por contato via telefone e fornecimento de informações pessoais, autorize sua liberação.

Serviços adicionais de salvaguarda envolvem produtos físicos comprados ou alugados pelos clientes: embalagem, retirada e entrega, montagem, instalação, limpeza e inspeção. Empresas de e-commerce, como Submarino e Americanas, utilizam embalagens especialmente desenvolvidas para proteger a encomenda durante o transporte e a entrega. Esses serviços podem ser oferecidos sem custo ou mediante o pagamento de uma taxa adicional.

4. Exceções. Envolvem serviços suplementares que estão fora da rotina de entrega (Figura 4.14). Mesmo dentro de um segmento, encontramos diferentes preferências e comportamentos; assim, se os serviços são muito padronizados, talvez não atendam bem a diferentes expec-

Figura 4.13 Exemplos de elementos de salvaguarda

Cuidados com pertences que os clientes trazem consigo
- Assistência a crianças e animais de estimação.
- Estacionamento para veículos, serviço de manobrista
- Chapelaria.
- Manuseio de bagagem.
- Espaço de armazenagem.
- Cofres de segurança.
- Pessoal de segurança.

Cuidados com mercadorias compradas (ou alugadas) por clientes
- Embalagem.
- Retirada.
- Transporte e entrega.
- Instalação.
- Inspeção e diagnóstico.
- Limpeza.
- Reabastecimento de combustível.
- Manutenção preventiva.
- Consertos e reformas.

Figura 4.14 — Exemplos de elementos de exceção

Solicitações especiais antes da entrega de serviço
- Necessidades particulares de crianças.
- Restrições alimentares.
- Necessidades médicas ou de deficientes.
- Preceitos religiosos.

Tratamento de comunicações especiais
- Reclamações.
- Elogios.
- Sugestões.

Resolução de problemas
- Garantias financeiras e físicas contra o mau funcionamento de produtos.
- Resolver dificuldades que surgem com a utilização do produto.
- Resolver dificuldades causadas por acidentes ou falhas de serviço.
- Prestar assistência a clientes que sofreram um acidente ou uma emergência médica.

Restituição
- Reembolsos e compensação.
- Conserto gratuito de bens defeituosos.

---

tativas. Empresários atentos antecipam-se às expectativas e desenvolvem planos e diretrizes de contingência. Desse modo, seus funcionários não parecerão desamparados e surpresos quando clientes solicitarem assistência especial. Procedimentos bem definidos sobre como lidar com exceções tornam mais fácil para o funcionário responder de imediato e de maneira eficaz. Há vários tipos de exceção:

- *Solicitações especiais.* Um cliente pode solicitar determinado serviço que demande um desvio dos procedimentos operacionais normais. Em geral, solicitações antecipadas estão relacionadas a necessidades pessoais e podem incluir cuidados com crianças, requisitos alimentares, necessidades médicas, preceitos religiosos e deficiências pessoais. Tais solicitações são comuns nos setores de viagem e de hospitalidade.

- *Resolução de problemas.* Às vezes a entrega normal do serviço (ou o desempenho do produto) é falha por causa de acidentes, atrasos, problemas com equipamentos ou dificuldades do cliente na utilização do produto. Falhas de serviços devem ser recuperadas rapidamente, para não gerar insatisfação do cliente.

- *Tratamento de reclamações/sugestões/elogios.* A maioria dos clientes não costuma reclamar nem elogiar, por diversos motivos. Essa atividade requer procedimentos bem definidos que incentivem os clientes a se expressarem, para que a empresa saiba o que ocorre e possa tomar providências. Expressar insatisfação, oferecer sugestões de melhorias e fazer elogios tem de ser fácil e as prestadoras de serviços devem estar aptas a dar uma resposta adequada rapidamente (veja o Capítulo 13 sobre tratamento a reclamações e recuperação de serviço).

- *Restituição.* Muitos clientes esperam receber compensação por falhas sérias de desempenho. A compensação pode tomar a forma de consertos sob garantia, acordos legais, reembolsos, uma oferta de serviço gratuito ou outras formas de pagamento em espécie.

Gerentes precisam ficar atentos ao nível de solicitações de exceção. Se forem muito numerosas, podem indicar que procedimentos padronizados precisam ser revistos, pois já não atendem às expectativas de grande parte dos clientes. Por exemplo, se um restaurante está sempre recebendo pedidos de refeições vegetarianas especiais porque não há nenhuma no cardápio, talvez já seja o momento de incluir ao menos um ou dois pratos desse tipo. Uma abordagem flexível das exceções em geral é uma boa ideia, porque reflete a responsividade às necessidades de clientes. Por outro lado, um número muito grande de exceções pode reduzir a produtividade, comprometer a segurança, causar impacto negativo sobre outros clientes e sobrecarregar os funcionários.

Implicações gerenciais

As oito categorias que formam a Flor de serviço proporcionam, juntas, muitas opções para realçar o serviço principal, como podemos perceber na seção Panorama de serviços 4.2. A maioria dos serviços suplementares representa (ou deveria representar) respostas a necessidades de clientes. Como observamos antes, alguns são facilitadores — como informações e reservas —, que habilitam clientes a utilizar o serviço principal com mais eficácia. Outros são 'extras' e realçam o serviço principal ou, até mesmo, reduzem seus custos não financeiros (por exemplo, refeições, revistas e entretenimento são elementos de hospitalidade que ajudam a passar o tempo). Alguns elementos, em especial cobrança e pagamento, são impostos pelo prestador de serviço. Mas, mesmo não muito desejados pelo cliente, fazem parte da experiência total de serviço. Qualquer elemento mal conduzido pode afetar de forma negativa as percepções de clientes sobre qualidade de serviço. As pétalas 'informação' e 'consulta' ilustram a ênfase deste livro na necessidade de instrução, bem como de promoção na comunicação com clientes de serviço (veja o Capítulo 7 sobre comunicações e educação de clientes).

Nem todo produto principal será cercado por serviços suplementares de todas as pétalas da Flor de serviços. Cada categoria de processos apresentada no Capítulo 2 — pessoas, posses, estímulo mental e processamento de informações — tem diferentes implicações para procedimentos operacionais, grau de contato do pessoal e das instalações de serviço com clientes e requisitos de serviços suplementares.

A natureza do produto ajuda a determinar quais serviços suplementares devem ser oferecidos e quais poderiam ser agregados para realçar o valor e facilitar as transações com a empresa. Como se pode prever, serviços de processamento de pessoas, em especial hospitalidade, tendem a ser os mais exigentes em termos de elementos suplementares, pois envolvem interações próximas (e até mesmo extensas) com clientes. Do mesmo modo, serviços de alto contato costumam ter mais interação com o cliente que serviços de baixo contato.

Para melhor atender à complexidade das interações pessoais pode ser necessário um volume maior de serviços suplementares. Quando os clientes não frequentam a fábrica de serviços, a necessidade de hospitalidade pode ser limitada a simples cortesias em cartas e telecomunicações. Serviços de processamento de posses às vezes impõem sérias exigências quanto a elementos de salvaguarda. Já para fornecimento de serviços de processamento de informações, nos quais clientes e fornecedores tratam exclusivamente a distância, pode não haver necessidade dessa pétala. Entretanto, serviços financeiros disponíveis por meios eletrônicos são uma exceção a isso tudo; as empresas têm de garantir que os ativos financeiros intangíveis de seus clientes estejam cuidadosamente protegidos em transações que ocorrem via telefone ou site.

A estratégia de posicionamento de mercado de uma empresa contribui para determinar quais serviços suplementares devem ser incluídos (veja Capítulo 3). Estratégias para agregar benefícios que reforcem as percepções de qualidade dos clientes devem exigir mais serviços suplementares (e um alto nível de desempenho em todos esses elementos) que estratégias de competição por preços baixos. Além disso, oferecer níveis cada vez mais altos de serviços suplementares em torno de um núcleo comum pode propiciar a base para uma linha de serviço de ofertas diferenciadas, como as várias classes de viagem das companhias aéreas.

Um estudo sobre empresas japonesas, norte-americanas e europeias que atendem a mercados B2B constatou que a maioria delas apenas adicionou camadas de serviços às ofertas principais sem saber a que seus clientes realmente davam valor.[4] Gerentes consultados no estudo demonstraram não saber quais serviços deveriam ser oferecidos a clientes como um pacote-padrão junto com o serviço principal e quais poderiam ser oferecidos como opções mediante cobrança extra. O mesmo ocorre com muitas empresas brasileiras que adicionam serviços à medida que algum cliente pede, ou porque um concorrente o fez, sem analisar se isso de fato agrega valor para seu mercado-alvo. Um serviço adicional pode ser considerado relevante e de valor para um certo segmento e sem valor para outro. Sem esse conhecimento, pode ser arriscado desenvolver políticas eficazes de determinação de preços. Não existe regra simples que oriente decisões de preços para serviços principais e serviços suplementares. Mas os gerentes devem revisar continuamente suas próprias políticas e as de seus concorrentes para garantir que estão alinhadas com a prática do mercado e com as necessidades do cliente. Discutiremos esse e outros tópicos de determinação de preços com mais detalhes no Capítulo 6.

Em suma, a Flor de serviço e suas pétalas, aqui discutidas, podem servir como listas de verificação na busca contínua por novos modos de ampliar serviços principais e projetar novas ofertas. Em geral, uma empresa que compete por baixo custo, sem extras, exigirá menos elementos suplementares que outra que promove um produto caro, de alto valor agregado. Independentemente de quais serviços suplementares uma empresa decide oferecer, todos os elementos em cada pétala devem receber o cuidado e a atenção necessários para cumprir com consistência os padrões de serviço definidos. Desse modo, a 'flor' resultante sempre terá uma aparência fresca e atraente em vez de parecer murcha ou desfigurada por negligência.

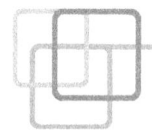

Gestão de marcas de produtos que são serviço e de experiências de serviço

Nos últimos anos, cada vez mais empresas de serviços falam sobre seus *produtos* — termo antes associado a bens manufaturados. Algumas falam até mesmo em 'produtos e serviços', expressão também utilizada por empresas manufatureiras orientadas para serviços. Qual é a distinção entre esses dois termos no ambiente empresarial de hoje?

Um *produto* implica um 'conjunto de resultados' definido e consistente e também a capacidade de diferenciar um conjunto de resultados de outro. Em um contexto de manufatura, o conceito é fácil de entender e visualizar. Empresas de serviços também podem diferenciar seus produtos de maneira semelhante aos 'modelos' oferecidos pelas manufatureiras. Por exemplo, restaurantes de *fast-food* apresentam um cardápio de seus produtos, que são, é claro, altamente tangíveis. Quem conhece hambúrgueres pode distinguir com facilidade entre um Bob's Picanha do Bob's e um Big Mac do McDonald's.

Provedores de serviços mais intangíveis também oferecem um cardápio de produtos que representa uma combinação de serviços suplementares de valor agregado cuidadosamente prescritos, construídos ao redor do serviço principal. Empresas de seguros, por exemplo, propõem diferentes tipos de apólice enquanto as universidades oferecem vários programas de graduação — cada qual composto de um mix de matérias obrigatórias e opcionais. Um pacote de produto pode ser diferenciado de outro. O Banyan Tree Hotels & Resorts (apresentado no Estudo de Caso, disponível no Companion website) criou com zelo produtos para seus vários segmentos-alvo com as marcas 'Heavenly Honeymoon' (divina lua-de-mel), 'Spa Indulgence' (spa indulgência) e 'Intimate Moments' (momentos íntimos).[5] Este último destina-se, em especial, a casais que comemoram aniversário de casamento. É apresentado como uma surpresa para o cônjuge quando os hóspedes encontram seu chalé decorado à luz de velas, com incenso queimando, pétalas de flores espalhadas pelo quarto, lençóis de cetim sobre a cama decorada, champanhe ou vinho e uma piscina privativa ao ar livre ornamentada com flores, velas e óleos de banho. O casal ganha uma variedade de óleos de massagem perfumados para inspirar ainda mais esses momentos íntimos. Ter 'embalado' e 'batizado com uma marca' esse produto permite ao Banyan Tree vendê-lo em seu site, em distribuidores e centrais de reserva, além de dar treinamento sobre isso em outros hotéis. Sem especificar de que se trata esse produto e sem dar-lhe um nome, a divulgação, as vendas e a entrega não seriam eficazes. A seguir, analisaremos as alternativas de estratégias de gestão de marcas para serviços.

Panorama de serviços 4.2

A Flor de serviço no Fasano

O setor de hospitalidade — que engloba segmentos de lazer e turismo, como hotelaria, restaurantes, viagens e outros — tem crescido nas últimas décadas, beneficiado pela crescente redução de custos e a popularização dos transportes aéreos de passageiros, pelas mudanças culturais, que valorizam a cultura e o lazer, e pelas mudanças econômicas, que têm aumentado o poder aquisitivo do público consumidor. São Paulo tem quatro hotéis cinco estrelas: o Emiliano, o Unique, o Grand Hyatt (único ligado a uma grande rede) e o Fasano. O Grupo Fasano, atualmente composto de uma parceria entre a família Fasano e a JHSF, empresa do setor imobiliário, tem se mostrado um caso de sucesso nesse cenário, pois atua de forma exemplar no setor de hotéis e gastronomia de luxo.

A história centenária do grupo, que está na quarta geração, começa quando Vittorio Fasano chega da Itália para cuidar dos negócios da família, que importava café brasileiro. Ele inaugura a Brasserie Paulista em 1902, que se torna ponto de encontro da alta sociedade e se destaca pela gastronomia e pelo atendimento de padrão europeu.

Entre as décadas de 1940 e 1960, Ruggero, filho caçula de Vittorio, foi proprietário de sete restaurantes e uma confeitaria. A Confeitaria Fasano, na rua Barão de Itapetinga, centro de São Paulo, torna-se o local preferido para o tradicional chá da tarde da elite paulistana. Entre os restaurantes, um é aberto no mesmo endereço do antigo Fasano, na praça Antônio Prado. Na região da Paulista, abre-se o Jardim de Inverno Fasano, no recém-inaugurado Conjunto Nacional. O Jardim de Inverno passa a ser um local de gastronomia e entretenimento, que recebe desde festas de formatura até shows de atrações internacionais, como Nat King Cole, e é frequentado por celebridades como David Niven, Marlene Dietrich e o Príncipe de Gales.

Fabrizio, filho de Ruggero, atuou por muitos anos no setor de bebidas, no qual fez fortuna com o uísque Old Eight. Com seu filho Rogério, abre outro Fasano, um pequeno restaurante na Rua Amauri, que propõe uma culinária inspirada na Lombardia. Em 1990, o restaurante muda-se para a Rua Haddock Lobo, nos Jardins, em um palacete de estilo clássico. O local logo é um sucesso, eleito diversas vezes o melhor restaurante italiano de alta gastronomia pela revista *Veja São Paulo*. Em 1991, pai e filho inauguram o Gero Caffe no shopping Iguatemi, onde mais tarde também começam a fornecer serviços de gastronomia para o café do Emporio Armani. Em 1995, é aberto o Gero, uma versão mais informal, também nos Jardins, de culinária tradicional italiana. Em 1998, é a vez do Parigi, na rua Amauri.

No fim do século, surge a proposta de parceria com a JHSF para a construção de um hotel. O empreendimento de 40 milhões de reais foi inaugurado em 2003, em um edifício de 22 andares, com 54 apartamentos e nove suítes, decorado com cadeiras francesas, tijolos ingleses e mármore italiano. O hotel é membro do Small Leading Hotels of the World e foi considerado um dos 50 melhores do mundo pela Condé Nast Traveller Hot List, editora especializada do setor.

O restaurante da família é transferido para o prédio do hotel, onde também é aberto o bar Baretto, eleito pela revista *Wall Paper* como um dos 20 lugares mais agradáveis do mundo. Abriga no lobby o restaurante Fasano Al Mare, de gastronomia mediterrânea, em particular peixes e frutos do mar. O Nonno Ruggero fica no primeiro andar e funciona no café da manhã, almoço e jantar. Fabrizio criou e dirigiu a Enoteca Fasano com filiais em Campos de Jordão, Ribeirão Preto e Rio de Janeiro, além de revendas em outros estados.

Foram feitos também investimentos no Rio de Janeiro (RJ), onde está a filial do Hotel Fasano, que também abriga os restaurantes Gero e Fasano Al Mare, e o bar Baretto-Londra. Em Porto Feliz (SP), a 80 quilômetros da capital, o grupo está construindo o projeto Fazenda Boa Vista, que abrange o Hotel Fazenda Fasano, com 28 suítes, a Villa Fasano, e as estâncias, além de dois campos de golfe. Existem ainda planos de hotéis e resorts Fasano no Brasil e no exterior. Em Punta del Este, no Uruguai, foi inaugurado, em dezembro de 2010, o projeto Las Piedras Villas & Hotel Fasano — Punta del Este, que leva a assinatura do arquiteto Isay Weinfeld (o mesmo do Hotel Fasano São Paulo), conta com 500 casas e vilas, spa, centro equestre, campos de polo, bangalôs, entre outras facilidades. É o primeiro Hotel Fasano fora do Brasil.

A Flor de serviço no Hotel Fasano

Entre seus serviços **facilitadores**, a **informação** é o primeiro destaque do Hotel Fasano. Seu pessoal é treinado para conhecer e apresentar, durante o check-in, a variedade de serviços disponíveis — tanto os que fazem parte do serviço principal como os suplementares. Os horários de atendimento são informados na recepção e em material impresso no quarto, assim como os preços de itens não inclusos na diária. As condições de pagamento e financiamento e os dados da reserva são confirmados na entrada. O hotel faz o **recebimento de pedidos** diretamente, por site, email, telefone, no balcão ou por agentes de viagens. A **cobrança** é periódica nas estadias maiores, ou realizada no check-out — a menos que o pagamento tenha sido feito antecipadamente. Os recepcionistas consultam o sistema, informam o valor e entregam uma fatura detalhada; se o pagamento for efetuado nesse momento, o recibo já é emitido. O **pagamento** pode ser feito em espécie, cheque, depósito bancário ou nos principais cartões de crédito, além de *vouchers* de agentes de turismo. Como podemos observar, os serviços facilitadores são semelhantes aos de outros hotéis da mesma categoria.

Mas é nos serviços **realçadores** que o hotel busca seus diferenciais. Existem diversas formas de serviços ligados à **consulta**. No *fitness center*, o serviço de personal trainer está incluído e a equipe de mordomia dá apoio completo a todas as necessidades, desde a orientação sobre programas culturais até passeios de compras. A **hospitalidade** está focada na arte de bem receber. As preferências dos clientes são armazenadas em um sistema que registra informações como hábitos alimentares, consumo do frigobar, quais frutas de cortesia foram consumidas ou não, pedidos no restaurante, vinho de preferência, temperatura preferida no ar-condicionado, canal de televisão mais assistido, quantidade de travesseiros usada, preferência pelo cobertor dobrado ao lado da cama ou esticado sobre ela, uso do black-out da cortina, forma como calças são penduradas pelo hóspede (pela barra ou dobradas ao meio) e até o número do sapato. Se houver acompanhante, são colocadas duas sandálias, e se também houver crianças, sandálias infantis. Tudo o que possa ser replicado depois da arrumação exatamente ao gosto do freguês. O mordomo recebe pessoalmente cada hóspede e o acompanha a seu quarto. Desfaz as malas e ajuda a organizar tudo, se a pessoa assim preferir. A equipe de mordomia dispõe de uma verba mensal para presentear seus clientes com livros, CDs ou outros objetos pelos quais perceba que o hóspede se interessa.

Nas instalações, também estão disponíveis serviço de quarto 24 horas, lavanderia, *valet*, conexão Wi-Fi, transfer gratuito para os restaurantes do Grupo Fasano, cesta de frutas e água e jornal da preferência do hóspede. A decoração do espaço procura criar um ambiente agradável, com diversas obras de arte e arquitetura inspirada nos anos 1930. Os quartos possuem varandas e são equipados com TVs de plasma de 32 polegadas, com canais via cabo ou satélite premium, CD e DVD players e telefones com linha externa direta e secretária eletrônica. São arrumados duas vezes por dia, além de ser oferecido o serviço de preparação das camas para dormir — com roupa de cama de qualidade superior — e o de arrumação de quartos ao longo do dia. Os banheiros oferecem banheiras e chuveiros em boxes separados, telefones, roupões de banho e produtos de toalete exclusivos. As comodidades adicionais incluem salas de estar separadas, controle de temperatura e minibares.

O hotel oferece ainda serviço de spa completo, piscina externa, sauna a vapor e uma academia de ginástica. Possui um *business center* com sala de reuniões para grupos pequenos, espaço para exposições e serviço de limousine/*town car*. Entre os serviços de **salvaguarda**, possui forte estrutura de segurança 24 horas munida por detectores de fumaça, circuito interno de TV e cofre para valores na recepção e nos quartos. É possível usar um pequeno depósito para clientes habituais que preferem deixar no hotel toda a bagagem para a próxima estadia. Após o check-out, os mordomos catalogam todos os pertences em cada mala, enviam para a lavanderia o que for necessário e armazenam tudo em maleiros, gaveteiros e araras, onde ficam aguardando o retorno de seus donos.

As **exceções** também buscam tornar ainda melhor a experiência do serviço. É possível solicitar berços para recém-nascidos, roupas de cama antialérgicas, roupas de cama e banho extras, serviços de despertador e alimentação especial. Para clientes muçulmanos, o hotel oferece um tapete, um *Alcorão* e um *masbahah* (terço islâmico) para as preces. Também é possível solicitar serviço de traslado ao aeroporto e, para os clientes executivos, *catering* para eventos, assistência com tours e serviços de tradução.

Fontes: Fasano 100'anni in Brasile / Fasano 100'anni di gastronomia. DBA, 2007, diversas revistas e jornais.

Estratégias de gestão de marcas para serviços

A maioria das organizações de serviços oferece uma linha de produtos em vez de se restringir a um produto único. Por isso, elas devem escolher entre quatro amplas alternativas de gestão de marcas: (1) *branded house* (uso de uma única marca para cobrir todos os produtos e serviços — um dos extremos), (2) *house of brands* (uso de uma marca independente para cada oferta — o outro extremo) ou (3) submarcas e (4) marcas endossadas, ambas uma forma de combinação desses dois extremos.[6] Essas alternativas são representadas como um contínuo na Figura 4.15 e discutidas nas seções a seguir.

Branded house. David Aaker e E. Joachimsthaler usam esse termo para descrever uma empresa, como o Virgin Group, que pretende entrar no Brasil em 2011, aproveitando o

Figura 4.15   O contínuo das alternativas de gestão de marcas

MARCA CORPORATIVA ⟷ MARCA DE PRODUTO INDIVIDUAL

Branded house (por exemplo, Virgin Group)

House of brands (por exemplo, Yum! Brands)

Submarcas (por exemplo, Sedex dos Correios)

Marcas endossadas (por exemplo, Starwood Hotels & Resorts)

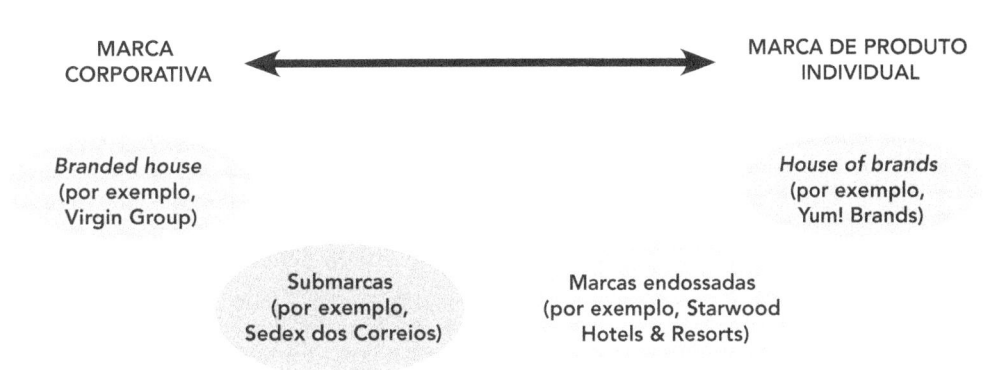

Fonte: Adaptado de James Devlin, "Brand architecture in services: the example of retail financial services", Journal of Marketing Management, 19, 2003, p. 1046. Copyright © 2003. Reproduzido com permissão da Westburn Publishers Ltd.

---

potencial turístico do país e a realização da Copa do Mundo e das Olimpíadas, e que aplica sua marca a múltiplas ofertas em áreas normalmente não correlacionadas.[7] O risco desse tipo de estratégia é que a marca fica superexposta e enfraquecida caso ocorra um problema com uma das áreas. Por outro lado, a força da marca reduz as despesas de comunicação necessárias para manutenção e extensões.

Submarcas. Aqui, a empresa — ou a marca principal — é a estrutura de referência primária. O produto em si também possui um nome distintivo (como o Sedex dos Correios, para entregas expressas). Em comparação com a *branded house*, essa estratégia tem como vantagem a possibilidade de desenvolver uma marca forte e criar marcas associadas; além disso, se estas tiverem problemas, causarão impacto menor sobre a marca principal.

A FedEx tem se dado bem na adoção de uma estratégia de submarcas. Quando a Federal Express mudou seu nome comercial para o mais moderno FedEx, também alterou a logomarca para exibir o novo nome de modo distinto. Aplicações consistentes desse design foram desenvolvidas para uso em cenários que variam de cartões de visitas a caixas e de bonés dos funcionários ao exterior das aeronaves. Quando decidiu dar um novo nome a um serviço de entrega terrestre, optou por FedEx Ground e criou um tratamento de cores alternativo ao da logomarca-padrão (roxo e verde em vez de roxo e laranja). Seu objetivo era transferir a imagem positiva de confiabilidade e pontualidade associada a seus serviços aéreos para o terrestre, mais econômico e de pacotes de menor volume. O bem conhecido serviço aéreo foi então rebatizado como FedEx Express.

Outras submarcas referidas como 'a família FedEx de empresas' incluem FedEx Home Delivery (entrega para endereços residenciais nos Estados Unidos); FedEx Freight (transporte regional de cargas desde volumes menores que um caminhão-baú até cargas maiores); FedEx Custom Critical (entrega sem escalas, porta a porta de remessas urgentes); FedEx Trade Networks (corretagem alfandegária, agenciamento de carga internacional e facilitação de transações); FedEx Supply Chain Services (amplo conjunto de soluções que sincronizam a movimentação de bens) e FedEx Kinko (serviços de escritório e impressão, de tecnologia, de remessa de suprimentos e de embalagem em lojas na zona urbana e suburbana).

Marcas endossadas. Nesse caso, a marca do produto domina, mas o nome corporativo ainda é exibido. Muitos hotéis adotam esse enfoque — o setor hoteleiro nos Estados Unidos possui mais de 200 marcas concorrentes, mais do que qualquer outra categoria de produto. Muitas redes de hotéis oferecem uma família de submarcas e/ou marcas endossadas. Por exemplo, Hilton Hotels Corporation, Intercontinental e Starwood possuem, cada uma, de oito a dez submarcas, enquanto a Marriott International detém 16 (incluindo a rede Ritz-Carlton que, para proteger sua imagem exclusiva, não é identificada para fins de estratégia de marca como parte do Marriott Group). Cada marca é oferecida com base na análise do mercado local e nem todas estão presentes em todos os países. O Brasil tem um mercado turístico menos segmentado que o europeu e o americano, por isso são utilizadas menos marcas, evitando a canibalização.

Para que a estratégia multimarcas seja eficaz, cada marca deve prometer uma proposição de valor distinta, dirigida a um segmento diferente de clientes. Como as ofertas variam por nível de serviço (e preço), também variam as configurações de quartos e comodidades. Certas marcas têm como alvo hóspedes que farão longas estadias; há resorts que visam o público em férias. A segmentação às vezes depende da situação: o mesmo indivíduo pode ter diferentes necessidades (e disposições de pagar) conforme as circunstâncias, como quando viaja em férias com a família ou a negócios. Essa estratégia permite atingir diferentes perfis de segmentos e contextos de uso do serviço. A estratégia de extensão de marca visa incentivar clientes a continuar preferindo unidades dentro da família da marca e é comum que seja reforçada por programas de fidelidade. Um estudo sobre troca de marcas feito com cerca de 5.400 clientes de hotéis constatou que extensões de marca realmente parecem incentivar a retenção de clientes, mas que a estratégia pode ser menos eficaz para desencorajar trocas quando o número de submarcas alcança quatro ou mais.[8]

House of brands. Na ponta extrema do contínuo está a estratégia de *house of brands*, ilustrada pela Procter and Gamble, com cerca de 80 produtos embalados, cada qual ativamente promovido sob sua própria marca. A Yum! Brands Inc. adota essa estratégia, com mais de 35 mil restaurantes em 110 países. Embora muitos possam nunca ter ouvido falar da Yum! Brands, com certeza as pessoas conhecem as marcas de seus restaurantes — A&W, Kentucky Fried Chicken, Pizza Hut, Taco Bell e Long John's Silver, várias delas presentes no Brasil. Também temos como exemplo o grupo Umbria, que detém as franquias das marcas Spoleto e Domino's Pizza, entre outras. Cada uma delas é ativamente promovida sob seu próprio nome (Figura 4.16). A estratégia permite focar o esforço de marketing de forma individual, conforme a necessidade; caso não tenha resultados satisfatórios, a marca pode ser vendida ou descontinuada sem afetar as outras marcas da *house of brands*.

Estratificação de serviços por meio da gestão de marcas

Em inúmeros setores, a gestão de marcas não se aplica somente a serviços principais, mas serve também para diferenciar com clareza os diversos estratos ou níveis de serviço. Quase sempre fundamentada na oferta de várias classes de conceito de serviço com base em preço, cada qual se baseia em acondicionar um nível distinto de desempenho de serviço entre muitos atributos. Esse fenômeno, conhecido como *estratificação de serviços*, evidencia-se sobretudo em setores como os de hotéis, companhias aéreas, locação de veículos e suporte técnico a hardware e software de computadores. A Tabela 4.1 exibe exemplos das principais categorias nesses setores. Outros exemplos de categorização incluem seguro-saúde, televisão a cabo e cartões de crédito.

Figura 4.16   O grupo Umbria reúne diversas marcas de restaurantes, entre elas as redes de fast-food Spoleto e Domino's Pizza

Tabela 4.1 Exemplos de estratificação de serviço

Setor	Níveis ou extratos	Principais atributos de serviço e elementos físicos usados na categorização
Hospedagem	Nível estrela ou diamante (5 a 1)	Arquitetura; paisagismo; tamanho do quarto, mobília e decoração; restaurante e cardápio; leque de serviços e comodidades físicas; níveis de pessoal; capacitação e atitude dos funcionários.
Aéreo	Classes (intercontinentais): primeira, executiva, econômica superior e econômica[a]	Distância entre as poltronas, largura delas e grau de inclinação do encosto; serviço de alimentos e bebidas; dimensionamento da equipe de atendimento; rapidez no check-in; salas de embarque e desembarque; rapidez na retirada de bagagens.
Locação de veículos	Classe do veículo[b]	Baseada no tamanho (de compacto a grande), grau de luxo e tipos especiais de veículo (vans, utilitários, conversíveis).
Suporte a hardware e software	Níveis de suporte[c]	Horário e dias de funcionamento; rapidez de resposta; rapidez na entrega de peças de reposição; serviço técnico *versus* orientação sobre autosserviço; disponibilidade de serviços adicionais.

[a]Somente algumas companhias aéreas oferecem até quatro classes de serviço intercontinental; voos domésticos geralmente disponibilizam uma ou duas classes.
[b]Avis e Hertz oferecem sete classes baseadas em tamanho e luxo, além de vários tipos de veículos especiais.
[c]A Sun Microsystems do Brasil oferece quatro níveis de suporte. O seguro residencial Porto Seguro oferece uma cobertura básica e outras seis opções.

Notem que no Capítulo 12 discutiremos um conceito diferente, embora correlacionado, de estratificação da base de clientes, no qual níveis mais elevados de desempenho em vários atributos de serviço geralmente exigem do cliente a participação em programas de filiação e alta frequência de uso.

No setor de locação de veículos, o tamanho e o tipo do carro formam a base primária de estratificação. No setor aéreo, as empresas decidem os níveis de desempenho que devem compor cada classe de serviço. Pressões para economizar quase sempre resultam em problemas financeiros, o que leva a companhia aérea a reduzir os padrões de nível de serviço. Entretanto, companhias inovadoras, como British Airways, Singapore Airlines, Emirates Airlines e Virgin Atlantic, buscam de modo contínuo agregar novos itens de serviço — principalmente na classe executiva — que criarão vantagem competitiva e permitirão a venda de mais assentos na tarifa cheia. Ao contrário de empresas como essas quatro, que oferecem poltronas de classe executiva que reclinam como camas para voos noturnos, muitas companhias aéreas ainda não conseguiram equiparar-se nesse item. Isso gera inconsistência entre estratos de empresas concorrentes. Em outros setores, a estratificação costuma refletir a estratégia de cada empresa de juntar os elementos de serviço em um número limitado de pacotes, em vez de oferecer um amplo menu de opções, cada qual com um preço. A seguir vamos examinar alguns exemplos.

Submarcas da British Airways. Um exemplo de forte aplicação de submarcas na categorização de serviços no setor aéreo vem da British Airways (BA), que oferece sete produtos distintos de viagem aérea. Há quatro ofertas intercontinentais: First (serviço de luxo), Club World (classe executiva), World Traveller Plus (classe econômica superior) e World Traveller (classe econômica); duas submarcas que operam na Europa — Club Europe (classe executiva) e Euro-Traveller (classe econômica) e, no Reino Unido, a Shuttle, com alta frequência de voos entre Londres e cidades britânicas importantes. Cada oferta da BA representa um conceito de serviço e um conjunto de especificações de produto para elementos de serviço pré-voo, de bordo e de desembarque. Para dar foco adicional ao produto, à determinação de preços e às comunicações de marketing, a responsabilidade pelo gerenciamento e desenvolvimento de produtos é atribuída a equipes separadas. Por meio de treinamento interno e comunicações externas, o pessoal e os passageiros são sempre informados das características de cada serviço. Com exceção dos voos da ponte aérea e de aviões sem propulsão a jato, grande parte da frota da BA está configurada em diversas classes. A frota intercontinental de Boeings 747 e 777 está equipada para atender passageiros das classes First, Club World, World Traveller Plus e World Traveller.

Em qualquer rota, todos os passageiros recebem o mesmo produto principal — digamos, uma viagem de dez horas de Los Angeles a Londres —, mas há grande diferença na natureza e na extensão dos elementos suplementares, tanto no solo quanto no ar. Passageiros da Club World não somente se beneficiam de melhores elementos tangíveis, mas também recebem serviços mais personalizados e têm um atendimento mais rápido no check-in, no controle de passaportes em Londres (filas especiais) e na retirada de bagagens (prioridade no manuseio). Passageiros da primeira classe são ainda mais bem tratados. É claro que, quanto mais alto o nível de serviço, maior o preço!

Suporte a hardware e software da Sun Microsystems do Brasil. Como exemplo de gestão de marcas de uma linha de produtos de alta tecnologia, B2B, consideremos a Sun Microsystems do Brasil, que oferece um programa abrangente de suporte de hardware e software conhecido como SunSpectrum Support.[9] São quatro níveis, com submarcas de platina a bronze (Figura 4.17). O objetivo é que os compradores possam escolher um nível de suporte consistente com as necessidades (e a disposição de pagar) de suas próprias organizações. O nível pode ir de suporte a sistemas de missão crítica na empresa (Platinum Service Plan) até assistência relativamente econômica com suporte de manutenção por autosserviço (Bronze Service Plan).

Oferecendo uma experiência com marca

A gestão de marcas pode ser usada tanto no nível corporativo como no de produto por quase toda empresa de serviços. Em uma empresa bem gerenciada, a marca corporativa não é apenas reconhecida com facilidade, mas também tem significado para os clientes: ela representa um modo particular de fazer negócios. Atribuir marcas distintas a cada produto permite comunicar ao público-alvo as experiências e os benefícios distintos associados a um conceito de serviço. Ajuda os profissionais de marketing a estabelecer sua estratégia de posicionamento, a criar uma imagem mental do serviço para os clientes e a esclarecer a natureza da sua proposição de valor.

Figura 4.17 Os planos de serviço da Sun Systems diferenciam claramente os níveis de serviço

Plano de Serviço Sun Systems para Solaris

Os planos de serviço da Sun System para o sistema operacional Solaris fornecem um hardware integrado e uma cobertura de serviço de apoio ao Solaris OS (ou OpenSolaris OS) que ajudarão a manter seus sistemas funcionando perfeitamente. Por um ótimo preço, obtenha uma abordagem completa do sistema, ideal para empresas que utilizam o Solaris em hardwares da Sun.

Escolha entre nossos quatro planos de serviço o que melhor atenda suas necessidades.

Platina	Ouro	Prata	Bronze
Suporte completo para sistemas de missão crítica	Suporte reforçado, incluindo assistência Help Desk 24 horas	Cobertura em horário comercial para sistemas menos críticos	Recursos e peças de reposição para auto-mantenedores

A Forum Corporation, empresa de consultoria, diferencia entre (1) uma experiência de cliente aleatória, com alta variabilidade, (2) uma experiência genérica com marca, na qual a maioria dos fornecedores oferece uma experiência semelhante, diferenciada apenas pela presença do nome de marca (caixas eletrônicos são um bom exemplo) e (3) uma 'experiência de cliente com marca', na qual a vivência do cliente é modelada de modos específicos e significativos.[10] (Veja a seção Panorama de Serviços 4.3 com as recomendações da Forum sobre como conseguir isso.)

Em todo o mundo, muitas empresas de serviços financeiros continuam a criar e registrar nomes de marcas para distinguir as várias contas e pacotes de serviços. Seu objetivo é transformar uma série de elementos e processos de serviço em uma experiência consistente e reconhecível, de modo a oferecer um resultado definível e previsível a um preço determinado. Porém, na maioria das vezes, são poucas as diferenças discerníveis — além do nome — entre a oferta de um banco e a de outro, e a proposição de valor não é clara. Como enfatiza Don Shultz: "A promessa de marca ou proposição de valor não é um bordão, um ícone, uma cor ou um elemento gráfico, embora todos esses aspectos possam contribuir. Ao contrário, ela é o coração e a alma da marca".[11]

Um papel importante para os profissionais de marketing de serviços é o de se tornarem defensores da marca, familiarizados com cada aspecto da experiência do cliente e responsáveis por moldá-los. Podemos relacionar a noção de uma experiência de serviço com marca à metáfora da Flor de serviço, enfatizando a necessidade de consistência de cor e textura de cada 'pétala'. Infelizmente, várias experiências de serviço continuam muito aleatórias e criam a impressão de uma flor montada com pétalas retiradas de muitas outras flores. (Retomaremos a discussão sobre gestão de marcas no contexto da estratégia de comunicação de marketing no Capítulo 7.)

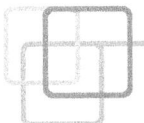

Desenvolvimento de um serviço novo

A intensidade da concorrência e as expectativas dos clientes estão aumentando em praticamente todos os setores de serviços. Por isso, o sucesso não consiste somente em

---

Panorama de serviços 4.3

Como chegar à experiência de cliente com marca

A Forum Corporation identifica oito etapas básicas para desenvolver e entregar a experiência de cliente com marca:

1. Visar clientes lucrativos, utilizando segmentação por comportamento em vez de demográfica, visto que o comportamento é um indicador mais preciso de gostos e preferências.

2. Conseguir entender melhor o que seu público-alvo valoriza.

3. Criar uma promessa de marca — um enunciado claro do que o público-alvo pode esperar de sua experiência com a organização —, que seja de valor para os clientes, que atenda a uma necessidade, que seja acionável e que possa ser incorporada a padrões, além de proporcionar foco para a organização e seus funcionários.

4. Aplicar essa promessa de marca à formulação de uma experiência de cliente verdadeiramente diferenciada.

5. Dar aos funcionários capacidades, ferramentas e processos de suporte necessários para entregar a experiência definida do cliente.

6. Transformar cada funcionário em um gerente de marca que esteja por trás dela e a sustente.

7. Fazer promessas que seus processos possam superar.

8. Medir e monitorar: consistência de entrega é de suprema importância.

Fontes: "Forum issues nº 17". Boston: The Forum Corporation, 1997; Joe Wheeler e Shaun Smith. "Loyalty by design". Boston: The Forum Corporation, 2003.

fornecer bem serviços já existentes, mas também em criar novas abordagens. Com a mudança veloz de preferência no mercado e a intensa competitividade, mesmo serviços de sucesso podem se tornar obsoletos rapidamente. Deve-se lembrar também que serviços podem ser mais fáceis de ser copiados pelos concorrentes que bens físicos. Para sobreviver e crescer, a empresa precisa lançar novos serviços de sucesso continuamente. Como os aspectos de resultado e processo de um serviço quase sempre se combinam para criar a experiência e os benefícios obtidos por clientes, ambos devem ser abordados no desenvolvimento de novos serviços.

Uma hierarquia de categorias de novos serviços

Existem muitas formas diferentes para um prestador de serviço inovar. A seguir, apresentamos sete categorias de novos serviços que vão de simples mudanças de estilo a grandes inovações.

1. *Mudanças de estilo* são o tipo mais simples, que em geral não envolve mudança em processo nem em desempenho. Contudo, muitas vezes, são de alta visibilidade, entusiasmam e podem motivar os funcionários. Exemplos são a pintura de filiais e veículos com novos esquemas de cores, novos uniformes para funcionários, criação de um novo design para os cheques bancários ou pequenas modificações em roteiros de serviços para os funcionários. Um novo design pode comunicar novos conceitos e atualizar a imagem de uma empresa e deve ser considerado sempre que sua imagem for reavaliada. A mudança de estilo pode não ser suficiente: os novos conceitos que ela passa a comunicar devem ser coerentes com suas demais ações. Ao ver instalações modernizadas, por exemplo, os clientes criam expectativas de receber serviços também modernizados.

2. *Melhorias em serviços* são o tipo mais comum de inovação. Envolvem modestas mudanças no desempenho de serviços atuais, incluindo melhorias no serviço principal ou em serviços suplementares.

3. *Inovações em serviços suplementares* adicionam novos elementos de serviço facilitadores ou realçadores a um serviço principal ou melhoram significativamente um serviço suplementar. A FedEx Kinkos oferece acesso de alta velocidade a Internet 24 horas por dia, todos os dias da semana em grande parte de suas localizações nos Estados Unidos e no Canadá. Inovações de baixa tecnologia para um serviço podem ser simples, como um estacionamento em um ponto de comércio ou aceitar pagamento em cartões de crédito. Várias melhorias podem criar algo que os clientes percebem como uma experiência nova, mesmo que tenha sido construída ao redor do mesmo núcleo. Restaurantes temáticos realçam o serviço principal de fornecimento de alimentação com novas experiências. Temos vários restaurantes temáticos de futebol, como o Il Calcio em Porto Alegre, onde os garçons se vestem de árbitros, e o Boleiros Bar, em São Paulo, decorado com fotos, camisas e reportagens sobre o esporte. A Audi no Brasil oferece um serviço, o Audi Flight Service, no qual seus clientes podem deixar seu carro para manutenção enquanto viajam. Eles são levados e trazidos da concessionária e do aeroporto em outro carro da Audi.

4. *Extensões de linha de processo* são mudanças menos profundas do que as inovações de processo. Representam novas maneiras distintivas de entregar produtos que já existem para oferecer mais conveniência e uma experiência nova, ou atrair novos clientes que não acham a abordagem tradicional atraente. O mais comum é que extensões de linha de processo adicionem um canal de distribuição de contato mais baixo a um canal de alto contato, como a criação de serviços bancários por telefone ou Internet. A Livraria Cultura adicionou uma subsidiária na Internet, sua loja virtual, para ajudá-la a competir com a Amazon e outros grandes distribuidores globais. Essas abordagens de duas vias são denominadas de 'cliques e argamassa'. Criar opções de autosserviço para complementar entrega é outra forma de extensão de linha de processo. Muitos bancos passaram a oferecer a opção de imprimir o talão de cheque no caixa eletrônico, em complemento às alternativas de recebimento pelo correio ou retirada na agência.

5. *Extensões de linha de serviço* são adições feitas por empresas às linhas de serviços atuais. A primeira a oferecer esse produto pode ser vista como inovadora; as outras são meras seguidoras, que muitas vezes agem em defesa própria. Esses novos serviços podem ter como alvo quem já é cliente, com o intuito de atender a um conjunto mais amplo de necessidades. Podem também ser projetados para atrair novos clientes com necessidades diferentes (ou ambos). Por exemplo, a extinta Varig tentou uma operação separada de baixo custo, projetada para competir regionalmente, mas não resistiu à entrada de novos concorrentes como GOL e TAM.

6. *Importantes inovações em processos* consistem em utilizar novos processos para entregar serviços principais de novas maneiras, com benefícios adicionais. Por exemplo, a Catho Online concorre com universidades ao realizar cursos de treinamento e MBAs de um modo não tradicional. Seu MBA não tem um campus permanente, oferece cursos on-line e pode ser montado sob medida para empresas. Os alunos obtêm a maioria dos benefícios de um programa de pós-graduação, com prazos e preços mais baixos do que os de universidades tradicionais. Muitas vezes, esses modelos acrescentam novos benefícios baseados em informação: maior customização, a oportunidade de conversar com clientes em salas de bate-papo e sugestões de produtos adicionais que combinam com o que já foi comprado.

7. *Importantes inovações em serviços* são novos produtos principais para mercados que não foram definidos previamente. Esses produtos em geral incluem características de novos serviços e novos processos radicais. Exemplos são a introdução pela FedEx, em 1971, da entrega expressa de encomendas (de um dia para o outro) em todo os Estados Unidos e o desenvolvimento no Brasil de novos combustíveis, como o etanol e o biocombustível.

A inovação em serviços pode ocorrer em muitos níveis; nem todas causam impacto sobre as características do serviço ou são experimentadas pelo cliente.

Reengenharia de processos de serviço

O projeto de processos de serviço tem implicações para clientes, mas para o custo, a rapidez e a produtividade com os quais se atinge o resultado desejado. Melhorar a produtividade em serviços quase sempre requer acelerar o processo total, ou o tempo de ciclo. Isso porque o custo de criar um serviço está relacionado ao tempo para entregar cada etapa do processo, somado a qualquer tempo ocioso durante as etapas. A *reengenharia* analisa e redesenha processos para conseguir um desempenho mais rápido e melhor.[12] Para reduzir o tempo total de processo, analistas devem identificar etapas, medir a duração de cada uma, procurar oportunidades para acelerar a etapa (ou até mesmo eliminá-la) e cortar o tempo ocioso. Executar tarefas em paralelo, e não em sequência, é um modo bem conhecido para acelerar processos. (Um exemplo caseiro seria cozinhar os vegetais para uma refeição enquanto o prato principal está no forno.) Empresas de serviço podem usar *blueprints* (discutido no Capítulo 8) para montar representações esquemáticas com aspectos de operações de serviços, como pontos de falha, pontos de contato com clientes, fluxos de informações e diversas outras informações.

Estudar processos também pode levar à criação de métodos de entrega alternativos, cujas diferenças são tão radicais que constituem conceitos de serviços inteiramente novos. Entre as opções estão eliminar ou adicionar serviços suplementares, instituir procedimentos de autosserviço e repensar onde e quando o serviço é entregue. A Figura 4.18 ilustra esse princípio com fluxogramas simples de quatro modos alternativos de entregar um serviço de refeição em comparação com um restaurante de serviço completo. Observe e compare o que acontece na cena de um *fast-food*, de um *drive-thru*, de entrega em domicílio e de bufê servido em casa. Do ponto de vista do cliente, o que foi adicionado ou descartado em relação ao cenário de um restaurante de serviços completos? E, em cada caso, como essas mudanças afetam as atividades de bastidores?

Figura 4.18 Conceitos de serviço alternativos para entrega de refeições

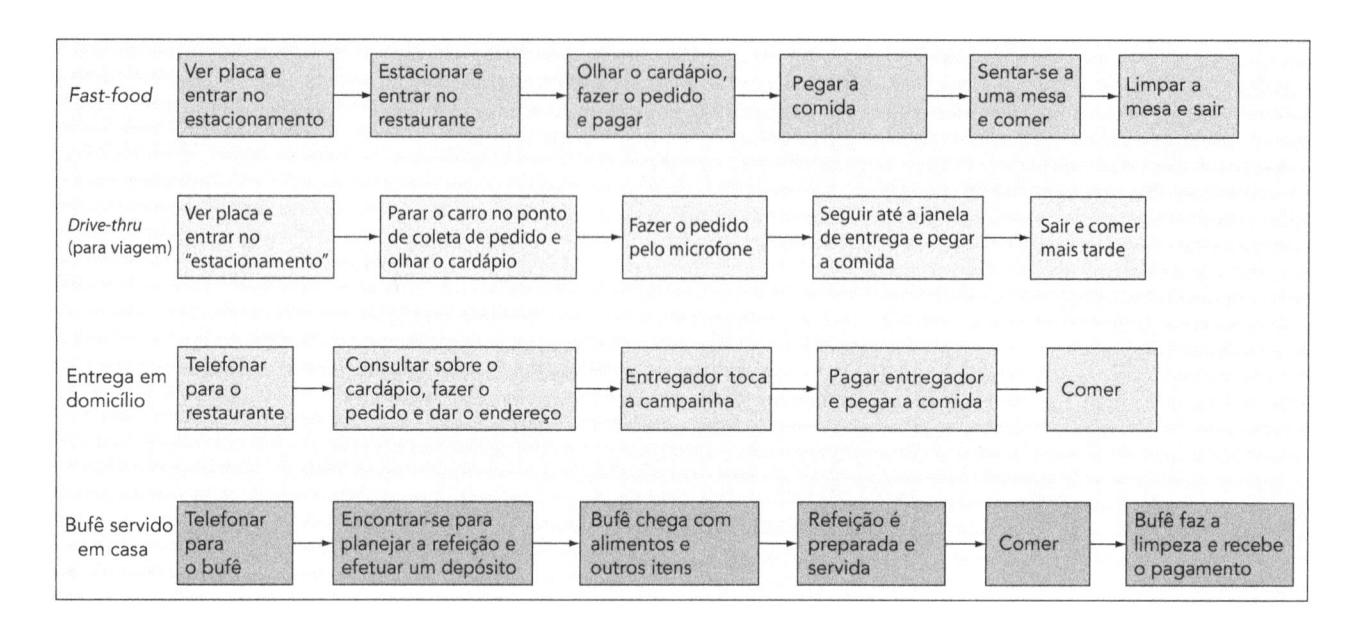

Fast-food	Ver placa e entrar no estacionamento	Estacionar e entrar no restaurante	Olhar o cardápio, fazer o pedido e pagar	Pegar a comida	Sentar-se a uma mesa e comer	Limpar a mesa e sair
Drive-thru (para viagem)	Ver placa e entrar no "estacionamento"	Parar o carro no ponto de coleta de pedido e olhar o cardápio	Fazer o pedido pelo microfone	Seguir até a janela de entrega e pegar a comida	Sair e comer mais tarde	
Entrega em domicílio	Telefonar para o restaurante	Consultar sobre o cardápio, fazer o pedido e dar o endereço	Entregador toca a campainha	Pagar entregador e pegar a comida	Comer	
Bufê servido em casa	Telefonar para o bufê	Encontrar-se para planejar a refeição e efetuar um depósito	Bufê chega com alimentos e outros itens	Refeição é preparada e servida	Comer	Bufê faz a limpeza e recebe o pagamento

Bens físicos como fonte de novas ideias de serviço

Bens e serviços podem ser substitutos competitivos quando oferecem os mesmos benefícios fundamentais. Se sua grama precisa ser aparada, você pode comprar um cortador de grama e fazer o trabalho, ou contratar um serviço de manutenção especializado, evitando adquirir os equipamentos e fazer esforço. Essas decisões são, em geral, moderadas pelas habilidades, capacidades físicas e disponibilidade de tempo do cliente, bem como por fatores como comparação de custos entre compra e utilização, espaço para armazenar as compras e frequência prevista da necessidade.

Podem-se montar muitos serviços que sejam uma alternativa a adquirir um bem físico para fazer o trabalho por si próprio. A Figura 4.19 mostra quatro alternativas de entrega para uma viagem de carro e para fazer processamento de textos, respectivamente. Três delas apresentam oportunidades de serviço. As alternativas são baseadas na escolha entre aquisição e aluguel dos bens e entre executar as tarefas por conta própria ou contratar outra pessoa para realizá-las. Serviços adicionais podem ser agregados para realçar a proposição de valor.

Qualquer novo produto físico pode criar necessidades de serviços relacionados à sua aquisição, em particular se for um item durável de alto valor. Equipamentos industriais

Figura 4.19 Serviços como substitutos à posse de bens e à execução de tarefas

	POSSUIR UM BEM FÍSICO	ALUGAR O USO DE UM BEM FÍSICO
EXECUTAR O TRABALHO POR SI MESMO	• Dirigir o próprio carro. • Digitar no próprio processador de texto.	• Alugar um carro e dirigi-lo. • Alugar um processador de texto e digitar nele.
CONTRATAR ALGUÉM PARA FAZER O TRABALHO	• Contratar um motorista para dirigir o carro. • Contratar um digitador para usar o processador de texto.	• Contratar um táxi ou uma limusine. • Terceirizar o serviço com uma agência de secretárias.

podem precisar de assistência técnica durante toda a vida útil, começando com transporte (e possivelmente instalação) e continuando com manutenção, limpeza, serviços de consultoria, solução de problemas, atualização, consertos e descarte final. Esses serviços pós-venda têm gerado importantes fluxos de receita durante muitos anos após a venda inicial de produtos como caminhões, máquinas industriais, locomotivas e motores a jato. Em alguns casos, o valor pós-venda pode ser até superior ao valor inicial de venda.

A Caterpillar, conhecida fabricante de equipamento pesado de terraplanagem e construção, desenvolveu um portfólio de serviços para complementar seu negócio fabril altamente cíclico.[13] Esses serviços cresceram a partir de seu negócio principal e incluem:

- *Cat Financial* — concede crédito a três quartos de todas as vendas da Caterpillar.

- *Cat Insurance* — atende tanto a revendedores quanto a clientes, protegendo equipamentos contra dano físico e oferecendo garantia estendida.

- *Cat Rental Stores* — uma rede de instalações de propriedade dos revendedores que oferece locações diárias, semanais e mensais de produtos e equipamentos correlatos da Caterpillar.

- *Cat Logistics* — realiza gestão da cadeia de suprimentos para clientes em todo o mundo e oferece tanto planejamento quanto gestão de programas.

- *Equipment Training Solutions Group* — oferece cursos para operadores, visando contribuir para que eles escolham o equipamento certo para o trabalho a ser executado e o use eficazmente para melhorar a produtividade, reduzir o tempo ocioso e os custos operacionais e aumentar a segurança.

- *Maintenance and Support* — elabora contratos de suporte individualizados, customizados e pode variar de simples kits de manutenção preventiva até sofisticadas garantias totais de desempenho de custos.

- *Remanufacturing* — usa tecnologias proprietárias para recuperar, limpar, reformar e reconstruir equipamentos usados tanto da Caterpillar quanto de outros fabricantes.

Utilizando pesquisa para projetar novos serviços

Se uma empresa estiver projetando um novo serviço a partir do zero, como poderá imaginar quais aspectos e preços criarão o melhor valor para seus clientes? É difícil saber sem perguntar a eles; daí a necessidade da pesquisa. A seção Novas ideias em pesquisa 4.1 apresenta um exemplo clássico de como a Marriott Corporation usou especialistas de pesquisa de mercado para ajudar no desenvolvimento de novos serviços no setor de hotelaria.

A Marriott ficou tão entusiasmada pelo que constatou que construiu três protótipos de hotéis Courtyard by Marriott. Após testar o conceito em condições reais e acrescentar alguns requintes, a empresa desenvolveu uma grande rede cujo slogan tornou-se: "Courtyard by Marriott o hotel projetado para executivos em viagem". A organização continua a usar esse tema, inclusive em um anúncio recente, intitulou-se: "Arquitetos projetaram a maioria dos hotéis, executivos em viagem projetaram os nossos" e divulgou o acesso gratuito a Internet e serviços de suporte administrativo 24 horas por dia.

O novo conceito de hotel preencheu uma lacuna no mercado com um produto que representava o melhor equilíbrio entre o preço que clientes estavam preparados para pagar e as características físicas e de serviço que mais desejavam. O sucesso levou a Marriott a desenvolver produtos adicionais, entre eles o Fairfield Inn, uma rede de preço moderado e serviços hoteleiros limitados, e o SpringHill Suites, um hotel composto de suítes de preço moderado que visava tantos os viajantes de negócios quanto os de lazer e oferecia quartos com dependências separadas para trabalhar, dormir e comer, incluindo uma copa com pia, micro-ondas e cafeteira.

Novas ideias em pesquisa 4.1

Projeto do pátio do conceito Marriott

Quando a Marriott estava projetando uma nova cadeia de hotéis, que por fim ficou conhecida como Courtyard by Marriott, ela contratou especialistas em pesquisa de marketing para ajudá-la a determinar um conceito de ótimo projeto. Como há limites para a quantidade de serviço e conforto que pode ser oferecida por determinado preço, a Marriott precisava saber como os clientes fariam *trade-offs* para chegar à conciliação mais satisfatória em termos de valor por dinheiro. A intenção da pesquisa era que os entrevistados fizessem concessões em relação a várias características de serviço de hotelaria para verificar a quais eles davam mais valor. O objetivo da Marriott era determinar se existia um nicho entre hotéis de serviço completo e hotéis baratos, especialmente em lugares onde a demanda não era alta o suficiente para justificar um grande hotel de serviços completos. Se tal nicho existisse, os executivos da empresa queriam desenvolver um produto para preencher a lacuna.

Uma amostra de 601 clientes de quatro áreas metropolitanas participou do estudo. Pesquisadores utilizaram a técnica de análise conjunta, que solicita aos entrevistados que façam *trade-offs* entre diferentes grupos de atributos. O objetivo é determinar qual composto de atributos a preços específicos oferece o mais alto grau de utilidade. Os cinquenta atributos do estudo da Marriott foram divididos em sete fatores (ou conjunto de atributos), cada um com características baseadas em estudos detalhados de ofertas concorrentes:

1. *Fatores externos* — forma do edifício, paisagismo, tipo e localização da piscina, tamanho do hotel.
2. *Características do quarto* — tamanho e decoração, controle climático, localização e tipo de banheiro, sistemas de entretenimento, outras comodidades.
3. *Serviços relacionados com alimentação* — tipo e localização de restaurantes, cardápios, serviço de quarto, máquinas automáticas de venda, loja, cozinha no quarto.
4. *Instalações do saguão* — localização, atmosfera, tipos de hóspede.
5. *Serviços* — reservas, registro, saída, transfer até o aeroporto, recepção (serviço de bagagens), central de mensagens, serviços administrativos, locação de carros, lavanderia, manobrista.
6. *Instalações de lazer* — sauna, piscina de hidromassagem, sala de ginástica, quadras de tênis, sala de jogos, playground para crianças.
7. *Segurança* — Vigias, detectores de fumaça, câmera de vídeo 24 horas.

Foi apresentada aos entrevistados uma série de cartões de estímulo para cada fator, que exibiam vários níveis de desempenho para cada atributo. Assim, o cartão de estímulo 'Quartos' exibia nove atributos, cada um com três a cinco níveis. As comodidades variavam de 'barrinha de sabonete' a 'sabonete de tamanho normal, frasco de xampu, luva para limpar sapatos' e a 'sabonete de tamanho normal, gel de banho, touca de banho, kit de costura, xampu, sabonete especial' e então ao nível mais alto de 'sabonete de tamanho normal, gel de banho, touca de banho, kit de costura, sabonete especial, creme dental, etc.'.

Na segunda fase, foram mostrados aos entrevistados vários perfis alternativos de hotéis, cada um apresentando níveis diferentes de desempenho nos atributos dos sete fatores. Os entrevistados tinham de indicar, em uma escala de cinco pontos, qual seria a probabilidade de eles se hospedarem em um hotel com essas características, dado um preço específico de pernoite por quarto. Cinquenta perfis foram desenvolvidos para essa pesquisa e cada entrevistado foi solicitado a avaliar cinco deles.

A pesquisa forneceu diretrizes detalhadas para a seleção de quase 200 características e elementos de serviço, representantes dos atributos que proporcionavam a maior utilidade para clientes a preços que eles estavam dispostos a pagar. Um aspecto importante do estudo foi que ele não apenas focalizava o que executivos em viagem queriam, como identificava do que gostavam, mas pelo qual não estavam preparados para pagar (afinal, há uma diferença entre querer uma coisa e estar disposto a pagar por ela). Utilizando esses insumos, a equipe de projeto conseguiu chegar ao preço especificado mantendo, ao mesmo tempo, as características mais desejadas pelo segmento-alvo.

Fontes: Jerry Wind et al., "Courtyard by Marriott: designing a hotel facility with customer-based marketing models", *Interfaces*, jan./fev. 1989, p. 25–47; Paul E. Green, Abba M. Krieger e Yoram (Jerry) Wind, "Thirty years of conjoint analysis: reflections and prospects", *Interfaces*, 31, maio-jun. 2001, p. S56-S73.

Alcançando sucesso no desenvolvimento de novos serviços

Bens de consumo são notórios por suas altas taxas de fracasso. Os serviços não estão imunes a essas taxas que assolam os novos produtos manufaturados. O advento da Internet estimulou empreendedores a criar empresas 'pontocom' para entregar serviços on-line, mas a vasta maioria faliu em poucos anos. Os motivos da falência iam desde o não atendimento a uma comprovada necessidade de consumo até a incapacidade de cobrir custos com receitas e a má execução.

Os motivos de fracasso podem estar relacionados a cada um dos setores da empresa, de tecnologia a finanças. Qualquer decisão estratégica errada pode contribuir para o insucesso de um produto, por isso as altas taxas, já que muitos decisores nessas empresas não têm a experiência ou a formação adequadas para atuar em seus mercados.

Chris Storey e Christopher Easingwood alegam que, ao desenvolver novos serviços, o produto principal tem importância apenas secundária. Ao contrário, de suprema importância são a qualidade da oferta total de serviço e a qualidade do suporte de marketing que a acompanha. Subjacente ao sucesso nessas áreas, enfatizam os autores, está o conhecimento do mercado: "Sem entender o mercado, sem conhecer os clientes e sem conhecer os concorrentes, é pouco provável que um novo produto seja um sucesso."[14] Stephan Tax e Ian Stuart afirmam que novos serviços devem ser definidos em termos da proporção de mudança requerida pelo sistema existente, com relação à interação entre participantes, processos e elementos físicos (por exemplo, instalações e equipamentos).[15]

Até que ponto processos de desenvolvimento de novos serviços rigorosamente conduzidos e controlados melhoram sua taxa de sucesso? Um estudo realizado por Scott Edgett e Steven Parkinson focalizou a discriminação entre novos serviços financeiros de sucesso e malsucedidos.[16] Os pesquisadores constataram que os três fatores que mais contribuíram para o sucesso, em ordem de importância, foram:

1. **Sinergia de mercado.** O novo produto se adaptava bem à imagem da empresa, proporcionava vantagem superior à de produtos concorrentes em termos de satisfação de necessidades conhecidas de clientes e recebeu forte suporte da empresa e de suas filiais durante e após o lançamento; além disso, a empresa tinha um bom entendimento do comportamento de decisão de compra de seus clientes.

2. **Fatores organizacionais.** Havia forte cooperação e coordenação interfuncional; o pessoal de desenvolvimento tinha total consciência da razão de estar envolvido no processo e da importância de novos produtos para a empresa.

3. **Fatores de pesquisa de mercado.** Estudos de pesquisa de mercado detalhados e elaborados cientificamente foram realizados no início do processo de desenvolvimento, com uma clara ideia do tipo de informação a ser obtido; uma boa definição do conceito de produto foi desenvolvida antes de partir para levantamentos em campo.

Outra pesquisa de empresas de serviços financeiros deu resultados muito semelhantes.[17] Nesse caso, os fatores fundamentais determinados como subjacentes ao sucesso foram a *sinergia* (o grau de ajuste entre o produto e a empresa em termos da expertise necessária e de recursos à mão) e o *marketing interno* (o suporte dado antes do lançamento para ajudá-lo a entender o novo produto e seus sistemas subjacentes, com detalhes sobre concorrentes diretos e suporte). Outro estudo encontrou fatores semelhantes — sinergia de marketing e questões de recursos humanos, como atender às necessidades dos clientes e ter uma estratégia associada ao desenvolvimento dos processos de serviços — que são essenciais ao sucesso.[18]

O sucesso do Courtyard by Marriott em um setor muito diferente — um serviço de processamento de pessoas com muitos componentes tangíveis — dá suporte à noção de que um processo de desenvolvimento muito bem estruturado aumentará as chances de sucesso de uma inovação complexa em serviços. Contudo, vale notar que há limites no grau de estrutura que pode e deve ser imposto. Bo Edvardsson, Lars Haglund e Jan Mattsson examinaram o desenvolvimento de novos serviços em telecomunicações, transporte e serviços financeiros. Eles concluíram que:

> [P]rocessos complexos como o desenvolvimento de novos serviços não podem ser planejados formalmente em sua totalidade. Criatividade e inovação não podem se fiar somente em planejamento e controle. É preciso haver alguns elementos de improviso, anarquia e concorrência interna no desenvolvimento de novos serviços. (...) Acreditamos que uma abordagem de contingência é necessária e que criatividade, por um lado, planejamento e controle formais, por outro, podem ser equilibrados, tendo como resultado novos serviços de sucesso.[19]

Uma importante conclusão de pesquisa posterior na Suécia refere-se ao papel dos clientes na inovação em serviços. Os pesquisadores constataram que na fase de geração de ideias a natureza das ideias submetidas diferia de modo significativo, dependendo de terem sido criadas por profissionais ou pelos próprios usuários. As ideias dos usuários eram tidas como mais originais e possuíam um valor percebido mais elevado para os clientes. Entretanto, em média, eram mais difíceis de serem convertidas em serviços comerciais.[20]

Embora o conhecimento de mercado seja fundamental para a inovação, em muitos setores a mudança é tão rápida que nem sempre o cliente consegue acompanhar e estar atualizado com as novidades, e menos ainda dizer o que gostaria de ter no futuro. A pesquisa traz melhores resultados em setores mais estáveis, onde a velocidade de mudança é menor e o cliente consegue avaliar as ofertas e adquirir experiência com o uso. Para mudanças mais radicais, também é importante a criatividade, sobretudo para encontrar ideias interessantes que outros não foram capazes de imaginar. A criatividade é um processo de produção de ideias novas. Uma solução é considerada criativa quando atende de forma apropriada, útil e correta um problema em questão. Ser criativo é criar coisas diferentes, novas, úteis. Portanto, qualquer coisa que atenda a essas características é criativa, e de modo geral todas as pessoas têm potencial para serem criativas. Mesmo as atividades de rotina são passíveis de trazer à tona algo de novo: novas percepções, novo ânimo, nova necessidade do momento, nova decisão ou resposta. No entanto, observamos que nem todas as pessoas demonstram criatividade. Isso se deve a diversos inibidores que enfrentam no dia a dia. Um fator é a pressão de conformidade ao grupo, que impede as pessoas de agirem ou pensarem de forma original. Existe uma pressão social para fazer o que é aceito pelo grupo; as pessoas precisam estar conscientes dessa situação e agir fora dessas condições de submissão para serem mais criativas. Essa pressão pode despertar medo, indecisão e autocensura, resultando em bloqueios criativos.

Para fortalecer sua capacidade criativa, a pessoa deve voltar a acreditar em sua criatividade, pensar sem deixar-se levar por essa pressão negativa, desenvolver suas capacidades de observação e de questionamento. A criatividade deve ser exercitada, como dizia Walt Disney, "criatividade é como ginástica: quanto mais se exercita mais forte fica"[21].

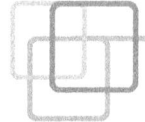

CONCLUSÃO

Um serviço compreende todos os elementos do desempenho de serviços que criem valor para o cliente; consiste em um produto principal acrescido de uma variedade de elementos de serviço suplementar e seus processos de entrega. Em setores maduros, em que o serviço principal tende a se tornar uma mercadoria comum (*commodity*), a busca por vantagem competitiva é com frequência centrada em criar novos serviços suplementares ou melhorar o desempenho dos já existentes. Outro importante fator diferenciador pode ser a forma como o produto é entregue, ou os processos de entrega de serviço. Não é o resultado de uma entrega de serviço, mas o modo como se chega a esse resultado que costuma diferenciar um prestador de serviço de outro.

Projetar serviço é uma tarefa complexa: demanda entender como o serviço principal e os suplementares devem ser combinados, colocados em sequência, entregues e nomeados com uma marca para criar uma proposição de valor que atenda às necessidades dos segmentos de mercado visados. Para isso, discutimos 'Flor de serviço', estratégias de gestão de marcas e desenvolvimento de novos serviços como as principais ferramentas para desenvolver produtos.

Resumo do capítulo

OA1. Um serviço constitui-se de três componentes:
- o serviço principal entrega os principais benefícios e soluções que os consumidores buscam;
- os serviços suplementares facilitam e realçam o produto principal;
- os processos de entrega determinam como os elementos do serviço principal e dos suplementares são entregues ao cliente.

O serviço principal normalmente se torna uma *commodity*, e a diferenciação passa a se concentrar nos serviços suplementares e nos processos de entrega de serviços.

OA2. O conceito de Flor de serviço classifica os serviços suplementares em facilitadores e realçadores. Os *facilitadores* são necessários à entrega de serviço ou auxiliam no uso do produto principal. São eles: informações, recebimento de pedidos, cobrança e pagamento. Os *realçadores* agregam valor ao cliente e abrangem consulta, hospitalidade, salvaguarda e tratamento de exceções. O uso da metáfora da flor ajuda-nos a compreender que todos os elementos suplementares devem ser bem executados. Uma fragilidade em um elemento pode prejudicar a impressão geral do serviço.

OA3. A maioria das empresas de serviços oferece uma linha de produtos, em que cada uma apresenta diferente combinação de atributos de serviço e seus respectivos níveis de desempenho. A gestão de marcas de serviços individualizados serve para aumentar a tangibilidade da oferta e da proposição de valor. As empresas podem adotar diversas estratégias de gestão de marcas, entre elas:
- *branded house*: aplicação de uma marca a múltiplos serviços, em geral não correlacionados (por exemplo, Virgin Group);
- *submarcas*: uso de uma marca principal (geralmente o nome da empresa) com uma marca de serviço específica (por exemplo, British Airways Club World) ou para identificar níveis de serviço específicos (por exemplo, Platinum Service Plan da Sun Microsystems do Brasil);
- *marcas endossadas*: nesse caso, a marca do produto domina, mas a marca corporativa ainda é exibida (por exemplo, Starwood Hotels & Resorts);
- *house of brands*: serviços individuais são promovidos sob seu próprio nome de marca sem a marca corporativa (por exemplo, KFC da Yum! Brands e o Domino's Pizza do grupo Umbria).

OA4. As empresas necessitam melhorar e desenvolver novos serviços para manter uma vantagem competitiva. Os sete níveis na hierarquia do desenvolvimento de novos serviços são:
- *mudanças de estilo*: altamente visíveis, geram entusiasmo (por exemplo, pintar filiais de lojas e veículos com novas cores), mas normalmente não envolvem mudanças em desempenho ou processos;
- *melhorias em serviços*: envolvem modestas mudanças no desempenho de produtos existentes;
- *inovações em serviços suplementares*: melhoram significativamente ou acrescentam novos elementos de serviço facilitadores ou realçadores;
- *extensões de linha de processo*: novas formas de entregar serviços, como criar opções de autoatendimento;
- *extensões de linha de produto*: agregar novos serviços que entregam o mesmo serviço principal, mas visam satisfazer diferentes necessidades (por exemplo, agregar um serviço de orçamento à oferta de serviço completo de uma companhia aérea);
- *importantes inovações em processos*: uso de novos processos para entregar o produto atual, como acrescentar cursos on-line a aulas tradicionais ministradas em classes;
- *importantes inovações em serviços*: elaboração de novos produtos principais, por exemplo o desenvolvimento de novos combustíveis como o etanol e o biocombustível.

Grandes inovações de serviços são relativamente raras. Mais comum é o uso de novas tecnologias para entregar serviços existentes de novas maneiras, realçando novos serviços suplementares e melhorando sobremaneira o desempenho dos existentes por meio de redesenho de processos.

OA5. Fatores que aumentam as chances de sucesso do desenvolvimento de novos serviços são listadas em ordem de importância:
- *sinergia de mercado*: o novo produto encaixa-se bem à imagem da empresa, a sua experiência e a seus recursos e proporciona vantagem superior no atendimento das necessidades dos clientes em comparação com os serviços da concorrência;
- *fatores organizacionais*: bem sustentados por esforços coordenados entre as diferentes áreas funcionais de uma empresa;
- *pesquisa de mercado*: ideias e pesquisas de consumidores são incorporadas no início do processo de criação do novo serviço.

Questões para revisão

1. Explique o que se quer dizer com serviço principal e serviços suplementares.
2. Explique o conceito de Flor de serviço e identifique suas pétalas. Que *insights* esse conceito oferece aos profissionais de serviços?
3. Explique a distinção entre serviços suplementares facilitadores e realçadores. Dê vários exemplos de cada, relativos a serviços que você utilizou recentemente.
4. Como a gestão de marcas é usada em marketing de serviços? Qual a distinção entre uma marca corporativa, como Marriott, e os nomes de suas várias redes de pousadas e hotéis?
5. Quais os enfoques que as empresas podem adotar para criar novos serviços?
6. Por que os novos serviços costumam fracassar? Quais fatores estão associados ao desenvolvimento bem-sucedido de novos serviços?

Exercícios

1. Selecione um serviço específico com o qual esteja familiarizado e identifique seu elemento principal e serviços suplementares. Em seguida, selecione um serviço concorrente e analise as diferenças entre ambos no que se refere ao serviço principal e aos suplementares.
2. Identifique dois exemplos de gestão de marcas de serviços financeiros, como tipos específicos de conta em bancos de varejo ou apólices de seguro, e defina suas características. Qual seria o provável significado dessas marcas para os clientes?
3. Selecione uma empresa que você conhece e analise em quais oportunidades ela poderá ter de criar extensões de linha de produto para seus mercados atuais e/ou novos. Qual impacto essas extensões podem exercer sobre seus serviços atuais?
4. Identifique dois desenvolvimentos de novo serviço que tenham fracassado. Analise as causas do insucesso.

Notas

1. Bruce Horovitz, "Starbucks aims beyond lattes to extend brand", *USA Today*, 18 maio 2006; Youngme Moon e John Quelch, "*Starbucks*: delivering customer service", *Harvard Business School*, Case Series, 2003; Joseph A. Michelli, *The Starbucks experience: 5 principles for turning ordinary into extraordinary*. Nova York: McGraw Hill, 2007. Disponíveis em: <www.starbucks.com> e <www.hearmusic.com>. Acessos em: 5 jul. 2009.
2. A noção de serviço principal realçado por serviços suplementares foi apresentada por Pierre Eiglier e Eric Langeard, "Services as systems: marketing implications". In: P. Eiglier, E. Langeard, C. H. Lovelock, J. E. G. Bateson e R. F. Young *Marketing consumer services: new insights*. Cambridge: Marketing Science Institute, 1977. p. 83-103. *Observação*: uma versão anterior desse artigo foi publicada em francês na *Revue Française de Gestion*, mar./abr. 1977, p. 72-84; G. Lynn Shostack, "Breaking free from product marketing", *Journal of Marketing*, 44, abr. 1977, p. 73-80; Christian Grönroos, *Service management and marketing*, Lexington, MA: Lexington Books, 1990, p. 74.
3. O conceito da 'Flor de Serviço' apresentado nesta seção foi proposto pela primeira vez em Christopher H. Lovelock, "Cultivating the Flower of Service: new ways of looking at core and supplementary services". In: P. Eiglier e E. Langeard (eds.). *Marketing, operations, and human resources: insights into services*. Aix-en-Provence: IAE, Université d'Aix-Marseille III, 1992. p. 296-316.
4. James C. Anderson e James A. Narus, "Capturing the value of supplementary services", *Harvard Business Review*, 73, jan./fev. 1995, p. 75-83.
5. Diponível em: <www.banyantree.com>. Acesso: em 3 jun. 2009.
6. James Devlin, "Brand architecture in services: the example of retail financial services", *Journal of Marketing Management*, 19, 2003, p. 1043-1065.
7. David Aaker e E. Joachimsthaler, "The brand relationship spectrum: the key to the brand challenge", *California Management Review*, 42, n. 4, 2000, 8-23.
8. Weizhong Jiang, Chekitan S. Dev e Vithala R. Rao, "Brand extension and customer loyalty: evidence from the lodging industry", *Cornell Hotel and Restaurant Administration Quarterly*, ago. 2002, p. 5-16.
9. Disponível em: <www.sun.com/service/support/sunspectrum/index.jsp>. Acesso em: 7 maio 2009.
10. Joe Wheeler e Shaun Smith. *Managing the experience*. Upper Saddle River: Prentice-Hall, 2003.
11. Don E. Shultz, "Getting to the heart of the brand", *Marketing Management*, set./out. 2001, p. 8-9.
12. Veja, por exemplo, Michael Hammer e James Champy, *Reengineering the corporation*. Nova York: HarperBusiness, 1993.
13. Michael Arndt, "Cat sinks its claws into services", *Business Week*, 5 dez. 2005, p. 56-58.
14. Chris D. Storey e Christopher J. Easingwood, The augmented service offering: a conceptualization and study of its impact on new service success", *Journal of Product Innovation Management*, 15, 1998, p. 335-351.
15. Stephen S.Tax e Ian Stuart,"Designing and implementing new services: the challenges of integrating service systems", *Journal of Retailing*, 73, n. 1, 1997, p. 105-134.
16. Scott Edgett e Steven Parkinson, "The development of new financial services: identifying determinants of success and failure", *International Journal of Service Industry Management*, 5, n. 4, 1994, p. 24-38.
17. Christopher Storey e Christopher Easingwood, "The impact of the new product development project on the success of financial services", *Service Industries Journal*, 13, n. 3, jul. 1993, p. 40-54.

18. Michael Ottenbacher, Juergen Gnoth e Peter Jones, "Identifying determinants of success in development of new high-contact services", *International Journal of Service Industry Management*, 17, n. 4, 2006, p. 344-363.

19. Bo Edvardsson, Lars Haglund e Jan Mattsson, "Analysis, planning, improvisation and control in the development of new services", *International Journal of Service Industry Management*, 6, n. 2, 1995, p. 24-35 (p. 34). Veja também Bo Edvardsson e Jan Olsson, "Key concepts for new service development", *The Service Industries Journal*, 16, abr. 1996, p. 140-164.

20. Peter R. Magnusson, Jonas Matthing e Per Kristensson, "Managing user involvement in service innovation: experiments with innovating end users", *Journal of Service Research*, 6, nov. 2003, p. 111-124; Jonas Matthing, Bodil Sandén e Bo Edvardsson, "New service development: learning from and with customers", *International Journal of Service Industry Management*, 15, n. 5, 2004, p. 479-498.

21. Walt Disney. *The imagineering way: ideas to ignite your creativity*. Nova York: Disney Editions, 2003.

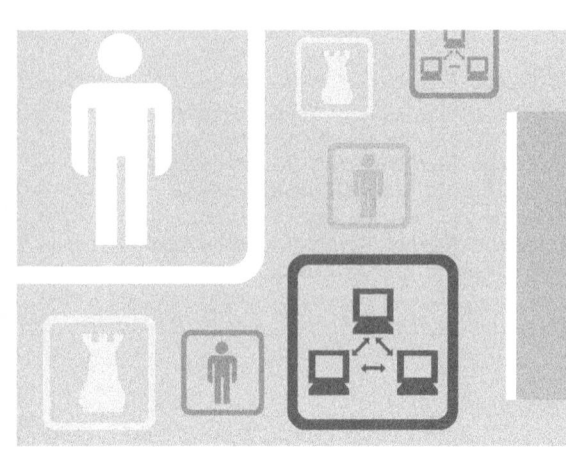

CAPÍTULO 5

Distribuição de serviços por meio de canais físicos e eletrônicos

As empresas mais bem equipadas para o século XXI levarão em consideração investimentos em sistemas de tempo real como fator essencial para a manutenção de sua vantagem competitiva e retenção de seus clientes.
— Regis McKenna

Pense globalmente, aja localmente.
— John Naisbitt

Objetivos de aprendizagem (OA)

Ao final deste capítulo, você será capaz de:

OA1 Listar as quatro questões que formam a base de qualquer estratégia de distribuição de serviço.

OA2 Saber o que está sendo distribuído, considerando a natureza de não propriedade e experiencial de muitos serviços.

OA3 Compreender a importância de distinguir entre a distribuição de serviço principal e a de serviços suplementares.

OA4 Conhecer os três principais modos de distribuição de serviços e como eles podem ser distribuídos.

OA5 Entender os fatores determinantes dos canais preferidos pelos clientes.

OA6 Descrever as decisões de onde (local) e quando (tempo) referentes aos canais físicos.

OA7 Reconhecer as questões que envolvem a entrega de serviços por meio de canais eletrônicos.

OA8 Compreender o papel dos intermediários na distribuição de serviços.

OA9 Avaliar os desafios da distribuição internacional de serviços.

Ser global em um instante?... Ou isso leva uma eternidade?

Alguns serviços alastram-se como fogo no mato e crescem com incrível rapidez. Por exemplo, Joe Penna, artista brasileiro que mais faz sucesso no YouTube, conseguiu, em cerca de um ano, tornar-se o 11º canal mais assinado por usuários do site em todo o mundo, oferecendo vídeos ágeis, criativos e sobre os mais diversos assuntos.

Todavia, outros serviços podem levar décadas para atingir uma distribuição global. Pense em quanto tempo levou para a Volkswagen ou para soluções de cadeia de suprimento global, como UPS e DHL, obterem uma presença global!

Esses exemplos contrastantes demonstram tanto a diversidade do setor de serviços quanto a importância de distinguir os serviços de processamento de informações daqueles de processamento de pessoas ou posses. Os primeiros, devido a sua base digital, podem adquirir escala rapidamente, enquanto os últimos requerem a construção de instalações físicas em cada mercado onde desejam estar presentes, exigindo que a empresa em expansão negocie com regulamentações locais de mão de obra, construção, alimentação, higiene e muito mais. Isso demanda muito dinheiro no bolso e tempo gerencial!

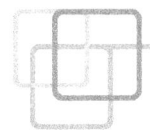

Distribuição em um contexto de serviços

O quê? Como? Onde? Quando? As respostas a essas quatro questões formam a base de qualquer estratégia de distribuição de serviço. A experiência de serviço dos clientes e os tipos de encontro (se houver) deles com a equipe de atendimento dependem de como os diferentes elementos da Flor de serviço são distribuídos e entregues pelos canais físicos e eletrônicos.

O que é distribuído?

Quando se fala em distribuição, é provável que muitos pensem na movimentação de caixotes por canais físicos para distribuidores e varejistas venderem aos usuários finais. Entretanto, em serviços, geralmente não há nada para movimentar: experiências, desempenhos e soluções não são fisicamente embarcados e armazenados, mas sim construídos no momento de consumo do serviço; enquanto transações informacionais são cada vez mais conduzidas por canais eletrônicos. Então como a distribuição funciona em um contexto de serviços? Em um ciclo de vendas normal, a distribuição abrange três fluxos inter-relacionados, que abordam parcialmente a questão sobre *o que* é distribuído e que devem ser gerenciados para obter qualidade e produtividade no serviço.

- **Fluxo de informações e promoção** — distribuição de informações e materiais promocionais relativos à oferta de serviço, com o objetivo de atrair o interesse do consumidor. Abrange tanto o conteúdo informativo, para educação no uso do serviço, como o conteúdo persuasivo, para convencer o cliente das vantagens e do diferencial do serviço em relação a seus concorrentes.

- **Fluxo de negociação** — tentativa de acordo sobre as características e a configuração do serviço e os termos da oferta, para que um contrato de compra possa ser fechado. O objetivo é vender o *direito* de uso de um serviço (por exemplo, uma reserva ou um ingresso) e os detalhes desse direito devem ser acordados entre as partes.

- **Fluxo de produtos** — muitos serviços, sobretudo os de processamento de pessoas ou de posses, requerem instalações físicas para entrega. Nesse caso, a estratégia de distribuição demanda a criação de uma rede de locais físicos. Para os serviços de processamento de informações — operações bancárias pela Internet, treinamento a distância, transmissão de notícias por rádio e TV e entretenimento —, o fluxo de produtos pode ser realizado por canais eletrônicos, com um ou mais pontos físicos centralizados.

Distinção entre distribuição de serviço principal e de serviços suplementares. A perspectiva de fluxo sobre o que é distribuído pode ser aplicada tanto para o serviço principal como para os suplementares e pode ser associada com a Flor de serviço. O fluxo de informações relaciona-se com as pétalas de informação e de consulta; o fluxo de negociações, com as pétalas de recebimento de pedidos, de cobrança e de pagamento; e o fluxo de produtos, com as pétalas remanescentes e o serviço principal (miolo). A distinção entre serviço principal e suplementar é importante, visto que muitos serviços principais exigem um local físico para sua entrega, o que restringe bastante a distribuição. Por exemplo, só se pode consumir um feriado no Club Med em um dos Club Med Villages e uma apresentação ao vivo de uma escola de samba carioca deve ocorrer no sambódromo, no Rio de Janeiro (até que saia em turnê). Entretanto, muitos dos serviços suplementares são internacionais por natureza e podem ser distribuídos ampla e economicamente por outros meios. Clientes em potencial do Club Med, por exemplo, podem obter informações e se consultarem com um agente de viagens, seja pessoalmente, pela Internet, por telefone ou e-mail, e em seguida fazer sua reserva por um desses canais. Da mesma forma, é possível comprar ingressos para o desfile na Sapucaí pela Internet, sem a necessidade de uma ida prévia ao local.

Ao analisarmos as oito pétalas da Flor de serviço, vemos que nada menos que cinco serviços suplementares são baseados em informações (Figura 5.1). Informação, consulta, recebimento de pedido, cobrança e pagamento (por exemplo, com cartão de crédito) podem ser transmitidos por meio da linguagem digital dos computadores. Até serviços que envolvem produtos principais físicos, como lojas de varejo e de reparo, têm transferido a entrega de muitos serviços suplementares para a Internet, fechando filiais físicas e recorrendo a velozes empresas de logística para viabilizar uma estratégia de transações a distância com seus clientes.

A distribuição de informações, consultas e recebimento de pedidos (ou reservas e venda de ingressos) atingiu níveis extremamente sofisticados em alguns setores globais de serviços e passou a exigir uma série de canais cuidadosamente integrados voltada aos principais segmentos de clientes e apoiada por pesados sistemas de TI. Por exemplo, a Starwood Hotels & Resorts Worldwide — que tem cerca de 900 hotéis com marcas como St. Regis,

Figura 5.1 Processos físicos e de informação do serviço ampliado

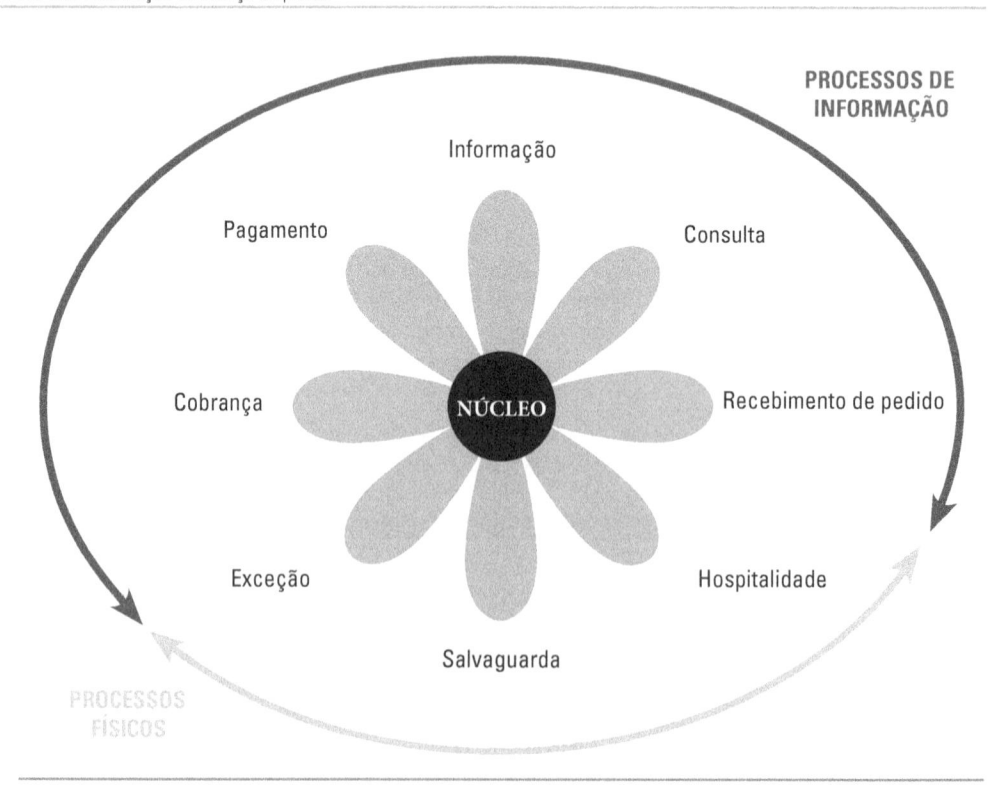

W Hotel, Westin, Le Méridien e Sheraton — possuía mais de 30 escritórios de vendas globais (GSOs, do inglês, *global sales offices*) ao redor do mundo para gerenciar relacionamentos com clientes das maiores contas globais, oferecendo uma solução única para planejadores de viagens corporativas, atacadistas, planejadores de eventos, agências de incentivo e grandes agências de viagens.[1] A empresa também operava 12 centrais de atendimento ao cliente (CSCs, do inglês, *customer servicing centers*), estrategicamente localizadas em diversos países, para cobrir todos os fusos horários e principais idiomas e prover atendimento único para seus hóspedes, cobrindo reservas no mundo inteiro, inscrição e resgate no programa de fidelidade Starwood e serviço ao cliente em geral. Basta telefonar para um "0800" para fazer uma reserva no Le Méridien Copacabana, do Rio de Janeiro, ou no Sheraton WTC de São Paulo. Isso vale para qualquer hotel da rede. Como alternativa, pode-se reservar quartos por canais eletrônicos, incluindo o site do grupo ou os de cada hotel diretamente.

A Internet teve um forte impacto na distribuição de informações e pode ser um fator de acirramento da competitividade. Os clientes têm a opção de, pelos sites de comparação de preços, como o Buscapé e o Bondfaro, obter informações sobre mais serviços e, assim, escolher os que oferecem melhor custo benefício. Fornecedores podem encontrar mais empresas com quem atuar, o que diversifica sua carteira e os torna menos dependentes.

A facilidade de obter soluções prontas de TI para a gestão de sites de e-commerce e soluções terceirizadas de logística torna mais simples a entrada de concorrentes no mercado, a custos menores. Com isso, as empresas podem se ver obrigadas a reduzir margens ou aumentar a oferta de benefícios para se manterem competitivas. Combinados, todos esses fatores podem representar maior pressão competitiva sobre a organização e afetar sua rentabilidade.

Para evitar esse impacto, a Internet deve ser usada para intensificar o relacionamento com o cliente, oferecendo-lhe serviços que adicionem valor, de forma que a empresa obtenha sinergia entre suas competências e vantagens competitivas (inclusive as anteriores à entrada no mundo on-line). Complementar uma boa estrutura física com a agilidade da Internet é uma alternativa estratégica interessante nesse novo ambiente competitivo.

Opções para entrega de serviço: determinando o tipo de contato

A segunda pergunta é: *como* os serviços devem ser distribuídos? A natureza do serviço ou a estratégia de posicionamento da empresa requer dos clientes contato físico direto com seu pessoal, equipamento e suas instalações? (Como vimos no Capítulo 1, isso é inevitável para serviços de processamento de pessoas, mas opcional para outras categorias.) Se a resposta for sim, surgem outras questões: os clientes têm de ir às instalações da organização ou esta envia pessoal e equipamentos para onde estiverem os clientes? Como alternativa, transações entre provedor e cliente podem ser concluídas a distância pelas telecomunicações ou por canais de distribuição físicos? E para cada opção, a empresa deve manter um ponto de

Tabela 5.1 Seis opções para entrega de serviço

Natureza da interação entre cliente e organização de serviços	Disponibilidade de pontos de serviço	
	Local único	Vários locais
Cliente vai até a organização de serviços.	Teatro. Salão de beleza.	Serviço de ônibus. Rede de *fast-food*.
A organização de serviços vai até o cliente.	Pintura de casa. Lavagem de carros (móvel).	Entrega de correspondência. Autossocorro em estradas.
Cliente e organização de serviços realizam transações a distância (por correio ou meios eletrônicos).	Operadora de cartão de crédito. Emissora de TV local.	Rede de comunicações. Empresa de telefonia.

distribuição ou múltiplos pontos em locais diferentes para prestar atendimento a clientes? Essas três combinações são vistas na Tabela 5.1. É importante ter essas opções, pois elas criam condições para a criação de novos negócios, com diferentes vantagens competitivas que podem ser exploradas pelo empreendedor.

Quando os clientes visitam o local de serviço

A conveniência da localização da fábrica de serviço (onde o serviço é disponibilizado) e as programações operacionais tornam-se importantes quando um cliente tem de estar fisicamente presente — seja durante toda a entrega do serviço, seja apenas para iniciar ou encerrar a transação.

Técnicas elaboradas de análise estatística, como os modelos gravitacionais de varejo, ajudam a decidir onde situar supermercados e grandes estabelecimentos comerciais em relação a domicílios e locais de trabalho de possíveis usuários. Contagens de tráfego e de pedestres ajudam a determinar quantos clientes potenciais passam por certos locais, por dia. É importante considerar se o local é somente de passagem ou se as pessoas param para buscar o serviço, além de a influência de obstáculos, como rios, linhas de trem e morros que possam dificultar a movimentação em torno do ponto avaliado.

Mudanças futuras também devem ser identificadas, já que a construção de uma via expressa ou a introdução de um novo serviço de ônibus ou trem podem influenciar padrões de deslocamento e, por sua vez, determinar quais locais passarão a ser mais ou menos desejáveis. A construção do rodoanel, em torno de São Paulo, por exemplo, teve forte impacto na localização de centros de distribuição e armazenagem de empresas que atuam naquela região. Projetos de revitalização, como os do centro de São Paulo ou da Barra Funda, alteram significativamente a demanda por serviços em toda sua área de influência.

Quando os prestadores de serviços vão até seus clientes

Em alguns tipos de serviço, o fornecedor visita o cliente. São casos em que os clientes não têm tempo para ir até a fábrica de serviços, ou precisam processar algo que não pode ser levado até a fábrica — por exemplo, um jardim que precisa ter sua grama aparada. A Real Food Alimentação, empresa que presta serviços de alimentação e montagem de restaurantes a vários tipos de instalações — de prefeituras e governos até o Supremo Tribunal Federal —, deve, necessariamente, levar ferramentas e pessoal até o cliente, porque a necessidade é própria do local. Em áreas remotas como o Amazonas ou o Acre, é comum que prestadores de serviços tomem um avião para visitar clientes, porque estes encontram dificuldades de viajar. Nessas regiões, aviões das Forças Armadas levam médicos, dentistas e outros profissionais para consultas domiciliares em fazendas e áreas ribeirinhas. A questão fundamental é: quando os fornecedores de serviços realmente devem ir até o cliente?

Ir ao cliente é inevitável sempre que o objeto do serviço for um item físico inamovível, como uma árvore a ser podada, maquinaria instalada a ser consertada ou uma casa que necessita de tratamento de controle de pragas. Outras vezes, essa ida é opcional — como levar pessoal de serviço e equipamento até o cliente é mais dispendioso e consome mais tempo do que o processo contrário, a tendência tem sido solicitar aos clientes uma visita ao prestador do serviço (hoje em dia, poucos médicos fazem consultas domiciliares!). Entretanto, vale pensar que o cliente pode atribuir maior valor a seu tempo e preferir pagar para ser visitado.

É mais provável que prestadores de serviços visitem clientes corporativos em suas instalações do que clientes individuais em suas casas, refletindo o maior volume associado com transações B2B (do inglês, *business-to-business*). A visita pessoal pode ter custos altos, principalmente se envolver longos deslocamentos, estadias e alimentação durante a viagem. Contudo, o atendimento de indivíduos que estão dispostos a pagar mais caro pela conveniência de receber visitas pessoais talvez seja um nicho lucrativo. Uma jovem veterinária organizou sua empresa com base em visitas domiciliares a animais de estimação enfermos. Ela constatou que os clientes não se importam de pagar mais por um serviço que não apenas lhes poupa tempo, mas também é menos estressante para o animal, que, do contrário, teria de esperar em uma clínica lotada. Outros serviços de consumo dessa natureza são: lavagem móvel de carros, bufê no escritório ou em casa e alfaiataria sob medida para executivos.

O serviço de *delivery* está se tornando comum no setor de luxo. A Daslu vende, por esse meio, vestidos e acessórios de marcas como Gucci, Prada, Dolce & Gabbana, Dior, Galliano e Coco Chanel; além de Ermenegildo Zegna, Salvatore Ferragamo e Church, para o mercado masculino. Algumas peças custam mais de 10 mil reais. Uma van com motorista e vendedor visita os clientes, que, em geral, os que já costumam frequentar a loja e conhecem sua oferta. Ela leva várias opções, nas medidas do cliente, que pode experimentar e escolher com o que vai ficar. As dezenas de visitas por dia indicam o sucesso do serviço para clientes que não querem perder tempo com trânsito, estacionamento ou andando pelas lojas. Parte de suas coleções está no site e o cliente pode fazer sua encomenda e recebê-la em casa. No setor alimentício, o restaurante paulistano Don Curro, de gastronomia espanhola, entrega *paellas* completas em embalagens especiais transportadas por picapes; o grupo Fasano organiza jantares e festas por seu serviço de bufê — nesse caso, além dos alimentos, também pode fornecer decoração, móveis e cenografia. Em beleza, o salão Jacques Janine vai à casa do cliente, mediante uma taxa adicional, com equipe de cabeleireiros, manicure, maquiador e massagista, serviços muito procurados pelas noivas. Em outros tipos de serviços o atendimento domiciliar também está ficando comum: dentistas usam equipamentos portá-

Panorama de serviços 5.1

Alugam-se energia e controle de temperatura

É provável que você pense em eletricidade como uma fonte de energia que vem de uma estação geradora distante e em ar-condicionado e aquecimento como grandes estruturas fixas no próprio local. Então, como você lidaria com os seguintes desafios?

- Luciano Pavarotti dará um concerto ao ar livre em Münster, na Alemanha, e os organizadores do evento exigem uma fonte ininterrupta de energia elétrica durante todo o espetáculo, independentemente do fornecimento de energia local.

- Um ciclone tropical devastou a pequena cidade mineradora de Pannawonica, na Austrália Ocidental, destruindo tudo pelo caminho, incluindo linhas de transmissão, e é urgente restaurar a energia elétrica, para que a cidade e sua infraestrutura possam ser reconstruídas.

- Em Amsterdã, organizadores da competição World Championship Indoor Windsurfing precisam fornecer energia a 27 turbinas de vento que serão instaladas ao longo de uma imensa piscina coberta para criar ventos com força de 5 a 6 na escala Beaufort (30 a 50 km/h).

- O evento *Rio à Porter* precisa de geradores e climatizadores.

- Um submarino da Marinha brasileira precisa de uma fonte de energia em terra durante sua permanência em um porto remoto.

- O Sri Lanka enfrenta escassez aguda na capacidade de geração de energia elétrica quando os níveis de água caem muito nas principais represas hidrelétricas do país por causa de dois anos seguidos de chuvas insuficientes no período de monções.

- O show dos Rolling Stones na praia de Copacabana precisa de um suprimento garantido de energia.

- Hotéis na Flórida necessitam ter água drenada de suas instalações, após um furacão.

- Refinarias como a REPAR e a REDUC precisam de sistemas provisórios de geração de energia e redução de temperatura.

- Uma grande usina geradora de energia elétrica no estado de Oklahoma, nos Estados Unidos, procura, com urgência, capacidade temporária para substituir uma de suas torres de resfriamento, destruída no dia anterior por um tornado.

- A ilha caribenha de Bonaire necessita de uma usina de energia elétrica temporária para estabilizar o fornecimento após incêndios danificarem sua principal usina, resultando em blecautes generalizados.

São desafios enfrentados e solucionados pela Aggreko, que se descreve como "A líder mundial em soluções de locação temporária de serviços públicos". Operando em mais de 110 postos em 20 países no mundo todo, a empresa aluga uma 'frota' de geradores de eletricidade, compressores de ar não acionados a óleo e dispositivos de controle de temperatura, todos móveis, que vão de resfriadores de água e condicionadores de ar industriais a aquecedores e desumidificadores gigantescos.

A base de clientes da Aggreko é dominada por grandes empresas e por agências governamentais de todo o mundo. No Brasil oferece suporte no Rio de Janeiro a TIM, FIFA, Red Bull, Volvo, Disney, Mundial de judô e Rock in Rio. Embora grande parte de seus negócios venha de necessidades previstas com muita antecedência, como operações de apoio durante manutenção planejada de fábricas ou um pacote de serviços na produção de um filme de James Bond, a empresa também está preparada para resolver problemas inesperados decorrentes de emergências ou desastres naturais.

Grande parte do equipamento é armazenada em estruturas em formato de caixa, à prova de som, que podem ser despachadas para qualquer lugar do mundo e munidas de acoplamentos para criar o tipo e o nível de produção de energia elétrica ou a capacidade de controle climático requerida pelo cliente. Consulta, instalação e suporte técnico contínuo agregam valor ao serviço principal. Dá-se ênfase à solução de problemas e não apenas ao aluguel de equipamento. Alguns clientes já têm uma clara ideia de suas necessidades; outros precisam de conselhos sobre como desenvolver soluções inovadoras e eficientes em custo para problemas que podem ser exclusivos; outros, ainda, estão desesperados para restaurar o fornecimento de energia interrompido por uma emergência. Nesse último caso, a rapidez é essencial, pois o custo do tempo ocioso pode ser alto e vidas podem depender da resposta imediata da Aggreko.

Para entregar o serviço, a Aggreko precisa despachar seu equipamento para o local do cliente. Após a passagem do ciclone por Pannawonica, a equipe da empresa na Austrália Ocidental organizou rapidamente a expedição de cerca de 30 geradores cuja potência variava de 60 a 750 kVA, com cabos de instalação, tanques de realimentação e outros equipamentos. Os geradores foram transportados por quatro 'trens rodoviários', grandes caminhões especiais, cada qual formado por uma unidade de tração gigantesca que rebocava três plataformas de 13 metros. Uma equipe de infraestrutura completa formada por técnicos e equipamentos adicionais foi transportada por duas aeronaves Hercules, que estão entre as maiores do mundo. Os técnicos da Aggreko ficaram no local durante seis semanas trabalhando 24 horas por dia enquanto a cidade era reconstruída.

Fonte: *International Magazine* da Aggreko, 1997. Disponível em: <www.aggreko.com>. Acesso em: 1º jun. 2009.

---

teis que permitem fazer a maioria dos procedimentos de rotina; assim como nutricionistas, massagistas, *personal trainers*, entre outros. Outra atividade em crescimento é locação de equipamento e mão de obra para ocasiões especiais ou em resposta a clientes que desejam aumentar sua capacidade produtiva durante períodos de grande movimento. A seção Panorama de serviços 5.1 descreve os serviços B2B da Aggreko, empresa internacional que atua no Brasil desde 2002 e aluga equipamento de geração de energia e refrigeração em todo o mundo.

Quando a transação de serviço é conduzida a distância

Tratar com uma empresa de serviços por meio de transações a distância pode significar que um cliente nunca veja suas instalações nem se encontre com o pessoal de serviço. Ele pode estar até em outros países, como no caso de empresas de Minas Gerais que prestam atendimento em inglês, para clientes de variadas empresas americanas, a quem oferecem serviços bancários, turísticos e técnicos (por exemplo, insumos petroquímicos). O cartão American Express atende a seus clientes de todo o Brasil com seus centros de operações em São Paulo, Rio de Janeiro e Uberlândia. Em casos como esses, existe a possibilidade de encontros de serviço; porém é mais provável que eles ocorram por telefone, por correio ou e-mail.

Conserto de equipamentos pequenos às vezes requerem que os clientes enviem o produto até a assistência técnica, onde serão reparados e depois devolvidos por serviço de entrega de encomendas, com a opção de pagamento extra para envio expresso. Muitas prestadoras de serviço implementaram soluções com o auxílio de empresas de logística integrada, como FedEx ou Correios. Tais soluções vão da armazenagem e entrega expressa de peças de reposição para aeronaves (entrega B2B) até a retirada de telefones celulares com defeito nas residências dos clientes e devolução após o conserto (retirada e devolução B2C, do inglês, *business-to-consumer* — também chamado de 'logística reversa').

Qualquer produto de informação pode ser entregue quase instantaneamente por meio de canais de telecomunicação a qualquer ponto onde exista um terminal de recepção adequado. O resultado é que, agora, serviços físicos de logística passaram a concorrer com serviços de telecomunicações. Tudo que possa ser digitalizado agora conta com pelo menos duas opções de entrega, a física e a virtual.

Preferências de canal variam entre clientes

A utilização de vários canais para entregar o mesmo serviço não tem somente várias implicações de custo para a empresa fornecedora, mas também afeta em muito a natureza da experiência de serviço para o cliente, pelas diferentes velocidades, ambientes, interação e graus de praticidade oferecidos. Por exemplo, serviços bancários podem ser entregues remotamente por computador ou telefone celular, sistema de resposta por voz, central de atendimento, caixas eletrônicos e pessoalmente em uma agência; ou, no caso de atendimento privado, por meio de visitas à empresa ou residência do cliente de maior poder aquisitivo.

Embora os canais eletrônicos de autosserviço tendam a ser mais eficientes em custo, nem todo mundo gosta de usá-los. Deve-se ter cuidado em não colocar a eficiência de custos à frente da satisfação do cliente. Ou seja, a migração dos clientes para os novos canais eletrônicos exige diferentes estratégias conforme o segmento,[2] bem como o reconhecimento de que parte deles jamais deixará voluntariamente seus ambientes preferidos de entrega de alto contato. Uma alternativa que atrai muitas pessoas — talvez por utilizar uma tecnologia familiar — é a condução de transações bancárias e de outros serviços por telefone; entretanto, o atendimento telefônico automatizado pode ser outro problema. Como você se sente quanto às transações gravadas, com mensagens longas que promovem serviços ou tentam direcioná-los para o site da empresa? Se você insiste, pedem que ‹digite 1› para isso e ‹digite 2› para aquilo diversas vezes até finalmente chegar à operação que de fato deseja fazer. Uma pesquisa recente estudou a escolha de canais pessoais, impessoais ou de autosserviço pelo consumidor e identificou os seguintes impulsionadores principais.[3]

- Para serviços complexos e de alto risco percebido, as pessoas tendem a confiar em canais pessoais. Por exemplo, clientes gostam de solicitar cartões de crédito por canais remotos, mas preferem uma transação pessoal quando querem obter um financiamento para casa própria.

- Consumidores que têm mais confiança e conhecem melhor um serviço e/ou o canal, têm mais probabilidade de utilizar canais de serviço impessoais ou de autosserviço.

- Clientes que procuram os aspectos instrumentais de uma transação preferem maior conveniência, o que quase sempre significa usar canais impessoais e de autosserviço. Clientes com motivação social tendem a utilizar canais pessoais.

- Para a maioria dos consumidores, a conveniência é a principal impulsionadora da escolha de canal. Conveniência de serviço significa poupar tempo e esforço do consumidor, em vez de dinheiro, já que o valor percebido do tempo para certos clientes pode superar a despesa monetária. A busca de conveniência por um cliente não se limita à compra de produtos principais, mas inclui também horários e locais convenientes. As pessoas querem fácil acesso a serviços suplementares, em especial informações, reservas e solução de problemas.

Provedores de serviços devem tomar cuidado quando os canais oferecem preços diferentes — cada vez mais, clientes bem informados tiram proveito da variação de preço entre canais e mercados, uma estratégia conhecida como arbitragem de canal.[4] Por exemplo, um usuário pode pedir recomendação a um corretor que ofereça serviço completo, porém caro (e talvez fazer uma transação de pequena monta) e depois conduzir o grosso de suas transações com um corretor de preço bem inferior. Um cliente potencial de um sistema sofisticado de *home theater* pode ir primeiro a uma loja com serviços mais completos, como a Fast Shop, para tirar dúvidas com o vendedor e ver demonstrações de diversos modelos, e depois fechar a venda por meio de um site como o Submarino ou Lojas Americanas. Empresas não virtuais têm de oferecer benefícios adicionais, como instalação e treinamento de uso, por exemplo, para competir com os custos mais baixos de alternativas virtuais, ou mesmo utilizar os dois canais em conjunto, de modo que um alavanque o outro. As empresas de serviços necessitam desenvolver estratégias eficazes que as habilitarão a entregar valor e capturá-lo pelo canal apropriado.

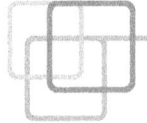

Decisões sobre local e horário

As duas últimas perguntas da estratégia de distribuição de serviços são: como os gerentes de serviço decidem sobre *onde* o serviço é entregue e *quando* está disponível?

Comece compreendendo as necessidades e as expectativas de clientes, a atividade da concorrência e a natureza da operação de serviço. Como observamos antes, as estratégias de distribuição utilizadas para alguns dos elementos de serviços suplementares podem ser diferentes das usadas para entregar o produto principal. Por exemplo, como cliente, é provável que você esteja disposto a ir a determinado local em um horário específico para assistir a um evento esportivo ou de entretenimento. Mas pode ser que você queira mais flexibilidade e conveniência quando reserva um lugar com antecedência, então pode esperar que os horários do serviço de reservas sejam mais longos, que aceite reservas e pagamento com cartão de crédito por telefone ou Internet e que entregue os ingressos por via postal ou eletrônica.

Onde o serviço deve ser entregue em um contexto real (não virtual)?

Decidir a localização de uma instalação de serviço para clientes envolve considerações muito diferentes daquelas decisões sobre a localização de elementos de bastidores, para as quais considerações de custo, produtividade e acesso ao trabalho costumam ser determinantes fundamentais. No primeiro caso, questões de conveniência e preferência do cliente são prioritárias. As empresas devem facilitar o acesso a serviços comprados com frequência, em especial os que enfrentam forte concorrência.[5] Como exemplo temos bancos de varejo e restaurantes *fast-food*. Contudo, há clientes que podem estar dispostos a ir mais longe em busca de serviços especializados. As pessoas esperam comprar o leite e o pão em um local muito perto de onde estão, enquanto se dispõem a ir até o shopping para comprar em uma joalheria.

Minilojas. Uma inovação interessante entre empresas de serviços que precisam de várias localizações tem sido criar fábricas de serviço em escala muito pequena para maximizar a cobertura dentro de uma área geográfica. Automação é uma das abordagens, exemplificada pelo caixa eletrônico, que oferece muitas das funções de uma agência bancária em uma pequena máquina de autosserviço, que pode ser instalada dentro de lojas, hospitais, universidades, aeroportos e edifícios de escritórios. Outra abordagem de instalações menores resulta na reestruturação das ligações entre as operações de linha de frente e de bastidores. O Habib's é citado com frequência por sua inovadora estratégia, em que cozinhas centralizadas enviam os produtos congelados para as filiais. A empresa concentra a preparação de alimentos em uma central de abastecimento da qual são despachadas refeições para restaurantes, onde são reaquecidas antes de serem servidas.

Outra inovação são os quiosques, que ocupam as áreas de circulação de shopping centers, têm custo menor que uma loja tradicional e localizam-se bem no fluxo dos clientes.

Cada vez mais, empresas que oferecem determinado tipo de serviço compram espaço de outra provedora de serviços que atua em uma área complementar. Entre os exemplos estão miniagências bancárias em supermercados e lanchonetes, como Bob's e Subway, que compartilham espaço com um restaurante de *fast-food* como o Burger King.

Localização em instalações multipropósito. As localizações mais óbvias para serviços de consumo são aquelas próximas de onde os clientes moram ou trabalham. Com frequência, edifícios modernos são projetados para atender a vários objetivos, com espaço para escritórios ou produção e também para serviços como um banco (ou ao menos um caixa eletrônico), um restaurante, um salão de cabeleireiro, várias lojas e até mesmo uma academia de ginástica. Algumas empresas ainda incluem uma creche no local para facilitar a vida dos pais que trabalham.

Cresce o interesse em instalar serviços de varejo e de outros tipos em rotas de transporte ou mesmo em terminais de ônibus, de trens ou aéreos. Grandes empresas de combustível desenvolvem redes de pequenas lojas de varejo para complementar o serviço de abastecimento em seus postos e, dessa forma, oferecer aos clientes a conveniência de um lugar único para comprar combustível, suprimentos para automóveis, alimentos e produtos de uso doméstico. Muitas paradas de caminhões dispõem de sanitários, caixas eletrônicos, acesso a Internet, restaurantes e hotéis de baixo preço, além de uma variedade de serviços de manutenção e conserto. Terminais de aeroportos — projetados como parte da infraestrutura de serviços de transportes aéreos — estão se transformando em vibrantes centros comerciais e deixando de ser áreas indistintas onde passageiros e bagagens são processados (veja a seção Panorama de serviços 5.2).

Limitações de localização. Embora a conveniência do cliente seja importante, requisitos operacionais determinam restrições para alguns serviços. Grandes hospitais oferecem muitos serviços de saúde em um mesmo local, o que requer uma instalação ampla. Clientes que precisam de tratamentos complexos devem ir até a fábrica de serviço em vez de serem tratados em casa. De qualquer modo, uma ambulância (ou mesmo um helicóptero) podem ir buscá-los. Por outro lado, alguns hospitais preferem que o paciente retorne para casa o mais cedo possível, para que fique em um ambiente mais acolhedor, o que pode ajudar em sua recuperação, além de ter riscos menores de infecções hospitalares. Assim, tem crescido o serviço de *home care*, com profissionais

Panorama de serviços 5.2

De aeroportos a centros comerciais

Grandes aeroportos costumavam ser lugares onde milhares de pessoas passavam o tempo esperando com pouquíssimas opções para mantê-las ocupadas. Muitas vezes aeroportos estavam vinculados por contrato a um único fornecedor de alimentação, o que significava comida de má qualidade a preços altos. Exceto por lojas que vendiam jornais, revistas e livros de bolso, os viajantes não tinham muitas oportunidades para comprar, a menos que quisessem gastar dinheiro em suvenires caros (e muitas vezes de gosto duvidoso). As únicas exceções eram as lojas livres de impostos (*free shops*) em aeroportos internacionais, onde oportunidades de poupar dinheiro criavam um comércio animado de bebidas alcoólicas, perfumes, cigarros e bens de consumo (por exemplo, máquinas fotográficas). Hoje, entretanto, alguns aeroportos têm terminais que foram transformados em centros comerciais. O de Guarulhos tem, entre outras, lojas da H. Stern, Lacoste, Havaianas, O Boticário e Timberland.

Três fatores tornam muito atraente investir em aeroportos. Um deles é o poder aquisitivo superior dos passageiros. O segundo é que muitos deles têm bastante tempo para gastar enquanto esperam seus voos — requisitos de segurança mais severos significam fazer o check-in mais cedo e, portanto, ter ainda mais tempo para passar no aeroporto. Por fim, muitos terminais têm espaço livre na área interna, que pode ser colocado em uso e gerar lucro. À medida que os terminais são expandidos, novos pontos de varejo são incluídos como parte integral do projeto.

No Brasil, esse mercado ainda está no início, enquanto nos Estados Unidos estima-se que os aeroportos faturem em média mil dólares por metro quadrado ao ano, ou seja, três vezes mais que a média de um shopping center. Somente pontos diferenciados em São Paulo, como o shopping Iguatemi (aluguel anual de 4.335 dólares o metro quadrado) e a rua Haddock Lobo (aluguel anual de 944 dólares o metro quadrado) conseguem ultrapassar esses valores.

Fonte: BAA International. Disponível em: <www.baa.co.uk> e <www.pitairport.com>. Acesso em: 2 jun. 2009.

que visitam o paciente em casa e equipamentos desenvolvidos para o uso em residências, onde o espaço disponível é menor. Médicos especialistas, ao contrário de clínicos gerais, preferem instalar seus consultórios próximo a um hospital, porque isso lhes poupa tempo quando precisam tratar seus pacientes.

Além disso, requisitos operacionais podem impor restrições a alguns serviços. A localização de aeroportos é, em geral, inconveniente em relação a residências, escritórios e destinos de viajantes. Por causa do ruído e de fatores ambientais, achar locais adequados para a construção de novos aeroportos ou para a expansão dos já existentes é uma tarefa muito difícil. (Certa vez perguntaram a um governador de Massachusetts, na costa leste dos Estados Unidos, qual seria uma localização aceitável para um segundo aeroporto que atendesse Boston; ele pensou um pouco e respondeu: 'Nebraska!' — a milhares de milhas, nas planícies centrais dos Estados Unidos.) Um modo de torná-los menos inconvenientes para passageiros é instalar ligações ferroviárias rápidas, como o Bay Area Rapid Transist (BART), de São Francisco, e o Heathrow Express de Londres. São redes de transporte, incluindo trem e metrô, que cruzam a cidade e interligam seus aeroportos a diferentes regiões urbanas.

Em São Paulo, não há conexão entre os aeroportos por trem ou metrô, somente via ônibus. Está em projeto a linha 17 — Ouro do metrô, que ligará a estação São Judas ao aeroporto de Congonhas, como parte das obras de infraestrutura para a Copa do Mundo de 2014. Prevê-se ligar por trem-bala o aeroporto de Viracopos, em Campinas, ao de Guarulhos, em São Paulo. O trem-bala brasileiro, que deve ligar Campinas e São Paulo ao Rio de Janeiro e passar por 38 municípios, está em licitação e deve ser inaugurado até 2014. Terá impacto sobre instalações existentes em seu traçado, como imóveis, estradas e condomínios, e mais ainda sobre o ambiente (áreas de proteção de mananciais), além de níveis de ruídos, interferências e segurança em regiões urbanas. Também há declarações sobre expansão dos aeroportos de Congonhas e Guarulhos, mas sem datas ou fases definidas.

Outro tipo de restrição à localização é imposto por outros fatores geográficos, como terreno e clima. Por definição, estações de esqui têm de estar localizadas em montanhas e hotéis litorâneos, na costa.

Quando o serviço deve ser entregue?

No passado, a maioria dos serviços profissionais e de varejo em países industrializados seguia um esquema tradicional e bastante restrito, que limitava a disponibilidade a cerca de 40 a 50 horas por semana. Essa rotina refletia, em grande parte, normas sociais (e até mesmo requisitos legais ou acordos sindicais) que definiam os horários adequados para as pessoas trabalharem e para as empresas venderem seus produtos. A situação era muito inconveniente para os trabalhadores, que tinham de fazer compras durante o intervalo de almoço ou aos sábados. Historicamente, a ideia de abrir aos domingos era alvo de forte oposição na maioria das culturas cristãs e, muitas vezes, proibida por lei, reflexo de uma longa tradição baseada em preceitos religiosos.

Hoje, a situação é diferente. Para algumas operações de serviço de alto grau de resposta, o padrão tornou-se '24/7': 24 horas por dia, sete dias por semana, em todo o mundo. Horários alternativos também passaram a ser mais comuns. Há pouco tempo foi inaugurado o shopping Pari, no bairro de mesmo nome, para os 'sacoleiros' — pessoas que viajam para a capital de São Paulo para comprar em quantidade e revender os produtos em suas cidades. Esse público costuma comprar principalmente na rua 25 de Março, no centro da cidade. Com as dificuldades do trânsito, entretanto, perde-se tempo para chegar até lá, principalmente se for necessário cruzar a cidade no horário de pico. O novo shopping abre durante a madrugada e fica perto do centro, mas fora da área mais congestionada. Os clientes chegam à cidade à noite, após o horário de pico, fazem as compras de madrugada e voltam para suas cidades antes do horário de pico matinal. (Para uma visão geral dos fatores que influenciaram a tendência para horários mais longos, veja a seção Panorama de serviços 5.3.) Não obstante, algumas empresas ainda resistem a essa tendência de operações. A Chick-fil-A, uma rede de restaurantes de grande sucesso de Atlanta, Estados Unidos, diz que "fechar aos domingos faz parte de nossa proposição de valor" e afirma que dar um dia de folga a gerentes e equipes é um fator da taxa de rotatividade extremamente baixa da empresa.

Panorama de serviços 5.3

Fatores que incentivam horários de funcionamento ampliados

Ao menos cinco fatores impulsionam a adoção de horários de funcionamento ampliados e atendimento sete dias por semana. Essa tendência originou-se nos Estados Unidos e no Canadá, espalhou-se para muitos outros países em todo o mundo e já é comum no Brasil.

Pressão econômica de consumidores. O número crescente de famílias com duas fontes de renda e de solteiros que moram sozinhos demanda tempo fora do horário de trabalho normal para comprar e utilizar serviços. Quando uma loja ou empresa amplia o horário de funcionamento para satisfazer às necessidades desses segmentos de mercado, muitas vezes os concorrentes se sentem obrigados a acompanhá-la. Redes de varejo têm liderado a tendência. Depois que os primeiros inovaram, vários shoppings hoje ficam abertos — e lotados — durante a madrugada nos dias que antecedem o Natal, por exemplo.

Mudanças na legislação. Tem declinado o apoio ao conceito religioso de que um dia da semana (domingo, em culturas de maioria cristã) deveria, por lei, ser um dia de descanso para todos, independentemente de afiliação religiosa. É claro que, em uma sociedade multicultural, o dia a ser designado é discutível — para judeus ortodoxos e adventistas do sétimo dia, é o sábado; para muçulmanos, o dia santo é a sexta-feira; agnósticos e ateus são, por premissa, indiferentes. Nos últimos anos, essa legislação tem sofrido erosão gradual em nações ocidentais. Em São Paulo, é permitido o trabalho aos domingos, desde que o repouso semanal remunerado dos empregados coincida com esse dia pelo menos uma vez no período máximo de quatro semanas. As demais normas de proteção ao trabalho e outras previstas em acordo ou convenção coletiva devem também ser respeitadas.

Incentivos econômicos para melhorar a utilização de ativos. Em geral, há grande quantidade de capital vinculada a instalações de serviço. O custo incremental da ampliação de horários muitas vezes é relativamente modesto e, se essa ampliação reduzir a lotação e aumentar receitas, será atraente em termos econômicos. Há custos no fechamento e na reabertura de uma instalação, como supermercado, com controle climático e iluminação, que precisam funcionar a noite toda; e com a segurança, pois é preciso pagar pessoal para vigiar o local. Ainda que o número de clientes extras atendidos seja mínimo, permanecer aberto 24 horas tem vantagens operacionais e de marketing.

Disponibilidade de pessoal para trabalhar em horários 'não sociais'. Mudança em estilos de vida e a procura por emprego de tempo parcial combinaram-se para criar uma força de trabalho crescente de pessoas dispostas a trabalhar à noite e de madrugada. Esse grupo inclui estudantes que procuram trabalho de meio período fora dos horários de aulas; pessoas que buscam um segundo emprego; pais que fazem 'malabarismo' para cuidar de seus filhos e aqueles que apenas preferem trabalhar à noite e descansar ou dormir durante o dia.

Instalações automáticas de autosserviço. Equipamentos de autosserviço tornam-se cada vez mais confiáveis e úteis ao usuário. Muitas máquinas agora aceitam pagamentos por cartão, além de moedas e papel-moeda. Máquinas automáticas podem ser economicamente viáveis em lugares que não suportariam uma instalação com pessoal. A menos que a máquina necessite de manutenção frequente ou seja muito vulnerável a vandalismo, o custo incremental de passar de horário limitado à operação 24 horas é mínimo. Na verdade, pode ser muito mais simples deixar máquinas funcionando o tempo todo do que ligá-las e desligá-las.

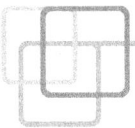

Entrega de serviço no ciberespaço

Os avanços em telecomunicações e tecnologia de computadores provocaram muitas inovações em entrega de serviço. No setor hoteleiro, reservas feitas por sites são cada vez mais comuns. De modo geral, o cliente começa a procurar hotéis em mecanismos de busca. Com as ferramentas de pesquisa do Google, por exemplo, é possível descobrir quais palavras-chave estão associadas ao tipo de hotel, como categoria, serviços, opções, localização etc. Tais informações devem constar das páginas do site, para que esses mecanismos possam localizá-las.

Ao entrar nos sites para avaliar, o cliente busca fotos e vídeos que mostrem, de forma mais palpável, o que vai ser encontrado. Depoimentos de clientes satisfeitos também podem ajudar a persuadir o cliente. Outras informações, como preços, disponibilidade de datas e mecanismos de pré-reserva, facilitam o fechamento do negócio. O cadastro do estabelecimento em sites especializados também deve ser feito, e acompanhar o site dos concorrentes, para conhecer sua política de preços, ocupação e ações, é fundamental. Clientes regulares podem ser cadastrados e receber mensagens promocionais, em especial as que premiam indicações e referências.

Inovações em entrega de serviço facilitadas por tecnologia

Mais recentemente, empreendedores têm aproveitado as vantagens da Internet para criar novos serviços. Quatro inovações são de particular interesse:

- Desenvolvimento de telefones celulares, smartphones e PDAs (do inglês, *personal digital assistants*, isto é, agendas eletrônicas) 'inteligentes' e tecnologia sem fio para acesso de alta velocidade que podem ligar usuários a Internet, onde quer que eles estejam.

- Utilização de tecnologia de reconhecimento de voz, que permite que clientes deem informações e solicitem serviços falando ao telefone ou por microfone.

- Criação de sites que forneçam informações, recebam pedidos e mesmo sirvam como canal de entrega de serviços de informação.

- Comercialização de 'cartões inteligentes' que contêm um microchip que armazena informações detalhadas sobre o cliente e funciona como uma carteira eletrônica com dinheiro digital. A última palavra em autosserviços bancários será quando, além de usar o cartão inteligente como carteira eletrônica para um amplo conjunto de transações, você puder recarregá-lo por meio de uma leitora de cartões especial conectada a seu computador.

De forma isolada ou combinada, os canais eletrônicos oferecem um complemento ou uma alternativa a canais físicos tradicionais para entregar serviços baseados em informações. A seção Cenário brasileiro 5.1 descreve uma aplicação multicanal para serviços bancários eletrônicos.

Cenário brasileiro 5.1

Mobile Banking no Brasil

A Internet teve seu início nos anos 1960, durante a Guerra Fria, com fins militares, quando a Advanced Research Projects Agency (ARPA) criou uma rede de computadores que podiam continuar operando mesmo que parte deles fosse atacada ou desativada, a ARPANET. Ela passou a ser usada gradualmente pela comunidade acadêmica, tornando-se a Internet, e depois cada vez mais com fins comerciais. Muitas informações sobre seu uso comercial no Brasil são encontradas na Internet.[6]

O número de usuários brasileiros na Internet, em dezembro de 1999, era de 6,79 milhões de pessoas.[7] Segundo a CIA World Factbook, esse número atingiu 75,98 milhões em 2009,[8] o que corresponde a um crescimento nesse período de 1.120 por cento.

Segundo a FEBRABAN, mais de 23 milhões de usuários acessam seus bancos via Internet, representando 18 por cento do total de operações financeiras. Segundo o Banco Central, a Internet já é o principal canal para transações bancárias (30,6 por cento), seguida pelos terminais de autoatendimento (caixas eletrônicos), com 29,8 por cento, e pelas agências (23,8 por cento). Um canal com pequena, mas crescente participação é o de telefones celulares e PDAs — abaixo de 1 por cento —, importante para fortalecer o posicionamento de empresas inovadoras e de tecnologia, e que certamente terá grande importância no futuro.

O mobile banking tem sido chamado de 'a terceira onda de automação bancária' depois dos caixas eletrônicos e o acesso via Internet. Uma pesquisa da empresa sueca Berg Insight[9] estima que até 2014 haja 913 milhões de usuários móveis no mundo, o que representa um crescimento exponencial em relação aos 20 milhões atuais. O estudo prevê crescimento de 89 por cento ao ano no uso do celular para acesso ao banco, número que justifica o interesse do setor em utilizar mais esse canal. Embora o acesso bancário esteja crescendo, ainda não atinge uma grande parcela da população, enquanto o Brasil já atingiu a marca de um celular por habitante. Para os brasileiros que têm conta bancária, o celular já é parte de seu dia a dia.

O Bradesco foi o primeiro banco a lançar software de Internet Banking, em 1996. As primeiras formas de acesso ao banco via celular, baseadas na tecnologia WAP, tornaram-se disponíveis no Brasil a partir de 2000 e permitiram diversas operações bancárias, como visualização de saldo de conta-corrente e poupança, recarga do celular pré-pago, consulta a limites e faturas de cartões de crédito, pagamentos, transferências e DOCs, consultas, aplicações e resgates em fundos de investimento e de ações. Em 2006, foram desenvolvidas aplicações em HTML para browsers de celulares e hoje também são desenvolvidos aplicativos nos diferentes sistemas operacionais de smartphones e tablets. Para o iPhone e o iPad estão disponíveis aplicativos gratuitos, que podem ser baixados através da Apple Store, além dos sistemas operacionais Blackberry, Android e Windows Phone. Esses aplicativos permitem, além das tradicionais consultas de saldo, extratos, faturas e pagamentos de contas, obter a localização de agências, caixas eletrônicos e dispensadores de cheques por GPS, inclusive com o uso de realidade aumentada, ler notícias sobre o mercado financeiro, e até acessar fotos e dados do gerente de contato. Também está em desenvolvimento o mobile broker para negociações na bolsa de valores.

E-commerce: em busca do ciberespaço

A Internet pode ser vista como um canal de comunicação e de distribuição. Como canal de distribuição, facilita a entrega de serviços baseados em informações e todas as pétalas de informação da Flor de serviço para serviços de processamento de pessoas e de posses. Além disso, a Internet habilita pesquisadores a coletar dados sobre o comportamento de busca de informações pelos consumidores, obter retorno deles em curto período de tempo e criar comunidades on-line para ajudar a comercializar serviços.[10] A Amazon foi pioneira no conceito de loja virtual, mas agora existem milhares delas por todo o mundo, como a Submarino e a Livraria Cultura. Entre os fatores que atraem clientes para lojas virtuais estão conveniência, facilidade de pesquisa (obtenção de informações e procura de itens ou serviços desejados), ampla seleção e perspectivas de melhores preços. Ter à disposição serviços 24 horas com entrega imediata é atraente para clientes cuja vida atarefada lhes deixa pouco tempo livre (veja a seção Panorama de serviços 5.4). Pense nos produtos que você, sua família e amigos compraram recentemente pela Internet. Por que escolheu esse canal em detrimento de outras formas de entrega?

Muitos varejistas, como as redes de livrarias Saraiva e Siciliano S.A., desenvolveram uma forte presença na Internet para complementar suas lojas reais em um esforço para enfrentar a concorrência de 'varejistas do ciberespaço' como a Submarino, que não possui nenhuma loja física. Contudo, a estratégia de adicionar um canal de Internet a um canal físico já estabelecido é uma faca de dois gumes, pois requer alto capital inicial e ninguém pode ter certeza de que o investimento resultará em lucros de longo prazo e alto potencial de crescimento.[11]

Os sites estão cada vez mais sofisticados e fáceis de usar. Quase sempre simulam os serviços de um assistente de vendas que orienta clientes a itens que provavelmente serão de seu interesse. Alguns até oferecem a oportunidade de diálogo 'ao vivo' por e-mail ou chat com pessoal de atendimento. Facilitar pesquisas é outro serviço útil oferecido por muitos sites, que vai desde procurar quais livros de determinado autor estão disponíveis a consultar horários de voos em uma data específica.

Os recentes desenvolvimentos que ligam sites, sistemas de gerenciamento do relacionamento com clientes (do inglês, *customer relationship management* — CRM) e telefonia celular são bastante animadores. A integração de equipamentos móveis à infraestrutura de entrega de serviço pode ser usada para (1) *acessar* serviços, (2) *alertar* clientes sobre oportunidades ou problemas, entregando a informação ou interação correta na hora certa e (3) *atualizar* informações em tempo real para garantir que sejam sempre precisas e relevantes.[12] Por exemplo, clientes podem instalar alertas de preços de ações nos sites de sua corretora de

> ### Panorama de serviços 5.4
>
> #### Virtual *versus* físico: um grande shopping center
>
> Em um teste comparativo de desempenho de compras, o *The Wall Street Journal* designou dois repórteres para uma missão em um dos dias de compras mais frenéticos do ano nos Estados Unidos, o dia após a Ação de Graças (que os lojistas chamam de 'Sexta-feira Negra' porque os tira do vermelho pelo restante do ano). Cada repórter recebeu 2 mil dólares e uma lista idêntica de 12 presentes a comprar — de itens sem marca definida (uma malha para a irmã, um relógio esportivo para o marido) a uma Barbie Magic Pegasus para uma menina de quatro anos e o novo videogame Microsoft Xbox 360, na época difícil de encontrar, para um menino de 11 anos. Um repórter foi para um grande centro comercial em Short Hills, em Nova Jérsei, enquanto o outro ficou em casa, comprou on-line e fez pedidos para entrega em 24 horas. O objetivo era verificar com que rapidez conseguiam completar a missão e quem obteria os melhores presentes pelo menor preço.
>
> Em uma competição paralela, um profissional de compras do mesmo shopping e um especialista da Web receberam tarefa idêntica. Qual foi o resultado? O especialista completou-a em pouco menos de três horas e gastou 800 dólares a menos (mas alguns itens comprados tinham qualidade inferior aos dos obtidos no centro comercial). O profissional de compras ficou em segundo lugar, com uma conta total 500 dólares abaixo do orçamento, mas levou sete horas e 15 minutos. Os dois repórteres ficaram por último. O que comprou on-line gastou 1.906 dólares e levou sete horas e 40 minutos, mas admitiu que havia perdido tempo navegando pela Internet. O que comprou no shopping levou oito horas e gastou 1.836 dólares. Porém, nenhum deles conseguiu comprar o Xbox 360.
>
> **Fonte:** Ellen Gammermann e Reed Albergotti, "The great holiday shopping race", *The Wall Street Journal*, 3-4 dez. 2005, P6-P7.

valores e receber um e-mail ou um aviso por SMS quando um preço for atingido (ou ultrapassado), ou uma transação realizada, ou ainda para obter informações de preços de ações em tempo real. Os clientes podem responder acessando a corretora e fazer uma negociação direta por meio de sistema de voz ou interface SMS.

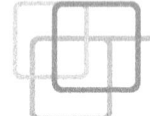

O papel dos intermediários

Muitas organizações de serviço creem conseguir eficiência de custos pela terceirização de certas tarefas, em geral elementos de serviços suplementares. Por exemplo, a despeito da maior utilização de centrais de atendimento telefônico e da Internet, linhas de cruzeiros marítimos e hotéis em estações balneárias ainda recorrem a agentes de viagem para manipular boa parte de suas interações com clientes (dar informações, fazer reservas, aceitar pagamentos e emitir bilhetes de passagem). A compra de serviços como esses é muito complexa e envolve um grande conjunto de informações (e os cruzeiros são ainda mais complexos que os hotéis). Os clientes querem conhecer características do alojamento, os serviços disponíveis e as formas de pagamento, e muitas vezes essas compras fazem parte de um pacote maior de viagens que envolve diferentes hotéis, meios de transportes e visitas a cidades ou até a países. Pela complexidade, exige-se um nível de competência neste serviço que nem sempre um hotel ou uma empresa de cruzeiros possui ou tem interesse em desenvolver, por isso o agente de viagens, que se especializa em desenvolver essas competências, é uma opção importante para a terceirização desses serviços.

Como um provedor de serviços trabalha em parceria com um ou mais intermediários para entregar a clientes um pacote de serviços completo? Na Figura 5.2, a estrutura da Flor de serviço mostra um exemplo no qual o produto principal é entregue pelo fornecedor de origem, com certos elementos suplementares nas categorias de informação, consulta e exceções. Nesse mesmo exemplo, a entrega de outros serviços suplementares pertencentes ao pacote foi delegada a um intermediário para concluir a oferta tal como experimentada pelo cliente. Em outros casos, diversos terceirizadores especializados podem estar envolvidos como intermediários para elementos específicos. O desafio para o fornecedor original é agir como guardião do processo total e garantir que cada elemento oferecido por intermediários se ajuste ao conceito geral de serviço para criar uma experiência de serviço de marca consistente e sem descontinuidade.

Para o trabalho em parceria com terceiros, também é possível usar estratégias multicanais, com diversas combinações. O Suplicy Cafés Especiais, por exemplo, possui cinco pontos próprios e cerca de outros cem pontos de terceiros que vendem seus produtos.

Franquia

Mesmo a entrega do serviço principal pode ser terceirizada. A franquia tornou-se um meio popular de expandir a entrega para vários locais de um conceito de serviço efetivo que abrange todos os 7 Ps (veja Capítulo 1), sem o nível de investimento que seria necessário para a rápida expansão de locais próprios e gerenciados pela empresa. Um franqueador recruta empreendedores dispostos a investir seu próprio tempo e patrimônio no gerenciamento de um conceito de serviço já desenvolvido. Em troca, o franqueador providencia treinamento para operação e promoção do negócio, vende os suprimentos necessários e fornece suporte promocional para aumentar as atividades de marketing local — pagas pelo franqueado, mas que devem estar de acordo com o texto e as diretrizes de mídia prescritas pelo franqueador.

Trata-se de uma estratégia atraente para empresas de serviços que querem crescer, porque é alta a motivação dos franqueados para garantir orientação ao cliente e operações de serviço de alta qualidade.[13] Embora mais comumente associada com pontos de *fast-food* (Figura 5.3), a franquia se aplica a muitos serviços de consumo e B2B hoje abrange cerca de 75 categorias de produto. O tempo todo, novos conceitos são criados e comercializados no mundo inteiro. De 2003 a 2006, aproximadamente 1.200 novos conceitos de franquia foram lançados somente nos Estados Unidos. É um número impressionante, quando comparado às cerca de 1.700 franquias existentes no Brasil (veremos mais sobre as franquias no Brasil na seção Cenário brasileiro 5.2). As categorias de mais rápido crescimento são: saúde e bem-estar, publicações, segurança patrimonial e serviços de consumo.[14] Como consumidor, você talvez frequente mais franquias do que pensa. Novos tipos de franquia são criados e comercializados continuamente ao redor do mundo.[15]

Não obstante, as franquias também apresentam algumas desvantagens e há uma significativa taxa de desistência entre franqueadores nos primeiros anos de um novo sistema. Estudos nos Estados Unidos mostraram que um terço de todos os sistemas fracassam nos primeiros quatro anos e nada menos do que três quartos de todos os franqueadores deixam de existir após

Figura 5.2 Dividindo responsabilidades para entregar serviço

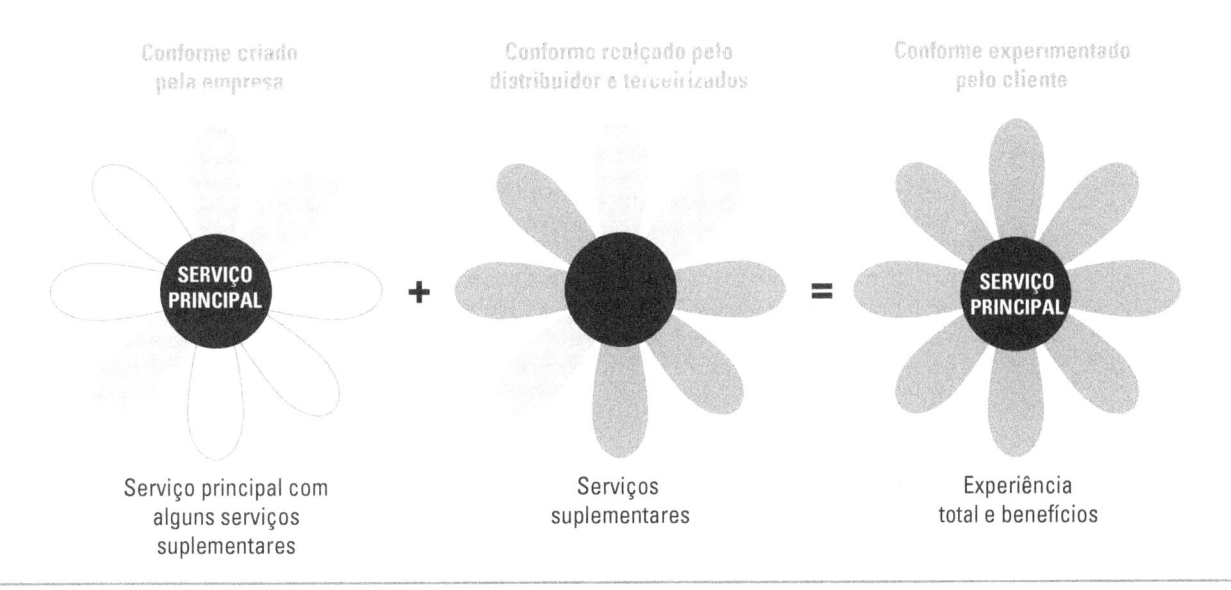

Conforme criado pela empresa

Conforme realçado pelo distribuidor e terceirizados

Conforme experimentado pelo cliente

SERVIÇO PRINCIPAL + **SERVIÇO** = **SERVIÇO PRINCIPAL**

Serviço principal com alguns serviços suplementares

Serviços suplementares

Experiência total e benefícios

Figura 5.3 Diversas empresas de *fast-food* usam franquias para implementar sua estrutura de distribuição

12 anos.[16] Entre os fatores que os franqueadores associaram ao sucesso estavam a capacidade de atingir um porte maior com um nome de marca mais reconhecível, oferecer aos franqueados menor número de serviços de suporte, mas contratos de prazo mais longo, e ter menos custos indiretos por ponto de venda. Como o crescimento é muito importante para alcançar uma escala eficiente, alguns franqueadores adotam uma estratégia conhecida como 'franquia master', que assume a responsabilidade pelo recrutamento, treinamento e suporte aos franqueados de determinada área geográfica. Franqueados que optam por essa modalidade em geral são indivíduos bem-sucedidos como operadores de um ponto de franquia individual.

Uma desvantagem de delegar atividades a franqueados é que isso acarreta certa perda de controle sobre o sistema de entrega e, portanto, sobre o modo como os clientes experimentam o serviço. Garantir que um intermediário adote exatamente as mesmas prioridades e procedimentos prescritos pelo franqueador é difícil, porém vital para o controle efetivo da qualidade. Em geral, os franqueadores procuram controlar todos os aspectos do desempenho de serviço por meio de um contrato que especifica a adesão a padrões de serviço, procedimentos, roteiros e apresentação física. Franqueadores controlam não somente especificações de produção, mas também a aparência do cenário de serviço, o desempenho dos funcionários e elementos como as escalas de serviço.

Um problema constante é que, à medida que ganham experiência, os franqueados podem começar a se ressentir das várias taxas pagas ao franqueador e a acreditar que podem operar melhor o negócio sem as restrições do acordo. As disputas resultantes muitas vezes terminam em litígios judiciais entre as partes, ou mesmo na perda de franqueados que não renovam o contrato e se mudam para outra franquia ou passam a atuar com marca própria. Como todo serviço, o franqueador deve estar atento ao valor entregue a seus clientes franqueados e a seu grau de satisfação.

Uma alternativa à franquia é licenciar outro prestador de serviço, que age em nome do fornecedor original para entregar o serviço principal. Empresas transportadoras rodoviárias usam regularmente agentes independentes em vez de montar filiais em cada cidade atendida. Elas também podem preferir contratar 'proprietários-operadores' independentes, que dirigem seus próprios caminhões.[17]

Outros contratos de distribuição são os que envolvem serviços financeiros. Com frequência, bancos que visam atuar na área de investimentos funcionarão como distribuidores de produtos de fundos mútuos criados por uma empresa de investimentos que não possui canais próprios em escala suficiente. Muitos bancos também vendem produtos de uma seguradora e cobram uma comissão sobre a venda, mas normalmente não se envolvem no processamento de reclamações.

Cenário brasileiro 5.2

Franquias no Brasil

Franquia é uma modalidade de distribuição de produtos ou serviços, mediante condições estabelecidas em contrato, entre franqueador e franqueado. De modo geral, as franquias envolvem a concessão e transferência de marca, tecnologia, consultoria operacional, produtos ou serviços, em diferentes graus, conforme cada negociação. No Brasil, as franquias estão regulamentadas pela Lei nº 8.955, de 14/02/1994. É um modelo que pode trazer muitas vantagens, mas também há casos de conflitos, quando os interesses entram em desacordo.

O sistema de franquias surgiu nos Estados Unidos, com a Singer, empresa de máquinas de costura, que criou uma rede de distribuidores exclusivos; a partir dos anos 1950, consolidou-se com uma das maiores franquias do mundo: a rede McDonald's; no Brasil, uma das pioneiras foi a rede de escolas de idiomas Yázigi. A partir dos anos 1980 e 1990, o sistema de franquias se espalhou por todo país.

No Brasil, segundo a ABF (Associação Brasileira de Franchising), elas faturaram 63 bilhões de reais, geraram 2,6 milhões de empregos com carteira assinada e cresceram 14 por cento em 2009. Para 2010, a previsão é de 18 por cento. São quase 1.700 marcas, das quais cerca de mil nacionais, em um total de quase 80 mil unidades de negócios. O Brasil é o quinto maior mercado em número de marcas e o sétimo maior em pontos de venda no mundo.

O crescimento econômico do país tem ajudado o setor e criado oportunidades para novos tipos de franquia que atendam às classes C e D e ao público feminino, no qual o consumo tem sido maior. Segundo a ABF, o segmento de franquias que apresentou maior crescimento em 2009 foi o de acessórios pessoais e calçados.

Por ser um modelo de transferência de marca já consolidada e de experiência já estabelecida, o risco costuma ser menor, quando as condições são bem analisadas e compreendidas. Segundo pesquisa do Sebrae-SP, o risco de uma franquia fracassar é pequeno, se comparado a outros negócios. Após três anos no mercado, 60 por cento das empresas que não eram franquias fecham; já para as franquias, essa taxa é de 5 a 7 por cento. A existência de linhas de crédito especiais subsidiadas também ajuda a atrair investidores.

O valor de uma franquia pode variar bastante, começando com apenas alguns milhares de reais, o que atrai desde pessoas recém-desempregadas que querem investir a indenização trabalhista a grandes grupos de investidores.

As microfranquias, que trabalham com os valores mais baixos, estão mais voltadas para serviços, em especial os prestados de maneira informal, como reparos, consertos e manutenção etc. No outro extremo, estão grupos empresariais que adquirem franquias variadas e formam conglomerados voltados para esse setor. Um exemplo é o da GRSA, subsidiária do Compass, empresa multinacional do setor de fornecimento de refeições, que em 2003 instalou uma franquia do Bob's no Terminal Rodoviário do Tietê, em São Paulo. São cerca de 60 unidades franqueadas de sete marcas, entre elas Bob's, Casa do Pão de Queijo e Vivenda do Camarão, espalhadas por diversas praças de alimentação que, juntas, faturam 44 milhões de reais por ano.

Segundo dados da ABF, a franquia mais cara do Brasil está no setor de hotelaria e, entre as dez mais caras, sete estão relacionadas à alimentação (veja o Quadro 5.1).

Quadro 5.1 As dez franquias mais caras do Brasil

1º	Accor Hotels (hotelaria)	R$ 4.650.000 a R$ 55.600.000
2º	Ragazzo (fast-food de comida italiana)	R$ 1.305.000 a R$ 1.610.000
3º	Organoeste (biotecnologia)	R$ 1.300.000 a R$ 1.850.000
4º	Café Cancun (cafés temáticos)	R$ 1.221.000 a R$ 1.961.000
5º	Pizza Hut (fast-food)	R$ 1.090.000 a R$ 1.590.000
6º	McDonald's (fast-food)	R$ 1.090.000 a R$ 1.195.000
7º	Capital Steak House (restaurante)	R$ 820.000 a R$ 1.368.000
8º	Gula Gula (restaurante)	R$ 819.000 a R$ 1.087.000
9º	Habib's (fast-food)	R$ 785.000 a R$ 1.500.000
10º	Fast Runner (material esportivo)	R$ 647.200 a R$ 747.200

Fonte: Associação Brasileira de Franquias, 2008.
Nota: Mais informações sobre franquias podem ser encontrada no site da ABF e no *Guia do Franchising*.

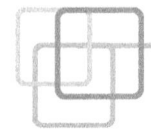

O desafio da distribuição de âmbito nacional em grandes mercados

Há importantes diferenças entre o marketing de serviços dentro de uma área geográfica compacta e aquele em uma nação federativa de grande área, como o Brasil, o Canadá, a China, a Índia ou os Estados Unidos. A logística física é mais desafiadora para muitos tipos de serviço por causa das distâncias e dos vários fusos horários. O multiculturalismo também deve ser considerado, pela crescente proporção de imigrantes e a presença de povos nativos. Empresas que promovem seus produtos no Canadá têm de trabalhar em inglês e francês (este último falado em todo o Quebec, onde é o único idioma oficial, em partes de New Brunswick, oficialmente bilíngue, e no nordeste de Ontário). Na China, além do mandarim, língua oficial, há 53 idiomas nacionais e mais de cem dialetos. Na Índia, são 16 línguas oficiais e 844 dialetos. Por fim, em cada país há diferenças entre as leis tributárias e alíquotas de impostos dos vários estados ou províncias e as do respectivo governo federal. Contudo, os desafios no Canadá nem se comparam com os que os profissionais de marketing têm de enfrentar na megaeconomia dos Estados Unidos ou em países continentais como o Brasil e a China.

Visitantes estrangeiros em excursão pelo Brasil, pela China ou pelos Estados Unidos costumam se assombrar com o tamanho desses países, surpreender-se com a diversidade de seus povos, espantar-se com a variedade do clima e da paisagem e impressionar-se com a escala e o escopo de alguns de seus empreendimentos comerciais. Consideremos alguns dados estatísticos. O Brasil, maior economia latino-americana, tem 26 estados e um distrito federal. Seu território ocupa 8,5 milhões de quilômetros quadrados (47 por cento da América Latina), dos quais mais de 40 por cento ocupados pela Floresta Amazônica, complexo sistema hidrográfico, composto de oito grandes bacias, climas e ecossistemas variados. Seu território cobre três fusos horários. A região Sudeste concentra mais da metade do PIB e o estado de São Paulo é responsável por 33 por cento da atividade econômica nacional. Essa concentração tem se reduzido aos poucos nos últimos 20 anos, porém sem mudar de forma significativa o peso relativo de regiões e estados. Os dez estados mais ricos respondem por 80 por cento do PIB. Estima-se que o Brasil encerrou o ano de 2010 com uma população de cerca de 193 milhões de pessoas (a quinta maior do mundo, sendo 80 por cento urbana), PIB de 3,2 bilhões de reais (o oitavo maior do mundo) e um PIB *per capita* que pela primeira vez deverá romper a barreira dos 10 mil dólares.

O mercado norte-americano tem semelhanças e diferenças em relação ao nosso. O marketing em nível nacional nos 'primeiros 48' estados norte-americanos (excluindo Alasca e Havaí, os dois últimos a pertencerem ao país) lida com uma população de cerca de 300 milhões de pessoas e distâncias transcontinentais que passam de 4 mil quilômetros. Os 48 estados correspondem a uma área um pouco menor que a do Brasil — mas o PIB americano é mais de dez vezes maior que o brasileiro. Se forem incluídos o Havaí e o Alaska, o mercado abrange distâncias ainda maiores, que cobrem seis fusos horários, inacreditável variedade topográfica e todas as zonas climáticas, da ártica à tropical. Do ponto de vista logístico, atender clientes nos 50 estados poderia parecer no mínimo tão complexo quanto atender clientes, digamos, em toda a Europa, norte da África e Oriente Médio, não fosse o fato de os Estados Unidos terem infraestrutura de comunicações, transporte e distribuição excepcionalmente bem desenvolvida. Já a rede logística no Brasil apresenta diversas deficiências, com as dificuldades de integração entre regiões, dificuldades de importação de insumos, a produção e o consumo concentrados no Sudeste, que dificultam a ação de empresas localizadas em outras regiões. Há diversos problemas de infraestrutura — estradas precárias, instalações aeroportuárias sem capacidade nem equipamentos suficientes, estrutura hidroviária embrionária, estrutura de telecomunicações cara e muito variável regionalmente, deficiência na produção de energia elétrica, com panes cada vez mais frequentes, além da forte burocracia e da alta taxa de impostos.

Temos grande variedade cultural, mas o peso do mercado do Sudeste leva ao lançamento de produtos e serviços voltados para suas características, que nem sempre consideram outros mercados regionais. Os Estados Unidos são menos homogêneos do que estereótipos nacionais poderiam sugerir. Por se tratar de uma nação federativa, suas práticas governamentais parecem uma colcha de retalhos. Além de observar leis e pagar impostos em nível federal, as empresas de serviço que operam em escala nacional precisam obedecer a leis estaduais e municipais e planejar para enfrentar variações em políticas tributárias de um estado para o outro. Todavia, escritórios de advocacia norte-americanos que atuam em vários estados devem considerar essa exposição como uma vantagem ao se expandirem internacionalmente (Figura 5.4). Como cidades, condados e distritos especiais têm autoridade tributária em muitos estados, há milhares de variações em impostos sobre vendas em todo o país. Alguns estados buscam deliberadamente novos investimentos empresariais promovendo alíquotas de impostos mais baixas ou oferecendo incentivos fiscais para estimular empresas a montar ou transferir fábricas, centrais de atendimento ou operações de apoio.

Já a República Popular da China é o terceiro maior país do mundo e o maior país da Ásia Oriental. É também o mais populoso do mundo, com uma população superior a 1,3 bilhão de habitantes, ocupando um território de 9,6 milhões de quilômetros quadrados. Possui 56 grupos étnicos. A lígua chinesa é, na verdade, uma família de línguas que pertence ao ramo sino-tibetano, sendo quatro os principais dialetos: mandarim, cantonês, sichuanês e hakka.

É uma republica socialista, comandada pelo Partido Comunista da China, que define seu sistema como socialismo de mercado, cada vez mais próximo do capitalismo tradicional. Possui 22 províncias, cinco regiões autônomas (Xinjiang, Mongólia Interior, Tibete, Ningxia e Guangxi), quatro municípios (Pequim, Tianjin, Xangai e Chongqing) e duas regiões administrativas (Hong Kong e Macau). Seu território tem clima variado, das estepes geladas a florestas sub-tropicais e 14.500 quilômetros de faixa litorânea. Seu PIB, em 2010, de 5,7 trilhões de dólares, é o segundo maior do mundo e vem crescendo consistentemente a taxas de 8 por cento a 9 por cento ao ano. Como a população de classe média (com renda anual acima de US$ 17 mil) ultrapassou 100 milhões de pessoas, o consumo cresceu rapidamente. O consumo de pessoas ricas (com capital superior a US$ 1,5 milhão) é de cerca de US$ 825 mil, enquanto cem pessoas possuem patrimônio superior a US$ 140 milhões.

Nosso país adquire vantagens por possuir língua e legislação federal únicas (apesar dos muitos sotaques e das diferenças estaduais e municipais, que costumam gerar guerras fiscais). Tem grande diversidade cultural, estimulada pela imigração e pela migração, além de raízes europeias, indígenas e africanas e, em menor grau, asiáticas. Comparado aos Estados Unidos, a distribuição de renda e a atividade econômica são mais concentradas nas regiões Sul e Sudeste.

À medida que a população norte-americana passa a ser cada vez mais móvel e multicultural, questões de segmentação de mercado tornam-se mais complexas para profissionais de marketing de serviços que atuam em escala nacional, por encontrarem populações cada vez maiores de imigrantes (bem como de turistas visitantes) de outros idiomas, liderados pelo espanhol. Estatísticas econômicas dos Estados Unidos

Figura 5.4 Grandes empresas internacionais têm todo o planeta como mercado

mostram uma faixa mais ampla de rendas domiciliares e riqueza pessoal (ou falta dela) do que a encontrada em qualquer outra parte do planeta. Clientes corporativos também costumam apresentar considerável diversidade, embora as variáveis relevantes possam ser diferentes.

Enfrentando um mercado interno enorme e diverso, a maioria das grandes empresas de serviços simplifica suas tarefas de marketing e gerenciamento focando segmentos de mercado (veja o Capítulo 3). Algumas segmentam-se com base na geografia. Outras focam grupos, partindo de demografia, estilos de vida, necessidades ou — em um contexto corporativo — tipo de setor e tamanho da empresa. Empresas menores que desejam operar em âmbito nacional preferem buscar nichos de mercados estreitos, tarefa atualmente facilitada pela utilização crescente de sites e e-mail. Ainda assim, as maiores operações nacionais de serviços enfrentam tremendos desafios quando procuram atender a vários segmentos por toda a imensa área dos Estados Unidos. Essas operações precisam alcançar um equilíbrio entre padronização de estratégias em todos os elementos abrangidos pelos 7 Ps e adaptação a condições locais de mercado — decisões especialmente desafiadoras quando se trata de serviços de alto contato nos quais clientes visitam pessoalmente o local de entrega.

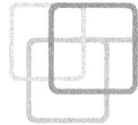

Serviços distribuídos internacionalmente

Muitas empresas de serviço têm presença internacional e um bom número de marcas de serviços são globais, como Starbucks, Hertz, Amex, McKinsey e Google. Algumas marcas brasileiras, como Petrobras, Vale, Natura, Bradesco, Banco do Brasil e Itaú têm penetração em mercados internacionais, mas nenhuma tem força global, e outras grandes, como Skol e Renner, as duas entre as dez marcas brasileiras mais valiosas do ranking da Interbrand em 2010, são pouco conhecidas fora do país. Mas quais são as forças impulsionadoras que instigam empresas a se tornarem internacionais ou até globais?

Fatores que favorecem a adoção de estratégias transnacionais

Diversas forças, ou *impulsionadores setoriais*, influenciam a tendência em favor da globalização e da criação de estratégias integradas de âmbito transnacional.[18] Aplicadas a serviços, podem ser classificadas como impulsionadoras de mercado, da concorrência, da tecnologia, de custo e governamentais. A significância relativa de cada uma varia por tipo de serviço.

Impulsionadores de mercado. Entre os fatores de mercado que estimulam a tendência em favor de estratégias transnacionais, estão as necessidades em comum de clientes em muitos países, clientes globais que demandam serviço consistente de fornecedores em todo o mundo e a disponibilidade de canais internacionais na forma de cadeias físicas de suprimento ou redes eletrônicas eficientes.

À medida que se tornam globais, grandes clientes corporativos procuram padronizar e simplificar os fornecedores em vários países para um amplo conjunto de serviços B2B. Por exemplo, eles podem minimizar o número de auditores que utilizam, ao expressar uma preferência pelas 'Quatro Grandes' empresas de contabilidade (PricewaterhouseCoopers, Deloitte Touche Tohmatsu, Ernst & Young e KPMG) que podem aplicar uma abordagem consistente (em um contexto de regras nacionais prevalecentes em cada país de operação). Serviços bancários corporativos, seguros, agências de propaganda e consultorias em administração são outros exemplos. De modo semelhante, o desenvolvimento de uma logística global e capacidades internacionais de gestão de cadeia de suprimento entre empresas, como DHL, FedEx, Correios e UPS, incentivou muitas manufatureiras a terceirizar a função de logística com uma única empresa (Figura 5.5). Em cada caso, há vantagens reais de consistência, facilidade de acesso, consolidação de informação e responsabilidade. Além disso, executivos e turistas que fazem viagens internacionais costumam sentir-se mais confortáveis com padrões internacionais previsíveis de desempenho para serviços de viagens, como empresas aéreas e hotéis.

Figura 5.5 Empresas globais combinam múltiplos modos de transporte para criar soluções integradas de logística que atendam sua base global de clientes

Impulsionadores de concorrência. A presença de concorrentes de vários países, a interdependência de países e as políticas transnacionais dos concorrentes estão entre os principais impulsionadores, que exercem uma força poderosa em muitos setores de serviço. Empresas podem ser obrigadas a seguir suas concorrentes até novos mercados para protegerem suas posições em outros lugares. De modo semelhante, quando uma grande empresa se move para um novo mercado estrangeiro, pode ocorrer uma disputa acirrada por território entre concorrentes.

Impulsionadores tecnológicos. Esses fatores tendem a se centralizar em avanços na tecnologia de informação, como melhoria de desempenho e capacidades em telecomunicações, informatização e software; miniaturização de equipamentos e digitalização de voz, vídeo e texto, de modo que todos sejam armazenados e transmitidos em formato digital. No caso de serviços de informação, a crescente disponibilidade de canais de telecomunicação de banda larga, capazes de transmitir vastas quantidades de dados em grande velocidade, está desempenhando um papel importante na abertura de novos mercados.[19] O acesso a Internet se acelera em todo o mundo. Podem-se obter economias significativas centralizando 'hubs (distribuidoras) de informação' em âmbito continental ou mesmo global. Empresas podem aproveitar vantagens de custos de mão de obra e taxas de câmbio favoráveis, consolidando operações de serviços suplementares (como reservas) ou funções administrativas de apoio (como contabilidade) em um ou alguns poucos países selecionados.

Impulsionadores de custo. Ser grande às vezes é muito bom do ponto de vista do custo. Podem-se obter economias de escala ao operar em base internacional ou global e eficiências de suprimento, como resultado de logística favorável e custos mais baixos em certos países. Custos operacionais mais baixos para telecomunicações e transporte, acompanhados de melhor desempenho, facilitam a entrada em mercados internacionais. O efeito desses impulsionadores varia conforme o nível de custos fixos requeridos para entrar em um setor e o potencial para economia de custos. Barreiras à entrada pelos custos iniciais de equipamentos e de instalações podem ser reduzidas por meio de estratégias como arrendar equipamentos (como em empresas aéreas), procurar instalações que pertençam ao investidor (como hotéis) e então firmar contratos de gerenciamento ou conceder franquias a empreendedores locais. Contudo, impulsionadores de custo podem ser menos aplicáveis a serviços cuja base primordial sejam pessoas. Quando a maioria dos elementos da fábrica de serviço tem de ser reproduzida em vários locais, as economias de escala tendem a ser mais baixas e as curvas de experiência, mais achatadas.

Impulsionadores governamentais. Políticas governamentais podem incentivar ou desencorajar o desenvolvimento de uma estratégia integrada em âmbito transnacional. Entre esses impulsionadores, estão políticas comerciais favoráveis, padrões técnicos compatíveis e regulamentações de marketing em comum. Por exemplo, as providências tomadas pela Comissão Europeia para criar um mercado único em toda a UE são um estímulo para a criação de estratégias de serviço pan-europeias em numerosos setores.

Além disso, a Organização Mundial do Comércio, focada na internacionalização de serviços, tem pressionado governos a criar ambientes regulatórios mais favoráveis às estratégias de serviço transnacionais. O poder dos impulsionadores para a internacionalização pode ser visto no caso da chegada de um avião da Qantas a Hong Kong, descrita na seção Panorama de serviços 5.5.

Muitos dos fatores que estimulam a internacionalização e a adoção de estratégias transnacionais também promovem a tendência entre setores que antes funcionavam somente em nível local a operar em escala nacional. As forças de mercado, de custos, tecnológicas e competitivas que incentivam a criação de empresas de serviço ou redes de franquia de âmbito nacional costumam ser as mesmas que, na sequência, estimulam algumas delas a operar em escala transnacional.

Panorama de serviços 5.5

Voo para Hong Kong: um instantâneo da globalização

Um Boeing 747 branco e vermelho ostentando o canguru voador da Qantas voa baixo sobre o fervilhante porto de Hong Kong, repleto de navios mercantes, depois de dez horas de voo desde a Austrália. Tão logo aterrissa, a aeronave taxia por um caleidoscópio de estabilizadores verticais que representam empresas aéreas de mais de uma dúzia de países em diversos continentes — apenas uma amostra de todas as transportadoras que oferecem serviços nessa cidade notável.

Entre os passageiros, há homens de negócios e turistas, bem como residentes que voltam para casa. Após passar pela imigração e pela alfândega, a maioria dos visitantes se dirigirá primeiro a seus hotéis, muitos dos quais pertencem a redes globais (algumas com sede em Hong Kong). Alguns viajantes retirarão seus carros, reservados com antecedência na Hertz, ou alguma outra conhecida locadora instalada no aeroporto. Outros tomarão o trem rápido para a cidade. Turistas que viajam com pacotes de excursão esperam ansiosos para provar a renomada cozinha cantonesa de Hong Kong. Pais, entretanto, resignam-se em atender seus filhos que querem comer nas mesmas redes de *fast-food* que existem em seu país natal. Muitos dos turistas mais ricos planejam ir às compras não apenas em típicas joalherias e lojas de antiguidades chinesas, mas também em lojas luxuosas de marcas internacionais, a ser encontradas na maioria das grandes cidades.

O que traz executivos a essa cidade, que em 1998 deixou de ser um protetorado inglês e se tornou uma região administrativa especial (SAR, do inglês, *special administrative region*), da China? Muitos negociam contratos de suprimentos de bens manufaturados, que vão de vestuário a brinquedos e componentes de computador, enquanto outros vieram promover suas próprias mercadorias e serviços. Alguns atuam no ramo da navegação ou da construção civil; outros, em vários setores de serviço, que abrangem de telecomunicações a entretenimento e direito internacional. O proprietário de uma grande operadora de turismo australiana veio negociar pacotes de férias na famosa Costa Dourada de Queensland. Um canadense sediado em Bruxelas, sócio principal de uma das Quatro Grandes, está na metade de uma extenuante viagem ao redor do mundo para persuadir os executivos de um conglomerado internacional a consolidar todos os seus negócios de auditoria em uma operação global, sob a responsabilidade de sua empresa. Um executivo norte-americano e seu colega britânico, ambos trabalhando para uma grande parceria euroamericana de telecomunicações, esperam vender a uma corporação multinacional o conceito de contratar a empresa que representam para administrar todas as suas atividades de telecomunicações no mundo inteiro. E um bom número de passageiros trabalha para empresas internacionais de serviços bancários e financeiros ou veio a Hong Kong (um dos centros financeiros mais dinâmicos do mundo) buscar financiamento para seus próprios empreendimentos.

No compartimento de carga do Boeing podem ser encontradas as malas dos passageiros e também cargas com destino a Hong Kong e outras localidades chinesas. A carga inclui: correio; vinho australiano; peças de reposição vitais para um *ferryboat* de alta velocidade, construído na Austrália e que opera a partir de Hong Kong; um conteiner cheio de folhetos e materiais promocionais sobre a indústria de turismo australiana, que serão usados em uma feira comercial e várias outras mercadorias de alto valor. Esperando no aeroporto está o pessoal local da Qantas (carregadores de bagagens, pessoal de limpeza, mecânicos e outros técnicos), oficiais de alfândega e imigração e, é claro, pessoas que vieram receber passageiros. Algumas são australianas, mas a grande maioria é de chineses de Hong Kong, muitos dos quais nunca viajaram para muito longe. Ainda assim, em seu dia a dia, frequentam bancos, lanchonetes de *fast-food*, lojas de varejo e empresas de seguros cujas marcas — promovidas por campanhas publicitárias globais — podem ser igualmente familiares para seus parentes que vivem na Austrália, na Grã-Bretanha, no Canadá, em Cingapura e nos Estados Unidos. Eles podem assistir a CNN por televisão a cabo, ouvir BBC World Service no rádio, telefonar pela Hong Kong Telecom (que também faz parte de uma operação mundial) e assistir a filmes de Hollywood em inglês, ou dublados no dialeto cantonês. Bem-vindo ao mundo do marketing global de serviços!

Como a natureza de um serviço afeta a distribuição internacional

Seriam alguns tipos de serviço mais fáceis de internacionalizar do que outros? Quais são as alternativas para uma empresa de serviços explorar os mercados internacionais? Dependendo, em parte, da natureza do serviço, as estratégias de distribuição internacional têm requisitos imensamente diferentes. A Tabela 5.2 resume importantes variações no impacto de cada um dos cinco grupos de impulsionadores de globalização sobre três amplas categorias de serviço: de processamento de pessoas, de processamento de posses e baseado em informações.

Tabela 5.2 Impacto dos impulsionadores de globalização sobre várias categorias de serviço

Impulsionadores de globalização	Processamento de pessoas	Processamento de posses	Baseados em informação
Concorrência	Simultaneidade de produção e consumo limita a alavancagem de vantagem competitiva baseada no exterior, na linha de frente da fábrica de serviço, mas vantagem em sistemas de gerenciamento pode ser a base para a globalização.	Papel de líder em tecnologia cria estímulo para globalização de concorrentes que tenham diferencial técnico (por exemplo, o serviço técnico da Singapore Airlines para aeronaves de outras transportadoras).	Alto grau de vulnerabilidade à dominação global por concorrentes que têm monopólio ou vantagem competitiva em informação (por exemplo, TV Globo, BBC, Hollywood, CNN), a menos que restritos por governos.
Mercado	Pessoas diferem no que se refere à economia e cultura; portanto, necessidades de serviços e capacidade de pagamento podem variar. Cultura e educação podem afetar a disposição para executar autosserviço.	Menos variação em serviços para posses corporativas, mas nível de desenvolvimento econômico causa impacto na demanda por serviços para bens de propriedade individual.	Demanda por muitos serviços é derivada, em grau significativo, de níveis econômicos e educacionais. Questões culturais podem afetar demanda por entretenimento.
Tecnologia	Utilização de TI para entrega de serviços suplementares pode ser uma função de propriedade e familiaridade com a tecnologia, incluindo telecomunicações e terminais inteligentes.	Necessidade de sistemas de entrega de serviços baseados em tecnologia decorre dos tipos de posse que requerem serviços e do custo dos *trade-offs* na substituição do trabalho.	Capacidade de entregar serviços principais por terminais remotos pode ser uma função de investimentos em informatização, qualidade de infraestrutura de telecomunicações e níveis educacionais.
Custo	Taxas variáveis de mão de obra podem causar impacto no preço de serviços que requerem uso intensivo de mão de obra (considere autosserviço em locais de alto custo).	Taxas variáveis de mão de obra podem favorecer localidades de baixo custo, se não forem superadas por custos de expedição. Considere substituir trabalho por equipamento.	Principais elementos de custo podem ser centralizados e elementos de custo menos importantes, localizados.
Governo	Políticas sociais (por exemplo, de saúde) têm alto grau de variação e podem afetar custos de mão de obra; o papel das mulheres em serviços de linha de frente e horários/dias nos quais o trabalho pode ser executado.	Leis tributárias, regulamentações ambientais e padrões técnicos podem reduzir/elevar custos e incentivar/desincentivar certos tipos de atividade.	Políticas educacionais, de censura, de propriedade pública de telecomunicações e padrões de infraestrutura podem causar impacto na demanda e distorcer preços.

Serviços de processamento de pessoas. Requerem contato direto com o cliente. O provedor de serviço necessita ter uma presença geográfica local, bem como pessoal, instalações, equipamento, veículos e suprimentos apropriados a um alcance relativamente fácil do público-alvo. Existem três opções:

- *Exportar o conceito de serviço.* Sozinha ou em parceria com fornecedores locais, a empresa estabelece uma fábrica de serviço em outro país. O objetivo pode ser empenhar-se em conquistar novos clientes, seguir clientes corporativos ou individuais até outras localizações (ou ambos). Essa abordagem é em geral usada por cadeias de restaurantes, hotéis, locadoras de automóveis e clínicas de redução de peso, em que uma presença local é essencial para poder competir. A seção Melhores práticas em ação 5.1 descreve algumas das formas como o Grupo Accor, grande rede hoteleira internacional, desenvolveu uma presença global.

No caso de clientes corporativos, os setores estarão mais provavelmente em áreas como serviços bancários e profissionais, logística empresarial, entre outras. Se os clientes são móveis, como no caso de executivos em viagem de negócios e turistas, esses mesmos clientes podem servir-se das ofertas de uma empresa em diversas localidades e fazer comparações entre elas.

- *Importar clientes.*[20] Clientes de outros países são convidados a ir até uma fábrica de serviço que tem apelo ou competências distintivas e que se localiza no país de origem da empresa. Pessoas de outros países viajam para o Brasil para visitar lugares de notável beleza natural, como o Pantanal mato-grossense e as praias do Nordeste. Mas também tem crescido o turismo médico, mercado estimado mundialmente em US$ 60 bilhões por ano. A demora no atendimento nos sistemas públicos e o alto custo nos privados têm feito muitas pessoas buscarem serviços médicos em outros países; o Brasil é referência em diversas áreas, como cirurgia plástica, ortopedia e tratamentos odontológicos. Estima-se que em 2005 cerca de 48 mil estrangeiros tenham buscado tratamento médico no Brasil, em sua maioria para cirurgias plásticas. Entre 2007 e 2009, segundo a Deloitte Center for Health Solutions, foram cerca de 180 mil. Existe grande potencial, como já demonstrado por países do Oriente — na Tailândia, por exemplo, apenas em 2007, esse número chegou a 1,2 milhão.

Serviços de processamento de posses. Em alguns casos esses serviços também podem ser geograficamente restritos. Essa categoria envolve serviços prestados às posses físicas do cliente: conserto e manutenção, transporte de carga, limpeza e armazenagem. A maioria desses serviços requer presença local contínua, quer os clientes levem itens até uma instalação de serviço, quer o pessoal de serviço visite o local do cliente. Às vezes, pessoal especializado pode ser enviado de avião de uma base situada em outro país. Contudo, pequenos itens transportáveis podem ser despachados para uma central de serviços no exterior para conserto, limpeza ou manutenção. Certos tipos de processos de serviço podem ser aplicados a bens físicos por meio de diagnóstico eletrônico e transmissão de 'conserto remoto'.

Serviços de informação. Inclui *serviços de processamento mental* (dirigidos à mente do cliente, como notícias e entretenimento) e *serviços de processamento de informações* (dirigidos aos ativos intangíveis do cliente, como serviços bancários e de seguros). Talvez constituam a categoria mais interessante do ponto de vista de desenvolvimento de estratégia global. Serviços de informação podem ser distribuídos internacionalmente destas três maneiras.

- *Exportar o serviço para uma fábrica de serviço local.* O serviço pode ser colocado à disposição em uma instalação local que os clientes visitam. Por exemplo, um filme feito em Hollywood pode ser mostrado em cinemas de todo o mundo; filmes brasileiros têm sido distribuídos mundialmente pela Universal Pictures; um curso universitário pode ser elaborado em um país e oferecido em outros lugares por professores credenciados, como os cursos a distância que faculdades brasileiras oferecem para Portugal e Angola.

- *Importar clientes.* Clientes podem viajar para o exterior a fim de visitar uma instalação especializada, caso em que as características passam a ser as de um serviço de processamento de pessoas. Por exemplo, grande número de estudantes estrangeiros frequentam universidades dos Estados Unidos e Canadá. Alunos de toda a América Latina frequentam cursos nas faculdades brasileiras.

Melhores práticas em ação 5.1

Grupo Accor: inovação em hotéis em um cenário global

O Grupo Accor, com sede em Paris, é um dos líderes mundiais na indústria hoteleira. Recentemente vendeu seus investimentos em negócios de agência de viagens e serviço de alimentação subcontratada para focar em suas atividades principais. Segundo especialistas no setor, é uma das poucas empresas de hotelaria verdadeiramente globais, com 4 mil hotéis (144 no Brasil, onde foi eleita uma das dez melhores empresas para se trabalhar) que compreendem 480 mil quartos em cem países. Ao longo dos anos, provou ser um fornecedor de serviços de alto grau de inovação, como refletido por sua profunda análise de oportunidades de mercado, ofertas integradas e estratégias de crescimento internacional.

O Accor passou da primeira rede de hotéis verdadeiramente europeia a uma das maiores do mundo. O grupo opera diversas categorias hoteleiras: a marca Sofitel, de quatro/cinco-estrelas, o Novotel, de três/quatro-estrelas, o Mercure, de três/quatro-estrelas, e o Ibis, de duas/três-estrelas Também foi pioneiro no conceito de hotéis de desconto de construção pré-fabricada, conhecido como a rede Formule 1. Nos Estados Unidos, opera as redes Motel 6, de motéis de desconto, e Red Roof Inns e tem planos para outras aquisições. O Accor dá muita atenção à manutenção das identidades distintivas de cada uma de suas marcas de hotéis.

O ex-CEO da Accor, Jean-Marc Espalioux, procurou dar à empresa a estrutura integrada necessária para operar e competir em base global. Sob sua liderança, as atividades do hotel foram reestruturadas em três segmentos estratégicos, que refletem seus posicionamentos no mercado. Há também duas divisões funcionais. A primeira, de serviços globais, foi criada para encabeçar as principais funções comuns a todas as atividades hoteleiras: sistemas de informações e de reservas, manutenção e assistência técnica, compras, contas principais e parcerias e sinergia entre atividades hoteleiras e outras. A segunda, de desenvolvimento de hotéis, é estruturada por marca e região, responsável por trabalhar com a gerência de cada marca de hotel para desenvolver estratégias de marketing, de desenvolvimento de serviços e de crescimento. Espalioux tinha forte crença em economias de escala:

"Em vista da revolução no setor de serviços que ocorre agora, não vejo nenhum futuro para as redes de hotéis exclusivamente nacionais — exceto para nichos de mercado muito específicos com arquitetura e localizações especiais, como o Raffles, em Cingapura, ou o Ritz, em Paris. Redes nacionais não podem investir dinheiro suficiente."

O grupo continua sua investida na internacionalização, focalizando em maior consolidação e integração da rede, bem como na construção de uma presença em mercados emergentes, como os da Polônia, Hungria e outros países do ex-bloco soviético. Espalioux também tinha muita consciência de que o obstáculo à globalização bem-sucedida em serviços era — e continua sendo — as pessoas:

"A globalização apresenta desafios consideráveis que frequentemente são subestimados. A principal dificuldade é conseguir que nossas gerências locais adotem os valores do grupo. [Elas] devem entender nosso mercado e cultura, por exemplo, e nós temos de aprender as delas."

Como cooperação internacional, comunicação e trabalho de equipe são essenciais para conseguir consistência global, o Accor eliminou, o quanto foi possível, hierarquia, rígidas descrições de trabalho e títulos e mesmo organogramas funcionais. Os 158 mil funcionários são incentivados a interagir o máximo possível, tanto com os colegas quanto com os hóspedes. Eles definem os limites de seus trabalhos no contexto da 'experiência total do cliente' e são reconhecidos e recompensados, segundo a excelência com que cumprem essas definições. Além dessas iniciativas estruturais e organizacionais, videoconferência e outras tecnologias são bastante usadas para criar e reforçar uma cultura comum, global, entre os funcionários em todo o mundo.

Na Europa, todos os hotéis do grupo são interligados por uma sofisticada rede de TI (tecnologia de informação), e os hotéis Accor no mundo estão ligados por um sistema global de reservas 24 horas por dia. Aqui no Brasil, onde é o maior grupo hoteleiro, opera com duas divisões, com base na reestruturação de serviços e hotelaria feita em 2010. A Accor Services é composta de Ticket, Acentiv'Mimética e Build Up; já o segmento de hotelaria manteve a marca Accor.

Fontes: Andrew Jack, "The global company: why there is no future for national hotel chains", *Financial Times*, 10 out. 1997; W. Chan Kim e Renee Mauborgne, "Value innovation: the strategic logic of high growth", *Harvard Business Review*, jan./fev. 1997, p. 121–123 e site da empresa. Disponível em: <www.accor.fr>. Acesso em: 22 maio 2009.

- *Exportar a informação via telecomunicações e transformá-la no local de destino.* Em vez de despachar serviços baseados em objetos armazenados em meios físicos, como CDs e DVDs a partir do país de origem, é cada vez mais fácil fazer download dos dados pela Internet a partir desse país, para produção física em mercados locais (até mesmo pelos próprios clientes). A Microsoft oferece o Windows Anytime Upgrade, para o Windows Seven, que permite, com a compra de um código, fazer a atualização para uma versão superior pela Internet.

Em teoria, nenhum desses serviços requer contato pessoal com clientes, pois todos são entregues a distância por meio de telecomunicações ou correio. Serviços bancários e de seguros são bons exemplos daqueles que podem ser entregues a partir de outros países. Clientes de bancos que necessitem de dinheiro vivo em outro país só precisam ir até um caixa eletrônico conectado a uma rede global como a Visa. Na prática, contudo, uma presença local talvez seja necessária para construir relacionamentos pessoais, realizar pesquisa no local (como no caso de consultoria ou auditoria) ou até mesmo cumprir requisitos legais.

Além de setores como os de serviços financeiros, seguros, notícias e entretenimento, a educação está se tornando uma potencial candidata à distribuição globalizada por meio de uma combinação de canais. Muitas universidades já têm um campus internacional, cursos de extensão ministrados por um corpo acadêmico local ou visitante e programas de correspondência há muito estabelecidos. Em bases nacionais, universidades como a USP e a UNOPAR desenvolvem cursos a distância em programas distribuídos eletronicamente. Um serviço verdadeiramente globalizado é o próximo passo lógico.

Barreiras ao comércio internacional em serviços

O marketing internacional de serviços é o segmento do comércio internacional que cresce com mais rapidez.[21] A estratégia transnacional envolve a integração de formulação de estratégia e sua implementação em todos os países nos quais a empresa decide fazer negócios. Barreiras à entrada, antes um sério problema para empresas que desejam negociar no exterior, diminuem pouco a pouco. A aprovação de legislação de livre comércio nos últimos anos tem facilitado operações transnacionais. Entre os desenvolvimentos notáveis estão o NAFTA (North American Free Trade Agreement — Associação Norte-Americana de Livre Comércio), que liga Canadá, México e Estados Unidos; os blocos econômicos latino-americanos, como o Mercosul e o Pacto Andino, e a União Europeia, que, espera-se, ampliará seu número de associados nos próximos anos (veja a seção Panorama de serviços 5.6).

Contudo, operar com sucesso em mercados internacionais continua difícil para alguns serviços. A despeito dos esforços da Organização Mundial de Comércio (OMC) e de seu predecessor, o Acordo Geral de Tarifas e Comércio (ou GATT, do inglês, General Agreement on Trade and Tariffs) para negociar acesso mais fácil a mercados de serviço, ainda restam muitos obstáculos. O acesso a empresas aéreas é um ponto sensível, visto que muitos países exigem acordos bilaterais para estabelecer novas rotas. Se um país estiver disposto a permitir a entrada de uma nova transportadora, mas o outro não, o acesso será bloqueado. Combinados com restrições governamentais dessa natureza estão limites de capacidade em certos aeroportos importantes, que levam à recusa de novos direitos ou direitos adicionais de aterrissagem para empresas aéreas estrangeiras. O transporte de passageiros, como o de cargas, é afetado por tais restrições.

Entre outros obstáculos, podem figurar protelações administrativas, recusa em emitir visto de trabalho para estrangeiros, pesados impostos cobrados de empresas estrangeiras, políticas de proteção a fornecedores locais, restrições legais para procedimentos operacionais e de marketing (incluindo fluxo internacional de dados) e a falta de padrões de contabilidade de aceitação geral para serviços. Barreiras sanitárias também têm criado restrições. Idiomas e normas culturais variados podem exigir mudanças dispendiosas na natureza de um serviço e no modo como ele é entregue e promovido. A questão cultural tem sido de particular significância para a indústria do entretenimento. Muitas nações temem ver suas culturas solapadas por importações norte-americanas.

Panorama de serviços 5.6

União Europeia em busca de um comércio sem fronteiras

Muitas das decisões estratégicas desafiadoras para os profissionais de marketing de serviços em mercados pan-europeus são extensões do que já enfrentaram muitas empresas que operam nos Estados Unidos. Embora geograficamente mais compacta do que esse país, a União Europeia (UE), formada por 27 países, tem uma população maior (500 milhões *versus* 307 milhões) e maior diversidade cultural e política, com variações mais distintas de gostos e estilos de vida; há também a complicação adicional de 23 idiomas oficiais e inúmeros dialetos, do catalão ao galês. À medida que novos países se juntam ao bloco, o 'mercado único' ficará ainda maior. A entrada de países da Europa oriental, como Romênia e Bulgária, e a possibilidade de uma ligação formal com a Turquia (cuja área territorial abrange Europa e Ásia) agregará mais diversidade cultural e levará o mercado da UE para mais perto da Rússia e dos países da Ásia Central.

A Comissão Europeia tem feito enormes progressos dentro da UE no que tange à harmonização de relações comerciais e regulamentações para equalizar o campo competitivo e desencorajar esforços feitos por países-membros individuais para proteger suas próprias indústrias de serviços e manufatureiras. Os resultados já são evidentes, com muitas empresas de serviços operando na Europa e também no exterior.

Outra importante etapa econômica que facilita o marketing transnacional pan-europeu é a união monetária. Em janeiro de 1999, os valores de câmbio de 11 moedas europeias foram vinculados ao euro, que substituiu completamente aquelas moedas em 2002. Hoje, serviços da Finlândia a Portugal são cotados em euros. A previsão é que outros países europeus, entre eles Grã-Bretanha e Suécia, aderirão ao euro, embora a questão ainda seja controversa. A Grã-Bretanha tem um forte mercado financeiro que poderia ser afetado pelo fim da libra esterlina, e outros países preferem manter a moeda local para controlar melhor sua emissão. A recente crise na Grécia, que se espalhou por Portugal, Espanha e Irlanda, aumentou o debate sobre as vantagens do euro para alguns países.

Contudo, embora o potencial para comércio de serviços mais livre na UE aumente consistentemente, é preciso reconhecer que a 'Grande Europa', que vai da Islândia à Rússia, a oeste dos Montes Urais, inclui muitos países que devem ficar de fora da União por muitos anos. Alguns países ainda não têm controle adequado de política monetária, índices de endividamento e inflação, e não atingem as metas mínimas da UE para entrar na zona do euro. Certos países, como Suíça e Noruega (que rejeitaram em plebiscitos a participação), tendem a manter relações comerciais muito mais próximas com a UE do que outros. Se haverá algum dia uma união política total — um 'Estados Unidos da Europa' — é assunto que desperta debates e contestações acaloradas. Todavia, do ponto de vista de marketing de serviços, a UE com certeza se aproxima do modelo dos Estados Unidos em termos de escala e de liberdade de ação.

CONCLUSÃO

O quê? Como? Onde? Quando? Respostas a essas quatro questões formam a base da estratégia de distribuição de qualquer serviço. A experiência de serviço do cliente depende de como os diferentes elementos da Flor de serviço são distribuídos e entregues por meio de canais físicos e eletrônicos seletivos. Além de 'o quê' e 'como', a estratégia de marketing de serviços deve abordar questões de lugar e hora, e atentar tanto para rapidez, programação e acesso eletrônico quanto para a localização física. Nesse caso, o rápido crescimento da Internet e das comunicações móveis em banda larga é especialmente estimulante para as empresas de serviços — e muitos de seus elementos são informacionais por natureza. Além disso, no calor da globalização, emergem questões importantes sobre a estruturação e a implementação de estratégias de distribuição internacional de serviço.

Resumo do capítulo

OA1. *O quê? Como? Onde? Quando?* Respostas a essas perguntas formam a base de qualquer estratégia de entrega de serviços.

OA2. *O que* é distribuído? O modelo de fluxo de distribuição pode ser mapeado pelo conceito de Flor de serviço:
- fluxos de informações e promoção (pétalas de informação e, potencialmente, consulta);
- fluxo de negociação (pétalas de recebimento de pedidos e, potencialmente, cobrança e pagamento);
- fluxo de produtos (pétalas remanescentes e o produto principal).

Uma estratégia de distribuição de serviço abrange esses três fluxos.

OA3. Alguns serviços principais requerem localização física (como processamento de pessoas), que restringem muito sua distribuição. Entretanto, serviços principais baseados em informações e muitos dos suplementares podem ser distribuídos e entregues remotamente.

OA4. *Como* os serviços podem ser distribuídos? De três modos principais:
- os clientes visitam o local do serviço (por exemplo, serviços de processamento de pessoas como tomografia por ressonância magnética);
- os provedores de serviços vão até seus clientes (como os serviços bancários tipo *private*);
- transações de serviços conduzidos remotamente (isto é, a distância, como skype ou aquisição de seguro de viagem pela internet).

OA5. As preferências dos consumidores determinam a escolha do canal. Em geral, clientes preferem canais remotos pela conveniência e quando há alta confiança e conhecimento sobre o produto, além de serem versados em tecnologia. Entretanto, os consumidores confiam mais em canais pessoais quando o risco percebido é alto e quando há motivação social por trás da transação.

OA6. *Onde* e *quando* o serviço deve ser entregue? Decisões sobre lugar e hora devem refletir as necessidades e expectativas dos clientes.
- Conveniência do cliente e requisitos operacionais são os principais fatores.
- Tendências recentes de localização incluem minilojas, compartilhamento do espaço de venda com fornecedores complementares e instalações de múltiplas finalidades (como caixas eletrônicos em prédios de escritórios).
- Há uma tendência para a ampliação do horário de funcionamento, com a meta de serviço 24 horas por dia, todos os dias do ano, geralmente obtida por meio de tecnologia de autosserviço.

OA7. Serviços principais e suplementares baseados em informação podem ser oferecidos 24 horas por dia pela Internet. Desenvolvimentos tecnológicos recentes ligam sistemas de CRM, telefones celulares e sites, para prover serviços cada vez mais convenientes e sofisticados.

OA8. Com frequência, as empresas usam intermediários para distribuir alguns dos serviços suplementares (por exemplo, linhas de cruzeiro ainda usam agências de viagens para oferecer informações, fazer reservas e cobrar pagamento).
- As organizações de serviços podem descobrir que é mais econômico terceirizar certas atividades.
- O desafio da empresa é garantir que o serviço como um todo seja impecável e experimentado como se deseja.

Franquias costumam ser utilizadas para distribuir o serviço principal. Essa modalidade traz vantagens e desvantagens:
- permite rápido crescimento, e os franqueados são altamente motivados a prover orientação aos clientes, serviços de alta qualidade e operações eficientes em custo;
- entre as desvantagens estão a perda de controle sobre o sistema de entrega e a experiência de serviço do cliente. Por isso, os franqueadores geralmente aplicam rígidos controles de qualidade sobre todos os aspectos da operação.

OA9. Cinco forças fundamentais impulsionam as empresas de serviço a se internacionalizarem:
- impulsionadores de mercado (por exemplo, os clientes esperam uma presença global);
- impulsionadores da concorrência (como quando os concorrentes tornam-se globais e pressionam as empresas nacionais);
- impulsionadores tecnológicos (por exemplo, a Internet permite distribuição global e arbitragem de custo);
- impulsionadores de custo (como quando as economias de escala levam à adição de mercados);
- impulsionadores governamentais (por exemplo, os países que aderiram à OMC tiveram de abrir muitos setores de serviços para a concorrência internacional).

Questões para revisão

1. O que significa 'distribuir serviços'? Como uma experiência ou algo intangível pode ser distribuído?

2. Por que é importante considerar a distribuição de serviços principais e suplementares em separado e também em conjunto?

3. Quais são as opções de entrega de serviços? Para cada uma, quais fatores as empresas de serviços devem levar em consideração?

4. Quais são os principais impulsionadores das decisões de lugar e hora da distribuição de serviços?

5. Quais são os riscos e oportunidades para uma empresa de serviços de varejo quando ela adiciona canais de entrega eletrônicos (a) em paralelo com um canal que envolve lojas físicas, (b) em substituição a lojas físicas por um canal de Internet mais central de atendimento? Dê exemplos.

6. Por que profissionais de marketing de serviços devem se preocupar com novos desenvolvimentos em comunicações móveis?

7. Que desafios de marketing e de gerenciamento são levantados pela utilização de intermediários em um cenário de serviço?

8. Por que a franquia é um meio popular de expandir a distribuição de um conceito de serviço eficaz? Quais são algumas das desvantagens das franquias e como elas podem ser minimizadas?

9. Como um estudo do Brasil pode ajudar profissionais de marketing que estão planejando estratégias transnacionais?

10. Quais são os principais impulsionadores do crescimento da globalização de serviços?

11. Como a natureza do serviço afeta as oportunidades de globalização?

Exercícios

1. Um empreendedor está pensando em abrir um novo negócio no setor de serviços (você pode escolher qualquer um). Que recomendações você faria sobre a estratégia de distribuição desse negócio? Aborde as quatro questões pertinentes à distribuição de serviço: o quê? Como? Onde? Quando?

2. Pense em três serviços que você compra, na maioria das vezes ou exclusivamente, pela Internet. Qual é a proposição de valor desse canal para você em comparação com canais alternativos (como telefone, correio ou rede de filiais)?

3. Que recomendações sobre internacionalização você faria para (a) uma clínica de redução de peso, (b) uma empresa de controle de pragas e (c) uma universidade que oferece cursos de graduação?

4. Selecione três setores de serviço diferentes, cada qual representando um dos serviços de processamento de pessoas, de processamento de posses e baseados em informações. Em cada caso, avalie os cinco impulsionadores de globalização e seu impacto sobre esses três setores.

5. Obtenha dados estatísticos recentes do comércio internacional de serviços para o Brasil e para outro país de sua escolha. Quais são as categorias dominantes de exportações e importações de serviços? Em sua opinião, quais são os fatores que estão impulsionando o comércio em categorias específicas de serviço? Quais diferenças você observa entre os países?

Notas

1. Jochen Wirtz e Jeannette P. T. Ho, "Westin in Asia: distributing hotel rooms globally". In: Jochen Wirtz e Christopher H. Lovelock (eds.). Services marketing in Asia — a case book. Cingapura: Prentice-Hall, 2005, p. 253-259. Disponível em: <www.starwoodhotels.com>. Acesso em: 16 fev. 2009.

2. Pesquisa recente sobre a adoção de tecnologias de autosserviço incluem: Matthew L. Meuter, Mary Jo Bitner, Amy L. Ostrom e Stephen W. Brown. "Choosing among alternative service delivery modes: an investigation of customer trial of self-service technologies", Journal of Marketing, 69, abr. 2005, p. 61-83; James M. Curran e Matthew L. Meuter, "Self-service techonology adoption: comparing three technologies", Journal of Services Marketing, 19, n.2, 2005, p. 103-113.

3. A seção foi baseada nas seguintes pesquisas: Nancy Jo Black, Andy Lockett, Christine Ennew, Heidi Winklhofer e Sally McKechnie, "Modelling consumer choice of distribution channels: an illustration from financial services", International Journal of Bank Marketing, 20, n.4, 2002, p. 161-173; Jinkook Lee, "A key to marketing financial services: the right mix of products, services, channels and costumers", Journal of Services Marketing, 16, n.3, 2002, p. 238-258; Leonard L. Berry, Kathleen Seiders e Dhruv Grewal, "Understanding service convenience", Journal of Marketing, 66, n.3, jul. 2002, p. 1-17. Jiun-Sheng C. Lin e Pei-ling Hsieh, "The role of technology readiness in customer's perception and adoption of self-service technologies", International Journal of Service Industry Management, 17, n.5, 2006, p. 497-517.

4. Paul F. Nunes e Frank V. Cespedes, "The customer has escaped", Harvard Business Review, 81, n.11, 2003, p. 96-105.

5. Michael A. Jones, David L. Mothersbaugh e Sharon E. Beatty, "The effects of locational convenience on customer repurchase intentions across service types", Journal of Services Marketing, 17, n. 7, 2004, p. 701-712.

6. Sites como <www.e-commerce.org.br> oferecem informações a respeito do e-commerce.

7. Luzia Maria Mazzeo, Sônia Pantoja, Rosângela Ferreira. Evolução da Internet no Brasil e no mundo. Artigo Científico. Ministério da Ciência e Tecnologia/Secretaria de Política de Informática e Automação. Assessoria SEPIN. abr. 2000.

8. Disponível em: <www.cia.gov/library/publications/the-world-factbook/geos/br.html> Acesso em: 07 junho 2011

9. "Iphone vira banco de bolso". Revista INFO Profissional, 15 jun. 2009.

10. Ver também P. K. Kannan, "Introduction to the special issue: marketing in the e-channel", International Journal of Electronic Commerce, 5, n.3, 2001, p. 3-6; Satisfação e fidelidade do cliente podem ser desenvolvidas com canais eletrônicos que criem

'proximidade digital', veja Sonja M. Salmen e Andrew Muir, "Electronic customer care: the innovative path to e-loyalty", *Journal of Financial Services Marketing*, 8, n.2, 2003, p. 133-144.

11. Inge Geyskens, Katrijn Gielens e Marnik G. Dekimpe, "The market valuation of Internet channel additions", *Journal of Marketing*, 66, n. 2, abr. 2002, p. 102-119. Para um estudo que demonstre que a percepção do cliente de maior integração entre canais físicos e virtuais é importante em uma estratégia multicanal e está associada a maior fidelidade, veja Elliot Bendoly, James D. Blocher, Kurt M. Bretthauer, Shanker Krishnan e M. A. Venkataramanan, "Online/in-store integration and customer retention", *Journal of Service Research*, 7, n. 4, 2005, p. 313-327.

12. Katherine N. Lemon, Frederick B. Newell e Loren J. Lemon, "*The* wireless rules for e-service". In: Roland T. Rust e P. K. Kannan (eds.). *New directions in theory and practice*. Armonk, Nova York: M. E. Sharpe, 2002, p. 200-232.

13. James Cross e Bruce J. Walker, "Addressing service marketing challenges through franchising". In: Teresa A. Schwartz e Dawn Iacobucci (eds.). *Handbook of services marketing & management*. Thousand Oaks, CA: Sage Publications, 2000, p. 473-484; Lavent Altinay, "Implementing international franchising: the role of intrapreunership", *International Journal of Service Industry Management*, 15, n.5, 2004, p. 426-443.

14. International Franchising Association Educational Foundation Inc., "*Franchise industry gains 300 concepts in one year*", 19 nov. 2007. Disponível em: <www.franchise.org/Franchise-News-Deatil.aspx?id=36416>. Acesso em: 24 maio 2009.

15. Richard C. Hoffman e John F. Preble, "Global franchising: current and future challenges", *Journal of Services Marketing*, 18, n. 2, 2004, p. 101-113.

16. Scott Shane e Chester Spell, "Factors for new franchise success", *Sloan Management Review*, primavera de 1998, p. 43-50.

17. Para uma discussão sobre o que observar quando partes do serviço são terceirizadas, veja Lauren Keller Johnson, "Outsourcing postsale service: is your brand protected? Before you spin off repairs, or parts distribution, or customer call centers, consider the cons as well as the pros", *Harvard Business Review Sypply Chain Strategy*, jul. 2005, p. 3-5.

18. John K. Johansson e George S. Yip, "Exploiting globalization potential: US and Japanese strategies", *Strategic Management Journal*, 15, out. 1994, p. 579-601; Christopher H. Lovelock e George S. Yip, "Developing global strategies for service businesses", *California Management Review*, 38, inverno de 1996, p. 64-86; May Aung e Roger Heeler, "Core competencies of service firms: a framework for strategic decisions in international markets", *Journal of Marketing Management*, 17, 2001, p. 619-643; Rajshkhar G. Javalgi e D. Steven White, "Strategic challenges for the marketing of services internationally", *International Marketing Review*, 19, n.6, 2002, p. 563-581.

19. Rajshkhar G.Javalgi, Charles L. Martin e Patricia R. Todd, "The export of e-services in the age of technology transformation: challenges and implications for international service providers", *Journal of Services Marketing*, 18, n.7, 2004, p. 560-573.

20. Termo cunhado por Curtis P. McLauglin e James A. Fitzsimmons, "e-Service: strategies for globalizing service operations", *International Journal of Service Industry Management*, 7, n.4, 1996, p. 43-57.

21. Rajshkhar G.Javalgi e D.Steven White,"Strategic challenges for the marketing of services internationally", *International Marketing Review*, 19, n.6, 2002, p. 563-581.

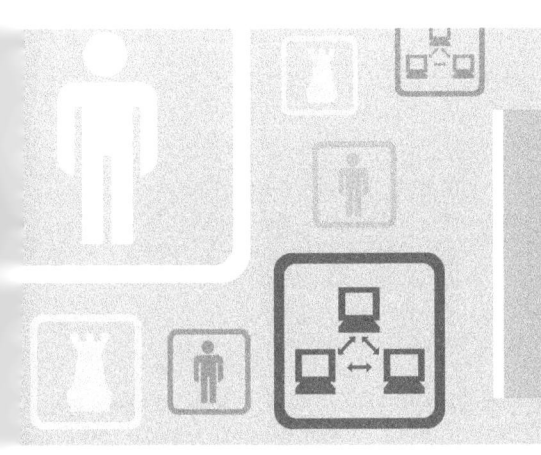

CAPÍTULO 6

Determinação de preços e implementação de gestão de receita

O que é um cínico? Um homem que sabe o preço de tudo e o valor de nada.
— Oscar Wilde

Há dois tolos em qualquer mercado: um que não cobra o suficiente, outro que cobra demais.
— Provérbio russo

Objetivos de aprendizagem (OAs)

Ao final deste capítulo, você será capaz de:

OA1 Reconhecer que o apreçamento eficaz é fundamental para o sucesso financeiro das empresas de serviços.

OA2 Esboçar os fundamentos de uma estratégia de apreçamento conforme o tripé do apreçamento.

OA3 Definir diversos tipos de custo financeiro e explicar as limitações do apreçamento baseado em custos.

OA4 Compreender o conceito de valor líquido e como o valor bruto pode ser aumentado por meio de apreçamento baseado em valor e de redução de custos monetários e não monetários correlacionados.

OA5 Descrever o apreçamento baseado na concorrência e situações em que os mercados de serviços são menos competitivos em preço.

OA6 Definir gerenciamento de receita e descrever seu funcionamento.

OA7 Entender o papel das barreiras de tarifas no gerenciamento de receita eficaz.

OA8 Conhecer as questões éticas e as preocupações de consumidores em relação ao apreçamento de serviços.

OA9 Saber como as políticas de gerenciamento de receita podem ser justas.

OA10 Saber as sete perguntas que os profissionais de marketing devem responder para elaborar um esquema de apreçamento eficaz.

Apreçamento dinâmico no easyInternetcafe[1]

O easyInternetcafe faz parte do easyGroup de empresas, entre as quais a EasyJet, de viagens aéreas *cost low cost low fare* (empresas de custos baixos e preços baixos), chefiadas por Stelios Haji-Ioannou. O empreendedor grego-cipriota com cidadania britânica recebeu um título de nobreza por sua contribuição ao empreendedorismo, além de quatro doutorados honorários. O modelo da EasyJet é um pouco diferente do da Gol e TAM, já que tem um foco maior em custos, concentrando-se em vendas diretas via Internet (e não em agentes), operação com voos curtos de aeroportos menores (com taxas menores), rotas regionais (evitando custos dos grandes aeroportos internacionais), taxas para serviços e bagagens (praticamente nada está incluso no preço da passagem) e preços consistentemente mais baixos que os dos concorrentes. O cybercafé funciona totalmente no sistema de autosserviço. Máquinas automáticas de venda liberam créditos aos clientes. Atualmente, há 75 easyInternetcafes em países como Reino Unido, Estados Unidos, Itália, Turquia, Grécia e França. A loja de Times Square em Nova Iorque entrou em 2000 para o livro Guinness de recordes como o maior cybercafé do mundo, com 800 computadores.

O mercado brasileiro de lan houses tem estrutura diferente, sendo baseado principalmente em pequenas empresas independentes. O Comitê para Democratização da Informática (CDI), uma ONG carioca, estima que, de cerca de cem mil lan houses no Brasil, mais de 90% não são formalizadas. Os preços são em geral fixos, podendo haver alguns descontos e promoções em períodos de menor movimento. O aumento do acesso doméstico a Internet tem pressionado essas empresas a buscar novas alternativas de serviços para sobreviver, como os de revelação de fotos, fotocópias e lanches rápidos.

Muitos aspectos do easyInternetcafe permitem que o gerenciamento de receita seja usado com sucesso. Primeiro, a capacidade é perecível. Se ninguém usar o tempo de acesso a Internet, essa hora expira e não pode ser revendida. Além disso, há uma capacidade relativamente fixa, limitada pelo número de computadores e a banda do provedor, e altos custos fixos, como os de equipamentos, software, banda larga e aluguel, que são incorridos independentemente de algum cliente usar o local. Outro aspecto relevante é a demanda variar de acordo com a hora do dia, o dia da semana, os meses e as estações do ano. Há, por fim, o fato de que cada cliente está disposto a pagar um preço diferente por uma hora de tempo de acesso a Internet.

Para atender aos diversos níveis de sensibilidade a preço dos clientes, o easyInternetcafe oferece dois tipos de passe: os de preço *premium*, que dão acesso ilimitado por um período prefixado, e os passes a taxa variável. Nesse último caso, utiliza-se o apreçamento dinâmico. A variação não resulta do preço (que é o mesmo para ambos os tipos), mas da quantidade de minutos desse passe. O número de minutos é estabelecido durante o uso, em função do movimento na loja. À medida que o número de clientes aumenta, o tempo de navegação individual diminui. Quanto menos clientes houver, mais tempo o passe durará. Desse modo, quando há muito movimento, a fila se move mais depressa e, quando há menos, cada usuário tem mais tempo e a demanda pode aumentar. Com isso, o tempo de espera também é moderado. Clientes sensíveis a preço podem usar o cybercafé quando veem que muitos terminais estão disponíveis, enquanto outros dispostos a pagar mais sabem que, mesmo em períodos de pico, a espera não é tão longa (mas o preço é mais alto). O conceito tem feito muito sucesso, já que uma alta porcentagem de clientes acha que o easyInternetcafe oferece um bom valor.

Figura 6.1   Os cybercafés podem aumentar sua receita usando o apreçamento dinâmico

Apreçamento eficaz é fundamental para o sucesso financeiro

É importante saber que o marketing é a única função que gera receitas operacionais para a organização. Todas as outras funções de gerenciamento incorrem em custos. Um *modelo de negócio* é o mecanismo que, por meio de um apreçamento eficaz, converte as vendas em receitas, cobre custos e cria valor para os donos, como observou Joan Magretta, pesquisadora da Harvard Business School:

> Um bom modelo de negócio responde a antigas perguntas de Peter Drucker: quem é o cliente? Quanto vale o cliente? Também responde a perguntas fundamentais que todo gerente deve fazer: como ganhar dinheiro com esse negócio? Qual é a lógica econômica subjacente que explica como podemos entregar valor aos clientes a um custo apropriado?[2]

Criar um serviço viável requer um modelo de negócio que permita que os custos de criação e entrega do serviço, com adição de uma margem de lucro, sejam recuperados graças a estratégias de apreçamento realistas e de gerenciamento de receita.

Todavia, esse apreçamento é complexo. Pense nas desconcertantes tabelas de tarifas de bancos e operadoras de telefonia celular ou no caráter flutuante das tarifas de companhias aéreas. As organizações de serviços também usam diferentes termos para descrever seus preços. Universidades falam em mensalidades, profissionais liberais cobram honorários, bancos impõem juros e taxas de serviço, corretoras fixam comissões, algumas rodovias cobram pedágio, serviços públicos estipulam tarifas e empresas de seguros estabelecem prêmios — e a lista continua.

Em geral, os consumidores acham o apreçamento de serviços difícil de compreender (como produtos de seguro ou contas de hospital), arriscado (ao reservar um hotel em três dias diferentes, pode-se receber três preços diferentes) e, às vezes, até antiético (muitos clientes de banco reclamam de uma variedade de taxas para um mesmo serviço que consideram injustas). Examine seu próprio comportamento de compra. Como se sentiu na última vez que decidiu fazer reservas para as férias, alugar um carro ou abrir uma nova conta bancária? Neste capítulo, você aprenderá como estabelecer um preço justo e uma estratégia de gerenciamento de receita que cumpra a promessa da proposição de valor de tal modo que uma troca de valores seja efetivada (isto é, o consumidor toma a decisão de comprar um serviço).

No passado, em muitos setores de serviço, o apreçamento baseava-se em uma perspectiva financeira e contábil, pela qual o preço era quase sempre formado pela adição de uma margem ao custo do produto (*cost-plus pricing* ou *markup*). As tabelas de preço costumavam ser controladas de perto por órgãos reguladores governamentais — e em alguns casos continuam sendo. Entretanto, hoje em dia, com os processos de desregulamentação, a maioria dos negócios de serviços detém considerável liberdade para estipular preços e possui boa

Tabela 6.1 Objetivos de apreçamento de serviços

Objetivos de receita e lucro
Buscar lucros
▪ Fazer a maior contribuição ou lucro possível.
▪ Atingir um nível específico visado, mas não procurar maximizar lucros.
▪ Maximizar receita a partir de uma capacidade fixa pela variação de preços e segmentos-alvo ao longo do tempo. Em geral, isso se dá pela utilização de sistemas de gerenciamento de receita.
Cobrir custos
▪ Cobrir custos totalmente alocados, incluindo os indiretos corporativos.
▪ Cobrir custos de fornecimento de determinado serviço, excluindo os indiretos.
▪ Cobrir custos incrementais da venda de uma unidade extra ou a um cliente extra.
Objetivos relacionados com a clientela e a base de usuários
Construir demanda
▪ Maximizar demanda (quando a capacidade não é uma limitação), desde que um nível mínimo de receitas seja alcançado.
▪ Atingir capacidade total de utilização, em especial quando essa alta capacidade contribui para aumentar o valor criado pelo serviço para todos os clientes (por exemplo, uma 'casa cheia' torna mais interessante uma peça de teatro ou um jogo de futebol).
Construir uma base de usuários
▪ Estimular experimentação e adoção de um serviço. Isso é muito importante para novos serviços com altos custos de infraestrutura e para aqueles por assinatura, que geram receitas significativas pelo uso constante (assinaturas de serviços de telefonia móvel ou de seguro de vida, por exemplo).
▪ Construir participação de mercado e/ou uma grande base de usuários, em especial se houver economias de escala significativas que possam levar a uma vantagem competitiva em custo (por exemplo, se os custos fixos ou de desenvolvimento forem altos).

compreensão do apreçamento competitivo baseado em valor. Esses desdobramentos levaram a tabelas de preços criativas e sistemas de gerenciamento de receita complexos. Neste capítulo, examinaremos o papel do apreçamento no marketing de serviços e forneceremos diretrizes sobre como desenvolver uma estratégia de apreçamento bem-sucedida.

Objetivos do apreçamento

Qualquer estratégia de apreçamento deve ser baseada no claro entendimento dos objetivos de apreçamento de uma empresa. As empresas podem ter objetivos variados, que também mudam ao longo do tempo e em função de mercado, concorrência e macroambiente. Os objetivos mais comuns de apreçamento estão relacionados com receita e lucros, bem como geração de demanda e desenvolvimento de uma base de usuários (Tabela 6.1).

Gerar receita e lucros. Dentro de certos limites, empresas que buscam lucros visam maximizar, a longo prazo, receita, contribuição e lucros. Talvez a alta gerência esteja ansiosa para alcançar determinado alvo financeiro ou buscar uma porcentagem específica de retorno sobre o investimento. Metas de receita podem ser detalhadas por divisão, unidade geográfica, tipo de serviço e mesmo pelos principais segmentos de clientes. Essa prática requer que os preços sejam fixados com base no bom conhecimento do custo, da concorrência, da elasticidade de preço de segmentos do mercado e suas percepções de valor, tópicos que serão discutidos adiante neste capítulo.

Em organizações de capacidade limitada, como as de serviços, o sucesso financeiro decorre quase sempre da garantia de ótima utilização de capacidade produtiva a todo momento. Hotéis, por exemplo, procuram ocupar seus quartos, pois um quarto vazio é um ativo improdutivo. Não é possível estocar serviços, e se um quarto não é utilizado hoje, ele não se acumula à capacidade do dia seguinte. Por outro lado, veremos no Capítulo 9 que é possível estocar clientes.

De modo semelhante, empresas profissionais querem manter seu pessoal ocupado. Assim, quando a demanda é baixa, podem oferecer descontos especiais para atrair negócios adicionais. Ao contrário, quando a demanda excede a capacidade, podem elevar seus preços e focalizar segmentos que estejam dispostos a pagar mais. Discutiremos essas práticas com detalhes na seção sobre gerenciamento de receita.

Gerar demanda e desenvolver uma base de usuários. Às vezes, maximizar clientela, desde que alcançado certo nível mínimo de lucros, pode ser mais importante do que maximizar lucros. Uma casa cheia em um teatro, estádio ou autódromo costuma criar um entusiasmo que realça a experiência do cliente, além de criar uma imagem de sucesso que serve para atrair novos espectadores.

Novos serviços costumam ter dificuldades para atrair clientes. Ainda assim, para criar a impressão de um lançamento de sucesso e realçar a imagem da empresa, é importante que esta pareça atrair um bom volume de negócios dos tipos certos de cliente. Descontos nos preços de lançamento são muito usados para estimular a experimentação e conquistar clientes, às vezes, inclusive, combinados com atividades promocionais, como concursos e entrega de brindes. Por exemplo, a Azul Linhas Aéreas, quando começou a operar no Brasil em 2009, chegou a oferecer em certos trechos, passagens por preços até 36% mais baixos que os cobrado pelas empresas de ônibus para os mesmos trajetos, além de parcelar em até seis vezes.

Em setores que requerem pesados investimentos em infraestrutura (como serviços de banda larga), é importante formar logo uma massa crítica de usuários para amortizar os custos fixos. Liderança de mercado quase sempre significa baixo custo por usuário e geração de receita suficiente para futuros investimentos, como atualizações tecnológicas e de infraestrutura. O resultado é que, nesses setores, é comum o uso de preços de penetração, cobrando valores que maximizem o crescimento de participação de mercado.

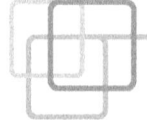

Três fundamentos da estratégia de apreçamento

Compreendidos os objetivos de apreçamento, podemos focar sua estratégia. Os fundamentos subjacentes a essa estratégia podem ser descritos como um tripé, cujas pernas são os *custos do fornecedor*, os preços da *concorrência* e o *valor para o cliente* (Figura 6.2). Em muitos setores de serviços, o apreçamento era examinado do ângulo financeiro e contábil; por isso, o preço era formado pela adição de uma margem ao custo do produto. Atualmente, porém, a maioria dos serviços detém uma boa compreensão do apreçamento baseado em valor e competitividade. No tripé do apreçamento, os custos que uma empresa precisa recuperar muitas vezes impõem um preço mínimo, ou piso, para uma oferta de serviço específica, e o valor da oferta percebido pelo cliente estabelece um preço máximo, ou teto.

O preço cobrado por concorrentes determina onde, na faixa entre o piso e o teto, o preço pode ser estabelecido. Então, os objetivos de apreçamento da organização e os preços praticados pelos concorrentes indicam onde os preços devem ser estabelecidos, dada a faixa viável fornecida pela análise do tripé de apreçamento. Examinaremos cada base desse tripé com mais detalhes nas próximas três seções.

Apreçamento baseado em custo

O apreçamento costuma ser mais complexo para serviços do que para bens físicos. Não há propriedade de serviços, então em geral é mais difícil determinar os custos financeiros da criação de um processo ou do desempenho intangível em tempo real para um cliente do que identificar os custos de mão de obra, materiais, máquina, armazenagem e expedição na fabricação e distribuição de um bem físico. Além disso, por causa da mão de obra e da infraestrutura necessárias para criar desempenhos, a razão entre custos fixos e custos variáveis de muitas organizações de serviços é muito mais alta do que a de empresas de bens físicos (Figura 6.3). Negócios de serviços com elevados custos fixos incluem aqueles com instalações físicas dispendiosas (como hospitais ou faculdades), aqueles com uma frota de veículos (empresas aéreas ou rodoviárias de carga) ou aqueles que envolvem uma rede (como ferrovias, telecomunicações ou distribuidoras de gás).

Determinando o custo de serviço. Mesmo que você já tenha feito um curso de marketing, talvez ache útil rever como estimar custos de serviços, usar custos fixos, semivariáveis e variáveis, além de entender como as noções de contribuição e análise de ponto de equilíbrio podem ajudar nas decisões de apreçamento (veja a seção Revisão de marketing). Essas abordagens tradicionais de contabilidade de custos funcionam bem para empresas de serviços com consideráveis custos variáveis e/ou semivariáveis (como em muitos serviços profissionais). Para linhas de serviços complexos com infraestrutura compartilhada (como serviços bancários de varejo), pode valer à pena considerar a abordagem mais sofisticada de custeio baseado em atividade (ABC, do inglês, *activity-based costing*).

Custeio baseado em atividade.[3] Cada vez mais organizações têm reduzido a dependência de sistemas tradicionais de contabilidade de custos e desenvolvido sistemas de gerenciamento de custos. Para tanto, utilizam o custeio baseado em atividade (ABC), que reconhece que praticamente todas as atividades de uma empresa dão suporte direto ou indireto à produção, ao

Figura 6.2   O tripé de apreçamento

ESTRATÉGIA DE PREÇO

CUSTOS DO FORNECEDOR   CONCORRÊNCIA   VALOR PARA O CLIENTE

Figura 6.3 Serviços de trens possuem custos muito elevados de infraestrutura; os custos variáveis de transportar um cliente a mais são insignificantes

marketing e à entrega de bens e serviços, e, portanto, devem ser alocados a elas. Além disso, sistemas ABC ligam dispêndios de recursos à variedade e complexidade de produtos e serviços produzidos e não ao volume físico. Uma atividade é um conjunto de tarefas combinadas que abrange os processos necessários para criar e entregar o serviço (veremos processos em mais detalhes no Capítulo 8). Cada etapa em um fluxograma é uma atividade à qual podem ser associados custos. Essa abordagem faz do ABC um sistema ideal para uma organização de serviços.

Se bem implementada, a abordagem ABC resulta em informações de custo de razoável exatidão sobre atividades e processos de empresas de serviços — e sobre os custos da criação de tipos específicos de serviço, da realização de atividades em lugares diferentes (mesmo em países diferentes) ou do atendimento de clientes específicos.[4] O resultado líquido é uma ferramenta de gerenciamento que pode ajudar as empresas a determinar a lucratividade de vários serviços, canais, segmentos de mercado e clientes individuais.[5]

É essencial distinguir as atividades de operação obrigatórias daquelas que são discricionárias. A abordagem tradicional do controle de custo muitas vezes resulta na redução do valor gerado para clientes. Isso acontece porque uma atividade cortada pode ser, na verdade, fundamental e obrigatória para fornecer certo nível e certa qualidade de serviço. Muitas empresas criaram problemas de marketing para si próprias quando tentaram economizar demitindo muitos funcionários de atendimento ao cliente. Tal estratégia voltou-se contra elas e resultou em rápido declínio de níveis de serviço, já que ela não soube mais identificar falhas e problemas em seus serviços e corrigi-los rapidamente, o que aumentou a insatisfação e estimulou clientes descontentes a procurar outra empresa.

Implicações do apreçamento na análise de custo. Empresas que procuram lucrar devem, em primeiro lugar, estabelecer um preço alto o bastante para recuperar todos os custos de produção e marketing de um serviço e, então, adicionar uma margem suficiente para render o nível de lucro desejado no volume de vendas previsto.

Gerentes de empresas com altos custos fixos e marginais variáveis podem achar que dispõem de uma tremenda flexibilidade em seu apreçamento e ficar tentados a fixar baixos preços para incrementar vendas. Algumas empresas promovem *produtos 'isca'*, serviços vendidos abaixo do preço de custo total para atrair clientes — que, espera-se, serão tentados a comprar ofertas de serviço lucrativas no futuro. Contudo, não haverá lucro no final do ano, a menos que todos os custos relevantes sejam recuperados. Muitas empresas de serviços foram à falência por ignorarem esse fato. Por conseguinte, empresas que concorrem por preços baixos precisam entender muito bem sua estrutura de custo e o volume de vendas necessário para manter o ponto de equilíbrio.

É preciso que os gerentes deixem de ver custos apenas de uma perspectiva contábil e, em vez disso, considerem-nos parte integrante dos esforços da empresa em criar valor para seus clientes. Antonella Carù e Antonella Cugini esclarecem as limitações de sistemas tradicionais de medição de custos e recomendam relacionar os custos de qualquer atividade com o valor gerado:

Revisão de marketing

Entendendo custos, contribuição e análise do ponto de equilíbrio

Custos fixos são os custos econômicos em que um fornecedor continuaria a incorrer (pelo menos no curto prazo) mesmo que não vendesse nenhum serviço. Em geral, incluem aluguel, depreciação, serviços de utilidade pública, impostos, seguros, salários e bonificação de gerentes e funcionários antigos, segurança e pagamento de juros.

Custos variáveis referem-se aos custos econômicos associados ao atendimento de um cliente adicional, como fazer uma transação bancária adicional ou vender uma poltrona a mais em um voo. Em vários serviços, esses custos são muito baixos. Por exemplo, é ínfimo o custo de mão de obra ou combustível envolvido no transporte de mais um passageiro em um voo. O custo de acomodar um espectador a mais em um teatro é próximo de zero. Atividades como servir comida e bebidas ou instalar peças novas em serviços de manutenção têm custos mais significativos, pois incluem o fornecimento de produtos físicos dispendiosos, além da mão de obra. O simples fato de uma empresa ter vendido um serviço por preço maior do que seu custo variável não significa que ela agora seja lucrativa, pois ela ainda precisa cobrir os custos fixos e os semivariáveis para recuperar seu investimento.

Custos semivariáveis situam-se entre fixos e variáveis e representam despesas que aumentam ou diminuem proporcionalmente ao aumento/à redução do volume de negócios, geralmente aumentando em patamares. Exemplos desses custos são: adicionar um voo extra para atender ao aumento de demanda em uma rota ou contratar alguém para trabalhar meio período em um restaurante em fins de semanas movimentados.

Contribuição é a diferença entre o custo variável de vender uma unidade extra de serviço e o dinheiro recebido por aquele serviço. Destina-se a cobrir custos fixos e semivariáveis antes de gerar lucros.

Determinar e alocar custos econômicos podem ser tarefas desafiadoras em algumas operações de serviço por causa da dificuldade de decidir como atribuir custos fixos em uma instalação multisserviços, como em um hospital. Nesse exemplo, alguns custos fixos estão ligados à unidade de emergência. Além disso, há os custos fixos do funcionamento do hospital. Então, que parcela desses gastos deve ser alocada à unidade de emergência? Para saber a participação dessa unidade nos custos e despesas indiretos, o administrador poderia calcular (1) a porcentagem da área ocupada; (2) a porcentagem de homens-horas ou de folha de pagamento pela qual é responsável ou (3) a porcentagem de horas totais de contato com pacientes. Cada método provavelmente resultará uma alocação diferente de custos fixos. Um deles poderia mostrar que a unidade de emergência é muito lucrativa, enquanto outro poderia fazê-la parecer uma operação que perde muito dinheiro. Em situações como essas, é interessante utilizar o ABC, custeio por atividade.

O ponto de equilíbrio permite que gerentes saibam a partir de qual volume de vendas um serviço se tornará lucrativo. A análise necessária envolve dividir o total de custos fixos e semivariáveis pela contribuição obtida em cada unidade de serviço. Por exemplo, se um hotel de cem quartos precisar cobrir custos fixos e semivariáveis de 2 milhões de dólares por ano, e se a contribuição média por pernoite for de cem dólares, o hotel precisará vender 20 mil pernoites por ano de uma capacidade total de 36.500. Se os preços sofrerem uma redução média de 20 dólares por pernoite ou se os custos variáveis subirem 20 dólares, a contribuição cairá para 80 dólares, e o volume de ponto de equilíbrio do hotel subirá para 25 mil pernoites. O volume de vendas requerido precisa estar relacionado à sensibilidade ao preço (os clientes estarão dispostos a pagar essa quantia?), ao tamanho do mercado (o mercado é grande o suficiente para suportar esse nível de clientela, levando em conta a concorrência?) e à capacidade máxima (o hotel de nosso exemplo tem uma capacidade de 36.500 pernoites por ano, admitindo que nenhum quarto esteja fora de serviço por causa de manutenção ou reforma, ou menos, descontando-se essas situações).

Custos nada têm a ver com valor, que é estabelecido pelo mercado e, em última instância, pelo grau de aceitação do cliente. O cliente não está interessado, *a priori*, no custo de um produto [...] mas em seu valor e preço.

O controle gerencial que se limita a monitorar custo sem se interessar por valor é completamente parcial [...]. O problema das empresas não é tanto o controle de custo, mas a separação entre atividades geradoras de valor e outras atividades. O mercado paga somente pelas primeiras. Empresas que executam atividades desnecessárias estão destinadas a ser superadas por concorrentes que já as eliminaram.[6]

Apreçamento baseado em valor

Outra base do tripé de apreçamento é o valor para o cliente. Nenhum cliente pagará por um serviço mais do que ele considera que este valha. Portanto, para estabelecer um preço adequado, os profissionais de marketing precisam entender como os clientes percebem o valor de um serviço.[7]

Entendendo o valor líquido. Quando clientes compram um serviço, ponderam os benefícios percebidos obtidos contra os custos percebidos em que incorrerão. Como vimos no Capítulo 4, às vezes as empresas criam várias categorias de serviço, reconhecendo os vários *trade-offs* que clientes estão dispostos a fazer entre esses custos. As definições de clientes para valor podem ter um alto teor pessoal e idiossincrático. Valarie Zeithaml propõe quatro expressões gerais para valor:

- valor é preço baixo;
- valor é aquilo que eu quero em um produto;
- valor é a qualidade que obtenho pelo preço que pago;
- valor é o que obtenho em troca do que dou.[8]

Neste livro, baseamos nossa definição de valor na quarta categoria e usamos o termo *valor líquido*, que é a soma de todos os benefícios percebidos (valor bruto) menos a soma de todos os custos percebidos do serviço. Quanto maior a diferença positiva, maior será o valor líquido. Economistas usam o termo *excedente do consumidor* para definir a diferença entre o preço que clientes pagam e a quantia que estariam dispostos a pagar para obter os benefícios desejados (ou 'utilidade') oferecidos por um produto. Isto é, o cliente compra quando sente pagar menos do que ele acha que vale e do que estaria disposto a pagar.

Se os custos percebidos forem maiores do que os benefícios percebidos, o serviço em questão terá valor líquido negativo e o consumidor não o comprará. Você pode comparar os cálculos mentais dos clientes à pesagem de materiais em uma balança de dois pratos: os benefícios do produto ficariam em um prato e os custos associados com a obtenção desses benefícios em outro (Figura 6.4). Quando avaliam serviços concorrentes, os clientes comparam os valores líquidos relativos. Como discutimos no Capítulo 4, um profissional de marketing pode aumentar o valor de um serviço adicionando benefícios ao produto principal e melhorando os serviços suplementares. Reduzir os pesos dos custos do outro lado da balança também é possível, porém mais difícil e menos convincente.

Figura 6.4 Valor líquido é igual a benefícios menos custo

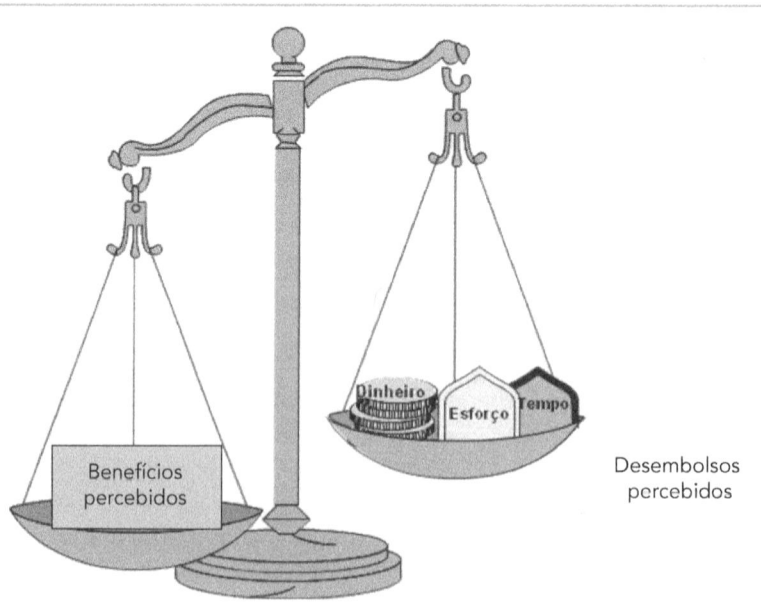

Panorama de serviços 6.1

Apreçamento dinâmico na Internet

O apreçamento dinâmico — também conhecido como apreçamento customizado ou personalizado — é uma nova versão da antiga prática de discriminação de preços. É popular entre os fornecedores de serviços por aumentar lucros e ao mesmo tempo, propiciar aos clientes aquilo que eles valorizam. O *e-tailing*, ou varejo eletrônico, presta-se bem a essa estratégia, porque alterar preços eletronicamente constitui um procedimento simples. O apreçamento dinâmico permite aos varejistas na Internet cobrar diferentes preços de clientes distintos pelo mesmo produto, com base em informações coletadas sobre seu histórico de compra, preferências, sensibilidade a preço e assim por diante, que permitam estabelecer sua percepção de preço em relação a atributos do serviço. A Tickets.com obteve 45 por cento mais receita quando os preços de shows e eventos foram ajustados para atender oferta e demanda. Entretanto, os clientes podem não ficar satisfeitos.

Os varejistas na Internet costumam se sentir constrangidos em admitir o uso de apreçamento dinâmico por causa das questões éticas e jurídicas associadas à discriminação de preço. Clientes da Amazon ficaram irritados ao saber que a megaloja virtual não cobrava o mesmo preço para todos pelo mesmo filme em DVD. Um estudo sobre consumidores on-line realizado pelo Annenberg Public Policy da University of Pennsylvania constatou que 87 por cento dos entrevistados não consideravam aceitável o apreçamento dinâmico.

Leilões reversos

Varejistas eletrônicos de viagens como Priceline.com, Hotwire.com e Lowestfare.com seguem uma estratégia dirigida ao consumidor conhecida como leilão reverso. Cada empresa age como um intermediário entre os potenciais compradores que requisitam cotações de um produto ou serviço e múltiplos fornecedores dispostos a oferecer o melhor preço. Os compradores podem então examinar as ofertas e escolher o fornecedor que melhor atenda suas necessidades. Embora a oferta geralmente descreva atributos de produtos, é comum que não revelem informações sobre marcas. A Priceline agiu para corrigir essa deficiência. Segundo um porta-voz, "Os clientes podem agora escolher a marca e o produto exatos de uma lista de preços, ao passo que antes só podiam usar nosso [serviço de] 'faça seu próprio preço'. Com isso, as pessoas nunca sabiam ao certo que hotel conseguiriam até fazer sua compra. Portanto, se estivessem viajando com amigos, não saberiam se ficariam no mesmo hotel".

Diversos modelos de negócio sustentam esses serviços. Embora alguns sejam fornecidos gratuitamente a usuários finais, a maioria dos varejistas eletrônicos recebe uma comissão do fornecedor ou não repassa a totalidade do desconto. Outros cobram dos clientes uma taxa fixa ou outra baseada em uma porcentagem do desconto.

No Brasil, o leilão reverso foi adotado com mais força pelos órgãos governamentais, através de sites como <www.pregao.sp.gov.br>, onde diferentes formas são praticadas para a aquisição de bens e serviços. A Light, por exemplo, realizou a compra de três novos transformadores de grande porte para a Usina de Nilo Peçanha através de leilão reverso, e conseguiu uma redução de 17% no preço base, que era de R$ 4,8 milhões. Em 20 lances, quatro empresas competiram pelo menor preço e a Light economizou R$ 810 mil.

Leilões tradicionais

Outros varejistas eletrônicos, como o Mercado Livre e o ArRemate, adotam o modelo tradicional de leilão, em que licitantes dão lances por um item e competem entre si para determinar quem o comprará. Os profissionais de marketing, tanto de bens de consumo como industriais, utilizam esses leilões para vender itens obsoletos ou superestocados, de coleção, raros e de segunda mão. Essa forma de varejo tornou-se imensamente bem-sucedida desde que a eBay foi lançada em 1995.

Robôs de loja (*shopbots*) ajudam consumidores a tirar proveito do apreçamento dinâmico de preços

Atualmente, os consumidores possuem suas próprias ferramentas para combater práticas potencialmente exploradoras de apreçamento dinâmico. Uma das abordagens envolve o uso de robôs de loja, ou *shopbots*, para rastrear preços concorrentes. Esses agentes inteligentes coletam de modo automático informações sobre preço e produto de vários vendedores na Internet. Basta que um consumidor visite o site de um *shopbot*, como o Buscapé e o Shopbot, e faça uma busca pelo item desejado. O robô pesquisa de imediato todos os varejistas associados para verificar disponibilidade, característica e preço, e então apresentar os resultados em uma tabela comparativa.

Resta pouca dúvida de que o apreçamento dinâmico veio para ficar. Com mais avanços em tecnologia e maior abrangência de aplicação, seu alcance se estenderá a mais e mais categorias de serviços.

Fontes: Stephan Biller, Lap Mui Ann Chan, David Simchi-Levi e Julie Swann, "Dynamic pricing and direct-to-consumer model in the automotive industry", *Electronic Commerce Research*, 5, n.2, abr. 2005, p. 309-334; Melissa Campanelli, "Getting personal: will engaging in dynamic pricing help or hurt your business?", *Entrepreneur*, 33, n.10, out. 2005, p. 44-46; Mikhail I. Melnik e James Alm, "Seller reputation, information signals and prices for heterogeneous coins on eBay", *Southern Economic Journal*, 72, n. 2, 2005, p. 305-328; "Dynamic pricing schemes — value led", *Managing change: strategic interactive marketing*. Disponível em: <www.managingchange.com/dynamic/value-led.htm>. Acesso em: 21 abr. 2009.

Gerenciando a percepção de valor.[9] As estratégias de apreçamento de serviços geralmente são malsucedidas, porque carecem de uma clara associação entre preço e valor.[10] Valor é subjetivo e nem todos os clientes têm conhecimento suficiente para apreciar e estimar a qualidade e o valor que recebem. Isso vale principalmente para serviços de credibilidade (discutidos no Capítulo 2), cuja qualidade os clientes não podem avaliar mesmo após o consumo.[11] Profissionais de marketing de serviços — como consultoria estratégica e hospitais especializados — devem encontrar meios de comunicar fatores como tempo, pesquisa, experiência profissional e atenção a detalhes que compõem, por exemplo, a conclusão de um projeto de consultoria segundo as melhores práticas. Por quê? Porque a invisibilidade das instalações de bastidores e da mão de obra torna difícil para os clientes ver o que estão obtendo em troca de seu dinheiro.

Considere o proprietário de uma casa que chama um eletricista para consertar uma instalação com defeito. O profissional chega carregando uma pequena caixa de ferramentas e então desaparece no cômodo onde fica a caixa de força; identifica logo o problema, substitui um disjuntor defeituoso e: abracadabra! Tudo volta a funcionar depois de meros 20 minutos. Alguns dias mais tarde, o proprietário fica horrorizado ao receber uma conta de 90 reais, maior parte da qual pela mão de obra. Imagine só o que o casal poderia ter comprado com esse dinheiro: roupas novas, diversos DVDs, um bom jantar. Não é surpresa que os clientes muitas vezes pensem que estão sendo explorados.

Para administrar a percepção de valor, comunicações eficazes e até explicações pessoais são necessárias para ajudar os clientes a compreender o valor que recebem, uma vez que ainda lhes falta conhecimento sobre isso. O que eles em geral não levam em consideração são os custos fixos que o proprietário da empresa precisa recuperar: escritório, telefone, veículos, ferramentas, combustível e pessoal de suporte no escritório. Também são custos fixos todos os investimentos em cursos, treinamentos e qualificação, para que o prestador de serviço seja capaz de entender e solucionar rapidamente o problema, como o eletricista do exemplo citado. Os custos variáveis da visita também são mais altos do que parece. Aos 20 minutos gastos na casa devem ser adicionados 15 minutos dirigindo na ida mais 15, na volta, além de cinco minutos por viagem para descarregar e recarregar ferramentas e suprimentos na caminhonete; o que, na verdade, triplica o tempo de trabalho para um total de 60 minutos dedicados àquele chamado. E a empresa ainda tem de adicionar uma margem para realizar o lucro.

Mais recentemente, leilões e apreçamento dinâmico têm se tornado populares como meios de determinar preço de acordo com as percepções de valor dos clientes. O caso do easyInternetcafe no texto de abertura é um exemplo de apreçamento dinâmico. Veja na seção Panorama de serviços 6.1 outros exemplos dessa modalidade no ambiente de Internet.

Reduzindo custos monetários e não monetários relacionados. Quando analisamos o valor líquido para o cliente, necessitamos entender os custos percebidos por ele para avaliar a sua diferença para os valores brutos percebidos. Do ponto de vista de um cliente, o preço cobrado por um fornecedor é somente parte dos custos envolvidos na compra e na utilização de um serviço. Outros custos de serviço são compostos de desembolsos financeiros cobrados por terceiros, bem como de custos *não monetários*.

- *Custos monetários relacionados.* Com frequência, consumidores incorrem em custos financeiros consideráveis ao procurar, comprar e usar o serviço, acima e além do preço de compra em si pago ao fornecedor. Para dar um exemplo simples, o custo de uma noite no cinema para um casal com filhos pequenos normalmente é muito maior do que o preço das duas entradas, porque pode incluir despesas como contratação de uma babá, transporte, estacionamento, comida e bebida.

- *Custos não monetários.* Refletem o tempo, o esforço e o desconforto de procurar, comprar e utilizar um serviço. Muitos clientes referem-se a esses custos como 'esforço' ou 'aborrecimento'. Tendem a ser mais altos quando os clientes estão envolvidos na produção (que é particularmente importante em serviços de processamento de pessoas e em autosserviço) e quando eles têm de ir até o local do serviço. Serviços de alto grau de atributos de experiência e credibilidade também podem criar custos psicológicos, como ansiedade. Custos não monetários de serviços podem ser agrupados em quatro categorias distintas: de tempo, físicos, psicológicos e sensoriais.

- *Custos de tempo* são inerentes à entrega de serviço. Hoje, é comum que consumidores tenham pouco tempo e que usem termos semelhantes para o emprego do tempo e para o dinheiro; por exemplo, as pessoas falam sobre orçar, investir, desperdiçar, perder e poupar tempo. O tempo gasto em uma atividade representa um custo de oportunidade, porque poderia ser gasto de modo mais lucrativo ou agradável de outras maneiras. Usuários da Internet frequentemente se frustram com o tempo que despendem para achar uma informação em um site. Muita gente abomina ter de ir a reparação públicas para obter um passaporte, uma carteira de motorista ou licenças, não por causa das taxas envolvidas, mas em função do tempo 'desperdiçado'.

- *Custos físicos* (por exemplo, fadiga ou desconforto) podem ser incorridos na obtenção de serviços, em especial se os clientes tiverem de ir até à fábrica de serviço (local onde o serviço está disponível), se houver filas e se a entrega acarretar autosserviço. É comum nos serviços de conveniência, como padarias, onde as pessoas se dirigem até a mais próxima, a não ser que outros custos sejam mais altos.

- *Custos psicológicos*, como esforço mental, risco percebido, dissonância cognitiva, sentimentos de inadequação ou medo, às vezes estão ligados à compra e utilização de determinado serviço. Clientes podem nem entrar em uma loja de shopping, se acharem que 'não é para ele'.

- *Custos sensoriais* estão relacionados com sensações desagradáveis que afetam qualquer um dos cinco sentidos. Em um ambiente de serviço, esses custos podem incluir ter de suportar ruídos, odores desagradáveis, correntes de ar, calor ou frio excessivo, cadeiras desconfortáveis e ambientes de visual pouco atrativo. Geralmente são fatores ligados ao ambiente de serviços, que veremos com mais detalhes no Capítulo 10.

Como mostra o Quadro 6.1, os consumidores podem incorrer em custos durante qualquer um dos três estágios do modelo de consumo de serviço apresentados no Capítulo 2. Por conseguinte, as empresas têm de considerar (1) *custos de busca*, (2) *custos de compra e encontro de serviços* e (3) *custos pós-consumo* ou *pós-custos*. Enquanto procurava uma universidade, quanto dinheiro, tempo e esforço você gastou antes de decidir em qual se inscrever? Quanto tempo e esforço você despenderia para escolher uma nova operadora de serviços de telefonia celular, um banco ou então para planejar suas férias? Uma estratégia de minimização desses custos não monetários e monetários para aumentar valor ao consumidor pode criar vantagem competitiva para a empresa. Entre as possíveis abordagens estão as seguintes:

- Trabalhar com especialistas em operações para reduzir o tempo necessário para completar a compra de um serviço, sua entrega e consumo; tornar 'fácil fazer negócios' com a empresa;

- Minimizar custos psicológicos indesejáveis em cada estágio do serviço, eliminando ou reelaborando etapas desagradáveis ou inconvenientes, educando consumidores sobre o que esperar e retreinando a equipe para ser mais cordial e solícita;

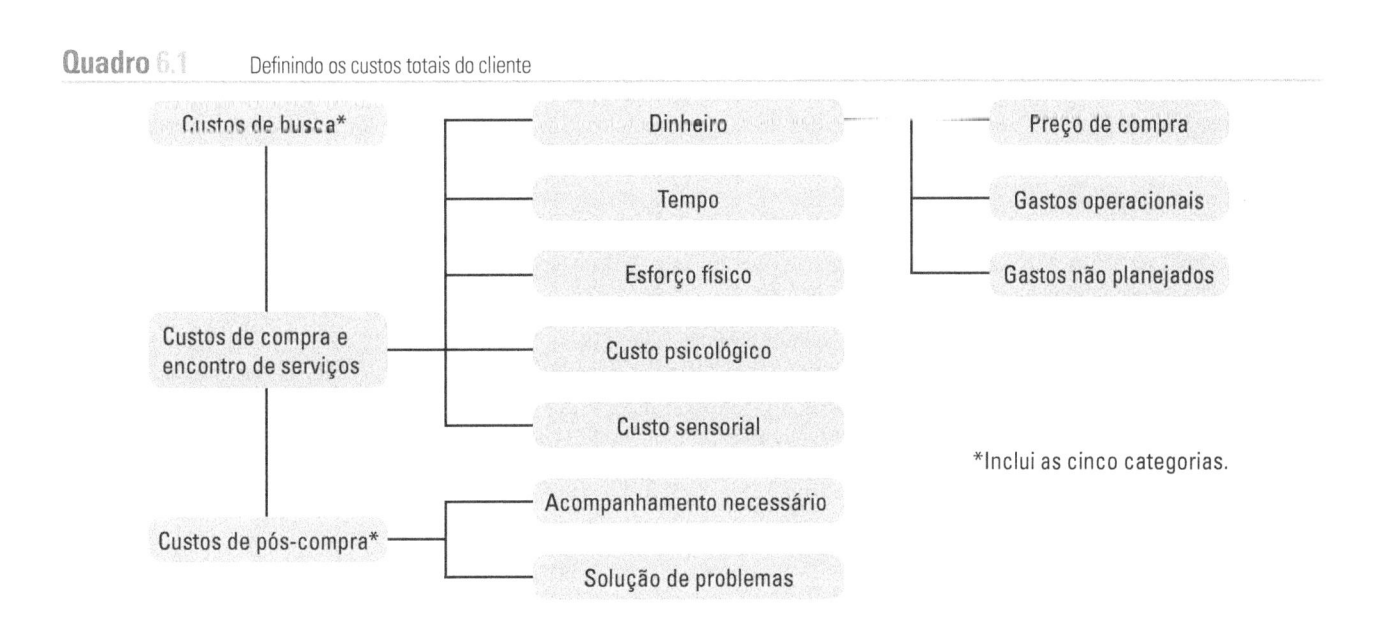

Quadro 6.1   Definindo os custos totais do cliente

- Custos de busca*
  - Dinheiro
    - Preço de compra
    - Gastos operacionais
    - Gastos não planejados
- Custos de compra e encontro de serviços
  - Tempo
  - Esforço físico
  - Custo psicológico
  - Custo sensorial
- Custos de pós-compra*
  - Acompanhamento necessário
  - Solução de problemas

*Inclui as cinco categorias.

- Reduzir esforço físico indesejado, notadamente durante os processos de busca e entrega. Melhorar a sinalização e o 'mapeamento' em instalações e nas páginas do site para permitir que os clientes encontrem o caminho com mais facilidade e evitar que se percam e fiquem frustrados;

- Reduzir custos de serviço sensoriais desagradáveis, criando ambientes visuais mais atrativos, reduzindo ruído, instalando mobília e equipamentos mais confortáveis, diminuindo odores desagradáveis e semelhantes;

- Sugerir meios para os clientes reduzirem custos monetários associados, incluindo descontos com fornecedores parceiros (como estacionamento) ou oferecendo entrega por correio ou virtual de atividades que anteriormente exigiam uma visita pessoal.

Percepções de valor líquido podem ter grande variação entre clientes e entre uma situação e outra para o mesmo usuário. A maioria dos segmentos possui pelo menos duas subdivisões — uma que despende tempo para poupar dinheiro e outra que despende dinheiro para poupar tempo. Desse modo, muitos mercados de serviço podem ser segmentados por sensibilidade a economias de tempo e conveniência *versus* sensibilidade a economias em preços.[12] Considere o Quadro 6.2, que identifica uma escolha entre três clínicas para um indivíduo que precisa fazer um exame rotineiro de raio X de tórax. Além da variação dos preços em dólar para o serviço, há vários custos de tempo e esforço associados à utilização de cada serviço. Dependendo das prioridades do cliente, custos não monetários podem ser tão ou mais importantes que o preço cobrado pelos fornecedores do serviço.

É essencial que as empresas façam pesquisas para identificar o valor atribuído a seus serviços. A pesquisa permite identificar quais atributos adicionam valor a sua oferta e quais são percebidos como desnecessários, que apenas aumentam os custos.

Uma técnica interessante para a identificação das curvas de valor de clientes é a análise conjunta (*conjoint analysis*), baseada em *trade-offs* que as pessoas fazem quando são apresentadas alternativas de serviço com diferentes atributos. Pede-se que as alternativas sejam ordenadas da mais para a menos preferida. As preferências são utilizadas para calcular a utilidade de cada atributo, segundo aquele cliente. Com base nos dados de cada cliente, pode-se calcular a média da utilidade de cada atributo no mercado, segmentá-lo por utilidade percebida, e fazer outras análises.

Esse conhecimento permite orientar o processo de posicionamento do serviço, como vimos no Capítulo 2, e do design do serviço, como visto no Capítulo 4. Também devem ser usadas as informações dos bancos de dados de seu Consumer Relationship Manament (CRM), como será discutido na Parte IV deste livro.

Quadro 6.2   Qual clínica você escolheria se necessitasse de um raio X do tórax?

Qual clínica você escolheria se precisasse de um raio X do tórax (admitindo que todas as clínicas oferecem boa qualidade técnica)?

Clínica A	Clínica B	Clínica C
• Preço 65 reais.	• Preço 125 reais.	• Preço 185 reais.
• Localizada a uma hora de distância de carro ou transporte público.	• Localizada a 15 minutos de distância de carro ou transporte público.	• Localizada próximo a seu local de trabalho (ou de estudo).
• Próxima data disponível para consulta é daqui a três semanas.	• Próxima data disponível para consulta é daqui a uma semana.	• Próxima data disponível para consulta é para o dia seguinte.
• Horário de funcionamento é de segunda a sexta-feira, das 9h às 17h.	• Horário de funcionamento é de segunda a sexta-feira, das 8h às 22h.	• Horário de funcionamento é de segunda a sábado, das 8h às 22h.
• Tempo de espera estimado é de duas horas.	• Tempo de espera estimado é de 30 a 45 minutos.	• Por agendamento, o tempo de espera estimado é de até 15 minutos.

Apreçamento baseado na concorrência

A última base do tripé é a concorrência. Empresas que prestam serviços relativamente indiferenciados precisam monitorar os concorrentes e devem tentar determinar seus preços de acordo com isso. Quando veem pouca ou nenhuma diferença entre ofertas concorrentes, os clientes podem escolher a que percebem como mais barata. Em tal situação, a empresa de menor custo por unidade de serviço gozará de uma invejável vantagem de mercado e assumirá a *liderança em preços*. É importante destacar que liderança de custos não significa ter o *menor* custo, mas sim o *melhor*! Ou seja, não o menor preço, mas a melhor relação custo-benefício. Nesse caso, uma empresa age como a líder em preço e as outras a imitam. Às vezes, você pode ver esse fenômeno em nível local, quando há vários postos de gasolina concorrentes situados a curta distância uns dos outros. Tão logo um deles aumenta ou reduz seus preços, os outros imediatamente o fazem também.

A concorrência por preços cresce com (1) o aumento no número de concorrentes; (2) o aumento no número de ofertas substitutas; (3) a distribuição mais ampla de concorrentes e/ou ofertas de substituição e (4) o aumento da capacidade excedente no setor. Embora a competição em alguns setores de serviços possa ser feroz (empresas aéreas e serviços bancários on-line no mercado norte-americano ou o mercado brasileiro de produtos alimentícios embalados), em muitos ela não é tão acirrada, sobretudo quando uma ou mais das seguintes circunstâncias reduzem a concorrência por preços:

- **Custos relativos (exceto o preço) de utilizar alternativas concorrentes são altos.** Quando, na seleção de um fornecedor, poupar tempo e esforço tem, para os clientes, igual ou maior importância que o preço, a intensidade da concorrência por preço é reduzida.

- **Relações pessoais têm importância.** Em serviços de alto grau de personalização e customização, como cuidados com os cabelos ou serviços de saúde para a família, os relacionamentos com os fornecedores costumam ser muito importantes para os clientes, que, desse modo, são desencorajados a responder a ofertas da concorrência. As incertezas de uma nova oferta e da qualidade da relação pessoal representam custos que podem não ser compensados por um desconto ou uma vantagem financeira de um concorrente.

- **Custos de troca são altos.** Quando a troca de fornecedor envolve tempo, dinheiro e esforço, é menos provável que os clientes tirem proveito de ofertas concorrentes. Operadoras de telefonia celular muitas vezes exigem que seus assinantes firmem contratos de um ou dois anos, especificando multas financeiras significativas para o cancelamento prematuro do serviço.

- **Especificidade de tempo e localização reduzem escolha.** Quando querem usar um serviço em uma localização específica ou em determinado horário (ou talvez ambos, simultaneamente), em geral as pessoas constatam que têm menos opções.[13]

Empresas que sempre reagem à estratégia de apreçamento de concorrentes arriscam-se a fixar preços *mais baixos* do que o realmente necessário. Os gerentes devem tomar cuidado para não cair na armadilha de comparar preços de concorrentes dólar por dólar e então procurar imitá-los. É melhor levar em conta o custo total para os clientes de cada oferta competitiva, incluindo todos os custos financeiros e não monetários e potenciais custos de troca e então comparar esse total com o do provedor. Também devem avaliar o impacto de fatores de distribuição, tempo e localização, bem como estimar a capacidade disponível dos concorrentes, antes de decidir qual reação é apropriada. Devem, ainda, comunicar a seus clientes com clareza quais são os custos financeiros e não financeiros envolvidos em suas ofertas e na de seus concorrentes.

Gerenciamento de receita: o que é e como funciona

Muitas empresas de serviços passaram a focar estratégias para maximizar a receita, ou contribuição, que pode ser derivada da capacidade disponível a qualquer tempo. Gerenciamento de receita é importante para a criação de valor e proporciona melhor utilização de capacidade, reservando-a para segmentos dispostos a pagar mais. É uma forma sofisticada de gestão de oferta e demanda, sob vários níveis de restrição. Companhias aéreas, hotéis e locadoras de automóveis, em particular, adotaram a variação de seus preços em resposta à sensibilidade ao preço de vários segmentos de mercado em vários horários do dia, da semana ou da estação do ano. Mais recentemente, hospitais, restaurantes, serviços de TI sob demanda, centros de processamento de dados e até organizações sem fins lucrativos têm usado o gerenciamento de receita.[14] Diversos setores praticam o gerenciamento de receita e o apreçamento dinâmico, como o Grupo Pão de Açúcar.

O gerenciamento de receita é mais eficaz quando aplicado a empresas de serviços caracterizadas por:

- estrutura de custo fixo elevado e capacidade relativamente fixa, que resultam em estoque perecível;
- demanda variável e incerta;
- variado grau de sensibilidade a preço dos clientes.

Reservando capacidade para clientes de alto retorno

O gerenciamento de receita (também conhecido como gerenciamento de retorno) envolve o apreçamento de acordo com níveis de demanda previstos entre diferentes segmentos de mercado. O segmento menos sensível a preço é o primeiro a ter capacidade alocada e a pagar o maior preço, enquanto os outros seguem com preços progressivamente mais baixos. Os segmentos dispostos a pagar mais costumam reservar mais próximo ao momento do consumo, portanto as empresas precisam de uma abordagem disciplinada para reservar capacidade para esse público, em vez de simplesmente vender na base da 'ordem de chegada'. Viajantes a negócios, por exemplo, costumam reservar voos, quartos de hotel e carros para alugar no curto prazo, mas viajantes em férias podem fazê-lo com meses de antecedência, enquanto organizadores de eventos em geral bloqueiam espaço no hotel anos antes de um grande evento.

Um sistema de gerenciamento de receita bem estruturado pode prever com razoável exatidão quantos clientes usarão um serviço em dado momento, em cada um dos níveis de preço e, com base nisso, bloquear a quantidade relevante de capacidade em cada nível (conhecido como *cesta de preço*). Empresas sofisticadas usam modelos matemáticos complexos e empregam gerentes de receita para tomar decisões sobre alocação de estoque.

Entre as empresas aéreas, esses modelos integram gigantescos bancos de dados com o histórico de viagens de passageiros e fazem previsão de demanda com até um ano de antecedência para cada embarque. Em intervalos fixos, o gerente de receita — que pode ser alocado para rotas específicas em uma grande companhia aérea — verificará o real andamento das reservas (isto é, vendas até determinado tempo antes da partida) e o comparará com o previsto. Se houver desvios significativos entre as demandas real e prevista, os estoques são ajustados. Por exemplo, se o andamento das reservas para um segmento que paga mais for maior do que o esperado, será alocada capacidade adicional a esse segmento, retirada do que paga menos. O objetivo é maximizar as receitas provenientes do voo. A seção Melhores práticas em ação 6.2 mostra como o gerenciamento de receita foi implementado na American Airlines, há muito tempo líder do setor nessa área.

Efeito da estratégia de apreçamento da concorrência sobre o gerenciamento de receita. Como monitoram o andamento de reservas, os sistemas de gerenciamento de receita captam, indiretamente, a estratégia de apreçamento dos concorrentes. Se os preços de uma empresa estiverem baixos demais, ela experimentará um ritmo de reservas mais alto e seus lugares mais baratos serão preenchidos rapidamente. Em termos gerais, isso não é bom, pois significa uma participação maior de reservas antecipadas (e mais baratas); assim, clientes que pagam mais na última hora não conseguirão encontrar reservas, mesmo dispostos a pagar mais caro e, por conseguinte, voarão por companhias aéreas concorrentes que ainda possuem lugares disponíveis. Se o preço determinado inicialmente for muito alto, a empresa obterá uma participação muito baixa de segmentos que fazem reservas com bastante antecedência (e que ainda tendem a oferecer rendimento razoável) e, mais tarde, poderá ter de vender capacidade excedente na última hora a preços muito baixos para ainda recuperar alguma contribuição para seus custos fixos. Algumas dessas vendas podem ocorrer por meio de leilões reversos, utilizando-se intermediários como o Priceline.com.

Melhores práticas em ação 6.2

Apreçamento no voo AA 2015

Departamentos de gerenciamento de receita utilizam sofisticados softwares de gerenciamento de retorno e computadores de alta capacidade para prever, rastrear e gerenciar cada voo em determinada data. Examinemos o concorrido voo 2015 da American Airlines, de Chicago a Phoenix (Arizona), com partidas diárias às 17h30, para uma viagem de 2.200 quilômetros.

Os 125 lugares da classe econômica são divididos em sete categorias de tarifa, denominadas 'cestas' por especialistas em gerenciamento de retorno. A variação é ampla; os preços de passagens de ida e volta vão de 238 dólares para uma passagem de excursão com grande desconto (que tem várias restrições e uma multa por cancelamento) até uma passagem sem restrições que custa 1.404 dólares. Também há lugares disponíveis a preços ainda mais altos na pequena seção de primeira classe. Scott McCartney conta como a análise contínua pelo programa de computador muda a alocação de lugares em cada uma dessas sete cestas.

Nas semanas anteriores a cada voo Chicago/Phoenix, os computadores de gerenciamento de rendimento ajustam constantemente o número de lugares em cada 'cesta', levando em conta passagens vendidas, padrões históricos de ocupação e passageiros em trânsito, que provavelmente usarão a rota como uma escala de uma viagem mais longa.

Se as reservas antecipadas estiverem reduzidas, a American adiciona poltronas às cestas de tarifa baixa. Se executivos em viagem comprarem passagens sem restrições mais cedo do que o esperado, o computador de gerenciamento de rendimento tira lugares das cestas de desconto e os transfere para reservas de última hora que o banco de dados prevê que surgirão.

Com 69 de 125 lugares na classe econômica já vendidos com quatro semanas de antecedência para uma partida recente do voo 2015, o computador da American começou a limitar o número de poltronas nas cestas de preços mais baixos. Uma semana depois, fechou totalmente as vendas para as três cestas de preços mais baixos, de 300 dólares ou menos. Para um cliente de Chicago à procura de uma tarifa barata, o voo estava 'lotado'.

Um dia antes da partida, com 130 passageiros com reservas para o voo de apenas 125 lugares, a American ainda oferecia cinco lugares de tarifa completa, porque o banco de dados de seu computador indicava que 10 passageiros provavelmente não se apresentariam ou pegariam outros voos. O voo 2015 partiu lotado e ninguém foi deixado para trás.

Embora o voo AA 2015 naquela data agora faça parte da história, ainda não foi esquecido. A experiência de reservas para esse voo foi salva na memória do programa de gerenciamento de retorno para ajudar a empresa aérea a realizar um trabalho de previsão ainda melhor no futuro.

Fonte: Scott McCartney, "Ticket shock: business fares increase even as leisure travel keeps getting cheaper", *The Wall Street Journal*, 3 nov. 1997, A1, A10.

Elasticidade de preço

Um gerenciamento de receita eficaz requer dois ou mais segmentos que atribuam *valores* diferentes ao serviço e tenham *elasticidade* de preço diferente. Para alocar capacidade e determinar seu preço com eficácia, o gerente de receita precisa determinar o grau de sensibilidade da demanda em relação ao preço e quais receitas líquidas serão geradas a diferentes preços para cada segmento-alvo. O conceito de elasticidade descreve qual o grau de sensibilidade da demanda em relação às variações de preço e é calculado da seguinte maneira:

$$\text{Elasticidade de preço} = \frac{\text{Variação percentual da demanda}}{\text{Variação percentual do preço}}$$

Quando a elasticidade de preço é igual a 1,0, as vendas de um serviço crescem (ou caem) à mesma porcentagem que o preço cai (ou sobe). Quando uma pequena variação no preço causa grande impacto nas vendas, a elasticidade é maior que 1,0 e diz-se que a demanda por aquele produto é *elástica em relação ao preço*. Mas, quando uma variação no preço causa pouco efeito nas vendas, a elasticidade é menor que 1,0 e a demanda é descrita como *inelástica em relação ao preço*. O conceito é ilustrado no diagrama simples da Figura 6.5, que

Figura 6.5 — A elasticidade em preço

PREÇO POR UNIDADE DE SERVIÇO

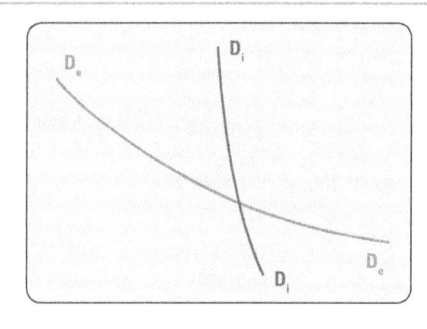

QUANTIDADE DE UNIDADES DEMANDADAS

$$\text{Elasticidade de preço} = \frac{\text{Variação percentual da demanda}}{\text{Variação percentual do preço}}$$

D_e: Demanda é *elástica* em relação ao preço. Pequenas variações em preço levam a grandes mudanças em demanda.

D_i: Demanda é *inelástica* em relação ao preço. Grandes variações têm pouco impacto sobre a demanda.

---

mostra a elasticidade de preço para dois segmentos: um com demanda muito elástica (uma pequena variação no preço resulta em uma grande variação na quantidade demandada) e o outro com demanda de alto grau de inelasticidade (mesmo grandes variações no preço causam pequeno impacto sobre a quantidade demandada).

Elaboração de barreiras de tarifas

Inerente ao gerenciamento de receita é o conceito de *customização de preços*, isto é, cobrar preços diferentes do que é, na verdade, o mesmo produto, a clientes diferentes. Como observaram Hermann Simon e Robert Dolan:

> A ideia básica da customização de preços é simples: conseguir que as pessoas paguem preços baseados no valor que dão ao produto. É óbvio que você não pode apenas pendurar uma placa com os dizeres "Pague o que vale para você" ou "Custa 80 dólares se você valoriza muito esse produto, mas somente 40 dólares se não valoriza". É preciso descobrir um modo de segmentar clientes por suas avaliações. Em certo sentido, você tem de 'construir uma barreira' entre clientes de alto valor e clientes de baixo valor, de modo que os compradores da faixa 'superior' não possam aproveitar a vantagem do preço baixo.[15]

Para saber como um cliente atribui valor a uma oferta, precisamos dos conceitos de valor bruto, custo bruto e valor líquido, discutidos no início do capítulo. Como cada cliente atribui valores diferentes a uma oferta, precisamos segmentar o mercado e escolher estratégias de apreçamento para cada segmento escolhido como alvo.

Como uma empresa pode garantir que clientes a quem o serviço oferece alto valor não aproveitem a vantagem das cestas de preços mais baixos? Barreiras de tarifas são regras de formação do preço, em função de atributos do serviço que variam para atender diferentes percepções de valor — formas e prazos de pagamento, tempo e prazo de atendimento e de espera, possibilidade e período de reserva e de cancelamento antecipado etc. Barreiras de tarifas adequadamente elaboradas permitem que clientes se autossegmentem com base nas características do serviço e na disposição de pagar, ou seja, a empresa identifica segmentos e estabelece a política de apreçamento para cada um deles, e o cliente escolhe em qual segmento se incluir. As barreiras de tarifas ajudam as empresas a oferecer preços mais baixos a clientes que estão dispostos a aceitar mais restrições a suas compras e experiências de consumo.

As barreiras podem ser *físicas* ou *não físicas*. As primeiras referem-se às diferenças tangíveis entre produtos, relacionadas aos diferentes preços, como a localização de uma poltrona no teatro, o tamanho e a decoração de um quarto de hotel ou um pacote de serviços (primeira classe é melhor do que econômica); barreiras não físicas referem-se a características de consumo, de transação ou do comprador, mas que, de todo modo, estão associadas ao mesmo serviço básico (por exemplo, na classe econômica, não faz diferença se um passageiro comprou bilhete a um preço promocional ou na tarifa cheia). Exemplos de barreiras não físicas são: fazer reserva com certa antecedência, impossibilidade de cancelamento ou alteração de uma reserva (ou pagamento de uma multa por cancelamento ou alteração) ou obrigatoriedade de uma estadia no fim de semana. A Tabela 6.2 apresenta exemplos de barreiras de tarifas comuns.

Tabela 6.2 Principais categorias de barreiras de tarifas

Barreiras de tarifas	Exemplos
Barreiras físicas (relacionadas a produtos)	
■ Produto básico	■ Categoria de viagem (classe executiva/econômica). ■ Tamanho do carro alugado. ■ Tamanho e mobília de um quarto de hotel. ■ Localização do assento em um cinema ou teatro.
■ Comodidades	■ Café da manhã incluso na diária do hotel, serviço de transfer no aeroporto etc. ■ Cortesia de carrinho no campo de golfe. ■ Estacionamento com manobrista.
■ Nível de serviço	■ Prioridade em lista de espera, balcão separado de check-in sem ou com pouca fila. ■ Seleção especial de comida e bebida. ■ Linha telefônica de atendimento exclusivo. ■ Mordomo particular. ■ Equipe de gerentes de conta exclusivos.
Barreiras não físicas	
Características de transação	
■ Horário de reserva	■ Descontos para compra antecipada. ■ Passageiros que reservam passagem aérea para a mesma rota em países diferentes pagam preços diferentes. ■ Clientes que fazem reserva pela Internet pagam menos que aqueles que fazem reserva por telefone.
■ Flexibilidade de uso de bilhete	■ Taxas/multas por cancelamento ou alteração de reserva (até a perda total do bilhete). ■ Taxas de reserva não reembolsáveis.
Características de consumo	
■ Tempo ou duração do uso	■ Tarifas especiais em um restaurante até às 18h. ■ Estadia em uma noite de sábado para reserva em hotel. ■ Estadia mínima de cinco noites.
■ Localização do consumo	■ Preço depende do local de partida, sobretudo em viagem internacional. ■ Preços variam de acordo com a localização (entre cidades, centro da cidade *versus* subúrbio).
Características do comprador	
■ Frequência de volume de consumo	■ Membro de certa categoria de fidelidade com a empresa (por exemplo, membro Platinum) recebe preço diferenciado, descontos ou benefícios de fidelidade.
■ Membros de grupos	■ Desconto para crianças, estudantes, idosos. ■ Afiliação a certos grupos (por exemplo, ex-alunos). ■ Taxas corporativas.
■ Tamanho do grupo de consumo	■ Descontos de grupo baseados no tamanho do grupo.
■ Localização geográfica	■ Clientes locais pagam menos do que turistas. ■ Clientes de alguns países pagam valores mais altos.

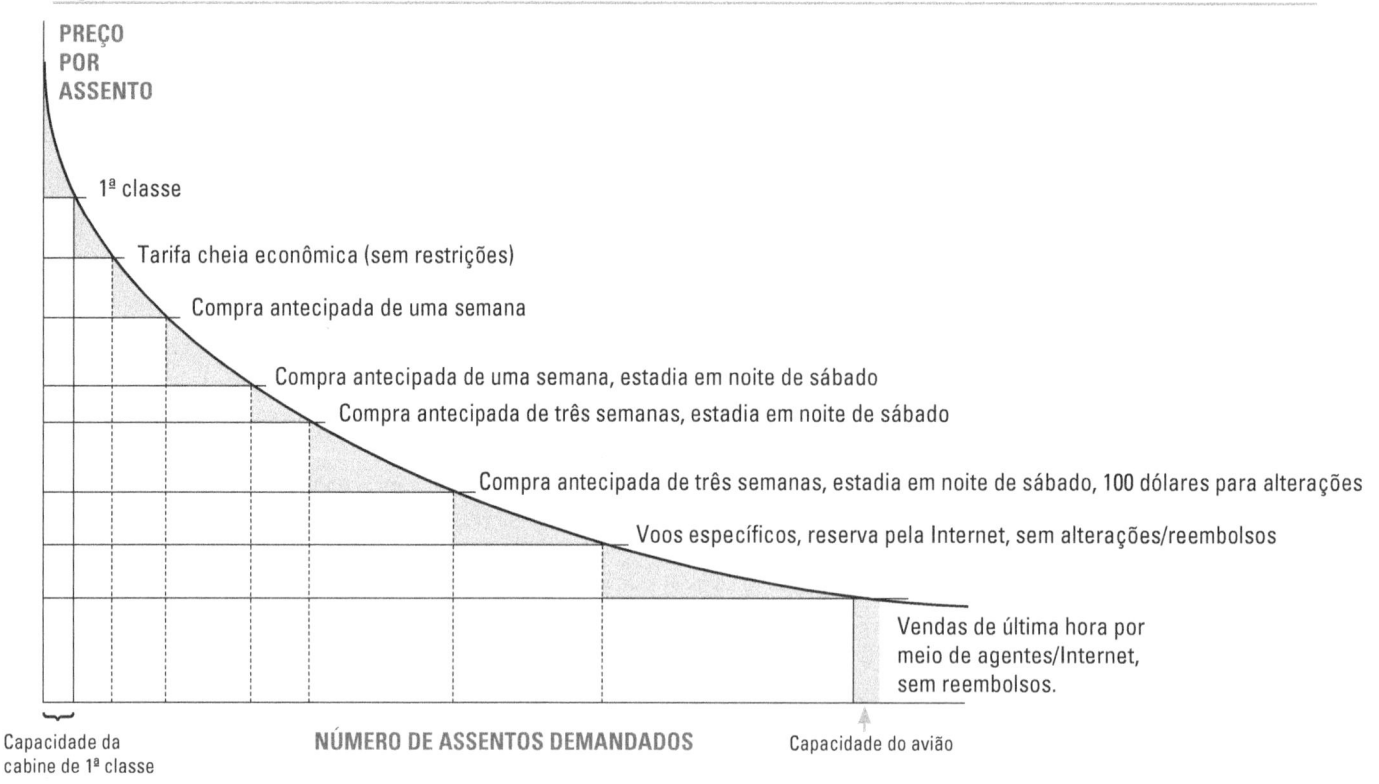

Figura 6.6 Relacionando cestas de preço à curva de demanda

```
PREÇO
POR
ASSENTO

    1ª classe
        Tarifa cheia econômica (sem restrições)
            Compra antecipada de uma semana
                Compra antecipada de uma semana, estadia em noite de sábado
                    Compra antecipada de três semanas, estadia em noite de sábado
                        Compra antecipada de três semanas, estadia em noite de sábado, 100 dólares para alterações
                            Voos específicos, reserva pela Internet, sem alterações/reembolsos
                                Vendas de última hora por
                                meio de agentes/Internet,
                                sem reembolsos.

Capacidade da        NÚMERO DE ASSENTOS DEMANDADOS        Capacidade do avião
cabine de 1ª classe
```

* Áreas sombreadas denotam o volume correspondente ao excedente do consumidor
(a meta do apreçamento segmentado é reduzir esse excedente, transferindo-o para a empresa).

Em resumo, usando um entendimento detalhado das necessidades e preferências do cliente e de sua disposição para pagar, o gerente de produto e o gerente de receitas, juntos, podem elaborar produtos eficazes que consistem no serviço principal, nas barreiras físicas e não físicas do produto. É preciso um bom entendimento da curva de demanda, de modo que 'cestas' de estoque sejam designadas às várias categorias de produtos e preços. Um exemplo do setor de empresas aéreas é apresentado na Figura 6.6, e o Panorama de serviços 6.2 provê *insights* ao raciocínio e trabalho de um gerente de receitas. Por fim, o projeto de sistemas de gerenciamento de receita precisa incorporar salvaguardas para consumidores, como discutiremos na próxima seção sobre questões éticas em apreçamento.

Questões éticas em apreçamento

Você às vezes tem dificuldade para entender quanto vai lhe custar utilizar um serviço? Suspeita que muitos preços sejam injustos? Nesse caso, você não está sozinho.[16] A verdade é que os usuários de serviços nem sempre têm certeza antecipada do que receberão em troca de seu pagamento. Muitos admitem que um serviço de preço mais elevado deve oferecer mais benefícios e mais qualidade do que outro de preço mais baixo. Por exemplo, supõe-se que um profissional que cobre preços altos — digamos, um advogado — seja mais habilidoso do que outro que cobra honorários mais modestos. Embora o preço possa servir como um indício de qualidade, às vezes é difícil ter certeza de que realmente haja um valor extra.

Panorama de serviços 6.2

Entrevista com uma gerente de receitas

Qual é seu papel como gerente de receitas?

Quando comecei, em 1993, o foco principal era previsão de vendas, controle de estoque, apreçamento, segmentação de mercado, distribuição geográfica e controle de alocação de verbas. A Internet mudou o cenário consideravelmente e vários gigantes globais, como Expedia e Travelocity, surgiram após os ataques terroristas de 11 de setembro, quando as reservas aéreas despencaram e o setor percebeu o poder da Internet para ajudá-los a vender assentos em vias de expirar. Companhias aéreas e hotéis preferem controlar seu próprio estoque e apreçamento para cortar custos e reduzir a dependência de intermediários; por isso há crescente foco em direcionar as reservas para canais diretos, como sites próprios, criação de marcas on-line e implementação de programas de fidelidade. Minha função também se ampliou de modo a incluir o gerenciamento de fontes secundárias de receita, como restaurantes, campos de golfe e spa, além da fonte primária de quartos de hotel.

Que diferenças você vê entre gerenciamento de receita de companhias aéreas e de hotéis?

As técnicas de previsão de vendas e otimização de apreçamento e controle de estoque são as mesmas. Todavia, existem algumas diferenças fundamentais. As companhias aéreas têm mais condições de usar o apreçamento para expandir a demanda por viagens no mercado nacional. Por outro lado, as práticas de apreçamento em hotéis podem transferir a participação de mercado no âmbito de uma localidade, mas, em geral, não afetam o tamanho do mercado como um todo. Embora os consumidores considerem muitas das práticas de apreçamento — como restrições a compra antecipada e descontos — como justas para o setor de transporte aéreo, eles as julgam menos justas quando aplicadas ao setor hoteleiro.

A estrutura organizacional também tende a ser diferente. Companhias aéreas adotam controle centralizado de gerenciamento de receita para todos os voos, e seus gerentes de receitas têm pouca interação com as equipes de reservas e vendas no campo. Uma aplicação mais precisa e estatística de apreçamento e controle de estoque é, portanto, o foco. No setor hoteleiro, o gerenciamento de receita é descentralizado por hotel, exigindo interação diária com reservas e vendas. O elemento humano é fundamental para uma implementação bem-sucedida em hotéis, demandando aceitação de apreçamento e decisões sobre estoque não somente pelos consumidores, mas também por departamentos internos, como reservas, vendas e até a recepção do hotel.

Quais habilidades são necessárias para ter sucesso como gerente de receitas?

Fortes habilidades estatísticas e analíticas são essenciais, mas, para obter efetivo sucesso, gerentes de receitas necessitam ter habilidades interpessoais e de persuasão igualmente fortes para que suas decisões sejam aceitas por outros departamentos. Os tradicionais meios de segmentar clientes com base em suas características transacionais, como tempo de aprovisionamento de reserva, canal de reserva e tipo de promoção, são insuficientes. Tanto as características comportamentais (motivo da viagem, produtos procurados, padrão de gasto e grau de autonomia) quanto as emocionais (como autoimagem, consumidor esbanjador ou viajante relutante, por impulso ou planejado) devem ser incorporadas às questões de gerenciamento de receita.

Como as práticas de gerenciamento de receita são percebidas pelos clientes?

A arte da implementação está em não deixar que os clientes sintam que suas práticas de apreçamento e controle de estoques são injustas e que servem principalmente para aumentar receitas e resultados financeiros da empresa. Barreiras de tarifas inteligentes e significativas têm de ser usadas para permitir que os consumidores se autossegmentem e, desse modo, detenham um senso de escolha.

Natureza diária do trabalho

O mercado apresenta muitas alterações de demanda e é preciso monitorar o preço da concorrência em sua flutuação diária por meio de vários canais de distribuição. É um pré-requisito ser rápido em análise e decisivo para acompanhar essas variações. É preciso sentir-se à vontade em assumir riscos calculados e optar entre inúmeras ferramentas de gerenciamento de receita e apreçamento para decidir sobre a melhor solução para cada situação.

Fonte: Agradecemos a Jeannette Ho, que era vice-presidente de marketing de distribuição e gerenciamento de receita na Raffles International Limited quando esta entrevista foi realizada, em 6 de janeiro de 2006. Ela foi responsável por lançar e implementar programas de gerenciamento de receita para o grupo. Sua equipe conduziu a estratégia de distribuição global da empresa e supervisionou seus canais de comércio eletrônico e sistema central de reservas. Atualmente, Jeannette é vice-presidente de marketing e vendas da Raffles Hotels & Resorts. Nos últimos 15 anos, atuou em gerenciamento de receitas de várias empresas internacionais, como Singapore Airlines, Banyan Tree e Westin Hotels & Resorts.

Apreçamento de serviços é complexo

Esquemas de apreçamento de serviços tendem a ser mais complexos e difíceis de entender que os esquemas tradicionais. Comparações de preços entre provedores podem requerer grande volume de informações, que precisam de planilhas complicadas para serem armazenadas e até de fórmulas matemáticas para tornar possíveis as comparações. Às vezes, órgãos de defesa de consumidores reclamam que essa complexidade é uma decisão da parte dos fornecedores que não desejam que os clientes determinem quem oferece o melhor valor por seu dinheiro; com isso, reduzem a concorrência de preços. Na verdade, a complexidade torna fácil (e talvez mais tentador) para as empresas assumirem um comportamento antiético. Os preços de tabela usados por consumidores para comparações podem ser apenas a primeira de diversas despesas nas quais incorrerão.

Por exemplo, operadoras de telefonia celular têm uma variedade confusa de planos para atender às necessidades e padrões de chamada de diferentes segmentos. Os planos podem ser nacionais, regionais ou somente locais em escopo. As taxas mensais variam conforme um número de minutos e, em geral, há descontos distintos para minutos em horário de pico e normais. Minutos excedidos e em 'roaming' para outras operadoras têm taxas mais altas. Alguns planos permitem chamadas ilimitadas fora do horário de pico; outros, recebimento gratuito de chamadas. Algumas operadoras cobram por segundo, por bloco de seis segundos ou até por minuto, o que resulta em custos muito diferentes por chamada. Planos familiares permitem que pais e filhos reúnam seus minutos mensais para uso em diversos aparelhos, contanto que o total de chamadas não exceda a cota mensal.

Além disso, novas taxas desconcertantes começaram a surgir nas contas, variando de 'taxa de fatura em papel' para cobrir o custo de emissão da conta até taxas obscuras como 'alocação de taxa de propriedade', 'taxa de fatura única' e 'taxa de recuperação de custo da operadora'. Pacotes de planos que incluem serviços móveis, de telefonia fixa e de Internet aumentaram mais a confusão, pois várias cobranças adicionais aumentam a conta total em até 25 por cento. As contas de telefone incluem taxas reais (como as de venda), mas em muitas faturas a maioria dos encargos extras, que os usuários confundem com taxas, vai diretamente para a empresa de telefonia. Por exemplo, a 'alocação de taxa de propriedade' nada mais é que um fator referente às taxas de propriedade que a operadora paga, a 'taxa de fatura única' cobra pela fatura consolidada de serviço móvel e fixo, enquanto a 'taxa de recuperação de custo da operadora' abrange todo tipo de gastos operacionais. E ainda temos os impostos, que podem variar regionalmente. Em um editorial intitulado 'Cell hell' ('Inferno celular'), Jim Guest, presidente da Consumer Union, observou:

> Nos dez anos desde que a Consumer Reports começou a classificar telefones celulares e planos de utilização, nunca encontramos um modo fácil de comparar custos reais. Pelo que nossos clientes informam, eles também não. Cada operadora apresenta suas taxas, encargos extras e áreas de cobertura de maneiras diferentes. Decifrar o plano de uma empresa já é suficientemente difícil, mas comparar planos de diversas operadoras é quase impossível.[17]

Muitas pessoas acham difícil avaliar e prever com precisão seus próprios perfis de utilização, o que dificulta o cálculo de preços comparativos quando provedores concorrentes baseiam suas tarifas em vários fatores relacionados com a utilização. Não é mera coincidência que o cartunista Scott Adams (mais conhecido como o criador do personagem Dilbert) tenha usado exclusivamente exemplos de serviço quando chamou de 'confusologia' o futuro do apreçamento. Notando que empresas de telecomunicações, bancos, seguradoras e outros provedores de serviços financeiros oferecem serviços praticamente idênticos, ele comenta:

> Era de se esperar que isso criasse uma guerra de preços e os derrubasse até o preço de custo de fornecimento (é o que aprendi quando não estava dormindo nas aulas de economia), mas não é isso que está acontecendo. As empresas estão formando confusopólios eficientes de modo que os clientes não conseguem dizer quem tem os preços mais baixos. As empresas aprenderam a usar as complexidades da vida como uma ferramenta econômica.[18]

Segundo Adams, um dos papéis de uma regulamentação governamental eficaz seria reprimir essa tendência que certos setores de serviços têm de evoluir para 'confusopólios'.

Taxas em excesso

Nem todos os modelos de negócios baseiam-se na geração de receita a partir de vendas. Atualmente, cresce a tendência de impor taxas que às vezes têm pouco a ver com o uso. Nos Estados Unidos, o setor de locação de automóveis atraiu certa notoriedade por anunciar pechinchas para o preço das locações e comunicar, somente quando o cliente chegava, que outras taxas, como seguro contra colisões e seguro pessoal, eram compulsórias. Além disso, o pessoal de atendimento não esclarecia certas condições do contrato escritas em letras minúsculas, como a adição de uma alta taxa de quilometragem, quando o carro excedia um patamar muito baixo de quilometragem gratuita. O fenômeno dos 'extras ocultos' na locação de automóveis em alguns balneários da Flórida chegou a tal ponto que, a certa altura, as pessoas já faziam piadas como: "O carro é grátis, as chaves são extras!"[19]

Bancos e varejistas brasileiros, apesar da resistência dos consumidores e da legislação, ainda praticam casos de vendas casadas.

Também tem sido verificada uma tendência de adicionar (ou aumentar) multas e penalidades. Os bancos têm sido duramente criticados por utilizar penalidades como ferramenta de geração de receita em vez de usá-las para educar clientes e obter adesão a prazos de pagamento. Taxas de cheque especial pelo uso acima do limite podem se acumular, com juros superiores aos do limite, taxas por uso acima do limite e emissão de documentos e extratos.

A importância das taxas como uma parcela dos lucros aumentou consideravelmente — para alguns bancos, elas agora superam os ganhos com hipotecas, cartões de crédito e todas as formas de empréstimo combinadas. Nenhuma é mais controversa do que a 'taxa de falta de fundos' — permitir ao correntista sacar de sua conta além do valor que possui, por meio de uma linha de crédito pré-aprovada — que gera 8 bilhões de dólares de receita, e adiciona uma margem de quase 30 por cento a todas as taxas de serviço. Críticos sentem que alguns bancos comercializam essa proteção de modo agressivo demais. Órgãos reguladores preocupam-se em especial com a proteção oferecida via caixas eletrônicos. Por exemplo, um cliente com saldo de 300 dólares em conta, mas com uma proteção de 500 dólares, poderia ser informado no caixa eletrônico de que ele tem 800 dólares disponíveis. Se sacasse 400, o caixa eletrônico ainda mostraria fundos disponíveis de 370 (após cobrar uma taxa de, digamos, 30 pelo uso do saldo de proteção contra falta de fundos).

Alguns bancos não cobram por esse tipo de proteção. Segundo Dennis DiFlorio, presidente do banco de varejo na Commerce Bancorp Inc. em Cherry Hill, N. J.: "[Essa prática] é abusiva. Não se trata de conveniência do cliente. É somente um meio de os bancos ganharem dinheiro dos clientes." Atualmente, alguns bancos oferecem serviços que cobrem falta de fundos automaticamente sacando de contas de poupança, de outras contas ou até do cartão de crédito dos clientes, sem cobrar taxas por isso.[20]

No Brasil, as diversas taxas por serviços correspondem a 15 por cento do lucro dos bancos, enquanto o restante vem da cobrança de juros sobre empréstimos. O empréstimo por meio de cheque especial cobra 8 a 15 por cento ao mês, e pode chegar a 25 por cento quando o limite é ultrapassado.

Em todos os setores, é possível criar taxas e penalidades que não pareçam injustas aos clientes. Cobranças de taxa por '*no-show*' ou não comparecimento, por exemplo, precisam ser bem explicadas e aplicadas para evitar a percepção de injustiça. Quando um cliente reserva um serviço e não aparece, cria um problema para a empresa, que perde aquela unidade de serviço. Como não existe estoque, não há como vendê-la para outro cliente, o que gera um prejuízo efetivo. O não comparecimento também prejudica outros clientes que gostariam de usar o serviço naquele momento e que foram informados de que ele não estava mais disponível. A empresa precisa encontrar maneiras de lidar com a situação, mas sem criar mecanismos que prejudiquem outros clientes. Uma das forma controversas usadas pelas companhias aéreas é o '*overbooking*' (sendo que no Brasil a ANAC proibiu esta prática em 2010) — venda de assentos em número acima do disponível para compensar '*no-shows*'. Por meio de histórico estatístico, é possível prever o número de clientes que não vão comparecer e alocar esse adicional, mas sempre lembrando que existe uma margem de erro. Portanto, a empresa deve ter uma política clara de como lidar — e compensar — clientes prejudicados por essa estratégia. Como corre um risco ao trabalhar com margens de erro, a empresa deve estar disposta a pagar pelo risco assumido ou irá gerar insatisfação e perda de clientes a longo prazo.

A seção Novas ideias em pesquisa 6.1 descreve o que influencia as percepções de justiça dos clientes em relação a taxas e penalidades de serviços.

Novas ideias em pesquisa 6.1

Crime e castigo: como os clientes reagem a multas e outras penalidades

Penalidades variadas fazem parte de diversos planos de apreçamento e vão de multas por atraso na devolução de DVDs ou livros até encargos por cancelamento de reserva de hotel ou pagamento em atraso de cartão de crédito. As reações dos clientes podem ser altamente negativas e levar à troca de fornecedor e comentários boca a boca desfavoráveis. Young Kim e Amy Smith conduziram uma pesquisa on-line usando o Critical Incident Technique (CIT) em que 201 entrevistados foram solicitados a se lembrar de um incidente recente de penalidade, descrever a situação e responder a perguntas estruturadas sobre como se sentiram e reagiram a tal situação. Suas constatações demonstraram que reações negativas podem ser bastante reduzidas pela adoção de três diretrizes:

1. **Adequar as penalidades ao 'crime' cometido.** A pesquisa indicou que a reação negativa a uma penalidade aumentava de modo acentuado quando percebida como desproporcional ao 'crime' cometido. Os sentimentos adversos dos clientes agravavam-se ainda mais quando eram 'apanhados de surpresa' por uma penalidade cobrada e de cuja existência ou magnitude não tinham conhecimento. Isso sugere que as empresas podem minimizar as reações negativas ao examinar que quantias são consideradas razoáveis ou justas para dado 'lapso do cliente' e comunicar de forma eficaz multas/taxas antes que um incidente penalizável ocorra. No contexto bancário, por exemplo, com uma tabela de taxas explicativa e por meio da equipe de atendimento que explique, no ato da abertura de conta ou da venda de outros serviços, as multas ou taxas associadas a 'violações', como saque além do limite autorizado, cheque devolvido ou atraso no pagamento.

2. **Analisar fatores causais e customizar as penalidades.** O estudo revelou que as percepções de justiça dos clientes eram mais baixas e as reações negativas mais altas quando percebiam que as causas que levaram à penalidade escapavam a seu controle ('Enviei o documento em tempo; deve ter havido um atraso na entrega pelo correio'), e o contrário quando sentiam que realmente a falha era sua ('Esqueci de enviar o documento'). Para aumentar a percepção de justiça, as empresas podem identificar os casos mais comuns de penalidade que estão fora do controle do cliente e autorizar a equipe de atendimento a cancelar ou reduzir as multas.

Além disso, constatou-se que os clientes que seguem todas as regras, e, portanto, nunca pagam multas, reagem mais negativamente ainda. Um entrevistado declarou: 'Sempre paguei em dia. Eles deveriam ter levado isso em consideração e dispensado a multa'. Empresas de serviços devem considerar o histórico de penalidades dos clientes e oferecer tratamentos diferenciados baseados nesse histórico. Talvez abonar a multa do primeiro incidente, mas comunicar que haverá multa para incidentes subsequentes melhore as percepções de justiça.

3. **Focar a justiça e administrar emoções durante situações de penalidade.** As reações dos consumidores são muito influenciadas por sua percepção do que é justo. É provável que eles considerem uma penalidade excessiva e reajam negativamente se acharem que ela é desproporcional ao dano ou trabalho extra causado ao prestador do serviço pelo incidente penalizado. Um consumidor explicou: 'Achei que essa multa em particular (atraso no pagamento do cartão de crédito) foi excessiva. Já pagamos juros altos; a multa poderia estar mais alinhada com o pagamento. Ela custou mais que o pagamento!'. Levar em conta as percepções dos clientes pode implicar, por exemplo, que a multa por atraso na entrega de um DVD não exceda à perda potencial de locação no período do atraso.

As empresas de serviço também podem fazer as penalidades parecerem mais justas oferecendo explicações e justificativas adequadas. O ideal é que sejam impostas pelo bem de outros clientes (por exemplo: 'Reservamos um quarto que poderia ter sido oferecido a outro hóspede em nossa lista de espera') ou da comunidade, mas não como meio de gerar lucro significativo. Por fim, os funcionários de atendimento devem ser treinados para lidar com aqueles que se irritam e reclamam das multas (veja no Capítulo 13 algumas recomendações sobre como lidar com essas situações).

Em suma, o estudo mostra como as empresas podem minimizar a insatisfação de clientes em relação às penalidades aplicadas.

Fonte: Young 'Sally' K. Kim e Amy K. Smith, "Crime and punishment: examining customer's responses to service organizations' penalties", *Journal of Service Research*, 8, n.2, 2005, p. 162-180.

Senso de justiça no gerenciamento de receita

Assim como planos de apreçamento e de determinação de taxas, práticas de gerenciamento de receita podem ser percebidas como altamente injustas, e as percepções dos clientes devem ser bem administradas. Por conseguinte, uma estratégia de gerenciamento de receita bem implementada não significa perseguição cega da maximização de rendimento no curto prazo. Em vez disso, as seguintes abordagens específicas podem ajudar a conciliar esquemas de apreçamento e práticas de gerenciamento de rendimento com satisfação, confiança e boa vontade do cliente:[21]

- **Elabore esquemas de apreçamento e barreiras de tarifas claros, lógicos e justos.** Empresas devem explicar de modo proativo e detalhado, com antecedência e clareza, todas as taxas e despesas (como cobrança por não comparecimento — 'no-show' — e cancelamento, em setores como o de turismo), para não haver surpresas. Uma abordagem relacionada é desenvolver uma estrutura de tarifas simples, de modo que os clientes entendam com mais facilidade as implicações financeiras de uma situação de utilização. Para que uma barreira de tarifas seja percebida como justa, é preciso que os clientes a entendam com clareza — a barreira tem de ser transparente e explicitada desde o início —, percebam sua lógica e se convençam de que ela é difícil de burlar e, portanto, justa. Além disso, as empresas precisam se resguardar contra o risco de suas políticas de apreçamento se tornarem complexas demais. Há muitas anedotas sobre ataques de nervos sofridos por agentes de viagens que obtêm uma cotação de preços diferente toda vez que consultam uma empresa aérea sobre uma tarifa e têm de acompanhar as inúmeras exclusões, condições e ofertas especiais. Uma forma interessante é oferecer tarifas fixas para que o cliente saiba quanto vai pagar, independentemente de outras variáveis. Empresas de manutenção de eletrodomésticos, por exemplo, podem cobrar uma taxa fixa de visita e as peças à parte. Concessionárias oferecem preços fixos para pacotes de revisão de veículos. Como a percepção de justiça varia de acordo com o segmento, é fundamental fazer pesquisas periódicas com seu público-alvo.

- **Use preços de tabela altos e apresente as barreiras como descontos.** Barreiras de tarifas apresentadas aos clientes como ganhos ou descontos em geral são percebidas como mais justas do que as apresentadas como perdas ou sobretaxas, mesmo se as situações são equivalentes do ponto de vista econômico. Por exemplo, uma cliente que frequenta um salão de beleza aos sábados poderá perceber que está sendo explorada se lhe for cobrada uma sobretaxa. Contudo, é provável que ela aceite melhor o preço mais alto dos fins de semana, se o salão anuncia esse preço como o de tabela e oferece dez reais de desconto para cortes de cabelo durante a semana. Além do mais, um preço de tabela alto ajuda a elevar o preço de referência e, em potencial, as percepções de qualidade, além da sensação de ganhar uma recompensa por frequentar o salão em dias de semana. Por outro lado, é preciso ter cuidado, pois o valor alto pode afastar clientes mais sensíveis a preços.

- **Comunique aos clientes os benefícios do gerenciamento de receita.** Comunicações de marketing devem situar o gerenciamento de receita como uma prática em que os dois lados ganham. Oferecer opções com diferentes relações entre preço e valor percebido permite que um espectro maior de clientes se autossegmente e desfrute do serviço, e também que cada cliente encontre o equilíbrio entre preço e benefícios (valor) que melhor satisfaça suas necessidades. Por exemplo, cobrar mais pelos melhores lugares de um teatro é reconhecer que há pessoas dispostas a pagar mais por uma localização melhor, além de permitir a venda de outras poltronas a preço menor e fazer com que mais pessoas de menor poder aquisitivo tenham acesso à peça. A percepção do que é justo é influenciada pelo que os clientes percebem como normal. Quando eles se familiarizam com determinadas práticas de gerenciamento de receita, as percepções de injustiça tendem a diminuir ao longo do tempo.[22]

- **Use pacotes conjugados para 'ocultar' descontos.** Fazer um pacote conjugado de serviços realmente oculta o preço descontado. Quando uma companhia de navios de cruzeiro inclui o preço da viagem aérea ou do transporte rodoviário no pacote, o cliente sabe apenas o preço total e não o custo de cada componente. Tal procedimento impossibilita comparações entre os pacotes e seus componentes e, portanto, evita potenciais percepções de injustiça e de reduções nos preços de referência.[23]

- **Cuide dos clientes fiéis.** A empresa deve desenvolver estratégias para manter o relacionamento com clientes valiosos, até mesmo deixando de cobrar a quantia máxima viável para uma transação. Afinal, se o cliente perceber o preço como extorsivo, não desenvolverá confiança. Sistemas de gerenciamento de rendimento podem ser programados para incorporar 'multiplicadores de fidelidade' para clientes assíduos, de modo que sistemas de atendimento ou reserva possam atribuir-lhes *status* de 'tratamento especial' em momentos de pico, mesmo que não paguem taxas mais altas.

- **Use recuperação de serviço para compensar reservas além da capacidade disponível.** Muitas empresas de serviços reservam mais do que sua capacidade disponível para compensar cancelamentos prematuros e não comparecimento. O lucro aumenta, mas também a incidência de incapacidade de honrar as reservas feitas. Ser 'barrado' por sua empresa aérea ou um hotel pode causar perda de fidelidade do cliente[24] e ter efeito adverso na reputação da empresa. Nesse caso, é importante dar suporte a programas de reservas, além da capacidade com procedimentos bem elaborados de recuperação de serviço, como:

  1. Dar aos clientes a alternativa entre manter sua reserva e receber compensação pelo inconveniente (por exemplo, muitas companhias aéreas buscam entre os passageiros os que aceitem desistência voluntária no momento do check-in, em troca de compensação financeira e um voo posterior).

  2. Comunicar o acontecimento com bastante antecedência, para que os clientes possam fazer arranjos alternativos (por exemplo, ação preventiva de desistência e reagendamento para outro voo um dia antes do embarque, geralmente combinado com compensação financeira).

  3. Se possível, oferecer um serviço substituto que encante os clientes (por exemplo, transferir o passageiro para classe executiva ou primeira classe no próximo voo disponível, normalmente associado às opções 1 e 2 anteriores).

Um hotel de praia da Westin constatou que pode liberar capacidade se oferecer aos hóspedes que partirão no dia seguinte a opção do último pernoite em um hotel de luxo na cidade ou perto do aeroporto, sem nenhum custo. O retorno dos hóspedes em relação à acomodação gratuita, serviço de classe superior e uma noite na cidade após férias na praia tem sido muito positivo. Do ponto de vista do hotel, essa prática é um *trade-off* entre o custo de garantir um pernoite em outro hotel e o custo de recusar um hóspede que ficará hospedado várias noites e que chega naquele mesmo dia.

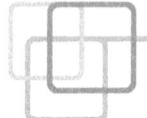

Pondo em prática o apreçamento de serviços

Embora a principal decisão no apreçamento seja quanto cobrar, é preciso tomar outras decisões também. A Tabela 6.3 resume as perguntas que os profissionais de marketing de serviços precisam fazer quando se preparam para criar e implementar uma estratégia de apreçamento bem pensada. Vamos analisá-las separadamente.

Quanto cobrar?

Decisões realistas de apreçamento são cruciais para a solvência financeira. O modelo do tripé (Figura 6.2) serve como um útil ponto de partida. Os três elementos envolvem: a determinação dos custos econômicos relevantes a serem recuperados em diferentes volumes de vendas e o estabelecimento do piso de preço relevante; a avaliação da elasticidade de demanda tanto do ponto de vista do fornecedor quanto do consumidor, pois ajuda a definir um 'teto' de preço para qualquer segmento de mercado e a análise da intensidade da concorrência em preço entre os fornecedores.

Um número específico deve ser estipulado para o preço em si. Essa tarefa envolve várias questões, incluindo a necessidade de considerar prós e contras de determinar um preço arredondado e os aspectos éticos da fixação de um preço livre de taxas, encargos de serviço e outros extras.

Tabela 6.3 — Algumas questões de apreçamento

1. Quanto cobrar?
- Que custos a organização tenta recuperar? A organização busca atingir uma margem de lucro específica ou determinado retorno sobre o investimento com a venda desse serviço?
- Qual é o grau de sensibilidade dos clientes aos vários preços?
- Quais são os preços cobrados pelos concorrentes?
- Qual(is) desconto(s) deve(m) ser oferecido(s) em relação a preços básicos?
- Pontos psicológicos de apreçamento (por exemplo, R$ 4,95 em vez de R$ 5,00) são costumeiramente usados?

2. Qual deve ser a base para o apreçamento?
- Execução de uma tarefa específica.
- Ingresso em uma instalação de serviço.
- Unidades de tempo (hora, semana, mês, ano).
- Porcentagem de comissão sobre o valor da transação.
- Recursos físicos consumidos.
- Distância geográfica coberta.
- Peso ou tamanho do objeto do serviço.
- Cada elemento de serviço deve ser cobrado isoladamente?
- Deve ser cobrado um preço único por um pacote conjugado?

3. Quem deve receber o pagamento?
- A organização que presta o serviço.
- Um intermediário especialista (agente de viagens ou de emissão de passagens, banco, varejista etc.).
- Como o intermediário deve ser remunerado por seu trabalho — taxa fixa ou porcentagem de comissão?

4. Onde o pagamento deve ser feito?
- No local onde o serviço é entregue.
- Em um ponto de varejo conveniente ou intermediário financeiro (por exemplo, banco).
- Na casa do comprador (por correio ou telefone).

5. Quando o pagamento deve ser feito?
- Antes ou depois da entrega do serviço?
- Em quais horários do dia?
- Em quais dias da semana?

6. Como o pagamento deve ser feito?
- Em dinheiro (troco exato ou não?)
- Fichas (onde podem ser compradas?)
- Cartão com créditos armazenados.
- Cheque (como verificar?)
- Transferência eletrônica de fundos.
- Cartão de pagamento (crédito ou débito).
- Conta-corrente com o provedor do serviço.
- Cupons (*vouchers*).
- Pagamento a terceiros (por exemplo, seguradoras ou agências governamentais).

7. Como os preços devem ser comunicados ao mercado-alvo?
- Por qual meio de comunicação? (Propaganda, sinalização, painel eletrônico, vendedores, pessoal de atendimento ao cliente.)
- Qual é o conteúdo da mensagem? (Que ênfase deve ser dada ao preço?)

Qual deve ser a base para o apreçamento?

Nem sempre é fácil definir uma unidade de serviço como a base específica para o apreçamento, pois pode haver muitas opções. Por exemplo, o preço deve ser baseado na conclusão de uma tarefa específica de serviço, como consertar um equipamento ou lavar uma jaqueta? Ou no ingresso em um desempenho de serviço, como um programa educacional, um concerto ou um evento esportivo? Baseado no tempo — por exemplo, utilizar uma hora do tempo de um advogado ou ocupar um quarto de hotel por uma noite? Ou estar relacionado a um valor monetário associado à entrega de serviço — como uma seguradora que escalona seus prêmios para refletir a abrangência da cobertura, ou quando um corretor ganha uma comissão que é uma porcentagem sobre o valor de venda de uma casa?

Alguns preços de serviços estão vinculados ao consumo de recursos físicos, como comida, bebida, água ou gás natural. No setor de hospitalidade, em vez de cobrar dos clientes por hora de ocupação de uma mesa, restaurantes adicionam uma margem razoável aos itens de comida e bebida consumidos. Reconhecendo o custo fixo do serviço de mesa — como uma toalha limpa para cada grupo de pessoas — em alguns países, como na Itália, os restaurantes cobram uma taxa fixa de *couvert* que é adicionada ao custo da refeição. Outros restaurantes podem estabelecer uma taxa mínima por pessoa. Alguns preços são cobrados conforme a intensidade de uso do serviço no momento. No metrô de Londres, a tarifa depende do trajeto. Os que passam pelo centro cobram valores mais altos. Algumas cidades têm pedágios nas regiões de maior movimento, com preços maiores no horário de pico, como vem sendo discutido em São Paulo. O comum em transportadoras é cobrar por distância, e empresas fretadoras combinam peso ou volume cúbico e distância para determinar suas tarifas. Tal política tem a virtude da consistência e reflete o cálculo de um custo médio por quilômetro. Contudo, ela ignora a força relativa do mercado em várias rotas, que deveria ser incluída quando é utilizado um sistema de gerenciamento de rendimento. A simplicidade pode sugerir uma taxa única, como acontece com tarifas postais para cartas dentro do território nacional e abaixo de certo peso, ou uma taxa para pacotes que agrupa distâncias geográficas em grandes zonas.

No caso de alguns serviços, os preços podem incluir taxas separadas para acesso e para utilização. Pesquisas recentes sugerem que taxas de acesso ou de inscrição são um importante impulsionador da adoção e retenção de clientes, ao passo que taxas de utilização são impulsionadoras muito mais importantes da utilização em si.[25]

Preços conjugados. Uma questão relevante para os profissionais de marketing é se devem cobrar um preço que inclua todos os elementos (referidos como 'pacote conjugado') ou fixar o preço de cada elemento. Se os clientes preferem evitar vários pequenos pagamentos, definir preços conjugados pode ser mais conveniente. Mas, se os clientes não gostarem de ser cobrados por elementos de produto que pouco ou nada usaram, um apreçamento por itens separados pode ser preferível.

Preços conjugados oferecem a uma empresa de serviços alguma receita garantida de cada cliente, além de lhe dar uma ideia prévia de quanto será a conta. Preços não conjugados dão aos clientes flexibilidade para escolher o que compram e pelo que pagam.[26] Por exemplo, mas algumas companhias aéreas nacionais passaram a cobrar refeições, bebidas e despacho de bagagem de passageiros da classe econômica em voos regionais. Todavia, eles podem se zangar caso descubram que o preço real do que consomem, inflado por todos os 'extras', é substancialmente mais alto do que o preço básico anunciado que primeiro os atraiu.

Desconto. Descontos seletivos de preços que visam segmentos específicos de mercado podem ser importantes oportunidades para atrair novos clientes e utilizar capacidade que, caso contrário, ficaria ociosa. Contudo, a menos que seja usada com barreiras de tarifas eficazes que permitam visar com clareza segmentos específicos, essa estratégia deve ser tratada com cautela. Ela reduz o preço médio e a contribuição recebida e pode atrair clientes cuja única fidelidade é para com a empresa que oferecer o menor preço na próxima transação. Descontos por volume às vezes são usados para cimentar a fidelidade de grandes clientes corporativos que, não fosse isso, poderiam dispersar suas compras entre vários fornecedores. Fornecedores de redes de supermercados, como o Pão de Açúcar ou Carrefour, vendem com descontos substanciais para lotes maiores.

Quem deve receber o pagamento?

Como discutimos no Capítulo 4, serviços suplementares incluem informações, recebimento de pedidos, cobrança e pagamento. Clientes gostam quando uma empresa facilita a obtenção de informações de preço e faz reservas. Eles também esperam faturas bem apresentadas e procedimentos adequados para o pagamento. Às vezes, as empresas delegam essas tarefas a intermediários, como agentes de viagens, que fazem reservas de hotéis e de transporte e cobram pagamento de clientes, e agentes de ingressos, que vendem lugares para teatros, salas de concerto e estádios de esportes. Embora o fornecedor original pague uma comissão, em geral o intermediário tem como oferecer mais comodidade sobre onde, quando e como o pagamento pode ser realizado. Usar intermediários também pode resultar em economia líquida nos custos administrativos. Entretanto, hoje em dia, muitas empresas de serviços promovem seus sites como canais diretos de autosserviço para o cliente e evitam, com isso, os intermediários tradicionais e o pagamento de comissões.

Onde o pagamento deve ser feito?

Locais de entrega de serviço nem sempre têm uma localização conveniente. Aeroportos, teatros e estádios, por exemplo, muitas vezes se situam a certa distância de onde os clientes potenciais moram ou trabalham. Quando os consumidores têm de comprar um serviço antes de usá-lo, são óbvios os benefícios de utilizar um intermediário cuja localização seja mais cômoda ou de aceitar pagamento pelo correio ou por transferência bancária. Cada vez mais organizações agora aceitam reservas pela Internet, por telefone ou por e-mail e pagamento por cartão de crédito.

Quando o pagamento deve ser feito?

Duas opções básicas são: solicitar aos clientes que paguem adiantado (como no caso de taxas de inscrição, passagens de avião e selos postais) ou cobrar tão logo a entrega do serviço seja concluída, como contas de restaurantes e de consertos. Às vezes o prestador de serviços solicita um adiantamento e deixa o saldo a ser pago posteriormente. Essa abordagem é bastante comum em serviços caros de conserto e de manutenção, quando a empresa — muitas vezes de pequeno porte e com capital de giro limitado — tem de comprar materiais para iniciar o serviço.

A popularização do crédito e o aumento do número de parcelas tiveram grande impacto no crescimento da economia nos últimos anos e permitiram o acesso de novos clientes de classes mais populares, como as classes C e D, que correspondem a 62 por cento do total do consumo no país. Muitos já não lembram — ou não sabem mais — o que é inflação e não têm noções de matemática financeira, o que torna o consumo mais impulsivo. De automóveis à casa própria, da passagem aérea aos eletrodomésticos, o universo de consumo se expandiu e as empresas tiveram de se preparar e aprender a trabalhar com esses novos clientes (Figura 6.7).

Solicitar a clientes um adiantamento significa que o comprador paga antes de receber os benefícios. Contudo, pagamentos antecipados podem ser vantajosos tanto para o cliente como para o fornecedor. Às vezes, é inconveniente pagar toda vez que se utiliza um serviço do qual se é cliente assíduo, como serviços postais ou transporte público. Para poupar tempo e esforço, os clientes podem preferir a comodidade de comprar uma folha de selos ou um passe mensal de transporte, ou um cartão com créditos, como o Bilhete Único. Organizações de artes cênicas, como a Sociedade de Cultura Artística, que requerem pesado financiamento desde o início oferecem assinaturas com desconto para gerar dinheiro antes do início da temporada, assim como os clubes de futebol que vendem ingressos para toda a temporada.

Figura 6.7 Facilidade de pagamento e parcelamento levaram a grande crescimento do consumo no Brasil nos últimos anos, principalmente entre as classes populares

Cenário brasileiro 6.1

Com o fim da inflação, os bancos perderam uma parte significativa de suas receitas, derivadas do spread obtido com o uso do dinheiro, que não era reajustado pela inflação. Para repor essas perdas, passaram a instituir taxas para seus serviços. A proliferação de diferentes taxas e valores entre os bancos gerou pressão popular que levou o governo a regulamentar o tema.

A Resolução 3.518 do Conselho Monetário Nacional (CMN), de dezembro de 2007, determinou a padronização das tarifas bancárias a partir de 30 de abril de 2008. Foram criadas quatro categorias:

1. **Serviços essenciais.** Não podem ser tarifados; referem-se a contas-correntes de depósito à vista e contas de depósito poupança.

    Para as contas-correntes, incluem:
    - fornecimento de cartão com função de débito;
    - fornecimento de dez folhas de cheque por mês (desde que o cliente reúna os requisitos para utilizar cheques);
    - fornecimento de segunda via do cartão com função de débito (com exceção para perda, roubo e danos, entre outros);
    - realização de até quatro saques por mês, em guichê de caixa, inclusive por meio de cheque avulso, ou em terminal de autoatendimento;
    - realização de duas transferências de recursos entre contas da própria instituição por mês, em guichê de caixa, em terminal de autoatendimento ou pela Internet;
    - compensação de cheques;
    - consultas mediante utilização da Internet;
    - fornecimento de até dois extratos contendo a movimentação do mês.

    Já para contas de poupança, incluem:
    - fornecimento de cartão com função de movimentação;
    - fornecimento de segunda via do cartão com função de movimentação, exceto nos casos de pedidos de reposição formulados pelo correntista, decorrentes de roubo ou furto, dano, entre outros;
    - realização de até dois saques por mês em guichês de caixa ou terminal de autoatendimento;
    - consultas mediante utilização de Internet;
    - fornecimento de até dois extratos contendo a movimentação mensal.

2. **Serviços prioritários.** Referem-se a 20 tipos de serviços, correspondentes a 90 por cento dos itens que envolvem movimentação de contas — corrente e poupança — de pessoas físicas e que tiveram seus valores tabelados. Incluem:
    - cadastro para início de relacionamento;
    - renovação de cadastro;
    - fornecimento de segunda via de cartão com função de débito;
    - fornecimento de segunda via de cartão com função de movimentação de conta-corrente;
    - exclusão do cadastro de emitentes de cheques sem fundos (CCF);
    - contraordem (ou revogação) e oposição (ou sustação) ao pagamento de cheque;
    - fornecimento de folhas de cheque;
    - cheque administrativo;
    - cheque de transferência bancária (TB e TBG);
    - cheque visado;
    - saque de conta de depósitos à vista e poupança;
    - depósito identificado;
    - fornecimento de extrato mensal de conta de depósitos à vista e de poupança;
    - fornecimento de extrato mensal de conta de depósitos à vista e de poupança para um período;
    - fornecimento de cópia de microfilme, microficha ou assemelhado;
    - transferência por meio de DOC/TED;
    - transferência agendada por meio de DOC/TED;
    - transferência entre contas na própria instituição;
    - ordem de pagamento;
    - concessão de adiantamento a depositante.

3. **Serviços especiais.** Abrangem outros serviços não inclusos na legislação e que não foram modificados, como o crédito imobiliário, crédito rural, microfinanças, entre outros.

4. **Serviços diferenciados.** Referem-se a outros serviços estabelecidos por meio de contrato específico entre o cliente e o banco, como entrega em domicílio e aluguel de cofre.

Fonte: Resolução 3.518 do Conselho Monetário Nacional (CMN), de dezembro de 2007.

Por fim, o momento de ocorrência dos pagamentos pode determinar o padrão de uso. Baseado na análise dos registros de pagamento e comparecimento de uma academia de ginástica do Colorado, John Gourville e Dilip Soman descobriram que os padrões de uso dos associados estavam intimamente relacionados a seus cronogramas de pagamento. Quando os associados efetuavam pagamento, o uso do clube era mais alto nos meses imediatamente subsequentes e diminuía passo a passo até o próximo pagamento; associados com planos mensais usavam a academia com mais regularidade e eram mais propensos a renovar, talvez porque o pagamento mensal os estimulasse a usar aquilo pelo que pagavam.

Gourville e Soman concluem que o momento do pagamento pode ser utilizado de modo estratégico para administrar o uso de capacidade. Por exemplo, se um clube muito procurado por ter boas piscinas quiser reduzir a demanda nas épocas mais concorridas, pode cobrar as taxas bem antes do início da temporada (em junho ou julho em vez de dezembro ou janeiro), para que a dor do pagamento pelo associado tenha se dissipado quando os meses de pico chegarem, diminuindo a necessidade de recuperar o 'valor de seu dinheiro'. A redução na demanda durante a época de pico permitiria que o clube aumentasse a adesão de novos associados.[27] No entanto, usar a frequência do pagamento para induzir o cliente a usar menos o serviço deve ser alvo de análise cuidadosa sobre possíveis implicações éticas.

Como o pagamento deve ser feito?

Como ilustrado na Tabela 6.3, existem muitas formas de pagamento. Dinheiro à vista parece ser o método mais simples, mas traz problemas de segurança e torna-se pouco cômodo quando é preciso ter a quantia exata para operar certas máquinas. Aceitar pagamento por cheque, exceto para compras de pequenos valores, já é bem comum e traz benefícios ao cliente, embora, para evitar cheques sem fundo, possam ser cobradas pesadas taxas por cheque devolvido (15 a 20 dólares sobre o valor de quaisquer taxas bancárias não é uma quantia incomum em lojas de varejo). No entanto, para minimizar o risco do cheque sem fundo, o cliente muitas vezes é solicitado a fornecer informações pessoais e sobre sua conta bancária e deve aguardar a aprovação de seu cadastro.

Cartões de crédito e de débito podem ser usados no mundo inteiro. Como sua aceitação tornou-se quase universal, empresas que os recusam estão cada vez mais em desvantagem competitiva. Muitas empresas também oferecem aos clientes a conveniência de uma conta de crédito, que gera uma relação de associação entre o cliente e a empresa (veja o Capítulo 12).

Atualmente, os meios eletrônicos de pagamento são os preferidos. Segundo dados do Banco Central, o número de transações com cartões de débito é superior ao de transações com cheques, que está decrescendo. Os pagamentos com cartão de débito e de crédito já representam mais de metade dos pagamentos no varejo e têm participação ainda maior nas compras de valor abaixo de 5 mil reais — os cheques prevalecem nas compras de maior valor. O pagamento por e-banking também tem crescido.

Outros procedimentos incluem fichas ou cupons como suplementos (ou no lugar) do dinheiro vivo. Organizações de serviço social às vezes distribuem cupons a pessoas idosas ou de baixa renda. Tal política atinge os mesmos benefícios do desconto, mas evita a necessidade de publicar preços diferentes e exige que a validade dos comprovantes seja verificada pelo caixa.

Aposentados e pensionistas também já podem receber pagamento por cartões magnéticos. Sistemas de pagamento antecipado com base em cartões que armazenam um valor em uma fita magnética ou em um microchip embutido começam a ser utilizados mais amplamente. Entretanto, empresas de serviço que querem aceitar pagamento nessa forma precisam, antes, instalar leitoras de cartões. Profissionais de marketing de serviços devem sempre se lembrar de que a simplicidade e a rapidez com que o pagamento é feito podem influenciar a percepção do cliente sobre a qualidade total de serviço. Para poupar tempo e esforço de seus clientes, o banco Chase lançou cartões de crédito com o que se chama 'blink', uma tecnologia embutida que pode ser lida em um terminal de ponto de venda sem toque físico. No comércio, diversos sistemas de pagamento de refeições e cestas básicas que utilizam cartões como esses já são aceitos na maioria dos estabelecimentos.

Um estudo recente constatou que o mecanismo de pagamento tem efeito sobre o gasto total dos clientes, sobretudo para itens de consumo supérfluos, como o gasto em cafeterias.[28] Quanto menos tangível ou mais imediato o mecanismo de pagamento, mais os consumidores tendem a gastar. Dinheiro vivo é o mais tangível (isto é, os consumidores serão mais cuidadosos e gastarão menos), seguido por cartões de crédito e, por fim, mecanismos mais sofisticados, menos tangíveis e imediatos, como o débito automático para o pagamento de contas, por exemplo, de telefone celular.

Como os preços devem ser comunicados ao mercado-alvo?

A tarefa final, após cada uma das outras questões ter sido abordada, é decidir como as políticas de apreçamento da empresa podem ser mais bem comunicadas ao mercado-alvo. As pessoas precisam saber o preço de algumas ofertas de produtos bem antes da compra; talvez saber também como, onde e quando o preço pode ser pago. Essas informações devem ser apresentadas de maneira inteligível e sem ambiguidade, para que os clientes não sejam mal-orientados e questionem os padrões éticos da empresa. Para evitar a grande variedade de taxas bancárias a diferentes preços, o Conselho Monetário Nacional regulamentou essa prática, como apresentado no Cenário Brasileiro 6.1.

Quando o preço é apresentado na forma de uma conta discriminada por itens, os profissionais de marketing devem assegurar que ela seja exata e inteligível. Contas de hospital, por exemplo, que podem ter diversas páginas e conter dúzias de itens, são muito criticadas por sua imprecisão. Contas de hotel, apesar de conterem menos lançamentos, também são reconhecidamente imprecisas. Um estudo estimou que os executivos em viagem nos Estados Unidos possam pagar meio bilhão de dólares a mais por ano por suas hospedagens, com 11,6 por cento de todas as contas incorretas, resultando em um excedente de pagamento de 11,36 dólares.[29] Da próxima vez, confira a sua conta!

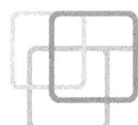

CONCLUSÃO

Para determinar uma estratégia eficaz de apreçamento, a empresa deve ter um bom entendimento de seus custos, do valor criado para clientes e dos preços da concorrência. Além disso, o gerenciamento de receita é uma poderosa ferramenta que ajuda a administrar demanda e preço em segmentos diferentes, de modo que fiquem mais próximos de suas percepções de valor. Uma estratégia de apreçamento deve abordar a questão central do preço a cobrar pela venda de uma unidade de serviço em determinada ocasião (não importa como a unidade é definida, embora seja uma questão relevante). Como serviços costumam combinar vários elementos, as estratégias de apreçamento precisam ser muito criativas.

Por fim, as empresas precisam tomar cuidado para que esquemas de apreçamento não fiquem tão complexos e difíceis de comparar que acabem por confundir os clientes, provocando acusações de comportamento antiético, perda de confiança e insatisfação do consumidor. Portanto, é preciso dar muita atenção ao modo como o apreçamento e o gerenciamento de receitas de serviços são implementados para garantir a satisfação do cliente e para que a percepção de justiça não seja comprometida.

Resumo do capítulo

OA1. O apreçamento eficaz é fundamental para o sucesso financeiro das empresas de serviços. Os objetivos da estupulação de preços podem ser: gerar lucro, cobrir custos, criar demanda e desenvolver uma base de usuários. Quando uma empresa estabelece seus objetivos de apreçamento, necessita decidir sobre sua estratégia de preços.

OA2. Os fundamentos de uma estratégia de apreçamento são representados por seu tripé.

- Os *custos* que a empresa precisa recuperar estabelecem um preço mínimo ou um piso a ser cobrado.
- O *valor percebido* pelo cliente estabelece o preço máximo ou teto da oferta.

- O preço cobrado por *serviços concorrentes* e os objetivos da empresa determinam onde, na gama entre piso e teto, o preço pode ser estipulado.

OA3. A primeira base do tripé de apreçamento é o custo para a empresa.

- Custear serviços costuma ser uma tarefa complexa. Em geral, serviços têm altos custos fixos, flutuação no uso de capacidade e grandes infraestruturas compartilhadas que dificultam o estabelecimento de custos unitários.
- Se serviços têm uma grande parcela de custos variáveis e/ou semivariáveis, abordagens de contabilidade de custos funcionam bem (por exemplo, análise de contribuição e ponto de equilíbrio).

- Todavia, no caso de serviços complexos com infraestrutura compartilhada, o custeio por atividade (ABC) geralmente é mais apropriado.

OA4. A segunda base do tripé de apreçamento é o valor para o cliente.
- Valor líquido é a soma de todos os benefícios percebidos (valor bruto) menos a soma de todos os custos percebidos de um serviço. Consumidores comprarão somente se o valor líquido for positivo. O valor líquido pode ser realçado por aumento de valor e redução de custos.
- Como valor é algo percebido e subjetivo, pode ser realçado com comunicação e educação, que ajudam os clientes a compreender o valor que recebem.
- Além do preço que os clientes pagam, os custos incluem custos relacionados, como os monetários (por exemplo, a tarifa do táxi para o local do serviço) e os não monetários (como custo de tempo, físicos, psicológicos e sensoriais) durante as fases de busca, compra e encontro de serviço e pós-consumo. As empresas podem realçar o valor líquido reduzindo esses custos monetários e não monetários relacionados.

OA5. A terceira base do tripé de apreçamento é a concorrência.
- A concorrência em preço pode ser feroz em serviços pouco diferenciados. Nesse caso, as empresas precisam observar com cautela quanto seus concorrentes cobram e determinar seu preço em função disso.
- Entretanto, o local e hora de serviços tendem a ser específicos e serviços concorrentes possuem seu próprio conjunto de custos monetários e não monetários relacionados, às vezes a ponto de os preços reais cobrados tornarem-se secundários para comparações entre concorrentes.

OA6. O gerenciamento de receita (GR) aumenta a receita da empresa por meio de melhor uso da capacidade disponível e da reserva de capacidade para segmentos dispostos a pagar mais. Especificamente, o GR:
- cria produtos usando barreiras de tarifas físicas e não físicas e determinando seu preço para diferentes segmentos de acordo com preços de reserva específicos;
- estabelece preços de acordo com níveis de demanda previstos de diferentes segmentos de categoria;
- funciona melhor em empresas de serviços caracterizadas por (1) altos custos fixos e estoque perecível, (2) vários segmentos de cliente com diferentes elasticidades de preço e (3) demanda variável e incerta.

OA7. Barreiras de tarifas bem formuladas são necessárias para definir 'produtos' para cada segmento-alvo, de modo que clientes com alto valor para uma oferta de serviço não possam tirar proveito de cestas de preço mais baixo. Essas barreiras podem ser físicas e não físicas.
- Barreiras físicas referem-se às diferenças tangíveis entre produtos relacionadas a diferentes preços (como a localização de uma poltrona no teatro, o tamanho de um quarto de hotel ou o nível de serviço).
- Barreiras não físicas referem-se a características de consumo (por exemplo, estadia por um fim de semana), de transação (por exemplo, reserva com duas semanas de antecedência e multa por cancelamento ou alteração) ou do comprador (por exemplo, descontos para estudantes ou grupos). A experiência do serviço é idêntica entre as condições de barreira, embora preços diferentes sejam cobrados.

OA8. Com frequência, consumidores têm dificuldade de entender o apreçamento de serviços (por exemplo, práticas de GR e suas muitas barreiras e taxas). Empresas de serviços devem atentar para que seu apreçamento não se torne tão complexo, com taxas ocultas, a ponto de passar aos clientes uma percepção antiética e injusta.

OA9. As seguintes ações ajudam as empresas a melhorar as percepções de justiça dos clientes:
- elaborar esquemas de apreçamento e barreiras de tarifas claros, lógicos e justos;
- usar preços de tabela altos e apresentar as barreiras como descontos;
- comunicar aos clientes os benefícios do gerenciamento de receita;
- usar pacotes conjugados para 'ocultar' descontos;
- cuidar dos clientes fiéis;
- usar recuperação de serviço para compensar reservas além da capacidade disponível.

OA10. Para colocar em prática o apreçamento de serviços, os profissionais de marketing devem considerar sete perguntas para elaborar uma estratégia de apreçamento eficaz.
- Quanto cobrar?
- Qual deve ser a base para o apreçamento?
- Quem deve receber o pagamento?
- Onde o pagamento deve ser feito?
- Quando o pagamento deve ser feito?
- Como o pagamento deve ser feito?
- Como os preços devem ser comunicados ao mercado-alvo?

Questões para revisão

1. Qual é o papel do apreçamento e do gerenciamento de receitas de serviços em um modelo de negócio?
2. Por que o apreçamento de serviços é mais difícil em comparação com o de bens?
3. Como a abordagem do tripé de apreçamento de serviços pode ser útil para chegar a um bom apreçamento para um serviço em particular?

4. Como uma empresa de serviços pode calcular seus custos unitários para propósitos de apreçamento? Como a utilização de capacidade prevista e real afeta custos unitários e lucratividade?
5. Por que não podemos comparar preços da concorrência real por real em um contexto de serviços?
6. Por que o preço cobrado pela empresa é somente um componente — muitas vezes não o mais importante — do custo total para o consumidor? Quando deveríamos 'cortar até o osso' os custos não relacionados ao preço, ainda que isso resulte em custos maiores e na cobrança de preços maiores?
7. Qual é o papel dos custos não monetários em um modelo de negócio, e como eles se relacionam com as percepções de valor do cliente?
8. O que é gerenciamento de receita, como funciona e que tipo de operação de serviço beneficia-se mais de bons sistemas de gerenciamento de receita? Por quê?
9. Por que as questões éticas e a percepção de justiça são importantes na elaboração de esquemas de apreçamento de serviços e estratégias de gerenciamento de receita? Quais são as prováveis reações de clientes a esquemas ou políticas de apreçamento tidas como injustas?
10. Como podemos cobrar preços diferentes de segmentos diferentes sem que os clientes se sintam enganados? Como podemos, ainda, cobrar preços diferentes do mesmo cliente em diferentes horários, contextos e/ou ocasiões e, ao mesmo tempo, sermos considerados justos?
11. Quais são as sete principais decisões que gerentes devem tomar ao elaborar um esquema de apreçamento eficaz?

Exercícios

1. Selecione uma organização de serviços e descubra quais são suas políticas e métodos de apreçamento. Em que aspectos são semelhantes ou diferentes em relação ao que foi discutido neste capítulo?
2. Da perspectiva do cliente, o que serve para definir valor nos seguintes serviços: (a) um salão de cabeleireiro, (b) um escritório de advocacia especializado em direito empresarial e tributário e (c) uma danceteria?
3. Explore dois modelos de negócios altamente bem-sucedidos baseados em estratégias de apreçamento e/ou gerenciamento de receita de serviços e identifique dois modelos de negócios que fracassaram por causa de grandes problemas em sua estratégia de apreçamento. Que lições gerais você pode tirar dessa análise?
4. Examine faturas recentes recebidas de empresas de serviços, como contas de telefone, conserto de automóveis, TV a cabo e cartão de crédito. Avalie-as quanto aos seguintes critérios: (a) aparência geral e clareza na apresentação, (b) condições de pagamento fáceis de entender, (c) ausência de termos e definições confusas, (d) nível adequado de detalhe, (e) taxas não previstas ('ocultas'), (f) exatidão e (g) facilidade de acesso ao serviço de atendimento ao cliente no caso de problemas ou contestações.
5. Como o gerenciamento de receita poderia ser aplicado a (a) uma empresa de serviços profissionais (por exemplo, de consultoria), (b) um restaurante e (c) um clube com piscinas? Quais barreiras de tarifas você usaria e por quê?
6. Colete os esquemas de apreçamento de três operadoras líderes de telefonia celular. Identifique todas as dimensões (tempo no ar, taxas de inscrição, minutos gratuitos, cobrança por minuto, por tempo de transferência e assim por diante) e níveis de apreçamento para cada dimensão — a faixa oferecida pelas operadoras no mercado. Determine o perfil de utilização para um segmento-alvo (por exemplo, um jovem executivo que usa o telefone principalmente para chamadas pessoais, ou um estudante em tempo integral). Com base no perfil de utilização, determine a operadora de custo mais baixo. Em seguida, meça as preferências de esquemas de apreçamento de seu segmento-alvo (por exemplo, via análise conjunta). Por fim, ofereça conselhos à menor das três provedoras sobre como reelaborar seu esquema de apreçamento para torná-la mais atraente para seu segmento-alvo.
7. Desenvolva um esquema abrangente de apreçamento para um serviço de sua escolha. Aplique as sete perguntas a que profissionais de marketing precisam responder para elaborar um esboço eficaz de apreçamento.

Notas

1. 'Dynamic pricing – easyInternetcafe case study', *Managing change:* strategic interactive marketing. Disponível em: <www.managingchange.com/dynamic/easyic.htm>; <www.stelios.com>; <www.easyinternetcafe.com> Acesso em: 21 abr. 2009.
2. Joan Magretta, 'Why business models matter', *Harvard Business Review*, 80, maio 2002, p. 86-92.
3. Esta seção é baseada em: Robin Cooper e Robert S. Kaplan, 'Profit priorities from activity-based costing', *Harvard Business Review*, 69, maio/jun. 1991, p. 130–135; Craig A. Latshaw e Teresa M. Cortese-Daniele, 'Activity-based costing: usage and pitfalls', *Review of Business*, 23, inverno 2002, p. 30-32; Robert S. Kaplan e Steven R Anderson, 'Time-driven activity based costing', *Harvard Business Review*, 82, nov. 2004, p. 131-138.
4. Daniel J. Goebel, Greg W. Marshall e William B. Locander, 'Activity based costing: accounting for a marketing orientation', *Industrial Marketing Management*, 27, n.6, 1998, p. 497–510; Thomas H. Stevenson e David W. E.Cabell,'Integrating transfer pricing policy and activity-based costing', *Journal of International Marketing*, 10, n.4, 2002, p. 77–88.

5. Robin Cooper e Robert S. Kaplan, 'Profit priorities from activity-based costing', *Harvard Business Review*, n.3, maio/jun. 1991, p. 130-135.
6. Antonella Carù e Antonella Cugini, 'Profitability and customer satisfaction in service: an integrated perspective between marketing and cost management analysis', *International Journal of Service Industry Management*, 10, n.2, 1999, p. 132–156.
7. Gerald E. Smith e Thomas T. Nagle, 'How much are customers willing to pay?', *Marketing Research*, inverno 2002, p. 20–25.
8. Valarie A. Zeithaml, 'Consumer perceptions of price, quality, and value: a means-end model and synthesis of evidence', *Journal of Marketing*, 52, jul. 1988, p. 2–21. O seguinte artigo recente explora conceitualizações diferentes de valor é: Chein-Hsin Lin, Peter J. Sher e Hsin-Yu Shih, 'Past progresses and future directions in conceptualizing customer perceived value', *International Journal of Service Industry Management*, 16, n. 4, 2005, p. 318-336.
9. Partes dessa discussão baseiam-se em Leonard L. Berry e Manjit S.Yadav,'Capture and communicate value in the pricing of services', *Sloan Management Review*, 37, verão 1996, p. 41–51.
10. Hermann Simon, 'Pricing opportunities and how to exploit them', *Sloan Management Review*, 33, inverno 1992, p. 71–84.
11. Anna S. Mattila e Jochen Wirtz, 'The impact of knowledge types on the consumer search process — an investigation in the context of credence services', *International Journal of Service Industry Management*, 13, n.3, 2002, p. 214–230.
12. Leonard L. Berry, Kathleen Seiders e Dhruv Grewal, 'Understanding service convenience', *Journal of Marketing*, 66, jul. 2002, p. 1–17.
13. Kristina Heinonen, 'Reconceptualizing customer perceived value: the value of time and place', *Managing service quality*, 14, n.3, 2004, p. 205-215.
14. Para trabalho recente sobre a aplicação de gerenciamento de rendimento para setores fora do contexto das tradicionais empresas aéreas, hotéis e locadoras de automóveis, veja Frédéric Jallat e Fabio Ancarani, 'Yield management, dynamic pricing and CRM in telecommunications', *Journal of Services Marketing*, 22, n.6, 2008, p. 465-478; Sheryl E. Kimes e Jochen Wirtz, 'Perceived fairness of revenue management in the U.S. golf industry', *Journal of Revenue and Pricing Management*, 1, n. 4, 2003, p. 332–344; Sheryl E. Kimes e Jochen Wirtz, 'Has revenue management become acceptable? Findings from an international study and the perceived fairness of rate fences', *Journal of Service Research*, 6, nov. 2003, p. 125-135; Richard Metters e Vicente Vargas, 'Yield management for the nonprofit sector', *Journal of Service Research*, 1, fev. 1999, p. 215–226; Sunmee Choi e Anna S. Mattila, 'Hotel revenue management and its impact on customers' perception of fairness', *Journal of Revenue and Pricing Management*, 2, n.4, 2004, p. 303-314; Alex M. Susskind, Dennis Reynolds e Eriko Tsuchiya, 'An evaluation of guests' preferred incentives to shift time-variable demand in restaurants', *Cornell Hotel and Restaurant Administration Quarterly*, 44, n.1, 2004, p. 68-84; Parijat Dube, Yezekael Hayel e Laura Wynter, 'Yield management for IT resources on demand: analysis and validation of a new paradigm for managing computing centers', *Journal of Revenue and Pricing Management*, 4, n.1, 2005, p. 24-38; e Sheryl E. Kimes e Snoee Singh, 'Spa revenue management', *Cornell Hotel and Restaurant Administration Quarterly*, 40, n.1, 2009, p. 82-95.
15. Hermann Simon e Robert J. Dolan, 'Price customization', *Marketing Management*, outono de 1998, p. 11–17.
16. Lisa E. Bolton, Luk Warlop e Joseph W. Alba, 'Consumer perceptions of price (un)fairness', *Journal of Consumer Research*, 29, n. 4, 2003, p. 479-491; Lan Xia, Kent B. Monroe e Jennifer L. Cox, 'The price is unfair! A conceptual framework of price fairness perceptions', *Journal of Marketing*, 68, out. 2004, p. 1-15. Christian Homburg, Wayne D. Hoyer e Nicole Koschate, 'Customer´s reactions to price increases: do customer satisfaction and perceived motive fairness matter?', *Journal of the Academy of Marketing Science*, 33, n. 1, 2005, p. 36-49.
17. Jim Guest, 'Cell hell' (p.3) e 'Complete cell-phone guide', *Consumer Reports*, fev. 2003, p. 11-27; Ken Belson, 'A monthly mystery', *The New York Times*, 27 ago. 2005.
18. Scott Adams. *The Dilbert™ future — thriving on business stupidities in the 21st century*. Nova York: HarperBusiness, 1997, p. 160.
19. Ian Ayres e Barry Nalebuff, 'In praise of honest pricing', *Sloan Management Review*, 45, outono 2003, p. 24-28.
20. Exemplos e dados do setor bancário nessa seção foram extraídos de Dean Foust, 'Protection racket? As overdraft and other fees become huge profit sources for banks, critics see abuses', *Business Week*, 5, fev. 2005, p. 68-89.
21. Partes desta seção são baseadas em Jochen Wirtz, Sheryl E. Kimes, Jeannette P. T. Ho e Paul Patterson, 'Revenue management: resolving potential customer conflicts', *Journal of Revenue and Pricing Management*, 2, n. 3, 2003, p. 216-228.
22. Jochen Wirtz e Sheryl E. Limes, 'The moderating role of familiarity in fairness perceptions of revenue management pricing', *Journal of Service Research*, 9, n. 3, 2007, p. 229-240.
23. Judy Harris e Edward A. Blair, 'Consumer preference for product bundles: the role of reduced search costs', *Journal of the Academy of Marketing Science*, 34, n. 4, 2006, p. 506-513.
24. Florian v. Wangenheim e Tomas Banyon, 'Behavioral consequences of overbooking service capacity', *Journal of Marketing*, 71, n. 4, out. 2007, p. 36-47.
25. Peter J. Danaher, 'Optimal pricing of new subscription services: an analysis of a market experiment', *Marketing Science*, 21, primavera de 2002, p. 119–129; Gilia E. Fruchter e Ram C. Rao, 'Optimal membership fee and usage price over time for a network service', *Journal of Services Research*, 4, 2001, p. 3–14.
26. Avery Johnson, 'Northwest to charge passengers in coach for meals', *Wall Street Journal*, 16 fev. 2005.
27. John Gourville e Dilip Soman, 'Pricing and the psychology of consumption', *Harvard Business Review*, 9, set. 2002, p. 90-96.
28. Dilip Soman, 'The effect of payment transparency on consumption: quasi-experiments from the field', *Marketing Letters*, 14, n.3, 2003, p. 173-183.
29. Veja, por exemplo, Anita Sharpe, 'The operation was a success; the bill was quite a mess', *Wall Street Journal*, 17 set. 1997; Gary Stoller, 'Hotel bill mistakes mean many pay too much', *USA Today*, 12 jul. 2005.

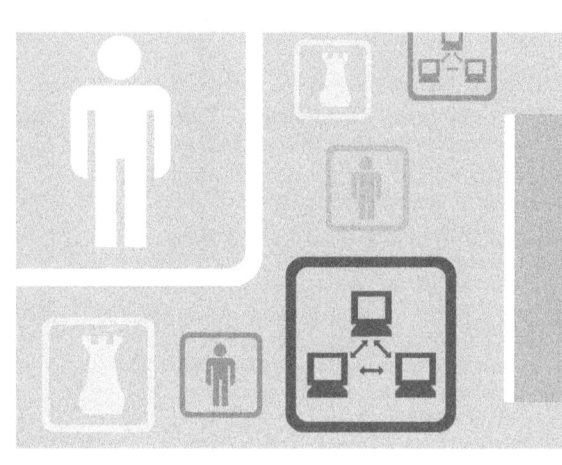

CAPÍTULO 7

Promoção de serviços e educação de clientes

A vida é para uma geração; uma boa reputação é para sempre.
— Provérbio japonês

A educação tem um custo, mas a ignorância também.
— Sir Claus Moser

Objetivos de aprendizagem (OAs)

Ao final deste capítulo, você será capaz de:

OA1 Aprender sobre o papel das comunicações de marketing em serviços.

OA2 Compreender os desafios das comunicações de serviços.

OA3 Conhecer os 5 Ws do planejamento das comunicações de marketing.

OA4 Familiarizar-se com o composto de comunicações de marketing em um contexto de serviço.

OA5 Conhecer os elementos do composto de comunicações dos canais tradicionais de marketing.

OA6 Entender o papel da Internet, do celular e de outros meios eletrônicos em comunicações de marketing de serviços.

OA7 Conhecer os elementos do composto de comunicações disponíveis pelos canais de entrega de serviços.

OA8 Compreender os elementos do composto de comunicações que se originam de fora da empresa.

OA9 Avaliar questões éticas e relacionadas com a privacidade dos consumidores em comunicações de marketing.

OA10 Entender o papel da estrutura corporativa em comunicações.

OA11 Saber a importância de integrar comunicações de marketing para entregar uma forte identidade de marca.

"É assim que você deveria se sentir" – Campanha da Westin para reposicionamento de marca[1]

Imagine a seguinte situação: após um longo e cansativo dia no trabalho, você pega o metrô de volta para casa. Ao descer pela escada rolante, sente como se estivesse em uma cachoeira – a escada rolante está envolvida por uma imagem que simula essa maravilha da natureza! De certa forma, seu cansaço parece diminuir e uma sensação de frescor surge. Ao entrar no trem, você se surpreende de novo — o vagão está pintado de azul e você tem a impressão de estar em um parque temático do mundo submarino. Você se pergunta o que será tudo isso. Como todos os assentos estão ocupados, você segue e se depara com um ambiente montanhoso coberto de neve. Por curiosidade, decide explorar os demais vagões. Dessa forma, descobre que pode estar em uma floresta verdejante (Figura 7.1) ou mesmo em uma sauna. É quase como tirar férias pelo mundo! Após sua "volta ao mundo", decide sentar-se na Islândia. Então algo chama sua atenção. À medida que o trem se move, você vê os efeitos de uma flor que se abre devagar enquanto o trem passa por uma parede ao longo do túnel. No decorrer da viagem, vê ondas se quebrando. Quando sai do trem, sente-se como se tivesse vivido experiências que fazem com que se sinta leve, apesar do longo dia de trabalho! Você acabou de passar pela experiência Westin.

A rede de hotéis Westin gastou 30 milhões de dólares na campanha "É assim que você deveria se sentir". A campanha utilizou diversas mídias tradicionais e não tradicionais, como impressos, rádio, Internet e multiplataformas. Foram mais de 270 visuais diferentes e 2.754 inserções publicitárias. As experiências no trem faziam parte do envelopamento de viagens curtas. Além disso, a Westin também usou envelopamentos de escadas rolantes e colunas. A flor que se abre fazia parte da submídia, que aproveitou o movimento do trem para fazer as imagens na parede se moverem como um catálogo gigante. A empresa também utilizou *image shifting lenticulars* (anúncios que mudam à medida que uma pessoa se move) que podem, por exemplo, transformar uma saída de emergência em uma floresta. Foram espalhados imensos outdoors tridimensionais por cinco grandes cidades dos Estados Unidos. Em Boston, por exemplo, paraquedistas tridimensionais foram colocados em frente a um céu muito bem pintado.

A Starwood, holding da Westin, visava reposicionar e redefinir as marcas dos hotéis em seu portfólio e embarcou nessa criativa campanha para reposicionar a estadia em um Westin como rejuvenescedora e desestressante. O site Web da Westin perguntava: "O que você vai experimentar em um Westin? Vai fugir de tudo ou explorar o mundo a sua volta? Reavivar um romance ou estreitar vínculos familiares? Qualquer que seja a válvula de escape imaginada, há um Pacote de Experiências Westin para você".

Figura 7.1 A rotina sonolenta dos passageiros que cruzam grandes cidades nos Estados Unidos foi sacudida pela experiência da Westin. De repente, o mundo em volta se transforma em uma floresta

O papel das comunicações de marketing

Por meio das comunicações, profissionais de marketing explicam e promovem a proposição de valor que sua empresa oferece. A campanha da Westin usou propaganda experiencial para comunicar uma vivência de renovação. É uma promessa do que os consumidores podem esperar, caso se hospedem em um hotel Westin.

A comunicação é a mais visível ou audível — há quem diga, a mais invasiva — das atividades de marketing, mas seu valor é limitado, a menos que seja usada com inteligência e em conjunto com outros esforços. Um antigo ditado do marketing diz que o modo mais rápido de acabar com um mau produto é fazer muita propaganda dele. Pelo mesmo critério, uma estratégia de marketing bem pesquisada e bem planejada provavelmente fracassará se o público não souber da existência da empresa do serviço, do que ele tem a oferecer, da proposição de valor de seus produtos e de como tirar o melhor proveito deles. Clientes poderiam ser atraídos com mais facilidade pela concorrência e por ofertas concorrentes, e não haveria gerenciamento proativo nem controle da identidade corporativa. De modo geral, pequena parte de toda a massa de comunicação que nos atinge diariamente é realmente reconhecida, e apenas as mensagens que se relacionam a necessidades de momento ou latentes é que são registradas na memória. Mas, de uma forma ou de outra, comunicações de marketing são essenciais para o sucesso de uma empresa.

Há muita confusão sobre o escopo da comunicação de marketing, e alguns ainda a definem de um modo restrito demais. As comunicações devem ser vistas de modo mais amplo do que a mera utilização de propaganda em mídia paga, relações públicas e vendedores profissionais. Há muitos outros meios pelos quais uma organização moderna pode se comunicar com seus clientes atuais e potenciais. A localização e a atmosfera de uma instalação de entrega de serviço; as características do projeto corporativo, como a utilização de cores e elementos gráficos; a aparência e o comportamento de funcionários; as pessoas que frequentam o ponto de entrega do serviço; o projeto de um site; o nível de preço e qualidade praticado — tudo isso contribui para causar uma impressão na mente do cliente que reforça ou contradiz o conteúdo de mensagens formais. Os últimos anos assistiram ao surgimento de novas e estimulantes oportunidades de conquistar clientes potenciais pela Internet, com níveis de especificidade de segmentação e de conteúdo de mensagens antes inimagináveis. E todas essas mídias devem ser bem sincronizadas para transmitir uma mensagem única que não gere confusão na mente do cliente, para atrair novos clientes e para reconfirmar a escolha dos existentes enquanto os educa sobre como prosseguir pelo processo de serviço.

Outro ponto importante é considerar como ocorre o processo de comunicação, para saber como se comunicar melhor. As ideias que surgem na mente de uma pessoa não chegam diretamente à mente de outras. Existe um processo intermediário, em que a ideia é transformada em um código ou linguagem. A pessoa que recebe a mensagem deve ser capaz de decodificá-la. Esse código é aprendido ao longo da vida, pela educação formal e informal. A história de vida e o processo de educação que cada um viveu pode ter um código mais desenvolvido, capaz de passar mais ideias, graças a esse repertório adquirido. Pessoas com repertório menor podem não compreender toda a mensagem e até confundir ou ignorar seu significado. Por isso, todo profissional de comunicação deve se certificar de desenvolver mensagens usando o código ou a linguagem mais adequados para seu público-alvo. Os jovens, por exemplo, têm uma linguagem desenvolvida no convívio com outros jovens e podem não ser compreendidos pelos mais velhos, que não participam desse convívio. Os mais idosos podem se servir de códigos em desuso, a que os jovens não chegaram a ser expostos, e, portanto, desconhecem. Para cada grupo existirá uma linguagem mais adequada, e mensagens que se dirijam a grupos variados devem buscar uma linguagem comum a eles e ser testadas por meio de pesquisa para verificar a verdadeira compreensão, através da decodificação adequada.

É por um bom motivo que definimos os elementos de comunicação de marketing dos 7Ps como *promoção e educação*. Vamos agora analisar algumas funções desempenhadas pelas comunicações de marketing.

Posicionar e diferenciar o serviço

As empresas utilizam as comunicações de marketing para persuadir o público-alvo de que seu serviço oferece a melhor solução para atender às necessidades dos clientes, em comparação com as ofertas dos concorrentes. A Wausau é uma empresa com grande experiência na prevenção e no gerenciamento de acidentes de trabalho e precisa transmitir essa experiência a seus clientes (Figura 7.2). Empresas como a AT&T, Vivo ou Claro oferecem serviços baseados em sua rede móvel 3G de alta velocidade e precisam educar seus clientes sobre como usá-las e promover seus benefícios (Figura 7.3). Ações de comunicação servem não só para atrair novos usuários, mas também para manter contato com os clientes atuais de uma organização e construir relacionamento com eles. As comunicações de marketing são usadas para convencer clientes, existentes e potenciais, quanto ao desempenho superior da empresa em atributos determinantes (Capítulo 3).

Mesmo que os clientes entendam o que um serviço deve prover, podem ter dificuldade para distinguir entre ofertas de diferentes fornecedores. Além de educar, a empresa precisa

Figura 7.2 A Wausau precisa de comunicação para divulgar sua experiência, e como ela é oferecida por meio de seu inovador programa People @ Work dirigido aos funcionários

se diferenciar. As empresas podem usar pistas tangíveis para comunicar o desempenho de serviço, destacando a qualidade dos equipamentos e das instalações e enfatizando as características dos profissionais da empresa, como suas qualificações, experiência, compromisso e profissionalismo. Alguns atributos de desempenho prestam-se melhor à propaganda do que outros. Companhias aéreas não anunciam segurança, porque a mera possibilidade de algo dar errado faz com que os passageiros fiquem nervosos. Em vez disso, adotam uma abordagem indireta, ao divulgarem o conhecimento técnico de seus pilotos, suas aeronaves novas e as habilidades e o treinamento de seus mecânicos. As empresas precisam promover os atributos obrigatórios a todos que desejam competir no mercado, e os atributos que diferenciam sua oferta da de seus concorrentes.

Para documentar a qualidade e a confiabilidade de seus serviços, um anúncio da FedEx mostrava os prêmios recebidos por ser a mais bem cotada pelos clientes na satisfação com a entrega por via aérea, terrestre e internacional, concedidos pela J.D. Power and Associates, empresa norte-americana conhecida e respeitada por suas pesquisas de satisfação do cliente em inúmeros setores.[7]

Promova a contribuição do pessoal de serviço

Alta qualidade, equipe de atendimento e operações de bastidores são importantes fatores de diferenciação de serviço. Em serviços de alto contato, o pessoal da linha de frente é crucial para a entrega do serviço. Sua presença torna o serviço mais tangível e, em muitos casos, mais personalizado. Um anúncio que mostre profissionais em serviço ajuda clientes potenciais a entender a natureza do encontro de serviço e implica uma promessa da atenção personalizada que eles podem esperar receber.

Propaganda, folhetos e sites também podem mostrar aos clientes o trabalho dos 'bastidores' para garantir a boa entrega de serviço. Realçar a expertise e o compromisso de profissionais que os clientes quase nunca chegam a conhecer aprimora a confiança na competência da organização e o compromisso com a qualidade de serviço. Por exemplo, a Starbucks possui materiais de propaganda e sites que mostram aos clientes o que seu pessoal de serviço faz nos bastidores. A empresa mostra como os grãos de café são cultivados, colhidos e produzidos, ressaltando o uso dos melhores e mais frescos.

Figura 7.3 Inovações como a tecnologia 3G de alta velocidade precisam ser explicadas, para que os clientes saibam usá-la, e diferenciadas, para que a empresa tenha vantagem sobre a concorrência

Como as mensagens publicitárias ajudam a determinar as expectativas dos clientes, os anunciantes devem ser realistas ao retratar o pessoal de serviço. E estes funcionários devem ser informados do conteúdo de campanhas publicitárias ou folhetos que prometem atitudes ou comportamentos, para que todos saibam o que se espera deles.

Agregue valor por meio de conteúdo de comunicação

Informação e consulta são modos importantes de agregar valor a um produto, principalmente no caso dos serviços, por causa da intangibilidade. Clientes potenciais podem precisar de informações e conselhos sobre onde, quando e quais opções de serviço estão disponíveis, quanto custam, quais são as características, as funções e os benefícios específicos do serviço. (Veja a estrutura de Flor de serviço apresentada no Capítulo 4 para saber mais sobre como essa informação agrega valor).

Facilite o envolvimento do cliente na produção

Quando são ativamente envolvidos na produção do serviço, clientes precisam de treinamento para ter bom desempenho, do mesmo modo como os funcionários. Melhorar produtividade costuma envolver inovações em entrega de serviço. Mas os benefícios desejados não serão alcançados se os clientes resistirem a novos sistemas tecnológicos ou evitarem alternativas de autosserviço. O cliente é o elo mais frágil na cadeia produtiva do serviço, e o resultado final irá depender muito de como ele participa, seja de forma passiva, apenas informando o que deseja, como de forma ativa, envolvido na sua produção.

É comum profissionais de marketing usarem promoções de venda para motivar clientes a mudar seu comportamento. Por exemplo, anunciar descontos de preços é um modo de incentivá-los a testar e depois adotar o autosserviço. Em geral, é oferecida a possibilidade de economizar tempo e/ou dinheiro se o próprio cliente desempenhar uma atividade que antes a empresa fazia por ele. E, se necessário, o pessoal de contato precisa estar bem treinado e disponível para orientar os clientes e ajudá-los na adaptação a novos procedimentos.

Uma abordagem recomendada por especialistas em propaganda é mostrar a entrega de serviço em ação. A televisão é um bom meio pela capacidade de prender a atenção do telespectador ao exibir uma sequência ininterrupta de eventos em forma visual, mas uma imagem bem selecionada também pode ter alto poder de comunicação. Alguns dentistas mostram vídeos de procedimentos cirúrgicos antes da cirurgia, para que os pacientes saibam o que esperar. Cirurgiões plásticos usam softwares que simulam como o cliente ficará após a operação. O Shouldice Hospital de Toronto, apresentado no Estudo de caso 10, é especializado em tratamento de hérnia. Oferece a futuros pacientes a oportunidade de assistir a uma simulação on-line e explica a experiência do hospital em seu site. Essa técnica educacional ajuda os pacientes a se preparar mentalmente, diminui a incerteza e a ansiedade, e lhes mostra o papel que devem desempenhar durante a entrega do serviço para assegurar uma cirurgia bem-sucedida e rápida recuperação.

Estimule ou reprima a demanda para ajustá-la à capacidade

Muitos serviços ao vivo — como entradas de teatro para sessão da sexta-feira ou um corte de cabelo em um salão concorrido — são específicos em relação ao tempo e não podem ser revendidos depois. Propaganda e promoções de vendas podem ajudar a mudar o ritmo do cliente e assim ajustar a demanda à capacidade disponível em dado momento.

Estratégias de gerenciamento de demanda incluem reduzir a utilização em momentos de pico e estimulá-la fora desses períodos. Demanda baixa fora de períodos de pico é um sério problema para setores de serviço cujos custos fixos são altos, como hotéis. Uma estratégia é realizar promoções que ofereçam valor extra, como um quarto superior pelo preço de um quarto padrão e café da manhã gratuito, na tentativa de estimular demanda sem reduzir preço. Em bares, o horário de pico é a partir das 22h, mas para deslocar parte da demanda, eles oferecem o *happy hour*, com promoções como incentivo para o cliente sair direto do trabalho para o bar, a partir das 18h. Quando a demanda cresce, podem-se reduzir ou eliminar as promoções, ou utilizar-se o apreçamento dinâmico. (Veja também o Capítulo 6 sobre gerenciamento de receita e o Capítulo 9 sobre gerenciamento de demanda e capacidade).

Desafios da comunicação de serviços

Discutidos os papéis das comunicações de marketing, vamos explorar alguns dos desafios de comunicação que as empresas de serviços enfrentam. Estratégias tradicionais de comunicação de marketing foram modeladas, em grande parte, pelas necessidades e práticas associadas ao marketing de bens manufaturados. Mas várias das diferenças entre serviços e bens têm impacto significativo sobre o modo como abordamos o projeto de programas de comunicação de marketing, tornando-os mais complexos.

Problemas da intangibilidade

Como são desempenhos e não objetos, pode ser difícil comunicar os benefícios de serviços a consumidores, sobretudo quando não envolvem ações tangíveis para clientes ou suas posses.[3] A intangibilidade cria quatro problemas para profissionais de marketing em busca de promover atributos ou benefícios de serviços: generalidade, abstratividade, impossibilidade de pesquisa e impalpabilidade mental.[4] Banwari Mittal e Julie Baker salientam as implicações de cada um deles:[5]

- *Generalidade* refere-se a itens que compreendem uma classe de objetos, pessoas ou eventos — por exemplo, poltronas em aviões, comissários e serviços de bordo. Essas classes gerais têm análogos físicos, que a maioria dos consumidores do serviço sabe quais são. Entretanto, uma tarefa fundamental para profissionais de marketing é comunicar o que torna uma oferta específica diferente (e superior) em relação a ofertas concorrentes. Em muitos casos, podemos ter a mesma poltrona, mas a experiência pode ser muito distinta, por fatores como simpatia, conhecimento, empatia etc.

- *Abstratividade* refere-se a conceitos que não correspondem a objetos físicos, como segurança financeira, consultoria especializada ou transporte seguro. Pode ser desafiador para profissionais de marketing ligar seus serviços a esses conceitos. Ao criar anúncios, as agências fazem paralelos com situações em que eles se aplicam, para construir relações em torno do conceito. Empresas de seguro, por exemplo, são comparadas à 'segurança da mão do pai", ou 'seguro como no colo da mãe". O Instituto de Seguros para Segurança na Estrada, entidade norte-americana que desenvolve estudos para melhorar a segurança nos automóveis, completou 40 anos em 2009 e pediu que sua agência de propaganda criasse uma campanha para mostrar a contribuição do instituto ao longo desse período. A agência criou um filme que mostra o choque frontal, em câmera lenta e em diversos ângulos, de um Chevrolet Bel Air 1959 e um Chevrolet Malibu 2009. Enquanto a cabine do Bel Air é totalmente comprimida e o teto afunda sobre o passageiro, esmagando o boneco de testes, no Malibu a estrutura do chassis absorve boa parte do impacto e os *air bags* protegem o boneco. O choque é mostrado diversas vezes e comprova que em 1959 o passageiro teria muito provavelmente morrido, enquanto em 2009 teria apenas ferimentos leves. O texto informa que muitos dos avanços nos carros de hoje foram resultado de estudos do instituto, mostrando assim, de uma forma visual e criativa, algo que seria extremamente complexo de ilustrar de outras maneiras.[6]

- *Impossibilidade de pesquisa* refere-se ao fato de que elementos intangíveis não podem ser pesquisados ou inspecionados antes da compra. Atributos físicos de serviço, como a aparência de uma academia de ginástica e os tipos de equipamento instalado, podem ser verificados com antecedência, mas a experiência de trabalhar com os instrutores só pode ser determinada pela vivência. Como já observamos no Capítulo 2, atributos de credibilidade, por exemplo, o conhecimento técnico de um cirurgião, podem ser aceitos apenas pela confiança. A reputação e a credibilidade passam a ser a referência. É o caso dos cursos universitários, nos quais não é possível prever sua contribuição para uma carreira de sucesso após a formatura; o aluno não tem ideia do que vai encontrar, e os pais, que não frequentam uma faculdade há muitos anos, têm de tomar uma decisão entre dezenas de opções. Essa escolha pode se basear, entre outros fatores, na reputação da escola dentro de seu grupo social, ou em sua capacidade financeira de bancar as mensalidades.

- *Impalpabilidade mental* refere-se ao fato de que muitos serviços são tão complexos, multidimensionais ou novos que se torna difícil para os consumidores — sobretudo os clientes potenciais — entender como seria a experiência de utilizá-los e quais benefícios resultariam disso. Um desafio para o governo brasileiro nos próximos anos é o de implantar um sistema de segurança efetivo para a Copa do Mundo e as Olimpíadas. Nunca houve atos terroristas de grande porte, e não existem antecedentes nem experiência para orientar a avaliação das empresas candidatas a oferecer serviços de segurança para esses eventos. Ainda que não haja problemas mais graves, poderá ser difícil, mesmo após os eventos, dizer o quanto os serviços foram de fato satisfatórios.

Banwari Mittal e Julie Baker sugerem que, para criar mensagens que comuniquem com clareza atributos e benefícios intangíveis de serviços a consumidores potenciais, os profissionais de marketing podem adotar estratégias de comunicação específicas (veja a Tabela 7.1).

Superando problemas de intangibilidade

Pistas e metáforas tangíveis podem ser eficazes para superar desafios de intangibilidade.

Pistas tangíveis. Entre as estratégias mais usadas na propaganda está a utilização de pistas tangíveis, em especial para serviços de baixo contato que envolvem poucos elementos palpáveis. Também é útil incluir "informações vívidas" que prendam a atenção e produzam uma impressão clara e forte sobre seus sentidos, sobretudo para serviços complexos e de alto grau de intangibilidade.[7] Por exemplo, muitas escolas de administração recorrem a de-

Tabela 7.1 Estratégias de propaganda para superar a intangibilidade

Problema de intangibilidade Existência incorpórea	Estratégia de propaganda Representação física	Descrição Mostrar componentes físicos de serviço
Generalidade:		
■ Para reclamações objetivas	Documentação de sistema	Documentar objetivamente a capacidade do sistema físico.
	Documentação de desempenho	Documentar e citar estatísticas de desempenhos anteriores.
■ Para reclamações subjetivas	Episódio de desempenho de serviço	Apresentar um incidente real de entrega de serviço.
Impossibilidade de pesquisa	Documentação de consumo	Obter e apresentar testemunhos de clientes.
	Documentação sobre reputação	Citar desempenho que passou por auditoria independente.
Abstratividade	Episódio de consumo de serviço	Capturar e exibir clientes típicos se beneficiando do serviço.
Impalpabilidade	Episódio de processo de serviço	Apresentar um documentário vívido sobre o processo de serviço, etapa por etapa.
	Episódio de histórico de caso	Apresentar um histórico de caso real do que a empresa fez por um cliente específico.
	Episódio de consumo de serviço	Narrar ou representar de maneira articulada a experiência subjetiva de um cliente.

Fonte: Banwari Mittal e Julie Baker, "Advertising strategies for hospitality services", *Cornell Hotel and Restaurant Administration Quarterly*, 43, abr. 2002, p. 53. © Cornell University. Reprodução permitida pela Sage Publications.

poimentos e palestras de ex-alunos bem-sucedidos para tangibilizar os benefícios do ensino oferecido e comunicar o que seu ensino pode fazer por futuros alunos quanto a promoções na carreira e aumentos salariais.

A seção Novas ideias em pesquisa 7.1 mostra como a visualização e a propaganda comparativa afetam as percepções de consumidores sobre serviços hedônicos (que trazem prazer e alegria) e serviços utilitários (consumidos para fins práticos ou funcionais).

Use metáforas. Algumas empresas criaram metáforas de natureza tangível que ajudam a comunicar os benefícios de suas ofertas de serviço e a enfatizar as principais diferenças em relação às concorrentes. Companhias seguradoras costumam utilizar essa abordagem para promover seus produtos de alto grau de intangibilidade. Assim, o Bradesco Seguros anuncia "Nosso compromisso é com a vida", e a Prudential utiliza o Rochedo de Gibraltar como símbolo de força corporativa. Às vezes, empresas de serviços profissionais usam metáforas para comunicar suas proposições de valor de maneira mais enfática. A abordagem criada pela Accenture, empresa global de consultoria, dramatiza a noção abstrata de ajudar clientes a capitalizar ideias inovadoras em um mundo de mudanças velozes. Apresenta o campeão de golfe Tiger Woods em situações chamativas para realçar sua capacidade de ajudar os clientes a "desenvolver os reflexos de um negócio de alto desempenho" (Figura 7.4).

Anúncios metafóricos devem incluir alguma informação sobre *como* são fornecidos os benefícios de serviço.[8] A consultoria AT Kearney enfatiza que inclui todos os níveis gerenciais — e não somente a alta gerência — na busca de soluções. Seu anúncio mostra armadilhas para ursos espalhadas no piso do escritório e chama a atenção para o que diferencia seus serviços: o trabalho cuidadoso com todos os níveis nas organizações-clientes, para evitar os problemas deixados por outros consultores que só trabalham com a alta gerência.

Novas ideias em pesquisa 7.1

Visualização e propaganda comparativa para serviços

Especialistas costumam recomendar o uso de estímulos visuais para transmitir uma imagem mental vívida e a documentação de fatos e números para contornar a intangibilidade e comunicar melhor a proposição de valor de um serviço. Para testar a eficácia das estratégias de visualização e documentação para serviços hedônicos e utilitários, quatro acadêmicos conduziram uma experiência em laboratório.

Eles mostraram a cada um dos 160 alunos pesquisados um anúncio impresso e mediram suas respostas. Um anúncio de viagem de férias na primavera foi usado como serviço hedônico e outro de um banco, com ofertas dirigidas ao segmento estudantil, representou o serviço utilitário. Na condição de visualização, uma foto de hotel e outra de jovens à beira-mar foram acrescentadas aos textos do serviço hedônico. Para o banco, fotos externas de uma agência e um caixa eletrônico foram mostradas. A condição de documentação somente com texto utilizou um anúncio comparativo indireto divulgando o alto desempenho do provedor de serviço, acompanhado dos três mais importantes atributos de ambos os serviços. A seguir, o estudo fez uma comparação entre a condição de documentação somente textual e o anúncio que continha imagens (condição de visualização).

Constatou-se que para ambos os tipos de serviço os anúncios baseados em uma estratégia de visualização foram percebidos como mais informativos do que os apenas textuais. Os pesquisados expostos aos anúncios de visualização perceberam os serviços como de mais alta qualidade e estavam mais propensos a dizer que pretendiam usá-los. A documentação funcionou bem para o serviço hedônico, mas não para o utilitário (pesquisa adicional é necessária para explicar por quê). O estudo apresenta duas implicações gerenciais relevantes:

1. **Use imagens para aumentar a tangibilidade da proposição de valor.** Tanto no serviço hedônico como no utilitário, use imagens e fotos para comunicar seus benefícios potenciais. O Hilton Hotels Corp. utiliza fotos para comercializar seu Chef´s Signature Catering Collection, em substituição ao método mais tradicional de enviar menus em formato de texto a clientes que desejavam jantar no hotel. Um executivo do Hilton declarou: "as pessoas comem com os olhos e, quando veem algo com o qual conseguem se relacionar, algo que podem reconhecer, é um auxílio para o cliente desenvolver um nível de confiança e conforto". Agências de turismo, como a Teresa Perez Tours, utilizam em seus sites fotos especialmente produzidas para mostrar os melhores aspectos de seus destinos.

2. **Dados comparativos ajudam o leitor a visualizar serviços hedônicos em especial.** Por exemplo, se o parque temático Six Flags Great America anuncia que sua montanha-russa Déjà Vu tem 60 metros de altura comparada aos meros 35 metros de altura das outras, e que sua velocidade é de 104 km/h comparada aos reles 90 km/h das outras, é de se imaginar que a comparação auxilie os leitores a visualizar o Déjà Vu como uma das montanhas-russas mais altas e rápidas do mundo. Apenas informar a altura e a velocidade não seria tão eficaz — os leitores necessitam das referências dos dados comparativos.

Fonte: Donna J. Hill, Jeff Blodgett, Robert Baer e Kirk Wakefield, "An investigation of visualization and documentation strategies in service advertising", *Journal of Service Research*, 7, n. 2, 2004, p. 155-166.

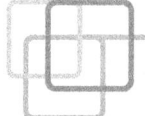

Planejamento de comunicações de marketing

Agora que discutimos o papel das comunicações de marketing e como superar o desafio da intangibilidade das ofertas de serviços, voltamos nossa atenção a como planejar e elaborar uma estratégia eficaz de comunicações de marketing.

Especificar objetivos de comunicação

Os objetivos de comunicação respondem à pergunta do que necessitamos comunicar e alcançar. Profissionais de marketing devem ser claros sobre suas metas; caso contrário, será difícil formular objetivos de comunicações precisos e selecionar as mensagens e as

Figura 7.4 A Accenture promove sua habilidade de ajudar clientes a transformar ideias inovadoras em resultados, associando situações do jogo de golfe com o dia a dia de seus clientes

ferramentas de comunicação mais adequadas para atingi-los. As metas podem incluir modelagem e gerenciamento do comportamento de clientes em qualquer um dos três estágios discutidos no Capítulo 2: pré-compra, encontro de serviço e pós-consumo.

Toda ação de comunicação deve ter um objetivo claro. Este deve ser expresso em números e ter prazo definido, para que possa ser medido antes e depois da ação e permitir a avaliação do resultado dessa ação.

Os objetivos da comunicação podem ser divididos em cinco grandes grupos:

1. *Criar consciência de marca.* Tornar a marca mais conhecida para seu público-alvo. Um exemplo, para determinada campanha, pode ser: elevar a lembrança de marca espontânea, de 20 para 70 por cento, e estimulada, de 35 para 90 por cento, nos próximos oito meses. É com a lembrança espontânea que as pessoas citam as marcas de que conseguem se lembrar; enquanto a estimulada é aquela em que elas reconhecem a marca em uma lista.

2. *Melhorar atitudes e influenciar intenções.* Convencer o público-alvo dos benefícios que a marca oferece: um hotel que se preocupa em atender bem seus hóspedes; a companhia aérea que oferece mais conforto durante a viagem; a lavanderia que cuida mesmo de suas roupas; o restaurante que oferece o melhor atendimento em um ambiente agradável e descontraído etc. O objetivo pode ser, por exemplo, elevar o índice de concordância, em uma escala de 7 pontos, de uma média de atitudes no valor 3,7 da escala, para o valor 5,5, após campanha promocional de seis meses. Realiza-se a pesquisa atitudinal antes e comparam-se os resultados com a repetição da pesquisa seis meses depois, após a veiculação da campanha.

3. *Gerar desejo pela categoria do serviço e intenção de compra.* Aumentar entre o público-alvo o desejo de consumir a categoria de serviço e de utilizar os serviços da marca, em dado período. Realizam-se as pesquisas antes e depois da campanha, comparando-se a evolução obtida com a fixada como objetivo.

4. *Facilitar a compra.* Aumentar o número de clientes que sabem detalhes sobre onde comprar o serviço, quais os preços, as condições de pagamento e financiamento, a localização dos pontos de distribuição, o atendimento e os serviços prestados

pelo pessoal de ponto de venda. Também se recomenda realizar a pesquisa inicial, para se estabelecer os pontos de avaliação, e a pesquisa final para verificar o atingimento dos atendidos.

5. *Reforçar a satisfação após a compra e manter o relacionamento.* Verificar entre clientes ativos o grau de satisfação com serviços recebidos e a predisposição de voltar a fazer negócios e de recomendar os serviços para outras pessoas. Com uma pesquisa inicial estabelece-se o nível atual desses indicadores, monta-se a ação de comunicação com objetivos e prazos claros, e realiza-se a pesquisa posterior para verificar a sua eficácia.

Dependendo dos interesses e objetivos da marca, ações de comunicação podem ser feitas visando uma combinação dos cinco objetivos em um projeto. O importante é que estejam claros quais são os objetivos, expressos de forma numérica, e os prazos determinados.

Objetivos comuns de educação e promoção para organizações de serviço abrangem:

- criar imagens memoráveis de empresas específicas e suas marcas;
- desenvolver conscientização e interesse com relação a um serviço ou marca não familiar;
- comparar favoravelmente um serviço em relação às ofertas concorrentes;
- desenvolver preferência comunicando as forças e os benefícios de um marca específica;
- (re)posicionar um serviço em relação a ofertas concorrentes;
- reduzir incerteza e risco percebido fornecendo informações e conselhos úteis;
- tranquilizar o público, por exemplo, oferecendo garantias de serviço;
- incrementar experimentação oferecendo incentivos promocionais;
- familiarizar clientes com processos de serviço antes da utilização;
- ensinar aos clientes como usar um serviço com mais vantagem;
- estimular demanda em períodos de baixa demanda e transferir demanda para períodos de pico;
- reconhecer e recompensar clientes e funcionários de valor.

O resultado deve ser o de criar uma marca forte entre seus públicos-alvos, de fácil lembrança — estimulada ou espontânea —, que estabeleça associações fortes, positivas e exclusivas, com seus atributos e benefícios.

As cinco decisões de planejamento de comunicação

O planejamento de uma campanha de comunicações de marketing deve refletir um bom entendimento do produto e de como os compradores potenciais avaliam suas características antes da compra. É essencial entender os segmentos de mercado-alvo e sua exposição a vários meios de comunicação, bem como a conscientização dos consumidores quanto ao produto e suas atitudes em relação a ele. As decisões envolvem determinar o conteúdo, a estrutura e o estilo da mensagem a ser comunicada; como será apresentada e a mídia mais adequada para atingir o público pretendido. Considerações adicionais são: o orçamento disponível para execução; prazos definidos por fatores como sazonalidade, oportunidades de mercado e atividades previstas da concorrência; e métodos de medição e avaliação de desempenho.

Qual é o papel da comunicação para auxiliar a empresa a atingir suas metas de marketing? Uma lista de verificação útil para planejamento de comunicações de marketing é dada pelo modelo dos '5 Ws' (em inglês).

- Quem (*who*) é nosso público-alvo? Possíveis segmentos: clientes potenciais, usuários ou funcionários, pessoas físicas ou jurídicas? Possíveis variáveis para segmentação: demografia, psicografia, comportamento de consumo, geodemografia e outras características?

- O que (*what*) precisamos comunicar e alcançar? O que enfatizar: características e benefícios, emoções (aparência, saúde)? Quais são as metas de comunicação ou vendas a serem atingidas?

- Como (*how*) devemos comunicar? Qual o melhor composto de comunicação a ser usado?

- Onde (*where*) devemos comunicar? Qual a estratégia de mídia?

- Quando (*when*) as comunicações precisam ocorrer? Quando comunicar (período do ano, sazonalidade)? Com qual frequência (número de vezes, repetições)?

Começaremos pelas questões relativas ao quem (*who*) — definição do público-alvo. Em seguida faremos uma revisão do que (*what*) queremos comunicar e de como queremos comunicar (*how*) — o vasto conjunto de ferramentas de comunicação disponível para profissionais de marketing de serviços. Encerraremos com questões relativas à localização — onde (*where*) queremos comunicar — e à programação de atividades de comunicação — quando (*when*) queremos que a comunicação ocorra.

Definindo o público-alvo

Clientes potenciais, usuários e funcionários representam públicos amplos a visar em qualquer estratégia de comunicação de serviço:

- *Clientes potenciais.* Por quase nunca saberem quem são os clientes potenciais, profissionais de marketing devem utilizar um composto de comunicações tradicional, que abrange propaganda pela mídia, relações públicas e o uso de listas (banco de dados) adquiridas para mala direta e telemarketing.

- *Usuários.* Já para alcançar usuários existentes, podem estar disponíveis canais mais eficazes em custo, como esforços de vendas por pessoal de contato, promoções em pontos de venda e outras informações oferecidas nos encontros de serviço. Se o relacionamento com os clientes for por meio de inscrição destes, e a empresa dispuser de banco de dados com informações de contato, ela poderá distribuir informações por mala direta, e-mail ou telefone a alvos escolhidos com cuidado. Esses canais podem complementar e reforçar canais de comunicações mais amplos ou mesmo substituí-los.

- *Funcionários.* Também são público-alvo para campanhas de comunicação veiculadas pela mídia de massa. Uma campanha bem elaborada também pode ser motivadora para funcionários, em especial para os que desempenham funções na linha de frente. Ela poderá ajudar a modelar o comportamento de funcionários, se o conteúdo da propaganda mostrar o que se promete aos clientes. Contudo, haverá o risco de gerar cinismo entre os funcionários e de desmotivá-los, se a comunicação promover níveis de desempenho que eles considerem não realistas ou impossíveis de alcançar. Primeiro, toda a campanha deve ser apresentada aos funcionários, para que eles entendam a promessa de valor da empresa, e qual seu papel na entrega desse valor. Possíveis questões operacionais devem ser antecipadas, por meio de simulações e discussões de casos. O treinamento deve anteceder o início da campanha, para que eventuais problemas possam ser corrigidos antes que cheguem ao público.

Comunicações dirigidas aos funcionários costumam ser parte da campanha de endomarketing, que utiliza canais específicos da empresa e, portanto, não são acessíveis a clientes. Discutiremos sobre comunicações internas no Capítulo 11.

Podemos atuar em mercados voltados para o consumidor final (B2C) ou para outras empresas (B2B). No mercado B2B, a principal motivação da empresa é o lucro, obedeci-

Figura 7.5 A cadeia de valor genérico de Michael Porter

Atividades principais:
- Infraestrutura da empresa
- Gerência de recursos humanos
- Desenvolvimento de tecnologia
- Aquisição

Atividades de apoio:
- Logística interna
- Operações
- Logística externa
- Marketing e vendas
- Serviço

Margem

Fonte: adaptado de Michael Porter, *Vantagem competitiva*. Rio de Janeiro: Campus, 1990.

das as restrições sociais. Para oferecer serviços atrativos para outras empresas, devemos analisar como esse serviço adicionará valor à oferta da empresa-cliente. Uma ferramenta útil para essa análise é a cadeia de valor genérico de Michael Porter, que examina como as atividades principais e de apoio geram valor na oferta final da empresa.

As atividades principais são as que resultam no serviço final e as de apoio dão suporte aos processos principais. Melhoramentos em logística e operações tornam os processos mais eficientes, reduzem custos e melhoram a qualidade do serviço entregue. As atividades de marketing, vendas e serviços ajudam o cliente a conhecer e usar melhor o serviço, e o predispõem a pagar mais por ele. Melhor processo de aquisição pode colocar disponíveis matérias-primas de melhor qualidade e menor custo, desenvolvimento tecnológico pode tornar o serviço mais competitivo, aumentando os benefícios de seus atributos, melhor gestão de recursos humanos pode atrair e manter pessoas mais competentes e motivadas, e melhoras na infraestrutura da empresa podem ter impacto em todos os processos.

Empresas que atuam no B2B devem ter em mente essa cadeia e analisar como podem atuar nessas diversas atividades para auxiliar a empresa-cliente a aumentar o valor entregue e obter melhores margens.

Segmentando o público-alvo

- *Variáveis demográficas* estabelecem o perfil com base em idade, sexo, renda, profissão etc. São interessantes para gerar um perfil inicial, mas nem sempre estão associadas a segmentos específicos.

- *Variáveis psicográficas* identificam características do indivíduo, como crenças, atitudes, valores e estilos de vida.

- *Variáveis de comportamento de consumo* estão associadas ao volume de consumo, formas de uso, lealdade, preferências de marcas e pontos de venda.

- *Variáveis geodemográficas* associam as anteriores a localizações geográficas. O uso dessa variáveis levou ao desenvolvimento do *geomarketing*, uma técnica de análise que apresenta informações de um banco de dados em uma interface gráfica, representando uma região geográfica. Isso permite a análise visual da distribuição das informações na região. Lançando-se as variáveis de interesse na área geográfica, é possível identificar a localização e distribuição de perfis de consumidores com base em variáveis diversas. Ao localizar segmentos de interesse, facilita ações para atingi-los de forma mais eficiente, por meio de composto de marketing específico — produto, preço, comunicação e ponto de vendas adaptado às especificidades locais. O Grupo Pão de Açúcar usa a técnica para identificar os melhores pontos para suas diferentes bandeiras, o perfil do público local e seu potencial. Para a bandeira Pão de Açúcar, eles identificam onde há clientes que buscam qualidade e atendimento diferenciado. Para Compre Bem e Sendas, a mulher batalhadora, de orçamento restrito, que gerencia o lar. Para o Hipermercado Extra, clientes que buscam variedade a preços competitivos. E para a bandeira Assai, focam-se atacadistas e varejistas, também conhecido como o segmento do atacarejo. O Shopping Higienópolis, em seu lançamento, utilizou o LuxuryMap, uma ferramenta de geomarketing em luxo para gerar mailing de prospectos na vizinhança, acelerar o conhecimento da marca e a intenção de compra no empreendimento.

O QUE (*WHAT*) QUEREMOS COMUNICAR

A determinação do apelo fundamental é muito importante, porque a comunicação deve ser focada em poucos apelos, para conter custos e não causar confusão na mente do cliente. Uma comunicação que promete muitas coisas diferentes pode ser difícil de ser entendida, avaliada e mesmo lembrada pelo cliente. Como atributos têm valores diferentes para pessoas diferentes, identificar os que são percebidos como de maior valor é fundamental para uma boa comunicação. As decisões de posicionamento, discutidas no Capítulo 3, são fundamentais para orientar essa escolha. Também devem ser consideradas as questões abordadas no tópico Desafios da comunicação de serviços.

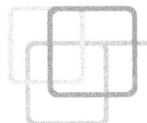

O composto de comunicações de marketing

Após compreender o público-alvo e os objetivos, precisamos selecionar um composto de canais de comunicação eficientes em custo. A maioria dos profissionais de marketing tem acesso a numerosas formas de comunicação — o *composto de comunicações de marketing*. As capacidades dos vários elementos de comunicação são distintivas quanto aos tipos de mensagem que podem transmitir e aos segmentos de mercado passíveis de ser expostos a elas. Como mostra a Tabela 7.2, o composto inclui contato pessoal, propaganda, publicidade e relações públicas, materiais de instrução e projeto corporativo.

Comunicações originadas de diferentes fontes

Como indica a Tabela 7.2, o composto de comunicações tradicional da Figura 7.6 também pode ser categorizado em dois canais principais — os que podem e os que não podem ser controlados pela organização. Nem toda comunicação se origina da organização provedora de serviço. Parte dela vem de fora, por meio de terceiros. Além disso, a Figura 7.6 mostra que as mensagens provenientes de uma fonte interna também podem ser transmitidas por canais de marketing (mídia tradicional e Internet) ou por canais de entrega de serviço do próprio fornecedor. Vamos analisar as opções em cada uma das três fontes.

Mensagens transmitidas por meio de canais de marketing

Como mostrado na Tabela 7.2, profissionais de marketing de serviços dispõem de amplo conjunto de ferramentas de comunicação.

Propaganda. A propaganda é qualquer forma de comunicação paga em que o comunicador é identificado. É vasto o conjunto de meios de propaganda pagos: transmissão em

Tabela 7.2   O composto de comunicações de marketing para serviços

Comunicações pessoais	Propaganda	Promoção de vendas	Promoção e relações públicas	Materiais instrucionais	Projeto corporativo
■ Vendas	■ Transmissões de rádio e TV	■ Amostras	■ Comunicados/*kits* de imprensa	■ Sites	■ Sinalização
■ Atendimento ao cliente	■ Impressos	■ Cupons	■ Coletivas de imprensa	■ Folhetos	■ Decoração interior
■ Treinamento	■ Internet	■ Bônus	■ Eventos especiais	■ CD-ROM de software	■ Veículos
■ Telemarketing	■ *Outdoor*	■ Brindes	■ Patrocínio	■ Manuais de instrução	■ Equipamentos
■ Boca a boca*	■ Mala direta	■ Prêmios	■ Feiras comerciais		■ Papelaria
			■ Cobertura por iniciativa da mídia*		■ Uniformes

*Denota comunicação originada fora da organização.

Figura 7.6   Fontes de mensagens recebidas por um público-alvo

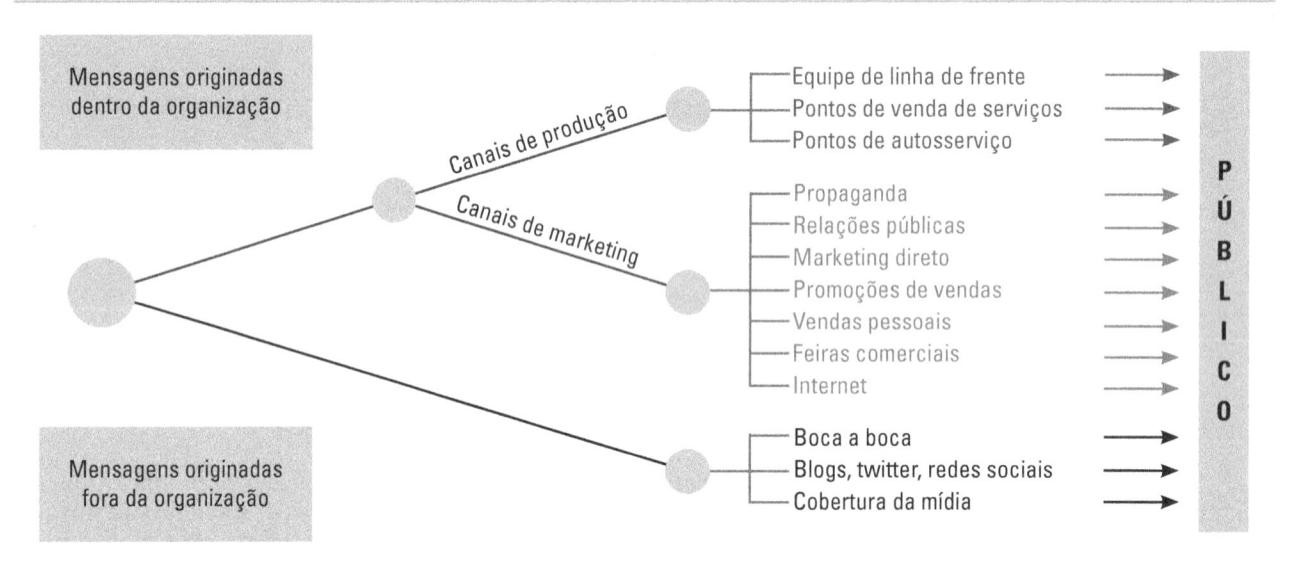

Mensagens originadas dentro da organização
- Canais de produção:
  - Equipe de linha de frente
  - Pontos de venda de serviços
  - Pontos de autosserviço
- Canais de marketing:
  - Propaganda
  - Relações públicas
  - Marketing direto
  - Promoções de vendas
  - Vendas pessoais
  - Feiras comerciais
  - Internet

Mensagens originadas fora da organização
- Boca a boca
- Blogs, twitter, redes sociais
- Cobertura da mídia

→ PÚBLICO

Fonte: Adaptado de um diagrama desenvolvido por Adrian Palmer. *Principles of services marketing*. 4.ed. Londres: McGraw-Hill, 2005. p. 397.

massa (TV e rádio); imprensa (revistas e jornais); cinemas e muitos tipos de mídia externa (pôsteres, cartazes de rua, painéis eletrônicos de mensagens e exteriores de ônibus). Alguns têm foco mais dirigido que outros e visam áreas geográficas ou públicos com um interesse particular; em outros, a cobertura é mais ampla, mas é possível certo grau de direcionamento da ação. Mensagens de propaganda entregues por meios de massa muitas vezes são reforçadas por ferramentas de marketing direto, como campanhas de mala direta, ações de telemarketing ou envio de e-mails.

Como forma predominante de comunicação no marketing de consumo, a propaganda é, em geral, o primeiro ponto de contato entre profissionais de marketing e seus clientes e serve para conscientizar, informar, persuadir e relembrar. Seu papel é vital no fornecimento de informações concretas sobre serviços e na educação de clientes quanto a aspectos e capacidades do produto. Por exemplo, a análise de 11.543 anúncios televisivos e 30.940 anúncios de jornal constatou que a probabilidade de que anúncios de serviços contivessem informações reais sobre preço, garantias financeiras/de produto, documentação de desempenho e disponibilidade (onde, quando e como adquirir produtos) era significativamente maior do que a de anúncios de bens físicos.[9]

Apesar de ser predominante no marketing de consumo, sua eficácia continua muito controversa. O senso comum no setor é de que as vendas podem muito bem aumentar durante certo tempo, mesmo após o término da campanha. Entretanto, chega um ponto em que as vendas começam a cair e torna-se extremamente oneroso reconstruir a marca. Há um ponto ideal para o esforço de comunicação em propaganda: se for pouco, não será sentido, e se for muito, poderá se tornar irritante. A partir de um mínimo, aumentando-se o esforço, o retorno é decrescente. Robert Shaw, da Cranfield School of Management, coordena um fórum em que grandes empresas tentam monitorar o "retorno de marketing" da propaganda. De acordo com Shaw, os resultados nunca foram "bons demais", com menos de metade dos anúncios gerando retorno positivo sobre o investimento.[10]

Um dos desafios dos anunciantes é fazer suas mensagens serem notadas. De modo geral, as pessoas estão cansadas de qualquer forma de propaganda. Estudo recente da Yankelovich Partner, empresa de consultoria em serviços de marketing dos Estados Unidos, revela que a resistência do consumidor à crescente invasão da propaganda atingiu o ápice. Segundo o estudo, 65 por cento das pessoas sentem-se "constantemente bombardeadas" por mensagens publicitárias enquanto para 59 por cento os anúncios têm pouca relevância.[11] Transmissões de televisão e rádio estão abarrotadas de comerciais, ao passo que jornais e revistas às vezes parecem conter mais anúncios do que notícias e reportagens. Com o passar do tempo, as pessoas têm se tornado mais céticas em relação às promessas veiculadas na televisão e, com a Internet, passam menos tempo em frente da tela.

No Brasil, os interesses das empresas anunciantes são defendidos pela Associação Brasileira de Anunciantes (ABA), que também busca desenvolver e divulgar as melhores práticas para o setor. As agências brasileiras de propaganda possuem seu órgão de representação, a Associação Brasileira de Agências de Publicidade (ABAP), onde discutem as práticas e a ética de seu setor de atividade.

Como uma empresa pode esperar destacar-se na multidão? Comerciais mais longos, mais ruidosos e de maior formato não são, necessariamente, a resposta. Profissionais de marketing tentam ser mais criativos em seus anúncios, para permitir que as mensagens sejam mais eficazes. Por exemplo, quando os clientes têm baixo envolvimento com um serviço, as empresas devem focar mais os apelos emocionais e a experiência de serviço em si.[12] Alguns anunciantes destacam-se com projetos visuais impressionantes ou um formato evidentemente diferente. Outros, como a Comcast, buscam atrair a atenção com humor, ao mostrar como os lentos serviços da concorrência se comparam com seu próprio acesso de alta velocidade à Internet a cabo. Há também empresas que passaram a anunciar em videogames, inclusive com anúncios dinâmicos, caso os jogos se conectem à Internet (Figura 7.7).[13]

Relações públicas (RP). Envolve os esforços para estimular o interesse positivo por uma organização e seus produtos por meio de divulgação espontânea de terceiros, que pode ser obtida através do envio de comunicados à imprensa, realização de coletivas de imprensa, montagem de eventos especiais e patrocínio de atividades ou pessoas com potencial para gerar notícias. Um elemento básico na estratégia de relações públicas é a preparação e distribuição de comunicados de imprensa (inclusive fotos e/ou vídeos) — também denominados *"press releases"* — com histórias sobre a empresa, produtos e funcionários.

Outras técnicas de RP muito utilizadas são: programas de reconhecimento e recompensa (por exemplo, participação em concursos e premiações); obtenção de depoimentos de figuras públicas; envolvimento e apoio da comunidade; arrecadação de fundos; e publicidade favorável para a organização por meio de eventos especiais e trabalho voluntário coordenados pela empresa, seus funcionários e clientes. Tais ferramentas podem ajudar a

FIGURA 7.7 Videogames incorporam anúncios que podem conectar-se à Internet, estendendo a experiência do jogo e trazendo novidades

companhia a construir sua reputação e credibilidade; desenvolver fortes relacionamentos com seus funcionários, clientes e com a comunidade; e garantir uma imagem que conduza ao sucesso nos negócios.

As empresas também podem ganhar ampla visibilidade com o patrocínio de eventos esportivos e de outras atividades de alta projeção — como as Olimpíadas ou a Copa do Mundo — nas quais faixas, adesivos e outros recursos visuais proporcionam repetição contínua do nome e do símbolo corporativos. Além disso, atividades inusitadas podem ser oportunidades de promover a expertise. A FedEx conquistou publicidade favorável ao transportar com segurança dois pandas gigantes de Chengdu, na China, até o National Zoo em Washington, Estados Unidos. Os pandas viajaram em contêineres especiais, no avião batizado como 'FedEx Panda One". Além de comunicados à imprensa, a empresa divulgou a inusitada remessa em uma página especial de seu site.

Os profissionais de relações públicas no Brasil estão associados à Associação Brasileira de Relações Públicas (ABRP), que está organizada em sessões estaduais. A sessão de São Paulo, por exemplo, pode ser encontrada no site www.abrpsp.org.br.

Marketing direto. É qualquer programa de ação de marketing que a empresa estabelece diretamente com seus clientes para comunicação ou vendas. Abrange malas diretas, e-mails e mensagens de texto. Esses canais possibilitam o envio de mensagens personalizadas a microssegmentos muito bem definidos. A probabilidade de sucesso de estratégias diretas é muito maior quando há um banco de dados detalhado e atualizado com informações sobre clientes existentes e potenciais. Bancos de dados devem ser mantidos e atualizados constantemente; estima-se que podem se desatualizar entre 20 e 40 por cento em um ano, por causa de mudanças, como endereço, telefone, e-mail, falecimentos etc. Alguns serviços comerciais combinam dados coletados pela empresa com fontes de terceiros ricas em dados on-line ou físicas. A Experian, um dos líderes globais nesse segmento, declara em seu site:

> Podemos ajudar sua empresa a obter um retrato mais rico do comportamento de seus clientes para prever e engendrar como eles se comportarão no futuro. Utilizando dados internos e externos, nossas comprovadas

ferramentas de gerenciamento permitem-nos customizar estratégias até o nível do indivíduo [...]. Potencializado por até 6.000 variáveis [...] utiliza dados de estilos de vida, demográficos, transacionais, de limite de crédito e de classificação do consumidor.[14]

No Brasil, uma das maiores empresas de mailing é a Datalistas, do Grupo Abril (veja a seção Cenário brasileiro 7.1).

Cenário brasileiro 7.1

Datalistas

O Grupo Abril é um dos maiores grupos de comunicação da América Latina. Atua em praticamente todos os segmentos de público e de forma integrada em várias mídias. Fundado por Victor Civita em 1950, desde 2006 o grupo de mídia sul-africano Naspers detém 30 por cento de seu capital (a participação máxima permitida a investidores estrangeiros em empresas de mídia), adquirido por 422 milhões de dólares.

Hoje o grupo emprega 7 mil pessoas e é composto das seguintes empresas: Editora Abril (publicações); Abril Digital (composta da Abril.com e da Abril no celular); MTV (TV segmentada); TVA (parceria estratégica com a Telefônica); além da Abril Educação (Editoras Ática e Scipione). Possui ainda a maior gráfica da América Latina e conta com um eficiente serviço de database marketing, assinaturas e distribuição.

A Abril publicou mais de 300 títulos em 2008 e é líder em 22 dos 26 segmentos em que atua. Suas publicações tiveram ao longo do ano uma circulação de 179,2 milhões de exemplares, em um universo de 27,9 milhões de leitores e 4 milhões de assinaturas. Sete das dez revistas mais lidas do país são da Abril, e *Veja* é a terceira maior revista semanal de informação do mundo e a maior fora dos Estados Unidos. O grupo também detém a liderança do mercado brasileiro de livros escolares com a Abril Educação, que em 2008 comercializou 31 milhões de livros.

Em 1996 foi criado o Datalistas para atuar no segmento de serviços de database marketing. Seu cadastro é montado a partir de sua base de dados dos três milhões de assinantes das suas mais de 40 publicações, como *Veja*, *Exame*, *Gloss*, *Claudia*, *Placar*, *Playboy*, *Viagem e Turismo*, *Guia 4 Rodas* e tantas outras, lidas por segmentos bem diversificados. São 11 milhões de nomes, 7,7 milhões de domicílios, 4,4 milhões de e-mails permitidos, 900 mil celulares com opt-in e mais de 15 mil novos assinantes a cada semana. É mais utilizado para telemarketing e mala direta, embora cresça o uso para o envio de SMS e e-mail.

O Datalistas adota o marketing de permissão, o conceito desenvolvido por Seth Godin (que foi vice-presidente de marketing direto da Yahoo!) de criar mensagens que os clientes queiram receber, com a possibilidade de "opt-in" — optar se aceitam ou não receber a mensagem. Baseia-se no princípio de criar uma relação de confiança e um relacionamento de longo prazo entre a empresa e o cliente. Este aceita a mensagem por acreditar que a empresa deseja comunicar algo relevante para ele, que receberá em primeira mão as novidades do mercado.

O Datalistas oferece diversas formas de segmentação de seu database:

- demográfica — sexo, idade, região geográfica (CEP), estado civil, escolaridade e poder de compra (renda);

Estilos de vida:

- atualidades — desejam informações constantes sobre os últimos acontecimentos mundiais;
- auto — amam carros e buscam o melhor negócio na troca de seu automóvel;
- bem-estar — veem no equilíbrio, na inteligência e na sensibilidade o melhor meio para se viver bem. Buscam o autoconhecimento;
- casa e decoração — interessam-se em transformar a casa em um lugar bonito e atraente, criam ideias de decoração nos mais diversos ambientes e orçamentos;
- celebridades — buscam constantemente informações definitivas e reveladoras sobre as celebridades;
- corpo e saúde — pessoas ativas, cheias de energia, independentes e competitivas. Procuram superar limites e viver de forma saudável;
- cultura — desejam acesso a textos analíticos e críticos das mais diversas manifestações culturais do Brasil e do mundo;

- curiosidades — querem conhecer o mundo em aventuras e viagens inesquecíveis;
- ensino e educação — professores, diretores, orientadores educacionais e jovens estudantes de pedagogia formadores de hábitos de cultura;
- faça você mesmo — pessoas empreendedoras, criativas e habilidosas, desejam atuar e realizar, com suas próprias mãos, idéias e projetos;
- futebol — amantes de esporte, principalmente, de futebol. Torcedores fanáticos e admiradores dessa prática esportiva;
- gastronomia — apreciam a gastronomia sem complicações, de forma prática e com muita informação;
- informática — protagonistas do universo *high-tech* que precisam manter-se à frente no mundo da tecnologia;
- interesse feminino — mulheres que trabalham fora e procuram sempre superar limites e viver intensamente;
- interesse masculino — homens modernos, querem desfrutar as melhores coisas da vida e buscam o consumo sofisticado e inteligente;
- moda — fazem questão de se informar sobre tendências nacionais e internacionais de moda e beleza;
- negócios — executivos, proprietários de empresas, profissionais liberais, empreendedores, advogados, entre outros, que fazem ou gostam de fazer negócios;
- turismo — querem viver e desfrutar intensamente suas viagens, a lazer ou a negócios.

Padrões de lares:

- com adolescentes — lares com adolescentes que se interessam por tudo o que é novo e estão definindo a personalidade;
- com crianças — lares que buscam entretenimento de qualidade, respeitam a criança e colaboram com a escola;
- super premium — apresentam um alto padrão de consumo;
- premium — têm um médio padrão de consumo;
- emergentes — ingressaram há pouco no mercado de consumo de forma crescente e potencial;
- best renda — renda mensal individual do consumidor inferida por estudo de geolocalização cruzado com dados do IBGE.

Passado de relacionamento:

- golden ark — assinantes ativos por cinco anos consecutivos, com alto nível de fidelidade e comprometimento;
- novos nomes na base de dados — provavelmente ainda não abordados por campanhas de marketing direto;
- *new movers* — mudaram de residência nos últimos três meses;
- respondedor de marketing direto — compraram por causa de uma oferta encaminhada por marketing direto;
- por origem — identificada a fonte: revistas, pesquisas, sites, TV a cabo, eventos etc.;
- Pesquisa Nacional Abril — a partir das questões do questionário;
- sob medida – escolha personalizada.

Fonte: Datalistas. Disponível em <http://www.datalistas.com.br>. Acesso em 29/05/2011.

Avanços em tecnologias sob demanda, como filtros antispam, identificador de chamadas, secretárias eletrônicas, TiVo, *podcasting* e bloqueadores de pop-up (veja mais detalhes na seção Panorama de serviços 7.3), permitem que os consumidores decidam como e quando preferem ser abordados e por quem. Visto que um comercial de 30 segundos na televisão interrompe o programa do telespectador e um telefonema de telemarketing interrompe sua refeição, cada vez mais os clientes usam aquelas tecnologias para resguardar seu tempo, o que reduz a eficácia da mídia de massa. Essas características prestam-se à nova estratégia de comunicação, o *marketing de permissão*, em que os clientes são incentivados a concordar em saber mais sobre uma empresa e seus produtos antes de receber informações ou qualquer coisa de valor para eles. Em vez de irritar as pessoas, o marketing de permissão possibilita que os clientes se autosselecionem para o segmento visado.

Nesse modelo, o objetivo é persuadir os consumidores a prestar atenção de modo voluntário. Ao visar somente os indivíduos que expressaram interesse em receber certo tipo de mensagem, esse marketing permite às empresas estabelecer relacionamentos mais fortes com seus clientes. Em particular, e-mails em combinação com sites podem ser integrados em uma mídia baseada em permissão um a um.[15] Pessoas podem ser convidadas a se cadastrar no site da empresa e especificar que tipo de informação gostariam de receber por e-mail. Esses e-mails podem ser configurados como o ponto de partida de um processo mais interativo, de múltiplos níveis, em que os clientes podem requisitar informações frequentes sobre tópicos de seu interesse. O site pode permitir também que o cliente crie sua página personalizada, onde só constam as informações que lhe interessem. Além disso, se estiverem entusiasmados com um novo serviço ou informação, podem clicar em um link do e-mail para obter mais detalhes e mesmo materiais em vídeo. Por fim, pela Internet podem assinar serviços adicionais, recomendar a amigos que também participem do serviço e assim por diante.

O uso do marketing direto deve atender a critérios éticos, para evitar o crescente desgaste que a ferramenta vem enfrentando, e respeitar os direitos do consumidor. (Mais detalhes podem ser encontrados no site da Associação Brasileira de Marketing Direto (www.abemd.org.br), inclusive informações sobre autorregulamentação do setor.)

A maior eficácia das comunicações baseadas em permissão, a queda de preços, a melhoria da qualidade da gestão de relacionamento com clientes (CRM) e da tecnologia on-line (que juntas potencializam o marketing de permissão) levou muitas empresas a focar essas estratégias. Para saber como algumas implementaram excelentes estratégias de marketing de permissão, visite a Amazon.com ou a Hallmark.com e cadastre-se nesses sites. Mas cuidado, elas descobrem do que você gosta, com base em suas compras e buscas de informações, e oferecem ofertas tentadoras e difíceis de resistir!

Promoção de vendas. São ações temporárias, que visam o aumento do volume de vendas durante um período. Podem-se entender promoções de vendas como uma comunicação ligada a um incentivo. Costumam ser específicas para um período de tempo, preço ou grupo de clientes — às vezes para todos os três. Não devem se estender muito, ou o cliente se acostuma e as incorpora ao preço, e pode reagir mal quando terminam. O objetivo mais comum é acelerar a decisão de compra ou motivar clientes a utilizar um serviço mais cedo, em maior volume a cada compra ou com maior frequência.[16] Em empresas de serviço podem ter a forma de amostras, cupons e outros descontos, brindes e concursos com prêmios. Quando utilizadas nessas formas, agregam valor; proporcionam um "diferencial de concorrência"; dão impulso às vendas durante períodos em que a demanda seria fraca; aceleram a introdução e a aceitação de novos serviços e, em geral, fazem os clientes agirem com mais rapidez do que o fariam na ausência do incentivo.[17] Devem ser usadas com cautela, porque pesquisas indicam que clientes adquiridos por esse meio podem ter taxas de recompra e valores mais baixos ao longo da vida.[18] Assim como o cliente veio por causa da promoção, também pode ir para o concorrente quando ela acabar ou outra mais interessante aparecer. Podem ser clientes de baixa fidelidade, que a empresa pode ter maior dificuldade em reter e estabelecer um relacionamento duradouro.

Há alguns anos, a SAS International Hotels criou uma interessante promoção de vendas para idosos. Se um hotel tivesse quartos vagos, hóspedes acima de 65 anos teriam um desconto equivalente à idade (alguém de 75 anos poderia economizar 75 por cento do preço normal da diária). Tudo corria muito bem até que um cliente sueco registrou-se em um dos hotéis da rede SAS em Viena, declarou ter 102 anos e solicitou que lhe fossem pagos 2 por cento da diária em troca de sua estadia no hotel por uma noite. O pedido foi atendido, e o lépido centenário ainda desafiou o gerente geral para uma partida de tênis — e também conseguiu. (Porém, o resultado do jogo nunca foi revelado!) Fatos como esse são verdadeiros presentes para o pessoal de RP. Nesse caso, uma promoção inteligente levou a uma história bem-humorada, que foi amplamente divulgada, e lançou luz favorável sobre a rede de hotéis.

Venda pessoal. Encontros interpessoais em que são feitos esforços para orientar clientes, promover preferência por determinada marca ou produto e oferecer suporte pós-vendas e manutenção do relacionamento são denominados vendas pessoais. Muitas empresas, em especial as que promovem marketing de serviços B2B, mantêm forças de vendas ou empregam agentes e distribuidores para realizar esforços de venda pessoal.

Muitas vezes, estratégias de marketing de relacionamento são baseadas em programas de gerenciamento de contas, em que é designado um gerente para atuar como interface entre o cliente e o fornecedor. Tal prática é mais comum entre empresas industriais e profissionais que vendem serviços complexos, que resultam em necessidade constante de aconselhamento,

FIGURA 7.8 Atendentes de telemarketing podem telefonar no período noturno, mas, pelos princípios de conduta ética da Associação Brasileira de Telemarketing, somente até as 21h00

orientação e consulta. Exemplos podem ser encontrados em seguros, gestão de investimentos e serviços médicos. Quando se trata de serviços comprados com pouca frequência, como imóveis e serviços funerários, o representante da empresa pode agir como consultor para ajudar compradores com informações de aconselhamento e consultoria e auxiliá-lo a escolher.

Entretanto, venda pessoal para clientes potenciais é caro. Uma alternativa de custo mais baixo é o telemarketing, com o uso do telefone para alcançar clientes B2C existentes e potenciais. No nível do consumidor, há uma crescente frustração com a natureza invasiva do telemarketing, que em geral é sincronizado para contatar as pessoas à noite ou em fins de semana (Figura 7.8). Em São Paulo, pode-se cadastrar o número do telefone, sem custos, na Fundação Procon, para não se receber mais ligações de telemarketing. O cadastro foi criado graças a uma lei estadual em 2008. O Procon ressalva em seu site que poderá expedir comunicações às empresas e impor sanções no caso de transgressão ou violação das regras do Cadastro para Bloqueio do Recebimento de Ligações de Telemarketing, mas não indeniza ou repara eventuais danos individuais causados.

Feiras comerciais. No mercado B2B, feiras comerciais são uma forma popular de promoção que também combina importantes oportunidades de venda pessoal.[19] Em muitos setores, as feiras comerciais estimulam cobertura extensiva pela mídia e oferecem a clientes empresariais uma oportunidade de conhecer as últimas ofertas de fornecedores da área. A Feira do Automóvel, por exemplo, recebe ampla cobertura da grande mídia, além da mídia especializada. Para quem trabalha com o varejo, é interessante visitar a feira da ABRAS — Associação Brasileira de Supermercados. Vendedores de serviços fornecem evidência física na forma de exibições, amostras e demonstrações, além de folhetos para orientar e impressionar esses clientes potenciais. Feiras comerciais, uma das poucas ocasiões em que grande número de compradores potenciais dirigem-se ao profissional de marketing, em vez do contrário, podem ser ferramentas promocionais muito produtivas. Um representante de vendas, que costuma alcançar quatro a cinco clientes potenciais por dia, pode conseguir gerar cinco indicações qualificadas por hora em uma feira. O Brasil organiza milhares de feiras por ano; uma opção interessante é consultar o site do Ministério do Desenvolvimento, Indústria e Comércio Exterior. Lá o calendário brasileiro de feiras pode ser consultado. Outra opção é a União Brasileira dos Promotores de Feiras.

Mensagens transmitidas pela Internet

Anunciar na Web permite suplementar canais de comunicação convencionais a um custo razoável. Entretanto, como ocorre com qualquer dos elementos do composto de comunicações de marketing, a propaganda pela Internet deve fazer parte de uma estratégia de comunicação integrada e bem planejada.[20] As empresas podem usar seus próprios sites ou colocar anúncios em outros.

Site da empresa. Profissionais de marketing usam seus próprios sites para várias ações de comunicação: promover conscientização e interesse do consumidor; fornecer informação e consulta; facilitar comunicações de duas vias com clientes por e-mail e salas de bate-papo; estimular experimentação de produto; habilitar clientes a colocar pedidos e medir a eficácia de campanhas publicitárias ou promocionais específicas. O site pode ser tanto um canal de comunicação como um canal de distribuição.

Empresas inovadoras sempre procuram modos de aprimorar o apelo e a utilidade de seus sites. O conteúdo apropriado da comunicação varia bastante de um tipo de serviço para outro. Um site B2B pode oferecer acesso a uma biblioteca de informações técnicas (por exemplo, Siebel e SAP oferecem muita informação sobre suas soluções de gestão do relacionamento com clientes em seus respectivos sites, www.siebel.com e www.sap.com). Por outro lado, o site de um programa de MBA pode incluir fotografias atraentes que apresentem sua localização, instalações e ex-alunos ou vídeos breves que mostrem a universidade, seus professores, salas de aula, depoimentos de alunos e mesmo a cerimônia de formatura.

Profissionais de marketing também devem levar em conta outros atributos, como a velocidade na hora de fazer o download de arquivos, o que afeta a 'adesão' ao site (isto é, a disposição dos visitantes de dedicar tempo ao site e de revisitá-lo no futuro). Um site 'aderente' tem:

- **alta qualidade de conteúdo.** Conteúdo relevante e útil é imprescindível. Um site deve conter o que os visitantes procuram;
- **facilidade de uso ou navegabilidade.** Está relacionada com boa navegação, uma estrutura que não seja nem complicada nem grande demais e boa sinalização. Clientes não se perdem em bons sites!;
- **rapidez de download.** Visitantes não querem esperar e desistem se há demora para baixar páginas. Bons sites fazem download rápido, enquanto os ruins são lentos;
- **atualização frequente.** Bons sites parecem renovados e atualizados. Incluem informações recém-divulgadas que visitantes consideram relevantes e oportunas.[21]

Um endereço fácil de lembrar ajuda a atrair visitantes para o site. O ideal é que sejam associados ao nome da empresa, embora seja necessário encontrar uma alternativa quando a simples forma do nome já foi adotada. Garantir que as pessoas conheçam o endereço eletrônico requer exibi-lo com destaque em cartões de visitas, cabeçalhos de impressos, telas de e-mail, folhetos, anúncios, materiais promocionais e mesmo em veículos (Figura 7.9). Uma das maiores companhias aéreas de desconto da Europa, a easyJet (empresa do grupo proprietário do easyInternetCafe, visto no capítulo 6), pintou seu endereço eletrônico em letras laranjas em cada uma das aeronaves.

Propaganda on-line. Há duas opções principais: banner e site de busca. Uma das maiores vantagens é que permite obter um retorno claro e mensurável sobre o investimento, sobretudo se comparado com outros meios de divulgação. Em especial na propaganda on-line cobrada por desempenho (como o *pay-per-click*), a ligação entre os custos de divulgação e os clientes atraídos pelo site ou pela oferta Web é rastreável. Isso contrasta com a tradicional propaganda na televisão ou em revistas, em que é bastante difícil avaliar o sucesso e o retorno do investimento.

- **Propaganda por banner.** Muitas empresas pagam para colocar banners de propaganda e *buttons* em portais como Yahoo e CNN, ou em sites de outras companhias. O objetivo mais comum é atrair tráfego on-line para o site do anunciante. Em muitos casos, sites incluem mensagens de propaganda de empresas cujos

Figura 7.9 Divulgar o endereço na web hoje é uma estratégia comum. O endereço pode ser colocado em qualquer lugar, de camisetas, bonés e adesivos a veículos da frota; de cartões de visita, lápis, marca-páginas à fuselagem de aviões; do teto de armazéns das empresas, uniformes dos empregados e embalagens a carros de Fórmula 1

serviços são relacionados, mas não concorrentes. Por exemplo, a página de cotações de ações do Yahoo apresenta uma série de anúncios de várias prestadoras de serviços financeiros.

Apenas obter um grande número de exposições (*eyeballs*) para um banner, um *skyscraper* (anúncio longo e estreito que corre verticalmente em um lado do site) ou um *button* não leva necessariamente a aumento de conscientização, preferência ou vendas para o anunciante. Como consequência, a prática de pagar uma taxa mensal (fixa ou por exposições) do anúncio em banner está caindo em desuso. Mesmo que os visitantes acessem o site do anunciante, a ação nem sempre resulta em vendas. Por isso, hoje há mais contratos publicitários que vinculam as taxas a comportamentos dos visitantes, como fornecer informações ou fazer uma compra. Cada vez mais, anunciantes na Internet pagam somente se um visitante do site anfitrião clicar no link para o do anunciante. É como pagar pela entrega de mala direta somente se for lida nos domicílios.[22]

- **Propaganda em sites de busca.** Ferramentas de busca são uma forma de rede de transmissão reversa. Em vez de divulgarem suas mensagens, os sites de busca permitem aos anunciantes saber de fato o que os consumidores querem por meio de suas buscas por palavra-chave. Dessa forma, os anunciantes podem dirigir comunicações de marketing relevantes para esses consumidores.[23] Um caso de extraordinário sucesso é o Google (veja Panorama de serviços 7.1) e empresas, como Yahoo!, AOL, MSN e mais recentemente Blink, que buscam tornar-se grandes competidores nesse mercado.

Anunciantes têm diversas opções. Podem pagar pela colocação segmentada de anúncios associada a buscas por palavras-chaves relevantes à empresa anunciante; patrocinar uma mensagem de texto curta com um link localizado ao lado dos resultados de busca; ou comprar as posições no topo da lista de exibição dos resultados de busca por meio da opção *pay-for-placement*. Essa abordagem é um tanto controversa, porque conflita com as expectativas de que as posições refletirão a melhor associação com as palavras-chaves empregadas na busca. A política do Google é sombrear as listagens pagas que aparecem no topo da tela e identificá-las como "links patrocinados". O preço desses anúncios e colocações pode basear-se no número de exposições (*eyeballs*) ou cliques (*click-throughs*). O Google oferece as ferramentas do Google Analytics, um serviço usado por grandes empresas, como Saraiva e Buscapé, gratuito para sites com até cinco milhões de *page views*. Após a abertura da conta e um período para gerar o histórico, as ferramentas permitem a análise de retorno da propaganda por banner, link patrocinado ou e-mail mailing, padrões de navegação e associar com o rastreamento de vendas pelo e-commerce. Uma empresa que desenvolveu um modelo de negócio bem-sucedido para anúncios altamente segmentados pela Internet é a Pinstorm (veja Panorama de serviços 7.2).

Panorama de serviços 7.1

Google: a potência do marketing on-line

Larry Page e Sergey Brin, ambos fascinados por matemática, computadores e programação desde a juventude, fundaram o Google em 1998, quando eram alunos de Ph.D. na Stanford University. Sete anos depois, após a bem-sucedida abertura de capital da empresa, ficaram multibilionários e o Google tornou-se um dos negócios mais valiosos do mundo.

A empresa tem uma visão grandiosa: 'Organizar as informações do mundo e torná-la universalmente acessível e útil". A utilidade e facilidade de uso de sua ferramenta de busca renderam-lhe estrondoso sucesso, quase totalmente por meio da boca a boca de usuários satisfeitos. Poucos nomes de empresas transformam-se em verbos, mas 'googar' passou a ser de uso comum.

A popularidade fez o Google se tornar um novo e altamente visado meio de propaganda, por oferece aos anunciantes dois meios importantes de alcançar seus clientes — por links patrocinados e por anúncios de conteúdo, anúncios altamente segmentados exibidos ao lado dos resultados de busca ou nos sites de parceiros do Google.

Links patrocinados aparecem no topo da página de resultados e são identificados como tais. A empresa determina o preço desse serviço baseado no "custo por clique", por meio de um leilão de propostas seladas (os anunciantes fazem propostas para um termo de busca, sem conhecer as de outros anunciantes para o mesmo termo). Isso significa que os preços dependem da popularidade dos termos com que o anunciante pretende ser associado. Termos muito usados como 'MBA' custam mais do que os menos populares, como "MSc in Business". Os anunciantes podem monitorar o desempenho do anúncio pelos relatórios no centro de controle de contas on-line do Google.

O Google permite que *anúncios de conteúdo* sejam altamente segmentados por inúmeros meios com o serviço Google AdWords. Anúncios podem ser colocados próximos aos resultados de busca no Google.com (são, por exemplo, exibidos como banners publicitários, em uma abordagem bastante diferente do link patrocinado), permitindo que empresas se conectem com potenciais clientes no exato momento em que estão analisando tópicos correlacionados ou até categorias específicas de produto. Nesse caso, as empresas adquirem a oportunidade de se associar a categorias ou termos de busca específicos. Para saber mais, basta 'googar' algumas palavras e observar o que aparece em sua tela, além dos resultados da busca em si.

O AdWords também permite que anunciantes exibam seus anúncios em sites que fazem parte da rede de conteúdo do Google, e não só no Google.com. Ou seja, esses anúncios não são iniciados por uma busca, mas simplesmente exibidos quando um usuário navega por um site. Tais anúncios são chamados *"placement targeted ads"* (anúncios de colocação direcionada). Seus anunciantes podem especificar sites individuais ou conteúdo de sites (por exemplo, viagens ou beisebol). O *placement targeting* permite aos anunciantes escolher a dedo seu público-alvo, que pode ser muito amplo (por exemplo, fãs de beisebol nos Estados Unidos e até no mundo) ou pequeno e focado (como interessados em restaurantes sofisticados em Boston). O Google coloca os anúncios ao lado de conteúdo relevante nos sites de seus parceiros. Por exemplo, ao ler um artigo em um site parceiro, você verá um bloco de anúncios ao final do artigo. Esses anúncios foram dirigidos ao conteúdo desse artigo pelo Google. Podem ser os mesmos que aparecem no Google.com ao lado das buscas, mas são distribuídos de modo diferente e aparecem nos sites de publicadores de todos os portes na rede de parceria do Google.

O AdWords é complementado pelo AdSense, que representa o outro lado do modelo de propaganda do Google e é usado por donos de sites que buscam receita por meio de anúncios. Em troca de permitir que o Google exiba anúncios relevantes em suas páginas de conteúdo, eles recebem uma participação da receita publicitária gerada. Um importante efeito secundário do AdSense é a geração de fluxos de receita publicitária para milhares de publicadores e blogs virtuais de pequeno e médio porte, tornando esses negócios sustentáveis. Embora grandes empresas de mídia, como *New York Times* e CNN, também utilizem o AdSense, este gera uma parcela menor de sua receita on-line total, em comparação com um site de nicho ou blog.

A capacidade do Google de prover um meio de propaganda altamente segmentado, contextual e baseado em resultados tem sido muito atrativa para seus anunciantes e levou a um rápido crescimento de receita e lucros. Não surpreende que esse sucesso assuste outros canais de propaganda.

Fontes: Roben Fazard e Ben Elgin, "Googling for gold", *Business Week*, 5 dez. 2005, p. 60-70. Disponível em: <www.google.com> e <http://en.wikipedia.org/wiki/Adwords>. Acesso em: 6 jun. 2009.

Figura 7.10 Ferramentas de mecanismos de busca permitem avaliar uso e retorno de estratégias de marketing

Passando de comunicações impessoais para pessoais. Especialistas subdividem as comunicações em impessoais — em que as mensagens transitam em direção única e em geral visam um grupo grande de clientes existentes e potenciais em vez de um único indivíduo — e pessoais, como venda pessoal, telemarketing e boca a boca, construídas de acordo com cada pessoa. Contudo, a tecnologia criou uma área cinzenta entre comunicações pessoais e impessoais. Lembre-se das mensagens que você recebeu por e-mail com uma saudação pessoal e talvez alguma referência a sua situação ou utilização anterior de um produto. De modo semelhante, softwares interativos podem simular uma conversação de duas vias e personalizar a mensagem a ponto de ela ser confundida com uma mensagem pessoal. Algumas empresas começam a fazer experiências na Internet com agentes que podem se movimentar na tela, falar e até mesmo mudar de expressão. O Magazine Luiza criou um personagem virtual, a Lu, que apresenta e explica novidades, detalhes de produtos e promoções da loja. Veja em www.magazineluiza.com.br/PortaldaLu.

Além disso, com o avanço das tecnologias sob demanda, cada vez mais os consumidores têm poder de decisão sobre como e quando preferem ser abordados. Essa evolução está transformando as comunicações de marketing não só na Internet mas também na TV e no rádio (veja Panorama de Serviços 7.3).

Panorama de serviços 7.2

Pinstorm — especialista em otimização de ferramenta de busca

A Pinstorm é uma empresa líder em otimização e marketing de ferramenta de busca, com sede na Índia e escritórios em todo o mundo. Entre seus clientes figuram desde Kodak, HP e Accenture até eBay, Disney e a faculdade francesa INSEAD. Sua proposição de valor é criar e executar campanhas de marketing on-line no Google e no Yahoo! que atinjam melhores resultados para o mesmo valor em dólares do que a compra convencional de termos de busca.

Termos de busca comuns para links patrocinados custam caro. Visando cortar custos para esses clientes, a Pinstorm aplica o fenômeno da cauda longa para buscas de palavras-chaves. Trata-se do fenômeno segundo o qual termos de busca com baixa demanda ou uso infrequente podem, juntos, compor uma parcela significativa de termos de busca. A Pinstorm detém a tecnologia para buscar a cauda longa de palavras-chaves de baixo custo que sejam relevantes à oferta de seus clientes.

Seu modelo de negócio garante resultados. Os clientes só pagam de acordo com definições preestabelecidas de resultados, como visitas medidas, visitantes especiais, ações on-line, clientes potenciais ou mesmo vendas. Portanto, a Pinstorm faz tudo para assegurar que os resultados desejados sejam alcançados. Além de selecionar palavras eficazes de baixo custo, também cria anúncios virtuais eficazes para seus clientes. Esses anúncios são testados inúmeras vezes durante uma campanha até que se encontre o de melhor desempenho. A Pinstorm rastreia milhões de buscas e entende a demanda por uma categoria de produto e até região geográfica em particular. Com isso, são capazes de fazer microssegmentação e atingir nichos de mercado. As indicações de potencial de venda que entregam a seus clientes são, portanto, autosselecionadas e muito qualificadas. Eles poderão saber de onde vêm os potenciais clientes, o horário de visita e os termos de busca utilizados. Todas essas informações fornecem aos clientes da Pinstorm muito mais compreensão sobre seus consumidores.

Fontes: Disponível em: <www.pinstorm.com>. Acesso em: 5 jun. 2009; "The long tail", Wikipedia. Disponível em: <http://en.wikipedia.org/wiki/The_Long_Tail>. Acesso em: 5 jun. 2009.

Mensagens transmitidas por meio de canais de entrega de serviço

Empresas de serviços costumam controlar seus canais de ponto de venda e entrega de serviço, que lhes propiciam oportunidades de comunicação particularmente poderosas e eficientes em custo. A terceirização de serviços costuma ocorrer por franquias. As mensagens podem ser transmitidas por meio de pontos de serviço, pessoal da linha de frente, pontos de autosserviço e até treinamento de clientes.

Pontos de serviço. Mensagens planejadas, bem como as não intencionais, chegam aos clientes por meio do próprio ambiente de entrega de serviço. Mensagens impessoais podem ser distribuídas na forma de banners, pôsteres, sinalização, folhetos, telas de vídeo e áudio. Como observaremos no Capítulo 10, o projeto físico do ponto de serviço — que denominamos paisagem de serviço (*servicescape*, em inglês) — envia mensagens relevantes aos clientes.[24] Arquitetos de interiores e consultores de projetos corporativos podem ajudar a projetar o cenário de serviço para coordenar os elementos visuais de interiores e exteriores, de modo que complementem e reforcem o posicionamento da empresa e modelem a natureza das experiências de serviço de clientes. O merchandising também deve ser desenvolvido para comunicar as mensagens de campanhas e promoções, de forma integrada com o cenário de serviços.

Pessoal da linha de frente. Profissionais da linha de frente podem atender clientes pessoalmente, por telefone ou via e-mail. A comunicação gerada por essa equipe pode assumir a forma do serviço principal e de serviços suplementares, incluindo fornecimento de informações, reservas, recebimento de pagamentos e resolução de problemas. Novos clientes quase sempre recorrem ao pessoal de atendimento quando precisam de ajuda para aprender a usar um serviço de maneira eficaz e resolver problemas. Como vimos na analogia do teatro, no Capítulo 2, os clientes esperam que os funcionários desempenhem um papel, que deve ser preparado e treinado por todos os que têm contato direto com o público.

Quando vários produtos são oferecidos pelo mesmo fornecedor, as empresas incentivam seu pessoal de atendimento ao cliente a fazer vendas cruzadas de serviços adicionais ou vender serviços de maior valor. Contudo, essa abordagem falhará se as estratégias não forem planejadas e executadas adequadamente.[25] No setor bancário, por exemplo, mercado de alta competitividade e novas tecnologias obrigaram os bancos a adicionar serviços na tentativa de aumentar sua lucratividade. Em muitos deles, caixas que costumavam atender ao público agora devem também promover novos serviços. A despeito do treinamento, muitos profissionais não se sentem à vontade nesse papel e não executam a tarefa tão bem quanto vendedores. Discutiremos o treinamento da equipe de linha de frente com mais profundidade no Capítulo 11. No Capítulo 12, sobre relacionamento, também veremos por que as estratégias de desenvolvimento de relacionamento de longo prazo funcionam melhor que as de conquista de novos clientes, e como podemos aumentar as vendas na medida em que estreitamos o relacionamento com o cliente, sem precisar recorrer a vendas de pressão.

Pontos de autosserviço. Caixas eletrônicos, máquinas automáticas de venda e sites são exemplos de pontos de autosserviço. Promover a entrega desse tipo de serviço requer sinalização clara com instruções passo a passo sobre como operar o equipamento, além de um projeto de fácil utilização. Com frequência, os pontos de autosserviço podem ser usados em comunicações tanto com clientes existentes quanto com os potenciais, para a venda cruzada de serviços e promoção de novos. Pode ser necessário no início da operação colocar funcionários para dar mais orientações, até que os clientes se acostumem com o autosserviço.

Treinamento do cliente. Algumas empresas, em especial as que vendem complexos serviços B2B, oferecem cursos formais de treinamento para familiarizar seus clientes com o serviço e ensiná-los a usá-lo da melhor forma. Empresas de contabilidade, por exemplo, no começo da prestação de serviços, precisam treinar os funcionários de seus clientes para organizar todos os documentos de que ela vai precisar para gerar seus relatórios e controles. Alternativamente (ou adicionalmente), essa tarefa pode ser atribuída ao mesmo pessoal de linha de frente responsável pela entrega do serviço. Médicos, além do diagnóstico, também ensinam a seus pacientes como proceder, como no caso de adoção de dietas ou rotinas de exercícios.

No setor de telecomunicações, muitas empresas oferecem treinamento para usuários individuais, visando estimular a adoção e um maior uso de seus serviços. Clientes aprendem como usar e se beneficiar do pleno potencial das ofertas de serviço, o que aumenta a sua satisfação com o serviço, e podem reduzir incertezas no uso do serviço, o que facilita a adoção de serviços adicionais.

Panorama de serviços 7.3

Novas mídias e suas implicações para as comunicações de marketing

A tecnologia criou alguns novos e extraordinários canais de comunicação que oferecem relevantes oportunidades de identificação do público-alvo. Entre esses desenvolvimentos estão TiVo, podcasting, propaganda móvel, tecnologia Web 2.0, YouTube e redes sociais.

TiVo

O TiVo é um gravador de vídeo digital que pode gravar muitas horas de programas de televisão digitalmente em um processo muito parecido com o gravador de videocassete (VCR). Entretanto, à diferença do VCR, o TiVo está "sempre ligado" e armazena continuamente cerca de 30 minutos do canal assistido. Isso significa que os usuários de TiVo podem pausar ou retroceder programas de TV ao vivo. Na verdade, muitos usuários começam a assistir um programa após ele ter iniciado, para acelerar e pular os comerciais. Isso preocupa os anunciantes. É interessante observar que, ao mesmo tempo que o TiVo atrai consumidores porque eles podem se livrar dos comerciais, também atrai empresas e anunciantes com sua promessa de interatividade, mensurabilidade e anúncio de formato longo. Em junho de 2004, a Charles Schwab & Co. tornou-se a primeira empresa de serviços financeiros a usar a tecnologia, com um anúncio de 30 segundos estrelado pelo jogador de golfe Phil Mickelson. O anúncio permitia aos telespectadores passar do comercial para um vídeo de quatro minutos e assistir a três segmentos apresentados pelo jogador. Também podiam solicitar ao mesmo tempo informações sobre o programa de premiações de golfe da Schwab. A eficácia desses anúncios pode ser imediatamente medida, com base nas respostas dos telespectadores. A linha de TVs Time Machine da LG também opera com esse princípio: grava a programação em seu disco rígido interno e permite retroceder ou parar a imagem, evitando os anúncios comerciais. A TV digital brasileira também permite a interatividade.

Podcasting

A palavra é uma junção de 'iPod' e '*broadcasting*' (transmissão de rádio ou televisão). Refere-se a um grupo de tecnologias para distribuição de programas de áudio e vídeo pela Internet, com o uso de um modelo de publicação/assinatura. O podcasting permite que produtores independentes criem 'shows' autopublicados e atualizados via RSS e oferece aos programas de rádio e TV um novo método de distribuição. Quando alguém se cadastra para receber determinado '*feed*', passa a receber novos 'episódios' disponíveis.

O podcasting popularizou-se tanto que ganhou variações: videocasting para entrega de clipes de vídeo; mobilecast para baixar arquivos para um telefone celular; e blogcast para anexar arquivos de áudio ou vídeo a um blog. É útil incluir o podcasting como parte do programa de comunicações de marketing de uma empresa porque, se um ouvinte cadastra-se para um 'show', isso significa que está interessado no tópico. Portanto, os podcasts podem atingir uma ampla audiência com foco restrito, mais para narrowcasting do que para broadcasting. Quando é mais segmentada, a mensagem publicitária tem retorno mais alto do investimento.

Propaganda móvel

É uma forma de divulgação por meio de telefones celulares e outros aparelhos móveis sem fio. Trata-se de algo complexo, que pode envolver Internet, vídeo, texto, jogos, música e muito mais. Por exemplo, os anúncios podem vir na forma de SMS, MMS, anúncios em jogos móveis, videogames ou até música antes de uma gravação de voz. Por meio da propaganda móvel e do uso de um sistema de GPS, consumidores podem caminhar em centros comerciais e receber anúncios para resgatar cupons ou obter descontos em uma loja. Com o uso da realidade aumentada, é possível visualizar informações de marketing enquanto o cliente se desloca pelo ponto de vendas. Veja mais detalhes na seção Visão de futuro 7.1. O que isso significará para o consumidor? Pode ser maior conveniência, propaganda mais dirigida — ou invasão de privacidade?

Web 2.0

A tecnologia Web 2.0 facilita o surgimento de conteúdo gerado pelo usuário combinado ao poder das comunicações entre pares (*peer-to-peer*). É um termo guarda-chuva para várias mídias, inclusive Wikipedia, Flickr, YouTube e outras redes sociais. Na Web 2.0, o conteúdo é gerado, atualizado e refinado por múltiplos usuários para ser livremente compartilhado, e os profissionais de marketing não têm controle sobre o que é dito. Esses profissionais precisam entender a Web 2.0 e integrá-la a seu composto de marketing e mesmo participar de forma seletiva das conversas. É um salto da experiência tradicional, em que a comunicação e as decisões sobre mercado eram tomadas de forma unilateral pelas empresas. Agora os clientes interagem e esperam reações rápidas de seus serviços preferidos.

YouTube

Fundado em fevereiro de 2005, o YouTube foi adquirido pelo Google no final de 2006. Trata-se de um badalado site de compartilhamento de vídeos, no qual usuários cadastrados podem fazer *upload* e os não cadastrados podem assistir à maioria dos vídeos e postar respostas. Em 2006, cerca de 100 milhões de videoclipes eram visualizados por dia e, em 2008, cerca de 200 mil eram atualizados diariamente. Os anunciantes não tardaram a ver vantagens no YouTube como um canal de comunicação de marketing.

O CEO do Red Hat, Matthew Szulik, usou um vídeo chamado *Truth Happens* como abertura de uma palestra há quatro anos. Esse vídeo foi assistido mais de 50 mil vezes no YouTube. Atualmente, além do YouTube, a empresa utiliza blogs e suas próprias revistas como ferramentas de comunicação de marketing. Em meados de 2009, as pessoas assistiram a centenas de milhões de vídeos por dia e enviaram 15 horas de vídeo por minuto para o site, o equivalente a Hollywood lançar 90 mil novos filmes de longa metragem por semana.

Redes sociais e comunidades

Mundos virtuais baseados na Internet, como o Second Life, e redes sociais, como Facebook e Linkedin, oferecem oportunidades de comunicação e aprendizagem para empresas. O Second Life possui formas e campanhas de propaganda virtual em diferentes comunidades, com funções de negócios como na vida real. A necessidade de software específico e as dificuldades de programação para interagir exigiam gastar muito tempo e esforço para usá-lo. Isso fez que o crescimento do Second Life tenha sido menor do que se imaginava em seu início, sendo ultrapassado atualmente como rede social pelo Facebook e pelo Twitter. Outra rede que tem crescido entre executivos é o Linkedin.

À medida que as redes sociais se popularizaram, os profissionais de marketing começaram a usar aplicativos para analisar as redes dentro de comunidades e identificar as que poderiam influenciar a disseminação de serviços específicos. Contudo, quem pretende tirar proveito dessas ricas redes deve lembrar-se de que são comunidades em que invasores não seriam bem recebidos. Portanto, o pessoal de marketing tem de achar meios criativos de engajar participantes nessas redes.

Mesmo o exército norte-americano lançou uma página no Facebook e engajou-se no Twitter. Segundo a porta-voz Lindy Kyzer: "Os jovens de hoje não assistem ao noticiário da noite. Seus amigos compartilham informações pelo Twitter ou o Facebook. Se não tivermos presença nesses espaços, não estaremos contando a história do exército". Entretanto, as restrições de segurança de computação do Departamento de Defesa são um obstáculo para a campanha em rede social. Isso porque os soldados têm acesso bloqueado a essas redes nas bases militares — mesmo que alguns comandantes escrevam blogs e mantenham uma página no Facebook. Por exemplo, o General Ray Odierno, que comanda as forças norte-americanas no Iraque, tem mais de 5 mil amigos em sua página do Facebook, que tem fotos de suas viagens pelo Iraque, mas não comentários sobre o campo de batalha. De acordo com Kyzer, as restrições de segurança não impediram blogs de soldados, mas as regras exigem que eles não sejam escritos sem o conhecimento de seus superiores. Ela explicou: "O comandante precisa saber o que seu subordinado faz. Se um soldado escreve um blog em um cenário de combate, do ponto de vista de um soldado, ele deve levar isso ao conhecimento do comandante".

Fontes: D. Fichter, "Seven strategies for marketing in a Web 2.0 world", *Marketing Library Services*, 21, n. 2, mar./abr. 2007. Disponível em: <www.infotoday.com/mls/mar07/Fichter.shtml>. Acesso em: 24 abr. 2009; S. Silverthorne, "TiVo ready to fast forward?", *HBS Working Knowledge*, nov. 2004, p. 15; TiVo. Disponível em: <www.en.wikipedia.org/wiki/TiVo>. Acesso em: 24 abr. 2009; Podcast. Disponível em: <http://en.wikipedia.org/wiki/Podcast>. Acesso em: 24. abr. 2009; R. Rumford, "What you don´t know about podcasting could hurt your business: how to leverage & benefit from this new media technology", *Podcasting White Paper*, The Info Guru LLC, jun. 2005; B. Smith, "Mobile advertising reaches for the sky", *Wireless Week*, 15 ago. 2008, Disponível em: <www.wirelessweek.com/Mobile-Advertising.aspx.> Acesso em: abr. 2009; Mobile Advertising. Disponível em: <http://en.wikipedia.org/wiki/Mobile_advertising>. Acesso em: 24 abr. 2009; "YouTube serves up 1,000 million videos a day online", *USA Today*, Gannett Co. Inc., 16 jul. 2006; C. Daniels, "Animated conversation", *PRweek*, Nova York, 10, n. 25, 25 jun. 2007, p. 15. Para consultar estatísticas sobre o YouTube, veja <http://ksudigg.wetpaint.com/page/YouTube+Statistics?t=anon>. Acesso em: 2 jun. 2009. Veja também uma palestra de Michael Wesch, "An introduction to YouTube", apresentada na Biblioteca do Congresso em 23 jun. 2009. Disponível em: <www.youtube.com/watch?v=TPAO-IZ4_hU&feature=channel_page>. Acesso em: 2 jun. 2009; "US Army enlists Facebook, Twitter", 27 abr. 2009. Disponível em: <www.physorg.com/news160077300.html>. Acesso em: 2 jun. 2009.

Figura 7.11 Mídias sociais como YouTube, Facebook e Twitter têm grande potencial como canal de comunicação com diversos públicos

Carol Guedes/Folhapress

Visões do futuro 7.1

A tecnologia está cada vez mais presente nos canais de comunicação e distribuição, e nos serviços em geral. A Microsoft lançou uma série de vídeos chamada *A visão do futuro da Microsoft*, sobre diversos temas: varejo, bancos, saúde, manufatura, produtividade e sustentabilidade e moradia, onde mostra como e quais tecnologias estarão presentes em nossas vidas no futuro.

- Varejo — www.youtube.com/watch?v=2nvqVU1fBP. Pelo celular o cliente recebe informações sobre os produtos e promoções e paga a conta sem precisar passar pelos *checkouts*. O gerente analisa o histórico de vendas e realiza promoções, as etiquetas digitais alteram automaticamente os preços. Os repositores são informados de falta de estoque e repõem o estoque conforme necessário.

- Bancos — www.youtube.com/watch?v=CNBJYH2jhko. O cliente tem acesso direto a suas finanças pelo celular. Suas consultas e interações permitem ao banco prever necessidades e direcionar seus serviços para clientes com necessidades reais e específicas. Os funcionários recebem todas essas informações quando o cliente entra na agência e interagem com o sistema, consultando informações e autorizando operações através de tablets, que usam identificação de rosto como senha digital.

- Saúde — www.youtube.com/watch?v=V35Kv6--ZNGA. As pessoas podem monitorar indicadores de sua saúde através de vários sistemas e diferentes plataformas que se comunicam e transmitem esses dados para os especialistas que têm acesso a seus colegas e seus dados.

- Manufatura — www.youtube.com/watch?v=qr-GXnNN37c. Integração de processos de design, desenvolvimento e produção, equipes em diferentes locais e fusos horários trabalhando de forma colaborativa, sistemas preditivos auxiliando na tomada de decisão, interação com clientes permitindo o desenvolvimento de soluções personalizadas.
- Produtividade e sustentabilidade — www.youtube.com/watch?v=HvA9lA7_5FE. Aumento da produtividade no dia a dia profissional pela troca de dados entre diferentes plataformas, de grandes displays de parede a carteiras digitais e diferentes interfaces, operando com tecnologias sem fio, telas sensíveis a toque e holografia.
- Moradia — www.youtube.com/watch?v=1VuQeR-N8nE. Também em casa teremos a integração dos diversos sistemas, permitindo compartilhar imagens, músicas e texto via diferentes plataformas e interfaces como tablets, celulares, mesas e telões baseados em telas sensíveis a toque e reconhecimento de voz.

A Mid-River Telephone Cooperative, sediada em Circle, Montana, realiza dias de apreciação do cliente e oficinas de Internet em que oferece refeição e conexões de alta velocidade. Representantes do serviço de atendimento interagem com os clientes e respondem a qualquer pergunta. O coordenador de atendimento da empresa, Dick Melvin, afirma: "Geralmente os clientes com mais conhecimento de tecnologia fazem perguntas mais avançadas, sobre webdesign, por exemplo. Eles têm sido muito receptivos a esse tipo de treinamento graças à atenção individual que recebem". Ele acrescentou que os representantes não só ensinam a usar a Internet do nível básico ao avançado, mas explicam mesmo as especificações que os clientes encontram em suas faturas mensais.[26] O Campus Party é outro evento onde as empresas de tecnologia podem interagir e apresentar seus produtos e serviços a seus clientes. Criada na Espanha em 1997, a versão brasileira acontece anualmente em São Paulo, desde 2008.

Mensagens que se originam fora da organização

Algumas das mensagens mais poderosas sobre uma empresa e seus produtos vêm de fora da organização e não são controladas pelo profissional de marketing. Incluem boca a boca, blogs, Facebook, Twitter e cobertura editorial.

Boca a boca. São os comentários que as pessoas trocam entre si sobre produtos e serviços. Recomendações de outros clientes costumam ser consideradas mais críveis que atividades promocionais e podem ter poderosa influência na decisão de utilizar (ou evitar) um serviço. Na verdade, quanto maior o risco que os clientes percebam na compra de um serviço, mais ativa será sua busca e maior sua confiança no boca a boca para sua decisão.[27] Quem sabe menos sobre um serviço confia mais no boca a boca do que os mais esclarecidos.[28] O boca a boca ocorre mesmo durante os encontros de serviço. Quando clientes conversam sobre algum aspecto do serviço, a informação pode afetar tanto seu comportamento quanto sua satisfação com o serviço[29] e constitui importante fator de previsão de crescimento de vendas.[30]

Pesquisas mostram que a extensão e o conteúdo do boca a boca relacionam-se com níveis de satisfação. Clientes com ideias bem formadas tendem a comentar suas experiências com mais pessoas do que aqueles cujas ideias são menos fortes. E clientes muito insatisfeitos comentam sua insatisfação com mais pessoas do que os muito satisfeitos.[31] O interessante é que mesmo clientes que de início ficaram insatisfeitos com um serviço poderão espalhar o boca a boca positivo se ficarem encantados com o modo como a empresa tratou a recuperação do serviço.[32] (Discutiremos mais sobre esse paradoxo no Capítulo 13.)

O boca a boca positivo é muito importante para empresas de serviços, pois estes tendem a ter alta proporção de atributos de experiência e certificação e, portanto, estão associados a alto risco percebido por compradores em potencial, dependendo, por isso, de uma reputação forte. Na realidade, muitas empresas de serviços bem-sucedidas, como Starbucks e o hotel Copacabana Palace, construíram marcas fortes muito em função do boca a boca de seus clientes satisfeitos. Já que pode agir como um agente de vendas tão poderoso e de credibilidade tão alta, alguns profissionais de marketing usam uma variedade de estratégias para estimular comentários positivos e persuasivos de clientes existentes.[33] Essas estratégias incluem:

- criar promoções empolgantes, que provoquem comentários sobre o excelente serviço oferecido. Richard Branson da Virgin Atlantic Airways muitas vezes gerou notícias mundiais e fez as pessoas falarem sobre sua companhia aérea. Um exemplo: quando Branson desceu por uma corda do alto de um hotel em Las Vegas, vestindo um smoking à la James Bond, para promover sua nova linha aérea Virgin America e convidou a estudante universitária Kyla Ebbert para o voo inaugural de São Francisco a Las Vegas. Ebbert ficou famosa ao ser convidada a sair de um voo da Southwest Airlines por vestir uma roupa reveladora demais (foi autorizada a voltar após arrumar a roupa). Atualmente Branson está de novo nos noticiários, com a primeira empresa privada que promete em breve vender passagens para viagens espaciais. Cada vez mais empresas desenvolvem campanhas criativas em mídias sociais que possam atrair atenção global em poucos dias;

- oferecer promoções que incentivem clientes a persuadir outros a utilizar o serviço. Por exemplo: "Traga dois amigos e a refeição do terceiro será gratuita" ou: "Assine dois planos de serviço de telefonia celular e a taxa de assinatura mensal para todos os outros membros da família será gratuita";

- desenvolver esquemas para incentivar referências, como oferecer a um cliente existente algumas unidades gratuitas ou desconto no serviço, em troca de apresentação de novos clientes;

- citar como referência outros compradores e pessoas que conhecem o serviço. Por exemplo: "Fizemos um grande trabalho para a ABC Corp. e, se quiserem, podem conversar com o Sr. Cabral, gerente do sistema de informações de marketing, que supervisionou a implementação de nosso projeto";

- apresentar e publicar depoimentos que estimulam o boca a boca. Propaganda e folhetos às vezes trazem comentários de clientes satisfeitos.

O boca a boca no ciberespaço torna-se cada vez mais poderoso. Com a rápida proliferação da Internet, a difusão da influência pessoal foi acelerada, fazendo que ela evoluísse para um fenômeno de "marketing viral" que as empresas não podem se dar ao luxo de ignorar.[34] O Novas ideias em pesquisa 7.2 traz uma pesquisa sobre por que e como as pessoas repassam e-mails. Na verdade, o marketing viral, que se vale de redes entre clientes existentes e potenciais para influenciar atitudes e comportamentos, transformou-se em uma indústria por si só. Uma das primeiras histórias de sucesso foi o serviço de e-mail gratuito Hotmail, que adquiriu 12 milhões de usuários em 18 meses com um orçamento publicitário minúsculo, graças em grande parte à inclusão de uma mensagem promocional incluindo a URL do Hotmail em todo e-mail enviado por seus usuários.[35] O eBay, o Mercado Livre, o Buscapé e outras empresas envolvidas em vendas e leilões eletrônicos recorrem aos usuários para classificar vendedores e compradores, visando desenvolver confiança nos itens oferecidos e facilitar transações entre estranhos que, sem acesso à classificação de seus pares, poderiam hesitar em fazê-las.

Além do e-mail tradicional, o boca a boca é amplificado por salas de bate-papo (chats), redes sociais e comunidades on-line com potencial de alcance global em questão de dias! Releia o Panorama de serviços 7.3 sobre Web 2.0 e redes sociais. Aqui, acrescentaremos blogs e Twitter à discussão.

Novas ideias em pesquisa 7.2

Repassando e-mails – motivações, atitudes e comportamentos de consumidores

Como as empresas podem fazer melhor uso de repasse de e-mails e marketing viral? Em primeiro lugar, gerentes precisam compreender como os consumidores reagem quando recebem e-mails a serem repassados, o que os remetentes escrevem nessas mensagens e o que motiva os destinatários a repassá-las. Os três estudos a seguir buscaram respostas a essas questões.

O *Estudo 1* explorou como os destinatários respondiam a e-mails a serem repassados e como essas comunicações diferiam do indesejável spam. Foram conduzidos oito grupos de discussão em um total de 66 indivíduos. Os entrevistados classificavam uma mensagem como spam quando o remetente era desconhecido. Por outro lado, costumavam saber quem lhes enviara um e-mail para passar adiante. Quando questionados sobre os tipos de mensagem viral que recebiam, houve frequente menção a piadas, seguida por alertas de vírus, histórias inspiradoras, mensagens religiosas, solicitações para votar em certas questões, crianças perdidas, 'correntes', poemas, clipes animados, links para sites e lendas urbanas.

As emoções positivas dos destinatários de uma mensagem considerada significativa variavam de bom ("alguém está pensando em mim") e ilumina meu dia ("quando é alguém de quem não tinha notícia há algum tempo") a estimulante ("é como receber uma carta pelo correio...") e recompensador ("quando recebo algo da igreja"). Emoções negativas incluíam irritação (quando a mensagem parecia irrelevante, perda de tempo ou se alguém insistia em enviar mensagens demais), raiva (se havia pedido para sair de uma lista), desapontamento (quando se esperava uma nota mais pessoal de alguém) e sobrecarregado (se o destinatário estava muito ocupado, sentia-se pressionado ou obrigado a responder).

No *Estudo 2*, pesquisadores conduziram uma análise de conteúdo de 1.259 mensagens para repassar, enviadas por 34 participantes de grupos de discussão, para entender melhor que tipos eram repassados. A análise revelou que 40 por cento das mensagens eram repassadas. As principais razões para não fazer isso envolviam mensagens percebidas como desatualizadas, desinteressantes ou inapropriadas. Ou então, os destinatários estavam com pressa e não tinham tempo. Cerca de um terço dos e-mails repassados eram enviados com uma nota personalizada, em grande parte para motivar o destinatário a ler a mensagem. Quando repassavam os e-mails, a grande maioria dos destinatários não alterava a linha sobre o assunto. Poucos dos e-mails repassados referiam-se a produtos, serviços ou empresas — isso sugere que ou as empresas não faziam muito uso desse tipo de ferramenta ou não as estavam usando adequadamente.

O *Estudo 3* focou as razões por que as pessoas repassavam e-mails. As seis principais concentraram-se em diversão e entretenimento (por exemplo, "é divertido", "me diverti" e 'é uma distração") e motivações sociais ("para ajudar os outros" e "fazer alguém saber que me importo com seus sentimentos"). Os resultados também demonstraram que, para uma mensagem ser repassada, ela deve ser importante ou conter algo que o remetente acredite que o destinatário apreciará.

A pesquisa revela o potencial inexplorado pelos profissionais de marketing de serviços sobre e-mails a serem repassados em suas ações de comunicações. Todavia, as constatações também indicam que (1) as empresas precisam tomar o cuidado de criar mensagens que seu público-alvo considere relevantes o suficiente para serem repassadas; (2) o conteúdo da mensagem deve gerar emoção (por exemplo, humor, medo ou inspiração) e apelar para o desejo de diversão, entretenimento e conexão social; e (3) as empresas devem ter cautela sobre o que escrevem na linha de assunto, pois é provável que a mensagem seja repassada sem alteração de formato.

Fonte: Joseph E. Phelps, Regina Lewis, Lynne Mobilio, David Perry e Niranjan Raman, "Viral marketing or electronic word-of-mouth advertising: examining consumer response and motivations to pass along e-mails", *Journal of Advertising Research*, dez. 2004, p. 333-348.

Blogs — um tipo de boca a boca on-line.[36] Diários na Web, em geral referidos como blogs, disseminaram-se por toda parte. São páginas frequentemente atualizadas em que as novas entradas são listadas em sequência cronológica reversa. Podem ser mais bem descritos como periódicos, diários ou listagens de mensagens on-line, em que as pessoas postam qualquer coisa sobre aquilo de que gostem. Seus autores, conhecidos como blogueiros, costumam focar assuntos específicos e alguns tornaram-se líderes e especialistas autoproclamados em certos campos. Blogs podem tratar de qualquer coisa, de beisebol e sexo a caratê e engenharia financeira. Há um número crescente de sites orientados para viagens, de Hotelchatter.com (hotéis boutique), CruiseDiva.com (indústria de cruzeiros) e pestiside.hu ("o prato de todos os dias da cosmopolita Budapeste"). Alguns, como o tripadvisor.com também focado em viagens, permitem que os usuários postem suas opiniões ou façam perguntas que viajantes mais experientes devam ser capazes de responder.[37]

Profissionais de marketing interessam-se pela maneira como os blogs se tornaram uma nova forma de interação social na Web: uma conversação distribuída de modo massivo, porém completamente conectada que cobre todo tópico imaginável, inclusive experiências de consumidores com empresas de serviços e suas recomendações de evitar ou prestigiar empresas. De certa forma, os blogs reproduzem os vínculos de leitores com revistas impressas: preferem as que trazem assuntos de seu interesse e se envolvem a ponto de debater artigos e participar com cartas, ou no caso do blog, com posts. Como o custo é menor, os blogs conseguem abranger ainda mais temas que as revistas (por si só mídias bem segmentadas). Um subproduto dessa comunicação é o conjunto de hyperlinks desenvolvido entre blogueiros nos diálogos. Esses links permitem aos consumidores compartilhar informações e influenciar opiniões de uma marca ou produto — faça uma busca para o termo "Citibank e blog" ou "Charles Schwab e blog" e você encontrará uma lista completa de blogs ou entradas de blog relacionadas a essas empresas. Cada vez mais empresas de serviços monitoram blogs e os consideram uma forma de pesquisa de mercado e *feedback* imediatos. Algumas, como o Google, iniciaram seus próprios blogs.

Twitter.[38] Serviço de rede social, configurado como um microblog, que permite aos usuários 'seguir', ou seja, enviar mensagens e ler as de outros usuários, que contenham no máximo 140 caracteres. Elas podem ser enviadas e recebidas por meio do site do Twitter, do SMS ou de aplicativos externos. Criado em 2006 por Jack Dorsey, o Twitter conquistou popularidade mundial e foi o serviço de rede social de mais rápido crescimento em 2009. Empresas de serviço perceberam o impacto em seus clientes e começaram a usar o Twitter de várias maneiras. A Comcast, provedor de serviço a cabo dos Estados Unidos, configurou um @comcasters para responder a consultas de clientes em tempo real. O CEO da Zappos interage com seus clientes como se fossem amigos; Ashton Kutcher interage com fãs enquanto se desloca; e a empresa de *branding* para companhias aéreas SimpliFlying usou o Twitter para ajudar a se estabelecer como um líder agressivo em seu nicho ao realizar jogos de cultura inútil e competições para seus 'seguidores' ao redor do mundo. Um dos autores costuma postar sobre marketing de serviços, estratégia e luxo em sua conta @mahemzo.

Cobertura editorial. Embora o mundo on-line cresça rapidamente em importância, a cobertura em mídia tradicional não pode ser negligenciada, sobretudo porque eventos notáveis costumam ser discutidos no mundo virtual, mas são capturados e relatados nos meios de comunicação tradicionais para depois atingirem as grandes massas. A cobertura de mídia de empresas e seus serviços é quase sempre estimulada pelas relações públicas, entretanto são as emissoras e os editores que muitas vezes dão início à cobertura. Além de notícias sobre a empresa e seus serviços, a cobertura editorial pode assumir outras formas. Jornalistas responsáveis por assuntos relativos a consumidores fazem análises críticas de ofertas do mercado, comparam ofertas de serviços de organizações concorrentes, identificam seus pontos fortes e fracos e oferecem conselhos sobre 'melhores compras'. Em um contexto mais especializado, a *Consumer Reports*, publicação mensal da Consumers Union, avalia periodicamente serviços oferecidos em escala nacional — entre eles os financeiros e de telecomunicações — e comenta os pontos fortes e fracos de vários provedores, para determinar o verdadeiro custo de seus planos, cujos preços às vezes não são muito claros.

Além disso, repórteres investigativos podem realizar um estudo em profundidade, em especial se acreditarem que uma empresa não atua corretamente, coloca seus clientes em risco, engana-os, usa propaganda enganosa, causa danos ao meio ambiente, explora operários pobres em países em desenvolvimento, explora minorias ou utiliza trabalho escravo. Alguns colunistas especializam-se em auxiliar clientes que não conseguiram ter suas reclamações resolvidas.

Questões éticas e de privacidade dos consumidores em comunicação

Temos abordado várias ferramentas e canais de comunicação pelos quais clientes recebem informações sobre uma empresa. Entretanto, as empresas também devem considerar questões éticas e de privacidade, sobretudo porque alguns aspectos do marketing prestam-se com muita facilidade ao mau uso (ou mesmo ao abuso), como propaganda, vendas e promoção de vendas. O fato de os clientes quase sempre acharem difícil avaliar serviços torna-os mais dependentes de comunicação de marketing para obter informações e conselhos. Mensagens de comunicação costumam incluir promessas sobre os benefícios e sobre a qualidade da entrega do serviço. Se promessas não são cumpridas, os clientes ficam desapontados porque suas expectativas não foram satisfeitas.[39]

Algumas promessas de serviço não realistas resultam de má comunicação interna entre o pessoal de operações e o de marketing sobre o nível de desempenho de serviço que é razoável que os clientes esperem. Em outros casos, anunciantes e vendedores desprovidos de ética fazem promessas exageradas de propósito para conseguir vendas. Por fim, promoções enganosas levam pessoas a acreditar que têm uma chance maior de ganhar prêmios e brindes do que a real. Felizmente, muitos defensores do consumidor estão sempre alerta para tais práticas. Entre eles estão órgãos de defesa do consumidor, associações comerciais de setores específicos e jornalistas que investigam reclamações de clientes e procuram expor fraudes e deturpações.

Um tipo diferente de questão ética diz respeito à intrusão indesejada na vida das pessoas por empresas que empregam marketing agressivo. O crescimento do telemarketing, da mala direta e do e-mail marketing é frustrante para quem recebe comunicações indesejadas. Como você se sente quando seu jantar em casa é interrompido por um telefonema de um estranho que tenta convencê-lo a comprar serviços pelos quais você não tem nenhum interesse? Mesmo que estivesse interessado, talvez sinta, como muitos, que sua privacidade foi violada (veja a seção Novas ideias em pesquisa 7.3).

Para enfrentar a crescente hostilidade em relação a essas práticas, órgãos governamentais e associações comerciais têm atuado na proteção aos consumidores. Nos Estados Unidos, o Federal Trade Commission introduziu o *National Do Not Call Registry*, que permite que pessoas cadastrem seus números de telefone e não mais recebam ligações de empresas de telemarketing por um período de cinco anos. O Procon de São Paulo oferece serviço semelhante. Quem quer continuar a receber chamadas não autorizadas pode registrar uma queixa e a empresa infratora pode ser pesadamente multada pela violação.[40] De modo análogo, associações comerciais como a Direct Marketing Association auxiliam consumidores a retirar seus nomes de listas de telemarketing, mala direta e e-mail marketing.[41] A Associação Brasileira de Marketing Direto oferece orientações sobre como as empresas podem usar essa ferramenta de forma ética.

Novas ideias em pesquisa 7.3

Preocupação dos consumidores com a privacidade on-line

Avanços tecnológicos tornaram a Internet uma ameaça à privacidade dos consumidores. Capturam-se informações não só das pessoas que se cadastram e fazem compras ou usam e-mail, mas também das que apenas navegam, participam de redes sociais ou contribuem para blogs! As pessoas estão cada vez mais temerosas do que se registra nas bases de dados e preocupadas com sua privacidade on-line. Por isso, usam diversas maneiras de se protegerem, entre as quais:

- fornecer informações falsas sobre si mesmas (por exemplo, ocultam sua verdadeira identidade);

- usar tecnologia como filtros antispam, fragmentadores (*shredders*) de e-mail e eliminadores de cookies para ocultar a identidade de seus computadores dos sites. Há muitos softwares no mercado que "apagam as pegadas digitais" deixadas pela rede;

- recusar-se a fornecer informações e evitar sites que exijam informações pessoais.

Tais respostas de consumidores tornarão as informações usadas em sistemas de CRM inexatas e incompletas, e assim reduzirão a eficácia do marketing de relacionamento e os esforços da empresa em prover um serviço mais customizado, personalizado e conveniente. As empresas podem tomar medidas para minimizar as preocupações dos consumidores com a privacidade:

- as percepções de justiça dos clientes são fundamentais — profissionais de marketing precisam tomar cuidado sobre como usam informações coletadas e se os consumidores percebem como justos o tratamento dispensado e os resultados obtidos. Em particular, devem prover continuamente o cliente com valor aprimorado, como customização, conveniência e ofertas e promoções melhoradas para aguçar as percepções de justiça na troca de informações;

- sobretudo quando forem confidenciais, as informações devem ser percebidas como pertinentes à transação. Por isso, as empresas devem comunicar claramente por que a informação é necessária e como seu fornecimento beneficiará o cliente;

- adotar uma sólida política de privacidade que é facilmente encontrável em seus sites, redigida em linguagem compreensível e abrangente o bastante para ser eficaz;

- práticas de informações justas incorporadas às práticas de trabalho de todos os funcionários de serviços, para evitar qualquer situação em que um deles permita má utilização de informações pessoais de clientes;

- manter altos padrões éticos de proteção de dados. Podem recorrer a endossos de terceiros, como TRUSTe ou Better Business Bureau, e exibir selos de privacidade reconhecidos em seus sites.

Fonte: Jochen Wirtz e May O. Lwin, "Regulatory focus theory, trust and privacy concern", *Journal of Service Research*, 12 (2), 2009, p. 190-207.

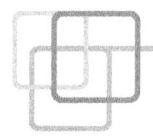

O papel da comunicação visual corporativa

Até aqui, abordamos os meios e o conteúdo das diferentes ferramentas de comunicações, mas não muito a comunicação visual corporativa. É o meio de comunicação que se expressa por meio do uso de elementos visuais, como signos, desenhos, imagens, uniformes, veículos, gráficos etc., ou seja, tudo que pode ser visto. Trata-se da chave para assegurar que estilo e mensagem consistentes sejam comunicados por intermédio de todos os canais do composto de comunicações de uma empresa. A comunicação visual corporativa tem importância especial para empresas que atuam em mercados competitivos, onde é necessário destacar-se da multidão e ser reconhecido de imediato em diferentes locais. Objetiva construir um visual consistente, forte e único. Você já notou como algumas empresas sobressaem-se em sua mente pelas cores, pela aplicação disseminada das logomarcas, pelos uniformes dos funcionários e o projeto de suas instalações físicas? A IBM pelo azul, a Kodak pelo amarelo, o McDonalds pelos arcos dourados, o Itaú pelo texto amarelo em fundo laranja e azul e muitas outras.

Muitas empresas de serviços usam uma aparência visual unificada e distintiva para todos os elementos tangíveis a fim de facilitar o reconhecimento e reforçar a imagem de marca. Em geral, estratégias de comunicação visual corporativa são criadas por empresas especializadas e abrangem impressos e material promocional, sinalização de varejo e esquemas de cores para pintura de veículos, equipamentos e interiores de edifícios e tudo o que o olho do cliente possa atingir. O objetivo é proporcionar um tema unificador e reconhecível, que ligue todas as operações em uma experiência de serviço com marca por meio da utilização estratégica de evidência física. A repetição da associação da imagem característica com a marca cria na mente do cliente uma ligação entre as duas; quando uma é vista, a outra logo é lembrada. As empresas podem fazer isso de várias maneiras:

- usar cores em designs corporativos. Se examinarmos o varejo de gasolina, veremos os postos em verde e amarelo da Petrobrás; o vermelho e amarelo da Shell;

- empresas em setores de alta competitividade, como o de entrega expressa de encomendas, usam seus nomes como elemento central no design corporativo. Quando a Federal Express mudou sua marca comercial para a mais moderna FedEx, mudou também o logotipo para apresentar o novo nome em um logotipo distintivo. Os Correios utilizam o amarelo e o azul, inspirado, assim como a Petrobrás, nas cores da bandeira nacional;

- muitas empresas usam um símbolo de marca registrada, em vez de um nome, como seu logotipo principal. A Shell faz um trocadilho de seu nome em inglês ao apresentar uma concha (*shell*) em amarelo sobre um fundo vermelho, o que traz a vantagem de tornar seus veículos e postos de gasolina reconhecíveis de imediato. Os arcos dourados do McDonald's são tidos como o símbolo corporativo mais reconhecido no mundo e são exibidos em todos os pontos de contato: restaurantes, uniforme dos funcionários e embalagens, além de todo o material de comunicação da empresa;

- algumas empresas foram bem-sucedidas na criação de símbolos tangíveis e reconhecíveis, os *marketing comics*, para ligar a seus nomes de marca corporativos. Animais são símbolos físicos comuns para serviços. Alguns exemplos são o frango da Sadia, a galinha da Maggi e outros personagens, como o homem azul do cotonete da Johnson's, o licenciamento da turma da Mônica, entre muitos outros.

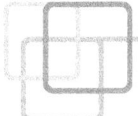

Integrando comunicações de marketing

Já lhe aconteceu de ver uma nova e interessante promoção de serviço no site de uma empresa, ir até uma filial e descobrir que o pessoal de atendimento não conhecia a promoção e não podia vendê-la? O que saiu errado? Em muitas empresas, departamentos diferentes cuidam de aspectos diferentes das comunicações ao mercado. Por exemplo, o departamento de marketing é responsável pela propaganda; o de RP, pelas atividades de relações públicas; especialistas funcionais cuidam do site da empresa e de suas campanhas de marketing direto e promocionais; operações do atendimento ao cliente e recursos humanos, do treinamento. A falha de serviço é consequência da ineficácia de coordenação dessas ações entre os vários departamentos.

Com tantos canais de entrega de mensagens a clientes existentes e potenciais, é cada vez mais importante as empresas adotarem o conceito de comunicações integradas de marketing (CIM). A CIM unifica e reforça todas as comunicações para gerar uma forte identidade de marca. Isso significa que os vários meios de comunicação da empresa entregam a mesma mensagem e passam a mesma percepção, e que comunicações de diferentes meios e abordagens tornam-se parte de uma mensagem única e geral sobre o fornecedor de serviço e seus produtos. As empresas podem alcançar isso delegando a responsabilidade pela CIM a um único departamento (por exemplo, marketing) ou nomeando um diretor de comunicações de marketing que tenha a responsabilidade geral por todas as comunicações ao mercado.

ONDE (*WHERE*) QUEREMOS COMUNICAR

A decisão de onde comunicar envolve a escolha da mídia, o meio que vai transmitir a mensagem. Uma mídia em comunicação é qualquer ambiente (meio) no qual uma mensagem possa ser transmitida, seja pela forma impressa, cantada, falada, ou anunciada de qualquer outra forma.

As mídias podem ser divididas entre as tradicionais, mais conhecidas, como televisão, rádio, jornais, revistas, mídias outdoor, e as alternativas, que embora menos usadas também possuem grande potencial para comunicação específica.

Todas as mídias podem ser aplicadas a situações específicas, possuindo vantagens e desvantagens, que são importantes de serem conhecidas, para montarmos a estratégia de mídia mais adequada. A Tabela 7.3 apresenta as vantagens e desvantagens das principais mídias.

QUANDO (*WHEN*) QUEREMOS QUE A COMUNICAÇÃO OCORRA

Finalmente, precisamos estabelecer quando queremos que a comunicação ocorra. A resposta envolve definir os objetivos de mídia, estabelecendo como a comunicação será distribuída ao longo do tempo e, dentro destes períodos, quantas vezes ela será veiculada.

Tabela 7.3 — Vantagens e desvantagens das principais mídias

Mídia	Pontos fortes	Limitações
Televisão	- Capacidade de demonstração: permite mostrar com maior facilidade o serviço - Valor invasivo: não depende do expectador para ser vista - Capacidade de gerar emoção: permite usar com facilidade o apelo emocional - Alcance um a um: grande penetração - Capacidade de usar humor - Auxilia o trabalho da equipe de vendas e dos canais: o público pode ser preparado para o encontro de serviço - Capacidade de gerar impacto: permite atingir público variado	- Altos e crescentes custos - Erosão da audiência (outras mídias, principalmente a Internet, estão ocupando o espaço da televisão) - Fragmentação da audiência - Zipping (mudança de canal pelo controle remoto) e zapping (aceleração e salto dos comerciais quando assiste à programação previamente gravada) - Confusão (grande número de anúncios diferentes e na mesma sequência)
Rádio	- Capacidade de alcançar público segmentado - Capacidade de gerar clima de intimidade com o ouvinte - Economia, custos baixos quando comparados com a televisão - Permite executar a programação em prazos curtos - Transferência das imagens da TV - Uso de personalidades locais	- Confusão pelo grande número de anúncios - Falta de visualização - Fragmentação do público - Dificuldades para compra de espaço (não centralizada)
Jornais	- Predisposição mental para processar os anúncios - Cobertura do público de massa (52 por cento da população no Brasil) - Leitores de maior condição econômica - Flexibilidade — ajustes a mercados específicos - Possibilidade de usar textos mais extensos e detalhados - Oportunidade de tempo — facilidade e rapidez em anunciar	- Confusão pelo grande número de anunciantes - Pouco seletivo: não atinge grupos específicos de forma eficaz - Usuários ocasionais pagam preços mais altos - Baixa qualidade de reprodução gráfica - Dificuldade de compra do espaço (fragmentada)
Revistas	- Algumas revistas têm grande público-alvo - Seletividade - Vida longa - Alta qualidade de reprodução gráfica - Possibilidade de apresentar informações detalhadas - Autoridade para transmissão de informações - Alto potencial de envolvimento	- Não invasiva (os leitores controlam a exposição) - Prazos longos de fechamento - Confusão (muitos anúncios) - Limitações de opção geográfica - Diferenças de padrão de circulação por mercado
Propaganda externa ou outdoor	- Amplo alcance — maioria da população da região onde está localizado - Alta frequência — locais de tráfego pesado - Flexibilidade geográfica — posicionada nas áreas desejadas - Baixo custo por mil - Último lembrete antes da compra	- Falta de seletividade: não pode ser direcionada a segmentos específicos - Pouco tempo de exposição: visível por alguns segundos - Difícil de medir o público - Impactos ambientais, poluição visual

A definição dos objetivos de mídia deve responder a cinco questões:

- **Alcance.** Percentual do público-alvo que é exposto pelo menos uma vez à mensagem, durante determinado período (em quatro semanas). O alcance depende do número e tipo de mídia, das características dos veículos em cada mídia e o número de períodos por dia.
- **Frequência.** É o número de vezes, em média, que o público-alvo é exposto aos veículos de mídia em uma programação.
- **Peso.** É a combinação de alcance e frequência que determinada programação de propaganda é capaz de gerar para atingir os objetivos. É obtido multiplicando-se o alcance pela frequência.
- **Continuidade.** É a distribuição ou alocação da propaganda durante o curso de uma campanha de comunicação. Pode ser feita de três formas principais:
    - contínua, quando é distribuída uniformemente ao longo do tempo;
    - voo, quando sai de um patamar zero e cresce até um patamar máximo, se mantém por um período e decresce até o zero;
    - pulso, quando sai de um patamar mínimo diferente de zero, cresce até um patamar máximo e volta a decrescer ao patamar anterior.
- **Custos.** São indicadores relativos de custo para a mensagem atingir seu alvo. Os dois principais indicadores são o custo por mil (CPM), que é o custo total dividido pelo número de grupos de mil pessoas atingidas, e o custo por mil no mercado-alvo (CPM-MA), que é o custo para atingir mil pessoas com o perfil do mercado-alvo.

O bom planejamento de comunicação deve sempre buscar responder aos cinco Ws, para cobrir as principais decisões da estratégia de comunicação.

CONCLUSÃO

O elemento de *promoção e educação* dos 7Ps requer uma ênfase um tanto diferente da estratégia de comunicação usada para promover bens. Entre as tarefas de comunicação que se apresentam a profissionais de marketing de serviços, estão enfatizar pistas tangíveis para serviços que são difíceis de avaliar, esclarecer a natureza e a sequência do desempenho de serviço, realçar o desempenho do pessoal de contato com o cliente e instruir o cliente sobre como participar efetivamente da entrega de serviço. Uma lição fundamental para ser extraída deste capítulo é que profissionais de serviços eficazes são bons educadores, capazes de usar uma variedade de proposições, mas também de ensinar tanto a clientes existentes quanto aos potenciais aquilo que eles precisam saber sobre como selecionar e usar os serviços da empresa.

Resumo do capítulo

OA1. O papel das comunicações de marketing em serviços consiste em:
- posicionar e diferenciar o serviço;
- auxiliar os consumidores a avaliar as ofertas de serviço;
- promover a contribuição do pessoal de atendimento;
- agregar valor ao conteúdo da comunicação;
- facilitar o envolvimento na produção;
- estimular ou reprimir a demanda para ajustá-la à capacidade.

OA2. A intangibilidade dos serviços apresenta desafios às comunicações. Duas maneiras de superar o problema da intangibilidade são:
- enfatizar pistas tangíveis como seus funcionários, instalações, certificações e prêmios, ou até seus clientes;
- usar metáforas para comunicar a proposição de valor.

OA3. Após compreender os desafios das comunicações de serviços, profissionais de marketing precisam planejar e estruturar uma estratégia de comunicação eficaz. Eles podem usar o modelo dos 5 Ws para orientar o planejamento das comunicações de marketing:

- quem (*who*) é nosso público-alvo? São potenciais clientes, usuários finais e/ou funcionários?
- o que (*what*) precisamos comunicar e alcançar? Os objetivos estão relacionados com o comportamento dos consumidores nas fases de pré-compra, encontro de serviço ou pós-encontro?
- como (*how*) devemos comunicar isso? Qual composto de meios de comunicação deve ser usado?
- onde (*where*) devemos comunicar isso?
- quando (*when*) as comunicações precisam ocorrer?

OA4. Para atingir objetivos de comunicação, podemos utilizar uma variedade de canais de comunicação, como:

- canais tradicionais de marketing (como propaganda e RP);
- Internet (como o site de uma empresa e propaganda on-line) e novas mídias (como Web 2.0, incluindo YouTube e redes sociais);
- canais de entrega de serviço (como pontos de serviço e pessoal da linha de frente);
- mensagens que se originam de fora da organização (como boca a boca e cobertura editorial).

OA5. Canais tradicionais de marketing abrangem propaganda, relações públicas, marketing direto (incluindo marketing de permissão), promoções de vendas, vendas pessoais e feiras comerciais. Esses elementos de comunicação costumam ser empregados para ajudar as empresas a criar uma posição diferenciada no mercado e atingir clientes potenciais.

OA6. Canais de comunicação da Internet incluem os sites das empresas e a propaganda on-line (como banners publicitários e anúncios de sites de busca e sua otimização).

- Avanços na tecnologia da Internet impulsionam inovações como o marketing de permissão e as extraordinárias possibilidades de propaganda on-line altamente segmentada.
- Novos meios de comunicação, que tornam indistinta a linha que separa as comunicações impessoais das pessoais, incluem TiVo, podcasting, YouTube, propaganda móvel, Web 2.0 e redes sociais e comunidades.

OA7. De modo geral, as empresas de serviços controlam os canais de entrega de serviço e os ambientes de ponto de venda, o que lhes proporciona meios eficientes em custo de alcançar clientes atuais (como via pessoal de atendimento ao cliente, pontos de serviço e pontos de autosserviço).

OA8. Algumas das mensagens mais poderosas sobre uma empresa e seus serviços originam-se de fora e não são controladas pelo pessoal de marketing. Entre elas estão o boca a boca, blogs, Twitter, redes sociais e cobertura na mídia tradicional.

- Recomendações de outros clientes são tidas como mais confiáveis do que as iniciadas pela empresa e são procuradas por potenciais clientes, sobretudo no caso de compras de alto risco.
- As empresas podem estimular o boca a boca de seus clientes por meio de ações, como criar promoções especiais, programas de incentivo a referências e menção a clientes que cada vez mais se mudam para o ambiente on-line.

OA9. Ao elaborar sua estratégia de comunicação, as empresas precisam considerar questões éticas e relacionadas com a privacidade dos consumidores no que se refere a promessas feitas, invasão da vida particular (por exemplo, por telemarketing ou campanhas de e-mail) e proteção da privacidade e dos dados pessoais de clientes, inclusive dos potenciais.

OA10. Além dos meios e do conteúdo da comunicação, o design corporativo é fundamental para se obter uma imagem unificada nas mentes dos consumidores. O design corporativo eficaz utiliza uma identidade visual unificada e distintiva com elementos tangíveis, como todos os elementos do composto de comunicações de marketing, papelaria, sinalização no varejo, uniformes, veículos, equipamentos e interior de edifícios.

OA11. Com tantos canais de entrega de mensagens a clientes existentes e potenciais, torna-se crucial as empresas adotarem o conceito de comunicações integradas de marketing (IMC).

Questões para revisão

1. De que modos os objetivos de comunicações de serviços são substancialmente diferentes daqueles do marketing de bens? Descreva quatro objetivos educacionais e promocionais comuns em ambientes de serviços e forneça um exemplo específico para cada objetivo listado.
2. Quais são alguns dos desafios em comunicações de serviços e como eles podem ser superados?
3. Por que o composto de comunicações de marketing é maior para empresas de serviços em relação ao das empresas que promovem bens?
4. Quais são os papéis que a venda pessoal, a propaganda e as relações públicas desempenham (a) na atração de novos clientes para visitar um ponto de serviço e (b) na retenção de clientes existentes?
5. Quais são as diversas formas de marketing on-line? Quais você acha que seriam as estratégias de marketing on-line mais eficazes para (a) uma corretora on-line e (b) uma nova casa noturna em Los Angeles?
6. Por que o marketing de permissão está ganhando tanto foco nas estratégias de comunicações de empresas de serviços?

7. Por que o boca a boca é considerado tão importante para o marketing de serviços? Como uma empresa de serviços que é líder em qualidade em seu setor pode induzir e gerenciar o boca a boca?

8. Como as empresas podem usar o design corporativo para se diferenciar?

9. Quais são as possíveis maneiras de implementar a IMC?

Exercícios

1. Quais elementos do composto de comunicações de marketing você utilizaria para cada um dos seguintes cenários? Explique suas respostas.
   - Um salão de beleza recém-inaugurado em um shopping center.
   - Um restaurante antigo que enfrenta queda de movimento por causa de novos concorrentes.
   - Uma grande empresa de contabilidade sem filiais, situada em uma cidade grande, que atende basicamente clientes empresariais e que pretende aumentar substancialmente sua base de clientes.

2. Identifique um anúncio (ou outro meio de comunicação) cujo objetivo principal seja gerenciar o comportamento do consumidor nas etapas de (a) escolha, (b) compra e (c) pós-compra. Explique como esse anúncio tenta alcançar seus objetivos e discuta o grau de eficácia que pode ter.

3. Discuta a significância dos atributos de busca, experiência e credibilidade para a estratégia de comunicações de um provedor de serviços. Pressuponha que o objetivo da estratégia de comunicações seja atrair novos clientes.

4. Se você tivesse que descrever a universidade ou pesquisar o programa de graduação que cursa atualmente, o que poderia aprender em blogs e qualquer outra recomendação boca a boca on-line? Como essa informação influenciaria a decisão de um aluno interessado em se candidatar a uma vaga em sua universidade? Considerando que você é um especialista na escola e na graduação em andamento, qual é a precisão da informação que você encontrou na Internet?

5. Identifique um anúncio que corre o risco de atrair segmentos mistos para uma empresa de serviços. Explique por que isso pode acontecer e enuncie as consequências negativas — se houver — que poderão ocorrer.

6. Descreva e avalie diversas ações de relações públicas feitas recentemente por empresas de serviços em relação a três ou mais dos seguintes itens: (a) lançamento de uma nova oferta, (b) inauguração de uma nova instalação, (c) expansão de serviços existentes, (d) anúncio de um evento ou (e) solução de uma situação negativa. (Selecione uma organização diferente para cada categoria.)

7. Quais pistas tangíveis uma escola de mergulho ou um consultório odontológico poderiam usar para posicionamento em um mercado de alto poder aquisitivo?

8. Explore os sites de uma empresa de consultoria de gestão, de um varejista da Internet e de uma empresa seguradora. Critique os sites quanto à facilidade de navegação, ao conteúdo e ao projeto visual. O que você mudaria em cada um?

9. Cadastre-se na Amazon.com e na Hallmark.com e analise suas estratégias de comunicação baseadas em permissão. Quais são os objetivos de marketing dessas empresas? Avalie as ações de marketing de permissão dessas empresas para um segmento específico de cliente de sua escolha – o que é excelente, o que é bom e o que poderia ser melhorado?

10. Efetue uma busca no Google para (a) programas de MBA e (b) hotéis resort para férias (feriados). Examine dois ou três anúncios contextuais ativados por suas buscas. Avalie-os quanto ao que fazem de certo e o que poderia ser melhorado.

Notas

1. *Westin turns traditional hotel advertising on its head*. Disponível em: <www.hotelmarketing.com/index.php/content/print/070802_westin_turns_traditional_hotel_advertising_on_its_head>. 6 ago. 2007 (artigo baixado em 23 fev. 2009). Fonte da foto: <www.westinadvertising.com>. Acesso em: 23 fev. 2009; <www.starwoodhotels.com/promotions/promo_landing.html?category=WI_SUM06_PICKER&IM=WI_HP_TL_EN_EXPERIENCE08>. Acesso em: 23 fev. 2009 e <www.westin.com>. Acesso em: 23 fev. 2009.

2. O site do Consumer Center da JP Power inclui classificações de fornecedores de serviço em finanças e seguros, saúde, telecomunicações e viagens. Para mais informações úteis e aconselhamento, veja <www.jdpower.com>. Acesso em: 4 jun. 2009.

3. Para uma resenha, veja Kathleen Mortimer e Brian P. Mathews, "The advertising of services: consumer views v. normative dimensions", *The Service Industries Journal*, 18, jul. 1998, p. 14-19. Veja também James F. Devlin e Sarwar Azhar, "Life would be a lot easier if we were a kit kat: practitioners´views on the challenges of branding financial services successfully", *Brand Management*, 12, n.1, 2004, p. 12-30.

4. Banwari Mittal, "The advertising of services: meeting the challenge of intangibility", *Journal of Service Research*, 2, ago. 1999, p. 98-116.

5. Banwari Mittal e Julie Baker, "Advertising strategies for hospitality services", *Cornell Hotel and Restaurant Administration Quarterly*, 43, abr. 2002, p. 51-63.

6. Este filme pode ser visto no Youtube: <www.youtube.com/watch?v=cJrXViFfMGk>.

7. Donna Legg e Julie Baker. "Advertising strategies for service firms". In: C. Surprenant (ed.). *Add value to your service*. Chicago: American Marketing Association, 1987, p. 163-168. Veja também Donna J. Hill, Jeff Blodgett, Robert Baer e Kirk Wakerfield, "An investigation of visualization and documentation strategies in service advertising", *Journal of Service Research*, 7, n. 2, 2004, p. 155-156; Debra Grace e Aron O'Cass, "Service branding: consumer verdicts on service brands", *Journal of Retailing and Consumer Services*, 12, 2005, p. 125-139.

8. Banwari Mittal, "The advertising of services: meeting the challenge of intangibility", *Journal of Service Research*, 2, ago. 1999, p. 98-116.

9. Stephen J. Grove, Gregory M. Pickett e David N. Laband, "An empirical examination of factual information content among service advertisements", *The Service Industries Journal*, 15, abr. 1995, p. 216-233

10. "The future of advertising – the harder hard sell", *The Economist*, 24 jun. 2004.

11. "The future of advertising – the harder hard sell", *The Economist*, 24 jun. 2004

12. Penelope J. Prenshaw, Stacy E. Kovar e Kimberly Gladden Burke, "The impact of involvement on satisfaction for new, nontraditional, credence-based service offerings", *Journal of Services Marketing*, 20, n. 7, 2006, p. 436-452.

13. "Got Game: inserting advertisements into video games holds much promise", *The Economist*, 9 jun. 2007, p. 69.

14. Experian, www.experian.co.uk. Acesso em: 14 jan. 2009.

15. Seth Godin e Don Peppers. *Permission marketing: turning strangers into friends and friends into customers*. Nova York: Simon & Schuster, 1999; Ray Kent e Hege Brandal, "Improving email response in a permission marketing context", *International Journal of Market Research*, 45, Quarter 4, 2003, p. 489-503.

16. Gila E. Fruchter e Z. John Zhang, "Dynamic targeted promotions: a customer retention and acquisition perspective", *Journal of Service Research*, 7, ago. 2004, p. 3-19.

17. Ken Peattie e Sue Peattie, "Sales promotion — a missed opportunity for service marketers", *International Journal of Service Industry Management*, 5, n. 1, 1995, p. 6-21.

18. M. Lewis, "Customer acquisition promotions and customer asset value", *Journal of Marketing Research*, XLIII, maio 2006, p. 195-203.

19. Dana James, "Move cautiously in trade show launch", *Marketing News*, 20 nov. 2000, p. 4-6; Elizabeth Light, "Tradeshows and expos — putting your business on show", *Her Business*, mar./abr. 1998, p. 14-18; Susan Greco, "Trade shows *versus* face-to-face selling", *Inc.*, maio 1992, p. 142.

20. Stefan Lagrosen, "Effects of the Internet on the marketing communication of service companies", *Journal of Services Marketing*, 19, n. 2, 2005, p. 63-69.

21. Paul Smith e Dave Chaffey. *eMarketing Excellence*. Oxford, UK: Elsevier Butterworth-Heinemann, 2005. p. 173.

22. "The future of advertising – the harder hard sell", *The Economist*, 24 jun. 2004.

23. Catherine Seda, "Search engine advertising: buying your way to the top to increase sales (voices that matter)", Indianapolis, *New Riders Press*, 2004, p. 4-5

24. Mary Jo Bitner, "Servicescapes: the impact of physical surroundings on customers and employees", *Journal of Marketing*, 56, abr. 1992, p. 57-71

25. David H. Maister. "Why cross selling hasn't worked". In: *True professionalism*. Nova York: The Free Press, 1997. p. 178-184

26. Megan O'Donnell, "What type of training or education do you provide to customers for new technology offerings?" *Rural Communications*, jul.-ago. 2005, p. 12

27. Harvir S. Bansal e Peter A. Voyer, "Word-of-mouth processes within a services purchase decision context", *Journal of Service Research*, 3, n. 2, nov. 2000, p. 166-177. Malcom Gladwell explica como diferentes tipos de epidemia, incluindo a do boca a boca, desenvolvem-se. Malcom Gladwell. *The tipping point*. Nova York: Little, Brown and Company, 2000, p. 32.

28. Anna S. Mattila e Jochen Wirtz, "The impact of knowledge types on the consumer search process — an investigation in the context of credence services", *International Journal of Research in Service Industry Management*, 13, n. 3, 2002, p. 214-230.

29. Kim Harris e Steve Baron, "Consumer-to-consumer conversations in service settings", *Journal of Service Research*, 6, n. 3, 2004, p. 287-303

30. Frederick F. Reichheld, "The one number you need to grow", *Harvard Business Review*, 81, n. 12, 2003, p. 46-55.

31. Eugene W. Anderson, "Customer satisfaction and word of mouth", *Journal of Service Research*, 1, ago. 1998, p. 5-17; Magnus Söderlund, "Customer satisfaction and its consequences on customer behaviour revisited: the impact of different levels of satisfaction on word of mouth, feedback to the supplier, and loyalty", *International Journal of Service Industry Management*, 9, n. 2, 1998, p. 169-188; Srini S. Srinivasan, Rolph Anderson e Kishore Ponnavolu, "Customer loyalty in e-commerce: an exploration of its antecedents and consequences", *Journal of Retailing*, 78, n. 1, 2002, p. 41-50. Para uma meta-análise da pesquisa sobre o boca a boca, veja Celso Augusto de Matos e Carlos Alberto Vargas Rossi, "Word-of-mouth communications in marketing: a meta-analytic review of the antecedents and moderators", *Journal of the Academy of Marketing Science*, 36, n. 4, 2008, p. 578-596.

32. Jeffrey G. Blodgett, Kirk L. Wakefield e James H. Barnes, "The effects of customer service on consumers' complaining behavior", *Journal of Services Marketing*, 9, n. 4, 1995, 31-42; Jeffrey G. Blodgett e Ronald D. Anderson, "A Bayesian network model of the consumer complaint process", *Journal of Service Research*, 2, n.4, maio 2000, 321-338; Stefan Michel, "Analyzing service failures and recoveries: a process approach", *International Journal of Service Industry Management*, 12, n. 1, 2001, p. 20-33; James G. Maham III e Richard G. Netemeyer, "A longitudinal study of complaining customers' evaluation of multiple service failures and recovery efforts", *Journal of Marketing*, 66, n. 4, 2002, p. 57-72.

33. Jochen Wirtz e Patricia Chew, "The effects of incentives, deal proneness, satisfaction and tie strength on word-of-mouth behaviour", *International Journal of Service Industry Management*, 13, n. 2, 2002, p. 141-162. Tom J. Brown, Thomas E. Barry, Peter A. Dacin e Richard F. Gunst, "Spreading the word: investigating antecedents of consumers' positive word-of-mouth intentions and behaviors in a retailing context", *Journal of the Academy of Marketing Science*, 33, n. 2, 2005, p. 123-138; John E. Hogan, Katherine N. Lemon e Barak Libai, "Quantifying the ripple: word-of-mouth and advertising effectiveness", *Journal of Advertising Research*, set. 2004, p. 271-280.

34. Renee Dye, "The buzz on buzz", *Harvard Business Review*, nov./dez. 2000, p. 139-146. Joseph E. Phelps, Regina Lewis, Lynne Mobilio, David Perry e Niranjan Raman, "Viral marketing or electronic word-of-mouth advertising: examining consumer response and motivations to pass along emails", *Journal of Advertising Research*, dez. 2004, p. 333-348. P. R. Datta, D. N. Chowdhury e B. R. Chakraborty, "Viral marketing: new form of word-of-mouth through Internet", *The Business Review*, 3, n. 2, verão, 2005, p. 69-75.

35. Steve Jurvetson, "What exactly is viral marketing?", *Red Herring*, 78, 2000, p. 110-112

36. Esta seção foi extraída de Lev Gossman, "Meet Joe blog", *Time*, 21 jun. 2004, p. 65; C. S. Herring, L. A. Scheidt, E. Wright e S. Bonus, "Weblogs as a bridging genre", *Information, Technology & People*, 18, n. 2, 2005, p. 142-171; C. Marlow, "Audience, structure and authority in the weblog community", *paper* apresentado na International Communication Association Conference, Nova Orleans, LA, 2004. Disponível em: <web.media.mit.edu/∼cameron/cv/pubs/04-01.pdf>. Acesso em: 19 dez. 2005; Ericka Menchen Trevino, "Blogger motivations: power, pull and positive feedback", *paper* apresentado no AoIR 6.0, 9 out. 2005. Disponível em: <http://blog.erickamenchen.net/MenchenBlogMotivations.pdf>. Acesso em: 19 dez. 2005.

37. Steven Kurutz, "For travellers, blogs level the playing field", *New York Times*, 7 ago. 2005, TR-3

38. http://en.wikipedia.org/wiki/Twitter. Acesso em: 24 abr. 2009.

39. Louis Fabien, "Making promises: the power of engagement", *Journal of Services Marketing*, 11, n. 3, 1997, p. 206-214

40. www.donotcall.gov/default.aspx. Acesso em: 25 abr. 2009.

41. www.dmachoice.org. Acesso em: 25 abr. 2009.

PARTE III
Gerenciando a interface com o cliente

A Parte III enfoca o gerenciamento da interface entre clientes e a organização de serviço. Essa relação envolve decisões de marketing relativas à criação e entrega do serviço, que se tornam mais relevantes e levam à adição de outros 3Ps — Processo, Ambiente Físico (*physical*, em inglês) e Pessoas — aos tradicionais 4Ps do marketing que, como vimos nos capítulos anteriores, também são mais complexos no caso de bens físicos. A Parte III consiste em quatro capítulos:

CAPÍTULO 8   Projetando e gerenciando processos de serviços

Inicia-se com o desenho de um processo de entrega de serviço, especificando como sistemas operacionais e de entrega associam-se para criar a proposição de valor prometida. Com frequência, clientes são ativamente envolvidos na criação de serviços, sobretudo se atuam como coprodutores, e o processo torna-se sua experiência.

CAPÍTULO 9   Equilibrando demanda e capacidade produtiva

O Capítulo 9 também se refere ao gerenciamento de processos, mas com enfoque na demanda altamente flutuante e em como equilibrar o nível e o timing da demanda de clientes em contraposição à capacidade produtiva disponível. Demanda e capacidade bem administradas levam a processos fluidos com menor tempo de espera para os clientes. As estratégias de marketing incluem nivelar as flutuações e estocar demanda por meio de sistemas de reserva e de filas formalizadas. Entender as motivações do cliente em diferentes segmentos é uma das chaves do sucesso em gerenciamento de demanda.

CAPÍTULO 10   Planejando o ambiente de serviço

O Capítulo 10 aborda o ambiente físico, também conhecido como paisagem de serviço (*servicescape*, em inglês). Ele precisa ser projetado de modo a criar a impressão certa e facilitar a efetiva entrega dos processos de serviço. A paisagem de serviço deve ser gerenciada com todo o cuidado, porque pode exercer profundo impacto sobre as impressões dos clientes, direcionar seu comportamento por todo o processo de serviço e fornecer pistas tangíveis da qualidade e do posicionamento da empresa.

■ CAPÍTULO 11 Gerenciando pessoas para obter vantagem em serviço

O Capítulo 11 apresenta as pessoas, que constituem um elemento definidor de muitos serviços. Há diversos serviços que requerem interação direta entre clientes e o pessoal de atendimento. A natureza dessas interações influencia bastante o modo como os clientes percebem a qualidade do serviço. Portanto, as empresas esforçam-se consideravelmente para recrutar, treinar e motivar suas equipes. De modo geral, funcionários felizes têm bom desempenho e tornam-se fonte de vantagem competitiva para a empresa, assim como o gerenciamento eficaz do pessoal de linha de frente é a chave da entrega de satisfação do cliente e da produtividade.

Figura III.1 Organização de uma estrutura para marketing de serviços

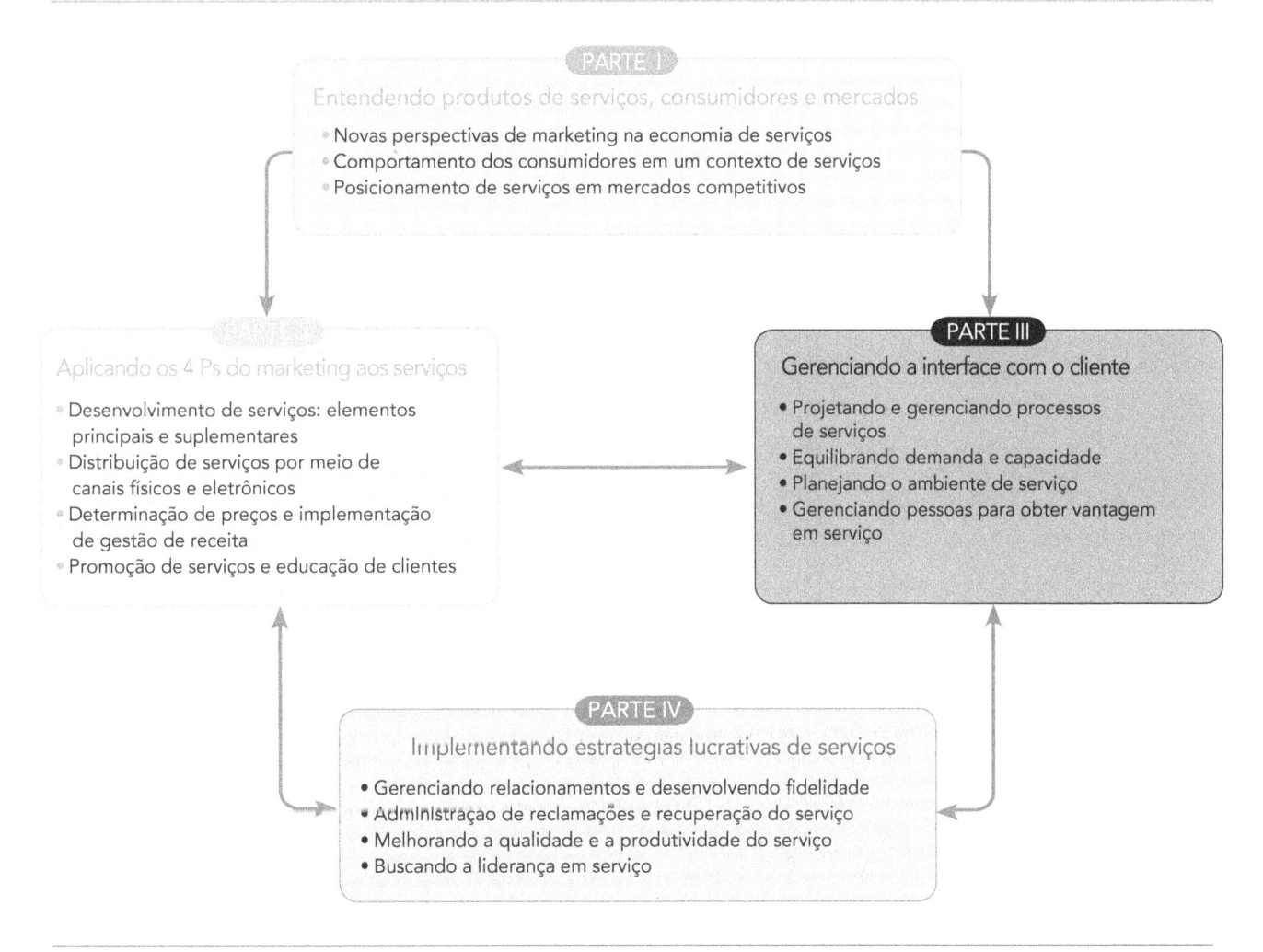

PARTE I
Entendendo produtos de serviços, consumidores e mercados
- Novas perspectivas de marketing na economia de serviços
- Comportamento dos consumidores em um contexto de serviços
- Posicionamento de serviços em mercados competitivos

PARTE II
Aplicando os 4 Ps do marketing aos serviços
- Desenvolvimento de serviços: elementos principais e suplementares
- Distribuição de serviços por meio de canais físicos e eletrônicos
- Determinação de preços e implementação de gestão de receita
- Promoção de serviços e educação de clientes

PARTE III
Gerenciando a interface com o cliente
- Projetando e gerenciando processos de serviços
- Equilibrando demanda e capacidade
- Planejando o ambiente de serviço
- Gerenciando pessoas para obter vantagem em serviço

PARTE IV
Implementando estratégias lucrativas de serviços
- Gerenciando relacionamentos e desenvolvendo fidelidade
- Administração de reclamações e recuperação do serviço
- Melhorando a qualidade e a produtividade do serviço
- Buscando a liderança em serviço

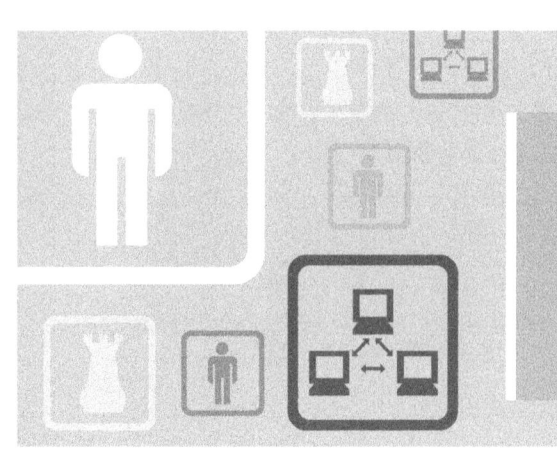

CAPÍTULO 8

Projetando e gerenciando processos de serviços

A nova fronteira da vantagem competitiva é a interface com clientes. Tornar a sua vencedora requer as pessoas certas e, cada vez mais, as máquinas certas – na linha de frente.
— Jeffrey Rayport e Bernard Jaworski

Em última instância, apenas uma coisa realmente importa em encontros de serviço – a percepção do cliente do que aconteceu.
— Richard B. Chase e Sriram Dasu

Objetivos de aprendizagem (OAs)

Ao final deste capítulo, você será capaz de:

OA1 Familiarizar-se com o que podemos aprender elaborando o fluxograma de um serviço e saber como os fluxogramas são desenhados.

OA2 Saber a diferença entre fluxograma e *blueprint*.

OA3 Desenvolver um *blueprint* para um processo de serviço com todos os elementos necessários.

OA4 Compreender como usar mecanismos à prova de falha para eliminar pontos de falha em processos de serviços.

OA5 Entender como o redesenho de um serviço pode ajudar a melhorar tanto a qualidade do serviço quanto a produtividade.

OA6 Familiarizar-se com o conceito de clientes de serviço como 'coprodutores' e entender as implicações dessa perspectiva.

OA7 Compreender e gerenciar os fatores que levam clientes a aceitar novas tecnologias de autosserviço (SSTs, do inglês, *self-service technologies*).

OA8 Saber como administrar a relutância dos clientes em mudar seus comportamentos em processos de serviço, incluindo a adesão a SSTs.

Redesenho de processo em bibliotecas de Cingapura[1]

Na era digital, as bibliotecas têm sofrido redução de uso. A National Library Board (NLB) de Cingapura teve um trabalho árduo para mudar a visão de que a biblioteca era um lugar com prateleiras cheias de livros velhos e funcionários hostis. A NLB conseguiu transformar seus serviços por meio do uso inteligente das mais novas tecnologias para expandir seus serviços — inclusive em ambiente virtual —, e incentivar o uso de bibliotecas e promover a aprendizagem por toda a vida de seus associados; tudo isso enquanto aumentava consideravelmente a produtividade. A essência dessa transformação foi o redesenho radical de seus processos de serviços.

Um dos muitos exemplos de como a NLB usou tecnologia avançada para redesenhar processos é seu sistema eletrônico de gestão de bibliotecas (ELIMS, do inglês, *electronic library management system*), baseado na identificação por radiofrequência (RFID, do inglês, *radio-frequency identification*). A NLB foi a primeira biblioteca pública do mundo a usar um protótipo do RFID, um sistema eletrônico para identificação automática de itens — a mesma tecnologia que vimos no Capítulo 6. Esse sistema utiliza *tags* (etiquetas inteligentes) de RFID, ou *transponders*, contidos em pequenas etiquetas que carregam um microprocessador de silício e uma antena espiralada. Eles se comunicam com um *transceiver* (leitor) RFID, recebendo e enviando sinais por meio de ondas de radiofrequência, o que permite estocagem automática remota e recuperação ou compartilhamento de informações. De modo diferente dos códigos de barras, que requerem escaneamento manual, o RFID apenas irradia sua presença e envia automaticamente dados sobre o item a leitores eletrônicos. Essa tecnologia já está em uso em sistemas de bilhetes eletrônicos, passes para teleféricos de resorts de esqui e crachás de segurança para acesso a edifícios. É usado, por exemplo, no sistema de pagamento Sem Parar, nos pedágios das rodovias privadas.

A NLB instalou *tags* de RFID em seus mais de 10 milhões de livros, tornando-se um dos maiores usuários dessas etiquetas no mundo. Após redesenhar os processos com RFID, clientes não gastam mais tempo em filas de espera; o registro do empréstimo é feito automaticamente quando eles saem da área da biblioteca, e os livros podem ser devolvidos em caixas de coleta em qualquer biblioteca do sistema. A parte externa da caixa de coleta assemelha-se a um caixa eletrônico, mas com um grande buraco coberto por uma aba. Basta que o usuário coloque o livro embaixo da aba para ser escaneado por meio de tecnologia RFID e uma mensagem na tela confirma em tempo real que o livro foi registrado como 'devolvido' na conta do usuário.

Para dar um passo a mais, a NLB foi a pioneira em 'prateleiras inteligentes'. Quando um livro era removido de uma prateleira ou colocado de volta, a tecnologia RFID anotava isso. Assim, se um livro fosse colocado no lugar errado, a prateleira 'sabia' e alertava os funcionários. Com um computador de mão, o bibliotecário poderia então localizar o livro em questão de instantes. Isso permitiu que os livros fossem facilmente rastreados e tanto funcionários quanto clientes passaram a economizar tempo na procura de livros específicos. Para aumentar ainda mais a comodidade e a produtividade, a NLB tem trabalhado para evitar por completo o manuseio de livros físicos — os membros da biblioteca podem agora baixar gratuitamente cerca de 1 milhão de e-books, 900 mil e-journals e 900 e-magazines de seu site (Figura 8.1).

Para promover o uso de livros eletrônicos, a cada seis empréstimos de e-books o usuário ganha um bilhete para concorrer ao sorteio de três iPads por mês. Outra inovação recente foi uma *vending machine* para alguns dos livros mais populares.

No Youtube há um vídeo de uma aplicação dessa tecnologia em bibliotecas inglesas: <www.youtube.com/watch?v=NAPrXv0FPdI>.

Qual foi o resultado do rigoroso redesenho de processos de serviços? Uma biblioteca de classe mundial, vencedora do Singapore Quality Award, altamente conceituada por bibliotecários no mundo todo, e apresentada como estudo de caso nas maiores escolas de administração, como Harvard Business School e INSEAD.

Figura 8.1 A biblioteca do futuro vai oferecer experiências muito mais agradáveis com o uso de tecnologias como a da RFID

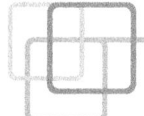

Fluxograma de processos de serviços ao cliente

Do ponto de vista do cliente, serviços são experiências (como ligar para uma central de atendimento ou visitar uma biblioteca). Do ponto de vista organizacional, são processos a serem projetados e gerenciados para criar a desejada experiência do cliente. Isso transforma processos em arquitetura de serviços. Processos descrevem o método e a sequência em que funcionam sistemas operacionais de serviços e como eles se interligam para criar a proposição de valor prometida aos clientes. Em serviços de alto contato, os próprios clientes são parte integrante da operação, e o processo torna-se sua experiência. Processos mal elaborados costumam resultar em entrega de serviço lenta, frustrante e de má qualidade, que quase sempre deixará os clientes aborrecidos. De modo semelhante, maus processos dificultam a boa execução do trabalho pelo pessoal da linha de frente, aumentam o estresse e a insatisfação e resultam em baixa produtividade e aumento do risco de falhas de serviço.

Panorama de serviços 8.1

O Grupo Alsaraiva – processos integrados para qualidade e baixos custos

A relação de Alberto Saraiva com o varejo começou de forma inesperada em 1973, quando ainda era estudante de medicina da USP. Dezesseis dias depois de inaugurar uma padaria no Brás, zona leste de São Paulo, seu pai foi assassinado durante um assalto. Português e filho de libaneses, Alberto assumiu a direção do negócio e foi também dono de bar, pizzaria e churrascarias. Em 1988, já formado, abre uma loja de comida árabe, depois de amigos dizerem sentir falta de uma loja de *fast-food* de culinária árabe. Com suas economias mais a experiência que ganhara com a mãe no preparo de pratos típicos, começou na garagem de sua casa, na Rua Cerro Corá, no Alto de Pinheiros. A loja foi batizada de Habib's, que significa 'amigo' em árabe. Aprendeu com os clientes que, para manter a preferência, precisava adaptar as receitas ao gosto brasileiro: pão sírio mais macio; molho de tomate com tempero diferente e menos alho, gergelim e hortelã; massa da esfiha mais leve e carne de boi no lugar da de carneiro. Com a abertura de novas lojas, faz sociedade com outros investidores e, em 1991, abre uma cozinha central, seguindo a estratégia de '*low fare low cost*', de oferecer produtos simples a preços populares e verticalizar a cadeia de produção, para obter maior qualidade. Isso demanda firme controle dos custos, sem perda da qualidade.

Inicia em 1992 o sistema de franquia, com a primeira loja em Santo André, na região do grande ABC. Em 1993, abre a Arabian Bread, padaria industrial que fornece pães sírios de hambúrguer, massas de fogaça e discos de pizza para as lojas; a sorveteria Ice Lip's, que fornece as marcas Ice Lip's e Portofino para a rede e supermercados; e uma nova sede administrativa, com auditório para cursos sobre qualidade total. Abre em 1995 a primeira loja no interior de São Paulo e em 1997, as primeiras fora do estado —, no Rio de Janeiro e em Fortaleza. Começa em 1996 a estratégia de grandes parcerias, com a vinda da Coca-Cola como fornecedora de refrigerantes da rede e, em 1999, usa os personagens da Warner Bros nas embalagens. Completa dez anos em 1998 com mais de cem lojas em diversos estados. Em 1999 muda-se para a nova e maior sede administrativa, com cozinha experimental, além de auditório e estrutura administrativa. Em 2000 iniciou o estudo para a internacionalização da rede, com a escolha dos Estados Unidos como primeiro mercado fora do Brasil. Após estudos de mercado, a abertura de um escritório na Flórida e a negociação com um máster-franqueado, precisou abandonar o projeto por causa do atentado de 11 de setembro — o nome árabe poderia causar rejeição. Redirecionou o projeto para o México, onde ainda em 2001 abriu as primeiras lojas próprias, mas, dados os fracos resultados, vendeu a operação em 2003 ao Burger King.

Prosseguindo com a estratégia de verticalização para redução de custos, surgiram outras empresas. Os únicos insumos que a empresa compra fora são farinha e carne. O laticínio Promilat, na região de Promissão, no interior de São Paulo, produz os queijos utilizados pela rede. Ela é a maior captadora de leite da bacia leiteira da região, comercializado com a marca Montanha Branca, e a maior produtora de queijo minas frescal do Brasil. Também produz muçarela e *cheddar*. E ainda é proprietária de fazendas leiteiras na região, fornecedoras do laticínio. A PBBT é uma empresa produtora de doces, que fornece folhados, doces sírios, pastéis de Belém e outros doces para a rede.

Em 2001 tem início a estrutura de relacionamento com o cliente, com a criação da Vox Line, empresa de *contact center* com 600 posições de atendimento. Ela dá suporte ao Alô Tia Eda, canal de relacionamento com o cliente, criado no mesmo ano, pelo qual se podem fazer reclamações, sugestões e elogios. Em 2002 foi criado o projeto Delivery 28 minutos, que interliga todos os restaurantes, de Porto Alegre a Belém. De qualquer lugar do Brasil, o cliente faz o pedido, que é passado para a loja mais próxima; se a encomenda não chegar nesse prazo, ele não paga nada. A Vox Line também atende outras empresas, como a Telefônica, o Banco Panamericano e o Parque da Xuxa. Ainda compõem o grupo a PPM, agência de propaganda e marketing; a Vector 7, empresa de engenharia e projetos, que cuida da construção e projetos das lojas; a Franconsult, consultoria especializada em franquias; e a Planejj, consultoria imobiliária, que faz os estudos de localização das lojas.

Em 2004, Alberto Saraiva lança o livro *Os 10 mandamentos da lucratividade*, editado pela Campus, no qual conta suas experiências, e inicia um nova empresa, a Ragazzo, *fast-food* de comida italiana, com a primeira loja em São Caetano do Sul, na Grande São Paulo. A loja já tinha seis anos, mas Saraiva diz que esperava a hora de sentir que o Habib's já estava consolidado para entrar com nova bandeira no setor, aproveitando a infraestrutura verticalizada já existente.

Para o futuro, ele tem novos e grande planos. Em 2009, entrou no ramo de turismo, com a inauguração da agência Bib's Tur. O grupo comprou 50 por cento da Alles Blau Viagens e Turismo, fundada em 2001, em São Paulo, por Eunice Schleier, que já prestava serviços para o grupo e permanece como sócia. A empresa deverá ter como diferencial o preço e a qualidade de atendimento e atuará em diversos segmentos: lazer, corporativo, famílias, lua de mel, cruzeiros etc.; buscará clientes entre funcionários e frequentadores dos restaurantes. O objetivo é desenvolver o modelo de operação da empresa e partir para um projeto ainda mais ambicioso, o de lançar dezenas de lojas em todo o país, via redes de postos de combustíveis, que atuariam como âncoras de um complexo de pequenas unidades de seus vários negócios: restaurantes, sorveterias, panificadoras, doceiras e agências imobiliárias e de turismo. Os postos passariam a abastecer os veículos do grupo, operando com a bandeira do Habib's e de uma distribuidora. O objetivo é desenvolver formatos de lojas menores, para até 50 pessoas, em lugares onde a demanda não compensa a abertura das lojas maiores.

Outro projeto em desenvolvimento é o da universidade corporativa, montado como um investimento na carreira dos funcionários, que oferecerá cursos de técnicas de vendas e de liderança. Saraiva já pensa em voltar ao mercado externo, analisando a viabilidade de entrar no mercado chinês. Serão necessárias adaptações ao tempero local e a análise de como manter a política de verticalização, por meio de importações de carne ou investimentos pecuários locais.

Hoje o grupo fatura em torno de 1 bilhão de reais por ano, dos quais 23 por cento vêm da entrega em domicílio; tem 15 centrais de produção e mais de 350 lojas próprias ou franqueadas, metade no estado de São Paulo, onde mais de 18 mil funcionários vendem 630 milhões de esfihas a cerca de 200 milhões de clientes. É a segunda maior rede de *fast-food* no Brasil em faturamento e a terceira em número de lojas. O mix de produtos oferece mais de 50 opções, entre pratos árabes, como esfiha, quibe cru, tabule, homus, coalhada seca, charutos de repolho e uva e doces sírios, e fogaças, batata-frita, hambúrgueres, beirutes, pizzas, tortas, mousses e sorvetes.

Fluxograma, ferramenta simples para documentar processos de serviços

O fluxograma, técnica que demonstra a natureza e a sequência das etapas que envolvem a entrega de serviços aos clientes, oferece um meio fácil de compreender a totalidade da experiência de serviço do cliente. Ao elaborar o fluxograma da sequência de encontros que os clientes têm com uma organização de serviço, podemos obter valiosos *insights* sobre a natureza de um serviço. Ao reconhecer que uma proposição de valor pode envolver a totalidade ou parte do conjunto de benefícios que uma empresa oferece, profissionais de marketing necessitam criar uma oferta coerente em que cada elemento seja compatível com os demais e todos sejam mutuamente reforçadores.

Profissionais de marketing acham que criar um fluxograma para um serviço específico é útil para diferenciar as fases em que os clientes usam o serviço principal das que envolvem os elementos do serviço que o suplementam, como vimos no modelo da Flor de serviço no Capítulo 4. Por exemplo, para os restaurantes, a comida e a bebida são o produto principal, mas os serviços suplementares podem incluir reservas, estacionamento com manobrista, chapelaria, ser conduzido até uma mesa, fazer o pedido a partir de um cardápio, a conta, o pagamento e o uso de toaletes. Ao preparar fluxogramas para uma variedade de serviços, você logo notará que, embora os produtos principais possam diferir amplamente, os elementos suplementares comuns — das informações ao faturamento e das reservas e recebimento de pedidos até a solução de problemas — continuam recorrentes.

Fluxogramas vão ajudá-lo a compreender como o tipo do envolvimento dos clientes com a organização de serviço varia entre cada uma das quatro categorias de serviço apresentadas no Capítulo 1: processamento de pessoas, posses, estímulo mental e informações. Vamos tomar um exemplo de cada categoria — hospedar-se em um hotel de beira de estrada, consertar um tocador de DVD, obter uma previsão do tempo e adquirir um seguro-saúde. A Figura 8.2 exibe um fluxograma simples que demonstra as implicações de cada cenário. Imagine que você seja o cliente em cada instância e pense na extensão e na natureza de seu envolvimento no processo de entrega de serviço e os tipos de encontro com a organização que ocorrem.

Figura 8.2 Fluxogramas simples para entrega de vários tipos de serviço

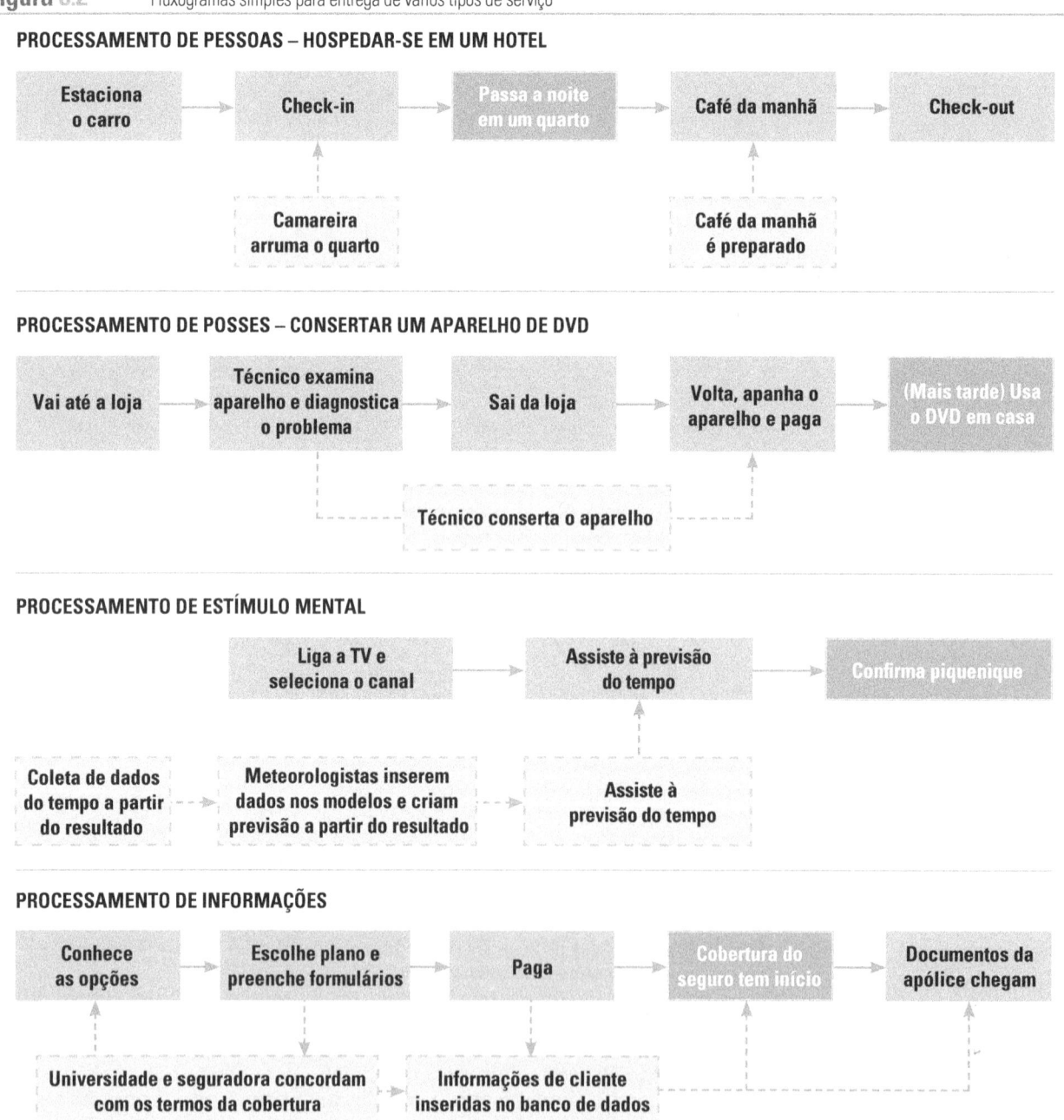

PROCESSAMENTO DE PESSOAS – HOSPEDAR-SE EM UM HOTEL

Estaciona o carro → Check-in → Passa a noite em um quarto → Café da manhã → Check-out

Camareira arruma o quarto (→ Check-in)
Café da manhã é preparado (→ Café da manhã)

PROCESSAMENTO DE POSSES – CONSERTAR UM APARELHO DE DVD

Vai até a loja → Técnico examina aparelho e diagnostica o problema → Sai da loja → Volta, apanha o aparelho e paga → (Mais tarde) Usa o DVD em casa

Técnico conserta o aparelho

PROCESSAMENTO DE ESTÍMULO MENTAL

Liga a TV e seleciona o canal → Assiste à previsão do tempo → Confirma piquenique

Coleta de dados do tempo a partir do resultado → Meteorologistas inserem dados nos modelos e criam previsão a partir do resultado → Assiste à previsão do tempo

PROCESSAMENTO DE INFORMAÇÕES

Conhece as opções → Escolhe plano e preenche formulários → Paga → Cobertura do seguro tem início → Documentos da apólice chegam

Universidade e seguradora concordam com os termos da cobertura → Informações de cliente inseridas no banco de dados

- *Hospedar-se em um hotel de beira de estrada (processamento de pessoas).* É tarde da noite. Você faz uma viagem longa de carro e começa a se sentir cansado. Ao avistar um hotel com placa de vaga disponível, decide que é hora de parar para dormir. Entretanto, ao olhar melhor, o prédio parece em ruínas, com ervas daninhas crescendo nas fendas do asfalto do estacionamento e a grama por aparar. Você muda de ideia e prossegue viagem até que logo encontra outro hotel que, além da placa de vaga disponível, exibe um preço que parece bastante razoável. Você estaciona o carro, nota que o chão está limpo e o prédio parece recém-pintado. Ao entrar na recepção, é saudado por um funcionário cordial, que faz seu check-in e entrega-lhe a chave do quarto. Você deixa o carro no espaço em frente à unidade que lhe foi designada e entra. Após usar o banheiro, vai para cama. Depois de uma boa noite de sono, levanta-se na manhã seguinte, toma um banho, veste-se e faz a mala. Então segue para a recepção, onde toma café e suco de laranja com pãezinhos; devolve a chave a outro funcionário, paga pelo quarto e segue viagem.

- *Consertar um aparelho de DVD (processamento de posses).* Quando você usa o aparelho de DVD, a qualidade da imagem na tela da TV é ruim. Irritado com a situação, folheia as *Páginas Amarelas* para encontrar uma assistência técnica em sua região. Na loja, um técnico de roupa impecável verifica o aparelho com cuidado e rapidez, e diz que ele necessita ser ajustado e limpo. Sua atitude profissional inspira confiança. O preço estimado parece realista, e você se sente mais seguro ao saber que o conserto tem garantia de três meses. Por isso, autoriza o serviço e é informado de que o aparelho ficará pronto em três dias. O técnico some com ele no fundo da oficina e você sai. No dia marcado, volta para apanhar o produto, o técnico explica o que foi feito e demonstra que a máquina está funcionando bem. Você paga o valor combinado e leva embora o aparelho. Em casa, assiste a um DVD e constata que a imagem melhorou muito.

- *Previsão do tempo (processamento de estímulo mental).* Você está planejando um piquenique à beira de um lago, mas um de seus amigos diz ter ouvido que vai esfriar muito no fim de semana. De volta para casa naquela noite, você verifica a previsão do tempo na TV. O meteorologista mostra gráficos animados da trajetória provável de uma frente fria nas próximas 72 horas e informa que as últimas projeções do Serviço Nacional de Meteorologia indicam que a frente fria estacionará bem mais ao norte da área em que você está. Com essa informação, você liga para seus amigos e confirma o piquenique.

Figura 8.3 A previsão do tempo é um serviço dirigido à mente das pessoas

- *Seguro-saúde (processamento de informações)*. O RH de sua empresa envia-lhe por correio um pacote de informações antes de você assinar o contrato de trabalho. O pacote inclui um folheto sobre o seguro-saúde, contendo várias opções de coberturas. Embora se considere bastante saudável, tirando um ou outro resfriado, você se lembra de um amigo que há pouco tempo teve altas despesas hospitalares para tratar uma fratura no tornozelo. Como ele não possuía um plano de saúde, precisou liquidar a poupança para pagar as contas. Você não quer pagar por mais cobertura do que necessita, por isso telefona e pede informações e orientação de um consultor. Ao assinar seu contrato de trabalho, opta apenas pela cobertura de tratamento hospitalar. Preenche um formulário impresso, que inclui algumas perguntas padronizadas sobre seu histórico médico, e depois o assina. Parte do custo do seguro será descontado de seu salário. Algumas semanas mais tarde, o RH lhe entrega o cartão de segurado. Agora você não precisa mais se preocupar com o risco de gastos médicos inesperados.

Insights a partir dos fluxogramas

Como você pôde verificar nos fluxogramas, seu papel como cliente de cada serviço varia bastante de uma categoria para outra. Os dois primeiros exemplos envolvem processos físicos e os dois últimos baseiam-se em informações. Nos dois hotéis, você prejulgou a qualidade do serviço com base na aparência física dos prédios e do terreno. No segundo hotel, alugou um quarto com banheiro e outras instalações para pernoite. O estacionamento também estava incluso. A gerência do estabelecimento agregou valor ao oferecer um café da manhã simples como parte do pacote.

Por outro lado, seu papel na oficina de conserto de aparelhos limitou-se a explicar sucintamente os problemas, deixar a máquina e voltar alguns dias depois para apanhá-la. Você teve de confiar na aparência de competência e honestidade do técnico em executar o serviço. Entretanto, a inclusão de uma garantia minimizava o risco. Você aproveitou os benefícios posteriormente, ao usar o aparelho consertado.

Os dois outros serviços envolvem ações tangíveis e um papel menos ativo para você como consumidor. A estação de TV a que você assiste concorre com outras (e também com estações de rádio, jornais e a Internet) por audiência, portanto deve zelar pela criação dos gráficos, pela personalidade e habilidade do meteorologista apresentador e pela reputação por precisão. Você não paga nada para saber a previsão, mas é provável que tenha de assistir a alguns comerciais antes, porque a receita publicitária é o modelo de negócio que financia as operações da emissora. A entrega da informação de que você necessita leva somente alguns minutos, e você pode usá-la imediatamente. Por outro lado, contratar um seguro-saúde exige mais tempo e esforço físico, porque você deve avaliar várias opções e preencher um formulário detalhado. A seguir terá de esperar a emissão da apólice e o início da cobertura. A escolha refletirá sua percepção da relação custo-benefício. A clareza com que esses benefícios são explicados pode influenciar sua decisão. Se a marca das empresas provedoras do seguro significarem algo para você, a reputação delas também poderá influenciá-lo.

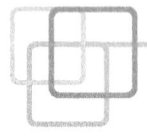

Desenhando *blueprints* de serviços para criar experiências de valor e operações produtivas

Uma ferramenta essencial para projetar novos serviços (ou redesenhar os existentes) é conhecida como *blueprint*. Trata-se de uma versão (bem) mais sofisticada do fluxograma. Em um contexto de serviço, esses termos distinguem-se como: o fluxograma descreve um processo existente, em geral, de uma forma bastante simples; um *blueprint* especifica em detalhes como um processo de serviço deve ser construído e inclui pormenores sobre o que é visível ao cliente, onde há potencial para pontos falhos e gargalos no processo e onde ocorrem interfaces entre os participantes.

Elaborar o projeto de um serviço não é tarefa fácil, em especial um serviço que deve ser entregue em tempo real com clientes presentes na fábrica de serviço. Para elaborar projetos satisfatórios para os clientes e também eficientes em termos operacionais, é preciso que profissionais de marketing e especialistas em operações trabalhem em conjunto, e um *blueprint* pode proporcionar uma perspectiva e uma linguagem comuns aos vários departamentos envolvidos.

Talvez você esteja curioso para saber de onde vem o termo *blueprint* e por que o usamos aqui. O projeto de um novo edifício ou de um navio costumava ser registrado em projetos de arquitetura denominados *blueprints*, em inglês. Tais reproduções assim eram chamadas porque costumavam ser impressas em papéis especiais, nos quais todos os desenhos e anotações apareciam em azul. A cópia do desenho resultava em linhas brancas sobre fundo azul. Esse tipo de impressão, conhecido como cianotipia, foi inventado pelo astrônomo e fotógrafo inglês Sir John William Hershel, em 1842. Uma folha de papel é coberta com uma substância à base de sais de ferro, sensível a raios ultravioleta, que quando exposta à luz forte se transforma na substância conhecida como azul de Prússia. Assim, as linhas de um desenho protegiam a cópia da luz e ficavam brancas, enquanto o fundo transparente, exposto à luz, ativava a substância e ficava azul. A cópia heliográfica, processo ainda mais antigo, criado em 1828, também usava sistema semelhante, à base de amônia.

O *blueprint* é uma representação esquemática detalhada de um processo, como o projeto de engenharia de um edifício representa de forma esquemática sua estrutura, instalações, fundações etc. Esses *blueprints* mostram qual deve ser o aspecto final do produto e detalham as especificações às quais ele deve obedecer.

Ao contrário da arquitetura física de um edifício ou equipamento, a estrutura de processos de serviço é, em grande parte, intangível, o que torna sua visualização mais difícil. Como Lynn Shostack demonstrou, o mesmo vale para processos como logística, engenharia industrial, teoria da decisão e análise de sistemas de computador, cada um dos quais usa técnicas semelhantes às de um *blueprint* para descrever processos que envolvem fluxos, sequências, relações e dependências.[2]

Desenvolvendo um *blueprint*

Como iniciar o desenvolvimento de um *blueprint* de serviço? Primeiro, é preciso identificar todas as atividades fundamentais envolvidas na criação e entrega do serviço; então, devem-se especificar as ligações entre essas atividades.[3] De início, é melhor manter as atividades relativamente agregadas para termos uma visão geral. Comece simples. Em seguida, qualquer atividade pode ser refinada, 'desmembrando-a' para obter um nível maior de detalhe. No contexto de uma companhia aérea, por exemplo, comece indicando o ato de o passageiro 'embarcar no avião' e depois passe a dividi-lo em etapas: esperar pela chamada das fileiras de poltronas, apresentar o cartão de embarque para verificação, encaminhar-se até o avião, entrar, apresentar o cartão de embarque ao comissário de bordo para verificação, achar a poltrona, guardar a bagagem de mão, sentar-se. Se possível, detalhe mais as etapas de maiores potenciais para problemas.

Uma característica fundamental da elaboração de um *blueprint* de serviço, em relação aos fluxogramas, é que ele distingue entre o que os clientes experimentam 'em cena' e as atividades de funcionários e processos de suporte 'de bastidores', onde não podem ser vistos. Entre as duas está a denominada *linha de visibilidade*. Empresas orientadas para operações às vezes se concentram tanto em gerenciar atividades de bastidores que deixam de considerar a visão do cliente sobre as atividades de cena, esquecendo que as duas áreas têm impactos diferentes e importantes sobre a experiência de serviço do cliente. Em escritórios de contabilidade, por exemplo, é comum haver procedimentos e padrões muito bem documentados sobre como conduzir uma auditoria adequadamente, mas talvez faltem padrões claros sobre quando e como marcar uma reunião com clientes ou como atendê-los ao telefone.

Blueprints de serviço esclarecem as interações entre clientes e funcionários e como estas são apoiadas por atividades adicionais e sistemas de bastidores. Por mostrarem as inter-relações entre papéis por funcionários, processos operacionais, tecnologia de informação e interações com clientes, os *blueprints* podem facilitar a integração de marketing, operações e gestão de recursos humanos em uma empresa. Embora não haja nenhum modo único e obrigatório para preparar um *blueprint* de serviço, recomenda-se uma abordagem consistente para toda a organização. Para ilustrar uma montagem de *blueprints*, adiante neste capítulo, adaptamos e simplificamos uma abordagem proposta por Jane Kingman-Brundage.[4]

Montar um *blueprint* também dá aos gerentes a oportunidade de identificar potenciais *pontos de falha* de processo, em que há risco significativo de as coisas darem errado, reduzindo a qualidade de serviço. Saber quais são esses pontos de falha permite tomar medidas preventivas ou preparar planos de contingência, ou ambos. Também podem ser identificados gargalos, ou pontos em que os clientes tenham de esperar. Munidos desse conhecimento, especialistas em marketing e operações podem desenvolver padrões para execução de cada atividade, inclusive tempo para conclusão da tarefa, tempo máximo de espera entre tarefas e roteiros (como vimos no Capítulo 2) para orientar interações entre profissionais da empresa e clientes.

Um *blueprint* complementa os roteiros de serviço, que fornecem uma descrição passo a passo do encontro de serviço das perspectivas das várias partes envolvidas. Um roteiro pode ajudar a identificar problemas potenciais ou existentes em um processo de serviço específico. Lembre-se da descrição que fizemos no Capítulo 2 de um serviço de limpeza de dentes e de um exame odontológico simples que envolvia três participantes — o paciente, a recepcionista e o dentista. Cada um deles pode ser convidado a revisar o roteiro e identificar etapas a menos ou a mais, sugerir alterações de sequência ou destacar como desdobramentos tanto em tecnologia da informação quanto em equipamento e tratamento dentário podem exigir modificações nos procedimentos. Examinando roteiros existentes, os gerentes de serviço podem descobrir formas de modificar o *blueprint* para melhorar a entrega de serviço, aumentar a produtividade e aprimorar a natureza da experiência do cliente.

Blueprint de serviço para a experiência em um restaurante: uma peça em três atos

Para ilustrar a elaboração de um *blueprint* para um serviço de alto contato de processamento de pessoas, examinaremos a experiência de um jantar para duas pessoas no Chez Jean, restaurante requintado que realça seu serviço principal de alimentação com vários serviços suplementares (Figura 8.4). Uma regra prática comum em restaurantes de serviços completos é que o custo da compra de ingredientes alimentícios representa cerca de 20 a 30 por cento do preço da refeição. O restante pode ser visto como as taxas que o cliente está disposto a pagar para 'alugar' uma mesa e cadeiras em um ambiente agradável, os serviços de especialistas no preparo de alimentos e seu equipamento de cozinha e o pessoal de serviço para atendê-lo dentro e fora do salão do restaurante.

Os principais componentes de um *blueprint* são, pela ordem:

1. definição de padrões para cada atividade de cena (somente alguns exemplos são especificados na Figura 8.4);
2. evidências físicas e outras evidências para atividades de cena (especificadas para todas as etapas);
3. principais ações do cliente (ilustradas por figuras);
4. linha de interação;
5. ações de cena por pessoal de contato com cliente;
6. linha de visibilidade;
7. ações de bastidores por pessoal de contato com cliente;
8. processos de suporte que envolvem outros profissionais de serviço;
9. processos de suporte que envolvem tecnologia da informação.

Da esquerda para a direita, o *blueprint* prescreve a sequência de ações ao longo do tempo. No Capítulo 2, equiparamos os desempenhos de serviço ao teatro. Para enfatizar o envolvimento de atores humanos em entrega de serviço, seguimos a prática de algumas organizações de serviços: utilizar figuras para ilustrar cada uma das 14 etapas principais que envolvem nossos dois clientes, começando pela reserva e encerrando com a saída do restaurante após a refeição. Assim como muitos serviços de alto contato que envolvem transações distintas — ao contrário da entrega contínua encontrada, por exemplo, em serviços públicos ou de seguros —, a 'peça teatral do restaurante' pode ser dividida em três 'atos', que representam atividades antes do encontro com o serviço principal, a entrega deste (nesse caso, a refeição) e as atividades subsequentes enquanto ainda envolvidas com o prestador do serviço.

O 'palco', ou *cenário de serviço*, inclui o exterior e o interior do restaurante. Ações de cena ocorrem em um ambiente muito visual; restaurantes costumam ser bem teatrais quando se trata da utilização que fazem de evidências físicas (como mobília e equipamentos, decoração, uniformes, iluminação e apresentação da mesa) e ainda podem usar fundo musical em seus esforços para criar um ambiente temático que combine com seu posicionamento de mercado.

Ato I: Prólogo e Cenas Introdutórias. Nessa peça, o Ato I começa com um cliente fazendo uma reserva por telefone. A ação pode ocorrer horas, ou até dias, antes da visita ao restaurante. Em termos teatrais, a conversa ao telefone poderia ser equiparada a uma novela pelo rádio, com impressões criadas pelo tom de voz do atendente, rapidez de resposta e estilo da conversação. Quando os clientes chegam ao restaurante, um manobrista estaciona seu carro e eles deixam casacos e paletós na chapelaria; depois, tomam um coquetel no bar enquanto esperam a mesa. O ato termina quando são acompanhados até a mesa e se sentam.

Essas cinco etapas constituem a experiência inicial dos clientes quanto ao desempenho do restaurante, cada qual envolvendo a interação com um funcionário — por telefone ou pessoalmente. Quando chegam à mesa no salão de jantar, já foram expostos a diversos serviços suplementares e também encontraram um elenco bastante grande de personagens, incluindo cinco ou mais profissionais de contato, bem como muitos outros clientes.

Podem-se estabelecer padrões para cada atividade de serviço, mas eles devem ser baseados em um bom entendimento das expectativas dos clientes (lembre-se de nossa discussão no Capítulo 4 sobre como as expectativas são formadas). Abaixo da linha de visibilidade, o *blueprint* identifica ações que devem ocorrer para garantir que cada etapa de cena seja desempenhada de modo a cumprir ou exceder as expectativas. Entre essas ações estão: registrar reservas; guardar os casacos dos clientes; preparar e servir refeições; manter instalações e equipamentos; treinar e designar pessoal para cada tarefa; e usar tecnologia de informação para acessar, registrar, armazenar e transferir dados relevantes.

Ato II: Entrega do Produto Principal. Quando se abre a cortina para o Ato II, os clientes estão enfim prestes a experimentar o serviço principal que os trouxe ao restaurante. Para simplificar, condensamos a refeição em apenas quatro cenas. Na prática, ler o cardápio e fazer o pedido são duas atividades separadas; enquanto isso, o serviço de mesa prossegue, prato a prato. Se você fosse gerente de um restaurante, precisaria entrar em mais detalhes para identificar todas as etapas do que é, muitas vezes, uma peça teatral de roteiro bem rigoroso. Admitindo-se que tudo corra bem, os dois clientes farão uma excelente refeição, muito bem servida em uma atmosfera agradável e talvez realçada por um ótimo vinho. Mas, se não conseguir satisfazer às expectativas desses clientes (e de todos os seus muitos outros) durante o Ato II, o restaurante terá sérios problemas. Há numerosos pontos potenciais de falha. As informações do cardápio são completas? São inteligíveis? Tudo o que consta no cardápio está disponível? Explicações e recomendações são dadas de modo gentil e sem arrogância para clientes com dúvidas sobre itens específicos do cardápio ou que não têm certeza de qual vinho pedir?

Após decidirem o que vão comer, os clientes fazem seus pedidos ao garçom, que então deve passar os detalhes para o pessoal da cozinha, do bar e da emissão da conta. Erros na transmissão de informações são causa frequente de falhas de qualidade em muitas organizações. Má caligrafia ou pedidos verbais pouco claros podem levar à entrega de itens totalmente errados ou de itens corretos, porém preparados incorretamente.

Nas cenas seguintes ao Ato II, os clientes podem avaliar não somente a qualidade da comida e da bebida — a dimensão mais importante de todas —, mas também com que rapidez ela é servida (não muito rapidamente, pois isso poderia sugerir alimentos congelados aquecidos em forno de micro-ondas) e o estilo de serviço. O desempenho tecnicamente correto do garçom ainda pode ser arruinado por falhas humanas, como comportamento desinteressado, frio e insinuante, ou modos excessivamente informais.

Ato III: A Peça Termina. A refeição pode ter terminado, mas ainda há muita coisa em cena e nos bastidores, à medida que a peça se aproxima do final. O serviço principal já foi entregue e admitiremos que os clientes estejam satisfeitos com a refeição. O Ato III deve ser curto. A ação em cada cena remanescente deve transcorrer suavemente, de modo rápido e agradável, sem surpresa chocante no final. Podemos aventar a hipótese de que, em um ambiente norte-americano, as expectativas da maioria dos clientes provavelmente incluirão que:

- uma fatura correta e inteligível seja apresentada tão logo solicitada pelo cliente;
- o pagamento seja tratado com cortesia e rapidez (aceitam-se todos os principais cartões de crédito);
- o garçom agradeça aos clientes pela preferência e convide-os a voltar;
- os toaletes sejam limpos e abastecidos com os suprimentos necessários;

- casacos deixados na chapelaria sejam devolvidos imediatamente e sem erro;
- os carros sejam trazidos rapidamente até a porta do restaurante, nas mesmas condições em que foram entregues: o manobrista agradece novamente aos clientes e deseja-lhes boa-noite.

Figura 8.4 *Blueprint* da experiência em um restaurante de serviço completo

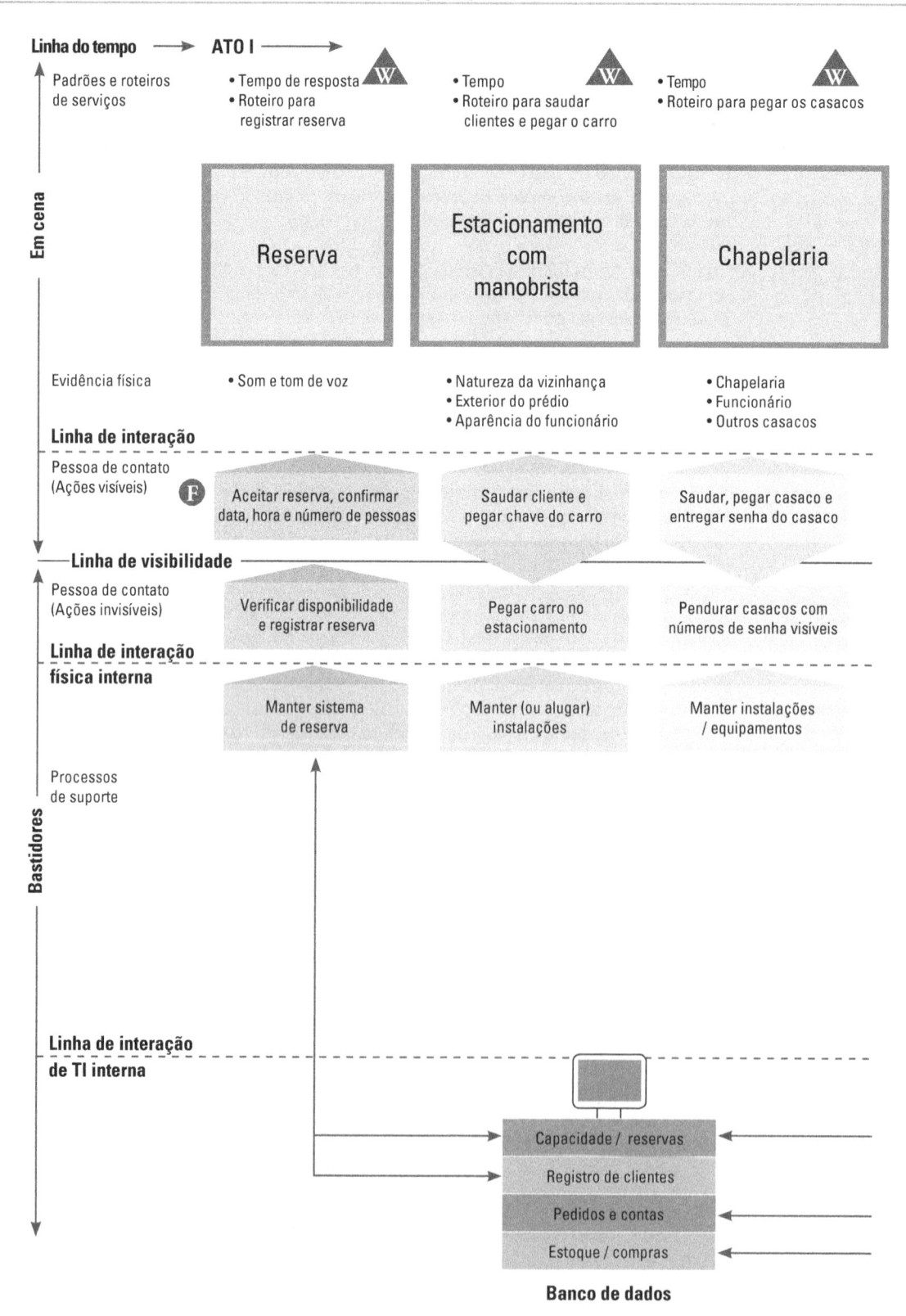

Linha do tempo → ATO I

Padrões e roteiros de serviços
- Tempo de resposta
- Roteiro para registrar reserva
- Tempo
- Roteiro para saudar clientes e pegar o carro
- Tempo
- Roteiro para pegar os casacos

Em cena: Reserva | Estacionamento com manobrista | Chapelaria

Evidência física
- Som e tom de voz
- Natureza da vizinhança
- Exterior do prédio
- Aparência do funcionário
- Chapelaria
- Funcionário
- Outros casacos

---- **Linha de interação** ----

Pessoa de contato (Ações visíveis)
- Aceitar reserva, confirmar data, hora e número de pessoas
- Saudar cliente e pegar chave do carro
- Saudar, pegar casaco e entregar senha do casaco

---- **Linha de visibilidade** ----

Pessoa de contato (Ações invisíveis)
- Verificar disponibilidade e registrar reserva
- Pegar carro no estacionamento
- Pendurar casacos com números de senha visíveis

---- **Linha de interação física interna** ----

- Manter sistema de reserva
- Manter (ou alugar) instalações
- Manter instalações / equipamentos

Processos de suporte

Bastidores

---- **Linha de interação de TI interna** ----

Banco de dados
- Capacidade / reservas
- Registro de clientes
- Pedidos e contas
- Estoque / compras

Figura 8.4 *Continuação*

ATO II →

- Tempo
- Exatidão do pedido
- Roteiro para servir bebidas

- Pontualidade vs. reserva
- Roteiro para acomodação à mesa

- Tempo
- Roteiro para saudar clientes e receber pedido

- Tempo
- Roteiro para servir vinho

Coquetéis | Lugar à mesa | Pedido de prato e vinho | Serviço de vinho

- Decoração do bar
- Mobília
- Arrumação da mesa
- Funcionários, outros clientes

- Decoração da sala de jantar
- Aparência / conduta da equipe
- Arrumação da mesa
- Outros clientes

- Qualidade do vinho

Saudar, receber pedidos e servir bebidas **(F)** | Acompanhar clientes até a mesa, ajudar a se sentarem e oferecer cardápios **(F)** | Saudar e receber pedidos **(F)** | Entregar vinho, abrir garrafa e servir

Passar pedido ao bar e apanhar as bebidas | Verificar reservas e retirar cardápios | Passar pedido à cozinha / adega | Retirar vinho

Preparo do coquetel | Preparar cópias de cardápios | Manter registros de pedido / conta | Manter adega

Manter suprimentos do bar | Manter plano de acomodação | | Armazenamento de vinho

Armazenamento de bebidas | | | Compra / entrega de vinho

Bebidas Compra / Entrega

LEGENDA

(F) Pontos de falha

(W) Risco de espera excessiva (tempos padrões devem especificar limites)

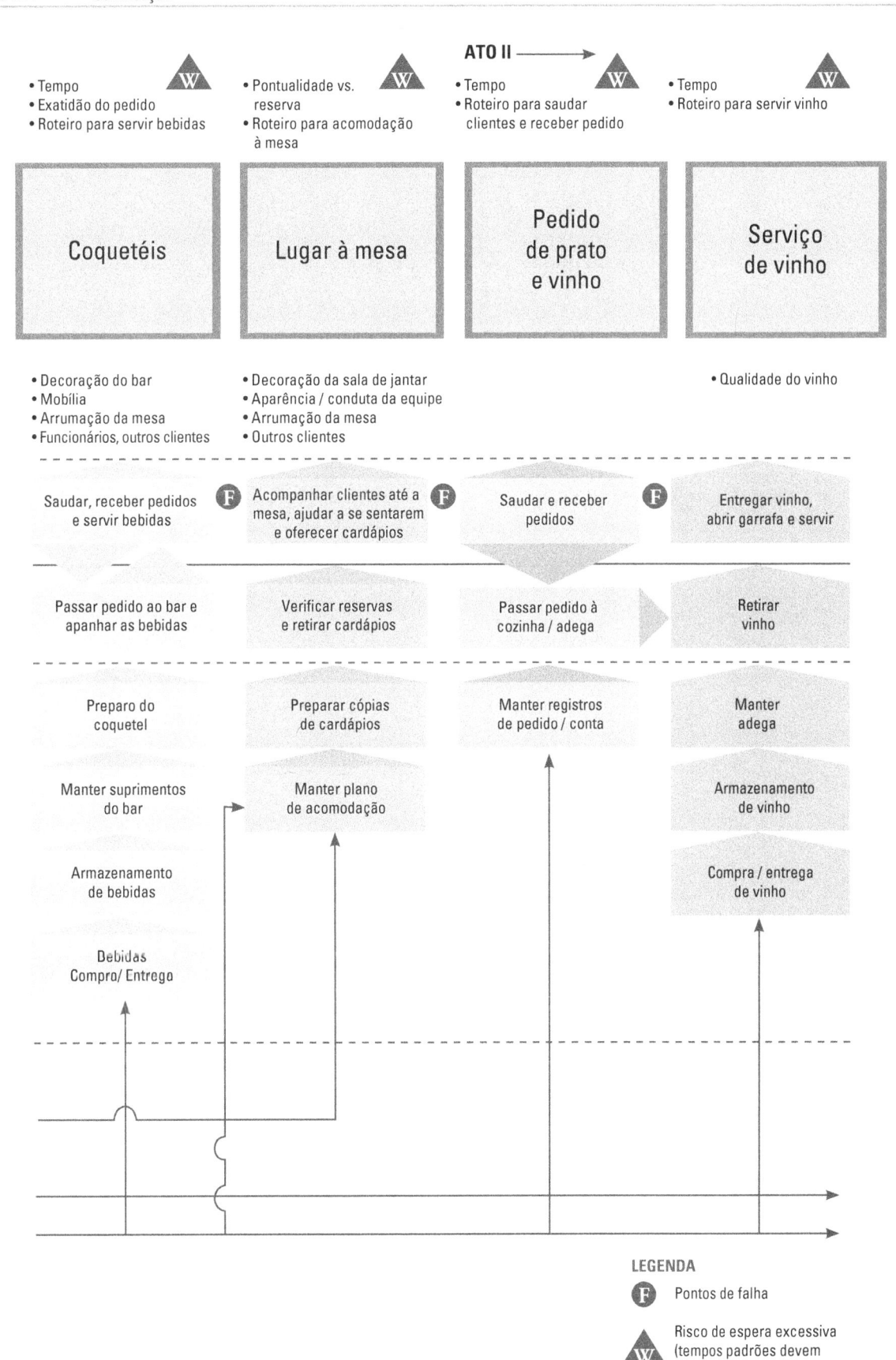

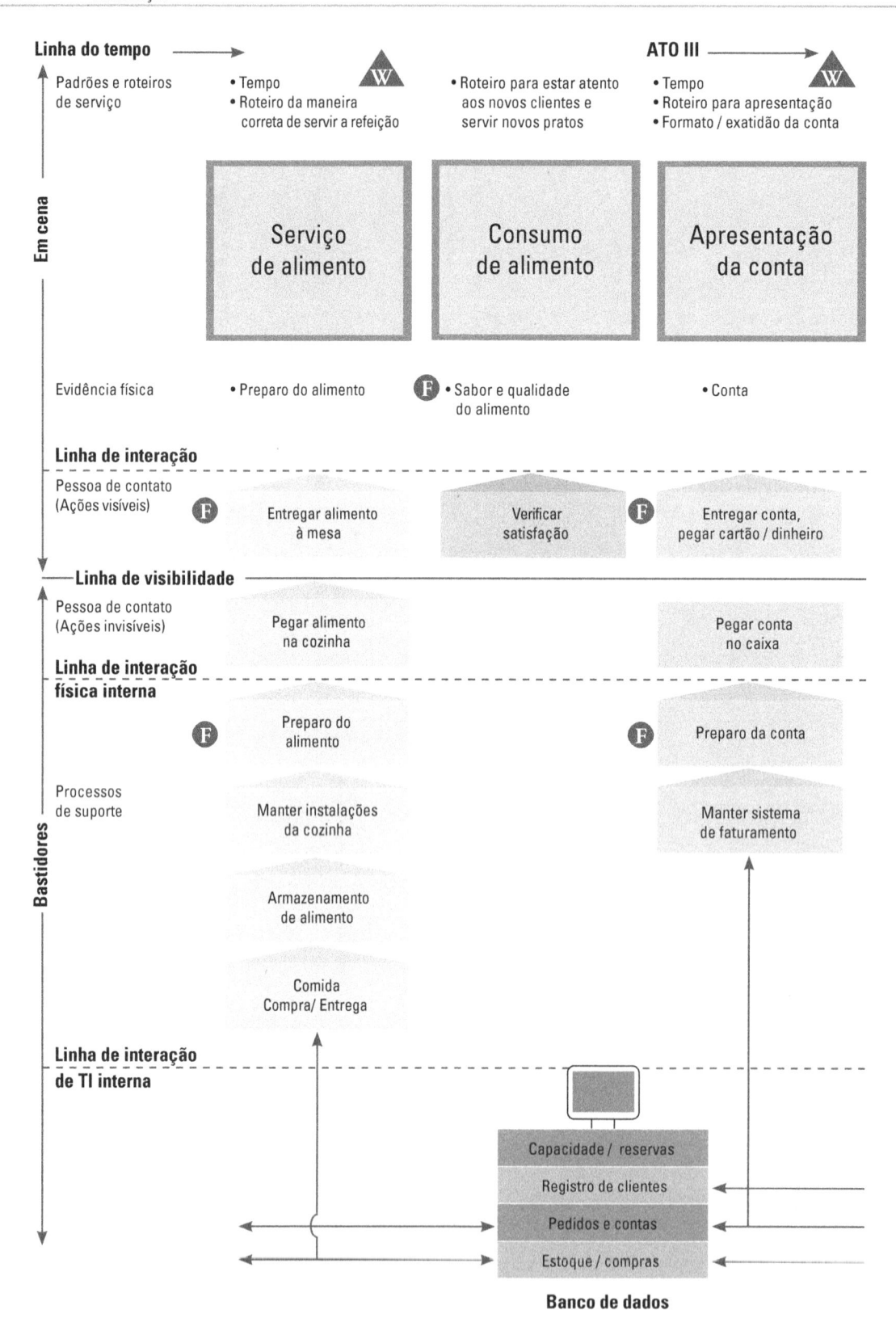

Figura 8.4 *Continuação*

Linha do tempo → **ATO III** →

Em cena

Padrões e roteiros de serviço:
- Tempo
- Roteiro da maneira correta de servir a refeição

- Roteiro para estar atento aos novos clientes e servir novos pratos

- Tempo
- Roteiro para apresentação
- Formato / exatidão da conta

Serviço de alimento | **Consumo de alimento** | **Apresentação da conta**

Evidência física:
- Preparo do alimento
- (F) Sabor e qualidade do alimento
- Conta

Linha de interação -

Pessoa de contato (Ações visíveis):
- (F) Entregar alimento à mesa
- Verificar satisfação
- (F) Entregar conta, pegar cartão / dinheiro

───── **Linha de visibilidade** ─────

Bastidores

Pessoa de contato (Ações invisíveis):
- Pegar alimento na cozinha
- Pegar conta no caixa

Linha de interação física interna -

- (F) Preparo do alimento
- (F) Preparo da conta

Processos de suporte:
- Manter instalações da cozinha
- Manter sistema de faturamento
- Armazenamento de alimento
- Comida Compra / Entrega

Linha de interação de TI interna -

Banco de dados
- Capacidade / reservas
- Registro de clientes
- Pedidos e contas
- Estoque / compras

Figura 8.4 *Continuação*

- Tempo
- Condições de pagamento
- Roteiro para aceitação

W

- Limpeza
- Suprimentos
- Frequência de inspeção

- Tempo
- Roteiro para entrega

W

- Tempo
- Roteiro para entrega de carro e despedida

W

| Pagamento da conta | Uso do toalete | Chapelaria | Retirada do carro, partida |

- Decoração do toalete e limpeza
- Chapelaria
- Funcionário
- Exterior do prédio (à noite)
- Funcionário

(F) Devolver cartão e recibo   **(F)** Pegar senha do casaco e devolver casaco   **(F)** Devolver carro e dar boa-noite ao cliente

Acertar com caixa | Pegar casaco | Pegar carro

Validar cartão de crédito | **(F)** Inspecionar com frequência | Manter casacos em segurança | Manter estacionamento em segurança

Manter sistema de segurança | Manter e limpar | Manter instalações | Manter estacionamento

Suprimentos de toalete

Suprimentos Compra / Entrega

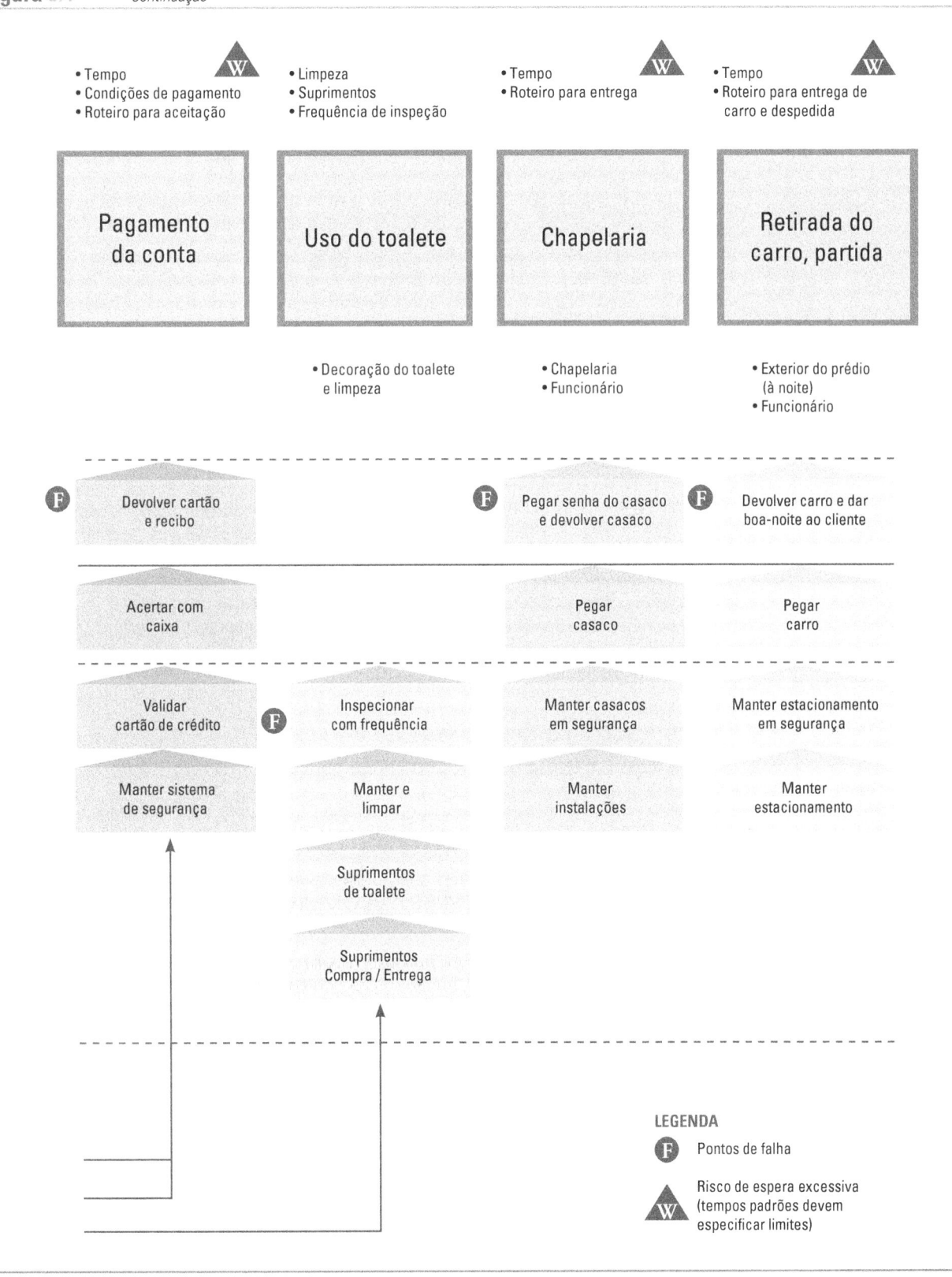

LEGENDA

(F) Pontos de falha

W Risco de espera excessiva (tempos padrões devem especificar limites)

Identificando os pontos de falha

Administrar um bom restaurante é algo complexo, e muita coisa pode dar errado. Um bom *blueprint* deve chamar a atenção para pontos na entrega de serviço em que há mais risco de erro. Da perspectiva do cliente, os pontos de falha mais sérios, marcados em nosso esquema por **F**, são os que impossibilitam acessar ou aproveitar o produto principal. Envolvem a reserva (o cliente conseguiu fazê-la por telefone? Havia uma mesa disponível no horário e data desejados? A reserva foi registrada com exatidão?) e a mesa (estava disponível como prometido?).

Como a entrega de serviço ocorre durante um período de tempo, também há a possibilidade de atrasos entre ações, que obrigam os clientes a esperar. As ocasiões em que essas esperas são mais comuns são identificadas por **W**. Os clientes se aborrecem com esperas excessivas. Na prática, cada etapa do processo — em cena e nos bastidores — tem algum potencial de falhas e atrasos. Falhas quase sempre resultam em atrasos, refletindo pedidos que não foram passados à cozinha ou tempo gasto na correção de erros.

Com que frequência as falhas interferem a ponto de arruinar a experiência do cliente e azedar seu humor? Pense em sua própria experiência. Você se lembra de alguma ocasião em que a experiência de uma boa refeição no Ato II foi completamente arruinada por uma ou mais falhas no Ato III? Nossas pesquisas informais com participantes de dezenas de programas executivos constataram que a fonte mais citada de insatisfação com restaurantes é a dificuldade de receber a conta rapidamente no horário do almoço, quando os clientes estão prontos para ir embora. Essa falha aparentemente insignificante, não relacionada com o produto principal, pode deixar um gosto amargo que contamina toda a experiência do almoço, mesmo que todo o resto corra bem. Quando clientes estão com pressa, fazê-los esperar sem necessidade em qualquer ponto do processo equivale a roubar seu tempo.

David Maister cunhou o termo OTSU (do inglês, *opportunity to screw up* — oportunidade de dar errado) para realçar a importância de pensar em tudo que poderia dar errado na entrega de determinado serviço.[5] Somente ao identificar todas as possíveis OTSUs ligadas a uma tarefa é que gerentes de serviço podem montar um sistema de entrega projetado explicitamente para evitar tais problemas.

Melhorando a confiabilidade de processos de serviço tornando-os à prova de falhas[6]

Uma vez identificados os pontos, é necessária uma análise cuidadosa das razões de falhas em processos de serviço. Com frequência a análise revela oportunidades para tornar certas atividades 'à prova de falha' de modo a reduzir ou até eliminar o risco de erros. O Panorama de serviços 8.2 descreve o método poka-yoke (à prova de leigos, em japonês), bastante usado para evitar falhas em processos de serviço.

Estabelecendo padrões e metas de serviço

Gerentes de serviço podem aprender a natureza das expectativas de clientes em cada etapa do processo por meio de pesquisas formais ou experiência no trabalho. Como explicamos no Capítulo 2, expectativas de clientes passam por um espectro — conhecido como zona de tolerância — que vai do serviço desejado (um ideal) até o patamar que representa um nível de serviço apenas adequado. Empresas de serviços devem determinar padrões altos o suficiente para cada etapa, de modo a satisfazer e mesmo encantar os clientes; se isso não for possível, será preciso modificar as expectativas destes. Tais padrões podem abranger parâmetros de tempo, o roteiro para um desempenho correto e prescrições de estilo e conduta apropriados.

Como se diz, 'o que não pode ser medido não é gerenciado', portanto, padrões devem ser estabelecidos de maneira a permitir mensuração objetiva. O desempenho do processo necessita ser monitorado em relação a padrões, e a adesão precisa ser determinada. O *blueprint* de serviço combinado com discussões com clientes e funcionários da linha de frente contribuem para estabelecer os atributos de qualidade de serviço relevantes aos clientes em cada ponto de contato. Esses aspectos que exigem a atenção da gerência (isto é, atributos mais importantes para os clientes e mais difíceis de gerenciar) devem constituir a base da definição de padrões.

Panorama de serviços 8.2

Poka-yokes — uma ferramenta eficaz para evitar pontos de falha em processos de serviço

Um dos métodos mais úteis da Gestão Total da Qualidade (TQM, do inglês, do *Total Qualidaty Management*) em manufatura é a aplicação de métodos de poka-yoke, ou de prevenção a falhas, para evitar erros. Richard Chase e Douglas Steward introduziram esse conceito em processos de serviço livres de falha.

Parte do desafio de implementar poka-yokes em um contexto de serviço é a necessidade de tratar não somente erros de prestadores de serviço, mas também os de clientes. Poka-yokes de prestadores de serviço garantem que os funcionários façam as coisas corretamente, conforme solicitado, na ordem certa e com a devida agilidade. Por exemplo, cirurgiões cujas bandejas possuem entalhes para cada instrumento. Em uma operação, todos os instrumentos são acondicionados na bandeja, de modo que ficará evidente se o cirurgião não remover todos os instrumentos do paciente antes de fechar a incisão.

Algumas empresas de serviço usam poka-yoke para garantir que certas etapas ou padrões na interação clientes-funcionários sejam seguidos. Um banco garante o contato visual ao exigir que os caixas registrem a cor dos olhos do cliente em *checklist* no início de uma transação. Algumas empresas instalam espelhos à saída das áreas de funcionários para estimular uma aparência bem cuidada; a equipe de linha de frente pode assim verificar sua aparência antes de cumprimentar um cliente. Em um restaurante, os garçons colocam descansos de copo redondos diante dos clientes que solicitaram café descafeinado e quadrados para os demais. Um pasteleiro coloca sinais diferentes nos pasteis de carne ou de queijo, para diferenciá-los.

Poka-yokes de clientes costumam enfocar em prepará-los para o encontro de serviço (incluindo fazê-los levar os materiais necessários e ser pontuais), compreender e prever seu papel na transação de serviço e selecionar o serviço ou a transação correta. Exemplos: inserir em convites o traje requerido; enviar e-mail ou telefonar lembrando de consultas odontológicas; e inserir orientações em cartões de clientes. Poka-yokes que tratam de erros de clientes durante o encontro incluem bipes em caixas eletrônicos, para que não se esqueçam de retirar seus cartões, e travas nas portas do lavatório em aviões, que precisam estar encaixadas para que as luzes se acendam. Os automóveis mais recentes possuem encaixes diferentes na entrada de combustível, para que não se coloque diesel em carro a gasolina, por exemplo. As bombas no posto têm bicos injetores com perfis e cores diferentes para cada tipo de combustível (Figura 8.5). Trabalhando com gasolina, álcool, diesel, gás, entre outros combustíveis, o posto pode ter muitos problemas se não adotar esses cuidados.

Elaborar poka-yokes é parte arte e parte ciência. A maioria dos procedimentos parece trivial, mas esta é na verdade uma vantagem primordial desse método. Pode ser usado para prevenir falhas frequentes nos processos de serviço e para garantir adesão a certos padrões ou etapas de serviço.

Fonte: Adaptado de Richard B. Chase e Douglas M. Stewart, "Make your service fail-safe", *Sloan Management Review*, primavera 1994, p. 35-44.

Figura 8.5 A prática do poka-yoke é observada nos postos de combustível

Importantes atributos de qualidade de serviço podem ser operacionalizados por meio de indicadores de qualidade e criar uma base de monitoramento do desempenho de processo. Por exemplo, o atributo 'responsividade' pode ser operacionalizado, com base em entrevistas com clientes, como 'tempo de processamento para aprovar um pedido de empréstimo'. Padrões de serviço serão então baseados em expectativas de clientes e moderados por diretrizes políticas sobre como atender a essas necessidades com eficiência de custo. Ou seja, os padrões sempre devem ser estabelecidos do ponto de vista do cliente e somente ajustados por questões de custos. Nos casos em que os padrões se desviam das necessidades de clientes, as expectativas devem ser administradas (por exemplo, os prazos de aprovação do pedido devem ser comunicados em folhetos e formulários de requisição). Por fim, metas de desempenho são definidas para o processo e/ou a equipe (por exemplo, 80 por cento de todas as requisições em 24 horas) pelas quais a equipe será responsabilizada. A Figura 8.6 mostra a relação entre indicadores, padrões e metas.[7]

A distinção entre padrões e metas de desempenho é importante devido a seu uso subsequente na avaliação do desempenho de funcionários, filiais e/ou equipes. Isso faz que tal definição seja algo altamente político. Ao separar padrões e metas, a empresa pode ser 'rígida' quanto a refletir as expectativas de clientes nos padrões de desempenho (isto é, certificar-se de que aquilo que os clientes esperam seja capturado nos padrões), mas 'realista' sobre o que as equipes podem realmente entregar. Na prática, a gerência pode manter-se firme no estabelecimento dos padrões certos (isto é, de acordo com necessidades e expectativas de clientes) e ser flexível na negociação de metas de desempenho que reflitam a realidade operacional (isto é, talvez não seja possível atingir continuamente os padrões).

Essa separação entre padrões e metas é importante por três motivos. Primeiro, os padrões corretos (isto é, orientados ao cliente) são internalizados pela organização. Segundo, quando bem implementada, donos de processo e gerentes de departamento ou filial podem elevar as metas de desempenho pouco a pouco para alinhá-las melhor às expectativas de clientes. Terceiro, facilita a aceitação dos padrões de serviços e o apoio a eles, ao prover liberdade de ação a gerentes e outros funcionários.

Empresas de serviço deveriam tentar prover alto desempenho de modo consistente em cada etapa. Entretanto, na realidade, muitos desempenhos de serviço são inconsistentes. Portanto, é importante começar e terminar com determinação. As cenas de abertura de uma peça teatral de serviço têm importância particular, pois as primeiras impressões dos clientes podem afetar suas avaliações da qualidade em estágios posteriores da entrega de serviço, e as percepções resultantes de suas experiências tendem a ser cumulativas.[8] Se algumas coisas correrem muito mal logo de saída, eles poderão ir embora. Ou então, mesmo que permaneçam, passarão a ficar atentos a outras coisas que não estão muito certas. Por outro lado, se as primeiras etapas correrem realmente bem, as zonas de tolerância poderão aumentar e eles ficarão mais dispostos a relevar pequenos erros posteriores. Pesquisa realizada pela rede Marriott Hotels indica que quatro dos cinco principais fatores para fidelizar o cliente entram em ação nos dez primeiros minutos da entrega de serviço.[9] E pesquisas sobre projetos de consultórios e procedimentos médicos sugerem que impressões iniciais

Figura 8.6 Estabelecendo padrões e metas para processos de serviço ao cliente

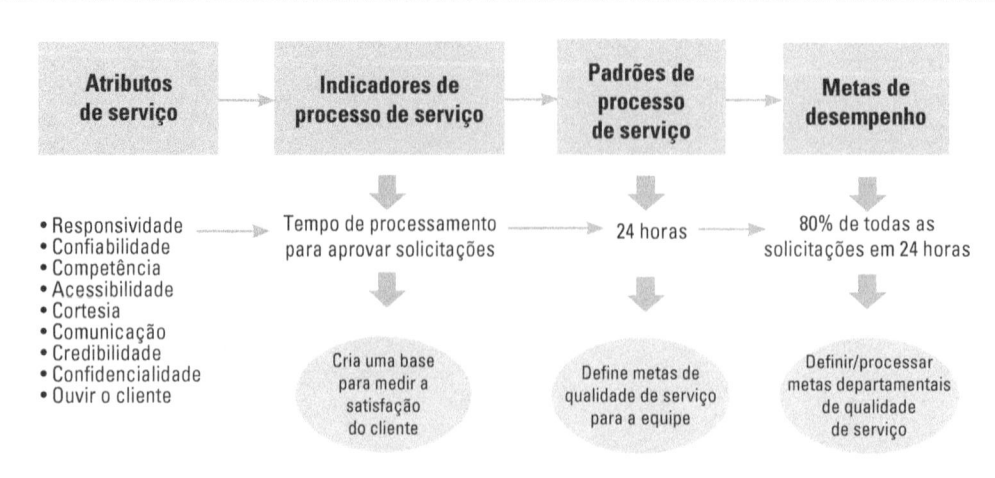

Atributos de serviço	Indicadores de processo de serviço	Padrões de processo de serviço	Metas de desempenho
• Responsividade • Confiabilidade • Competência • Acessibilidade • Cortesia • Comunicação • Credibilidade • Confidencialidade • Ouvir o cliente	Tempo de processamento para aprovar solicitações	24 horas	80% de todas as solicitações em 24 horas
	Cria uma base para medir a satisfação do cliente	Define metas de qualidade de serviço para a equipe	Definir/processar metas departamentais de qualidade de serviço

desfavoráveis podem levar pacientes a cancelar cirurgias ou mesmo mudar de médico.[10] Contudo, não se deve permitir que padrões de desempenho caiam à medida que o final da entrega de serviço se aproxima. Outras pesquisas indicaram a importância de um desfecho forte e sugerem que um encontro de serviço cujo início foi percebido como fraco, mas cuja qualidade melhorou em seguida, será mais bem classificado que um serviço que tenha começado bem, mas cuja qualidade foi decaindo até terminar mal.[11] A seção Novas ideias em pesquisa 8.1 proporciona mais pontos de reflexão.

Nosso exemplo do restaurante foi escolhido para ilustrar um serviço de alto contato de processamento de pessoas com o qual a maioria dos clientes esteja familiarizada. Mas muitos serviços de processamento de posses, como consertos ou manutenção, e de processamento de informações, como seguros ou contabilidade, envolvem muito menos contato, pois grande parte da ação acontece nos bastidores. Nesses casos, uma falha em cena provavelmente representa uma proporção mais alta dos encontros de serviço de um cliente com uma empresa e, portanto, pode ser considerada com seriedade ainda maior porque há menos oportunidades subsequentes para criar uma impressão favorável.

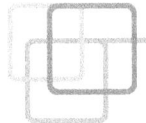

Redesenho do projeto do processo de serviço

A reelaboração de projetos de processos de serviço revitaliza processos que se desatualizaram. Isso nem sempre quer dizer que os processos foram mal projetados desde o início, mas mudanças tecnológicas, necessidades de clientes, adição de características de serviço e novas ofertas fizeram que os processos existentes já não servissem mais.[12] O doutor Mitchell T. Rabkin, ex-presidente do Beth Israel Hospital de Boston (agora Beth Israel — Deaconess Medical Center), caracterizou o problema como 'ferrugem institucional' e declarou: "Instituições são como vigas de aço — elas tendem a enferrujar. O que antes era brilhante e polido tende a ficar enferrujado".[13] Ele sugeriu que há duas razões principais para essa situação. A primeira envolve mudanças ambientais externas, que tornam as práticas existentes obsoletas e exigem revisão e reelaboração dos processos subjacentes — ou mesmo a criação de novos — para que a organização continue relevante e atuante. No setor de cuidados médicos, tais mudanças podem refletir novas formas de concorrência, legislação, tecnologia, políticas de seguro-saúde e necessidades de clientes.

Novas ideias em pesquisa 8.1

Aprendendo com estudos de encontros de serviço sequenciais

Um estudo em laboratório conduzido por Hansen e Danaher explorou como os entrevistados avaliaram encontros hipotéticos de serviço em três diferentes categorias — a locação de um carro por um fim de semana, um voo internacional e uma compra em uma loja. Para cada uma, foi apresentado um de três cenários aos participantes. No primeiro, os eventos iniciais do serviço foram bem executados, o serviço principal adequado e a etapa final mal-conduzida, criando uma tendência de deterioração. No segundo, a situação foi inversa, criando uma tendência de melhoria. No terceiro, um serviço consistentemente adequado foi entregue do início ao fim. As descobertas indicaram que o segundo cenário recebeu avaliações mais favoráveis do que outros. Uma conclusão extraída da pesquisa é a de que gerentes que não são capazes de levantar logo todos os elementos do encontro de serviço devem privilegiar o foco na melhoria dos eventos finais do processo.

Outro estudo de laboratório conduzido por Hamer, Liu e Sudharshan simulou uma visita a um restaurante. Os entrevistados foram expostos a dois cenários em que iam sair para jantar com um grupo de amigos e receberam informações de certas etapas fundamentais durante o consumo do serviço. As descobertas mostraram que os entrevistados continuamente aumentavam suas expectativas durante a entrega do serviço e que essas expectativas em evolução exerciam maior efeito sobre suas percepções de qualidade do que o desempenho percebido. Lembrando a discussão sobre satisfação no Capítulo 2, vimos que a satisfação sofre um processo contínuo de reavaliação. Se o serviço corre bem na primeira vez, as pessoas incorporam a informação e passam a esperar como mínimo o que receberam. Desse modo, as expectativas sobem para quem demonstra competência. Um *insight* gerencial essencial desse estudo é o de que é muito importante para gerentes moldar e controlar as expectativas dos clientes enquanto a entrega do serviço é processada.

Um estudo exploratório de encontros de serviço sequenciais em um cenário de mundo real foi realizado por Verhoef, Antonides e de Hoog. Eles examinaram as ligações de clientes à central de atendimento de um grande provedor de serviços financeiros. Os resultados sugeriram que a satisfação do cliente não era gerada somente pela qualidade média dos eventos que compunham o processo de serviço, mas poderia ser realçada por uma experiência culminante positiva em algum ponto do processo.

Fontes: David E. Hansen e Peter J. Danaher, "Inconsistent performance during the service encounter", *Journal of Service Research*, 1, fev. 1999, p. 227-235; Lawrence O. Hamer, Ben Shaw-Ching Liu e D. Sudharshan, "The effects of intraencounter changes in expectations on perceived service quality models", *Journal of Service Research*, 1, fev. 1999, p. 275-289; Peter C. Verhoef, Gerrit Antonides e Arnoud N. de Hoog, "Service encounters as a sequence of events: the importance of peak experiences", *Journal of Service Research*, 7, ago. 2004, p. 53-64.

A segunda razão para o enferrujamento institucional ocorre internamente e muitas vezes reflete uma deterioração natural de processos internos, burocracia lenta ou a evolução de padrões espúrios, não oficiais (veja o quadro Panorama de serviços 8.3). Sintomas como intensa troca de informações, redundância de dados e alta taxa de atividades de verificação ou controle para atividades de agregação de valor, aumento de processamento de exceções e números crescentes de reclamações de clientes sobre procedimentos inconvenientes e desnecessários indicam em geral que um processo não funciona bem e precisa ser redesenhado.

Panorama de serviços 8.3

Erradicação de padrões não oficiais em um hospital

Uma das características que diferenciaram o mandato de 30 anos de Mitchell T. Rabkin como presidente do Beth Israel Hospital de Boston foi sua política de visitas rotineiras a todas as áreas do hospital. Ele costumava fazer isso sem aviso e de modo discreto. Ninguém que trabalhava no hospital ficava surpreso ao vê-lo aparecer a qualquer hora do dia ou da noite. Sua curiosidade natural deu-lhe *insights* inigualáveis sobre a eficácia com que os procedimentos de serviço funcionavam e as maneiras sutis como as coisas saíam errado. Como revela a história a seguir, ele descobriu que é comum uma deterioração natural das mensagens ao longo do tempo.

Um dia, eu estava na UTI conversando com um funcionário da casa [médico] que tratava uma paciente com asma. Ele ministrava um medicamento por via intravenosa. Examinei a fórmula e perguntei: "Por que você está usando esse coquetel?" "Ah", ele respondeu, "é a política do hospital". Como eu tinha certeza de que tal política não existia, decidi investigar.

O que havia acontecido era mais ou menos o seguinte: Alguns meses antes, a Residente A disse ao Estagiário B, que a observava tratar um paciente: "É isso que uso para asma". Na mudança de turno do mês seguinte, o Estagiário B diz ao novo Residente C: "É isso que a Dra. A usa para asma". No mês seguinte, o Residente C disse ao Estagiário D, "É isso que uso para asma". E, por fim, mais um mês depois, o Estagiário D diz ao Residente E, "Faz parte da política do hospital usar este medicamento".

Como resultado de conversas como essas, padrões bem-intencionados, porém não oficiais, proliferam. É um problema em um local como esse, que não é onerado por um manual de política desumano que se deve consultar a todo momento. Preferimos confiar na inteligência e na capacidade de discernimento das pessoas e limitar as políticas escritas a questões mais genéricas. É preciso estar sempre ciente do crescimento da ferrugem institucional e ter clareza sobre o que está sendo feito e por quê."

Fonte: Christopher Lovelock. *Product plus*. Nova York: McGraw-Hill, 1994, p. 355.

Examinar *blueprints* de serviços existentes pode sugerir oportunidades de melhoria de produto passíveis de ser conseguidas pela reconfiguração de sistemas de entrega, adição ou extinção de elementos ou reposicionamento do serviço para atrair outros segmentos. Todo ano, a Avis estabelece um conjunto de fatores que as locadoras de automóveis mais valorizam. A empresa decompõe o processo de locação em mais de 100 etapas incrementais que incluem fazer reserva, encontrar o balcão de coleta, entrar no carro, dirigi-lo, devolvê--lo, pagar a conta e assim por diante.[14] Por conhecer as principais preocupações dos clientes, a Avis alega ser capaz de identificar com rapidez meios de melhorar sua satisfação. O que os viajantes mais desejam é pegar seu carro alugado sem demora e sair com ele; por isso, a empresa elaborou seus processos para atingir esse objetivo. "Estamos constantemente aparando pequenas arestas", diz Scott Deaver, vice-presidente executivo de marketing. É evidente que a Avis vem correspondendo ao slogan 'Nós tentamos com afinco', de mais de 40 anos. "Não é um slogan", afirma Deaver, "é nosso DNA."

O redesenho do processo de serviço deve melhorar tanto a qualidade quanto a produtividade

Gerentes encarregados de projetos de redesenho de processos de serviço devem buscar oportunidades de alcançar um avanço significativo tanto em produtividade quanto em qualidade de serviço. Reestruturar ou fazer a reengenharia do modo como tarefas são desempenhadas tem potencial significativo para aumentar a produção, em especial para muitos serviços de bastidores.[15] O objetivo mais comum de ações de redesenho de projetos é atingir as seguintes medidas fundamentais de desempenho:

1. redução do número de falhas de serviço;
2. redução do tempo de ciclo, desde o início de um processo de serviço pelo cliente até sua conclusão;
3. melhoria de produtividade;
4. mais satisfação do cliente.

O ideal é que esforços de redesenho de processos atinjam as quatro medidas simultaneamente.

O redesenho de processos de serviço abrange reconstituição, rearranjo ou substituição de processos de serviço. Esses esforços podem ser categorizados em vários tipos, entre eles:[16]

- **Eliminação de etapas que não agregam valor.** Muitas vezes, atividades de cena e de bastidores podem ser racionalizadas de modo a focalizar a parte do encontro de serviço que produz benefícios. Por exemplo, um cliente que quer alugar um carro não está interessado em preencher formulários ou processar pagamento e verificação do carro devolvido. O redesenho do serviço racionaliza essas tarefas e tenta eliminar etapas que não agregam valor. Atualmente, algumas locadoras oferecem a seus clientes a reserva de carro pela Internet e sua coleta em um estacionamento credenciado. A chave está no carro, e a única interação com um funcionário da locadora ocorre na saída, quando a carteira de habilitação do motorista é conferida e o contrato assinado (incluindo a confirmação pelo cliente quanto ao estado do carro). Para devolver o veículo, basta estacioná-lo em uma vaga designada no estacionamento da locadora e colocar a chave em um cofre; a conta será enviada por correio e o valor deduzido do cartão de crédito do cliente, que não precisa ter contato com nenhum funcionário de atendimento. Os resultados desses redesenhos de processo são aumento de produtividade e de satisfação do cliente.

- **Mudança para autosserviço.** Ganhos significativos de produtividade e às vezes mesmo de qualidade de serviço podem ser obtidos aumentando a participação do autosserviço. Por exemplo, a FedEx foi bem-sucedida ao passar mais de 50 por cento de suas transações de centrais de atendimento para seu site, reduzindo, desse modo, cerca de 20 mil funcionários nessas centrais. Deve-se, no entanto, tomar cuidado para que ganhos de produtividade não resultem em queda da qualidade.

- **Entrega de serviço direto.** Esse tipo de redesenho consiste em levar o serviço ao cliente em vez de trazer o cliente à empresa. Na maioria das vezes, isso é feito para melhorar a comodidade para o cliente, mas também poderá resultar em ganhos de produtividade, se as empresas conseguirem se livrar de locais cujo aluguel é alto.

- **Conjugação de serviços.** Conjugar serviços envolve agregar, ou agrupar, vários serviços em uma única oferta, focalizando um grupo de clientes bem definido. Serviços conjugados podem aumentar a produtividade; o pacote já é montado para determinado segmento, o que torna a transação mais rápida e costuma também reduzir os custos de marketing de cada serviço; ao mesmo tempo, agregam valor para o cliente por meio de custos de transação mais baixos e em geral se ajustam melhor às necessidades do segmento visado.

- **Redesenho dos aspectos físicos de processos de serviço.** O redesenho físico focaliza os elementos tangíveis de um processo e inclui equipamentos e mudanças nas instalações para melhorar a experiência de serviço. Isso resulta em conveniência e produtividade e muitas vezes aprimora a satisfação e a produtividade do pessoal da linha de frente.

A Tabela 8.1 resume os cinco tipos de redesenho de projeto, dá uma visão geral de seus benefícios potenciais para a empresa e seus clientes e destaca desafios ou limitações potenciais. Muitas vezes são utilizadas combinações de mais de um tipo de redesenho de projetos. Por exemplo, um fator crucial para o sucesso da Amazon.com é o apelo combinado de autosserviço, serviço direto e minimização de etapas que não agregam valor por meio da captura eficiente de preferências do consumidor, juntamente com dados de expedição e pagamento.

Tabela 8.1 Cinco tipos de redesenho de serviço

Abordagem e conceito	Benefícios potenciais para a empresa	Benefícios potenciais para o cliente	Desafios/limitações
Eliminação de etapas que não agregam valor (racionaliza processo)	> Melhora a eficiência. > Aumenta a produtividade. > Aumenta a capacidade de customizar serviço. > Diferencia a empresa.	> Melhora eficiência, velocidade. > Transfere tarefas do cliente para a empresa de serviços. > Separa ativação de serviço da entrega. > Customiza serviço.	> Requer mais educação do cliente e treinamento do funcionário para implementar com naturalidade e eficiência.
Autosserviço (cliente assume o papel de produtor)	> Reduz o custo. > Melhora a produtividade. > Realça a reputação tecnológica. > Diferencia a empresa.	> Aumenta a rapidez de serviço. > Melhora o acesso. > Poupa dinheiro. > Aumenta a percepção de controle.	> Requer preparação do cliente para o papel. > Limita a interação pessoal e oportunidades de desenvolver relacionamentos. > Cria dificuldade para obter retorno do cliente.
Serviço direto (serviço entregue no local do cliente).	> Elimina limitações de localização de loja. > Expande a base de clientes. > Diferencia a empresa.	> Aumenta a conveniência. > Melhora o acesso.	> Impõe cargas logísticas. > Pode exigir investimentos dispendiosos. > Requer credibilidade e confiança.
Serviço conjugado (combina vários serviços em um pacote)	> Diferencia a empresa. > Ajuda na retenção de clientes. > Melhora a utilização de serviço *per capita*.	> Aumenta a conveniência. > Customiza o serviço.	> Requer conhecimento extensivo de clientes visados. > Pode ser percebido como perdulário.
Serviço físico (manipulação de tangíveis associados com o serviço)	> Melhora a satisfação dos funcionários. > Aumenta a produtividade. > Diferencia a empresa.	> Aumenta a conveniência. > Realça a função. > Cultiva o interesse.	> Fácil de imitar. > Requer dispêndio para executar e manter. > Eleva expectativas de clientes para o setor.

Fonte: Adaptado de Leonard L. Berry e Sandra K. Lampo, "Teaching an old service new tricks: the promise of service redesign", *Journal of Service Research*, 2, n. 3, 2000, p. 265-275.

Outra dimensão refere-se a decisões sobre quem deve ser responsável pela entrega de cada elemento do *blueprint*. Cada vez mais, as empresas terceirizam atividades não principais, o que lhes permite focar nas de alto valor agregado no âmbito das competências essenciais.[17] A IBM emprega o termo *componentização* para descrever a desconstrução (ou desconjugação) das atividades de uma empresa e sua subsequente reconstrução em *redes de valor* (em oposição a uma cadeia de valor). O valor é criado por empresas e seus fornecedores, compradores e parceiros por meio da combinação e da intensificação dos serviços componentes fornecidos coletivamente pelos participantes.[18] "Empresas", argumenta Luba Cherbakov e suas colegas na IBM, "devem ver-se como uma federação de competências que colabora com outras empresas dentro de um ecossistema de negócios".[19] No entanto, as empresas devem ter cuidado em analisar se a função terceirizada não faz parte do negócio principal e é a maior fonte de vantagem competitiva. Nesses casos, pode ser melhor fazer essas atividades internamente e terceirizar as de apoio. Se o relacionamento é o grande diferencial, por exemplo, ela deve avaliar bem antes terceirizar seu telemarketing ou seu serviço de atendimento ao consumidor.

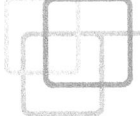

O cliente como coprodutor

Montar um *blueprint* ajuda a especificar o papel de clientes na entrega de serviço e a identificar a extensão do contato entre eles e os fornecedores. Também esclarece se o papel do cliente é o de um receptor passivo ou acarreta envolvimento ativo na criação e na produção do serviço.

Níveis de participação do cliente

A participação do cliente refere-se às ações e aos recursos fornecidos durante a produção e/ou entrega de serviço e inclui insumos mentais, físicos e até emocionais.[20] Certo grau de participação do cliente na entrega de serviço é inevitável em serviços de processamento de pessoas e em qualquer serviço que envolva contato em tempo real, principalmente no autosserviço. Em muitos casos, tanto a experiência como o resultado final refletem interações entre clientes e instalações, funcionários e sistemas. Contudo, conforme Mary Jo Bitner e colegas, a abrangência dessa participação varia muito e pode ser subdividida em três níveis amplos.[21]

Baixo nível de participação. Funcionários e sistemas fazem todo o trabalho. Produtos tendem a ser padronizados, e o pagamento pode ser o único insumo requerido do cliente. Se os clientes vão até a fábrica de serviço, somente sua presença física é requerida. Ir ao cinema ou tomar um ônibus são exemplos disso. Em serviços de processamento de posses, como limpeza ou manutenção rotineira, os clientes podem ficar isolados do processo, com exceção da permissão de acesso aos prestadores de serviço e do pagamento.

Ainda assim, a participação humana é importante, porque são poucos os momentos de contato e se algo sair errado pode afetar a satisfação com todo o serviço, incluindo o trabalho de bastidores.

Nível moderado de participação. Aqui, são requeridos insumos para ajudar a organização a criar e entregar o serviço e para fornecer certo grau de customização. Esses insumos podem incluir fornecimento de informações, esforço pessoal ou mesmo posses físicas. Ao lavar e cortar os cabelos, os clientes devem informar ao profissional o que querem e cooperar durante as etapas do processo. Se o cliente deseja que o contador prepare sua declaração de imposto de renda, em primeiro lugar, tem de reunir todas as informações e documentação física para o contador preparar a declaração corretamente e então estar preparado para responder a quaisquer perguntas que esse profissional tenha a fazer. Cresce a importância da comunicação educativa, para que a coprodução resulte em serviço satisfatório.

Alto nível de participação. Nesses casos, os clientes desenvolvem um trabalho ativo com o fornecedor para coproduzir o serviço, que não pode ser criado em separado da compra e da participação ativa do cliente. Na verdade, os clientes que não assumem esse papel e não executam certas tarefas obrigatórias de produção, e empresas que não preparam seus clientes para desempenhar esse papel, colocam em risco a qualidade do resultado do serviço. Aconselhamento matrimonial e alguns serviços de saúde encontram-se nessa categoria, em especial os relacionados com a melhoria da condição física, como reabilitação ou perda de peso, durante os quais os clientes trabalham sob supervisão profissional. A entrega bem-sucedida de muitos serviços B2B requer que clientes e fornecedores trabalhem juntos, como membros de uma equipe, como em serviços de consultoria de gestão e gerenciamento da cadeia de suprimento.

Reduzindo falhas de serviço causadas por clientes

Stephen Tax, Mark Colgate e David Bowen estimam que os clientes causam cerca de um terço de todos os problemas de serviço.[22] Recuperar-se de casos de falha de clientes, segundo eles, é difícil — no mínimo porque clientes e empresas podem ter diferentes pontos de vista sobre a causa do problema. Em vez disso, recomendam que as empresas concentrem-se na prevenção às falhas de clientes por meio da coleta de dados sobre ocorrência de problemas, na análise da raiz dos problemas e no estabelecimento de soluções preventivas (veja Novas ideias em pesquisa 8.2).

Clientes como funcionários de tempo parcial

Alguns pesquisadores recomendam que as empresas devem ver os clientes como 'funcionários de tempo parcial', que podem influenciar a produtividade e a qualidade de processos de serviços e seus resultados.[23] Essa perspectiva requer uma mudança no estado de espírito da gerência, como Benjamin Schneider e David Bowen esclarecem:

> Se você imaginar os clientes como funcionários de tempo parcial, começará a pensar de modo muito diferente sobre o que espera que eles tragam para o encontro de serviço. Agora, eles devem trazer não somente expectativas e necessidades, mas também competências relevantes de produção de serviços que os habilitarão a fazer o papel de funcionários de tempo parcial. E o desafio da gerência de serviços aumenta proporcionalmente.[24]

Novas ideias em pesquisa 8.2

Um método de três etapas para prevenir falhas de clientes

Métodos à prova de falhas (ou poka-yokes) devem ser designados não somente a funcionários, mas também a clientes, sobretudo em serviços nos quais estes últimos participam dos processos de criação e entrega. Um bom jeito é empregar a seguinte abordagem de três etapas para prevenir falhas geradas por clientes.

1. Coletar informações de modo sistemático sobre os pontos de falha mais comuns, a partir, por exemplo, de análise de *blueprints* e indicadores de desempenho e satisfação.
2. Identificar a raiz dos problemas. Deve-se observar que a explicação de um funcionário pode não ser a verdadeira causa. Em vez disso, a causa deve ser investigada do ponto de vista do cliente. Causas humanas de falha de clientes incluem falta de habilidades necessárias, incapacidade de entender seu papel e preparação insuficiente. É comum que deficiências em processos envolvam excessiva complexidade e falta de clareza. Outras causas incluem pontos fracos no projeto do cenário de serviço e tecnologias de autosserviço (por exemplo, máquinas e sites de difícil manuseio para o usuário).
3. Criar estratégias para evitar as falhas identificadas. Pode ser necessário conjugar as cinco estratégias listadas a seguir para se obter máxima eficiência.
   a. Redesenhar processos (tanto do papel dos clientes como de processos). Por exemplo, a identificação de clientes por cartões e senhas em caixas eletrônicos poderia ser substituída pela identificação biométrica e, dessa maneira, eliminar os problemas de perda de cartão e esquecimento da senha e aumentar a comodidade do cliente.

b. Usar tecnologia. Por exemplo, hospitais podem utilizar sistemas automatizados que enviam mensagens de texto ou e-mails a pacientes para confirmar e relembrar suas consultas e informá-los sobre como reagendá-las, se necessário.
c. Administrar o comportamento dos clientes (por exemplo, lembrá-lo do vencimento de um pagamento, recompensá-lo para evitar falhas).
d. Incentivar a 'cidadania do cliente' (por exemplo, os clientes cooperam entre si para evitar falhas, como em programas de perda de peso).
e. Melhorar o cenário do serviço. Muitas empresas esquecem-se de que os clientes necessitam de uma sinalização fácil de visualizar para ajudá-los a se locomover, sob pena de ficarem muito frustrados.

Contribuir com clientes para evitar falhas pode tornar-se fonte de vantagem competitiva, em especial quando as empresas utilizam-se cada vez mais de tecnologias de autosserviço.

Fonte: Stephen S. Tax, Mark Colgate e David E. Bowen, "How to prevent customers from failing", *MIT Sloan Management Review*, 47, primavera de 2006, p. 30-38.

Gerenciar eficazmente os clientes como funcionários de tempo parcial constitui um meio de aumentar o desempenho deles nos processos de serviço e reduzir as falhas de serviço induzidas por eles. Essa tarefa requer usar a mesma estratégia de recursos humanos adotada para gerenciar funcionários assalariados de uma empresa, como veremos em maiores detalhes no Capítulo 11, sobre gestão de pessoas, e deve seguir seis etapas.

1. A gestão eficaz de recursos humanos começa com *recrutamento e seleção*. A mesma abordagem deve aplicar-se a 'funcionários de tempo parcial'. Portanto, se a coprodução exige habilidades específicas, as empresas devem direcionar suas ações de marketing para recrutar novos clientes que tenham a competência de executar as tarefas necessárias.[25] Muitas universidades (norte-americanas) fazem exatamente isso em seu processo de seleção de alunos!

2. Realize uma *'análise de função'* dos papéis vigentes dos clientes na empresa e compare-os com os papéis que a empresa gostaria que eles desempenhassem. Determine se os clientes estão cientes de como se espera que eles desempenhem e se possuem as habilidades necessárias para o desempenho exigido.

3. *Educação e treinamento*, sobretudo se a análise de função identificou desalinhamento das percepções do papel dos clientes. Quanto mais trabalho for esperado que eles executem, maior será sua necessidade de informações sobre como agir. A educação pode ser oferecida de muitas formas diferentes. Com frequência, o anúncio de novos serviços contém significativo conteúdo educacional, para que o cliente chegue preparado para desempenhar seu novo papel, enquanto folhetos e instruções são duas das abordagens mais usadas. Máquinas automatizadas costumam conter instruções operacionais simples (Figura 8.7). Muitos sites incluem uma seção FAQ (do inglês, *frequently asked questions*). O site do eBay fornece instruções detalhadas de iniciação, incluindo como submeter um item para leilão e como dar lances por itens que se queira comprar. O Buscapé tem atendentes ao vivo via chat, no horário comercial, para tirar dúvidas dos usuários.
Benjamin Schneider e David Bowen recomendam que se forneça uma prévia realista do serviço antes de entregá-lo, para que os clientes tenham uma visão clara do papel esperado deles.[26] Uma empresa pode exibir um vídeo de apresentação — como os metidos a turistas antes de excursões de aventura, para ajudá-los a compreender o que estão prestes a vivenciar e como devem cooperar para que as coisas transcorram sem problemas e com segurança.
Muitas vezes, clientes procuram funcionários para obter recomendações ou ajuda e frustram-se quando não conseguem. Prestadores de serviço devem ser treinados para 'educar' os clientes a fazer sua parte na entrega de serviço. Como último recurso, as pessoas podem recorrer a outros clientes em busca de ajuda, a 'cidada-

Figura 8.7 ATMs devem oferecer instruções simples que facilitem o autosserviço

nia do cliente'. Pense em suas experiências em cenários desconhecidos, quando ficou grato por uma recomendação ou ajuda cordial de outro cliente. E provavelmente você também ofereceu ajuda a alguém em dificuldade em um cenário de serviço com o qual você já estava familiarizado.

4. *Motive* clientes assegurando que sejam recompensados por um bom desempenho (por exemplo, satisfação por melhor qualidade e resultado mais customizado, alegria de participar do *processo* real, a crença de que sua própria produtividade acelera o *processo* e mantém os custos baixos).[27]

5. *Elogie* periodicamente o desempenho. Se for insatisfatório, aprimore a educação e o treinamento, e procure mudar seus papéis e os procedimentos nos quais estão envolvidos.

6. Quando um relacionamento não funciona bem, *terminá-lo* é um recurso de última instância. Médicos têm o dever legal e ético de ajudar seus pacientes, mas o relacionamento só será bem-sucedido se for mutuamente cooperativo. Mais cedo ou mais tarde, a maioria dos médicos encontra um paciente tão abusivo, indisciplinado, desonesto ou problemático que só lhe resta pedir que busque cuidado médico em outro lugar.[28] É evidente que 'terminar' com clientes é algo que deve ser feito elegantemente (veja a seção sobre 'clientes inconvenientes' no Capítulo 13). Ter de terminar relacionamentos com clientes pode indicar problemas no processo de recrutamento que merecem ser verificados.

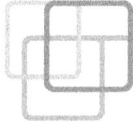

Tecnologias de autosserviço

A forma mais recente de envolvimento em produção de serviço é os clientes executarem uma atividade específica por conta própria, usando instalações ou sistemas fornecidos pelo provedor do serviço. Na verdade, o tempo e o esforço do cliente substituem os de um profissional de serviço. No caso de serviços por telefone ou Internet, os clientes fornecem até mesmo seus próprios terminais. Hoje, a maioria usa computadores, impressoras e banda larga para trabalhar para os bancos, em operações que antes eram feitas pelos funcionários. Muitas pessoas preferem fazer elas mesmas esses trabalhos a ter de se deslocar até uma agência e esperar na fila.

Os consumidores hoje enfrentam um conjunto de tecnologias de autosserviço (SSTs, do inglês, *self-service technologies*) que lhes permitem produzir um serviço mesmo sem o envolvimento direto de um profissional de serviço.[29] Entre as SSTs estão terminais bancários automatizados e bombas de gasolina de autosserviço, sistemas automatizados por telefone, check-out automatizado em hotéis, ATMs, *vending machines* e numerosos serviços pela Internet.

Serviços de informação prestam-se muito bem à utilização de SSTs e incluem não apenas serviços suplementares, como obter informações, fazer pedidos e reservas e realizar pagamentos, mas também entrega do serviço principal. Até o processo de consultas e vendas foi convertido em autosserviço com o uso de agentes de recomendação eletrônica,[30] e pesquisas acadêmicas recentes sugerem meios de torná-los mais eficazes (veja a secção Novas ideias em pesquisa 8.3). Muitas empresas desenvolveram estratégias projetadas para incentivar os clientes a realizar autosserviço pela Internet. Elas esperam desviá-los da utilização de alternativas mais dispendiosas, como contato direto com funcionários, utilização de intermediários ou telefonemas pessoais.

Entretanto, nem todos os clientes tiram proveito das SSTs. Matthew Meuter e seus colegas observam: "Para muitas empresas, geralmente o desafio não é gerenciar a tecnologia, mas fazer com que os consumidores testem a tecnologia".[31]

Fatores psicológicos do autosserviço do cliente

A lógica do autosserviço baseia-se em princípios racionais econômicos, enfatizando os ganhos de produtividade e economias de custo, resultantes quando os clientes assumem o trabalho antes executado por funcionários. Em muitos casos, uma parte das economias é compartilhada com os clientes sob a forma de preços mais baixos e estímulo para que eles mudem seu comportamento.

Novas ideias em pesquisa 8.3

Aumentando a eficiência dos agentes de recomendação eletrônica

É comum que consumidores se vejam diante de um leque confuso de opções, ao comprar bens e serviços de vendas on-line. Uma forma com que os 'varejistas eletrônicos' tentam ajudar consumidores é oferecer agentes de recomendação eletrônica como parte do serviço. Esses agentes são 'vendedores virtuais' de baixo custo, que auxiliam os clientes a escolher entre muitas ofertas concorrentes, ao gerar listas de opções classificadas por ordem de preferência dos consumidores. Entretanto, uma pesquisa de Lerzan Aksoy para sua tese de doutorado demonstrou que muitos agentes de recomendação classificam as opções de maneiras diferentes daquelas dos clientes a quem devem ajudar. Primeiro, pesam os atributos do produto de modo diferente; segundo, podem usar estratégias de tomada de decisão alternativas dissociadas das regras heurísticas simples adotadas pelos clientes.

A pesquisa simulou a seleção de um telefone celular entre 32 alternativas em um site, cada qual com características específicas em relação a preço, peso, tempo de conversação e tempo de duração da bateria. Os resultados revelaram ser útil aos consumidores um agente de recomendação que pensa como eles, seja em termos de pesos de atributo, seja em estratégias de decisão. Quando a forma é completamente diferente, os consumidores podem não se dar melhor — ou até se sair pior — do que se usassem uma lista de opções em ordem randômica. Embora os sujeitos da pesquisa tendessem a aceitar as recomendações dos agentes, os que sentiam haver uma estratégia de decisão diferente e pesos de atributos diferentes de seus próprios tendiam a não retornar ao site, não recomendá-lo a amigos ou não acreditar que tivesse atendido bem a suas expectativas.

Em suma, para fazer agentes de recomendação agregarem valor ao cliente e aumentarem as vendas e as recompras, as empresas necessitam compreender as estratégias de tomada de decisão de seus clientes, seus atributos e a forma como alocam pesos a eles (reveja o Capítulo 2 sobre tomada de decisão de consumo e o Capítulo 3 sobre atributos determinantes).

Fonte: Lerzan Aksoy, Paul N. Bloom, Nicholas H. Lurie e Bruce Cooil, "Should recommendation agents think like people?", *Journal of Service Research*, 8, maio 2006; p. 297-315. Copyright © 2006. Sage Publications, Inc. Usado com permissão.

Dado o significativo investimento de tempo e dinheiro das empresas para projetar, implementar e gerenciar SSTs, é de extrema importância para profissionais de marketing de serviços entender como os consumidores decidem entre usar uma opção de SST e recorrer a um provedor humano. É preciso reconhecer que as SSTs apresentam vantagens e desvantagens. Além de aproveitarem os benefícios de economias de tempo e custo, flexibilidade, conveniência de localização, maior controle sobre entrega de serviço e um nível mais alto de customização percebida, os clientes também podem ter diversão, alegria e até deleite espontâneo da utilização de SST.[32] Entretanto, há evidências de que alguns consumidores não se sentem à vontade com sua utilização e veem a introdução de SSTs em encontros de serviço com certo receio, gerador de ansiedade e estresse.[33]

Uma pesquisa realizada por James Curran, Matthew Meuter e Carol Surprenant constatou que várias atitudes podem orientar as intenções de um cliente em utilizar uma SST, entre elas atitudes globais quanto a tecnologias de serviço relacionadas, atitudes globais em relação a uma empresa de serviços e atitudes em relação a seus funcionários.[34] Além disso, alguns consumidores veem encontros de serviço como experiências sociais e preferem tratar com pessoas.

Quais aspectos das SSTs agradam ou irritam os clientes?

Pesquisas sugerem que os clientes amam e, ao mesmo tempo, odeiam SSTs.[35] Eles as amam quando elas os livram de situações difíceis, na maioria das vezes porque máquinas de SST estão instaladas em locais convenientes e são acessíveis 24 horas por dia, todos os dias da semana. E, é claro, há sempre um site disponível no computador mais próximo, o que torna essa opção muito mais acessível do que os locais físicos da empresa. Também amam as SSTs quando elas funcionam melhor do que a alternativa de atendimento por um funcionário de serviço, habilitando-os a obter informações mais detalhadas e concluir transações com mais rapidez do que por contato pessoal ou telefônico. Viajantes experientes recorrem às SSTs para poupar tempo e esforço em aeroportos, locadoras de automóveis e hotéis. Um artigo do *The Wall Street Journal* resumiu a tendência: "Have a pleasant trip: eliminate human contact" (Faça uma boa viagem: elimine o contato humano).[36] O sucesso da interação com clientes depende da compreensão do que o público-alvo deseja. Às vezes uma SST bem projetada pode entregar um serviço melhor do que um ser humano. Como disse um cliente sobre comprar itens de loja de conveniência em um novo modelo de máquina de venda automatizada, "Um sujeito na loja pode cometer um erro ou complicar as coisas, mas não uma máquina. Eu definitivamente prefiro a máquina".[37] Em suma, muitos clientes ainda estão assombrados com a tecnologia e com o que ela pode fazer por eles — quando funciona bem e, sobretudo, quando têm de usá-las com assiduidade.

Contudo, odeiam as SSTs quando elas falham. Usuários ficam zangados com máquinas inoperantes, PINs (em inglês, *personal identification numbers* — números de identificação pessoal) não aceitos, sites fora do ar ou protocolos de consulta que não funcionam. Mesmo quando as SSTs funcionam, os clientes ficam frustrados com tecnologias mal--elaboradas que dificultam o entendimento e a utilização de processos de serviço. Uma reclamação comum sobre sites é seu sistema de navegação mal-elaborado e formulários que insistem em rejeitar dados. Os usuários também se frustram quando se atrapalham por esquecerem senhas, não darem informações conforme requisitado, ou mesmo apertarem os botões errados. Uma implicação lógica é que os clientes podem ser a causa de sua própria insatisfação. Contudo, mesmo quando a falta é deles, ainda podem transferir parte dela para o provedor do serviço (por não ter providenciado um sistema mais simples e mais acessível), e então voltar ao tradicional sistema de contato humano na próxima ocasião.[38]

Projetar um site à prova de falhas não é tarefa fácil e pode ser muito dispendiosa, mas é graças a tais investimentos que as empresas criam usuários fiéis e boca a boca positivo. A seção Exemplo prático 8.1 descreve a importância que a empresa TLContact.com dá à tecnologia fácil de utilizar do serviço CarePages.

Um problema crucial com as SSTs é que apenas poucas delas incorporam sistemas de recuperação de serviço. Em muitos casos, quando o processo falha, não há nenhum modo simples para recuperá-lo de imediato. O procedimento mais comum é o cliente ter de telefonar ou fazer uma visita pessoal para resolver o problema, o que pode ser exatamente o que

Exemplo prático 8.1

TLContact cria uma excepcional experiência de usuário com seu serviço CarePages

Quando o bebê de cinco dias de sua irmã Sharon foi operado no University of Michigan Medical Center, no início de 1998, para corrigir um problema no coração, Mark Day estava a milhares de quilômetros de distância em Stanford, estudando para o doutorado em engenharia. Sentindo-se isolado e querendo fazer algo útil, Mark recorreu à Internet para obter informações médicas — naquela época, a Internet estava apenas começando a se desenvolver. Em algumas semanas, ele tinha criado um site simples, que sua família e amigos podiam acessar. Ele editava as informações reunidas e as colocava no site, com boletins sobre a condição do bebê e sobre como reagia ao tratamento. "Era um site muito simples", Mark declarou mais tarde. "Se eu tivesse pago a alguém para fazê-lo por mim, provavelmente não teria custado mais do que umas poucas centenas de dólares." Para minimizar a necessidade de e-mail, Mark adicionou um painel de notícias para que as pessoas enviassem mensagens a Sharon e a seu marido, Eric.

Para a surpresa de todos, o site revelou-se excepcionalmente popular. Notícias se espalhavam por meio do boca a boca e o site registrava mais visitantes a cada dia, e mais de 200 pessoas deixavam mensagens para a família. Pessoas que confessaram jamais ter utilizado a Internet antes descobriram um modo de acessar o site, acompanhar o progresso de Matthew e enviar mensagens.

Dois anos e três operações mais tarde, Matthew era um garotinho feliz e saudável. Seus pais decidiram criar a TLContact.com para comercializar o conceito criado por Mark como um serviço para pacientes e suas famílias e convidaram Mark para ser diretor de tecnologia da empresa. Para garantir controle de qualidade e reter capital intelectual, Mark decidiu desenvolver os sistemas de software na própria empresa, em vez de subcontratar fornecedores externos. Ele contratou uma equipe técnica experiente, incluindo programadores e artistas gráficos.

Reconhecendo que sites de pacientes da TLC, conhecidos como CarePages, seriam acessados por grande número de pessoas, muitas das quais sob estresse e mesmo em sua primeira experiência na Internet, Mark e sua equipe priorizaram a facilidade de utilização. Ele comentou: "É muito difícil criar um software realmente fácil de utilizar. É preciso uma grande habilidade, esforço e tempo para desenvolver algo usável, funcional e cuja escala possa ser ampliada — isto é, que possa ser expandida e ampliada sem falhar". Muitas empresas de serviço preferem, para atender à complexidade de suas necessidades, desenvolver internamente seu software. Comprar um software 'de prateleira' pode deixar parte de seu serviço parecido com tantos outros. O custo total para criar e fazer funcionar o site inicial ficou próximo de meio milhão de dólares.

À medida que a empresa crescia, foram feitos investimentos contínuos para expandir a funcionalidade do serviço para pacientes, visitantes e hospitais patrocinadores, a fim de eliminar quaisquer problemas informado pelos usuários e aprimorar ainda mais a característica de fácil utilização. Entre as melhorias figuravam uma opção para retorno do usuário, a adição de uma ferramenta de avisos por e-mail para anunciar notícias atualizadas em uma CarePage e a capacidade de acessar CarePages por meio do site do hospital. Como alguns usuários informaram ter problemas se digitassem errado o nome de uma CarePage e não conseguiam acesso, a TLC adicionou software lógico para corrigir erros comuns, reduzindo o volume de consultas ao serviço de atendimento. Em 2006, a TLC já tinha atingido o equilíbrio financeiro e crescia rapidamente. Agradecimentos calorosos de usuários satisfeitos chegavam em quantidade. Mas o trabalho de aprimoramento da experiência CarePage continuou, com mudanças e melhorias no software a cada seis a oito semanas.

Fonte: Christopher Lovelock, "CarePages.com (A)", 2007. (Caso reproduzido na página 564.) Disponível em: <www.carepages.com>. Acesso em: 26 abr. 2009.

---

estava tentando evitar desde o início. Mary Jo Bitner sugere que os gerentes testem as SSTs de sua empresa fazendo as seguintes perguntas básicas:[39]

- *O funcionamento da SST é confiável?* Empresas devem garantir que suas SSTs funcionem com o grau de confiança prometido e que o projeto seja de fácil utilização para os clientes. Os serviços on-line de emissão de passagens aéreas da TAM estabeleceram um padrão de simplicidade e confiabilidade. A empresa aérea pode gabar-se da porcentagem de vendas de passagens aéreas on-line — uma clara evidência da aceitação do cliente.

- *A SST é melhor do que a alternativa interpessoal?* Se a SST não poupar tempo nem fornecer facilidade de acesso, economia de custos ou outros benefícios, os clientes continuarão a utilizar processos convencionais. O sucesso da Amazon.com reflete seus esforços para criar uma alternativa eficiente, de alto grau de personalização, à visita a uma loja de varejo.

- *Se a SST falhar, quais sistemas estão presentes para recuperação?* É crucial as empresas oferecerem sistemas, estruturas e tecnologias para a recuperação imediata de serviço se as coisas derem errado (Figura 8.8). Alguns bancos mantêm um telefone ao lado de cada caixa eletrônico, que dá aos clientes acesso a uma central de atendimento 24 horas por dia. Supermercados com caixas registradoras de autosserviço muitas vezes designam um funcionário para monitorá-las; tal prática combina segurança com assistência ao cliente. Em sistemas por telefone, menus de correio por voz bem projetados incluem uma opção para o cliente consultar um atendente da central de serviços. Vários sistemas podem ser combinados; o importante é avaliar a desenvoltura e a satisfação do cliente, para determinar sua eficiência.

Administrando a relutância dos clientes à mudança

Aumentar o nível de participação dos clientes em um processo de serviço ou transferi-lo por completo para o autosserviço com SSTs exige que a empresa mude o comportamento do cliente — em geral uma tarefa difícil, pois os clientes se ressentem ao serem forçados a usar SSTs.[40] A seção de Panorama de serviços 8.4 identifica meios de tratar a resistência à mudança, principalmente quando a inovação é radical. Uma vez definida a natureza das mudanças, as comunicações de marketing podem ajudar a preparar clientes para a mudança, explicando os motivos, os benefícios e o que eles terão de fazer de modo diferente no futuro.

Figura 8.8 Mecanismos à prova de falhas são cruciais para garantir que os clientes adotem tecnologias de autosserviço

Panorama de serviços 8.4

Administrando a relutância dos clientes à mudança

A resistência dos clientes a mudanças em processos com os quais eles já estão familiarizados e em padrões de comportamento há muito estabelecidos pode frustrar tentativas de melhoria de produtividade e até de qualidade. A falha em examinar as mudanças propostas do ponto de vista dos clientes pode estimular a resistência. Os seis passos a seguir podem ajuda a suavizar o caminho da mudança.

1. Desenvolver confiança mútua. É mais difícil introduzir mudanças relacionadas à produtividade quando as pessoas desconfiam do iniciador do processo — como em instituições de grande porte e aparentemente impessoais. A disposição em aceitar uma mudança pode estar ligada ao grau de boa vontade que nutrem para com a organização.

2. Entender hábitos e expectativas de clientes. Com frequência, as pessoas entram em uma rotina de uso de um serviço, com certos passos tomados em uma sequência. Na realidade, eles têm seu próprio roteiro individual ou fluxograma em mente. É muito provável que inovações que perturbam rotinas arraigadas enfrentem resistência, a menos que os consumidores sejam bem informados sobre as mudanças por vir.

3. Testar previamente procedimentos e equipamentos. Para determinar uma provável reação dos clientes a novos procedimentos e equipamentos, pesquisadores de mercado podem empregar testes de conceito e de laboratório e/ou de campo. Se o pessoal de atendimento vai ser substituído por um equipamento automatizado, é essencial criar projetos que clientes de todos os tipos e experiências acharão fácil de usar. Até a redação das instruções deve ser bem pensada. Instruções ambíguas, complexas ou autoritárias podem desestimular clientes com deficiência em habilidades de leitura e aqueles acostumados a cortesias pessoais do pessoal de atendimento substituído pela máquina.

4. Divulgar benefícios. A adoção de equipamentos ou procedimentos de autosserviço exige que os consumidores executem parte da tarefa. Embora esse 'trabalho' adicional esteja associado a benefícios como horário de funcionamento ampliado, economia de tempo e (em alguns casos) economia de dinheiro, eles não são necessariamente óbvios — têm de ser promovidos. Estratégias úteis podem ser: o uso de propaganda em mídia de massa, pôsteres e sinalização no local, comunicações para informar sobre a inovação, despertar o interesse e esclarecer os benefícios de se mudar um comportamento e usar novos sistemas de entrega.

5. Ensinar clientes a usar e testar inovações. Alocar pessoal de atendimento para demonstrar novos equipamentos e responder a perguntas — proporcionando confiança e também assistência educacional — é essencial para a aceitação de novos procedimentos e tecnologia. Os custos de tais programas poderão ser distribuídos entre vários pontos de venda deslocando-se os membros da equipe de um lugar para outro, se a inovação for lançada sequencialmente por várias localidades. Para inovações baseadas na Internet, é importante prover acesso a e-mail, *chat* ou por telefone. Incentivos promocionais como desconto no preço, pontos de fidelidade ou sorteios também podem estimular a experimentação inicial. Quando clientes testam uma opção de autosserviço e percebem que ela funciona bem, é mais provável que a utilizem regularmente no futuro.

6. Monitorar desempenho e continuar a buscar melhorias. Introduzir melhorias de qualidade e produtividade é um processo contínuo, especialmente para as SSTs. Se os clientes não gostarem dos novos procedimentos, eles poderão retomar seu comportamento anterior; por isso, é importante monitorar o uso, a frequência das falhas de transação (e quais são os pontos de falha) e as reclamações ao longo do tempo. Gerentes de serviços devem trabalhar duro para melhorar as SSTs em bases contínuas e manter o impulso de modo que essas tecnologias atinjam seu pleno potencial, para não permitir que se degradem e se tornem elefantes brancos.

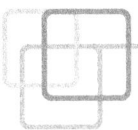

CONCLUSÃO

Este capítulo enfatizou a importância de projetar e manter processos de serviço — central na criação de um produto de serviço e modelador significativo da experiência do cliente. Abordamos *blueprints* de serviço, detalhados como uma poderosa ferramenta para entender, documentar, analisar e melhorar processos de serviço. *Blueprints* ajudam a identificar e a reduzir pontos de falhas de serviço e fornecem importantes *insights* para o redesenho do projeto do processo de serviço.

Parte importante do processo é definir os papéis que os clientes devem desempenhar na produção de serviços. O nível desejado de sua participação precisa ser determinado, e os clientes precisam ser motivados e ensinados a desempenhar seus papéis na entrega de serviço.

Resumo do capítulo

OA1. Fluxograma é uma técnica de exibir a natureza e a sequência dos diferentes passos na entrega de um serviço ao cliente. É uma forma simples de visualizar a experiência total de serviço.

OA2. *Blueprint* é uma forma mais detalhada de fluxograma, que permite o desenho, ou redesenho, detalhado dos processos de serviço. Um *blueprint* costuma mostrar:
- as atividades de linha de frente que mapeiam a experiência total do cliente, os insumos e produtos desejados e a sequência em que a entrega do resultado deverá ocorrer. Prazos podem ser estabelecidos para a conclusão de cada tarefa e para a espera aceitável entre cada atividade de cliente;
- as atividades de bastidores que devem ser executadas como suporte a cada etapa de linha de frente;
- os suprimentos necessários tanto para as etapas de linha de frente quanto para as de bastidores;
- as informações necessárias em cada ponto das etapas, geralmente fornecidas por sistemas de informação;
- padrões de serviço devem ser estabelecidos para cada atividade, refletindo as expectativas dos clientes.

OA3. Um bom *blueprint* identifica os pontos de falha em que as coisas podem sair errado. Métodos à prova de falhas, também conhecidos como poka-yokes, podem ser projetados para prevenir e/ou recuperar tais falhas tanto para funcionários quanto para clientes. Uma metodologia trifásica pode ser usada para desenvolver poka-yokes:
- coletar informações sobre os pontos de falha mais comuns;
- identificar as causas na raiz dessas falhas;
- criar estratégias para evitar falhas já identificadas.

OA4. Mudanças em tecnologia, necessidades de clientes e ofertas de serviço requerem que os processos de serviço ao cliente sejam redesenhados periodicamente. Tais ações de redesenho visam:
- aumentar a satisfação do cliente;
- melhorar a produtividade;
- reduzir o número de falhas de serviço;
- reduzir o tempo de ciclo.

Existem cinco tipos de redesenho de processo:
- eliminação de etapas que não agregam valor (racionalização de processos);
- mudança para autosserviço;
- entrega de serviço direto (serviços entregues no local do cliente);
- conjugação de serviços (combinação de vários serviços em um pacote);
- redesenho dos aspectos físicos dos processos de serviço (ambiente e equipamento de serviço).

OA5. É comum clientes se envolverem nos processos de serviços como coprodutores; portanto, podem ser considerados 'funcionários de tempo parcial'. Seu desempenho afeta a qualidade e a produtividade do resultado final. As empresas de serviço necessitam educar e treinar clientes para que eles tenham as habilidades e a motivação necessárias ao bom desempenho de suas tarefas.

OA6. A última instância em envolvimento do cliente é o autosserviço. A maioria das pessoas é receptiva às SSTs que oferecem mais comodidade (mais locais, disponibilidade 24 horas, serviço mais rápido), melhor controle e informação, customização e até prazer. Entretanto, tecnologias malprojetadas e educação inadequada sobre o uso das SSTs podem levar à rejeição pelos clientes.

Três questões básicas podem ser levadas em conta para avaliar o potencial de sucesso de uma SST:
- *O funcionamento da SST é confiável?*
- *A SST é melhor para os clientes do que outras alternativas de entrega?*
- *Se a SST falhar, quais sistemas estão presentes para recuperação?*

OA7. Aumentar o nível de participação em um processo de serviço ou transferir totalmente o processo para o autosserviço exige que a empresa mude o comportamento do cliente. Seis etapas guiam esse processo e reduzem a relutância à mudança:
- desenvolver confiança mútua;
- entender hábitos e expectativas de clientes;
- testar previamente procedimentos e equipamentos;
- divulgar benefícios;
- ensinar clientes a usar e testar inovações;
- monitorar desempenho e continuar a buscar melhorias.

Questões para revisão

1. Como o fluxograma ajuda a compreender a diferença entre serviços de processamento de pessoas, posses, estímulo mental e informações?
2. Como o *blueprint* ajuda a desenhar, gerenciar e redesenhar processos de serviço?
3. Como procedimentos à prova de falha podem ser usados para reduzir falhas de serviço?
4. Como a criação e a avaliação de um *blueprint* de serviço ajudam gerentes a entender o papel do tempo na entrega de serviço?
5. Por que é necessário o redesenho periódico de processos e quais são os principais tipos de redesenho de processos de serviço?
6. Por que o papel do cliente como coprodutor precisa ser elaborado como parte dos processos de serviço? Quais as implicações de ver clientes como funcionários de tempo parcial?
7. Explique quais fatores fazem os clientes gostarem ou não de tecnologias de autosserviço (SSTs).
8. Como se pode testar o potencial de sucesso de uma SST e o que uma empresa pode fazer para aumentar suas chances de adoção pelo cliente?

Exercícios

1. Examine novamente o *blueprint* da visita ao restaurante na Figura 8.4. Identifique diversas OTSUs (do inglês, *opportunity to screw up* — oportunidade de dar errado) para cada etapa no processo de cena. Considere causas possíveis subjacentes a cada falha potencial e sugira modos para eliminar ou minimizar esses problemas.
2. Prepare um *blueprint* para um serviço que você conheça bem. Ao concluí-lo, reflita sobre (a) as pistas tangíveis ou os indicadores de qualidade do ponto de vista do cliente, considerando a linha de visibilidade; (b) se todas as etapas do processo são necessárias; (c) até que ponto a padronização é possível e recomendável ao longo do processo; (d) a localização dos potenciais pontos de falhas e como eles podem ser eliminados do processo e quais procedimentos de recuperação de serviço podem ser introduzidos; (e) as medidas potenciais de desempenho de processo.
3. Pense no que ocorre em um consultório médico quando um cliente chega para um exame. Quanta participação é exigida dele para que o processo transcorra suavemente? Se ele se recusar a cooperar, como isso poderá afetar o processo? O que o médico pode fazer antes para obter a cooperação necessária?
4. Observe compradores em um supermercado que usam caixas registradoras de autosserviço e compare-os aos que utilizam os serviços de uma caixa registradora normal. Quais diferenças você observa? Quantos compradores que utilizam o autosserviço parecem encontrar dificuldades e como eles resolvem seus problemas?
5. Identifique três situações em que você usa o autosserviço. Para cada uma, qual é sua motivação para usar o autosserviço, em vez de um funcionário de atendimento executar o serviço?
6. Que ações um banco poderia adotar para incentivar mais clientes a efetuar transações bancárias por telefone, correspondência, Internet ou caixas eletrônicos, em vez de irem à agência?
7. Identifique um site extremamente fácil de usar e outro não. Quais fatores determinam uma experiência satisfatória para o usuário no primeiro caso e uma frustrante no segundo? Especifique recomendações para melhorias no segundo site.

Notas

1. Kah Hin Chai, Jochen Wirtz e Robert Johnson, "Using technology to revolutionize the library experience of Singaporean readers". In: Christopher Lovelock, Jochen Wirtz e Patricia Chew (eds.), *Essentials of services marketing*. Cingapura: Prentice Hall, 2009. p. 534-536. Disponível em: <www.nlb.gov.sg>. Acesso em: 6 jun. 2009.
2. Veja G. Lynn Shostack, "Understanding services through blueprinting". In: T. Schwartz et al. *Advances in services marketing and management*. Greenwich, CT: JAI Press, 1992, p. 75-90.
3. G. Lynn Shostack, "Designing services that deliver", *Harvard Business Review*, jan./fev. 1984, p. 133-139.
4. Jane Kingman-Brundage, "The ABCs of service system blueprinting". In: M. J. Bitner e L. A. Crosby (eds.). *Designing a winning service strategy*. Chicago: American Marketing Association, 1989. Para consultar um método recentemente desenvolvido para elaborar *blueprint* de experiências de serviço, veja Lia Patrício, Raymond P. Fisk e João Falcão Cunha, "Designing multi-interface service experiences: the service experience blueprint", *Journal of Service Research*, 10, n. 4, 2008, p. 318-334.
5. David Maister, atual presidente da Maister Associates, cunhou o termo OTSU quando lecionava na Harvard Business School na década de 1980.
6. Esta seção é baseada, em parte, em Richard B. Chase e Douglas M. Stewart, "Make your service fail-safe", *Sloan Management Review*, primavera 1994, p. 35-44.
7. Esta seção foi adaptada de Jochen Wirtz e Monica Tomlin, "Institutionalizing customer-driven learning through fully integrated customer feedback systems", *Managing Service Quality*, 10, n. 4, 2000, p. 205-215.
8. Veja, por exemplo, Eric J. Arnould e Linda L. Price, "River magic: extraordinary experience and the extended service encounter", *Journal of Consumer Research*, 20, jun. 1993, p. 24-25; Eric J. Arnould e Linda L. Price, "Collaring the Cheshire cat:

studying customers' services experience through metaphors", *The Service Industries Journal*, 16, out. 1996, p. 421-442; Nick Johns e Phil Tyas, "Customer perceptions of service operations: gestalt, incident or mythology?", *The Service Industries Journal*, 17, jul. 1997, p. 474- 488.

9. "How Marriott makes a great first impression", *The Service Edge*, 6, maio 1993, p. 5.

10. Lisa Bannon,"Plastic surgeons are told to pay more attention to appearances", *The Wall Street Journal*, 15 mar. 1997, B1.

11. David E. Hansen e Peter J. Danaher, "Inconsistent performance during the service encounter: what's a good start worth?", *Journal of Service Research*, 1, fev. 1999, p. 227-235; Richard B. Chase e Sriram Dasu, "Want to perfect your company's service? Use behavioral science", *Harvard Business Review*, 79, jun. 2001, p. 79-84.

12. Jochen Wirtz e Monica Tomlin, "Institutionalizing customer-driven learning through fully integrated customer feedback systems", *Managing Service Quality*, 10, n. 4, 2000, p. 205-215.

13. Mitchell T. Rabkin, M.D. Apud Christopher H. Lovelock, *Product plus.* Nova York: McGraw-Hill, 1994, p. 354-355.

14. Thomas Mucha, "The payoff for trying harder", *Business 2.0*, jul. 2002, p. 84-86.

15. Veja, por exemplo, Michael Hammer e James Champy, *Reengineering the corporation.* Nova York: Harper Business, 1993.

16. Esse material baseia-se, em parte, em Leonard L. Berry e Sandra K. Lampo, "Teaching an old service new tricks — the promise of service redesign", *Journal of Service Research*, 2, n. 3, fev. 2000, p. 265–275. Berry e Lampo identificaram cinco conceitos de redesenho de projeto de serviço: autosserviço, serviço direto, pré-serviço, serviços conjugados e serviço físico. Expandimos alguns desses conceitos para abranger mais os aspectos do redesenho do processo relativo ao aprimoramento de produtividade.

17. Jochen Wirtz e Michael Ehret, "Creative restruction – how business services drive economic evolution", *European Business Review*, 21, n. 4, 2009, p. 380-394.

18. D. Bovet e J. Martha. *Breaking the supply chain to unlock hidden profits.* Nova York: John Wiley & Sons, 2000.

19. Cherbakov, G. Galambos, R. Harishankar, S. Kalyana e G. Rackbam, "Impact of service orientation at the business level", *IBM Systems Journal*, 44, n. 4, 2005, p. 653-668.

20. Amy Risch Rodie e Susan Schultz Klein. "Customer participation in services production and delivery". In: T. A. Schwartz e D. Iacobucci (eds.). *Handbook of service marketing and management.* Thousand Oaks: Sage Publications, 2000, p. 111-125.

21. Mary Jo Bitner, William T. Faranda, Amy R. Hubbert e Valarie A. Zeithaml, "Customer contributions and roles in service delivery", *International Journal of Service Industry Management*, 8, n. 3, 1997, p. 193-205.

22. Stephen S. Tax, Mark Colgate e David E. Bowen, "How to prevent customers from failing", *MIT Sloan Management Review*, 47, primavera 2006, p. 30-38.

23. David E. Bowen, "Managing customers as human resources in service organizations", *Human Resources Management*, 25, n. 3, 1986, p. 371-383.

24. Benjamin Schneider e David E. Bowen. *Winning the service game.* Boston: Harvard Business School Press, 1995. p. 85.

25. Bonnie Farber Canziani, "Leveraging customer competency in service firms", *International Journal of Service Industry Management*, 8, n. 1, 1997, p. 5-25.

26. Benjamin Schneider e David E. Bowen. *Winning the service game.* Boston: Harvard Business School Press, 1995. p. 92.

27. Veja também Noah J. Goldstein, Robert B. Cialdini e Vladas Griskevicius, "A room with a viewpoint: using social norms to motivate environmental conservation in hotels", *Journal of Consumer Research*, 35, n. 3, 2008, p. 472-482.

28. Kim Painter, "Cutting ties to vexing patients", *USA Today*, 14 jan. 2003, 8D.

29. Matthew L. Meuter, Amy L. Ostrom, Robert I. Roundtree e Mary Jo Bitner, "Self-service technologies: understanding customer satisfaction with technologybased service encounters", *Journal of Marketing*, 64, jul. 2000, p. 50-64.

30. Gerard Haübl e Kyle B. Murray, "Preference construction and persistence in digital marketplaces: the role of electronic recommendation agents", *Journal of Consumer Psychology*, 13, n. 1, 2003, p. 75-91; Lerzan Aksoy, Paul N. Bloom, Nicholas H. Lurie e Bruce Cooil, "Should recommendation agents think like people?", *Journal of Service Research*, 8, maio 2006; p. 297-315.

31. Matthew L. Meuter, Mary Jo Bitner, Amy L. Ostrom e Stephen W. Brown, "Choosing among alternative service delivery modes: an investigation of customer trial of self-service technologies", *Journal of Marketing*, 69, abr. 2005, p. 61-83.

32. Pratibha A. Dabholkar, "Consumer evaluations of new technology-based self-service options: an investigation of alternative models of service quality", *International Journal of Research in Marketing*, 13, 1996, p. 29-51; Mary Jo Bitner, Stephen W. Brown e Matthew L. Meuter, "Technology infusion in service encounters", *Journal of the Academy of Marketing Science*, 28, n. 2000, p. 138-149; Pratibha A. Dabholkar, L. Michelle Bobbitt e Eun-Ju Lee, "Understanding consumer motivation and behavior related to self-scanning in retailing", *International Journal of Service Industry Management*, 14, n. 1, 2003, p. 59-95.

33. David G.Mick e Susan Fournier, "Paradoxes of technology: consumer cognizance, emotions, and coping strategies", *Journal of Consumer Research*, 25, set. 1998, p. 123-143.

34. James M. Curran, Matthew L. Meuter e Carol G. Surprenant, "Intentions to use self-service technologies: a confluence of multiple attitudes", *Journal of Service Research*, 5, fev. 2003, p. 209-224.

35. Matthew L. Meuter, Amy L. Ostrom, Robert I. Roundtree e Mary Jo Bitner, "Self-service technologies: understanding customer satisfaction with technologybased service encounters", *Journal of Marketing*, 64, jul. 2000, p. 50-64; Mary Jo Bitner, "Self-service technologies: what do customers expect?", *Marketing Management*, primavera 2001, p. 10-11.

36. Kortney Stringer, "Have a pleasant trip: eliminate all human contact", *The Wall Street Journal*, 31 out. 2002, p. 5.

37. Jeffrey Rayport e Bernard Jaworski, "Best face forward", *Harvard Business Review*, 82, dez. 2004, p. 47-58.

38. Neeli Bendapudi e Robert P. Leone, "Psychological implications of customer participation in co-production", *Journal of Marketing*, 67, jan. 2003, p. 14-28.

39. Mary Jo Bitner, "Self-service technologies: what do customers expect?", *Marketing Management*, primavera 2001, p. 10-11.

40. Machiel J. Reinders, Pratibha A. Dabholkar e Ruud T. Frambach, "Consequences of forcing consumers to use technology-based self-service", *Journal of Service Research*, 11, n. 2, 2008, p. 107-123.

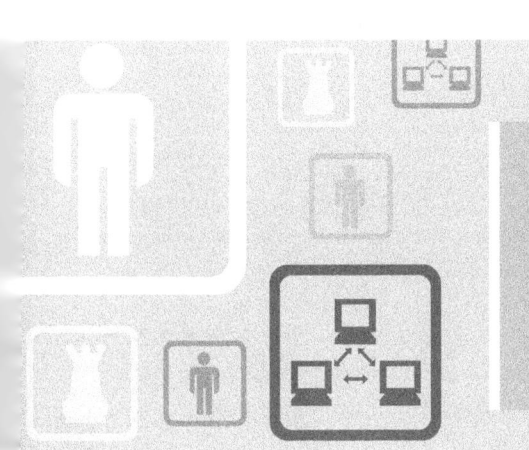

CAPÍTULO 9

Equilibrando demanda e capacidade

Equilibrar os lados da oferta e da demanda de um setor de serviços não é fácil, e o bom ou mau desempenho de um gerente nisso fará toda diferença.
— Earl Sasser

Eles também servem quem apenas fica e espera.
— John Milton

Objetivos de aprendizagem (OAs)

Ao final deste capítulo, você será capaz de:

OA1 Entender o significado de 'capacidade' em um contexto de serviços.

OA2 Conhecer as diversas situações de demanda-oferta, que as empresas com capacidade fixa podem enfrentar.

OA3 Usar técnicas de gerenciamento da capacidade de modo a atender as variações em demanda.

OA4 Reconhecer que a demanda varia de acordo com o segmento e prever variações específicas em demanda de cada segmento e suas causas.

OA5 Familiarizar-se com as cinco maneiras básicas de gerenciar demanda.

OA6 Utilizar os elementos do composto de marketing para atenuar as flutuações em demanda.

OA7 Saber como estocar demanda por meio de filas e outros sistemas de espera.

OA8 Compreender como os clientes percebem as esperas e como torná-las menos incômodas a eles.

OA9 Saber como estocar demanda por meio de sistemas de reserva.

OA10 Familiarizar-se com os requisitos de dados para elaborar estratégias eficazes de gerenciamento de demanda e capacidade.

Verão nas estações de esqui

Houve uma época em que as estações de esqui ficavam fechadas, quando a neve derretia e as encostas das montanhas não serviam mais para esquiar. O teleférico parava de funcionar, os restaurantes fechavam as portas e os hotéis ficavam inativos até o inverno se aproximar e a neve voltar a cair. No entanto, com o passar do tempo, alguns operadores de estações perceberam que uma montanha também oferece prazeres de verão e passaram a manter hotéis e restaurantes abertos para adeptos de caminhadas e piqueniques. Alguns até construíram escorregadores alpinos — pistas sinuosas em que tobogãs com rodas podiam deslizar do topo para a base — e desse modo criaram demanda para ingressos nos teleféricos de esqui. Com a construção de condomínios residenciais para venda, aumentou a demanda por atividades de clima quente, visto que os proprietários viajavam em grupos para as montanhas no verão e início do outono (Figura 9.1).

A febre do ciclismo de montanha (*mountain bike*) gerou oportunidades para locação de equipamentos e para passeios de bondinho. Há muito tempo o Killington Resort, em Vermont, incentiva turistas de verão a ir até o pico admirar a vista e comer no restaurante do topo da montanha. Mas agora também tira proveito do negócio de locação de bicicletas e equipamentos relacionados (como capacetes). Além do alojamento na base, onde no inverno há esquis para locação, o turista de verão pode escolher entre diversas opções de bicicleta. Ciclistas transportam seus veículos até o topo em teleféricos especialmente equipados e descem pela encosta por trilhas demarcadas. Os adeptos de caminhadas invertem o processo, subindo até o topo por trilhas que procuram evitar as bicicletas, fazem uma pausa no restaurante e voltam para a base da montanha pelo teleférico. De vez em quando, um ciclista prefere pedalar montanha acima, mas esses masoquistas são raros.

A maioria das estações de esqui procura várias maneiras adicionais de atrair hóspedes para seus hotéis e aluga casas no verão. Por exemplo, Mont Tremblant, em Quebec, localiza-se às margens de um belo lago. Além de natação e outros esportes aquáticos, o resort oferece aos visitantes atividades como campeonatos de golfe, tênis e patins, além de um acampamento para crianças. Sem falar nos adeptos da caminhada e nos ciclistas que escalam a montanha. Trata-se de um excelente exemplo de como o desenvolvimento e o marketing de serviços geraram demanda para uma capacidade que de outra forma ficaria ociosa!

Figura 9.1 O teleférico pode ser usado tanto pelos que gostam de caminhar e pedalar no verão quanto pelos que gostam de esquiar no inverno

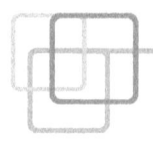

Flutuações em demanda ameaçam a lucratividade

Demanda flutuante é um importante desafio para muitos tipos de organização de serviços, incluindo companhias aéreas, restaurantes, estações turísticas, serviços de entrega de encomendas, empresas de consultoria, cinemas e centrais de atendimento. Tais flutuações, cuja frequência pode variar de sazonal, como vimos na seção de abertura, a horária, dificultam para a utilização eficiente de ativos produtivos e reduzem a lucratividade. Se trabalharem em cooperação com gerentes de operações e de recursos humanos, profissionais de marketing de serviços podem desenvolver estratégias para equilibrar demanda e capacidade, de modo a gerar benefícios para clientes e melhorar os retornos financeiros do negócio.

Definindo capacidade produtiva

O que significa capacidade produtiva? Esse termo refere-se aos recursos ou ativos que uma empresa pode usar para criar bens e serviços. Em um contexto de serviço, capacidade produtiva pode assumir diversas formas:

1. *Instalações físicas projetadas para receber clientes* e utilizadas para entregar serviços de processamento de pessoas ou de estímulo mental. Clínicas médicas, hotéis, aviões de passageiros e salas de aula são alguns exemplos. A limitação primária da capacidade costuma ser definida em termos de mobiliário e instalações, como quartos, camas ou poltronas. Em alguns casos, regulamentações locais

podem determinar um limite máximo para o número de pessoas por razões de saúde ou segurança.

2. *Instalações físicas projetadas para armazenar ou processar bens* pertencentes a clientes ou que lhes são oferecidos para venda. Dutos, armazéns, estacionamentos ou vagões de carga são alguns exemplos.

3. *Equipamentos físicos usados para processar pessoas, posses ou informações* podem abranger uma imensa faixa de itens e ser muito específicos para determinada situação. Equipamentos de diagnóstico, detectores de segurança em aeroportos, cabines de pedágio, caixas eletrônicos de bancos e 'posições' em uma central de atendimento estão entre os muitos itens que, se não existirem em número suficiente para o nível de demanda, podem fazer com que o serviço se arraste (ou pare completamente).

4. *Mão de obra*, elemento fundamental de capacidade produtiva em todos os serviços de alto contato e em muitos de baixo contato. Níveis de pessoal — sejam garçons, enfermeiras ou atendentes de centrais de serviço — precisam ser suficientes para atender à demanda prevista; caso contrário, os clientes esperam ou o serviço fica apressado. Serviços profissionais, em especial, dependem de pessoal altamente qualificado para criar resultados de alto valor agregado, baseados em informação. Abraham Lincoln entendeu bem isso quando observou: "O tempo e a expertise de um advogado são os instrumentos de seu negócio". E ao contrário das máquinas, a capacidade produtiva das pessoas varia com as condições físicas e psicológicas de seu ambiente de trabalho.

5. *Infraestrutura.* Muitas organizações dependem de acesso à capacidade suficiente de infraestrutura pública ou privada para entregar serviço de qualidade. Entre os problemas de capacidade dessa natureza podem figurar aerovias congestionadas que levam a restrições no tráfego aéreo, engarrafamentos em rodovias importantes e falhas no fornecimento de energia elétrica ou luz insuficiente causada por voltagem reduzida. É o que ficou conhecido como 'custo Brasil', isto é, o custo adicional em perda de capacidade produtiva por causa das deficiências em infraestrutura.

O sucesso financeiro em empresas de capacidade limitada decorre, em grande parte, da habilidade da gerência de utilizar capacidade produtiva — pessoal, trabalho, equipamento e instalações — do modo mais eficiente e produtivo possível. Contudo, na prática, é difícil alcançar esse ideal o tempo todo. O nível de demanda varia no tempo, muitas vezes aleatoriamente, e o tempo e o esforço requeridos para processar cada pessoa ou coisa pode variar muito em qualquer ponto do processo. Em geral, tempos de processamento são mais variáveis para pessoas do que para objetos, refletindo níveis variáveis de preparo ('Perdi meu cartão de crédito'), personalidades argumentativas *versus* cooperativas ('Se você não me der uma mesa de frente, terei de chamar seu supervisor') e assim por diante. Além disso, tarefas de serviço nem sempre são homogêneas. Tanto em serviços profissionais quanto em consertos, tempos de diagnóstico e tratamento variam conforme a natureza dos problemas dos clientes.

Do excesso de demanda ao excesso de capacidade

A maioria dos serviços é perecível e em geral não pode ser estocada para venda em data posterior. Isso representa um desafio para qualquer serviço de capacidade limitada que enfrente amplas oscilações em demanda. Embora seja possível 'estocar' uma aula em vídeo, por exemplo, ela deixa de ser a aula presencial e interativa que era. Passa a ser algo mais próximo de um bem físico, que, embora diferente, talvez também atenda às necessidades do cliente, como o serviço que o gerou. É mais comum encontrar esse problema entre serviços que processam pessoas ou posses físicas; entretanto também afeta serviços de processamento de informações que utilizam mão de obra intensiva e enfrentam oscilações cíclicas de demanda.

Para empresas com capacidade fixa, o problema é bem conhecido. 'Conosco é assim: ou temos um banquete ou morremos de fome!', lamenta o gerente. 'Em períodos de pico, recusamos clientes potenciais e, por isso, os desapontamos. E, em períodos de baixa, nossas instalações ficam ociosas, nossos funcionários ficam por aí com ar de tédio e perdemos dinheiro.' Em outras palavras, demanda e oferta não estão em equilíbrio.

O uso eficiente de capacidade produtiva é um dos segredos do sucesso nesses tipos de negócio. O objetivo não deve ser utilizar pessoal, trabalho, equipamentos e instalações o máximo possível, mas do modo mais *produtivo* possível. Ao mesmo tempo, não se deve permitir que a busca de produtividade afete a qualidade de serviço e degrade a experiência do cliente.

A qualquer instante, um serviço de capacidade fixa pode enfrentar uma destas quatro condições (veja a Figura 9.2):

- *Excesso de demanda.* O nível de demanda excede a máxima capacidade disponível, resultando na recusa de serviço a clientes e perda de negócios.

- *Demanda excede capacidade ótima.* Ninguém é recusado, mas as condições ficam sobrecarregadas e é provável que os clientes percebam uma deterioração na qualidade de serviço e fiquem insatisfeitos.

- *Demanda e oferta estão bem equilibradas.* Esse é o nível de capacidade ótima. Pessoal e instalações estão ocupados, mas não sobrecarregados, e clientes recebem bom serviço sem atrasos.

- *Excesso de capacidade.* A demanda está abaixo da capacidade ótima e os recursos produtivos estão subutilizados, resultando em baixa produtividade. Baixa utilização também é um risco, pois os clientes podem achar a experiência desapontadora ou ter dúvidas sobre a viabilidade do serviço.

Às vezes, capacidade ótima é igual à capacidade máxima. Em peças de teatro ou eventos esportivos ao vivo, ter casa cheia é ótimo, pois estimula atores e jogadores e cria um sentido de entusiasmo e de participação do público. O resultado líquido? Uma experiência mais satisfatória para todos. Mas, na maioria dos outros serviços, é provável que você ache que obterá melhor serviço se as instalações não estiverem funcionando com sua capacidade total. Em restaurantes, por exemplo, a qualidade do serviço muitas vezes se deteriora quando todas as mesas estão ocupadas, porque o pessoal fica apressado e há maior probabilidade de que ocorram erros ou demora. Se estiver viajando sozinho em um avião em que as poltronas estão muito próximas, você se sentirá mais confortável se a poltrona ao seu lado estiver vazia. Quando lojas de assistência técnica estão totalmente ocupadas, poderão ocorrer atrasos se não houver nenhuma folga no sistema para atender a problemas inesperados na conclusão de alguns serviços.

Há duas abordagens básicas para o problema da demanda flutuante. Uma é ajustar o nível de capacidade para atender às variações de demanda. Isso requer entender o que é capacidade produtiva e como ela pode ser aumentada ou reduzida por incrementos. A

Figura 9.2   Implicações das variações na demanda relativa para capacidade

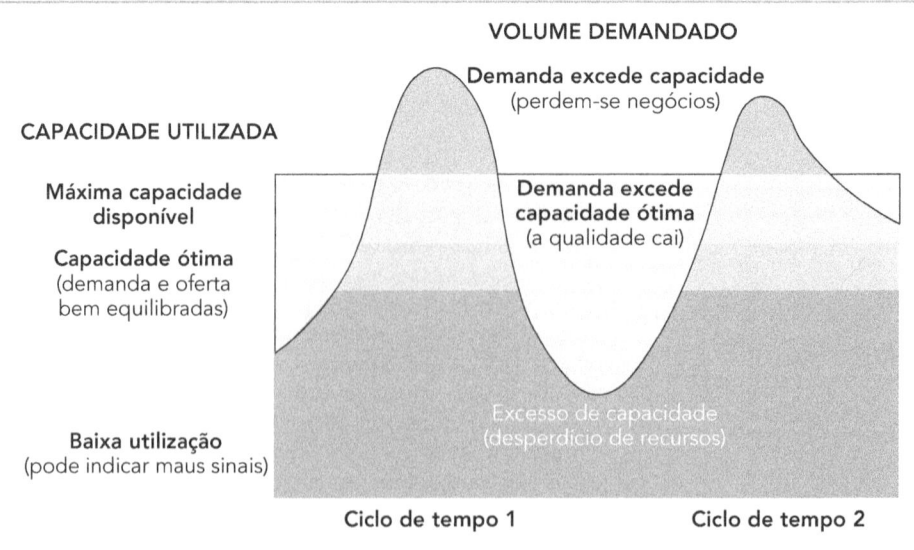

VOLUME DEMANDADO

CAPACIDADE UTILIZADA

- Máxima capacidade disponível
- Capacidade ótima (demanda e oferta bem equilibradas)
- Baixa utilização (pode indicar maus sinais)

Demanda excede capacidade (perdem-se negócios)

Demanda excede capacidade ótima (a qualidade cai)

Excesso de capacidade (desperdício de recursos)

Ciclo de tempo 1   Ciclo de tempo 2

segunda abordagem é gerenciar o nível de demanda usando estratégias de marketing para nivelar os picos e preencher os vales de modo a gerar um fluxo mais consistente de requisições de serviço. Muitas empresas usam uma combinação das duas abordagens.[1]

Entre as medidas de utilização de capacidade estão o número de horas (ou porcentagem do tempo total disponível) em que instalações, mão de obra e equipamentos estão produtivamente ocupados em operações geradoras de receita, e as unidades ou porcentagem de espaço disponível (por exemplo, poltronas, capacidade cúbica de carga, largura de banda de telecomunicações) usadas em operações de geração de receita. A habilidade de seres humanos para sustentar níveis consistentes de resultados ao longo do tempo tende a ser bem mais variável do que a de equipamentos. Um funcionário cansado ou mal treinado que seja encarregado de uma única estação em uma operação de serviço no formato de linha de montagem, como uma lanchonete ou uma agência de licenciamento de veículos, pode reduzir muito a velocidade de todo o serviço, que passa a 'se arrastar'.

Serviços como os de saúde ou de conserto e manutenção envolvem várias ações realizadas em sequência, o que significa que a capacidade de uma organização de satisfazer a demanda é limitada por uma ou mais de suas instalações físicas, equipamentos, pessoal e pelo número e sequência de serviços fornecidos. Em uma operação de serviço bem planejada e bem gerenciada, as capacidades de instalações, equipamentos de suporte e pessoal de serviços estarão equilibradas. De modo semelhante, operações sequenciais serão projetadas para minimizar a possibilidade de gargalos em qualquer ponto do processo.

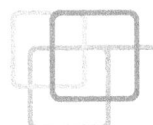

Gerenciando a capacidade

Embora empresas de serviços enfrentem limitações de capacidade, por causa da flutuação de demanda, existem inúmeros modos de ajustá-la para minimizar o problema. Capacidade pode ser ampliada ou reduzida, e a capacidade geral, ajustada.

Os níveis de capacidade às vezes podem ser ampliados ou reduzidos

Algumas capacidades são elásticas quanto à habilidade de absorver demanda extra. Nesse caso, o efetivo nível de capacidade permanece inalterado, e mais pessoas são atendidas com o mesmo nível, geralmente com alguma perda de qualidade. Por exemplo, um vagão de metrô oferece 40 assentos e espaço para outros 60 passageiros em pé com corrimãos adequados e espaço de piso para todos. Ainda assim, em horários de pico, talvez até 200 passageiros em pé podem ser acomodados no vagão, como sardinhas em lata. De modo semelhante, a capacidade do pessoal de serviço pode ser ampliada e capaz de funcionar com altos níveis de eficiência durante curtos períodos de tempo. Contudo, se todos tivessem de trabalhar nesse ritmo durante o dia inteiro, logo ficariam cansados e começariam a fornecer serviço inferior.

Outra estratégia é usar as instalações por mais tempo. Alguns bancos ampliam seu horário de funcionamento durante a semana e até abrem em fins de semana. Certas Universidades oferecem aulas noturnas e programas de fins de semana ou nas férias de verão.

Por fim, o tempo médio que clientes (ou suas posses) gastam em processo pode ser reduzido. Às vezes, isso é obtido com a minimização do tempo ocioso. Um restaurante pode apressar o giro das mesas rapidamente, acomodando os clientes que chegam e apresentando-lhes o cardápio, e a conta pode ser prontamente entregue a um grupo de clientes relaxando à mesa após uma refeição.[2] Em outros casos, isso pode ser feito cortando o nível de serviço, oferecendo, por exemplo, um cardápio mais simples nos períodos mais movimentados do dia.

Ajustando a capacidade à demanda

Diferentemente da opção anterior, este conjunto de opções envolve adequar o nível geral de capacidade às variações de demanda, estratégia também conhecida como *correr atrás da demanda*. Gerentes podem tomar diversas providências para ajustar a capacidade conforme necessário.[3] Essas ações começam pela mais fácil de implementar até a mais difícil.

- *Programar períodos de parada durante períodos de baixa demanda.* Para garantir que cem por cento da capacidade esteja disponível em períodos de pico, consertos e reformas devem ser executados quando se espera que a demanda seja baixa. Funcionários também devem tirar férias durante esses períodos.

- *Treinar funcionários em várias atividades.* Mesmo quando o sistema de entrega de serviço parece funcionar com capacidade total, certos elementos físicos e os funcionários designados a eles tendem a ser subutilizados. Se forem treinados para executar várias atividades, eles podem ser deslocados para pontos de gargalo, conforme necessário, aumentando, assim, a capacidade total do sistema. Gerentes de supermercados podem convocar estoquistas para operar caixas registradoras quando as filas ficarem muito longas. Da mesma forma, em períodos de baixa atividade, os caixas podem ajudar a repor mercadorias nas prateleiras. Bancos na Europa treinam funcionários internos para trabalhar nos caixas quando as filas começam a crescer, e voltam a seu trabalho normal quando estas diminuem.

- *Usar funcionários de tempo parcial.* Muitas organizações contratam mão de obra extra em períodos de maior movimento. Entre os exemplos estão vendedores de lojas de varejo na época do Natal, pessoal extra em empresas de serviços da área tributária no final do ano fiscal e funcionários adicionais em hotéis nos períodos de férias e grandes convenções. Existem diferentes modalidades com diferentes responsabilidades trabalhistas a ser consideradas, entre o trabalhador de período parcial (que tem uma jornada diária de trabalho reduzida), o temporário (que tem o período de atuação limitado e estabelecido em contrato) e o autônomo (que é contratado para uma tarefa específica que pode durar um dia, algumas horas ou um fim de semana).

- *Convidar clientes a usar o autosserviço.* Se o número de funcionários for limitado, a capacidade poderá ser ampliada e envolver clientes na coprodução de certas tarefas. Uma forma é agregar tecnologias de autosserviço, como quiosques eletrônicos no aeroporto para emissão de bilhetes e check-in (Figura 9.3) ou caixas registradoras automatizadas em supermercados.

- *Solicitar o compartilhamento entre clientes.* A capacidade pode ser ampliada solicitando-se aos clientes que compartilhem uma unidade de capacidade, em geral, dedicada a um indivíduo. É comum, nos Estados Unidos e na Europa, em aeroportos e estações de trem movimentados, cuja oferta de táxis é às vezes insuficiente para a demanda, viajantes que seguem na mesma direção optarem por compartilhar o táxi e dividirem a tarifa.

Figura 9.3 Companhias aéreas aumentam sua capacidade de check-in graças às máquinas de autosserviço para emissão de bilhetes em aeroportos

- *Criar capacidade flexível.* Às vezes, o problema não é a capacidade geral, mas o composto empregado para atender às necessidades de vários segmentos. Uma solução é projetar instalações físicas flexíveis. Por exemplo, as mesas de um restaurante podem ser todas de dois lugares. Quando necessário, duas mesas podem ser combinadas para acomodar quatro, ou três para acomodar seis. Muitos restaurantes usam dois layouts por dia, um na hora do almoço, para pessoas com mais pressa, geralmente em formato de bufê, e outro à noite, com serviço à la carte, para jantares mais demorados. No caso de uma empresa aérea, em determinado voo, o número de poltronas disponível na classe econômica pode ser muito pequeno, muito embora haja poltronas vazias na classe executiva. A Boeing, que enfrentava acirrada concorrência da Airbus, recebeu o que descreveu, com certa ironia, como 'demandas exorbitantes' de clientes potenciais quando projetava seu modelo 777. As companhias aéreas desejavam um avião em que a copa e os lavatórios pudessem ser realocados, com tubulação e tudo, para qualquer ponto da cabine em questão de horas. A Boeing engoliu em seco, mas solucionou o problema desafiador. As companhias aéreas podem rearranjar a cabine de passageiros do modelo 'Triple Seven' em poucas horas, reconfigurando-a com números variados de poltronas alocadas entre as diversas classes.

- *Alugar ou compartilhar instalações e equipamentos extras.* Para limitar o investimento em ativos fixos, é possível a empresa de serviços alugar espaço ou máquinas extras em épocas de pico. Empresas com padrões de demanda complementares podem firmar acordos formais de compartilhamento.

Analisando padrões de demanda

Vimos anteriormente opções para aumentar ou diminuir a capacidade ou oferta de um serviço. Agora vamos examinar o outro lado da equação. Para administrar eficazmente a demanda para um serviço, gerentes precisam entender quais são os fatores que a afetam, e como costumam diferir de acordo com o segmento de mercado.

Demanda por segmento de mercado

Flutuações aleatórias costumam ser causadas por fatores que fogem ao controle da gerência. Mas a análise às vezes revelará que um ciclo de demanda previsível para um segmento está oculto em um padrão mais amplo, aparentemente aleatório. Grupos diferentes de pessoas terão interesses diferentes por ofertas diferentes e, se analisarmos a demanda de forma agregada, arriscamos mascarar os efeitos que atuam sobre cada segmento. Analisar a demanda de cada segmento permitirá identificar os fatores por trás desse comportamento, mas somar todas as demandas e seus diferentes fatores pode resultar em uma curva com aspecto semelhante ao aleatório. Esse fato ilustra a importância de desmembrar a demanda segmento por segmento. Por exemplo, uma oficina de assistência técnica de equipamento elétrico industrial provavelmente já sabe que certa proporção de seu trabalho consiste em contratos de manutenção preventiva programados periodicamente. O restante pode vir de negócios esparsos e consertos de emergência. Embora pareça difícil prever ou controlar a ocasião e o volume de tais serviços, uma análise mais detalhada talvez mostre que os negócios esparsos são mais predominantes em alguns dias da semana do que em outros e que consertos de emergência costumam ser requisitados após tempestades (que tendem a ser sazonais e muitas vezes previstas no prazo de um ou dois dias). Compreender padrões de demanda permite à empresa programar menos trabalho preventivo para dias com alta previsão de demanda de reparos emergenciais, em geral mais lucrativos.

Nenhuma estratégia para nivelar demanda é bem-sucedida a menos que seja fundamentada no entendimento da razão pela qual clientes de um segmento de mercado preferem usar o serviço em algum momento. É difícil que um hotel convença executivos em viagem a permanecer em noites de sábado, visto que poucos deles tratam de negócios no final de semana. Em vez disso, o resultado poderia ser melhor se o hotel promovesse a utilização de suas instalações em fins de semana para conferências ou viagens de turismo. Tentativas de fazer usuários do metrô e de outros meios de transporte mudar seus horários de viagem para períodos fora do pico provavelmente falharão, pois elas são determinadas pelos horários de trabalho das pessoas. Em vez disso, o esforço deve ser dirigido aos empregadores, na tentativa de persuadi-los a adotar horário flexível ou horários de serviço alternados. Essas empresas reconhecem que não há desconto de preço capaz de desenvolver negócios fora da estação. Contudo, talvez haja boas oportunidades para negócios em áreas de veraneio, como Cape Cod, durante as baixas temporadas de primavera e outono (que alguns consideram as épocas mais atraentes para visitar o local), promovendo atrações diferentes — como caminhadas, observação de pássaros, visitas a museus e procura por pechinchas em lojas de antiguidade — e alterando o composto e o foco de serviços para visar a um tipo diferente de clientela.

Entendendo padrões de demanda

Para compreender os padrões de demanda por segmento, a pesquisa deve começar com a obtenção de respostas para uma série de perguntas importantes feitas sobre esses padrões e suas causas subjacentes[4] (Quadro 9.1).

Ao pensar em algumas das causas que parecem 'aleatórias', considere como o frio e a chuva afetam a utilização de serviços de recreação ou de entretenimento internos e ao ar livre. Depois pense em como ataques cardíacos e nascimentos afetam a demanda por serviços hospitalares. Imagine o que é ser um policial, um bombeiro ou um motorista de ambulância: você nunca sabe exatamente de onde virá sua próxima chamada ou qual será a natureza da emergência. Por fim, avalie o impacto causado por catástrofes naturais, como terremotos, tornados e furacões, não somente sobre serviços de emergência, mas também sobre especialistas em recuperação de sinistros e empresas seguradoras.

A duração da maioria dos ciclos que influenciam a demanda para um serviço varia de um dia a 12 meses. Em muitos casos, múltiplos ciclos operam ao mesmo tempo. Por exemplo, níveis de demanda para transportes públicos podem variar conforme o momento do dia

Quadro 9.1 Questões sobre padrões de demanda e suas causas subjacentes

1. Os níveis de demanda seguem um ciclo previsível? Em caso positivo, a duração do ciclo de demanda é:
- um dia (varia por hora).
- uma semana (varia por dia).
- um mês (varia por dia ou por semana).
- um ano (varia por mês ou por estação ou reflete feriados nacionais anuais).
- outro período.

2. Quais são as causas subjacentes dessas variações cíclicas?
- Esquemas de emprego.
- Ciclos de faturamento e pagamento/restituição de impostos.
- Datas de pagamento de honorários e salários.
- Épocas de aulas e de férias.
- Mudanças climáticas conforme a estação do ano.
- Ocorrência de feriados civis ou religiosos.
- Ciclos naturais, como marés.

3. As variações nos níveis de demanda parecem ser aleatórias? Em caso positivo, as causas subjacentes poderiam ser:
- mudanças climáticas de um dia para o outro.
- eventos de saúde cuja ocorrência não pode ser determinada com exatidão.
- acidentes, incêndios e certas atividades criminosas.
- catástrofes naturais (como terremotos, tempestades, deslizamentos de terra e erupções vulcânicas).

4. A demanda para um serviço pode ser desmembrada por segmento de mercado para refletir componentes como:
- padrões de utilização por um tipo particular de cliente ou para determinado propósito.
- variações na rentabilidade líquida de cada transação concluída.

(mais alto nos horários de ida ao trabalho e de volta dele); o dia da semana (menos movimento para ida ao trabalho nos fins de semana, mas maior movimento para entretenimento); e a estação do ano (mais viagens turísticas no verão). A demanda por serviço no período de pico em uma segunda-feira de verão deve ser muito diferente daquela do período de pico de um sábado de inverno, o que reflete variações conjuntas de dia de semana e sazonais.

Manter bons registros de cada transação constitui enorme ajuda quando se trata de analisar padrões de demanda com base em experiência. Bons sistemas de formação de filas apoiados por software sofisticado permitem rastrear automaticamente padrões de consumo de clientes por data e horário do dia. Quando relevantes, também é útil registrar as condições climáticas e outros fatores especiais (por exemplo, uma greve, um acidente, uma grande convenção na cidade, uma alteração de preço ou o lançamento de um serviço concorrente) que poderiam ter influenciado a demanda.

Os serviços de empresas de meteorologia podem ser vitais para a previsão da demanda, como se vê na seção Panorama de serviços 9.1.

Panorama de serviços 9.1

Climatempo – prevendo demandas sazonais

A família de Carlos Magno Nascimento sonhava em ver o filho funcionário público e, quando ele se formou em Meteorologia pela USP, foi trabalhar no Ministério da Agricultura, fazendo a previsão do tempo para a área agrícola. Mas ele almejava ter seu próprio negócio e, em 1988, decidiu sair do serviço público e abrir uma pequena empresa de meteorologia em sociedade com a esposa, em sua própria casa, a Climatempo. Naquela época, previsão de tempo ainda era algo novo, com poucas empresas, e desacreditada de modo geral. Em 1990, ele inicia parceria com a Rede Globo, onde, por 13 anos, foi o 'homem do tempo' do Jornal Nacional, falando para 40 milhões de telespectadores. Durante esse período, sua credibilidade e a da atividade cresceram bastante, assim como a empresa. As novas tecnologias de informática e os satélites tornaram as previsões mais seguras. São mais de mil clientes, entre as maiores empresas do Brasil. Fabricantes de vitaminas e antigripais o consultam para prever aumento de demanda por seus produtos e em quais regiões, para planejar sua distribuição. Lojistas querem saber se vai chover, antes de mudar a decoração das vitrines. Cineastas usam seus serviços para planejar filmagens externas e agricultores querem saber quando vem chuva para suas plantações. Seus diversos serviços envolvem a emissão de alertas, boletins e laudos especializados. A empresa já foi chamada a cooperar com a justiça para identificar se, no possível momento do crime, chovia ou não. Em 1999, foram investidos 200 mil dólares para criar a TV Climatempo, que atingiu mais de 1 milhão e meio de assinantes, concorrendo com o The Weather Channel. O outro concorrente, a Somar Meteorologia, que atua junto ao Canal Rural, também cresceu bastante no período. Hoje, a Climatempo é líder em meteorologia na América Latina, emprega mais de 70 profissionais e tem o mais experiente grupo de meteorologistas do Brasil. Seus boletins podem ser baixados do site por clientes cadastrados, via senha, em formato mp3 e com duração de 60 segundos. Entre os diversos serviços para a gestão de riscos, são oferecidos:

- linha direta com o meteorologista. Equipe de meteorologistas, disponíveis 24 horas por dia, sete dias por semana, para tirar dúvidas e passar informações em tempo real, atuando como consultores na tomada de decisões;

- monitoramento 24 horas. Serviço de acompanhamento das variações das condições meteorológicas por meio da análise de informações de radares, satélites e estações meteorológicas, em tempo real, fornecendo com antecedência alertas de tempo severo, como temporais, queda de granizos, descargas elétricas e rajadas de vento;

- monitoramento de descargas atmosféricas. Acompanhamento por meio da análise de informações de radares e satélites, realizada em tempo real, fornecendo informações sobre ocorrências de descargas atmosféricas;

- alertas meteorológicos. Aviso de eventos meteorológicos severos como chuva forte, geada, granizo, entre outros;

- previsão de tempo. Descrição diária das condições de tempo esperadas para os próximos 15 dias. É realizada por uma equipe de meteorologistas e tem como base dados meteorológicos, imagens de satélite e modelos numéricos. Fornece temperaturas máxima e mínima, condição da umidade relativa, probabilidade de chuva, volume de chuva e situação do tempo;

- previsão climática. Análise da tendência do clima para o período máximo de 12 meses, realizada por uma equipe especializada, com base em estudos do clima local, dados meteorológicos e modelagens numéricas. É desenvolvida para uma região específica, descreve a tendência da chuva e da temperatura e discute anomalias nessas variáveis;

- boletins náuticos. Previsão para a região litorânea, informando a previsão da altura e orientação das ondas, direção e intensidade do vento e a previsão de tempo para os próximos dias;

- relatórios e laudos meteorológicos. Documento com valor legal que atesta as condições do tempo para determinada data e local. O laudo é elaborado por um meteorologista que analisa os dados meteorológicos, imagens de satélite e de radar daquele dia e localidade e, baseado na análise, emite um parecer sobre as condições de tempo ocorridas. Para isso, o meteorologista deve ter a habilitação do CREA para meteorologia. Apenas os meteorologistas credenciados no CREA podem assinar laudos meteorológicos;

- *weather index*. Oferece uma projeção do consumo baseada em parâmetros de correlação com variáveis meteorológicas, necessitando de um banco de dados sobre o histórico das vendas. O estudo das correlações e a elaboração das projeções são realizados pela equipe especializada, com base em dados meteorológicos e modelos numéricos. Com eles, é possível compreender de forma detalhada o impacto das condições do tempo e o clima na lucratividade da empresa, possibilitando tomadas de decisões estratégicas;

- boletim de safras. Contém a previsão de tempo para os próximos 15 dias e uma previsão climática para os próximos 12 meses. Com esse boletim, é possível compreender o impacto do tempo e do clima no desenvolvimento das culturas e acompanhar as safras nas principais áreas produtoras, monitorando cerca de 90 por cento da produção agrícola mundial;

- boletins específicos para culturas. Análise descritiva com mapas, textos e gráficos, realizada para as culturas do café, algodão, arroz, cana de açúcar, cítricos, feijão, milho, soja e trigo. Esse boletim permite um acompanhamento detalhado das condições de tempo nos próximos 15 dias das principais áreas produtoras do Brasil;

- pesquisas e desenvolvimento. Diversos estudos de meteorologia ambiental, como caracterização climática de regiões; detecção e monitoramento de focos de incêndios e áreas queimadas; dispersão de poluentes; conforto térmico; hidrometeorologia; biometeorologia; agrometeorologia; modelagem atmosférica entre outros;

- conteúdo para mídias. Informações em diversos formatos para que o veículo de comunicação disponha de dados e previsões de alta qualidade e fácil entendimento. O conteúdo é customizado para jornais, sites, TVs, rádios, revistas, celulares e mídia *indoor*. Para produtoras e fotógrafos, oferece serviços que auxiliam na programação de filmagens e ensaios;

- palestras e treinamentos. Desenvolvidos para levar conhecimento sobre o uso e o impacto da meteorologia na vida das pessoas e nas organizações.

Fonte: Disponível em: <www.climatempo.com.br.>. Acesso em: 1 de maio de 2011. (Adaptado)

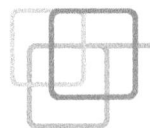

Gerenciando a demanda

Compreendidos os padrões de demanda dos diversos segmentos de mercado, podemos administrá-la. Há cinco abordagens básicas. A primeira, que tem a virtude da simplicidade (mas não muito mais que isso), envolve *não tomar nenhuma providência e permitir que a demanda ache seus próprios níveis*. No devido tempo, os clientes aprendem por experiência ou pelo boca a boca quando terão de enfrentar uma fila para usar o serviço e quando este estará disponível sem demora. O problema é que eles também aprendem a achar um concorrente mais responsivo, e não é possível melhorar o baixo nível de utilização fora do horário de pico a menos que alguma ação seja realizada.

Abordagens mais intervencionistas consistem em influenciar o nível de demanda a qualquer instante por meio de providências ativas para *reduzir demanda em períodos de pico e aumentá-la em períodos de excesso de capacidade*.

Outras duas abordagens envolvem *estocar demanda até que haja capacidade disponível*. Uma empresa pode fazer isso (1) *criando sistemas formalizados de filas* ou (2) *introduzindo um sistema de reservas* que garanta aos clientes acesso à capacidade em horários específicos (ou por meio de uma combinação dos dois). Assim, se em serviços não é possível estocar o produto, podemos, no entanto, estocar o cliente, seja no sistema de espera, seja no sistema de reserva.

A Tabela 9.1 liga essas abordagens às duas situações problemáticas de excesso de demanda e excesso de capacidade. Muitas empresas de serviços enfrentam ambas as situações em diferentes pontos no ciclo de demanda e devem considerar a utilização das estratégias intervencionistas descritas. A próxima seção discute como os elementos do composto de marketing ajudam a moldar níveis de demanda e é seguida por duas seções sobre como estocar demanda por meio de filas e outros sistemas de espera e por sistemas de reserva.

Tabela 9.1 Estratégias alternativas de gerenciamento de demanda para diferentes situações de capacidade

Abordagem usada para gerenciar demanda	Situação da capacidade	
	Capacidade insuficiente (excesso de demanda)	**Excesso de capacidade (demanda insuficiente)**
Não tomar nenhuma providência	■ Resultam em filas desorganizadas (podem irritar clientes e desencorajar uso futuro).	■ Capacidade é desperdiçada (clientes podem ter uma experiência decepcionante relativa a serviços como cinema).
Reduzir demanda	■ Preços mais altos aumentarão lucros. ■ Comunicação pode incentivar utilização em outros horários (esse esforço pode ser focalizado em segmentos menos lucrativos e desejáveis?).	■ Não tomar nenhuma providência (mas veja o item anterior).
Aumentar demanda	■ Não tomar nenhuma providência a menos que existam oportunidades para estimular e priorizar segmentos mais lucrativos.	■ Reduzir preços seletivamente (tentar evitar canibalização de negócios existentes; garantir que todos os custos relevantes sejam cobertos). ■ Usar comunicações e variação em produtos e distribuição (mas reconhecer custos extras, se houver, e assegurar *trade-offs* adequados entre lucratividade e níveis de utilização).
Estocar demanda por sistema de espera	■ Ajustar a configuração de fila apropriada ao processo de serviço. ■ Considerar sistema de prioridade para os segmentos mais desejáveis; fazer que outros segmentos mudem para períodos fora do pico. ■ Considerar filas separadas sob os critérios de emergência, duração e preço premium do serviço. ■ Encurtar as percepções de clientes quanto a tempo de espera e tornar a espera mais confortável.	■ Não aplicável.
Estocar demanda por sistema de reserva	■ Focar a capacidade de rendimento e de reserva para clientes menos sensíveis a preço. ■ Considerar prioridade para segmentos importantes. ■ Fazer outros clientes mudarem para períodos fora do pico.	■ Esclarecer que há espaço disponível e permitir que clientes façam reserva em seu horário preferencial.

Elementos do composto de marketing podem ser usados para moldar padrões de demanda

Diversas variáveis do composto de marketing têm papéis a desempenhar no estímulo da demanda em períodos de excesso de capacidade e na redução ou no deslocamento em períodos de capacidade insuficiente. Quase sempre, o preço é a primeira variável proposta para equilibrar oferta e demanda, mas mudanças em produto, estratégia de distribuição e esforço de comunicação também têm papel importante. Embora cada elemento seja discutido em separado, esforços efetivos de gerenciamento de demanda muitas vezes exigem mudanças em dois ou mais elementos ao mesmo tempo.

Use preço e outros custos para gerenciar demanda. Uma das formas mais diretas para equilibrar demanda e oferta é o uso do preço. Custos não monetários também podem ter um efeito similar. Se os clientes aprenderem que enfrentarão maiores custos de tempo e esforço em períodos de pico, tal informação poderá levar os que não gostam de perder tempo esperando em ambientes lotados e condições desagradáveis a tentar voltar em períodos menos concorridos. Assim também, o atrativo de preços mais baixos e a perspectiva de não ter de esperar podem incentivar pelo menos algumas pessoas a mudar o padrão de comportamento, seja para comprar, viajar ou mandar um equipamento para o conserto.

Para o preço monetário de um serviço ser eficiente como ferramenta de gerenciamento de demanda, é preciso que os gerentes saibam o formato e a inclinação da curva de demanda do produto, isto é, como a quantidade de serviço demandada reage às elevações ou às reduções no preço por unidade em um ponto do tempo. Deve-se determinar se a curva de demanda varia muito de um período a outro. Por exemplo, a mesma pessoa estará disposta a pagar mais por um fim de semana no verão do que no inverno (quando o clima é gélido) em um hotel de Cape Cod? A resposta mais provável é 'sim'. Nesse caso, talvez sejam necessários esquemas de determinação de preço diferentes o bastante para esgotar a capacidade em cada período.

Para complicar ainda mais, podem existir curvas de demanda distintas dependendo do segmento em cada período de tempo (executivos em viagem costumam ser menos sensíveis ao preço do que turistas em férias). A Figura 9.4 mostra um exemplo de curva de demanda para dois segmentos em diferentes estações do ano. Havendo comportamento diferente, pode ser necessário estabelecer estratégias diferentes.

Uma das tarefas mais difíceis para os profissionais de marketing de serviços é determinar a natureza dessas curvas de demanda. Dados históricos, pesquisa, tentativa e erro e análise de situações paralelas em outros locais ou em serviços comparáveis são modos de compreender a situação. Muitas empresas reconhecem a existência de várias curvas de demanda ao projetar produtos distintos com elementos físicos e não físicos (ou barreiras tarifárias) para seus segmentos principais. Em essência, cada segmento recebe uma variação do produto básico, com valor agregado ao serviço principal por meio de serviços suplementares, para atrair segmentos que pagam mais. Assim, em empresas de computação e de serviços gráficos, o realce do produto é a rotatividade mais rápida e serviços mais especializados. Em cada caso, o objetivo é maximizar as receitas recebidas de cada segmento.

Figura 9.4 Hotel DemandCurves por segmento e estações do ano

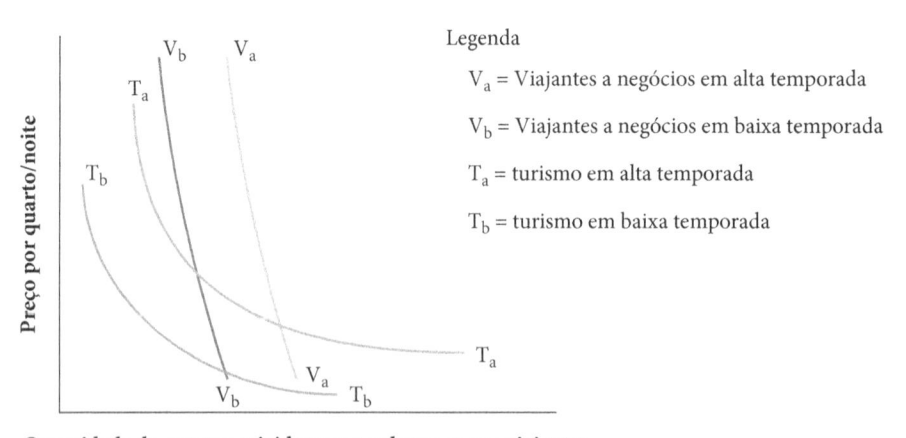

Legenda

V_a = Viajantes a negócios em alta temporada

V_b = Viajantes a negócios em baixa temporada

T_a = turismo em alta temporada

T_b = turismo em baixa temporada

Quantidade de quartos exigidos para cada preço por viajantes em cada segmento em cada estação

Quando a capacidade é limitada, entretanto, a meta de uma empresa que busca lucros deve ser assegurar que seja utilizado o máximo de capacidade possível para os segmentos mais lucrativos disponíveis a qualquer instante. Empresas aéreas reservam certo número de poltronas para executivos que pagam tarifa cheia e impõem restrições a tarifas de excursão (como exigir compra antecipada e estadia no sábado) para evitar que executivos aproveitem as tarifas baratas destinadas a atrair turistas que podem ajudar a lotar o avião. Tais estratégias de apreçamento são conhecidas como *gerenciamento de retorno* e foram discutidas no Capítulo 6.

Mude os elementos de produto. Em alguns casos, o apreçamento por si só será ineficaz para gerenciar demanda. A seção de abertura deste capítulo é um bom exemplo — se não há oportunidades para esquiar, nenhum esquiador comprará, por preço algum, ingressos de teleférico para utilizar em um dia em pleno verão. Raciocínio semelhante prevalece em muitos outros negócios sazonais. Instituições educacionais oferecem programas de fim de semana e de verão para adultos e idosos, e pequenos navios de turismo oferecem cruzeiros no verão e um lugar à beira-mar para eventos particulares nos meses de inverno. Essas empresas reconhecem que nenhum desconto de preço consegue desenvolver negócios fora de estação e que é preciso fazer novas proposições de valor dirigidas a diferentes segmentos.

Pode haver variações na oferta de produto até mesmo em um período de 24 horas. Alguns restaurantes dão um bom exemplo disso marcando a passagem das horas com mudanças no cardápio e nos níveis de serviço, variações na iluminação e na decoração, abertura e fechamento do bar e presença ou ausência de música. A meta é satisfazer diferentes necessidades do mesmo grupo de clientes, atingir diferentes segmentos de clientes, ou ambas as coisas, conforme o horário.

Modifique o local e o horário de entrega. Em vez de procurar modificar a demanda por um serviço que continua a ser oferecido no mesmo horário e no mesmo local, algumas empresas respondem às necessidades do mercado modificando o horário e o local da entrega. Há três opções básicas disponíveis:

- *Não mudar*. Seja qual for a demanda, o serviço continua a ser oferecido no mesmo local, nos mesmos horários.

- *Variar os horários em que o serviço está disponível*. Essa estratégia reflete mudanças na preferência do cliente por dia de semana, estação do ano e assim por diante; no verão, cafés e restaurantes podem ficar abertos até mais tarde por causa da tendência das pessoas de aproveitar os fins de tarde mais longos ao ar livre; e lojas podem ampliar seus horários perto do Natal ou durante o período de férias escolares.

- *Oferecer o serviço a clientes em um novo local*. Uma abordagem é operar unidades móveis que levam o serviço aos clientes em vez de exigir que eles visitem locais fixos de serviço. Bibliotecas móveis, serviços móveis de lavagem de carros, serviços de alfaiataria em escritórios, entrega de refeições e serviços de bufê em domicílio e vans equipadas com equipamentos médicos de primeiros socorros são alguns exemplos. Uma empresa de limpeza e manutenção que queira gerar negócios em períodos de baixa demanda poderia oferecer retirada e entrega gratuitas de itens portáteis que demandam consertos. Ou empresas cujos ativos produtivos são móveis podem preferir seguir o mercado quando este também for móvel. Algumas locadoras de automóveis montam filiais sazonais em estações balneárias, onde costumam mudar os horários de atendimento (e certos aspectos do produto) para atender às necessidades e preferências locais. O Campos do Jordão Market Plaza, em Campos de Jordão, São Paulo, é o maior shopping sazonal do Brasil, cujo conceito é acompanhar o cliente onde ele estiver, um passo adiante. Todos os anos abre no feriado de Corpus Christi, no centro da cidade, e funciona até 1º de agosto, operando somente na alta temporada de turismo. Criado pelo empresário e apresentador João Dória Júnior, ocupa cerca de 7 mil metros quadrados, com 70 espaços com os mais variados produtos, grifes de roupas, joias, relógios, acessórios, cosméticos, carros, motos, além de praça de alimentação com opções de *fast-foods* a refeições mais elaboradas e uma variedade de doces.

Promoção e educação. Mesmo que as outras variáveis do composto de marketing não mudem, esforços de comunicação, por si sós, podem ajudar a nivelar a demanda. Sinalização, propaganda, publicidade e mensagens de venda podem ser usadas para ensinar aos clientes sobre os períodos de pico e incentivá-los a aproveitar o serviço fora desses momentos, quando haverá menos atrasos.[5] Correios incentivam o público a enviar cartões de Natal mais cedo; empresas de transporte público veiculam mensagens incentivando quem não vai ao trabalho — como compradores ou turistas — a evitar a superlotação em horários de pico; e representantes de vendas de empresas de manutenção industrial informam a seus clientes quando serviços de manutenção preventiva podem ser feitos com rapidez. Além disso, a gerência pode solicitar a seus profissionais de serviço (ou a intermediários, como agentes de viagem) que incentivem clientes cujos horários são diferenciados a preferir períodos fora do pico.

Alterações em preços, características do produto e distribuição devem ser comunicadas com clareza. Se uma empresa quiser obter uma resposta específica às variações em elementos do composto de marketing, ela deverá, é claro, dar informações completas aos clientes sobre todas as opções. Como discutimos no Capítulo 7, promoções de curto prazo, que combinam elementos de determinação de preço e de comunicação, bem como outros incentivos, podem oferecer aos clientes estímulos atraentes para mudar a ocasião da utilização do serviço.

Nem toda demanda é desejável. Na verdade, algumas solicitações de serviço são inadequadas e fazem a empresa ter dificuldades para atender às necessidades legítimas de seu público-alvo. Conforme discutido na seção Exemplo prático 9.1, muitas chamadas ao serviço telefônico de emergência não se referem realmente a problemas que demandem o envio de polícia.

Exemplo prático 9.1

Desestimulando a demanda por ligações não emergenciais

Alguma vez você já imaginou o que é trabalhar em um serviço telefônico de emergência como o 911? A noção de emergência varia muito entre as pessoas.

Imagine a imensa central de comunicações da Delegacia de Polícia em Nova York. Um sargento grisalho fala ao telefone, com muita paciência, com uma senhora que acionou o serviço porque ela acha que seu gato está preso em cima de uma árvore. 'A senhora já viu algum esqueleto de gato em cima de uma árvore?', o sargento pergunta. 'Todos os gatos conseguem descer de algum jeito, não é mesmo?' Após desligar, o sargento volta-se para um visitante e dá de ombros. 'Esse tipo de telefonema não para nunca', ele diz. 'O que podemos fazer?' O problema é que, quando discam para o número de emergência reclamando do barulho na festa no vizinho, pedindo que salvem seus gatos ou que desliguem hidrantes com vazamento, as pessoas podem retardar o tempo de resposta a incêndios, ataques cardíacos ou crimes violentos.

A situação em Nova York chegou a tal ponto que a polícia precisou desenvolver uma campanha de marketing para convencer o público a não solicitar atendimento de emergência inadequado pelo número 911. O problema era: o que poderia parecer uma emergência para quem telefona — um gato de estimação em cima de uma árvore, uma festa barulhenta — não era uma situação de ameaça à vida (ou à propriedade) do tipo que os serviços de emergência estão prontos a resolver. Por isso, foi criada uma campanha divulgada em vários meios de comunicação, visando recomendar ao público que não telefonasse para o 911 a menos que se tratasse de uma *emergência perigosa*. Para ajudar a resolver outros problemas, a campanha solicitava que as pessoas ligassem para a delegacia local ou outros serviços municipais. O anúncio mostrado na Figura 9.5 foi veiculado nos ônibus e no metrô de Nova York.

Figura 9.5 Desestimulando chamadas não emergenciais ao 911, como gatos em árvores e vizinhos barulhentos

No Rio de Janeiro, das 27 mil ligações diárias recebidas pelos atendentes do sistema 190 da Polícia Militar, 30 por cento (9 mil) são trotes. Além de causar congestionamento nas linhas de emergência, os falsos comunicados dão prejuízo de 2 milhões de reais aos cofres do Estado. Para reduzir o problema, a PM faz campanhas periódicas de educação.

Desestimular demanda indesejável por meio de campanhas de marketing ou procedimentos de filtragem não eliminará, evidentemente, flutuações aleatórias na demanda remanescente, mas poderá ajudar a manter níveis de pico de demanda dentro da capacidade de serviço da organização.

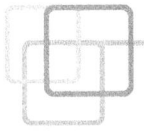

Estocar demanda por meio de filas e outros sistemas de espera

Um dos desafios de serviços é que eles, em geral, não podem ser estocados para utilização posterior. Um cabeleireiro não pode deixar um corte de cabelo guardado para o dia seguinte; o corte deve ser feito em tempo real. Em um mundo ideal, ninguém jamais teria de esperar para realizar uma transação de serviço. Mas as empresas não podem bancar o fornecimento de extensa capacidade extra; que não seria utilizada na maior parte do tempo. Como já vimos, muitos procedimentos podem promover o equilíbrio entre demanda e oferta. Mas o que um gerente pode fazer quando as possibilidades de modelar demanda e ajustar capacidade já foram esgotadas e ainda assim o desequilíbrio continua? Não tomar nenhuma providência e deixar que os clientes resolvam as coisas não é receita para sua satisfação. Em vez de permitir que as coisas degenerem em desordem, empresas orientadas para o cliente tentam desenvolver estratégias para garantir ordem, previsibilidade e justiça. Em negócios nos quais a demanda costuma exceder a oferta, gerentes podem tomar providências para estocar demanda de dois modos: (1) solicitar aos clientes que esperem em fila e atendê-los por ordem de chegada, ou oferecer sistemas mais avançados de espera e (2) dar-lhes a oportunidade de reservar ou marcar espaço com antecedência. Discutiremos sobre filas e outros sistemas de espera nesta seção e sobre sistemas de reserva na próxima.

Espera: um fenômeno universal

Estima-se que os norte-americanos gastem 37 bilhões de horas por ano (uma média de quase 150 horas por pessoa) em filas e que "durante esse tempo eles se irritam, perdem a paciência e ficam sisudos", segundo o *The Washington Post*.[6] E parece que situações semelhantes (ou piores) acontecem no mundo inteiro.

Ninguém gosta de esperar (veja a Figura 9.6). É entediante, perde-se tempo, além de ser desconfortável — em especial se não houver lugar para se sentar ou se você estiver ao ar livre. Ainda assim, esperar por um processo de serviço parece ser um fenômeno universal: quase toda organização enfrenta o problema em algum ponto da operação. As pessoas esperam ao telefone, enquanto ouvem gravações do tipo 'sua ligação é muito importante para nós'; fazem fila com seus carrinhos nos caixas dos supermercados; esperam a conta após uma refeição no restaurante; e aguardam em seus carros para entrar no lava-rápido e para pagar pedágios.

Uma pesquisa nacional com mil adultos nos Estados Unidos revelou que as filas de espera consideradas mais desagradáveis pelos norte-americanos eram as de consultórios médicos (citados por 27 por cento) e órgãos que emitem registros de automóveis e carteiras de motoristas (26 por cento), seguidas por supermercados (18 por cento) e aeroportos (14 por cento).[7] Situações que tornam a espera pior em caixas de lojas incluem funcionários lentos ou ineficientes, clientes que mudam de ideia sobre um item registrado e alguém que deixa a fila para buscar um item esquecido. Não demora muito para as pessoas perderem a paciência: um terço dos entrevistados afirma ficar frustrado após esperar por até dez minutos, embora mulheres demonstrem mais paciência do que homens e mais disposição em conversar com os outros para passar o tempo.

Objetos físicos e inanimados também esperam por processamento. E-mails de clientes ficam nas caixas de entrada do pessoal de atendimento, aparelhos esperam para ser consertados e cheques aguardam pela compensação em um banco. Em cada caso, um cliente pode estar à espera do resultado daquele trabalho: a resposta a um e-mail, um aparelho que já funciona e um crédito na conta de um cliente.

Figura 9.6 As empresas precisam assumir a responsabilidade de ajudar seus clientes a evitar o tempo e o incômodo de esperar em uma fila

Por que ocorrem filas de espera?

Filas de espera ocorrem sempre que o número de chegadas a uma instalação excede a capacidade do sistema para processá-las. Em um sentido muito verdadeiro, filas são um sintoma de problemas não resolvidos de gerenciamento de capacidade. Análise e modelagem de filas é um ramo bem estabelecido em gestão de operações. A teoria da fila remonta a 1917, quando um engenheiro de telefonia dinamarquês foi encarregado de determinar o tamanho que a unidade de comutação de um sistema de telefonia deveria ter para manter o número de linhas ocupadas dentro de um limite razoável.[8]

Como sugere o exemplo do telefone, nem todas as filas assumem a forma de uma espera física em um único lugar. Quando tratam com um fornecedor de serviços a distância, como processamento de informação, clientes chamam de casa, do escritório ou da faculdade por canais como telefone ou Internet. Em geral, as chamadas são atendidas por ordem de recebimento, o que muitas vezes obriga os clientes a esperar em uma fila virtual. Algumas filas físicas são dispersas em termos geográficos. Viajantes têm de esperar em muitos lugares diferentes pelos táxis que pediram por telefone.

Muitos sites agora permitem que as pessoas façam coisas por conta própria, como obter informações ou fazer reservas, que antes exigiam dar telefonemas ou ir a uma instalação de serviços. É comum as empresas promoverem as economias de tempo que podem ser obtidas. Embora o acesso à rede às vezes seja lento, ao menos a espera acontece enquanto o cliente está sentado e pode realizar outras tarefas.

Gerenciando filas de espera

O problema da redução do tempo de espera de clientes geralmente requer estratégias multifacetadas, como evidencia a abordagem adotada por um banco de Chicago (Exemplo prático 9.2). Aumentar capacidade apenas com mais espaço ou mais funcionários nem sempre é a solução ideal, quando a satisfação do cliente precisa ser equilibrada com os custos. Assim como fez aquele banco, gerentes também devem considerar algumas alternativas, como:

1. rever o projeto do sistema de filas;
2. instalar um sistema de reserva;

3. customizar o sistema de espera a diferentes segmentos de mercado;
4. gerenciar o comportamento de clientes e a percepção que eles têm da espera;
5. redesenhar processos para reduzir o tempo de cada transação.

Os pontos de 1 a 4 serão discutidos nas próximas seções deste capítulo, enquanto o ponto 5 deverá ser consultado no Capítulo 8 sobre redesenho do processo de atendimento ao cliente. *Flowcharts* e *blueprints* terão grande importância para a análise.

Configurações de fila

Existem vários tipos de fila, e o desafio dos gerentes é escolher o procedimento mais adequado. A Figura 9.7 mostra diversos tipos que, provavelmente, você próprio já experimentou.

Exemplo prático 9.2

Reduzindo a espera para clientes de bancos de varejo

Como um grande banco de varejo deve reagir ao aumento da concorrência por novos provedores de serviços financeiros? Um grande banco de Chicago decidiu que aprimorar o serviço para seus clientes seria um importante elemento em sua estratégia. Uma oportunidade de melhoria era reduzir o tempo de espera em filas nas agências do banco — uma fonte comum de reclamações. Reconhecendo que nenhuma ação isolada poderia resolver o problema a contento, o banco adotou uma abordagem múltipla, com três diferentes ênfases.

Primeiro, foram feitas melhorias tecnológicas na operação de serviço, começando com a introdução de um sistema eletrônico de filas que não somente orientava os clientes até o próximo guichê livre, mas também fornecia informações on-line a supervisores para ajudá-los a ajustar os funcionários à demanda. Ao mesmo tempo, computadores mais bem equipados forneciam aos caixas mais informações on-line sobre os clientes, habilitando-os a resolver mais situações sem sair do guichê. E novas máquinas registradoras evitavam que eles tivessem de separar notas de dinheiro e contá-las duas vezes (o que resultou em economia de tempo de 30 segundos para cada transação de saque). Hoje a tecnologia pode oferecer suporte a muitos problemas de filas e soluções alternativas baseadas nela sempre devem ser avaliadas.

Em segundo lugar, as estratégias de recursos humanos foram modificadas. O banco adotou uma nova descrição de cargo para gerentes de caixa, que os tornava responsáveis pelos tempos que os clientes passavam na fila e por acelerar as transações. O banco também criou um programa denominado 'funcionário do dia', no qual um funcionário recebia um bipe e era designado para auxiliar o pessoal em transações complicadas que, caso contrário, poderiam atrasá-los. Foi criada uma nova categoria de cargo, o caixa de horário de pico, com salários mais altos e 12 a 18 horas de trabalho por semana. Caixas de tempo integral passaram a receber incentivos em dinheiro e reconhecimento como recompensa pela melhoria de produtividade em dias de alto volume de transações. Por fim, a gerência reorganizou horários de almoço. Em dias movimentados, os intervalos de almoço eram reduzidos para meia hora, e o pessoal recebia refeições prontas; ao mesmo tempo, o refeitório do banco abria mais cedo para servir os caixas de horário de pico.

O terceiro conjunto abrangia melhorias no sistema de entrega, dirigidas ao cliente. Em dias movimentados, eram instaladas caixas rápidos para depósitos e transações simples, enquanto recém-criados guichês expressos ficavam reservados para depósitos e retiradas em dinheiro. O número de horas de atendimento no saguão foi ampliado de 38 para 56 por semana, incluindo domingos. Um folheto, denominado 'Como não esperar', alertava os clientes sobre os períodos movimentados e sugeria modos de evitar atrasos. Na sequência, medições internas e levantamentos realizados com clientes mostraram que as melhorias não somente tinham reduzido tempos de espera, como também aumentado sua percepção de que o banco era 'o melhor' da região no quesito de espera mínima em filas de caixas. O banco também constatou que a adoção de horários mais longos desviou um pouco do 'movimento do meio-dia' para períodos antes e depois do trabalho.

Fonte: Leonard L. Berry e Linda R. Cooper, "Competing with time-saving service", *Business*, 40, n.2, 1990, p. 3–7.

Figura 9.7 Configurações de filas alternativas

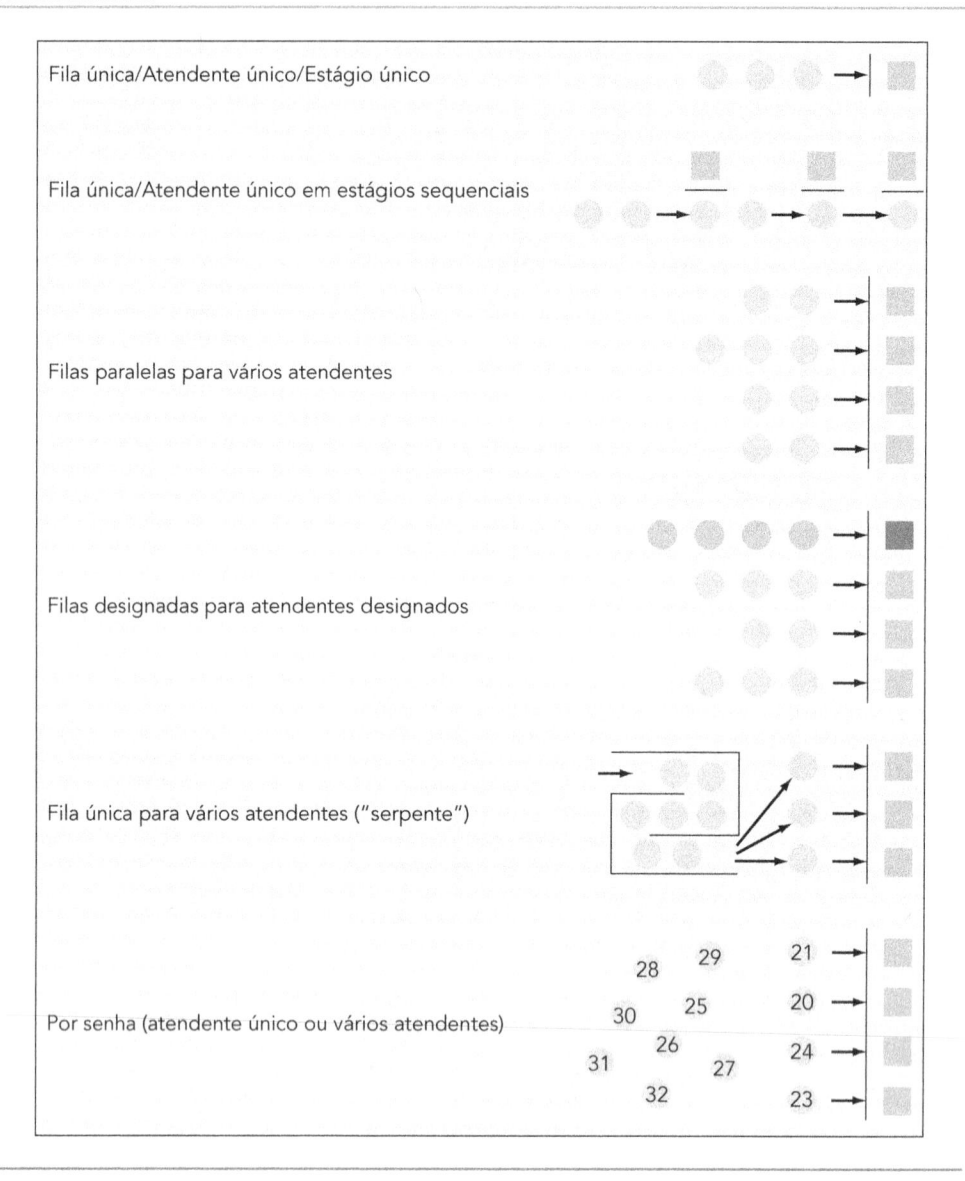

- Fila única/Atendente único/Estágio único
- Fila única/Atendente único em estágios sequenciais
- Filas paralelas para vários atendentes
- Filas designadas para atendentes designados
- Fila única para vários atendentes ("serpente")
- Por senha (atendente único ou vários atendentes)

- Em *filas únicas/estágios sequenciais*, a fila de clientes avança passando por diversas operações de serviço, como em um bufê. Podem ocorrer gargalos em qualquer estágio onde a execução do processo demora mais do que nos anteriores. Em muitos locais, há filas porque o caixa leva mais tempo para calcular quanto você consumiu e dar-lhe o troco do que os atendentes levam para servi-lo.

- *Filas paralelas para vários atendentes* oferecem mais de uma estação de atendimento, permitindo que os clientes escolham a fila. Bancos e bilheterias são exemplos comuns. Em restaurantes de *fast-food* normalmente há várias filas de atendimento em horários movimentados e cada uma oferece o cardápio completo. Um sistema paralelo pode ter um único estágio, ou vários. A desvantagem dessa disposição é que as filas podem não andar com a mesma velocidade. Quantas vezes você já escolheu a fila que parecia mais curta e depois percebeu, frustrado, que as outras andavam duas vezes mais depressa só porque alguém na sua frente executava uma transação complicada?

- *Fila única para vários atendentes*, comumente conhecida como 'serpente'. Resolve o problema das filas paralelas para vários atendentes que se movem em velocidades diferentes. É encontrada com frequência em agências de correio e balcões de check-in em aeroportos.

- *Filas designadas* envolvem determinar filas diferentes para categorias específicas de cliente. Entre os exemplos estão filas expressas (por exemplo, para até 12 itens) e filas normais de caixas de supermercados, bem como postos de check-in diferentes para primeira classe, classe executiva e classe econômica para passageiros.

- O sistema de *senhas* evita que os clientes tenham de ficar em pé, porque sabem que serão chamados em sequência. Permite que se sentem e descansem (se houver poltronas disponíveis) ou calculem o tempo de espera e façam algo nesse ínterim — embora corram o risco de perder seu lugar, se os clientes antes dele forem atendidos mais rapidamente do que o esperado. Como exemplos, grandes agências de viagens, serviços públicos, ambulatórios de hospitais e seções em supermercados, como rotisseries e padaria.

- *Lista de espera*. É comum restaurantes manterem listas de espera. As quatro formas mais usadas são: (1) acomodação por tamanho do grupo, em que o número de pessoas é equiparado ao tamanho da mesa disponível; (2) acomodação VIP, que envolve a concessão de direitos especiais a clientes preferenciais; (3) acomodação por telefonema prévio, que permite às pessoas telefonarem antes da chegada para reservar um lugar na lista de espera; e (4) reserva de grandes grupos. Se os clientes conhecerem os critérios de lista de espera adotados, é mais provável que os considerem justos. Caso contrário, a reserva de grandes grupos é tida como injusta, de certa forma, e a acomodação VIP como muito injusta por clientes que não recebem atendimento preferencial.[9] A percepção de justiça é sempre um fator importante quando se trata de filas e deve ser analisada do ponto de vista do cliente.

Também existem abordagens híbridas. Por exemplo, uma lanchonete pode ter apenas uma fila e duas caixas registradoras no estágio final. De modo semelhante, pacientes de uma pequena clínica médica podem fazer seu registro com um único recepcionista; em seguida, passar por vários canais para teste, diagnóstico e tratamento; e concluir voltando à fila única do recepcionista para pagar.

Pesquisas sugerem que selecionar o tipo mais adequado de fila é importante para a satisfação do cliente. Anat Rafaeli e colegas constataram que o modo como uma área de espera é estruturada pode produzir sentimentos de injustiça. Clientes que esperavam em filas paralelas para vários atendentes relataram agitação e insatisfação bem maiores em relação à justiça do processo de entrega de serviço do que outros que esperavam em uma fila única ('serpente') para acessar diversos atendentes, mesmo quando ambos os grupos esperavam a mesma quantidade de tempo e estavam envolvidos em processos de serviços completamente justos.[10] A questão da percepção de justiça surge porque, com frequência, os clientes em espera são muito cientes de seu próprio progresso para serem atendidos. Talvez você já tenha olhado com certo ressentimento outros clientes que chegaram mais tarde em um restaurante movimentado terem prioridade e passar à frente na fila. Não parece justo — sobretudo se você está com fome!

Esperas virtuais

Um dos problemas associados à espera em uma fila é o desperdício de tempo para os clientes. A estratégia da 'fila virtual' é um meio inovador de eliminar a espera física do processo de espera. Em vez de esperar, os clientes registram seu lugar em um computador, que estima o tempo que eles levarão para chegar na frente da fila virtual e devem retornar para tomar seu lugar.[11] O Exemplo prático 9.3 descreve os sistemas de fila virtual usados em dois setores bastante distintos: um parque temático e uma central de telemarketing.

O conceito de fila virtual tem muitas aplicações potenciais. Navios de cruzeiro, hotéis do tipo 'tudo incluso' e restaurantes poderão usar essa estratégia se os clientes aceitarem fornecer seu número de celular ou permanecerem no raio de alcance de um sistema de *pager* operado pela empresa.

Modelando sistemas de filas conforme segmentos de mercado

Embora a regra básica de grande parte dos sistemas de fila seja 'primeiro a chegar, primeiro a ser atendido', nem todos são organizados assim. Às vezes, usa-se segmentação de mercado para elaborar estratégias de fila para diferentes tipos de cliente. A alocação para separar áreas de fila pode basear-se em:

> ### Panorama de serviços 9.2
>
> ### Incentivando o autosserviço: site do HSBC Saia Já da Fila
>
> A história do maior banco da Europa, o HSBC, tem origem em Hong Kong, em 1865, quando o escocês Thomas Sunderland fundou o The Hong Kong & The Shanghai Banking Corporation (daí a sigla HSBC) para financiar os comerciantes de chá e incentivar o comércio entre China, Índia e Europa.
>
> Seguiu-se, no mesmo ano, a abertura das filiais de Xangai e Londres. Nos anos seguintes, foram abertas as filiais do Japão (em 1866), das Filipinas (em 1875), da Indonésia e da Malásia (em 1884) e de Bangkok (em 1888). Seguindo a expansão do comércio na região, no início do século o banco já havia se tornado um dos principais da Ásia. Passou por uma crise na Segunda Guerra Mundial, quando vários de seus diretores foram feitos prisioneiros, e recuperou-se com o crescimento de Hong Kong no pós-guerra e com aquisições de concorrentes.
>
> A partir da década de 1980, iniciou agressiva estratégia de expansão em outros continentes. Ingressou em 1981 na Grécia e no Chile, em 1982 na Espanha e no Paquistão, em 1986 na Austrália e nos Estados Unidos. Em 1990 mudou sua sede para Londres, e ao longo da década entrou no Brasil, pela compra do Bamerindus, e também na Coreia do Sul, na Argentina, na Índia e na Ilha de Malta, entre outros. Em 1999, comprou o Republic National Bank of New York, o que permitiu especializar-se em *private banking* e tornar-se um dos maiores bancos dos Estados Unidos.
>
> Sempre inovador, iniciou o uso de computadores em 1965, o atendimento telefônico 24 horas por dia em 1989, serviços via Internet em 2000 e o HSBC Direct, um banco on-line, em 2005.
>
> Seu posicionamento tem sido o de se colocar como um banco global com experiência local, explorando sua presença em todos os continentes, e o conhecimento das características dos mercados locais. Hoje é o quarto maior banco do mundo, e o maior da Europa. Estima-se que fature em torno de 150 bilhões de dólares, em 9.500 agências, onde 335 mil empregados atendem a 195 milhões de clientes, em 86 países.
>
> Entre diversas ações de educação do cliente para o uso de seus serviços, criou um jogo chamado "Saia já da Fila", no qual o jogador, em uma agência deve ajudar quatro clientes a saírem da fila e usar os serviços bancários mais rapidamente. É um jogo de animação, criado pela agência Mídia Digital, com animação da Digital Spirit. Cada jogador representa um perfil de cliente e está no banco para resolver diferentes situações. São apresentadas soluções que o jogador deve avaliar e recomendar para cada personagem. Como a fila demora muito, são sugeridas 'malandragens', como fingir distração e furar a fila, ou fingir que é amigo do gerente, mas nenhuma delas engana o caixa, que sempre manda o personagem de volta para a fila. Quando o jogador sugere usar um dos serviços de autoatendimento, é recompensado com elogios e o personagem sai da fila e resolve seu problema. A ideia do jogo é, de forma lúdica, educar o cliente sobre as vantagens do autoatendimento em relação ao caixa e às dificuldades com a fila, em linguagem atual e descontraída. Ao fim do jogo, o cliente é solicitado a divulgar o site pelo boca a boca, recomendando o jogo para seus amigos.
>
> **Fonte:** Disponível em: <http://www.hsbc.com.br>. Acesso em 30/05/2011.

- *urgência do serviço*. Em muitas unidades de emergência de hospitais, uma enfermeira é designada para receber os pacientes, fazer triagem e decidir quais exigem tratamento prioritário e quais podem ser registrados e esperar sua vez;
- *duração da transação de serviço*. Bancos, supermercados e outros serviços de varejo muitas vezes instituem filas expressas para tarefas mais curtas, menos complicadas;
- *pagamento de um preço mais alto*. Em geral, empresas aéreas oferecem filas separadas de check-in para passageiros da primeira classe e da classe econômica com uma quantidade maior de pessoas para atender a fila da primeira classe, resultando na redução da espera para os que pagaram mais por sua passagem;
- *importância do cliente*. Uma área especial pode ser reservada para afiliados a programas de fidelidade. É comum as empresas aéreas oferecerem salas privativas, com jornais e refrescos, onde esses passageiros esperam o voo com maior conforto.

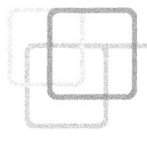

Percepções de clientes quanto ao tempo de espera

Pesquisas demonstram que as pessoas costumam pensar ter esperado mais tempo por um serviço do que esperaram de fato. Estudos de utilização de transporte público, por exemplo, mostraram que passageiros percebem o tempo gasto à espera de um ônibus ou trem de uma e meia a sete vezes mais lento do que o tempo da viagem.[12] Ninguém gosta de perder tempo com atividades improdutivas nem de desperdiçar dinheiro. A insatisfação de clientes com demoras no recebimento do serviço muitas vezes pode estimular emoções fortes, incluindo raiva.[13]

Exemplo prático 9.3

Espera em uma fila virtual

A Disney é conhecida por seu empenho em fornecer aos visitantes informações sobre o tempo de espera para cada atração e por entretê-los enquanto aguardam. Ainda assim, a empresa constatou que as longas filas nas atrações mais populares representavam uma grande fonte de insatisfação e por isso criou uma solução inovadora.

O conceito de fila virtual foi testado primeiro no Disney World. Nas atrações mais procuradas, os clientes podiam registrar seu lugar na fila em um computador e ficar livres para visitar outros locais no tempo de espera. Pesquisas revelaram que os usuários do novo sistema gastavam mais, viam mais atrações e tinham um nível de satisfação bem mais alto. Após melhorias, o sistema — que passou a se chamar FASTPASS — foi introduzido nas cinco atrações mais populares do Disney World e posteriormente estendido a todos os parques Disney no mundo. Hoje é utilizado por mais de 50 milhões de visitantes ao ano.

O FASTPASS é fácil de usar. Quando os clientes se aproximam de uma atração FASTPASS, têm duas escolhas: obter um bilhete FASTPASS e retornar no horário marcado ou esperar na fila. Placas indicam o tempo de espera a cada instante. O tempo de espera para cada fila tende a ser autoajustável, porque uma grande diferença entre as duas levará a um número crescente de pessoas optando pela mais curta. Na prática, a espera virtual tende a ser ligeiramente mais longa do que a física. Para usar a opção do FASTPASS, os visitantes inserem o ingresso de entrada em uma catraca e recebem um bilhete FASTPASS com o horário de retorno. Os visitantes têm certa flexibilidade, porque o sistema permite-lhes uma janela de 60 minutos além do tempo de retorno impresso.

Assim como o sistema FASTPASS, as centrais de telemarketing também usam filas virtuais. Diversos fornecedores oferecem diferentes tipos de sistema de espera virtual destinado a centrais de telemarketing. O sistema 'primeiro que entra, primeiro que sai' é muito comum. Quando alguém liga, ouve uma mensagem que informa o tempo estimado de espera para ser atendido. A pessoa que liga pode (1) esperar na fila e falar com um atendente quando chegar sua vez ou (2) optar por receber um retorno da chamada. Para essa opção deve inserir seu número de telefone e dizer seu nome, antes de desligar. Entretanto, seu lugar virtual na fila é mantido. Quando estiver quase na ponta da fila, o sistema liga de volta e coloca-o na fila para ser o próximo atendido. Em ambas as situações, é improvável que o cliente reclame. Na primeira, é escolha dele esperar, e ele ainda pode fazer outra coisa, pois já sabe o tempo estimado de espera. Na segunda, ele não tem de esperar muito para ser atendido. A central de telemarketing também se beneficia porque há menos clientes frustrados que usam o valioso tempo dos atendentes para reclamar da demora no atendimento. Além disso, as empresas também reduzem o índice de chamadas abortadas ou perdidas de clientes.

As novas gerações de clientes, acostumadas à velocidade dos videogames, têm se mostrado menos tolerantes com esperas. A Disney tem desenvolvido novos processos para reduzir filas. Seu centro de operações acompanha os satélites meteorológicos para saber a possibilidade chuva, que complica mais a operação de espera nas filas. Videogames com jogos curtos, de 90 segundos, foram instalados para amenizar a espera. Sistemas computadorizados monitoram o andamento, e quando as filas passam de um limite, os funcionários são comunicados para acelerar o ritmo. Se a fila aumenta, atores fantasiados de personagens são enviados para distrair os clientes. E se ficar muito grande, é feita uma parada que desvie as pessoas desse brinquedo e as leve para outro vazio. Estão sendo desenvolvidos aplicativos para o celular que informam as condições das filas, armazenam informações sobre os clientes e permitem pagamentos.

Fonte: Duncan Dickson, Robert C. Ford e Bruce Laval, "Managing real and virtual waits in hospitality and service organizations", *Cornell Hotel and Restaurant Administration Quarterly*, 46, fev. 2005, p. 52-68; "Virtual Queue", Wikipedia. Disponível em: <www.en.wikipedia.org/wiki/virtual_queuing>. Acesso em: 2 jun. 2009.

A psicologia do tempo de espera

O renomado filósofo William James observou: "O tédio resulta de estarmos atentos à passagem do tempo em si". Ou seja, as empresas precisam entreter seus clientes, para que eles não sintam a demora como excessiva. Quando simplesmente não for viável aumentar capacidade, provedores de serviços devem tentar ser criativos e procurar modos de tornar a espera mais agradável. Médicos e dentistas oferecem pilhas de revistas em suas salas de espera para as pessoas lerem enquanto esperam. Oficinas mecânicas podem instalar uma televisão. Um negociante de pneus chega a oferecer pipoca, refrigerantes, café e sorvete enquanto os clientes esperam. Acesso a Internet, videogames e DVD players também são opções interessantes.

Uma experiência realizada em um grande banco de Boston constatou que instalar painéis eletrônicos de notícias no saguão resultava em maior satisfação do cliente, mas não reduziam a percepção do tempo gasto na espera.[14] Em algumas cidades norte-americanas, operadores de trânsito construíram abrigos aquecidos, com bancos, para aumentar o conforto de passageiros que esperam um ônibus ou um trem no inverno. Restaurantes resolvem seu problema de espera convidando seus clientes a tomar um coquetel no bar antes do jantar até que sua mesa esteja pronta, o que não somente rende mais dinheiro para o estabelecimento, mas também mantém os clientes ocupados. De modo semelhante, clientes que esperam na fila para assistir a um show em um cassino podem ficar em um corredor equipado com máquinas caça-níqueis.

O porteiro de um Hotel Marriott resolveu, por conta própria, levar um barômetro/termômetro para o trabalho todos os dias e pendurá-lo em um pilar da entrada do hotel. Assim, os clientes podem consultá-lo alguns minutos enquanto esperam por um táxi ou que seu carro seja trazido pelo manobrista.[15] Mesmo um porteiro mais simpático e falante pode trazer bons resultados. Operadores de parques temáticos projetam suas áreas de espera para que pareçam mais curtas, buscando meios de dar aos clientes na fila a impressão de constante progresso, mantendo os clientes entretidos ou divertindo-os enquanto esperam.

É útil informar às pessoas quanto tempo deverão esperar pelo serviço? O bom senso sugere que sim, pois a informação permite que os clientes decidam se podem perder o tempo de espera naquele momento ou se devem voltar mais tarde. Isso também lhes possibilita planejar a utilização de seu tempo durante a espera. Um estudo experimental no Canadá observou como estudantes reagiam a esperas enquanto realizavam transações por computador — uma situação semelhante a esperar ao telefone, no sentido de que não há nenhuma pista visual quanto ao provável tempo de espera.[16] O estudo constatou insatisfação com esperas de 5, 10 ou 15 minutos sob três condições: (1) os participantes não recebiam nenhuma informação, (2) eram informados sobre a provável duração da espera ou (3) sabiam qual era seu lugar na fila. Os resultados sugeriram que, para esperas de 5 minutos, não era necessário dar informações. Para esperas de 10 ou 15 minutos, oferecer informações parecia melhorar a avaliação dos clientes em relação ao serviço. Contudo, para esperas mais longas, os pesquisadores sugerem ser mais positivo informar a progressão de seu lugar na fila em vez de lhes dizer quanto tempo falta para o atendimento. Uma conclusão possível é que as pessoas preferem ver (ou perceber) que a fila anda a consultar um relógio.

Profissionais atentos de marketing de serviços reconhecem que o modo como os clientes experimentam o tempo de espera depende das circunstâncias. David Maister e outros pesquisadores têm as seguintes sugestões sobre como usar a psicologia para tornar o tempo de espera menos estressante e desagradável: [17]

- *Tempo desocupado parece mais longo do que tempo ocupado.* Quando você está sentado sem fazer nada, o tempo parece arrastar-se. O desafio para organizações de serviço é dar aos clientes algo para fazer ou para distraí-los enquanto esperam. Proprietários de automóveis BMW podem esperar com todo o conforto em centros de serviços da empresa, onde as áreas de espera são mobiliadas com móveis de grife, TVs de plasma, *hotspots* Wi-Fi, revistas e um cappuccino tirado na hora. Muitos clientes até trazem seu próprio entretenimento sob a forma de um telefone celular com mensagens e jogos, um tocador MP3 ou um *playstation* pessoal.

- *Esperar sozinho parece mais longo do que esperar em grupo.* Esperar com uma ou mais pessoas conhecidas é tranquilizador. Conversar com amigos pode ajudar a passar o tempo, mas nem todos se sentem bem conversando com um estranho. Uma alternativa interessante é treinar funcionários para conversar com clientes que estejam sozinhos.

- *Esperas fisicamente desconfortáveis parecem mais longas do que as confortáveis.* 'Meus pés estão me matando!' é um dos comentários que mais se ouve quando pessoas esperam de pé em uma fila durante longo tempo. E, seja sentado ou seja de pé, esperar parecerá pior se estiver muito frio ou muito calor, se houver correntes de ar ou estiver ventando e se não houver nenhuma proteção contra chuva ou neve. Aromas fortes, luzes excessivas, visual inapropriado e ruídos fortes também podem ser desagradáveis.

- *Esperas antes e após os processos parecem mais longas do que esperas durante o processo.* Esperar para comprar ingresso para um parque temático é diferente de esperar para andar na montanha-russa, já dentro do parque. Também há uma diferença entre esperar a chegada do café ao final de uma refeição em um restaurante e esperar que o garçom traga a conta quando você já estiver pronto para ir embora.

- *Esperas injustas são mais longas do que as equitativas.* Expectativas sobre o que é justo ou injusto variam de uma cultura para outra ou de um país para outro. Nos Estados Unidos, Brasil e Grã-Bretanha, por exemplo, as pessoas esperam que cada um aguarde sua vez e é provável que fiquem irritadas se virem alguém furando a fila ou recebendo tratamento prioritário sem razão aparente.

- *Esperas não familiares parecem mais longas do que as familiares.* Usuários regulares de um serviço sabem o que esperar e é menor a probabilidade de se preocuparem enquanto aguardam. Usuários novos ou ocasionais, ao contrário, muitas vezes ficam nervosos, imaginando não somente a provável duração da espera, mas também o que acontecerá depois.

- *Esperas incertas são mais longas do que esperas conhecidas, finitas.* Embora qualquer espera possa ser frustrante, em geral, podemos nos ajustar mentalmente para uma espera de duração conhecida. É o desconhecido que nos deixa inquietos. Imagine aguardar por um voo atrasado e ninguém informar qual será a duração da espera. Você não sabe se tem tempo de passear pelo terminal ou se fica próximo ao portão, caso o voo seja chamado a qualquer instante.

- *Esperas inesperadas são mais longas do que esperas explicadas.* Você já se viu em um vagão de metrô ou em um elevador que parou sem razão aparente e sem que ninguém lhe informasse por quê? Além da incerteza quanto à duração da espera, há a preocupação adicional sobre o que vai acontecer. Houve um acidente na linha? Você ficará preso por horas junto com estranhos em um ambiente restrito? Existe algum risco físico?

- *Ansiedade faz a espera parecer mais longa.* Você se lembra de esperar por alguém em um lugar combinado e se preocupar se anotou direito a hora ou o lugar do encontro? Quando esperam em lugares que não lhes são familiares, em especial ao ar livre e após o escurecer, muitas vezes as pessoas se preocupam com sua segurança pessoal.

- *Quanto mais valioso o serviço, mais tempo as pessoas esperarão.* Pessoas ficarão em filas noite adentro em condições desconfortáveis para conseguir bons lugares em um show ou evento esportivo importante para o qual espera-se que sejam vendidos todos os ingressos.

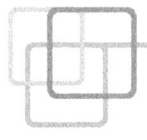

Estocar demanda por meio de sistemas de reserva

Como alternativa, ou complemento, às filas de espera, podem ser utilizados sistemas de reservas para estocar demanda. Pergunte a alguém de quais serviços se lembra quando se fala sobre reservas e o mais provável é que cite companhias aéreas, hotéis, restaurantes, locadoras de automóveis e teatros. Sugira sinônimos: 'marcar hora' ou 'agendar consultas', e talvez fale em cortar cabelo, ir ao médico e reunir-se com consultores, alugar automóveis nas férias e chamar alguém para consertar algo, de um refrigerador a um computador. Há muitos benefícios em adotar um sistema de reserva:

- evita a insatisfação de clientes decorrente de esperas muito demoradas. Um dos objetivos das reservas é garantir que o serviço estará disponível quando os clientes quiserem usá-lo. Clientes que reservam devem poder confiar que não enfrentarão filas ou atrasos, porque lhes foi garantido um serviço em um momento específico;

- faz que a demanda seja controlada e tratada de um modo mais administrável. Um sistema de reservas bem organizado permite desviar demanda por serviços de uma primeira preferência de horário para outros horários, de uma categoria de serviço para outra (*upgrades* ou *downgrades*) e até de uma primeira preferência de local para outros, o que contribui para maximizar a utilização de capacidade;

- possibilita a gestão de receita e serve como pré-venda de um serviço a diferentes segmentos de cliente (veja Capítulo 6 sobre gerenciamento de receita). Exigir reserva para reparo e manutenção rotineiros capacita a gerência a certificar-se de que haverá tempo livre para serviços emergenciais. Como estes são imprevisíveis, seu valor percebido para o cliente é maior, e podem ser cobrados preços mais altos, que geram margens mais altas;

- ajuda a preparar projeções operacionais e financeiras para períodos futuros, por meio de seus dados. Esses sistemas variam de simples agendamentos de consulta médica, com anotações manuscritas, até uma base de dados central e computadorizada para as operações globais de uma companhia aérea, como vimos na discussão sobre apreçamento dinâmico.

O desafio do projeto de um sistema de reservas é torná-lo rápido e conveniente ao usuário, seja funcionário ou cliente. Hoje, muitas empresas permitem que os clientes façam suas próprias reservas em um site. Quer entrem em contato com um agente de reservas, quer façam suas próprias reservas, clientes querem respostas rápidas a consultas sobre a disponibilidade do serviço em um horário preferido. Eles também gostam quando o sistema lhes dá informações adicionais sobre o tipo de serviço que reservam. Por exemplo: um hotel pode reservar um dado quarto sob pedido? Ou pode ao menos reservar um quarto com vista para o lago em vez de um com vista para o estacionamento e a casa de força? Na verdade, algumas empresas passaram a cobrar uma taxa para aceitar reservas (veja a seção Panorama de serviços 9.3). A Northwest Airlines cobra 15 dólares para reservar alguns dos assentos mais procurados na classe econômica, e a Air Canada cobra 12 dólares por reservas antecipadas de assento em certos voos.[18]

Panorama de serviços 9.3

Pague para ter aquela difícil reserva de mesa!

A PrimeTime Tables é uma empresa on-line que ajuda clientes a obter reservas de mesa. O que há de tão especial nisso? O fato de obter reservas nos restaurantes mais procurados, onde somente quem é 'alguém', ou tem as conexões certas, consegue uma mesa. Muitas dessas reservas não estão disponíveis ao cliente comum. A empresa é capaz de obter uma mesa em uma data específica — e com pouca antecedência. Hoje, ela foca áreas em que é difícil reservar, como nas cidades de Nova York, Filadélfia e Hamptons. Cada pessoa paga uma taxa de 500 dólares para associar-se e 45 dólares por reserva feita.

Pascal Riffaud, o empreendedor por trás dessa ideia, é presidente da Personal Concierge International, uma empresa líder que provê serviço de *concierge* nos Estados Unidos. Durante sua experiência como presidente da Personal Concierge, Riffaud formou uma ampla rede de contatos com restaurantes exclusivos, que lhe dava acesso a reservas difíceis de conseguir.

Seus clientes ficavam encantados com esse serviço e não paravam de lhe solicitar reservas. Entretanto, houve protestos de proprietários de restaurantes, que acham que ele está perturbando seus sistemas de gerenciamento de reservas e vendendo suas mesas. Embora Riffaud informe aos restaurantes as reservas não vendidas, os donos dos estabelecimentos consideram que elas poderiam ter sido vendidas a outros clientes que realmente desejavam uma mesa. Os restaurantes podem ter de repensar a forma como lidam com reservas!

Fonte: K. Severson, "Now, for $ 45, an insider's access to hot tables", *The New York Times*, 31, jan. 2007. Disponível em: <www.primetimetables.com>. Acesso em: 9 set. 2009.

Evidentemente os problemas surgem quando os clientes deixam de comparecer ou quando as empresas prestadoras de serviços fazem excesso de reserva (*overbooking*). Entre as estratégias de marketing para lidar com esses problemas operacionais estão: exigir um depósito, cancelar reservas não pagas após o prazo estipulado e oferecer compensação a vítimas de overbooking, como foi discutido no Capítulo 6 sobre gerenciamento de receita.

Estratégias de reserva devem focar o rendimento

Organizações de serviços costumam usar a porcentagem de capacidade vendida como medida de eficiência operacional. Serviços de transporte referem-se ao 'fator de carga' atingido, hotéis referem-se à 'taxa de ocupação' e hospitais ao 'número de internações'. Assim também, empresas profissionais calculam que proporção do tempo de um sócio ou de um funcionário pode ser classificada como horas cobradas, e oficinas de consertos pensam na utilização de mão de obra e equipamentos. Contudo, somente o uso desses percentuais nos diz pouco sobre a lucratividade relativa do negócio atraído, pois altas taxas de utilização podem ser obtidas à custa de grandes descontos ou até mesmo de ofertas gratuitas.

Cada vez mais as empresas de serviço estão preocupadas com seu 'rendimento', isto é, a receita média recebida por unidade de capacidade. A meta é maximizar esse rendimento de modo a melhorar a lucratividade. Como observamos no Capítulo 6, estratégias de determinação de preços elaboradas para atingir essa meta são muito utilizadas em setores cuja capacidade é limitada, como companhias aéreas, hotéis e locadoras de automóveis. Sistemas formalizados de gerenciamento de rendimento, baseados em modelagem matemática, são de grande valor para empresas de serviços que acham dispendioso modificar sua capacidade, mas incorrem em custos relativamente baixos quando vendem mais uma unidade de capacidade disponível.[19] Entre outras características que incentivam a utilização de tais programas, estão níveis flutuantes de demanda, capacidade de segmentar mercados por nível de sensibilidade ao preço e venda de serviços bem antes da utilização.

A análise de retorno obriga os gerentes a reconhecer o custo de oportunidade de alocar capacidade a um cliente ou segmento de mercado quando outro poderia render uma taxa mais alta mais tarde. Consideremos os seguintes problemas que gerentes de vendas enfrentam para vários tipos de empresa de serviço com capacidade limitada.

- Um hotel deve aceitar uma reserva antecipada para um grupo consistindo em 200 diárias a 140 dólares cada, quando as diárias desses mesmos quartos poderiam ser vendidas mais tarde, em cima da hora, para executivos em viagem, ao preço total de tabela de 300 dólares?

- Uma ferrovia que tem 30 vagões de carga vazios à disposição deveria aceitar um pedido de embarque imediato no valor de 1.400 dólares por vagão ou mantê-los ociosos por mais alguns dias na esperança de conseguir um embarque prioritário de valor duas vezes maior?

- Uma gráfica deveria processar todos os serviços na base do 'primeiro a chegar, primeiro a ser atendido', com tempo de entrega garantido para cada trabalho, ou cobrar mais para trabalhos 'em cima da hora' e comunicar aos clientes do 'padrão' normal que pode haver alguma variabilidade nas datas de conclusão?

Decisões para tais problemas merecem ser tratadas com um pouco mais de cautela do que recorrer à fórmula 'mais vale um pássaro na mão do que dois voando'. Boas informações, baseadas em manutenção de registros detalhados de utilização e apoiadas por conhecimento do mercado corrente e bom senso de marketing são a chave para alocar estoque de capacidade entre diferentes segmentos. A decisão de aceitar ou rejeitar negócios deve ser baseada em uma estimativa realista das probabilidades de obter negócios que paguem taxas mais altas e na conscientização da necessidade de manter relacionamentos estabelecidos (e desejáveis) com clientes. Gerentes que decidem na base da adivinhação e da intuição não são muito melhores do que jogadores que apostam a sorte nos dados.

A Figura 9.8 ilustra a alocação de capacidade para um ambiente de hotel, em que a demanda para diversos tipos de cliente varia não somente por dia da semana, mas também por estação. Essas decisões de alocação por segmento, capturadas em bancos de dados de reservas acessíveis no mundo todo, indicam quando parar de aceitar reservas a certos preços, ainda que muitos quartos não estejam reservados. É óbvio que participantes de programas de fidelidade, primordialmente executivos em viagem, são um segmento bastante desejável.

Figura 9.8 Estabelecendo metas de alocação de capacidade por segmento para um hotel

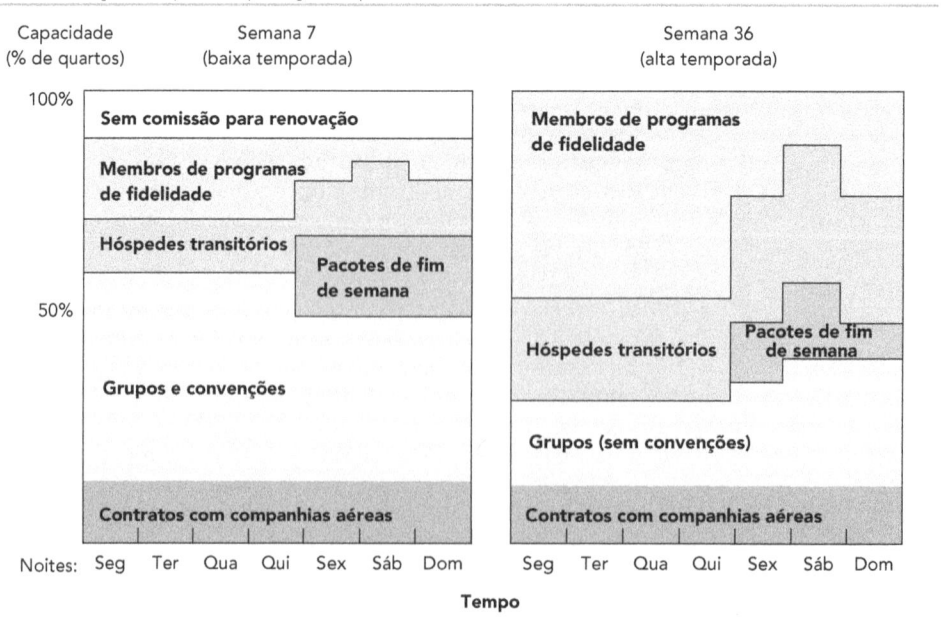

Gráficos semelhantes podem ser construídos para a maioria das empresas com capacidade limitada. Em alguns casos, a capacidade é medida em termos de poltronas disponíveis para dada apresentação, milhas voadas ou pernoites; em outros, como horas-máquina, horas de mão de obra, horas profissionais cobradas, quilometragem de veículos ou volume de armazenagem. A menos que seja fácil deslocar negócios de uma instalação para uma alternativa similar, decisões de planejamento de alocação terão de ser tomadas no nível de unidades operacionais geográficas. Portanto, cada hotel, loja de assistência técnica ou escritório de serviços de computação talvez precise ter seu próprio plano. Por outro lado, veículos de transporte são uma capacidade móvel que pode ser alocada dentro de qualquer área geográfica que eles têm como atender.

Como criar uso alternativo para capacidade que de outra forma seria desperdiçada

Mesmo após um gerenciamento profissional de capacidade e demanda, a maioria das empresas de serviço ainda passará por períodos de excedente de capacidade. Entretanto, nem toda capacidade produtiva não vendida precisa ser desperdiçada, visto que uma demanda alternativa pode ser criada por empresas inovadoras. Muitas empresas adotam um enfoque estratégico para dispor de capacidade excedente prevista, alocando-a para construir relacionamentos com clientes, fornecedores, funcionários e intermediários.[20] Possíveis usos de capacidade livre incluem:

- *Usar capacidade para diferenciação de serviço.* Quando a utilização de capacidade estiver baixa, o pessoal de serviço poderá dedicar-se plenamente a 'encantar' seus clientes. Uma empresa que pretenda desenvolver fidelidade de clientes e participação de mercado deve usar capacidade ociosa em operações para concentrar-se em um atendimento ao cliente extraordinário. Isso pode abranger atenção extra dedicada ao cliente, alocação de acomodação preferencial e assim por diante.

- *Recompense seus melhores clientes e desenvolva fidelidade.* Isso pode ser feito por meio de promoções especiais como parte de um programa de fidelidade, ao mesmo tempo assegurando que receitas existentes não sejam canibalizadas.

- *Desenvolver clientes e canais.* Oferecer testes gratuitos ou um bom desconto a clientes potenciais e a intermediários que vendem aos consumidores finais.

- *Recompensar funcionários.* Em setores como restaurantes, hotéis à beira-mar ou navios de cruzeiro, a capacidade pode ser usada para recompensar funcionários e seus familiares, visando desenvolver fidelidade. Isso pode melhorar a produtividade de funcionários e oferecer-lhes uma compreensão do serviço do ponto de vista da experiência do cliente, dessa forma aprimorando o desempenho.

- *Permutar capacidade disponível.* Empresas de serviço podem reduzir custos e aumentar utilização de capacidade, negociando capacidade com seus fornecedores. Entre os serviços mais permutados estão espaço ou tempo de propaganda, poltronas em companhias aéreas e quartos de hotel.

O gerenciamento eficaz de demanda e capacidade requer informação

Gerentes precisam de informações substanciais que os ajudem a desenvolver estratégias eficazes para gerenciar demanda e capacidade e então monitorar o desempenho subsequente no mercado. A seguir, apresentamos algumas delas:

- *dados históricos* sobre o nível e a composição da demanda ao longo do tempo, incluindo respostas a mudanças no preço ou em outras variáveis de marketing;

- *previsões* do nível de demanda para cada segmento importante sob condições especificadas;

- *dados classificados segmento por segmento* para ajudar a gerência a avaliar o impacto de ciclos periódicos e flutuações aleatórias de demanda;
- *dados de custo* para habilitar a organização a distinguir entre custos fixos e variáveis e para determinar a lucratividade relativa de unidades incrementais de vendas para diferentes segmentos e a preços diferentes;
- *variações significativas nos níveis e na composição da demanda* local a local (em organizações multilocais);
- *atitudes de clientes* em relação a filas sob condições variadas;
- *opiniões de clientes* sobre a variação da qualidade do serviço entregue com níveis diferentes de utilização de capacidade.

De onde viriam essas informações? A maioria das organizações de grande porte, cuja capacidade fixa é dispendiosa, tem sistemas de gerenciamento de receita (veja o Capítulo 6). Para empresas que não dispõem desses sistemas, é provável que grande parte dos dados seja coletada na organização, embora não por profissionais de marketing, e novos estudos conduzidos para obter dados adicionais. Grande fluxo de informação chega à maioria das empresas de serviços, em particular em relação a transações individuais de clientes. Só os recibos de vendas em geral contêm inúmeros detalhes. A maioria das empresas de serviços coleta informações para finalidades operacionais e de contabilidade e é capaz de associar clientes a transações, desde que estruturem os sistemas de informação necessários.

Infelizmente, o valor de marketing desses dados é muitas vezes desprezado, e nem sempre são armazenados de modo a permitir fácil recuperação e análise para marketing. Não obstante, dados coletados e armazenados podem ser reformatados para fornecer aos profissionais de marketing algumas das informações de que necessitam, incluindo o modo como os segmentos responderam a mudanças anteriores em variáveis de marketing.

Outras informações têm de ser coletadas por meio de estudos especiais, como pesquisas sobre clientes ou resenhas de situações análogas. Também pode ser necessário obter informações sobre desempenho da concorrência, porque mudanças na capacidade e na estratégia de concorrentes podem exigir ações corretivas.

Quando se consideram novas estratégias, pesquisadores de operações podem contribuir com percepções úteis, desenvolvendo modelos de simulação do impacto de mudanças sobre diversas variáveis. Essa abordagem é bastante válida em ambientes de 'redes' de serviços, como parques temáticos e estações de esqui, onde clientes escolhem entre várias atividades no mesmo local. Madeleine Pullman e Gary Thompson modelaram o comportamento de clientes em uma estação de esqui, onde eles escolhem teleféricos e pistas de esqui de comprimentos e níveis de dificuldade variados. Por meio de análise, os pesquisadores conseguiram determinar o futuro impacto potencial da elevação da capacidade dos teleféricos (cadeiras mais rápidas e maiores), expansão da capacidade com mais terrenos para a prática do esqui, crescimento do setor, variações de preços dia a dia, resposta de clientes a informações sobre tempos de espera em teleféricos e mudanças no perfil de clientes.[21]

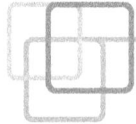

CONCLUSÃO

Como muitas organizações de capacidade limitada têm pesados custos fixos, até mesmo melhorias modestas na utilização da capacidade podem impactar os resultados finais. Neste capítulo, mostramos como gerentes podem administrar capacidade produtiva e demanda e melhorar a experiência de espera do cliente. Gerenciar capacidade e demanda em um dado local e hora remonta ao que aprendemos nos capítulos anteriores, incluindo decisões sobre *elementos de produto e categorização de serviço* (Capítulo 4), *local e hora da entrega de serviço* (Capítulo 5), *gerenciamento de receita* (Capítulo 6) e *promoção e educação* (Capítulo 7).

Resumo do capítulo

OA1. Existem diferentes formas de capacidade produtiva em serviços: instalações físicas para processamento de clientes; instalações físicas para processamento de bens; equipamentos físicos para processamento de pessoas, posses ou informações; e mão de obra e infraestrutura.

OA2. Uma empresa com capacidade limitada pode enfrentar diferentes situações de demanda-oferta: excedente de demanda, demanda maior do que a capacidade ideal, demanda e oferta bem equilibradas ou excedente de capacidade.
- Quando demanda e oferta não estão em equilíbrio, as empresas terão capacidade ociosa em períodos de baixa, mas deixarão de atender clientes em períodos de pico. Isso impede a utilização eficiente de ativos produtivos e corrói a lucratividade.
- Portanto, as empresas necessitam testar e equilibrar demanda e oferta por meio do ajuste de capacidade e/ou demanda.

OA3. A *capacidade* pode ser gerenciada de várias maneiras:
- esticar a capacidade — há capacidades elásticas, e mais pessoas podem ser atendidas com a mesma capacidade pela aglomeração (como em um vagão do metrô), ampliação do horário de funcionamento ou agilidade dos tempos de processamento do cliente;
- programar tempo ocioso durante períodos de baixa demanda;
- treinar pessoal em várias atividades, usar funcionários de tempo parcial;
- convidar clientes a usar o autosserviço;
- solicitar o compartilhamento de capacidade entre clientes;
- criar capacidade flexível;
- alugar ou compartilhar instalações e equipamentos extras.

OA4. Para gerenciar *demanda*, as empresas precisam entender seus padrões e os fatores impulsionadores por segmento. Com frequência, diferentes segmentos exibem diferentes padrões de demanda (como manutenção rotineira *versus* reparos emergenciais). Quando as empresas compreendem os padrões de demanda de seus mercados-alvo, podem usar estratégias de marketing para remodelar esses padrões.

OA5. Demanda pode ser gerenciada de cinco maneiras básicas:
- não tomar nenhuma ação e deixar que a demanda encontre seus próprios níveis;
- reduzir demanda em períodos de pico;
- aumentar demanda em períodos de baixa;
- estocar demanda por meio de filas e outros sistemas de espera;
- estocar demanda por meio de sistemas de reserva.

OA6. Os seguintes elementos do composto de marketing podem ser usados para atenuar as flutuações em demanda:
- utilização de preço e custos não monetários de cliente para gerenciar demanda;
- alteração de elementos do produto para atrair diferentes segmentos em diferentes momentos;
- modificação de local e hora de entrega (por exemplo, ampliando horário de funcionamento);
- promoção e educação (por exemplo, 'poste cedo seus cartões de Natal').

OA7. Ao projetar *filas e outros sistemas de espera*, as empresas devem considerar os diversos tipos de fila, suas respectivas vantagens e aplicações. Sistemas de espera incluem fila única com estágios sequenciais, filas paralelas para vários atendentes, fila única para vários atendentes, filas designadas, distribuição de senhas e lista de espera.

Nem todo sistema de espera é organizado com base no princípio do 'primeiro que entra, primeiro que sai'. Em vez disso, em geral, os bons sistemas segmentam clientes na espera por:
- urgência do serviço (por exemplo, em unidades de emergência hospitalar);
- duração da transação do serviço (por exemplo, caixas expressos);
- serviço *premium* baseado em preço *premium* (por exemplo, balcão de check-in para primeira classe);
- importância do cliente (por exemplo, prioridade de check-in a viajantes frequentes).

OA8. Em relação a clientes que não gostam de perder tempo esperando, as empresas precisam entender a psicologia da espera e tomar ações proativas para tornar a espera menos frustrante. Discutimos dez possíveis ações, incluindo manter os clientes ocupados ou entretidos enquanto aguardam, informá-los a duração da espera, explicar-lhes por que precisam esperar e evitar percepções de espera injustas.

OA9. *Sistemas de reserva* eficientes estocam demanda e oferecem vários benefícios:
- contribuem para reduzir ou até evitar filas de espera e assim evitar insatisfação decorrente da espera excessiva;

- permitem controlar demanda e estabilizá-la;
- permitem o uso de gerenciamento de receita para focar em rendimento crescente mediante reserva de capacidade escassa para segmentos que pagam mais, em vez de simplesmente sair vendendo toda capacidade.

OA10. São necessárias informações substanciais para elaborar estratégias eficazes de gerenciamento de demanda e capacidade, incluindo dados históricos, previsões, dados segmento a segmento, dados de custo, variações de demanda específicas de local ou filial e atitudes do cliente em relação à espera e diferentes níveis de utilização.

Questões para revisão

1. O que significa capacidade produtiva em serviços?
2. Por que o gerenciamento de capacidade é importante para empresas de serviços?
3. Qual é a diferença entre capacidade ótima e capacidade máxima? Dê exemplos de situações em que (a) as duas podem ser a mesma e (b) diferentes.
4. Que ações uma empresa pode tomar para ajustar a capacidade mais intimamente à demanda?
5. Como as empresas podem identificar os fatores que afetam a demanda por seus serviços?
6. Que ações uma empresa pode tomar para ajustar a demanda mais intimamente à capacidade?
7. Como os elementos do composto de marketing podem ser usados para remodelar padrões de demanda?
8. Quais são as vantagens e desvantagens dos diferentes tipos de fila para uma organização que atende grande quantidade de clientes? Para qual tipo de serviço cada tipo de fila é mais adequado?
9. Como as empresas podem tornar a espera mais agradável para seus clientes?
10. Quais são os benefícios de ter um sistema eficaz de reserva?

Exercícios

1. Explique como se pode criar capacidade flexível nas seguintes situações: (a) uma biblioteca local, (b) um serviço de limpeza de escritórios, (c) uma central de suporte técnico e (d) uma franquia da Interflora.
2. Identifique alguns exemplos de empresas em sua comunidade (ou região) que mudam significativamente seu produto e/ou variáveis de composto de marketing para incentivar a clientela em períodos de baixa demanda.
3. Selecione uma organização de serviço e identifique seus padrões de demanda com referência à lista de verificação fornecida no Quadro 9.1 e responda: (a) Qual é a natureza da abordagem dessa empresa de serviço no que concerne ao gerenciamento de capacidade e demanda? (b) Que mudanças você recomendaria no gerenciamento de capacidade e demanda e por quê?
4. Examine novamente as dez proposições sobre a psicologia das filas de espera. Quais são as mais relevantes para (a) um supermercado, (b) um ponto de ônibus de uma cidade em uma noite chuvosa e escura, (c) um consultório médico e (d) uma fila de compra de ingressos para um jogo de futebol para o qual se espera que todos os ingressos sejam vendidos.
5. Com base em sua experiência, dê exemplos de um sistema de reservas que funcionou muito bem e de outro que funcionou mal. Identifique e avalie as razões para o sucesso e o fracasso. Quais recomendações você faria para ambas as empresas, no sentido de melhorar (ou melhorar mais ainda, no caso do bom exemplo) seus sistemas de reserva?

Notas

1. Kenneth J. Klassen e Thomas R. Rohleder, "Combining operations and marketing to manage capacity and demand in services", *The Service Industries Journal*, 21, abr. 2001, p. 1-30.
2. Breffni M. Noone, Sheryl E. Kimes, Anna S. Matilda e Jochen Wirtz, "The effect of meal pace on customer satisfaction", *Cornell Hospitality Quarterly*, 48, n. 3, 2007, p. 231-245.
3. Baseado em material de James A. Fitzsimmons e M. J. Fitzsimmons. *Service management: operations, strategy, and information technology*. 3 ed. Nova York: Irwin McGraw-Hill, 2000; W. Earl Sasser Jr., "Match offer and demand in service industries", *Harvard Business Review*, nov./dez. 1976, p. 133-140.
4. Christopher H. Lovelock "Strategies for managing capacity-constrained service organisations", *The Service Industries Journal*, 4, nov. 1984, p. 12-13.
5. Kenneth J. Klassen e Thomas R. Rohleder, "Using customer motivations to reduce peak demand: does it work?" *The Service Industries Journal*, 24, set. 2004, p. 53-70.
6. Malcolm Galdwell, "The bottom line for lots of time spent in America", *The Washington Post* (artigo sindicalizado), fev. 1993.
7. Chase "Just in the blink of time index – national results". *Chase Bank News Release*, 19 maio 2005. Disponível em: <www.chaseblink.com>. Acesso em: 5 jun. 2009.
8. Richard Saltus, "Lines, lines, lines, lines... The experts are trying to ease the wait", *Boston Globe*, 5 out. 1992, p. 39-42.

9. Kelly A. McGuire e Sheryl E. Kimes, "The perceived fairness of waitlist-management techniques for restaurants", *Cornell Hotel and Restaurant Administration Quarterly*, 47, maio 2006, p. 121-134.
10. Anat Rafaeli, G. Barron e K. Haber, "The effects of queue structure on attitudes", *Journal of Service Research*, 5, nov. 2002, p. 125-139.
11. Duncan Dickson, Robert C. Ford e Bruce Laval, "Managing real and virtual waits in hospitality and service organizations", *Cornell Hotel and Restaurant Administration Quarterly*, 46, fev. 2005, p. 52-68.
12. Jay R. Chernow, "Measuring the values of travel time savings", *Journal of Consumer Research*, 7, mar. 1981, p. 360-371. [Observação: essa edição inteira foi dedicada ao consumo de tempo.]
13. Ana B. Casado Diaz e Francisco J. Más Ruiz, "The consumer's reaction to delays in service", *International Journal of Service Industry Management*, 13, n. 2, 2002, p. 118-140.
14. Karen L. Katz, Blaire M. Larson e Richard C. Larson, "Prescription for the waiting-in-line blues: entertain, enlighten, and engage", *Sloan Management Review*, inverno 1991, p. 44-53.
15. Bill Fromm e Len Schlesinger. *The real heroes of business and not a CEO among them.* Nova York: Currency Doubleday, 1994. p. 7.
16. Michael K. Hui e David K. Tse, "What to tell customers in waits of different lengths: an integrative model of service evaluation", *Journal of Marketing*, 80, n. 2, abr. 1996, p. 81-90.
17. Baseado em David H. Maister, "The psychology of waiting lines". In: J.A. Czepiel, M.R. Solomon e C.F. Surprenant. *The service encounter.* Lexington, MA: Lexington Books/D.C. Heath, 1986. p. 113–123; M. M. Davis e J. Heineke, "Understanding the roles of the customer and the operation for better queue management", *International Journal of Service Industry Management*, 7, n.5, 1994, p. 21-34; e Peter Jones e Emma Peppiat, "Managing perceptions of waiting times in service queues", *International Journal of Service Industry Management*, 7, n.5, 1996, p. 47-61. Veja também descobertas sobre situações de espera em encontros de serviço estressantes, como consultas ao dentista por Elizabeth Gelfand Miller, Barbarah E. Kahn e Mary Frances Luce, "Consumer wait management strategies for negative service events: a coping approach", *Journal of Consumer Research*, 34, n. 5, 2008, p. 635-648.
18. Susan Carey, "Northwest airlines to charge extra for aisle seats", *The Wall Street Journal*, 14 mar. 2006.
19. Sheryl E. Kimes e Richard B. Chase, "The strategic levers of yield management", *Journal of Service Research*, 1, nov. 1998, p.156-166; Anthony Ingold, Una McMahon-Beattie e Ian Yeoman (eds.). *Yield management strategies for the service industries.* 2 ed. Londres: Continuum, 2000.
20. Irene C. L. Ng, Jochen Wirtz e Khai Sheang Lee, "The strategic role of unused service capacity", *International Journal of Service Industry Management*, 10, n. 2, 1999, p. 211-238.
21. Madeleine E. Pullman e Gary M. Thompson, "Evaluating capacity- and demand-management decisions at a ski resort", *Cornell Hotel and Restaurant Administration Quarterly*, 43, dez. 2002, p. 25–36; Madeleine E. Pullman e Gary Thompson, "Strategies for integrating capacity with demand in service networks", *Journal of Service Research*, 5, fev. 2003, p. 169-183.

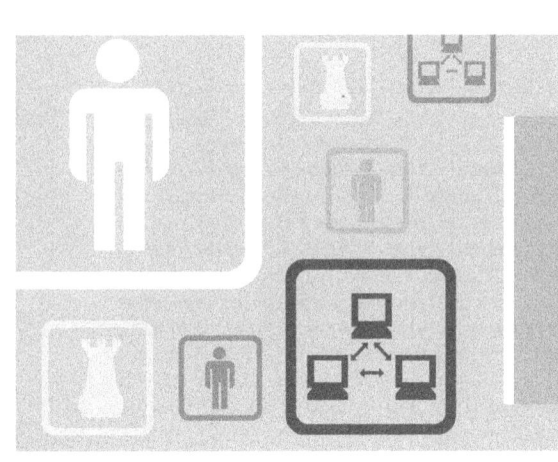

CAPÍTULO 10

Planejando o ambiente de serviço

Gerentes [...] precisam aprender mais sobre a interface entre os recursos que manipulam na ambientação e a experiência que querem criar para o cliente.
— Jean-Charles Chebat e Laurette Dubé

O projeto tornou-se elemento tão indispensável quanto o cardápio, a comida e o vinho [...] para determinar o sucesso de um restaurante.
— Danny Meyer

Objetivos de aprendizagem (OAs)

Ao final deste capítulo, você será capaz de:

OA1	Reconhecer os quatro propósitos fundamentais aos quais os ambientes de serviços atendem.	OA5	Compreender as principais condições ambientais e seus efeitos sobre os clientes.
OA2	Conhecer a base teórica decorrente da psicologia ambiental que nos ajuda a entender as reações de funcionários aos ambientes de serviços.	OA6	Compreender o papel do layout e da funcionalidade.
		OA7	Compreender o papel de sinalizações, símbolos e objetos.
OA3	Familiarizar-se com o modelo integrativo de cenário de serviço.	OA8	Saber como o pessoal de serviços e outros clientes fazem parte do cenário de serviço.
OA4	Conhecer as dimensões do ambiente de serviço.	OA9	Explicar por que o projeto de um cenário de serviço eficiente deve ser elaborado de modo holístico e do ponto de vista do cliente.

Museu Guggenheim em Bilbao[1]

Quando o Museu Guggenheim em Bilbao, no nordeste da Espanha, abriu as portas, não faltaram elogios. Aclamado como 'a obra grandiosa de nosso tempo', sua arquitetura fascinante foi projetada por Frank Owen Gehry, influente e mundialmente renomado arquiteto canadense, naturalizado norte-americano, e colocou Bilbao no mapa mundial como destino turístico. Antes disso, a maioria das pessoas nunca ouvira falar na cidade, antiga área industrial com estaleiro e grandes armazéns, além de um rio que há um século era poluído por resíduos das fábricas a suas margens. A cidade toda se transformou com a criação do museu, que representou o primeiro passo no plano de reurbanização. Hoje, tal transformação é até chamada de 'efeito Bilbao' e está sendo estudada para que se compreenda como esse tipo de arquitetura impactante pode ajudar a mudar uma cidade.

O estilo arquitetônico remete a vários significados e mensagens. Tem a forma de um navio e incorpora-se ao ambiente do rio. O prédio é uma combinação de formas regulares esculpidas em pedra, formas curvas feitas de titânio e enormes paredes de vidro que permitem a iluminação natural e proporcionam, de seu interior, uma vista das colinas ao redor. Na parte externa, painéis de titânio foram dispostos como escamas de peixe, em harmonia com o rio Nervion próximo. Uma topiaria alta de vasos de amor-perfeito e uma enorme escultura de aranha — *Maman*, de Louise Bourgeois, grande escultora do século XX — cumprimentam os visitantes.

Do enorme átrio com cúpula de metal do museu, visitantes podem conhecer 19 galerias interligadas por passarelas curvas, elevadores de vidro e escadarias. Até o projeto das galerias parece destinado a sugerir o que os visitantes podem encontrar em seu interior. As galerias retangulares têm paredes cobertas de pedra calcária. O retângulo é uma forma mais convencional, e essas galerias abrigam coleções de arte clássica. As galerias com formato irregular mantêm coleções de artistas vivos. Também há galerias especiais, sem nenhuma coluna dentro, de modo que grandes obras de arte podem ser exibidas. As estruturas desses espaços são uma obra de arte à parte, que resultam de um cenário de serviço especialmente desenhado e planejado.

Embora nem todos os cenários de serviço sejam grandes obras arquitetônicas, o Museu Guggenheim de Bilbao o é. É um meio que atrai a atenção e molda as expectativas de seus visitantes, que podem ansiar por uma experiência incrível no museu.

Figura 10.1 O projeto formidável do Museu Guggenheim atraiu multidões e muitos elogios

Qual é o propósito dos ambientes de serviço?

O ambiente físico de serviço desempenha um importante papel na modelagem da experiência de serviço e no aumento ou diminuição de satisfação, sobretudo nos serviços de alto contato e de processamento de pessoas. Os parques temáticos da Disney, citados com frequência como ambientes de serviço que fazem qualquer cliente se sentir à vontade e muito satisfeito, deixam uma impressão duradoura. Na verdade, organizações de todos os tipos — de hospitais e hotéis a restaurantes e escritórios de serviços profissionais — reconhecem que o ambiente de serviço é um componente importante do composto de marketing e da proposição total de valor.

Elaborar o projeto do ambiente de serviço é uma arte que exige tempo e esforço consideráveis e cuja implantação pode ser dispendiosa. Ambientes de serviço, também denominados *servicescapes* (ou paisagens de serviço), estão relacionados com o estilo e a aparência dos arredores físicos e de outros elementos de experiência encontrados por clientes em locais de entrega de serviço.[2] Uma vez projetado e construído, nem sempre é fácil modificá-lo.

A expressão *servicescape* é um neologismo, criado por Mary Jo Bitner, a partir de *landscape* (paisagem, em português). A palavra é uma composição de duas ideias: 'service' e '*scape*', que é toda a parte visível do '*land*' (ambiente), incluindo terra, água, vegetação, edifício, iluminação e condição meteorológica. *Servicescape*, portanto, é toda a parte visível do serviço, incluindo decoração, iluminação, aroma, som, arquitetura, vitrine, temperatura e umidade, ambiente etc. Para manter a relação com o termo original, adotamos a tradução *paisagem de serviços*, como mais um P do composto de marketing.

Vamos examinar por que muitas empresas de serviço se esforçam tanto para modelar o ambiente em que seus clientes e profissionais de serviço vão interagir. Para o Museu Guggenheim de Bilbao, foi para tratar dos diversos problemas da cidade, criar uma atração turística e oferecer um ambiente estimulante para a interação com as artes. Para o museu e muitas empresas de serviço, há quatro propósitos fundamentais para os cenários de serviço: (1) projetar as experiências dos clientes e moldar seu comportamento; (2) transmitir a imagem planejada da empresa e sustentar seu posicionamento e estratégia de diferenciação; (3) fazer parte da proposição de valor; (4) facilitar o encontro de serviço e aprimorar tanto a qualidade quanto a produtividade. Aprofundaremos a discussão nas próximas quatro seções.

Moldar as experiências e o comportamento dos clientes

Em organizações de serviços de alto contato, o projeto do ambiente físico e o modo como as tarefas são executadas pelo pessoal de contato com o cliente desempenham papel vital na criação da identidade corporativa e na modelagem da natureza da experiência do cliente. O ambiente de serviço e a atmosfera que o acompanha causam impacto no comportamento do comprador de três modos importantes:

1. *como um meio de criação de mensagem,* usando indícios simbólicos para comunicar ao público pretendido a natureza e a qualidade distintivas da experiência de serviço. O conteúdo simbólico que o cliente decodifica transmite uma mensagem, que deve ser gerenciada para reforçar o posicionamento do serviço;

2. *como um meio de chamar atenção,* para fazer que o cenário de serviço se destaque do de outros concorrentes e atraia clientes dos segmentos visados. As características, principalmente as visuais, permitem que o cliente encontre o ponto quando deseja voltar a consumir;

3. *como um meio de criação de efeito,* utilizando cores, texturas, sons, aromas e projetos espaciais para realçar a experiência de serviço desejada e/ou aguçar o apetite para certos bens, serviços ou experiências. Enquanto as duas formas anteriores sinalizam a identidade e os diferenciais do serviço, a terceira cria um contexto para o serviço. O ambiente cria, mediante elementos sensoriais e ações do pessoal de serviço, a sensação de estar desempenhando um papel dentro de uma experiência.

Imagem, posicionamento e diferenciação

Serviços são em geral intangíveis, e os clientes não podem avaliar bem sua qualidade. Por isso, muitas vezes utilizam o ambiente de serviço como um importante indicador da qualidade, e as empresas esmeram-se para sinalizar qualidade e retratar a imagem desejada.[3] Pense na área de recepção de empresas bem-sucedidas, como bancos de investimento ou escritórios de consultoria de gerenciamento, nos quais a decoração e os móveis tendem a ser elegantes e projetados para impressionar. No varejo, o ambiente da loja afeta a qualidade percebida da mercadoria. Entretanto, se mal projetado, o ambiente de serviço pode afastar clientes (veja Novas ideias em pesquisa 10.1).

Como outras pessoas, talvez você infira que a qualidade da mercadoria é superior se estiver exposta em um ambiente que transmita imagem de prestígio, em vez de um local que transmita uma imagem de 'saldão'.[4] As figuras 10.2 mostram duas áreas de recepção dos hóspedes de dois tipos de hotel que atendem a públicos muito diferentes. O hotel da Figura 10.2a atende hóspedes mais jovens, que adoram viajar, se divertir e têm pouco dinheiro para gastar; o da Figura 10.2b, uma clientela mais madura, abastada e prestigiosa, que inclui executivos de alto nível. Cada um deles comunica e reforça com clareza o posicionamento do hotel e determina as expectativas de serviço desde a chegada do cliente.

Muitos cenários de serviço são funcionais. Empresas que querem transmitir a impressão de serviço de baixo custo preferem localizar-se em vizinhanças não dispendiosas, ocupam edifícios de aparência simples, minimizam o uso pródigo de espaço e vestem seus funcionários com uniformes práticos e baratos. Contudo, nem sempre os cenários de serviço moldam percepções e comportamentos como seus criadores pretendiam. Muitas vezes clientes fazem uso criativo de espaços físicos e objetos para finalidades diferentes. Executivos podem usar uma mesa de restaurante como escritório, espalhando papéis e colocando um laptop e um telefone celular sobre ela, e todos esses objetos competem por espaço com a comida e a bebida.[5] Estudantes que se encontram para estudar em um restaurante ou lanchonete costumam fazer a mesma coisa com seus livros e cadernos. Projetistas espertos estão sempre atentos a essas tendências, que podem até mesmo levar à criação de um novo conceito de serviço!

Novas ideias em pesquisa 10.1

Consultórios de cirurgiões plásticos precisam cuidar do visual

Parece que cirurgiões plásticos precisam de treinamento de marketing de serviços para complementar seus outros cursos na escola de medicina. Esse é o diagnóstico de dois especialistas, Kate Altork e Douglas Dedo, que estudaram as reações dos pacientes aos consultórios médicos. Eles descobriram que muitos pacientes cancelam cirurgia, mudam de médico ou se recusam a pensar em uma futura cirurgia eletiva se não se sentem à vontade no consultório. Os resultados do estudo sugerem que pacientes não costumam descartar o médico porque não gostam dele, mas porque não gostaram do contexto da experiência de serviço. A lista de aversões mais comuns inclui cartazes de verrugas e câncer de pele nas paredes dos consultórios; incômodas pulseiras de identificação de plástico para pacientes; salas de exame claustrofóbicas sem janela ou material de leitura atualizado; banheiros não sinalizados; falta de lixeiras e bebedouros na sala de espera.

O que os pacientes querem? A maioria das solicitações surpreende pela simplicidade e envolve agrados como lenço de papel, bebedouros, telefones, plantas e potes com balas na sala de espera e arranjos de flores naturais no saguão. Também querem janelas nas salas de exame e roupões que envolvam o corpo todo. Eles gostariam de se sentar em cadeiras quando conversam com um médico, em vez de uma banqueta ou mesa de exame. Por fim, pacientes no pré-operatório preferem ficar separados dos pacientes em pós-operatório porque não querem ser perturbados sentando-se ao lado de alguém na sala de espera com a cabeça enrolada em bandagens.

Esses resultados sugerem que pacientes de cirurgias plásticas preferem ser atendidos em um consultório que se pareça mais com um spa do que com uma enfermaria. Ao pensar como profissionais de marketing de serviços, cirurgiões perspicazes poderiam usar essa informação para criar ambientes amistosos que complementarão, em vez de neutralizar, sua experiência técnica.

Fonte: Lisa Bannon, "Plastic surgeons are told to pay more attention to appearances", *The Wall Street Journal*, 15 mar. 1997, B1.

Cenários de serviço como parte da proposição de valor

Entornos físicos ajudam a moldar sentimentos e reações adequados em clientes e funcionários.[6] Considere como muitos parques de diversão usam o conceito com eficiência para realçar suas ofertas de serviço, sua identidade e criar uma experiência memorável. O ambiente limpo da Disneylândia, ou da Legolândia, na Dinamarca, combinado com funcionários em vestimentas coloridas contribuem para o sentido de diversão e animação que os visitantes encontram ao chegar e durante toda sua permanência.

Hotéis resort são uma boa ilustração de cenários de serviço como parte fundamental da proposição de valor pela criação de experiências de serviço. Os villages do Club Med, projetados para criar uma atmosfera despreocupada, podem ter sido a inspiração original para ambientes de férias 'escapistas'. Outros complexos em novas localizações, além de serem muito mais luxuosos do que o Club Med, também se inspiram em parques temáticos para criar ambientes de fantasia, no interior e no exterior. Talvez os exemplos mais extremos estejam em Las Vegas. Enfrentando concorrência de numerosos cassinos em outras localizações, Las Vegas tenta reposicionar-se de um destino de certa forma repulsivo para adultos — descrito certa vez por um jornal londrino como a 'Sodoma e Gomorra elétricas' — para um complexo de diversões salutar dirigido sobretudo a famílias. É claro que a jogatina continua, mas muitos dos imensos hotéis construídos (ou reconstruídos) recentemente foram transformados em centros de lazer, de visual estonteante, que apresentam atrações como 'vulcões' em erupção, encenações de batalhas navais e até mesmo reproduções de Paris, das pirâmides e de Veneza e seus canais.

Até os cinemas descobriram o poder dos cenários de serviço. O público de cinema diminui nos Estados Unidos, e algumas das grandes redes sofrem com isso. Contudo, algumas redes mais sofisticadas estão tentando uma abordagem diferente. Ao construir cinemas

Figuras 10.2 a e b   Comparação entre as áreas de recepção de hóspedes em dois hotéis

extravagantes e oferecer amenidades requintadas, como bares e restaurantes decorados com luxo e salas supervisionadas de recreação infantil, cadeias como a Muvico, sediada na Flórida, têm atraído o público de cinema a deixar seus *home theaters* — apesar do alto custo dos ingressos. O CEO da Muvico, Hamid Hashemi, diz sobre a concorrência: "No fundo, todos oferecem o mesmo filme de 35 mm... O fator de diferenciação é como você o embala".[7] Em um cinema Muvico com tema egípcio, os clientes seguem por um padrão de azulejos roxos que representam o rio Nilo no *lobby* e passam entre colunas revestidas por hieróglifos. No auditório, encontram amplos corredores e poltronas de veludo vermelho. É uma experiência muito diferente do megaplex no shopping local.

Em São Paulo, as salas VIP do Cinemax do Shopping Cidade Jardim também oferecem uma experiência diferente, como podemos ver na seção Cenário brasileiro 10.1.

Facilitando o encontro de serviço e melhorando a produtividade

Por fim, ambientes de serviço precisam ser projetados para facilitar o encontro de serviço e aumentar a produtividade. Richard Chase e Douglas Stewart indicaram ma-

Cenário brasileiro 10.1

O Shopping Cidade Jardim foi inaugurado em 2008, na região do Morumbi, em São Paulo, contando com 7 mil metros quadrados, 120 lojas e quatro torres. Muitas das principais marcas do mercado do luxo ali estão: Daslu, Zara, Louis Vuitton, Hermès, Giorgio Armani, Rolex, Mont Blanc, Tiffany, Jimmy Choo, Chanel, Sony Style, Empório Fasano, Carlos Miele, Academia Reebok, entre outras. Oferece diversos serviços, como bancos, consertos de roupas, farmácias, cabeleireiros, chaveiros e outros. Possui estacionamentos normal e VIP. Também possui sete salas da rede Cinemark, as duas primeiras diferenciadas (as salas VIP).

O Cinemark, uma das três maiores redes de cinema do mundo, é líder na América Latina; especializada em complexos cinematográficos multiplex, opera mais de 2 mil salas em todo o mundo. Fundada em 1984, com sede nos Estados Unidos, a empresa atua em diversos países, entre eles, Canadá, México, Brasil, Argentina, Peru e Chile. No Brasil, é a líder do mercado de exibição de filmes, com 412 salas, contra 215 do Grupo Severiano Ribeiro, a mais antiga do país.

As duas salas VIP do Cinemark no Shopping Cidade Jardim oferecem diversos serviços adicionais e uma experiência diferente, por preços que vão de 40 a 50 reais, dependendo do dia. São valores bem superiores à média do mercado e aos cerca de 20 reais para as outras cinco salas, mas compatíveis com o perfil econômico dos frequentadores.

Ao chegar antes do início da sessão, após comprar ingressos com lugares numerados, o cliente é conduzido pela *hostess* a um amplo lounge, decorado com sofás, mesinhas e abajures, projetado pelo arquiteto Arthur Casas. Um ambiente claro, sóbrio, que lembra um restaurante de qualidade.

Ela apresenta um cardápio com diversas opções: salsicha tipo frankfurter com mostarda de Dijon; porções de bolinho de aipim com carne-seca ou de pão de queijo; e a imbatível pipoca, coberta à parte com azeite aromatizado, em quatro opções — extravirgem, alecrim, alho e trufa. A partir da tradicional manteiga usada na pipoca, surgiu a ideia do azeite, que se tornou algo exclusivo do cinema.

Outra inovação é a carta de vinhos e espumantes, elaborada em parceria com a importadora de bebidas World Wine, que indicou os *sommeliers* responsáveis pela harmonização com os petiscos do cardápio. Uma pesquisa mostrou que o vinho, e não o uísque, que muitos associam aos consumidores de classe alta, era a bebida preferida do consumidor de alta renda de São Paulo. Foram selecionados sete rótulos, que podem ser consumidos em copos de 90 mL ou decanters de 250 mL. Outras bebidas disponíveis são a cerveja Heineken em garrafa *long neck*, a soda italiana (que também acompanha bem a pipoca) e cafés aromatizados.

Também são oferecidas sobremesas preparadas na hora, como *brownies*, *cheesecakes* e *applecrumb cakes*, acompanhados de sorvetes Häagen-Dazs ou chantili.

Os pedidos podem ser feitos até o início da sessão e são levados em bandejas para serem consumidos dentro da sala.

A sala é ampla e tem pé direito de 10 m. Os assentos foram inspirados nas poltronas da primeira classe de um avião. As poltronas são de couro, largas e acolchoadas, com confortáveis apoios para os braços, que podem ser levantados, e descanso para os pés. Possuem mesinha lateral móvel, que acomoda o lanche, e uma alavanca que permite recliná-las. Esticadas, medem 1,57 m.

Em vez das mais de 600 cadeiras das salas vizinhas, há apenas 224 poltronas para as duas salas, ou seja, uma poltrona onde haveria três. Elas estão distribuídas em fileiras distantes umas das outras, o que oferece espaço para as pessoas se deslocarem sem esbarrar nas outras ou para assistirem ao filme sem que alguém na frente atrapalhe, ou que alguém atrás empurre o encosto. Os equipamentos de projeção e de som garantem uma exibição de alta qualidade.

O projeto foi criado para oferecer uma experiência única desde a bilheteria exclusiva até o serviço de bar e o ambiente da sala de projeção, que tem atraído seu público-alvo.

Fonte: adaptado de Veja São Paulo, de 27/08/2008.

---

neiras para incorporar poka-yokes, ou métodos à prova de falha, ao ambiente de serviço, que podem ajudar a reduzir falhas e dar suporte a um processo rápido e suave de entrega de serviço.[8] Por exemplo, creches utilizam silhuetas de brinquedos desenhadas nas paredes e assoalhos que indicam onde os brinquedos devem ser colocados após o uso. Em restaurantes de *fast-food* e lanchonetes de escolas há balcões de devolução de bandejas em locais estratégicos e anúncios nas paredes solicitando aos clientes que as retirem da mesa depois de comer. A seção Panorama de serviços 10.1 ilustra como o projeto de ambientes hospitalares contribui para a recuperação dos pacientes e o desempenho dos funcionários.

Panorama de serviços 10.1

O cenário de serviço de um hospital e seus efeitos sobre pacientes e funcionários[9]

Ainda bem que a maioria de nós não precisa se internar em um hospital. Entretanto, caso isso ocorra, esperamos que nossa recuperação possa se dar em um ambiente adequado. Mas o que é considerado adequado em um hospital?

Pacientes podem contrair infecções enquanto estiverem hospitalizados, ficar estressados por causa do contato com muitos estranhos, entediados pela falta do que fazer, não gostar da comida e não conseguir descansar bem. Tudo isso pode dificultar sua recuperação. Em geral, os profissionais da área médica trabalham sob condições extremas e podem contrair doenças, estressar-se pela carga emocional de lidar com pacientes difíceis, ou se ferirem quando expostos aos vários equipamentos médicos. Pesquisas demonstram que um maior cuidado ao projetar hospitais reduz esses riscos e contribui tanto para o bem-estar e a recuperação do paciente quanto para o bem-estar e a produtividade dos funcionários. As recomendações incluem:

- oferecer quartos individuais, o que pode reduzir o índice de infecções hospitalares, melhorar a qualidade do repouso e do sono, aumentar a privacidade do paciente, facilitar o apoio familiar e até melhorar a comunicação entre funcionários e pacientes;
- reduzir os níveis de ruído, o que diminui os níveis de estresse dos funcionários e melhora o sono dos pacientes;
- oferecer distrações aos pacientes, incluindo áreas verdes e de contato com a natureza. Isso pode auxiliar na recuperação;
- melhorar a iluminação, sobretudo o acesso à luz natural. Um ambiente iluminado aumenta a alegria no prédio, e a luz natural pode levar à redução no tempo de internação dos pacientes. Os funcionários trabalham melhor sob iluminação adequada e cometem menos erros;
- melhorar a ventilação e a filtragem do ar para reduzir a transmissão de vírus pelo ar e melhorar a qualidade do ar no prédio;
- utilizar sistemas de 'localização' fáceis, pois hospitais são prédios complexos, e é frustrante para visitantes novos ou pouco frequentes ficarem perdidos quando têm pressa de visitar um ente querido hospitalizado;
- projetar o layout de unidades de tratamento de pacientes e da localização dos postos de enfermagem para reduzir deslocamentos desnecessários, além do cansaço e da perda de tempo que isso ocasiona. Dessa maneira, a qualidade do cuidado aos pacientes pode ser melhorada. Arranjos espaciais bem projetados também melhoram a comunicação e as atividades dos funcionários.

Fonte: R. Ulrich, X. Quan, C. Zimring, A. Joseph e R. Choudhary, "The role of the physical environment in the hospital of the 21st century: a once-in-a-lifetime opportunity", Relatório para o centro de design da saúde para a concepção do projeto do Hospital do século XXI, fundado pela Robert Wood Johnson Foundation, set. 2004.

Cenário brasileiro 10.2

Para a criança, a hospitalização pode ter ainda mais efeitos negativos, pois é retirada de sua rotina diária, colocada em um ambiente estranho e assustador, além dos advindos da doença em si. Muitos hospitais têm buscado reduzir o estresse com diversas estratégias, criando ambientes mais semelhantes aos da casa, decorados com elementos do dia a dia da criança, e pelo uso das brinquedotecas, onde a criança pode retomar suas brincadeiras diárias e conviver com outros pequenos pacientes. Uma estratégia, que tem sido utilizada com sucesso mesmo com adultos, são os grupos de voluntários como os Doutores da Alegria e a Companhia do Riso, que levam palhaços e brincadeiras aos pacientes.

O GRAACC (Grupo de Apoio ao Adolescente e à Criança com Câncer), que começou com um grupo voluntário atuando em um pequeno espaço, hoje ocupa um prédio de 11 andares, voltado para a oncologia pediátrica, construído com o apoio do Instituto Ayrton Senna, no conceito da brinquedoteca terapêutica. É um espaço lúdico onde a criança pode desenvolver suas atividades e fantasias, para resistir melhor aos impactos da doença. Foram criados vários ambientes coloridos, os 'cantinhos', espaços de convivência de pacientes, parentes e pessoal hospitalar. Também estão disponíveis livros, jogos, vídeos e DVDs.

Fonte: Disponível em: <http://www.graacc.org.br/>. Acesso em: 30 maio 2011.

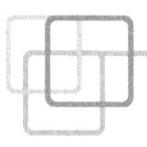

Teoria das reações do consumidor a ambientes de serviço

Agora compreendemos por que as empresas de serviços dedicam tanto esforço para projetar o ambiente de serviços. O ambiente interage com o cliente e pode criar experiências memoráveis. Mas por que ele exerce impacto tão relevante sobre as pessoas e seus comportamentos? O campo da psicologia ambiental estuda o modo como as pessoas reagem a ambientes. Podemos aplicar as teorias dessa área para melhor entender e gerenciar reações de clientes a ambientes de serviços.

Sensações, sentimentos e emoções

Esses três conceitos são muito usados no dia a dia e se confundem, porque fazem parte de um processo que leva muitas pessoas a usá-los como se fossem sinônimos.

Os estímulos do ambiente são processados pelos cinco sentidos (visão, audição, paladar, tato e olfato), que identificam sensações. Frio, quente, áspero, suave, claro, escuro etc., são exemplos de sensações que o ambiente transmite.

A partir das sensações, processos cognitivos e psicológicos criam conhecimentos e sentimentos, ou afeições, que são conceitos sobre o ambiente, construídos por meio da informação recebida dele. Pelo lado cognitivo ocorre um processo de aprendizado, com a racionalização e armazenamento da informação aprendida. Pelo lado do sentimento, cria-se um estado afetivo, positivo ou negativo, como os sentimentos de paz, inquietação, tranquilidade, amor, rejeição, felicidade etc. Diferentes correntes de estudos discutem atualmente se cognição e afeição ocorrem de forma separada ou conjunta.

A emoção é uma experiência afetiva mais intensa, como alegria, tristeza, medo, raiva, paixão etc., geralmente acompanhada de reações fisiológicas, motoras e glandulares, como suor, choro, tremor, rubor, palidez, aumento do batimento cardíaco, dilatação da pupila etc. Podem levar a uma reação de aproximação ou afastamento, como veremos adiante. O conhecimento e os sentimentos podem se tornar emoções, no caso de experiências afetivas mais intensas.

Sentimentos servem como estimulantes fundamentais de reações de clientes a ambientes de serviços

Dois modelos contribuem para uma melhor compreensão das reações de consumidores aos ambientes de serviços. O primeiro, o modelo estímulo-resposta de Mehrabian-Russell, sustenta que sentimentos (ou afeições) são fundamentais para o modo como reagimos aos diversos estímulos aos quais somos expostos. O segundo, o modelo de Russell de afeição, concentra-se em como podemos entender melhor esses sentimentos e suas implicações sobre as reações comportamentais.

O modelo estímulo-resposta de Mehrabian-Russell. A Figura 10.3 apresenta um modelo simples, porém fundamental, que mostra como pessoas reagem a ambientes. O modelo afirma que o ambiente e sua percepção e interpretação, conscientes ou inconscientes, influenciam o modo como as pessoas sentem.[10] Por sua vez, os sentimentos das pessoas estimulam suas respostas àquele ambiente. Sentimentos são fundamentais ao modelo, segundo o qual são eles — e não percepções ou pensamentos — que estimulam o comportamento. Por exemplo, não evitamos um ambiente apenas porque há muita gente ao redor (avaliação cognitiva); em vez disso, somos dissuadidos pelo sentimento desagradável do ambiente lotado, de pessoas em nosso caminho, da falta de controle percebida e de não podermos conseguir o que queremos com a rapidez desejada (reação de sentimento ou afeição). Se tivéssemos todo o tempo do mundo e nos sentíssemos animados por sermos parte da multidão durante um festival, a exposição ao mesmo número de pessoas poderia gerar sentimentos de prazer e entusiasmo que nos levariam a permanecer e explorar aquele ambiente.

Em psicologia ambiental, a variável de resultado mais comum é a *aproximação* ou o *afastamento* de um ambiente. É claro que em marketing de serviços podemos adicionar uma longa lista de outros resultados que uma empresa poderia querer gerenciar. Isso inclui quanto dinheiro as pessoas gastam e quão satisfeitas ficam com a experiência de serviço, ou seja, como a disposição de aproximação ou afastamento contribuiu para o valor percebido, a satisfação obtida com o serviço e o fortalecimento da imagem em uma experiência de serviço.

O modelo de Russell de afeição. Considerando que afeição, ou sentimento, é essencial ao modo como as pessoas reagem ao ambiente, precisamos entender melhor esses sentimentos. O modelo de Russell de afeição (veja a Figura 10.4) é muito usado para entender sentimentos em ambientes de serviço e sugere que reações sentimentais a ambientes podem ser descritas segundo duas dimensões: prazer e estímulo.[11] Prazer (ou desprazer) é uma reação direta, subjetiva, que depende de quanto o indivíduo gosta ou não do ambiente. Estímulo refere-se ao grau de excitação que o indivíduo sente, que pode ir do sono profundo (nível

Figura 10.3   Modelo de reações ambientais

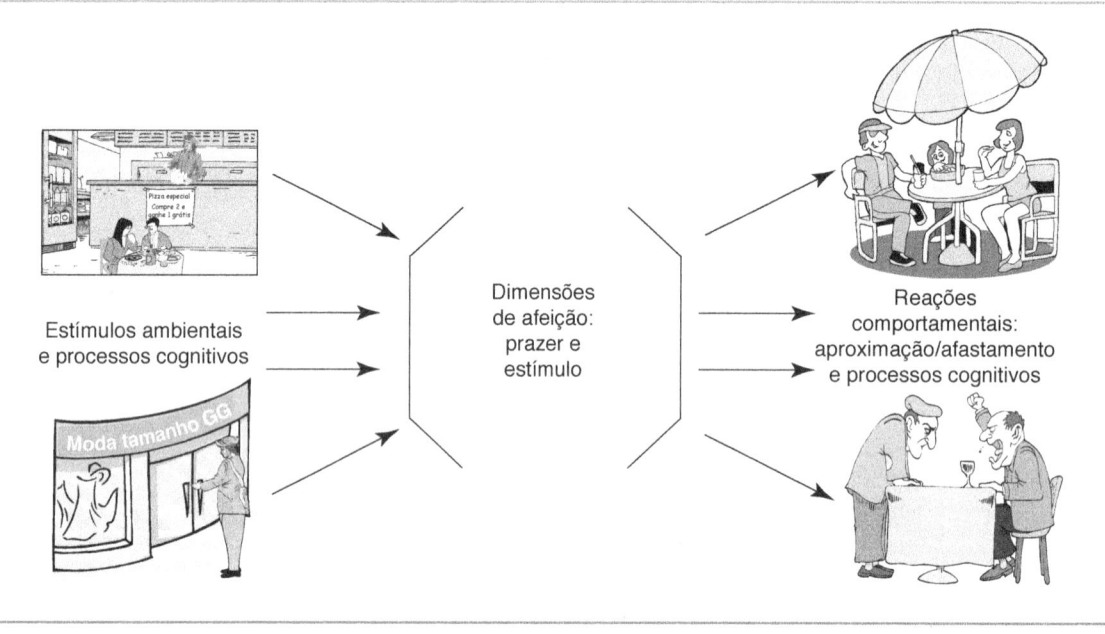

Figura 10.4   O modelo de Russell de afeição

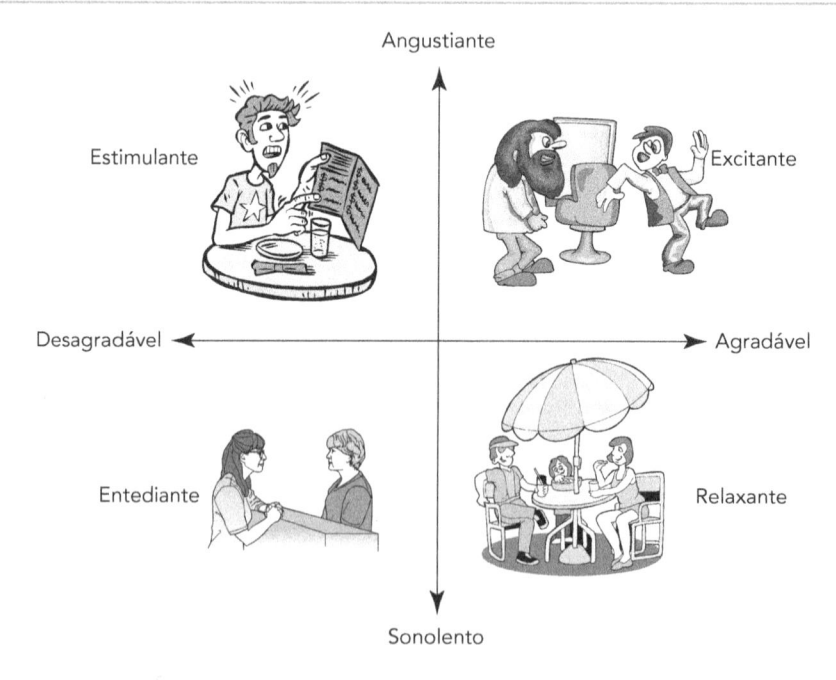

mais baixo de atividade interna) aos mais altos níveis de adrenalina na corrente sanguínea, por exemplo, ao fazer *bungee-jumping* (nível mais alto de atividade interna). A qualidade de estímulo é muito menos subjetiva do que a qualidade de prazer, pois depende, em grande parte, da taxa, ou carga, de informação de um ambiente. Ambientes são estimulantes (têm alta taxa de informação) quando são complexos e têm movimento ou alterações, além de elementos novos e surpreendentes. Um ambiente relaxante (com baixa taxa de informação) apresenta as características opostas.

Como nossos sentimentos e emoções podem ser explicados por apenas duas dimensões? Russell isolou a parte cognitiva, ou do raciocínio das emoções, dessas duas dimensões emocionais subjacentes. Assim, a emoção de raiva em relação a uma falha de serviço poderia ser modelada como alto estímulo e alto desprazer, o que a colocaria na região 'angustiante' em nosso modelo, combinada com um processo cognitivo de atribuição. Quando um cliente atribui uma falha de serviço à empresa — culpando-a por algo que está sob seu controle e que ela não se esforça muito para evitar que se repita —, esse poderoso processo cognitivo de atribuição resulta em alto estímulo e desprazer. De modo semelhante, a maioria das outras emoções pode ser subdividida em seus componentes cognitivos e afetivos.

A vantagem do modelo de Russell de afeição é sua simplicidade, pois permite a avaliação direta de como os clientes se sentem enquanto estão no ambiente de serviço. Empresas podem determinar alvos para afeições. Por exemplo, uma operadora de *bungee-jumping* ou de montanha-russa gostaria que seus clientes se sentissem estimulados (admitindo que não há muito prazer em se encher de coragem para enfrentar o *bungee-jumping* ou a montanha-russa); um operador de discoteca ou parque temático gostaria que seus clientes se sentissem animados (ambiente de estímulo relativamente alto combinado com prazer); um banco gostaria que seus clientes sentissem confiança; um spa, que se sentissem tranquilos e assim por diante. Ainda neste capítulo discutiremos como ambientes de serviço podem ser projetados para oferecer os tipos de experiência de serviço que os clientes desejam.

Processos afetivos e cognitivos. Afeições podem ser causadas por percepções e processos cognitivos de qualquer grau de complexidade. Contudo, quanto maior a complexidade, mais poderoso será o impacto potencial sobre a afeição. Por exemplo, o desapontamento de um cliente com o nível de serviço e a qualidade da comida em um restaurante (um processo cognitivo complexo, pelo qual a qualidade percebida é comparada com expectativas de serviço anteriores) não pode ser compensado por um processo cognitivo simples, como a percepção subconsciente de música de fundo agradável. Ainda assim, não quer dizer que processos simples não sejam importantes.

Na prática, a grande maioria dos encontros de serviço é rotineira, com pouco processamento cognitivo de alto nível (o que pode criar grandes oportunidades de novos negócios, ao oferecer experiências para situações rotineiras). Tendemos a ligar nosso 'piloto automático' e seguir nossos roteiros de serviço quando executamos transações rotineiras como utilizar um ônibus ou o metrô, entrar em um restaurante de *fast-food* ou realizar uma transação bancária. Na maior parte das vezes, são os processos cognitivos simples que determinam como as pessoas se sentem no cenário de serviço — as percepções conscientes e até inconscientes de espaço, cores, odores e assim por diante. Contudo, se forem acionados processos cognitivos de níveis mais altos — por exemplo, por meio de algo surpreendente no ambiente de serviço — é a interpretação dessa surpresa que determinará os sentimentos das pessoas.[12]

Consequências comportamentais da afeição. No nível mais básico, ambientes agradáveis resultam em comportamentos de aproximação, enquanto os desagradáveis, em afastamento. O estímulo age como um amplificador do efeito básico do prazer sobre o comportamento. Se o ambiente for agradável, aumentar o estímulo e causar entusiasmo, ele resulta em uma reação positiva mais forte do consumidor. Ao contrário, se um ambiente de serviço for em essência desagradável, é melhor não aumentar os níveis de estímulo, pois isso levaria os clientes à região da angústia. Por exemplo, música alta e rápida elevaria os níveis de estresse de clientes nos corredores lotados de uma loja na última noite antes do Natal. Nessas situações, a carga de informação deve ser reduzida.

Por fim, há serviços que despertam fortes expectativas emocionais nos clientes. Imagine um jantar romântico à luz de velas em um restaurante, uma visita relaxante a um spa ou algumas horas de animação no campo de futebol ou na danceteria. Quando as expectativas emocionais dos clientes são fortes, é importante que o projeto do ambiente corresponda a elas.[13]

O modelo de cenários de serviço — uma estrutura integrativa

Valendo-se dos modelos básicos da psicologia ambiental, Mary Jo Bitner desenvolveu, como vimos, um modelo abrangente que denominou *servicescape*, ou paisagem de serviço.[14] A Figura 10.5 mostra as três principais dimensões que ela identificou em ambientes de serviço: (a) condições do ambiente, (b) espaço e funcionalidade e (c) sinais, símbolos e artefatos. Como indivíduos tendem a perceber essas dimensões de maneira holística, a chave para o projeto efetivo é a qualidade do ajuste de cada dimensão a todo o resto.

O modelo de Bitner mostra que existem moderadores de reações de clientes e de funcionários. Isso quer dizer que o mesmo ambiente de serviço pode causar efeitos diferentes em clientes diferentes, dependendo de quem são e de que gostam: a beleza está nos olhos de quem vê e é subjetiva. Por exemplo, ouvir um rap pode ser puro prazer para alguns segmentos de clientes e pura tortura para outros.

Uma contribuição importante do modelo é que ele inclui respostas de funcionários ao ambiente de serviço. Afinal, eles passam ali muito mais tempo do que os clientes e é crucial que os projetistas considerem o modo como um ambiente aumenta (ou ao menos não reduz) a produtividade dos profissionais da linha de frente e a qualidade do serviço que entregam.

Figura 10.5 O modelo de paisagem de serviço

Fonte: Mary Jo Bitner, "Servicescapes: the impact of physical surroundings on customers and employees", *Journal of Marketing*, 56 (abr. 1992), p. 57-71. Copyright © 1992 American Marketing Association. Usado com permissão.

Respostas internas de clientes e funcionários podem ser categorizadas em cognitivas (como crenças e percepções de qualidade), emocionais (como sentimentos e estados de ânimo) e psicológicas (como dor e conforto). Elas levam a reações comportamentais claras, como evitar uma loja de departamentos apinhada ou reagir positivamente a um ambiente relaxante, permanecendo mais tempo e gastando mais em compras por impulso. É importante entender que as respostas comportamentais de clientes e funcionários devem ser modeladas para facilitar a produção e a compra de serviços de alta qualidade. Considere como os resultados de transações de serviço podem ser diferentes quando clientes e profissionais da linha de frente sentem-se agitados e estressados em vez de tranquilos e felizes.

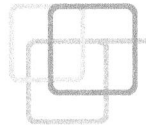

As dimensões do ambiente de serviço

Ambientes de serviço são complexos e têm muitos elementos de projeto. A Tabela 10.1 apresenta uma visão geral de todos os elementos de projeto que poderiam ser encontrados em uma loja de varejo. Nesta seção, focalizamos as principais dimensões do ambiente de serviço no modelo da paisagem de serviço: as condições do ambiente, espaço e funcionalidade, e sinais, símbolos e artefatos.[15]

O impacto das condições ambientais

Condições ambientais são as características do ambiente relativas aos cinco sentidos. Mesmo quando não são notadas conscientemente, ainda podem afetar o bem-estar emocional, as percepções e até mesmo as atitudes e os comportamentos. Compõem-se por centenas de elementos e detalhes de projeto, que têm de funcionar em conjunto para criar o ambiente de serviço desejado.[16] A atmosfera resultante cria uma disposição de ânimo que é percebida e interpretada pelo cliente.[17] Condições ambientais são percebidas em separado ou holisticamente e entre elas figuram iluminação e esquema de cores, percepções de tamanho e forma, sons como ruído e música, temperatura e odores, ou fragrâncias. Um projeto inteligente para essas condições pode despertar reações comportamentais desejadas. Considere o raciocínio inovador na tendência de transformar clínicas dentárias em relaxantes spas odontológicos, como descrito no quadro Exemplo prático 10.1.

A seguir, vamos discutir importantes dimensões ambientais, começando com a música.

Música. Mesmo em volume quase imperceptível, pode ter efeito poderoso nas percepções e nos comportamentos em ambientes de serviço. Características estruturais, como ritmo, volume e harmonia, são percebidas de maneira holística, e seu efeito sobre reações internas e comportamentais é regulado pelas características do ouvinte (os mais jovens tendem a gostar de músicas diferentes, ao contrário dos mais velhos, e, portanto, sua resposta à mesma peça musical é diferente da deles).[18] Inúmeros estudos constataram que música de ritmo rápido e em alto volume aumenta os níveis de estímulo,[19] o que pode incitar as pessoas a acelerar o ritmo de vários comportamentos. Elas tendem a ajustar o passo, de modo voluntário ou não, ao ritmo da música. Isso significa que restaurantes podem aumentar a rotatividade de suas mesas acelerando o ritmo e aumentando o volume da música e servir mais clientes, ou então reduzir essa rotatividade com música de ritmo lento e em baixo volume e aumentar o rendimento com bebidas.

Um estudo realizado em restaurantes durante oito semanas demonstrou que a receita com bebidas aumentava de modo considerável quando o ritmo da música de fundo era lento. Clientes que jantam em ambientes com música lenta passam mais tempo no restaurante do que os que ouvem música rápida.[20] De modo semelhante, com música de fundo lenta, compradores caminhavam mais lentamente e seu nível de compra por impulso aumentava. Constatou-se que tocar músicas conhecidas em uma loja estimula os compradores e, com isso, reduz o tempo que gastam na pesquisa de mercadorias, ao passo que tocar músicas desconhecidas os induz a passar mais tempo na loja.[21]

Tabela 10.1 — Elementos de projeto de um ambiente de loja de varejo

Dimensões	Elementos de projeto	
Instalações exteriores	Estilo arquitetônico	Vitrines
	Altura do edifício	Entradas
	Tamanho do edifício	Visibilidade
	Cor do edifício	Exclusividade
	Paredes externas e sinalização exterior	Lojas vizinhas
	Fachada	Áreas vizinhas
	Marquise	Congestionamento
	Gramados e jardins	Estacionamento e acessibilidade
Interior geral	Assoalhos e carpetes	Temperatura
	Esquemas de cor	Limpeza
	Iluminação	Largura de corredores
	Aromas	Provadores
	Odores (por exemplo, fumaça de cigarro)	Elevadores e escadas rolantes
	Sons e música	Áreas mortas
	Acessórios	Disposição e apresentação de mercadorias
	Composição da parede	Visibilidade de preços
	Texturas das paredes (pintura, papel de parede)	Localização da caixa registradora
	Composição do teto	Tecnologia/modernização
Disposição da loja	Alocação de espaço para vendas, mercadoria, pessoal e clientes	Áreas de espera
		Fluxo de tráfego
	Posicionamento de mercadorias	Filas de espera
	Agrupamento de mercadorias	Mobiliário
	Posicionamento da estação de trabalho	Áreas mortas
	Localização de equipamentos	Localização dos departamentos
	Localização da caixa registradora	Arranjos internos de departamentos
Expositores internos	Expositores no ponto de venda	Estantes e caixas
	Pôsteres, placas e cartões	Exposição do produto
	Figuras e elementos gráficos	Exposição do preço
	Decoração das paredes	Caixas de ofertas e latas de lixo
	Ambiente temático	Móbiles
	Conjunto	
Dimensões sociais	Características pessoais	Características do cliente
	Uniformes de funcionários	Privacidade
	Aglomeração	Autosserviço

Fontes: adaptado de Barry Berman e Joel R. Evans. *Retail management — a strategic approach.* 8 ed. Upper Saddle River, NJ: Prentice-Hall, 2001. p. 604; L. W. Turley e Ronald E. Milliman, "Atmospheric effects on shopping behavior: a review of the experimental literature", *Journal of Business Research*, 49, 2000, p. 193-211.

Quando o consumidor tem de esperar, a música pode ser eficiente para encurtar o tempo de espera percebido e aumentar a satisfação. A música suave mostrou ser eficaz na redução de níveis de estresse na sala de espera do centro cirúrgico de um hospital. Também foi demonstrado que música agradável aprimora a percepção e a atitude do cliente em relação ao pessoal de serviço.[22]

Exemplo prático 10.1

Sem medo do dentista

A maioria das pessoas detesta ir ao dentista. Alguns pacientes acham desconfortável, em especial se tiverem de ficar na cadeira do dentista durante muito tempo. Muitos têm medo da dor associada a certos procedimentos e outros até arriscam sua saúde, evitando fazer uma consulta. Mas alguns profissionais agora adotam o 'spa odontológico', com sucos de fruta, massagens no pescoço e nos pés; até mesmo velas perfumadas e o som de sinos de vento são utilizados para agradar seus pacientes e distraí-los dos necessários tratamentos.

"Não é nenhum truque", diz Timothy Dotson, proprietário do Perfect Teeth Dental Spa, em Chicago, enquanto um paciente respirava óxido nitroso com aroma de morango. "É tratar pacientes da maneira como eles querem ser tratados. Isso ajuda muitas pessoas a vencer o medo". E parece que seus clientes concordam. "Ninguém gosta de ir ao dentista, mas assim é bem mais fácil", comentou uma senhora que esperava a colocação de uma coroa enquanto uma almofada de massagem aquecia e massageava suas costas.

Amenidades como toalhas quentes, massagens, aromaterapia, café, pães frescos de frutas e vinho branco refletem os esforços dos dentistas para atender às novas expectativas de seus clientes, em especial nessa época em que cresce a demanda por cuidados estéticos de clareamento e remodelagem de dentes para criar um sorriso perfeito. A meta é atrair pacientes que, não fosse isso, certamente considerariam a ida ao dentista uma situação estressante. Muitos dentistas que oferecem serviços de spas odontológicos não cobram a mais por isso, comentando que seus custos são mais do que compensados pelas visitas repetidas e pelo aumento de indicações de clientes.

Em Houston, Max Greenfield decorou seu Image Max Dental Spa com fontes e arte moderna. Os pacientes podem usar quimonos, escolher entre oito aromas de oxigênio e meditar em uma sala de relaxamento decorada como um jardim japonês. A área odontológica tem cadeiras de couro de cordeiro, toalhas quentes de aromaterapia e um procedimento conhecido como 'massagem gengival por jato de bolhas' que utiliza ar e água para limpar os dentes.

Embora consultórios de Los Angeles a Nova York adotem técnicas de spa, há quem questione se essa abordagem é boa odontologia ou moda passageira. "Aceitar a junção desses dois negócios é difícil para mim", comentou o reitor de uma faculdade de odontologia.

Fonte: "Dentists offer new services to cut the fear factor", Chicago Tribune, artigo distribuído pela rede associada, fev. 2003.

Oferecer a combinação certa de música para restaurantes, lojas e até centrais de telemarketing tornou-se um negócio em si. Por exemplo, a DMX, com sede no Texas, fornece música para mais de 300 clientes corporativos criando combinações assinadas de 200 a 800 músicas licenciadas, que são tocadas nos pontos de venda dos clientes. Tais combinações são atualizadas remotamente cerca de uma vez por mês.[23]

Você se surpreenderia ao saber que a música também pode ser usada para evitar o tipo errado de cliente? Muitos ambientes de serviço, como sistemas de metrô, supermercados e outros locais de acesso público, atraem indivíduos que não são clientes de boa fé. Alguns são inconvenientes (veja Capítulo 13), cujo comportamento causa problemas tanto para a gerência quanto para a clientela. No Reino Unido, uma estratégia cada vez mais popular para afastá-los é tocar música clássica, que parece não agradar aos ouvidos de vândalos e ociosos. A Co-op, uma cadeia de supermercados inglesa, tem experimentado tocar música no exterior de suas lojas para impedir que adolescentes rondem e intimidem clientes. Seus funcionários andam equipados com um controle remoto e, como relatou Steve Broughton da Co-op, "podem ligar a música, se um incidente começar e eles precisarem dispersar as pessoas".[24]

É provável que o metrô de Londres tenha feito o uso mais extensivo de música clássica como meio de intimidação. Trinta estações tocam Mozart e Haydn para desestimular a ociosidade e o vandalismo. Um porta-voz relata que os meios de intimidação mais eficazes são qualquer música composta por Mozart ou cantada por Pavarotti. De acordo com Adrian North, psicólogo que pesquisa a ligação entre música e comportamento na Leicester University, a falta de familiaridade é o principal fator que afasta as pessoas. Quando o público-alvo não está acostumado com instrumentos de corda e sopro, Mozart funciona (Figura 10.6). Entretanto, para os ociosos com algum conhecimento musical, uma artilharia atonal pode funcionar melhor. Por exemplo, North atormentou alunos da Leicester no bar local com o que ele descreveu como 'música de jogos de computador'. Isso esvaziou o local!

Odor. O odor, ou aroma, que impregna um ambiente pode ou não ser percebido conscientemente por clientes e não está relacionado com nenhum produto em particular. A presença de odor pode causar um forte impacto no estado de ânimo, nas respostas emocionais e de avaliação e até mesmo nas intenções de compra e comportamentos dentro na loja.[25] Experimentamos o poder do odor quando temos fome e sentimos o cheirinho de pães fresquinhos ao passarmos por alguma padaria. Esse aroma conscientiza-nos de nossa fome e sugere uma solução (por exemplo, entrar na padaria e comer alguma coisa).

O médico Alan R. Hirsch, pesquisador de olfato da Smell & Taste Treatment and Research Foundation, com sede em Chicago, está convencido de que, dentro de dez anos, entenderemos tanto de odores que poderemos usá-los com eficiência para gerenciar o comportamento das pessoas.[26] Profissionais de marketing de serviço passarão a se interessar em como fazer você sentir fome ou sede em um restaurante, relaxar na sala de espera do dentista e transmitir energia para que você se exercite mais na academia de ginástica. No Brasil, entre várias empresas que trabalham o ambiente de serviço, temos a Biomist, pioneira do uso de aroma como ferramenta de marketing (veja o Cenário brasileiro 10.3).

Figura 10.6   Música clássica pode ser usada para dissuadir vândalos e vagabundos

Cenário brasileiro 10.3

Além dos estímulos visuais, mais comuns, e dos estímulos sonoros, também muito usados, as empresas têm lançado mão de estímulos olfativos para criar uma experiência de serviços mais marcante, quando materiais visuais e sonoros já não apresentam efeito suficiente. Os aromas costumam provocar respostas imediatas, mesmo que inconscientes, e despertar associações com fatos guardados na memória. Podem ser usados para despertar uma associação, como os florais com frescor, ou um aroma específico pode ser desenvolvido para ser uma assinatura olfativa de um serviço.

A Biomist é uma empresa brasileira criada em 2000 pelo coreano Yong Sup Yoon, ou Julio Yoon, como é chamado. Quando chegou ao Brasil a trabalho para uma empresa multinacional, decidiu ficar e investir no país, e analisou diversas alternativas de negócios. Um colega lembrou que em países da Ásia, Europa e Estados Unidos, os aromas no ponto de vendas eram usados com sucesso, ao contrário do Brasil, onde ainda não existia nenhuma empresa atuando no setor.

A empresa criou um centro de pesquisas onde desenvolve sistemas de aromatização automáticos, com tecnologias de fotocélula que controla sua operação — acionamento do aparelho, dispersão, programação etc. São oferecidos três métodos de aromatização. Em lojas menores, de até 35 metros quadrados, é usado um aparelho que distribui automaticamente a essência. Em lojas maiores, a empresa utiliza o ar condicionado central ou um aparelho de ventilação.

Entre seus clientes, figuram: Emporio Armani, AX, D&G, Osklen, Natura, Ferni, Nike, Vila Romana, Dumont, Maria Filó, Luz da Lua, Agatha, Prefixo Pampili, Espaço Fashion, Scala, Via Uno, entre outras. As empresas têm duas opções: desenvolver um aroma exclusivo, baseado em seu posicionamento e estratégia de marketing, em parceria com perfumistas, o que custa a partir de 4 mil reais e leva até seis meses para ficar pronto; ou escolher em um catálogo de mais de 50 aromas já desenvolvidos. Para um restaurante japonês, por exemplo, Yoon sugere a fragrância de bambu na entrada; para escritórios, os aromas herbais (obtidos da solução de ervas em álcool), como erva-doce e camomila. Os serviços incluem o desenvolvimento do aroma, o fornecimento das essências e equipamentos, e a consultoria técnica no uso. Também oferece aromas para eventos, promoções, desfiles de moda, camarotes, lançamentos de produtos e festas particulares. As embalagens são recicláveis e os dispersores não utilizam o gás CFC, que ataca a camada de ozônio.

A empresa possui uma carteira de 2 mil clientes, vem crescendo, em média, entre 30 e 35 por cento nos últimos anos e em 2008 apresentou faturamento médio mensal de 200 mil reais. Com base em São Paulo e distribuidores em Brasília, Goiânia, Fortaleza, Salvador, Belo Horizonte, Vitória e Curitiba, busca novos parceiros, mediante distribuição e franquia, para estabelecer-se em mais 17 capitais e nas cidades da Região Metropolitana de São Paulo.

Com o sucesso dos aromas, os clientes também passaram a procurar as essências da loja. A empresa tem um projeto de uma fábrica em Diadema, para produzir perfumes, sabonetes, sachês, água perfumada para passar roupa e outros produtos que a loja pode oferecer a seus clientes com seu aroma. Também pretende explorar mais o mercado de eventos, que hoje responde por 5 por cento do faturamento. O varejo, no entanto, ainda responde pela maior parte da receita, 85 por cento. Os restantes 10 por cento são gerados pelas compras dos distribuidores.

Fonte: Adaptado de Diário do Comércio, 25/fev./2009.E site da empresa. Disponível em: <www.biomist.com.br>. Acesso em: 30 maio 2011.

A aromaterapia admite que, de modo geral, os aromas têm características distintas e podem ser utilizados para despertar certas reações emocionais, fisiológicas e comportamentais. A Tabela 10.2 mostra os possíveis efeitos que alguns aromas causam nas pessoas, segundo as prescrições da aromaterapia. Em cenários de serviço, a pesquisa mostrou que aromas podem causar impacto significativo em percepções, atitudes e comportamentos de clientes. Por exemplo:

Tabela 10.2 Aromaterapia – efeitos de fragrâncias selecionadas sobre as pessoas

Fragrância	Tipo de aroma	Classe de aromaterapia	Utilização tradicional	Potencial impacto psicológico nas pessoas
Eucalipto	Canforado	Tonificante, estimulante	Desodorante, antisséptico, agente tranquilizador	Estimulante e energizante
Lavanda	Herbáceo	Calmante, equilibrador, tranquilizante	Relaxante muscular, agente tranquilizador, adstringente	Relaxante e calmante
Limão	Cítrico	Energizador, estimulante	Antisséptico, agente tranquilizador	Melhora níveis de energia tranquilizante
Pimenta do reino	Picante	Equilibrador, tranquilizante	Relaxante muscular, afrodisíaco	Equilibra emoções

Disponível em: <www.fragrant.demon.co.uk, www.naha.org/WhatisAromatherapy>.
Fontes: Dana Butcher, "Aromatherapy – its past & future", *Drug and Cosmetic Industry*, 16, n. 3, 1998, p. 22-24; Shirley Price e Len Price. *Aromatherapy for health professionals*. 3 ed.; A. S. Mattila e J. Wirtz, "Congruency of scent and music as a driver of in-store evaluations and behavior", *Journal of Retailing*, 77, 2001, p. 273-289.

- jogadores arriscaram 45 por cento mais moedas em caça-níqueis quando um cassino de Las Vegas utilizou um perfume com aroma artificial agradável. Quando a intensidade do aroma foi elevada, o gasto passou para 53 por cento;[27]

- pessoas mostraram-se mais dispostas a comprar tênis da marca Nike e a pagar mais por eles — uma média de 10,33 dólares a mais por par — quando os experimentavam em uma sala com aroma floral. Efeito igual foi constatado mesmo quando o aroma era tão fraco que as pessoas não podiam detectá-lo (era percebido inconscientemente).[28]

Reconhecendo o poder do odor, cada vez mais empresas de serviço o incorporam a sua experiência de marca. Por exemplo, a rede de hotéis Westin utiliza uma fragrância de chá branco nos saguões, enquanto a Sheraton os aromatiza com uma combinação de figo, cravo e jasmim. Em resposta à tendência de aromatizar cenários de serviço, empresas de serviços profissionais surgiram na área de marketing de aromas. Por exemplo, a Ambius, uma empresa da Rentokil Initial, oferece serviços associados a aromas, como 'marca sensorial', 'aromatização de ambientes' e 'cura pelo aroma' para varejo, hotelaria, saúde, serviços financeiros, entre outros. As empresas podem terceirizar a aromatização do cenário de serviços com a Ambius, que oferece soluções completas, desde consultoria e criação de fragrâncias assinadas para uma empresa de serviço até gerenciar a aromatização contínua de todas as lojas de uma rede.[29]

Cor. Além de música e odor, pesquisadores descobriram que as cores exercem forte impacto sobre os sentimentos das pessoas.[30] A cor 'é estimulante, calmante, expressiva, perturbadora, impressionável, cultural, exuberante, simbólica. Ela permeia todos os aspectos de nossas vidas, embeleza o que é comum e confere beleza e dramaticidade a objetos corriqueiros'.[31]

O sistema utilizado na pesquisa é o Sistema de Munsell, que define cores nas três dimensões de matiz, valor e croma.[32] *Matiz* é o pigmento da cor (vermelho, laranja, amarelo, verde, azul ou violeta). *Valor* é o grau de claro ou escuro da cor em relação a uma escala que vai do negro puro ao branco puro. *Croma* refere-se à intensidade, saturação ou brilho do matiz; as cores de croma alto têm intensidade alta de pigmentação e são percebidas como ricas ou vívidas, enquanto as cores de croma baixas são percebidas como opacas.

Matizes são classificados em cores *quentes* (matizes de vermelho, laranja e amarelo) e *frias* (azuis e verdes), sendo laranja (uma mistura de vermelho e amarelo) a cor mais quente e azul, a mais fria. Essas cores podem ser usadas para administrar a cordialidade de um ambiente. Por exemplo, se a cor violeta for muito quente, você pode esfriá-la reduzindo o vermelho. Ou, se um vermelho for muito frio, pode aquecê-lo com uma pitada de laranja.[33] Cores quentes são associadas a estímulo, estados de espírito animados e alta ansiedade, ao passo que cores frias reduzem níveis de estímulo e podem despertar sentimentos como paz, calma, amor e felicidade.[34] A Tabela 10.3 resume associações e reações comuns às cores.

Tabela 10.3 Associações comuns e respostas humanas às cores

Cor	Grau de calor	Símbolo da natureza	Associações e reações humanas comuns às cores
Vermelho	Quente	Terra	Alta energia e paixão; pode animar, estimular emoções, expressões e calor humano
Laranja	A mais quente	Crepúsculo	Emoções, expressão e calor humano
Amarelo	Quente	Sol	Otimismo, clareza e intelecto; melhora o estado de ânimo
Verde	Fria	Crescimento, grama e árvores	Nutrição, cura e amor incondicional
Azul	A mais fria	Céu e oceano	Relaxamento, serenidade e fidelidade
Índigo	Fria	Crepúsculo	Meditação e espiritualidade
Violeta	Fria	Violeta (a flor)	Espiritualidade; reduz estresse e pode criar um sentimento interior de calma

Fontes: Sara O. Marberry e Laurie Zagon. *The power of color — creating healthy interior spaces.* Nova York: John Wiley, 1995. p. 18; Sarah Lynch. *Bold colors for modern rooms: bright ideas for people who love color.* Gloucester, MA: Rockport Publishers, 2001. p. 24–29.

Pesquisas realizadas no contexto de um ambiente de serviço mostraram que, a despeito da diferença em sua preferência por cores, em geral as pessoas são atraídas por ambientes de cores quentes. Contudo, há um paradoxo: também foi constatado que ambientes de varejo em matizes de vermelho são percebidos como negativos, tensos e menos atraentes do que ambientes com cores frias. Cores quentes incentivam decisões rápidas e, em situações de serviço, são mais indicadas para decisões de baixo envolvimento ou compras por impulso. Cores frias são preferidas quando os consumidores precisam de tempo para fazer compras de alto envolvimento.[35]

Embora entendamos o impacto das cores no sentido geral, sua utilização em qualquer contexto precisa ser tratada com cautela. Quando uma empresa de transportes de Israel decidiu pintar seus ônibus de verde como parte de uma campanha em prol do meio ambiente, as reações a esse ato aparentemente simples foram inesperadamente negativas. Alguns clientes acharam que a cor verde prejudicava o desempenho porque fazia os ônibus se confundirem com o ambiente e ficarem mais difíceis de enxergar; outros a consideravam pouco atrativa e inadequada por representar ideias indesejáveis, como terrorismo ou equipes esportivas adversárias.[36]

Um bom exemplo da utilização de esquema de cores para realçar a experiência de serviço é fornecido pelo HealthPark Medical Center, em Fort Meyers, no Estado da Flórida, que combinou todo o espectro de cores com uma iluminação inusitada para conseguir um cenário de sonho em seu saguão. As paredes do saguão são cobertas com as cores do arco-íris por um conjunto ordenado de lâmpadas de alta intensidade azuis, verdes, violetas, vermelhas, laranjas e amarelas. Craig Roeder, que projetou a iluminação do hospital, explicou: "É um hospital. As pessoas entram aqui preocupadas e doentes. Tentei projetar um saguão de entrada que lhes oferecesse luz e energia — para 'iluminá-los' um pouco antes de passarem para as salas internas destinadas aos pacientes".[37]

Layout e funcionalidade

Além das condições ambientais, o layout e a funcionalidade representam outras dimensões relevantes do ambiente de serviço. Como, de modo geral, ambientes de serviço têm de cumprir propósitos específicos e necessidades de clientes, o layout e a funcionalidade são de particular importância.

Layout refere-se ao tamanho e ao formato de móveis e balcões, além de maquinaria e equipamento, e as maneiras como são dispostos. *Funcionalidade* é capacidade desses itens de facilitar o desempenho de transações de serviço. Layout e funcionalidade criam o cenário de serviço visual e funcional para que a entrega e o consumo ocorram. Ambas as dimensões determinam a facilidade de uso e a capacidade da instalação de atender bem aos clientes; e não afetam apenas a eficiência da operação de serviço, mas também moldam a experiência do cliente (Figura 10.7). Mesas muito próximas umas das outras em um café, guichês sem privacidade em um banco, cadeiras desconfortáveis em uma sala de leitura e falta de estacionamento podem causar impressões negativas aos clientes, afetar a experiência de serviço e o comportamento de compra e, por conseguinte, o desempenho de negócios da instalação de serviço.

Figura 10.7 O espaçoso Aeroporto Internacional de Kuala Lumpur na Malásia foi projetado para ajudar na orientação dos viajantes

Sinalização, símbolos e artefatos

Muitas coisas no ambiente de serviço agem como sinais explícitos ou implícitos para comunicar a imagem da empresa, ajudar na orientação do cliente e transmitir o roteiro do serviço. Em particular, clientes que vão pela primeira vez à empresa tentarão perceber automaticamente o significado do ambiente para guiá-los pelo processo de serviço.

Exemplos de sinais explícitos incluem os que podem ser utilizados (1) como placas (por exemplo, para indicar o nome do departamento ou do balcão de atendimento); (2) para dar direções (por exemplo, a determinados balcões de atendimento, entrada, saída, elevadores e toaletes); (3) para comunicar o roteiro de serviço (por exemplo, pegar uma senha e esperar sua vez ou esvaziar e devolver a bandeja após a refeição); e (4) como regras comportamentais (por exemplo, desligar ou colocar telefones celulares no modo silencioso durante uma exibição ou regulamentação de áreas de fumantes e não fumantes — Figura 10.8). Muitas vezes as placas são usadas para ensinar e reforçar regras comportamentais em cenários de serviço.

O desafio para projetistas é utilizar sinais, símbolos e artefatos para orientar os clientes com clareza por todo o processo de entrega de serviço. Essa tarefa assume particular importância em situações caracterizadas por alta proporção de clientes novos ou não assíduos e/ ou por elevado grau de autosserviço, em especial quando há poucos profissionais disponíveis para orientar os clientes por todo o processo.

Clientes ficam desorientados quando não conseguem encontrar sinais claros de um cenário de serviço, o que resulta em ansiedade e incerteza sobre como proceder e como obter o serviço desejado. Não é difícil que clientes inexperientes e os que visitam a empresa pela primeira vez sintam-se perdidos em um ambiente confuso e, como resultado, sintam raiva e frustração. Lembre-se da última vez em que você estava apressado e tentou encontrar o caminho certo dentro de um hospital, shopping center ou aeroporto que não conhecia e onde os sinais e outros indícios direcionais não lhe eram intuitivos. Em muitas instalações de serviço, o primeiro ponto de contato dos clientes será provavelmente o estacionamento. Como salientado na seção Melhor prática em ação 10.1, os princípios do arranjo eficaz de ambientes aplicam-se até mesmo ao ambiente mais corriqueiro.

As pessoas como parte do ambiente de serviço

A aparência e o comportamento do pessoal de serviço e dos clientes podem reforçar ou depreciar a impressão criada por um ambiente de serviço. Dentro das restrições impostas pela lei e pelas capacidades profissionais exigidas, as empresas de serviço podem tentar recrutar seu pessoal para desempenhar papéis, vesti-los com uniformes condizentes com o cenário de serviço no qual trabalharão e montar roteiros para o que devem falar e o que devem fazer. Dennis Nickson e seus colegas usam o termo 'trabalho estético' para capturar a importância da imagem física do pessoal de atendimento direto ao cliente.[38] Funcionários dos parques temáticos da Disney são chamados de 'membros do elenco'. Seja atuando

Figura 10.8   Com frequência, sinais servem para ensinar e reforçar regras comportamentais nos cenários de serviço

como Cinderela, como um dos sete anões, como faxineiro do parque ou como o administrador de uma das atrações na Tomorrowland, esse pessoal deve fantasiar-se e 'representar' o seu papel para os espectadores.

De modo semelhante, comunicações de marketing podem procurar atrair clientes que não apenas apreciarão a ambientação criada pelo provedor do serviço, mas também lhe darão realce por sua aparência e comportamento. Em cenários de hospitalidade e varejo, é comum que os clientes em potencial pesquisem o conjunto de clientes existentes antes de decidir se vão frequentar ou não o estabelecimento. As figuras 10.9a e 10.9b mostram o interior de dois restaurantes. Imagine que você acabou de entrar em cada um desses salões. Como cada um se posiciona no setor? Que tipo de experiência de refeição você pode esperar? E que indícios você utiliza para fazer seus julgamentos? Em particular, que tipos de cliente você espera ver sentados à mesa de cada restaurante?

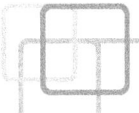

Juntando tudo

Embora muitas vezes as pessoas percebam aspectos particulares ou características individuais de projeto de um ambiente, é a configuração total desses aspectos que determina a reação dos clientes. Isto é, consumidores percebem os ambientes de serviços de maneira holística.[39]

Melhor prática em ação 10.1

Diretrizes para projetos de estacionamento

Estacionamentos têm um importante papel em muitas instalações de serviço. A utilização eficaz de sinais, símbolos e artefatos em estacionamentos ou garagens ajuda os clientes a encontrar o caminho, orienta seu comportamento e apresenta uma imagem positiva da empresa patrocinadora.

- *Avisos amigáveis.* Todos os sinais de aviso devem comunicar um benefício para os clientes. Por exemplo, 'Faixa exclusiva para carros de bombeiro — para segurança de todos, solicitamos que não estacionem nesta faixa'.

- *Iluminação de segurança.* Iluminação que alcance todas as áreas facilita a vida dos clientes e aumenta a segurança. As empresas podem também chamar a atenção para essa característica com avisos: 'A iluminação especial dos estacionamentos é para sua segurança'.

- *Auxílio a clientes para que se lembrem de onde estacionaram seus veículos.* Esquecer-se da localização do carro em um enorme estacionamento pode ser um pesadelo. Muitos adotaram pisos com códigos de cores para ajudar clientes. Mas o Logan Airport, em Boston, esmerou-se. Cada nível está associado a um tema do estado de Massachusetts, como a Cavalgada de Paul Revere, Cape Cod ou a Maratona de Boston, com imagens vinculadas: um homem a cavalo, um farol ou uma corredora. Enquanto esperam pelo elevador, os clientes ouvem alguns compassos de uma canção ligada ao tema daquele nível; no caso do nível Maratona de Boston, é o tema do filme *Carruagens de fogo*, que conta a história de um corredor olímpico.

- *Estacionamento para gestantes.* Vagas para deficientes são quase sempre exigidas por lei. Algumas empresas destinam vagas de estacionamento para gestantes, identificadas pelo símbolo de uma cegonha azul ou rosa. Essa estratégia demonstra o cuidado e a compreensão com relação às necessidades dos clientes. Também podem ser destinadas vagas a idosos.

- *Renovação da pintura.* Meios-fios, faixas de pedestres e linhas divisórias de vagas de estacionamento devem ser pintadas com frequência antes que qualquer rachadura, descascado ou falta de manutenção fique evidente. A renovação periódica mostra cuidado com a limpeza e projeta uma imagem positiva.[40]

Projeto com uma visão holística

Se um assoalho de madeira escuro e brilhante é o piso perfeito depende de tudo o mais no ambiente de serviço em questão, incluindo o tipo, o esquema de cores e o material dos móveis; a iluminação; o material promocional; e a percepção geral da marca e do posicionamento da empresa. Cenários de serviço têm de ser vistos de maneira holística, o que significa que nenhuma dimensão do projeto pode ser otimizada isoladamente, porque tudo depende de tudo. A seção Novas ideias em pesquisa 10.2 mostra que mesmo os elementos de estímulo, como aroma e música, precisam ser considerados em conjunto para provocar as reações desejadas dos clientes.

A característica holística transforma o projeto de ambientes de serviço em arte, tanto que projetistas profissionais tendem a se especializar em tipos de cenário de serviço. Alguns famosos projetistas de interiores dedicam-se apenas à criação de saguões de hotéis, enquanto outros se especializam em restaurantes, bares, clubes, cafés, bistrôs, lojas de varejo ou centros de saúde e assim por diante.[41] Ambientes para segmentos diferentes podem exigir combinações tão complexas de seus elementos que seria necessário muito esforço e tempo para dominar todas essas particularidades.

Figuras 10.9 a e b — Diferentes cenários de serviço — desde a distribuição das mesas até o projeto de decoração interior — criam expectativas de clientes diferentes nesses dois restaurantes

Panorama de serviços 10.2

São Paulo–Dubai, 15 horas de uma experiência inesquecível

O mercado brasileiro de viagens aéreas internacionais passou por muitas mudanças, desde o fim da Vasp e da Varig, que tinham rotas para Tóquio, Bangcoc e Hong Kong, e a ascensão de TAM e GOL. Voos diretos para mais destinos no exterior, além dos tradicionais pontos turísticos europeus, estão se tornando comuns, como os da GOL para o Caribe, sem passar pela burocrática Miami, com seus controles policiais e a exigência de visto de entrada. A GOL atinge outros destinos por intermédio das parceiras American Airlines e Air France. Outro destino que se tornou atrativo há pouco tempo é o Oriente Médio, com Dubai e Doha, e as opções de conexão para Bali, Maldivas e Hong Kong, mercado disputado no Brasil por Emirates Airlines, Turkish Airlines e Qatar Airways.

Nesse mercado em crescimento, em que uma viagem internacional pode ser muito estressante, empresas aéreas têm competido pelo segmento disposto a pagar mais, oferecendo uma experiência agradável e memorável, investindo na paisagem de serviço como diferencial.

A Emirates Airlines, que opera no Brasil desde 2007, com voos *non-stop* diários entre São Paulo e Dubai, grande centro de lazer e turismo, tornou-se um dos destaques da disputa, pelas características únicas de seus serviços. Dubai, situada em um ponto que sempre fez parte das rotas entre Oriente e Ocidente, ficou famosa pelos ousados projetos arquitetônicos, o porto comercial dos mais movimentados do mundo, e as atrações, que vão de safáris pelo deserto a campeonatos de golfe, pistas de esqui e imensos shopping centers. A Emirates Airlines tem muito em comum com a cidade e costuma ser citada como exemplo de empresa aérea inovadora e bem-sucedida. Foi fundada em 1985 pelo Emirates Group, empresa estatal do Emirado de Dubai, quando o Sheikh Ahmed bin Saeed Al Maktoum resolveu criar uma companhia aérea para concorrer com a Gulf Air.

O voo inaugural foi para Karachi, no Paquistão, com uma frota inicial de duas aeronaves, um Boeing 737 e um Airbus 300 B4, alugado da Pakistan International Airlines. Inicialmente adquiriu mais dois Boeing 727-200 Advanced, e as quatro aeronaves foram usadas até a chegada de novos Airbus A300 e Airbus A310. Os primeiros voos foram para destinos na Índia e no Paquistão, a seguir para Colombo (Sri-Lanka), Cairo (Egito), Amã (Jordânia) e Dhaka (Bangladesh), e seu primeiro destino europeu, Londres (Inglaterra), em 1987. Em 1990, iniciou operações para Cingapura, Teerã (Irã), Riad (Arábia Saudita), Bangkok (Tailândia), Manila (Filipinas) e Manchester (Inglaterra). Em 1999, passou a oferecer sistemas de vídeos individuais para todas as classes, além de aparelhos de vídeo para a primeira classe. Em 2000, inaugurou novas rotas para Europa, Ásia, Oriente Médio, e os primeiros voos para a África, voando para mais de 45 destinos. O ano de 2001 foi marcado pela encomenda, a maior da história da aviação, avaliada em 15 bilhões de dólares, de 58 novas aeronaves, da Airbus e da Boeing, o que praticamente dobrou a frota nos anos seguintes. Em 2002, passou a oferecer conexões *wireless*, em 2005, nova carta de vinhos com algumas das mais refinadas bebidas do mundo, com safras de primeira linha. Em 2006, introduziu sistema digital de entretenimento com mais de 600 canais e porta USB para conectar telefones celulares, câmeras e iPod. Em 2007, foram adicionadas sete novas rotas, incluindo São Paulo. Com o lançamento da rota Dubai-São Paulo, a Emirates se tornou a primeira empresa aérea a servir seis continentes em voos *non-stop* partindo de uma única conexão. São sete voos semanais entre São Paulo e Dubai. Em 2008, além de permitir o uso de aparelhos celulares a bordo, acrescentou mais cinco destinos na África, na China, Los Angeles e São Francisco. A ligação entre Dubai e São Francisco foi chamada de 'linha verde', por ter sido planejada para reduzir danos ao ambiente. Por meio de acordos bilaterais com governos de Dubai, Estados Unidos, Rússia, Islândia e Canadá, a empresa obteve um trajeto mais curto, ao sobrevoar o Polo Norte, obtendo, em um voo *non-stop* de 16 horas, economia de 7.500 litros de combustível e redução de cerca de 1,3 toneladas na emissão de gás carbônico. As operações em terra utilizam energia elétrica; alumínio e papéis consumidos a bordo são reciclados.

Hoje a frota tem 142 aeronaves, com valor total estimado de 31,3 bilhões de dólares. Entre as companhias internacionais, é uma das mais novas frotas, o que significa tecnologia mais recente e melhor desempenho com menor consumo de combustível. A frota é composta das aeronaves Boeing 777, Airbus A330, A340 e A380. Os modelos utilizados são o Boeing 777-200LR, mais longo, que permite oferecer as suítes privativas da primeira classe; o Boeing 777-300 e o 777-300ER, reconfigurados para abrigar bancos totalmente reclináveis. Também são utilizados os Airbus A330-200, A340-500 e o A340-300, projetados para serem mais silenciosos e confortáveis e terem maior autonomia de voo; e o novo e maior Airbus A380. O histórico de segurança é perfeito, nunca ocorreu queda de avião.

A Emirates voa de Dubai para 108 diferentes destinos em 62 países do Oriente Médio, Europa, Extremo Oriente, Oceano Índico e Austrália. Em 2009, transportou 27,5 milhões de passageiros e mais de 1,6 milhão de toneladas de carga e nos últimos 20 anos tem registrado um crescimento anual médio de 25 por cento no tráfego de passageiros. Atualmente é responsável por mais de 50 por cento de toda a movimentação aérea que chega e parte do aeroporto internacional de Dubai, com cerca de 800 voos a cada semana. Seu objetivo é aumentar esse número para 70 por cento.

A experiência começa bem antes do início do voo, com o carro blindado que leva o cliente de casa ao aeroporto de Cumbica. O atendimento no balcão de primeira classe é feito por dois funcionários que cuidam do despacho das malas e de outros detalhes. A espera é na sala VIP, com gastronomia variada, serviço de bar, cadeiras com três opções de massagem, jornais, revistas, TV de tela plana e internet sem fio. Antes do embarque já são servidas as bebidas, com diversas opções de vinhos e champanhes. Para a higiene pessoal, cada passageiro recebe uma *nécessaire* de couro com produtos de marcas como Rochas e Bulgari.

Para a viagem, o sistema ICE (Informação, Comunicação e Entretenimento) oferece TV e rádio *on demand*. É possível avançar ou retroceder as imagens em telas individuais com mais de 600 canais, 200 opções de filmes e 50 jogos interativos; há 26 canais de áudio, com estações mundiais de rádio e música e notícias ao vivo da BBC. Também é possível acompanhar as imagens das câmeras externas do avião e a viagem através de canal ligado ao computador de bordo. Cada assento tem telefone via satélite, que permite ligações para todo o mundo ou para outros passageiros, e serviço de SMS e e-mail. Revisteiros oferecem publicações de todo o mundo, em diversas línguas. Um sistema de iluminação simula a hora no local de destino, para facilitar a adaptação à mudança de fuso horário. Para dormir, o passageiro recebe pijamas, pantufas, toalha e manta. Para as crianças, são distribuídos brinquedos e jogos, lembranças como bonecos e bichos de pelúcia e fotografias instantâneas emolduradas.

A primeira classe — cujo bilhete ida e volta São Paulo-Dubai pode custar até 14 mil dólares — é a que oferece os padrões mais altos de experiência, já que atende ao cliente mais exigente. O ambiente é luxuoso, com amplos corredores para cada passageiro, poltronas confortáveis feitas para dormir. No Airbus A380 — que não faz a rota para o Brasil — que tem mais espaço, distribuído em três andares, a suíte privativa possui área de armazenamento individual, closet para roupas, banheiros com ducha e *lounge* de convivência com bar e sofá. Em todos os voos, a primeira classe é uma minissuíte com portas, que ocupa o espaço de seis poltronas normais. Dispõe de minibar pessoal; sistema de controle de movimento de porta, do minibar e diversas outras funções; kit de cosméticos e aromatizantes; tela de LCD de 23 polegadas; videoteca exclusiva; poltronas com massageadores de cinco pontos, que se reclinam até a horizontal e se transformam em cama de dois metros, com colchão, lençóis de algodão, edredom e travesseiro de penas de ganso; cabines individuais com porta e paredes retráteis, com sinal luminoso de 'Não perturbe'; e equipe exclusiva para arrumar a cama, repor o frigobar e atender a outras necessidades.

As refeições são compostas de sete pratos, servidos em baixelas de porcelana Noritake e prataria inglesa. Opções incluem, por exemplo, filé mignon com molho *béarnaise*, omelete de parmesão, sálvia e aspargos com batatas rosti e tomate grelhado, caviar, camarão no abacate e postas de corvina apimentadas. Toda carne servida é *halal*, ou seja, segue os preceitos muçulmanos. Acompanham diversas opções de champanhe, como Don Perignon ou Pierre Jouët, variada carta de vinhos e drinques.

Segue a sobremesa, com quatro tipos de doces, torta de maçã, *crème brûlée*, acompanhadas de café expresso e bombons Godiva.

A classe executiva foi projetada para executivos a trabalho ou em férias. Possui divisória para garantir a privacidade, poltronas de couro que se reclinam totalmente e se transformam em cama, tomada elétrica e portas USB. Também tem uma mesa grande, para ser usada como espaço de trabalho, e TV de LCD de 17 polegadas. Tem acesso à gastronomia especial e ao sistema ICE.

A classe econômica também conta com assentos ergonômicos, grande espaço para as pernas, monitores de LCD de 10,5 polegadas na parte posterior da poltrona, acesso à gastronomia da equipe da Emirates e ao conteúdo do sistema ICE.

Na volta, o passageiro utiliza os três andares do terminal três do aeroporto de Dubai, uma área de 4.800 metros quadrados, exclusivo da Emirates. Seu espaço VIP, ou Premium Lounge, tem 800 lugares, gastronomia 24 horas, bufê, serviço de bar, sobremesas, cozinha árabe, oriental, ocidental ou vegetariana, spa 24 horas, duchas, área de lazer para crianças e academia de ginástica, jardins japoneses, com plantas e água corrente, além dos balcões de atendimento. Os membros Skywards Silver, o mais alto nível de seu programa de fidelidade, têm atendimento exclusivo e podem utilizar um hotel cinco estrelas, com 253 apartamentos, que oferece piscina, jacuzzi, tratamentos de beleza e massagens. Para a classe executiva, o Business Lounge, para 1.500 pessoas, oferece estações de trabalho e acesso gratuito à Internet banda larga e *wireless*. Crianças desacompanhadas têm acesso a *lounge* e check-in especial, chegadas e partidas em andares separados e são atendidas por funcionários especialmente treinados em leitura e desenhos infantis. Existem ainda dois *lounges* projetados para acomodar cadeiras de roda e para atender a passageiros com necessidades especiais.

Vemos por todos esses pormenores como é complexo criar uma experiência de sucesso, já que qualquer detalhe pode diminuir a satisfação do cliente. No mercado do luxo, encontramos empresas que conseguem oferecer serviços de excelência, com foco em seus clientes, e manter alta sua satisfação.

Fonte: Disponível em: <http://www.emirates.com/br>. Acesso em: 30 maio 2011.

Projeto a partir da perspectiva do cliente

Muitos ambientes de serviço são criados com ênfase em valores estéticos, e os projetistas às vezes esquecem o fator mais importante: os clientes que os usarão. Ron Kaufman, consultor e treinador em excelência de serviço, observou erros de projeto em dois ambientes de serviço de alta classe:

- "Foi inaugurado um novo Sheraton Hotel na Jordânia, sem sinalização clara para guiar os hóspedes dos salões de baile até os sanitários. A sinalização estava gravada em ouro opaco sobre pilares de mármore escuro. Ao que parece sinais mais 'óbvios' eram inadequados em meio àquele cenário tão elegante. Grande estilo, muito chique, mas para quem era o projeto, afinal?"

- "No saguão da Dragon Air, no novo aeroporto de Hong Kong, há uma divisória de vidro colorido pendurada no teto. Minha bagagem esbarrou de leve na divisória quando entrei, fazendo-a balançar e desmanchando vários painéis. Uma profissional da empresa apressou-se a reposicionar cuidadosamente os painéis. (Ainda bem que nada se quebrou.) Eu me desculpei, e ela respondeu: 'Não se preocupe; isso acontece o tempo todo'." Um saguão de aeroporto é uma área de tráfego intenso, com pessoas sempre entrando e saindo. Ron Kaufman continua perguntando: "O que os projetistas de interior tinham na cabeça? Para quem estavam projetando isso?".

"Já cansei de me espantar", declarou Kaufman, "com novas instalações que com certeza não são convenientes para o usuário! Enormes investimentos de tempo e dinheiro... mas para quem é o projeto? No que os arquitetos estavam pensando? Tamanho? Esplendor? Exercício físico?" De tudo isso ele extraiu um ensinamento fundamental: "É fácil se envolver no projeto de coisas novas que são 'legais' ou 'elegantes' ou 'que estão na moda'. Mas, se você não tiver o cliente em mente durante todo o processo, poderá acabar com um investimento que não é nada disso".[42]

Alain d'Astous explorou aspectos ambientais que irritavam compradores. Suas constatações salientaram duas categorias de problemas:

1. *Condições ambientais* (em ordem de intensidade de irritação):
   - a loja não está limpa;
   - muito calor dentro da loja ou do shopping center;
   - música muito alta dentro da loja;
   - mau cheiro dentro da loja.

2. *Variáveis do projeto ambiental*:
   - não há espelho no provador;
   - é difícil achar o que se quer;
   - orientações inadequadas dentro da loja;
   - mudança no arranjo dos itens da loja;
   - loja muito pequena.

Compare as experiências de Kaufman e as constatações de d'Astous com o exemplo da Disney no quadro Melhor prática em ação 10.2. Quais conclusões podem ser tiradas?

Ferramentas para orientar o projeto da paisagem de serviço

Na qualidade de gerente, como você poderia descobrir quais aspectos do cenário de serviço irritam os clientes e de quais eles gostam? Entre as ferramentas que podem ser usadas estão as seguintes:

- *observação atenta* do comportamento e reações de clientes ao ambiente de serviço por gerentes gerais, supervisores, gerentes de filiais e pessoal da linha de frente;

- *feedback e ideias do pessoal da linha de frente e clientes*, com um vasto conjunto de ferramentas de pesquisa, que abrange de caixas de sugestões até grupos de discussão (*focus group*) e levantamentos. (Estes últimos muitas vezes são denominados levantamentos ambientais, caso focalizem o projeto da paisagem de serviço);

Novas ideias em pesquisa 10.2

Combinação e discrepância de odor e música na paisagem de serviço

O grau de resposta de um cliente a um tipo de paisagem de serviço pode depender de seu aroma. Usando um experimento de campo, Anna Matila e Jochen Wirtz manipularam dois tipos de música e aroma agradáveis em uma loja de presentes, que resultavam em estímulos distintos. As compras por impulso e a satisfação de clientes foram medidas para as diversas condições de música e odor.

A experiência usou dois CDs da série *Turn your brain*™, de Elizabeth Miles, uma etnomusicóloga. A música de baixo estímulo era a *Coleção Relaxante*, de ritmo lento, enquanto a de alto estímulo consistia da *Coleção Energizante*, que apresentava ritmo acelerado. De modo análogo, o aroma foi manipulado para ter grau de estímulo alto ou baixo. Lavanda foi usada como aroma de baixo estímulo por suas propriedades relaxantes e tranquilizantes. Toronja foi usada como aroma de alto estímulo pelas propriedades estimulantes, capazes de refrescar, reavivar e melhorar a clareza mental e o nível de alerta e até aumentar a força física e a energia.

Os resultados demonstram que, quando as qualidades de estímulo musical e odor ambiental eram combinadas, os consumidores reagiam positivamente. As figuras 10.10 e 10.11 revelam esses efeitos com clareza. Por exemplo, aromatizar uma loja com aroma de baixo estímulo (lavanda) associado à música de ritmo lento levava a maior satisfação e mais compras por impulso do que usar esse aroma com música de alto estímulo. Tocar música de ritmo mais acelerado exercia um efeito mais positivo quando a loja era aromatizada com toronja (aroma de alto estímulo). O estudo revelou que, quando estímulos ambientais agem juntos para proporcionar uma atmosfera coesa, os consumidores reagem mais positivamente.

Essas constatações sugerem que as livrarias podem induzir pessoas a permanecer por mais tempo na loja e comprar mais se tocarem música de ritmo lento combinada com um aroma relaxante, ou que gerentes de eventos podem levar em consideração o uso de aromas estimulantes para intensificar o entusiasmo.

Figura 10.10 O efeito de odor e música sobre a satisfação

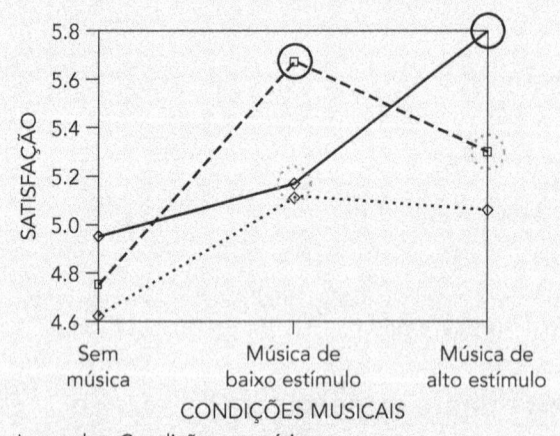

Legenda: Condições aromáticas:
.... Sem aroma
– – – – – – – Aroma de baixo estímulo
————— Aroma de alto estímulo
Condições de combinação:
○ Combinado   ○ Discrepante

Figura 10.11 O efeito de odor e música sobre compras por impulso

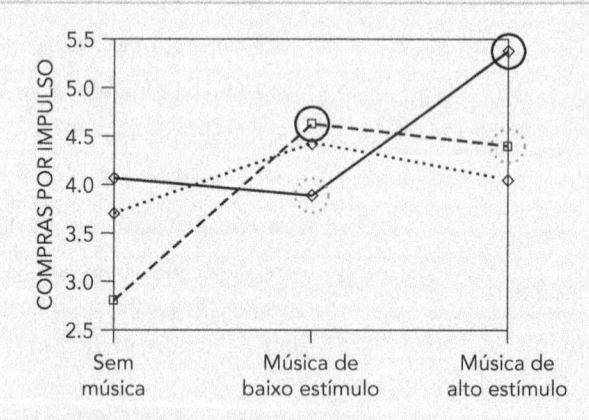

Nota: ambas as figuras estão em uma escala de 1 a 7, em que 7 é a resposta positiva máxima. Os círculos de linhas cheias indicam as condições de combinação, em que música e aroma são estimulantes ou relaxantes; os círculos de linhas pontilhadas indicam as condições de discrepância, em que um estímulo é relaxante e o outro estimulante (isto é, música relaxante com aroma estimulante ou música estimulante com aroma relaxante).

Fonte: Anna S. Mattila e Jochen Wirtz, "Congruency of scent and music as a driver of in-store evaluations and behavior", *Journal of Retailing*, 77, 2001, p. 273–289. Copyright © 2001 Elsevier Ltda.

- *auditoria por foto*, em que se solicita a clientes (ou compradores secretos) a tirar fotografias de sua experiência de serviço. Essas fotos podem ser usadas como base para entrevistas adicionais sobre suas experiências ou incluídas em uma pesquisa sobre a experiência de serviço;[43]

- *experimentos de campo* para manipular dimensões em um ambiente para que os efeitos possam ser observados. Podemos fazer experimentos em que se usam vários tipos de música e aroma e se medem o tempo e o dinheiro gastos pelos clientes, e seu nível de satisfação. Experimentos de laboratório, com slides ou vídeos ou outros meios para simular ambientes de serviço no mundo real (como visitas virtuais simuladas por computador), podem ser usados para verificar o impacto de mudanças em elementos de projeto que não podem ser manipulados com facilidade em uma experiência de campo. Alguns exemplos são teste de esquemas de cores alternativos, de arranjos espaciais ou de estilos de decoração;

- *elaboração de um blueprint, ou fluxograma*, descrito no Capítulo 8, pode ser ampliado para incluir a paisagem de serviço. Elementos de projeto e indícios tangíveis podem ser documentados à medida que o cliente passa por cada etapa do processo de entrega de serviço. Fotos e vídeos podem suplementar o mapa para torná-lo mais vívido.

A Tabela 10.4 mostra a análise da ida de um cliente a um cinema e identifica como vários elementos ambientais em cada etapa cumpriram e ultrapassaram sua função ou não conseguiram fazê-la. O processo de serviço foi desmembrado em incrementos, etapas, decisões, deveres e atividades — todos projetados para que o consumidor percorra todo o encontro de serviço. Quanto mais a empresa puder ver, entender e experimentar as mesmas coisas que seus clientes, mais bem equipada estará para perceber erros no projeto de seu ambiente e promover a melhoria do que já esteja funcionando bem.

Melhor prática em ação 10.2

Projeto do reino mágico da Disney

Walt Disney foi um dos incontestáveis defensores do projeto de paisagem de serviço. Sua tradição de planejamento extraordinariamente cuidadoso e detalhado tornou-se uma das características distintivas de sua empresa e é visível por toda parte em seus parques temáticos. Por exemplo, o ângulo da Main Street foi escolhido para fazer a rua parecer mais longa na entrada do Reino Mágico (ou Magic Kingdom). Com uma profusão de instalações e atrações estrategicamente localizadas em cada lado da rua, todos ficam animados com a jornada relativamente longa até o Castelo. Contudo, quando se olha do alto da encosta do Castelo em direção à entrada, a Main Street parece mais curta, o que alivia e revitaliza os clientes. Isso incentiva o passeio a pé, minimiza o número de pessoas que tomam os ônibus e elimina o problema do congestionamento de tráfego.

Calçadas em linhas curvas, com várias atrações, mantêm os clientes entretidos não somente pelas atividades planejadas, mas também pela observação de outros clientes; há muitas latas de lixo sempre à vista, para transmitir a mensagem de que jogar lixo no chão é proibido. A renovação da pintura das instalações é procedimento rotineiro e sinaliza alto grau de manutenção e limpeza.

O projeto da paisagem de serviço da Disney e sua manutenção ajudam a montar um roteiro para as experiências dos clientes e também criam prazer e satisfação não apenas em seus parques temáticos, mas também em seus navios de cruzeiro e hotéis.

Fontes: Lewis P. Carbone e Stephan H. Haeckel, "Engineering customer experiences", *Marketing Management*, 3, n.3, inverno 1994, p. 10–11; Kathy Merlock Jackson. *Walt Disney, a bio-bibliography*. Westport: Greenwood Press, 1993. p. 36–39; Andrew Lainsbury. *Once upon an American dream: the story of Euro Disneyland*. Lawrence, KS: University Press of Kansas, 2000. p. 64–72. Veja também Disney Institute. *Be our guest: perfecting the art of customer service*. Disney Enterprises, 2001.

Tabela 10.4 Uma visita aos cinemas: o ambiente de serviço, segundo a percepção do cliente

Etapas no encontro de serviço	Projeto do ambiente de serviço	
	Excede à expectativa	Não cumpre as expectativas
Localizar um estacionamento	Muito espaço em lugar iluminado perto da entrada, com guarda de segurança para proteção de seus bens.	Vagas de estacionamento insuficientes, portanto os clientes têm de estacionar em outro local.
Ficar na fila para comprar entradas	Colocação estratégica de cartazes de novos filmes e notícias para aliviar a percepção de longa espera, se houver; filmes e horários de fácil consulta; disponibilidade de ingressos comunicada com clareza.	Uma longa fila e ter de esperar por muito tempo; dificuldade para verificar com rapidez quais filmes estão em cartaz, seus horários e disponibilidade de ingressos.
Verificar ingressos para entrar no cinema	Um saguão muito bem cuidado, com indicações claras para as salas e cartazes do filme para realçar experiência de clientes.	Um saguão sujo com lixo por toda parte e falta de orientações claras para a sala de cinema.
Ir ao banheiro antes do início do filme	Banheiro de limpeza impecável, espaçoso, bem iluminado, chão seco, materiais suficientes, decoração agradável, espelhos limpos periodicamente.	Banheiro sujo, odor insuportável; assentos quebrados; sem toalhas, sabonete ou papel higiênico; superlotado; espelhos empoeirados e sujos.
Entrar na sala de cinema e localizar seu lugar	Sala impecavelmente limpa; bem projetada, sem poltronas ruins; iluminação suficiente para localizar seu lugar; poltronas espaçosas e confortáveis, todas com suportes para pipoca e bebida; temperatura adequada.	Lixo no chão, poltronas quebradas, chão pegajoso, iluminação escura e insuficiente, letreiro de saídas de emergência apagado.
Assistir ao filme	Sistema de som e qualidade da película excelentes; público agradável; e, no geral, uma experiência memorável de entretenimento.	Sistema de som e equipamento cinematográfico ultrapassados, público não cooperativo, que fala e fuma porque não há avisos de 'não fumar' e outros sinais; no geral, uma experiência de entretenimento incômoda e desagradável.
Sair do cinema e voltar ao carro	Profissionais de serviço simpáticos cumprimentam os clientes na saída; saída fácil para uma área de estacionamento bem iluminada e segura até o carro com a ajuda de sinalização clara.	Trajeto difícil; clientes amontoam-se em uma saída estreita e não conseguem achar seus carros porque a iluminação é insuficiente ou inexistente.

Fonte: adaptado de Steven Albrecht, "See things from the customer's point of view — how to use the 'cycles of service' to understand what the customer goes through to do business with you", *World's Executive Digest*, dez. 1996, p. 53–58.

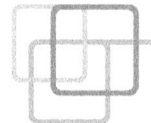

CONCLUSÃO

O ambiente de serviço desempenha papel importante na modelagem da percepção de clientes em relação à imagem e ao posicionamento de uma empresa. Como em geral é difícil avaliar a qualidade com objetividade, os clientes muitas vezes usam o ambiente de serviço como um sinal relevante de qualidade. Um ambiente de serviço bem projetado faz que os clientes sintam-se bem, o que aumenta sua satisfação e, ao mesmo tempo, realça a produtividade da operação de serviço.

Resumo do capítulo

OA1. Ambientes de serviço atendem a quatro propósitos fundamentais:
- moldar as experiências dos clientes e seu comportamento;
- desempenhar um papel importante na determinação das percepções dos clientes sobre a empresa, sua imagem e posicionamento. Clientes costumam usar o ambiente de serviço como um indício relevante de qualidade;
- poder constituir parte essencial da proposição de valor (como no caso de parques temáticos e resorts);
- facilitar o encontro de serviço e aprimorar tanto a qualidade quanto a produtividade.

OA2. Os fundamentos teóricos para entender os efeitos dos ambientes de serviço nos clientes vêm da psicologia ambiental. Há dois modelos principais:
- o modelo de estímulo-resposta de Mehrabian-Russell afirma que ambientes influenciam o estado emocional (ou os sentimentos) dos clientes; e, por isso, orientam o comportamento deles;
- o modelo de Russell de afeição sustenta que a afeição pode ser modelada com as duas dimensões fundamentais do prazer e do estímulo, que, juntas, determinam se as pessoas acessam um ambiente e gastam dinheiro nele ou se o evitam.

OA3. O modelo de cenário de serviço, que se baseia nas teorias que acabamos de mencionar representa uma estrutura integrativa que explica como clientes e pessoal de atendimento reagem às principais dimensões ambientais.

OA4. O modelo de cenário de serviço enfatiza três dimensões de ambientes de serviço:
- condições ambientais (incluindo música, aromas e cores);
- layout e funcionalidade;
- sinalização, símbolos e artefatos.

OA5. Condições ambientais referem-se às características do ambiente ligadas a nossos sentidos. Mesmo quando não são conscientemente percebidas, podem afetar reações internas e comportamentais. As principais dimensões ambientais são:
- *música*. Ritmo, volume, harmonia e percepção de familiaridade moldam o comportamento, ao evocar emoções e estados de ânimo. As pessoas tendem a sintonizar seu ritmo com o da música;
- *fragrância*. Aromas ambientais podem evocar emoções poderosas, relaxar ou estimular clientes;
- *cor*. Pode exercer forte impacto sobre os sentimentos com o diferencial de cores quentes (uma combinação de vermelho com laranja) *versus* frias (azul). As primeiras são associadas a estados de ânimo entusiasmados e as últimas, à paz e felicidade.

OA6. Layout e funcionalidade eficazes são primordiais para possibilitar a operação de serviços e realçar a facilidade de uso.
- Arranjos espaciais referem-se ao tamanho e ao formato de móveis e balcões, além de maquinaria e equipamento potenciais, e as maneiras como são dispostos.
- Funcionalidade refere-se à capacidade desses itens de facilitar o desempenho de transações de serviço.

OA7. Sinais, símbolos e artefatos contribuem para que clientes extraiam significado do ambiente e para orientá-los pelo processo de serviços. Podem ser utilizados para:
- indicar o nome de instalações, balcões ou departamentos;
- dar direções (por exemplo, para entrada, saída, elevadores e toaletes);
- comunicar o roteiro de serviço (por exemplo, pegar uma senha e esperar sua vez);
- reforçar regras comportamentais (por exemplo, desligar ou colocar telefones celulares no modo silencioso).

OA8. A aparência e o comportamento do pessoal de atendimento e de outros clientes em um cenário de serviço podem fazer parte da proposição de valor e reforçar (ou depreciar) o posicionamento da empresa.

OA9. Ambientes de serviço são percebidos de modo holístico. Portanto, nenhum aspecto individual pode ser otimizado sem levar em consideração tudo o mais, o que torna a atividade de projetar ambientes de serviço uma arte em vez de uma ciência.
- Devido a esse desafio, projetistas profissionais tendem a se especializar em tipos específicos de ambiente, como saguões de hotel, clubes, instalações de cuidados com a saúde e assim por diante.
- Além das questões estéticas, os melhores ambientes de serviço são desenhados com a perspectiva dos clientes em mente, orientando-os a seguir sem percalços pelo processo de serviço.
- Entre as ferramentas que podem ser utilizadas para projetar e melhorar os cenários de serviço estão: observação cuidadosa, feedback de funcionários e clientes, auditorias por foto, experimentos de campo e *blueprinting*.

Questões para revisão

1. Quais são os quatro principais propósitos aos quais os ambientes de serviço devem atender?
2. Compare os papéis estratégico e funcional de ambientes de serviço em uma organização de serviços.
3. Descreva como o modelo estímulo-resposta de Mehrabian-Russell e o modelo de Russell de afeição explicam as reações de consumidores a um ambiente de serviço.
4. Qual é a relação, ou vínculo, entre o modelo de Russell de afeição e o modelo de cenário de serviço?
5. Por que clientes e profissionais de serviço às vezes reagem de maneira diferente ao mesmo ambiente de serviço?
6. Explique as dimensões das condições ambientais e como cada uma pode influenciar as reações dos clientes ao ambiente de serviço.
7. Quais são os papéis dos sinais, símbolos e artefatos?
8. O que implica o fato de os ambientes serem percebidos de maneira holística?
9. Quais ferramentas estão disponíveis para auxiliar nosso entendimento das reações do cliente e para orientar o projeto e as melhorias em ambientes de serviço?

Exercícios

1. Identifique empresas de três setores de serviços diferentes nos quais o ambiente de serviço é uma parte crucial da proposição geral de valor. Analise e explique em detalhes o valor que é entregue em cada um.
2. Visite um ambiente de serviço e examine tudo em detalhes. Experimente o ambiente e tente sentir como os vários parâmetros do projeto modelam o que você sente e como você se comporta no cenário em questão.
3. Selecione uma experiência de espera boa e outra má e compare as situações em relação à estética do ambiente, distrações, pessoas esperando e atitude dos profissionais de serviço.
4. Visite um ambiente de autosserviço e analise como as dimensões de projeto contribuem para orientá-lo pelo processo de serviço. Em sua opinião, o que é mais eficaz e o que parece ser menos eficaz? Como o ambiente poderia ser melhorado para ficar ainda mais fácil para que os clientes 'achem o caminho certo' do autosserviço?
5. Com uma câmera digital, faça auditoria ambiental de um cenário de serviço. Fotografe exemplos de projetos excelentes e deficientes. Elabore sugestões concretas de melhorias para esse ambiente.

Notas

1. Beatriz Plaza, "The Bilbao effect", *Museum News*, set./out. 2007, p. 13-15, p. 68; Denny Lee, "Bilbao, 10 years later", *The New York Times*, 23 set. 2007, Disponível em: <http://travel.nytimes.com/2007/09/23/travel/23bilbao.html>. Acesso em: 8 jun. 2009.
2. O termo *servicescape* (cenário de serviço) foi cunhado por Mary Jo Bitner em seu artigo "Servicescapes: the impact of physical surroundings on customers and employees", *Journal of Marketing*, 56, 1992, p. 57-71.
3. Anja Reimer e Richard Kuehn, "The impact of servicescape on quality perception", *European Journal of Marketing*, 39, n.7/8, 2005, p. 785-808.
4. Julie Baker, Dhruv Grewal e A. Parasuraman, "The influence of store environment on quality inferences and store image", *Journal of the Academy of Marketing Science*, 22, n. 4, 1994, p. 328-339.
5. Véronique Aubert-Gamet, "Twisting servicescapes: diversion of the physical environment in a reappropriation process", *International Journal of Service Industry Management*, 8, n.1, 1997, p. 26-41.
6. Madeleine E. Pullman e Michael A. Gross, "Ability of experience design elements to elicit emotions and loyalty behaviors", *Decision Sciences*, 35, n.1, 2004, p. 551-578.
7. Lisa Takeuchi Cullen, "Is luxury the ticket?", *Time*, 22 ago. 2005, p. 38-39.
8. Richard B. Chase e Douglas M. Stewart, "Making your service fail-safe", *Sloan Management Review*, 35, 1994, p. 35-44.
9. Para uma resenha da literatura sobre os efeitos de projetos hospitalares em pacientes, veja Karin Dijkstra, Marcel Pieterse e Ad Pruyn, "Physical environmental stimuli that turn healthcare facilities into healing environments through psychologically mediated effects: systematic review", *Journal of Advanced Nursing*, 56, n. 2, 2006, p. 166-181. Ver também o esforço esmerado que a Clínica Mayo dedica à redução dos níveis de ruído em seus hospitais: Leonard L. Berry e Kent D. Seltman. *Management lessons from Mayo Clinic: inside one of the most admired service organization*. McGRaw Hill, 2008. p. 171-172. Para um estudo sobre os efeitos do projeto de cenário de serviço em um ambiente hospitalar sobre estresse e satisfação no trabalho dos funcionários de serviços e, consequentemente, seu comprometimento com a empresa, veja Janet Turner Parish, Leonard L. Berry e Shun Yin Lam, "The effect of the servicescape on service workers", *Journal of Service Research*, 10, n.3, 2008, p. 220-238.
10. Robert J. Donovan e John R. Rossiter, "Store atmosphere: an environmental psychology approach", *Journal of Retailing*, 58, n.1, 1982, p. 34-57
11. James A. Russell, "A circumplex model of affect", *Journal of Personality and Social Psychology*, 39, n.6, 1980, p. 1.161-1.178.
12. Jochen Wirtz e John E. G. Bateson, "Consumer satisfaction with services: integrating the environmental perspective in services marketing into the traditional disconfirmation paradigm", *Journal of Business Research*, 44, n. 1, 1999, p. 55-66.
13. Jochen Wirtz, Anna S. Mattila e Rachel L. P. Tan, "The moderating role of target-arousal on the impact of affect on satisfaction — an examination in the context of service experiences", *Journal of Retailing*, 76, n.3, 2000, p. 347-365.

Jochen Wirtz, Anna S. Mattila e Rachel L. P. Tan, "The role of desired arousal in influencing consumers´satisfaction evaluations and in-store behaviours", *International Journal of Service Industry Management*, 18, n.2, 2007, p. 6-24.

14. Mary Jo Bitner, "Service environments: the impact of physical surroundings on customers and employees", *Journal of Marketing*, 56, abr. 1992, p. 57–71.

15. Para uma resenha de estudos experimentais de efeitos atmosféricos, consulte L. W. Turley e Ronald E. Milliman, "Atmospheric effects on shopping behavior: a review of the experimental literature", *Journal of Business Research*, 49, 2000, p. 193–211.

16. Patrick M. Dunne, Robert F. Lusch e David A. Griffith. *Retailing*. 4 ed. Orlando: Hartcourt, 2002. p. 518.

17. Barry Davies e Philippa Ward. *Managing retail consumption*. West Sussex: John Wiley, 2002. p. 179.

18. Steve Oakes, "The influence of the musicscape within service environments", *Journal of Services Marketing*, 14, n.7, 2000, p. 539-556

19. Morris B. Holbrook e Punam Anand, "Effects of tempo and situational arousal on the listener's perceptual and affective responses to music", *Psychology of Music*, 18, 1990, p. 150-162; S. J. Rohner e R. Miller, 'Degrees of familiar and affective music and their effects on state anxiety', *Journal of Music Therapy*, 17, n.1, 1980, p. 2-15.

20. Laurette Dubé e Sylvie Morin, "Background music pleasure and store evaluation intensity effects and psychological mechanisms", *Journal of Business Research*, 54, 2001, p. 107-113.

21. Clare Caldwell e Sally A. Hibbert, "The influence of music tempo and musical preference on restaurant patrons' behavior", *Psychology and Marketing*, 19, n. 11, 2002, p. 895-917.

22. Para obter uma resenha dos efeitos da música sobre vários aspectos das reações e avaliações de consumidores, veja Steve Oakes e Adrian C. North, "Reviewing congruity effects in the service environment musicscape", *International Journal of Service Industry Management*, 19, n.1, 2008, p. 63-82.

23. Acesse <www.dmx.com> para conhecer soluções de música em lojas fornecidas pela DMX; veja também Leah Goodman, "Shoppers dance to retailers´tune", *Financial Times*, 21 ago., 2008, p. 10.

24. Esta seção baseou-se em "Classical music and social control: twilight of the yobs", *The Economist*, 8 jan. 2005, p. 48.

25. Eric R. Spangenberg, Ayn E. Crowley e Pamela W. Henderson, "Improving the store environment: do olfactory cues affect evaluations and behaviors?", *Journal of Marketing*, 60, abr. 1996, p. 67-80; Paula Fitzgerald Bone e Pam Scholder Ellen, "Scents in the marketplace: explaining a fraction of olfaction", *Journal of Retailing*, 75, n.2, 1999, p. 243-262; Jeremy Caplan, "Sense and sensibility", *Time*, 168, n.16, 2006, p. 66, p. 67.

26. Alan R. Hirsch. *Dr. Hirsch's guide to scentsational weight loss*. Londres: HarperCollins, jan. 1997. p. 12–15.

27. Alan R. Hirsch, "Effects of ambient odors on slot machine usage in a Las Vegas Casino", *Psychology and Marketing*, 12, n.7, 1995, p. 585–594.

28. Alan R. Hirsch e S. E. Gay, "Effect on ambient olfactory stimuli on the evaluation of a common consumer product", *Chemical Senses*, 16, 1991, p. 535.

29. Acesse o site da Ambius para obter detalhes sobre seus serviços de marketing de aromas, aromatização de ambientes e marca sensorial. Disponível em: <http://www.ambius.com/services/microfresh.aspx>. Acesso em: 3 jun. 2009.

30. Gerald J. Gorn, Amitava Chattopadhyay, Tracey Yi e Darren Dahl, "Effects of color as an executional cue in advertising: they're in the shade", *Management Science*, 43, n. 10, 1997, p. 1.387-1.400; Ayn E. Crowley, "The twodimensional impact of color on shopping", *Marketing Letters*, 4, n. 1, 1993, p. 59-69; Gerald J. Gorn, Amitava Chattopadhyay, Jaideep Sengupta e Shashank Tripathi, "Waiting for the Web: how screen color affects time perception", *Journal of Marketing Research*, XLI, maio 2004, p. 215-225; Iris Vilnai-Yavetz e Anat Rafaeli, "Aesthetics and professionalism of virtual servicescapes", *Journal of Service Research 8*, n. 3, 2006, p. 245-259.

31. Linda Holtzschuhe. *Understanding color — an introduction for designers*. 3.ed. New Jersey: John Wiley, 2006. p. 51.

32. Albert Henry Munsell. *A Munsell color product*. Nova York: Kollmorgen Corporation, 1996.

33. Linda Holtzschuhe. *Understanding color — an introduction for designers*. 3 ed. New Jersey: John Wiley, 2006.

34. Heinrich Zollinger. *Color: a multidisciplinary approach*. Zurich: Verlag Helvetica Chimica Acta (VHCA) Weinheim, Wiley-VCH, 1999, p. 71-79

35. Joseph A. Bellizzi, Ayn E. Crowley e Ronald W. Hasty, "The effects of color in store design", *Journal of Retailing*, 59, n.1, 1983, p. 21-45.

36. Anat Rafaeli e Iris Vilnai-Yavetz, "Discerning organizational boundaries through physical artifacts". In: N. Paulsen e T. Hernes (eds.). *Managing boundaries in organizations: multiple perspectives*. Basingstoke: Hampshire, Macmillan, 2003; Anat Rafaeli e Iris Vilnai-Yavetz, "Emotion as a connection of physical artifacts and organizations", *Organization Science*, 15, n.6, 2004, p. 671-686; Anat Rafaeli e Iris Vilnai-Yavetz, "Managing organizational artifacts to avoid artifact myopia", In: A. Rafaeli e M. Pratt (eds.). *Artifacts and organization: beyond mere symbolism*. Mahwah, NJ: Lawrence Erlbaum Associates Inc., 2005. p. 9-21.

37. Sara O. Marberry e Laurie Zagon. *The power of color — creating healthy interior spaces*. Nova York: John Wiley, 1995. p. 38.

38. Dennis Nickson, Chris Warhurst e Eli Dutton, "The importance of attitude and appearance in the service encounter in retail and hospitality", *Managing Service Quality*, 2, 2005, p. 195-208.

39. Anna S.Mattila e Jochen Wirtz,"Congruency of scent and music as a driver of in-store evaluations and behavior", *Journal of Retailing*, 77, 2001, p. 273-289.

40. Lewis P. Carbone e Stephan H. Haeckel, "Engineering customer experiences", *Marketing Management*, 3, n.3, inverno 1994, p. 9-18; Lewis P. Carbone, Stephan H. Haeckel e Leonard L. Berry,"How to lead the customer experience", *Marketing Management*, 12, n.1, jan./fev. 2003, p. 18; Leonard L. Berry e Lewis P. Carbone, "Build loyalty through experience management", *Quality Progress*, 40, n.9, set. 2007, p. 26-32.

41. Christine M. Piotrowski e Elizabeth A. Rogers. *Designing commercial interiors*. Nova York: John Wiley & Sons Inc., 1999; Martin M. Pegler. *Cafes & bistros*. Nova York: Retail Reporting Corporation, 1998; Paco Asensio. *Bars & restaurants*. Nova York: HarperCollins International, 2002; Bethan Ryder. *Bar and club design*. Londres: Laurence King Publishing, 2002.

42. Ron Kaufman, "Service power: who were they designing it for?", *Newsletter*, maio 2001. Disponível em: <http://Ron Kaufamn.com>. Acesso em 09 abr. 2011.

43. Madeleine E. Pullman e Stephani K. A. Robson, "Visual Methods: using photographs to capture customers´experience with design", *Cornell Hotel and Restaurant Administration Quarterly*, 48, n.2, 2007, p. 121-144.

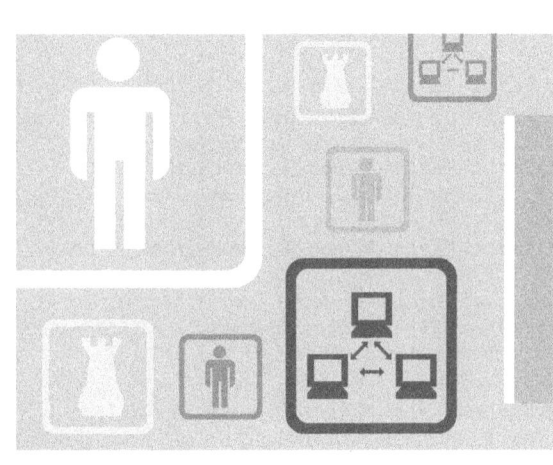

CAPÍTULO 11

Gerenciando pessoas para obter vantagem em serviço

O velho ditado 'As pessoas são meu ativo mais importante' está errado.
As pessoas certas são meu ativo mais importante.
— Jim Collins

A satisfação do cliente resulta da realização de altos níveis de valor em relação aos concorrentes...
O valor é criado por funcionários satisfeitos, comprometidos, fiéis e produtivos.
— James L. Heskett, W. Earl Sasser Jr. e Leonard L. Schlesinger

Objetivos de aprendizagem (OA)

Ao final deste capítulo, você será capaz de:

OA1 Explicar por que o pessoal de serviços é de crucial importância para o sucesso de uma empresa.

OA2 Compreender os fatores que tornam o trabalho da equipe de linha de frente exigente, desafiador e, muitas vezes, difícil.

OA3 Descrever os ciclos de fracasso, mediocridade e sucesso na gestão de RH para empresas de serviços.

OA4 Compreender os elementos principais do Ciclo de Talento em Serviços e saber como ter recursos humanos certos em empresas de serviços.

OA5 Saber como atrair, selecionar e contratar as pessoas certas para empregos no setor de serviços.

OA6 Explicar as principais áreas em que os funcionários de serviços necessitam de treinamento.

OA7 Compreender por que delegar poder é tão importante em muitas funções de linha de frente.

OA8 Explicar como formar equipes de alto desempenho para a entrega de serviço.

OA9 Saber como motivar e transmitir energia ao pessoal de atendimento, de modo que entreguem excelência de serviço e produtividade.

OA10 Entender o papel da liderança e da cultura de serviço no desenvolvimento de pessoas para obter vantagem competitiva.

Cora Griffith: a garçonete fora do comum[1]

Cora Griffith, uma garçonete do Orchard Café no Paper Valley Hotel em Appleton, estado de Wisconsin, é extraordinária no que faz, apreciada por clientes de primeira viagem, famosa entre seus clientes assíduos e muito respeitada por seus companheiros de trabalho. Ela adora seu trabalho e deixa isso evidente. Sentindo-se bem em um papel que acha ser o ideal para ela, Cora segue as nove regras do sucesso:

1. **Trate os clientes como família.** Clientes de primeira viagem não devem se sentir como estranhos. Sempre alegre e disposta, Cora sorri, conversa e inclui na conversação todos os que estão à mesa. Trata as crianças com o mesmo respeito com que trata os adultos e faz questão de saber e usar os nomes próprios de todos. "Quero que as pessoas sintam-se como se estivessem jantando em minha casa. Quero que se sintam bem-vindas, à vontade e que possam relaxar. Não me limito a servir às pessoas, eu as mimo".

2. **Ouça antes.** Cora desenvolveu sua habilidade de ouvir a tal ponto que é raro anotar pedidos de clientes. Ela ouve com atenção e oferece um serviço customizado. "Eles estão com pressa? Seguem uma dieta especial? Gostam que o prato que escolheram seja preparado de modo específico?"

3. **Adivinhe o que os clientes querem.** Ela renova as bebidas e traz mais pão e manteiga na hora certa. Uma cliente assídua que gosta de mel com o café tem isso sem precisar pedir. "Não quero que meus clientes tenham de me pedir alguma coisa, portanto sempre tento adivinhar o que eles poderiam precisar."

4. **Coisas simples fazem a diferença.** Cora cuida dos detalhes de seu serviço, monitorando a limpeza dos utensílios e seu posicionamento correto. A dobra do guardanapo tem de estar bem-feita. Ela inspeciona cada prato que vem da cozinha antes de levá-lo à mesa e providencia giz de cera para as crianças desenharem enquanto esperam a refeição. "São as pequenas coisas que agradam ao cliente."

5. **Seja esperto no trabalho.** Cora fiscaliza todas as mesas ao mesmo tempo, procurando oportunidades para combinar tarefas. "Nunca faça apenas uma coisa por vez. E nunca vá da cozinha para o salão com as mãos vazias. Traga consigo café, chá gelado ou água." Quando completa um copo d'água, aproveite e complete outros também. Quanto retira um prato, retire outros também. "Você tem de ser organizada e estar sempre ligada."

6. **Continue aprendendo.** Cora está sempre se esforçando para aperfeiçoar suas habilidades ou aprender novas.

7. **O sucesso está onde você o encontra.** Cora está contente com seu trabalho. Ela sente satisfação por agradar a seus clientes e adora ajudar outras pessoas a aproveitar. Sua atitude otimista é uma força positiva no restaurante. É difícil ignorá-la. "Se os clientes entram no restaurante de mau humor, tento alegrá-los antes de irem embora." Sua definição de sucesso: "Ser feliz na vida".

8. **Um por todos e todos por um.** Cora trabalha com muitos dos mesmos colegas há mais de oito anos. Os membros da equipe apoiam uns ao outros em dias de loucura, quando 300 participantes de uma convenção vêm ao restaurante para o café da manhã ao mesmo tempo. Todos entram na dança e ajudam. Os garçons dão cobertura uns aos outros, os gerentes servem às mesas e os chefes de cozinha enfeitam os pratos. "Somos como uma pequena família. Nós nos conhecemos muito bem e nos ajudamos sempre. Se o dia foi uma loucura, vou até a cozinha ao final do turno e digo: 'Cara, estou orgulhosa de nós. Trabalhamos muito hoje.'"

9. **Tenha orgulho de seu trabalho.** Cora acredita na importância de seu trabalho e na necessidade de fazê-lo bem. "Não me considero uma 'simples garçonete' [...]. Escolhi essa profissão e dou o máximo de mim para desempenhar minhas atividades. E digo a quem está começando: 'Orgulhe-se do que faz. Você nunca será um qualquer, não importa o que faça. Dê tudo de si... e trabalhe com orgulho.'"

Figura 11.1   O orgulho de uma garçonete por seu profissionalismo rende-lhe a admiração e o respeito de clientes e colegas de trabalho.

Cora Griffith é uma história de sucesso. Ela é fiel a seu empregador e dedicada a seus clientes e companheiros de trabalho. Uma perfeccionista que sempre procura melhorar, seu entusiasmo pelo trabalho e seu espírito perseverante criam uma energia que se irradia por todo o restaurante. Orgulhosa de ser garçonete e de 'tocar vidas', Cora diz: "Sempre quis fazer o melhor possível. Contudo, foram os proprietários que realmente me ensinaram a importância de cuidar do cliente e me deram a liberdade de fazê-lo. A empresa sempre ouviu minhas preocupações e deu atenção a elas. Se eu não trabalhasse no Orchard Café, teria sido uma boa garçonete, mas não a mesma".

Fonte: Leonard L. Berry. *Discovering the soul of service: the nine drivers of sustainable business success*. Nova York: Free Press, 1999. p. 156-159.

Como conseguir outros casos de sucesso como o de Cora? As pessoas 'nascem para servir' ou precisam ser treinadas? Como a Orchard Café pode conseguir outros funcionários como ela? E o que faz Cora trabalhar com tanta motivação? Vamos discutir as respostas para essas e outras questões nos itens a seguir.

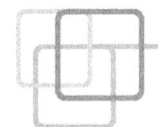

O pessoal de serviço tem importância crucial

Entre os trabalhos mais exigentes em empresas de serviços estão os conhecidos como os de linha de frente. Profissionais que desempenham funções de atendimento ao cliente transpõem a barreira entre o lado interno e o externo da organização. Espera-se que sejam rápidos e eficientes na execução de tarefas operacionais, corteses e solícitos com clientes. Na verdade, funcionários da linha de frente são um insumo fundamental para a excelência do serviço e a vantagem competitiva.

Por trás da maioria das organizações de serviços bem-sucedidas está o sério compromisso com a gestão eficaz de recursos humanos (RH), o que abrange recrutamento, seleção, treinamento, motivação e retenção de funcionários. Organizações que demonstram esse compromisso compreendem o retorno do investimento em seu pessoal. Também são caracterizadas por uma cultura distintiva de liderança em serviço e pelo papel exemplar da alta gerência. É provável que seja mais difícil para os concorrentes reproduzirem ativos humanos de alto desempenho do que qualquer outro recurso corporativo.

O pessoal de serviço como fonte de fidelidade de clientes e de vantagem competitiva

Quase todos têm uma história de horror para contar sobre alguma experiência terrível com uma empresa de serviços. Se insistirmos, muitas dessas mesmas pessoas também poderão contar uma experiência de serviço boa de verdade. O pessoal de serviço costuma figurar com destaque nesses dramas como vilões displicentes, incompetentes e mesquinhos, ou então como heróis que fizeram de tudo para ajudar os clientes, prevendo suas necessidades e resolvendo problemas com solicitude e empatia. É bem provável que você tenha suas próprias histórias favoritas, seja de vilões, seja de heróis e, se for como a maioria, costuma falar mais sobre o primeiro caso do que sobre o último.

Do ponto de vista de um cliente, o encontro com o pessoal de serviço é com certeza o aspecto mais importante. Da perspectiva da empresa, os níveis de serviço e o modo como ele é entregue pela linha de frente podem ser importantes fontes de diferenciação, bem como de vantagem competitiva. O pessoal de serviço tem extrema importância para os clientes e para o posicionamento competitivo da empresa porque:

- **é uma parte essencial do produto.** Muitas vezes é o elemento mais visível do serviço, pois é quem o entrega e determina parte significativa de sua qualidade;
- **representa a empresa de serviço.** Do ponto de vista do cliente, a linha de frente é a empresa;

- **é a marca.** O pessoal e o serviço da linha de frente quase sempre são parte essencial da marca. É o pessoal de serviço que determina se a promessa da marca é, afinal, cumprida;
- **afeta vendas.** Costuma ter crucial importância na geração de vendas, vendas cruzadas e vendas de atualizações de produto;
- **determina a produtividade.** Influencia fortemente a produtividade das operações de linha de frente.

Além do mais, esses funcionários desempenham papel fundamental na previsão das necessidades dos clientes, adaptando a entrega de serviço e desenvolvendo relacionamentos personalizados com eles, gerando, por fim, sua fidelidade.[2] O bom atendimento leva à satisfação e ao desejo de voltar a usar o serviço, criando assim a fidelização. A seção de abertura (exemplo de Cora Griffith) demonstrou até que ponto um profissional de serviço pode ser atencioso na previsão de necessidades de clientes. Essa e muitas outras histórias de funcionários que fizeram a diferença por seus esforços fora do comum reforçaram o truísmo de que pessoas altamente motivadas são o núcleo da excelência de serviço.[3] Funcionários que buscam surpreender o cliente entregando mais que o esperado podem ser a base do diferencial de uma empresa. Cada vez mais eles são uma variável fundamental para criar e manter posicionamento e vantagem competitivos.

O importante impacto do pessoal de serviço na fidelidade de clientes foi integrado e formalizado por James Heskett e seus colegas na pesquisa sobre a *cadeia de lucro do serviço* (o Capítulo 15 a ilustrará em detalhes). Os autores demonstram a cadeia de relações entre (1) satisfação, retenção e produtividade de funcionários; (2) valor de serviço; (3) satisfação e fidelidade do cliente e (4) crescimento de receita e lucratividade.[4] Esses temas foram desenvolvidos em profundidade no livro *The value profit chain: treat employees like customers and customers like employees*.[5] Ao contrário do que ocorre na indústria manufatureira, os 'operários' no setor de serviços (isto é, o pessoal da linha de frente) estão em contato contínuo com clientes, além disso, dispomos de sólidas evidências que apontam uma alta correlação entre satisfação do funcionário e satisfação do cliente.[6] Este capítulo trata de como reter pessoal de serviço motivado, leal e produtivo, para gerar clientes satisfeitos que, juntos, trarão lucratividade para as empresas.

A linha de frente em serviços de baixo contato

Grande parte das pesquisas sobre gerenciamento de serviços e muitos dos exemplos práticos deste capítulo referem-se a tarefa de alto contato. Isso não surpreende, pois as pessoas que executam esse tipo de serviço são bem visíveis. São os atores em cena no teatro do serviço, quando atendem o cliente. Assim, é óbvio que a linha de frente seja tão importante para os consumidores e, por conseguinte, para o posicionamento competitivo da empresa. Contudo, há uma tendência cada vez maior, presente em quase todos os tipos de serviço, para canais de entrega de baixo contato, como centrais de atendimento e opções de autosserviço. Hoje, muitas transações rotineiras são realizadas sem nem mesmo envolver o pessoal da linha de frente: serviços fornecidos por meio de sites, caixas eletrônicos e sistemas interativos de resposta por voz (IVR, do inglês, *interactive voice response*). (O Capítulo 8 apresenta uma discussão detalhada sobre SSTs.) Em vista dessas tendências, será que a linha de frente é mesmo importante, quando cada vez mais transações rotineiras passam para canais de baixo ou, até mesmo, de nenhum contato?

Embora a qualidade da interface de tecnologia e de autosserviço (sites, rede de caixas eletrônicos e IVRs) esteja se tornando o motor principal da entrega de serviço e sua importância tenha aumentado demais, a qualidade do pessoal da linha de frente ainda é da maior relevância. A maioria das pessoas não telefona para a central de atendimento nem vai à loja de serviços de sua operadora de telefonia móvel — ou de cartão de crédito — interagir com um profissional da linha de frente mais do que uma ou duas vezes por ano. Entretanto, esses poucos encontros de serviço são críticos — representam 'momentos da verdade' que orientam as percepções do cliente sobre a empresa (Figura 11.2). Além disso, é provável que essas interações não se refiram a transações rotineiras, mas a problemas e solicitações especiais. Para a rotina, o sistema de autosserviço resolve, mas para exceções, é necessária a presença humana para o entendimento do problema e a busca de soluções. O contato com o cliente é menos frequente e, quando ocorre, trata-se em geral de proble-

Figura 11.2 Um funcionário cordial em uma farmácia, entregando um 'momento da verdade'

mas mais sérios. Esses poucos contatos determinam se o cliente pensa: "O atendimento ao cliente é excelente e essa é uma importante razão pela qual eu continuo com vocês", ou "Mas que serviço ruim! Não gostei de interagir com vocês e vou contar para todo mundo como seu serviço é ruim!"

Se considerarmos que a tecnologia é bastante comoditizada, o serviço entregue pela linha de frente, seja face a face, seja 'ouvido a ouvido' ou por e-mail, Twitter ou chat, tem alta visibilidade e importância para os clientes, e é, portanto, um componente crucial da estratégia de marketing das empresas de serviço.

Trabalhar na linha de frente é difícil e estressante

Funcionários satisfeitos e de alto desempenho são requisito fundamental na cadeia de lucro, tanto para atingir excelência de serviço como para obter a fidelidade do cliente. Todavia, o trabalho desses profissionais é dos mais exigentes em empresas de serviços. Talvez você mesmo já tenha trabalhado em alguma dessas funções, bastante comuns nos setores de saúde, hotelaria, varejo e viagens. Vamos discutir as principais razões que tornam essas atividades tão exigentes (e você pode relacioná-las com sua própria experiência, admitindo-se que talvez haja diferenças entre o trabalho de tempo parcial por curtos períodos e uma carreira em tempo integral).

Atravessando fronteiras

A literatura do comportamento organizacional refere-se aos profissionais de serviço como *boundary spanners*, que ligam o interior de uma organização com o mundo externo, agindo na fronteira da empresa. Pessoas que vestem a camisa da empresa e do cliente e sabem encontrar o equilíbrio entre as necessidades dos dois. Por causa dessa posição, seus papéis costumam ser conflitantes. O pessoal de contato com o cliente, em particular, deve preocupar-se com metas operacionais e de marketing. Essa multiplicidade de papéis muitas vezes gera, entre os funcionários, conflito e estresse em relação ao papel que desempenham[7] o que discutiremos a seguir.

Fontes de conflito

As três causas principais de estresse causado pelo papel em cargos na linha de frente são: conflitos entre organização/cliente, pessoa/papel desempenhado e entre clientes.

Conflito organização/cliente. O pessoal de contato com clientes deve atender aos objetivos operacionais e de marketing. Espera-se que encantem os clientes, o que demanda tempo, sem deixar de ser ágeis e eficientes nas tarefas operacionais. Além disso, é comum que devam realizar vendas, vendas cruzadas e vendas de atualizações de produto; por exemplo, "Agora é uma boa hora para abrir uma conta de poupança, garantindo a educação de seus filhos" ou "Por apenas 25 reais a mais por diária, você pode ter uma acomodação em quarto executivo".

Por fim, às vezes o pessoal de contato também é responsável por aplicar tarifas integrais e uma programação de preços que podem conflitar com a satisfação dos clientes (por exemplo, "Sinto muito, mas não servimos água como cortesia no restaurante; entretanto temos uma excelente seleção de água mineral com e sem gás", ou "Sinto muito, mas não podemos abonar a taxa por cheque devolvido pela terceira vez neste trimestre"). Esse conflito, também denominado dilema dos dois patrões, surge quando clientes requisitam serviços, extras ou exceções que violam regras organizacionais. É especialmente grave em empresas que não são voltadas para o cliente, mas para custos. Nesse caso, o pessoal tem de lidar com necessidades e solicitações conflitantes com regras, procedimentos e requisitos de produtividade da organização.

Conflito entre pessoa/papel desempenhado. Profissionais de serviço podem viver conflitos entre o que seu trabalho exige e sua própria personalidade, percepções e crenças. Por exemplo, o trabalho pode exigir que o pessoal sorria e seja simpático até mesmo com clientes mal-educados (veja a seção sobre clientes inconvenientes no Capítulo 12). V. S. Mahesh e Anand Kasturi observaram em seu trabalho de consultoria a organizações em todo o mundo que funcionários de linha de frente tendem a descrever clientes com um acentuado tom negativo — usando frases como 'exigentes demais', 'irracionais', 'recusam-se a ouvir', 'sempre querem tudo de seu jeito, imediatamente' e 'arrogantes'.[8]

Prover um serviço de qualidade requer uma personalidade independente, cordial e amigável. É mais provável encontrar essas características em pessoas com elevada autoestima. Contudo, muitos serviços de linha de frente costumam ser percebidos como trabalhos de baixo nível que requerem pouca educação, oferecem baixos salários e muitas vezes não têm perspectivas. Se uma organização não conseguir 'profissionalizar' seus cargos de linha de frente e afastar-se dessa imagem, esses serviços poderão ser inconsistentes com as percepções que os profissionais têm de si próprios e gerar conflitos pessoa/papel desempenhado.

Conflito entre clientes. Tais conflitos não são incomuns (fumar em seções para não fumantes, furar fila, falar ao celular na sala de cinema e clientes ruidosos em um restaurante) e em geral cabe ao pessoal de serviço chamar-lhes a atenção. É uma tarefa estressante e desagradável, pois é difícil e muitas vezes impossível satisfazer ambos os lados. O pessoal de serviços deve ser treinado para resolver esses conflitos, antes que atinjam resultados indesejados.

Em suma, funcionários de linha de frente podem desempenhar três papéis: satisfazer clientes, entregar produtividade e gerar vendas. Em conjunto, desempenhar esses papéis acarreta conflitos e estresse.[9] Apesar de vivenciarem conflito e estresse, ainda devem ter boa-vontade em relação ao cliente. Chamamos isso de trabalho emocional, que por si só constitui uma considerável causa de estresse. Vamos analisar esse fator com detalhes na próxima seção.

Trabalho emocional

O termo *trabalho emocional* foi cunhado por Arlie Hochschild em seu livro *The managed heart*[10] e surge da discrepância entre o que o pessoal da linha de frente sente e as emoções que devem representar diante dos clientes. Espera-se que os funcionários sejam alegres, cordiais, compassivos, sinceros e até mesmo invisíveis — emoções que podem ser transmitidas por expressões faciais, gestos, tom de voz e palavras, de forma contínua e percebida como sincera, durante todo o dia, todos os dias úteis. Embora algumas empresas de serviço se esforcem em recrutar funcionários com essas características, são inevitáveis situações em que eles não sintam tais emoções e tenham de suprimir seus verdadeiros sentimentos para corresponderem às expectativas. Como Pannikkos Constanti e Paul Gibbs salientam, "o eixo de poder do trabalho emocional tende a favorecer tanto a gerência quanto o cliente, enquanto o funcionário de linha de frente... é o subordinado", criando dessa forma uma situação potencialmente explosiva.[11]

O estresse do trabalho emocional é muito bem exemplificado pela história a seguir, provavelmente apócrifa: um passageiro pediu a uma comissária de bordo: "Me dê um sorriso". Ela respondeu: "OK, vamos fazer um trato: primeiro você sorri e depois eu sorrio". Ele sorriu. "Bom", disse ela, "agora tente segurar esse sorriso durante 15 horas", e foi embora.[12] A Figura 11.3 captura a funcionária em pleno trabalho emocional.

As empresas precisam estar cientes do contínuo estresse emocional entre seus funcionários[13] e planejar modos de aliviá-lo, incluindo treinamento sobre como lidar com estresse emocional e como enfrentar a pressão de clientes. Por exemplo, por causa da reputação de excelência de serviço da Singapore Airlines, as expectativas dos clientes tendem a ser muito altas e eles podem ser muito exigentes, o que resulta em considerável pressão sobre seu pessoal da linha de frente. O gerente comercial de treinamento da Singapore Airlines (SIA) explicou:

> Realizamos recentemente um levantamento externo e parece que uma quantidade maior dos 'clientes exigentes' prefere voar com a SIA, o que realmente resulta em grande pressão sobre o pessoal. Nosso lema é: "Se a SIA não puder fazê-lo por você, nenhuma outra companhia aérea poderá". Portanto, incentivamos nosso pessoal a tentar resolver os problemas e fazer o máximo possível pelo cliente. Embora se orgulhem da empresa e até nutram um sentimento de proteção em relação a ela, precisamos ajudá-los a lidar com o conflito emocional de tratar bem os clientes e, ao mesmo tempo, sentir que ninguém está se aproveitando disso. O desafio é ajudar nosso pessoal a lidar com situações difíceis e suportar insultos. Esse será o próximo ponto principal de nossos programas de treinamento.[14]

Massificação do trabalho em serviços?

O rápido desenvolvimento em tecnologia da informação permitem que empresas promovam melhorias radicais em processos de serviço e até mesmo uma reestruturação completa das operações. Muitas vezes, essas melhorias resultam em mudanças dolorosas na natureza do trabalho para os funcionários. Em alguns casos, a adoção de uma nova tecnologia ou metodologia pode mudar drasticamente a natureza do ambiente de trabalho (veja a seção Panorama de serviços 11.1). Em outros, o contato pessoal é substituído pelo uso da Internet ou serviços por telefone, e as empresas redefinem e realocam cargos, criam novos perfis para recrutamento e procuram contratar funcionários com qualificações diferentes.

Figura 11.3 O trabalho em centrais de atendimento a clientes é intenso! Entretanto, muitas vezes é o desempenho desses funcionários que determina como a qualidade de serviço de uma empresa é percebida por seus usuários

Panorama de serviços 11.1

Contando os segundos — medição do desempenho de funcionários de linha de frente

Varejistas enfrentam enorme pressão para cortar custos e a mão de obra é o maior gasto controlável. Não é nenhuma surpresa, portanto, que os negócios prosperem na unidade de Operations Workforce Optimization (OWO, ou otimização da equipe de trabalho operacional) adquirida pela Accenture, empresa de consultoria global. Ela adaptou os conceitos de tempo-movimentação das operações manufatureiras para as de serviços, nas quais decompõem tarefas em unidades quantificáveis e desenvolvem tempos padrões para completar cada unidade ou tarefa. A seguir a empresa implementa o software que auxiliará seus clientes a monitorar o desempenho dos funcionários.

O porta-voz de um grande varejista explicou: "esperamos que os funcionários atinjam 100 por cento de desempenho em relação aos padrões, mas só iniciamos qualquer processo de aconselhamento quando o desempenho cai abaixo de 95 por cento". Se alguém fica abaixo desse nível com muita frequência, deverá ser transferido para uma função com menor remuneração ou ser demitido. As reações dos funcionários a essa medida podem ser negativa. Entrevistas com os caixas desse grande varejista sugeriram que o sistema levou muitos a oferecerem um serviço apressado, o que aumentou os níveis de estresse. Hanning, de 25 anos, foi contratada como caixa de uma das lojas dessa rede em Michigan por 7,15 dólares por hora em julho de 2007. Ela relatou que foi advertida por escrito três ou quatro vezes por pontuações abaixo de 95 por cento e informada de que, se o desempenho não melhorasse, iria para outro departamento com menor salário. Ela se lembrou de ter sido avisada: "Certifique-se de simplesmente escanear, pegar e empacotar". Após quase um ano no emprego, pediu demissão. Como veremos, a satisfação do funcionário é tão importante quanto a do cliente para a rentabilidade da empresa. Organizações que justificam pressões sobre os funcionários como benéficas para os clientes enxergam apenas um lado da questão.

A experiência do cliente também pode ser negativamente afetada. Gunter, de 22 anos, relatou que há pouco tempo dissera a um cliente de longa data que não podia mais conversar com ela porque estava sendo cronometrado. "Disseram para fazer as pessoas passar rapidamente". Outros caixas informaram evitar contato visual com clientes e apressavam os que demoravam para descarregar os carrinhos ou pagar. Um cliente contou, "Todos estão sob pressão. Não são tão cordiais como antes. Sei que os clientes mais velhos têm dificuldade de dar dinheiro trocado porque seu tato já não é o mesmo. Eles são tão pressionados no caixa a irem mais rápido, que não querem mais voltar aqui".

A OWO recomenda que os varejistas ajustem seus padrões de tempo para contabilizar o serviço ao cliente e outras variáveis capazes de afetar quanto tempo uma tarefa deve levar, mas as entrevistas parecem sugerir que muitas empresas focam a produtividade em primeiro lugar. Uma rede de roupas e calçados estimou economizar 15 mil dólares por ano para cada segundo cortado do processo de pagamento no caixa; outra instalou leitores biométricos nos caixas para que os operadores registrassem sua entrada já nos postos de trabalho, e não em um relógio de ponto central, o que poupa alguns minutos de tempo de acordo com o ex-diretor de um grande varejista. A OWO alega que seus métodos podem cortar de 5 a 15 por cento dos custos com mão de obra.

Fonte: Vanessa O'Connell, "Seconds counts as stores trim costs", *The Wall Street Journal*, 17 nov. 2008. Disponível em: <www.nwanews.com/adg/Business/244489>. Acesso em: 5 jun. 2009

O resultado do crescente deslocamento de serviços de alto para os de baixo contato é que muitos funcionários de atendimento a clientes passam a trabalhar por telefone ou e-mail sem nunca encontrá-los pessoalmente.[15] Por exemplo, mais de 3 por cento do total da força de trabalho dos Estados Unidos agora é empregada em centrais de telemarketing como representantes de atendimento ao cliente (CSRs, do inglês, *customer service representatives*). A Associação Brasileira de Telesserviços (ABT) estima que o setor empregue cerca de 700 mil trabalhadores.

Na melhor das hipóteses, quando bem estruturados, esses trabalhos podem ser recompensadores e muitas vezes oferecem horários flexíveis e serviços de meio período (cerca de 50 por cento de empregados em centrais de atendimento são mães solteiras ou estudantes). Pesquisa recente mostrou que trabalhadores de tempo parcial estão mais satisfeitos com seu trabalho como CSRs do que o pessoal de tempo integral, mas o desempenho de ambos é igual.[16] Na pior das hipóteses, esses empregos colocam os funcionários em um equivalente eletrônico das antigas linhas de produção. Mesmo nos melhores 'serviços de atendimento com o cliente', como costumam ser chamadas, o trabalho é intenso e repetitivo e espera-se que os CSRs atendam até dois telefonemas por minuto sob um alto nível de monitoração (inclusive idas ao banheiro e intervalos). Há também considerável estresse dos próprios clientes, porque muitos estão furiosos no momento do contato.

Como veremos no Capítulo 14, produtividade é importante para manter a empresa rentável, competitiva e capaz de investir em seu desenvolvimento, mas tem uma relação muito próxima com a qualidade percebida pelo cliente. Acelerar o ritmo do atendimento para aumentar a produtividade traz riscos de redução da qualidade, com impacto na satisfação e na fidelidade. A empresa pode acabar tendo um processo muito eficiente, mas sem clientes interessados nele. Além disso, o relacionamento com o cliente deve ser visto como uma fonte de vantagem competitiva, e as empresas deveriam analisar com cuidado sua situação antes de terceirizar ativo estratégico tão importante.

A pesquisa de Mahesh e Anand sobre centrais de atendimento constatou que atendentes intrinsecamente motivados sofriam menos com o estresse de clientes.[17] Como discutiremos neste capítulo, algumas das chaves do sucesso envolvem uma triagem cuidadosa de candidatos para garantir que eles já saibam como se apresentar bem ao telefone e tenham o potencial para aprender novas capacidades, além de fornecer um treinamento cuidadoso e um ambiente de trabalho bem projetado.[18]

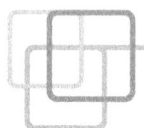

Ciclos de fracasso, mediocridade e sucesso

Vamos agora analisar o macro cenário — o modo como empresas ineficientes, medíocres ou excelentes preparam funcionários de linha de frente para o fracasso, a mediocridade ou o sucesso. Muitas vezes, ambientes de trabalho ruins traduzem-se em serviço pavoroso, com funcionários que tratam clientes como são tratados por seus gerentes, ou que sabotam o serviço. Empresas cuja taxa de rotatividade de funcionários é muito alta costumam enfrentar o chamado 'ciclo do fracasso'. Empresas que oferecem segurança no emprego, mas pouco espaço para iniciativas pessoais, podem passar por um igualmente indesejável 'ciclo da mediocridade'. Contudo, se a empresa for bem gerenciada, há potencial para um círculo virtuoso para o emprego em serviços, denominado 'ciclo do sucesso'.[19]

O ciclo do fracasso

Em muitos setores de serviços, a busca da produtividade está a todo vapor. Uma solução é simplificar rotinas de trabalho e contratar profissionais pelo mínimo possível para executar tarefas repetitivas que exigem pouco ou nenhum treinamento. Lojas de departamentos, restaurantes de *fast-food* e centrais de atendimento são alguns exemplos, embora haja exceções notáveis. O ciclo do fracasso incorpora as implicações dessa estratégia em seus dois círculos concêntricos, porém interativos: um círculo envolve fracassos com funcionários; o segundo, com clientes (veja a Figura 11.4).

O *ciclo de fracasso do funcionário* começa com uma descrição de cargo restrita para incluir pessoal com pouca capacitação, uma ênfase em regras mais que em serviços e o uso de tecnologia para controlar a qualidade. Uma estratégia de salários baixos é acompanhada de esforço mínimo de seleção ou treinamento. Entre as consequências estão funcionários entediados sem capacidade para resolver problemas dos clientes, que ficam insatisfeitos e que desenvolvem má atitude de serviço. Os resultados para a empresa são baixa qualidade de serviço e alta rotatividade de funcionários. Por causa das baixas margens de lucro, o ciclo se repete com a contratação de mais empregados mal pagos para trabalhar em ambiente desagradável. O moral dos funcionários em algumas empresas de serviço pode alcançar níveis tão baixos que o pessoal da linha de frente hostiliza clientes e pode até partir para a 'sabotagem do serviço', como descrito na seção Novas ideias em pesquisa 11.1

O *ciclo de fracasso do cliente* começa com a pesada ênfase na atração de novos clientes, que ficam insatisfeitos com o desempenho do funcionário e com a falta de continuidade

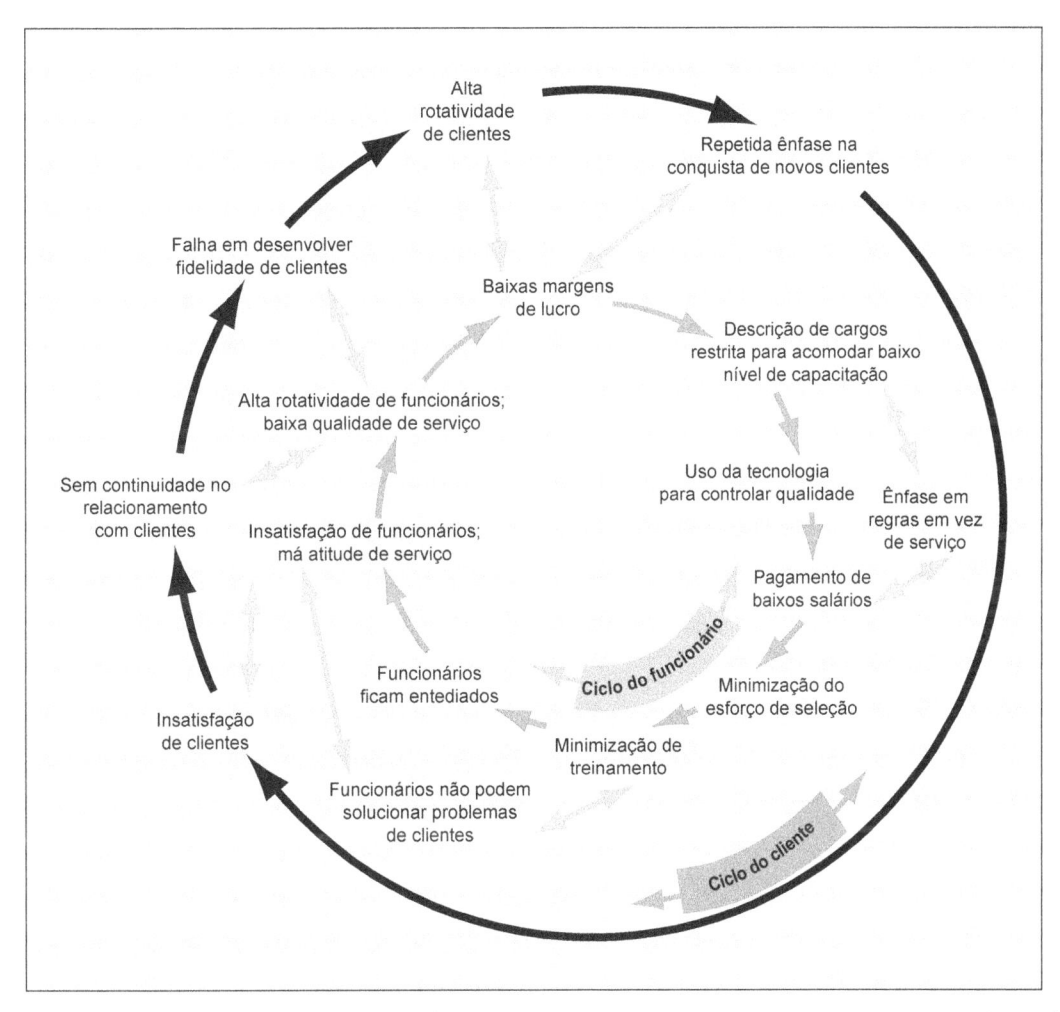

Figura 11.4   O ciclo do fracasso

Ciclo do funcionário:
- Minimização do esforço de seleção
- Minimização de treinamento
- Descrição de cargos restrita para acomodar baixo nível de capacitação
- Uso da tecnologia para controlar qualidade
- Pagamento de baixos salários
- Ênfase em regras em vez de serviço
- Funcionários ficam entediados
- Insatisfação de funcionários; má atitude de serviço
- Alta rotatividade de funcionários; baixa qualidade de serviço

Ciclo do cliente:
- Repetida ênfase na conquista de novos clientes
- Baixas margens de lucro
- Funcionários não podem solucionar problemas de clientes
- Insatisfação de clientes
- Sem continuidade no relacionamento com clientes
- Falha em desenvolver fidelidade de clientes
- Alta rotatividade de clientes

Fonte: Leonard L. Schlesinger e James L. Heskett, "Breaking the cycle of failure in services", *Sloan Management Review*, 31, primavera 1991, p. 17-28. Reprodução permitida pelo editor. © 1991 Massachusetts Institute of Technology. Todos os direitos reservados.

Novas ideias em pesquisa 11.1

Sabotagem do serviço pela linha de frente

Na próxima vez que você ficar insatisfeito com o serviço prestado por profissionais de atendimento — em um restaurante, por exemplo —, vale a pena parar um pouco para pensar nas consequências de reclamar. Você talvez se torne uma vítima inocente de um caso mal-intencionado de sabotagem de serviço, como o acréscimo de algo anti-higiênico à comida.

Há uma incidência relativamente alta de sabotagem de serviço por funcionários da linha de frente. Lloyd Harris e Emmanuel Ogbonna constataram que 90 por cento deles concordaram que o comportamento mal-intencionado da linha de frente para reduzir ou arruinar o serviço — sabotagem de serviço — é uma ocorrência diária nas organizações em que trabalham.

Os pesquisadores classificam sabotagem de serviço em duas dimensões: comportamentos encobertos e ostensivos e comportamentos rotineiros e intermitentes. Os encobertos ocorrem longe das vistas dos clientes, ao passo que ações ostensivas são demonstradas de propósito, muitas vezes para colegas de trabalho e para clientes. Comportamentos rotineiros estão enraizados na cultura, ao passo que ações intermitentes são esporádicas e menos comuns. Alguns exemplos reais de sabotagem de serviço classificados segundo as duas dimensões são mostrados na Figura 11.5.

Figura 11.5 — Exemplos de sabotagem de serviços

Visibilidade de comportamentos de sabotagem de serviços
Encobertos ← → Ostensivos

Normalidade de comportamentos de sabotagem de serviços: Rotineiros ↑ / Intermitentes ↓

Sabotagem de serviço privado/habitual

"Muitos clientes são rudes ou de difícil trato, não são educados como você ou eu. Dar o troco empata o jogo. Há muitas coisas que você faz que ninguém, a não ser você mesmo, jamais descobrirá — porções menores, um vinho suspeito, uma cerveja ruim —, tudo isso que você serve com um sorriso! Doce vingança!"
Garçom

"É perfeitamente normal ir à forra contra algumas das 'm' que acontecem. Gerentes sempre exigem mais do que é justo e clientes sempre querem mais por menos. Vingar-se é natural – sempre aconteceu, não há nada de novo nisso."
Funcionário da linha de frente

Sabotagem de serviço público/habitual

"Você pode representar a mesma velha encenação. Sabe como é: se o cliente tem pressa, você atrasa o processo; se ele quer conversar, você responde com monossílabos. E todo o tempo você sabe que seus colegas estão atrás da parede morrendo de rir!"
Funcionário da linha de frente

"O truque é fazer de um jeito que eles não possam reclamar. Quero dizer, você não pode abusar, mas alguns são tão idiotas que você pode falar com eles como se tivessem quatro anos de idade e eles nem vão notar. Se você quer realmente menosprezar essa gente, tem de agir com ar de superioridade. É muito divertido de ver!"
Garçom

Sabotagem de serviço privado/esporádica

"Não sou de fazer sabotagens, mas o turno da noite aqui realmente me irrita. Estão sempre reclamando de alguma coisa. Então, para me vingar deles, só de vez em quando, dou um jeito de travar o processo — acidentalmente de propósito leio um pedido errado, atraso o preparo, desligo a máquina de lavar copos até acabarem... nada grave."
Chefe de cozinha

"Não sei por que faço isso. Às vezes é só um dia ruim, uma semana horrível, sei lá — mas chutar o pau da barraca não é tão raro assim; também não acontece todo dia, acho que umas duas vezes por mês."
Supervisor de linha de frente

Sabotagem de serviço público/esporádica

"O segredo é fazer a sabotagem e em seguida se desmanchar em desculpas. Já vi isso acontecer milhares de vezes — queimar as mãos de alguém com um prato quente, derramar molho em mangas de camisa ou bebidas nas costas, esbarrar em perucas (essa foi engraçada), derramar sopa no colo deles, por aí você tem uma ideia."
Supervisor de atendimento de longa data

"Escute, tem essa regra de que a gente deve cumprimentar todos os clientes e sorrir para eles, se passarem a uma distância de 5 metros. Bom, isso não é feito porque achamos que é idiota, mas com esse cara a gente decidiu fazer. Começou com os garçons — todos nos aproximamos, demos um sorriso amarelo e dissemos 'olá'. Mas a coisa se alastrou. De repente, gerentes e todos os demais gostaram da brincadeira, e o pobre homem era abordado e cumprimentado a cada dois passos que dava! E ele não entendia nada! Foi tão engraçado — o cara passou as três noites seguintes no quarto, sem ousar ir até o restaurante".
Supervisor de limpeza e manutenção

Fonte: Adaptado de Lloyd C. Harris e Emmanuel Ogbonna, "Exploring service sabotage: the antecedents, types, and consequences of frontline, deviant, anti-service behaviors", *Journal of Service Research*, 4, n. 3, 2002, p. 163-183. © 2003 Sage Publications. Reproduzido com permissão.

---

implícita nos rostos que sempre mudam. Eles não desenvolvem nenhuma fidelidade com o fornecedor do serviço e sua rotatividade é tão rápida quanto a do pessoal. Isso exige a procura contínua de nova clientela para manter volumes de vendas. O abandono de clientes descontentes é bastante preocupante à luz do que sabemos sobre a maior lucratividade de uma base de clientes fiéis.

Eis algumas desculpas e justificativas de gerentes para a perpetuação desse ciclo:

- "hoje em dia, está difícil conseguir bons profissionais";
- "atualmente as pessoas não querem trabalhar";
- "conseguir bons profissionais custaria muito e não podemos repassar esse aumento de custo para os clientes";
- "não vale a pena treinar nossos funcionários da linha de frente, porque eles não ficam muito tempo";

- "alta rotatividade é uma parte inevitável de nosso negócio. É preciso aprender a conviver com isso".[20]

Há gerentes demais que ignoram os efeitos financeiros de longo prazo das estratégias de recursos humanos de baixos salários/alta rotatividade. James L. Heskett, W. Earl Sasser Jr. e Leonard Schlesinger argumentam que as empresas precisam medir o valor do tempo de vida dos funcionários, da mesma forma que buscam calcular o tempo de vida dos clientes.[21] Parte do problema deve-se à falta de medição de todos os custos relevantes.

Quase sempre são omitidas três variáveis fundamentais de custo: (1) o custo de recrutamento, contratação e treinamento (tanto de tempo para gerentes como financeiro); (2) a produtividade mais baixa de novos contratados sem experiência; e (3) os custos da conquista contínua de novos clientes, o que requer muita propaganda e descontos promocionais. Como veremos no Capítulo 12, hoje custa mais caro conquistar que manter clientes, além do valor do cliente já conquistado aumentar com o tempo. Também são ignoradas duas variáveis de receita: (1) correntes futuras de receita que poderiam continuar durante anos, mas são perdidas quando clientes descontentes migram para outra empresa e (2) receita potencial de clientes potenciais que são afastados pelo boca a boca negativo. O valor resultante de clientes perdidos pelo boca a boca negativo pode ser maior que o valor de clientes perdidos por insatisfação. Por fim, há custos mais difíceis de quantificar, como a deterioração do serviço enquanto um cargo permanece desocupado e a perda do conhecimento que o ex-funcionário tem do trabalho (e talvez de seus clientes); ou o custo de sistemas para armazenar o conhecimento de empregados que se vão o tempo todo.

O ciclo da mediocridade

Outro ciclo vicioso do emprego é o ciclo da mediocridade (veja a Figura 11.6). É mais provável de ser encontrado em organizações de grande porte, burocráticas, cujos exemplos

Figura 11.6 O ciclo da mediocridade

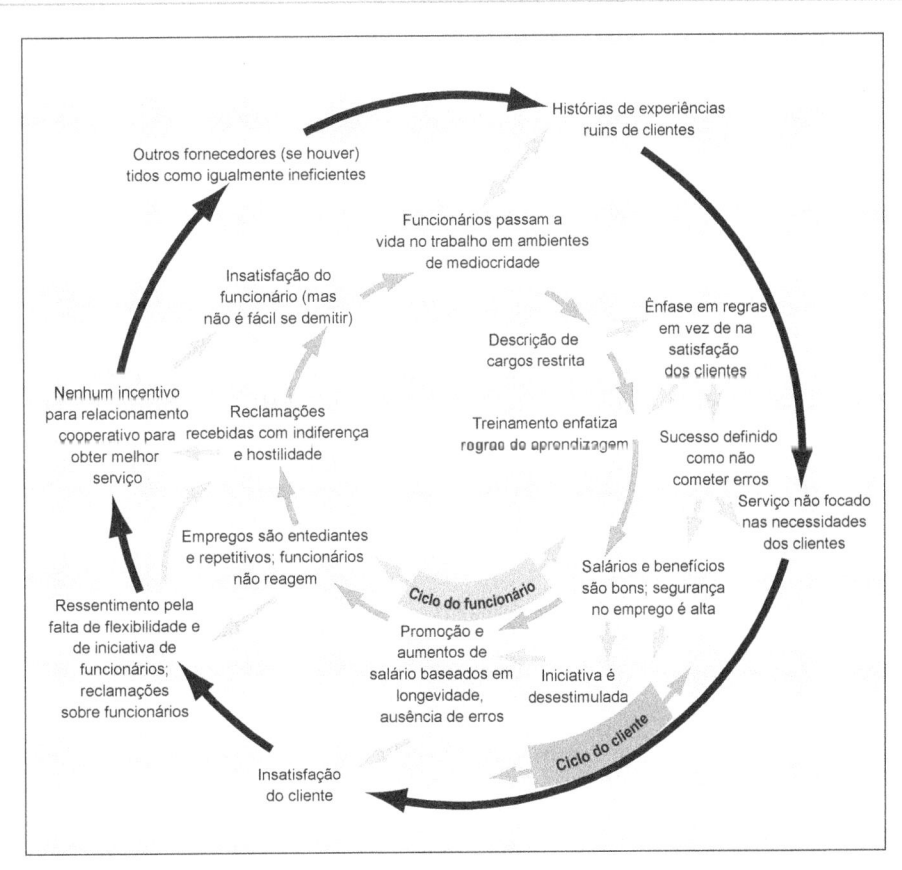

Fonte: Christopher Lovelock, "Managing services: the human factor". W. J. Glynn e J. G. Barnes (eds.). *Understanding service management*. Chichester, UK: John Wiley, 1995. p. 228.

mais comuns são os monopólios estatais, os cartéis industriais ou os oligopólios regulamentados, situações em que há pouco incentivo para melhorar o desempenho e onde o medo de sindicatos há muito instalados no setor pode ser um desestímulo para que a gerência adote práticas de trabalho mais inovadoras.

Nesses ambientes, os padrões de entrega de serviços tendem a ser prescritos por rígidos manuais de regras, voltados ao serviço padronizado, às eficiências operacionais e à prevenção da fraude do funcionário e do favoritismo em relação a clientes. As responsabilidades dos cargos tendem a ser definidas de modo restrito e sem imaginação, a ser categorizadas por grau e escopo e, ainda, a ficar mais rígidas por causa das regras trabalhistas impostas por sindicatos. Os aumentos de salário e as promoções são baseados na longevidade. O sucesso do desempenho em um cargo costuma ser medido pela ausência de erros em vez de pela alta produtividade ou notável atendimento ao cliente. O treinamento é focado em aprender as regras e os aspectos técnicos do serviço e não em como melhorar interações com clientes e colegas. Como a flexibilidade ou a iniciativa permitidas ao funcionário são mínimas, os serviços tendem a ser tediosos e repetitivos. Contudo, ao contrário do ciclo do fracasso, em grande parte dos cargos o salário é adequado e os benefícios geralmente são bons, combinados com alta segurança. Por isso, os funcionários relutam em sair. Essa falta de mobilidade é composta da ausência de capacidades negociáveis que seriam valorizadas por organizações em outras áreas de empreendimento.

Os clientes frustram-se ao tratar com essas organizações. Confrontados com barreiras burocráticas, falta de flexibilidade de serviço e má vontade dos funcionários, os usuários podem ficar ressentidos. Não deve ser surpresa que clientes insatisfeitos demonstrem hostilidade em relação a funcionários de serviço, que se sentem presos ao emprego e impotentes para melhorar a situação. Talvez você mesmo tenha sido instigado a reagir assim por maus serviços e atitudes precárias. Contudo, os clientes continuam a se sentir 'reféns' da organização porque não há outro lugar para irem, seja porque o provedor do serviço detém o monopólio, seja porque todos os outros fornecedores disponíveis no mercado são percebidos como tão ruins ou mesmo piores.

Os funcionários podem então se proteger com mecanismos como agir com indiferença, 'operação tartaruga' ou 'pagar' descortesia com descortesia. O resultado é um círculo vicioso de mediocridade: clientes descontentes sempre se queixando a funcionários mal-humorados (e também a outros clientes) do serviço precário e das más atitudes, gerando mais defensivas e falta de cuidado da parte do pessoal. Nessas circunstâncias, os clientes não têm muito incentivo para cooperar com a organização e obter melhor serviço.

O ciclo do sucesso

Algumas empresas rejeitam as premissas subjacentes aos ciclos do fracasso ou da mediocridade. Em vez disso, adotam uma visão de longo prazo de desempenho financeiro, procurando prosperar por meio do investimento em seu pessoal a fim de criar um 'ciclo do sucesso' (Figura 11.7).

Assim como no fracasso ou na mediocridade, o sucesso aplica-se a funcionários e a clientes. Pacotes atraentes de remuneração são usados para recrutar pessoal de boa qualidade. Descrições menos limitadas de cargos são acompanhadas por treinamento e práticas de *empowerment* que permitem ao pessoal da linha de frente controlar a qualidade. Com recrutamento mais focalizado, treinamento intensivo e melhores salários, é provável que os funcionários fiquem mais satisfeitos e ofereçam ao cliente um serviço mais agradável e de qualidade superior. Clientes assíduos também apreciam a continuidade de relacionamentos, graças à baixa rotatividade, e ficam mais propensos a permanecer fiéis. Margens de lucro tendem a ser mais altas e a organização fica livre para concentrar seus esforços de marketing no reforço da fidelidade por meio de estratégias de retenção de clientes. Essas estratégias costumam ser muito mais lucrativas do que as de atração de novos consumidores.

Uma demonstração cabal de um profissional da linha de frente que trabalha segundo o ciclo de sucesso é a garçonete Cora Griffin (apresentada na abertura deste capítulo). Até mesmo organizações de serviço público dedicam-se cada vez mais à obtenção de ciclos de sucesso e a oferecer serviços de boa qualidade a custos mais baixos para o público.[22]

Figura 11.7 O ciclo do sucesso

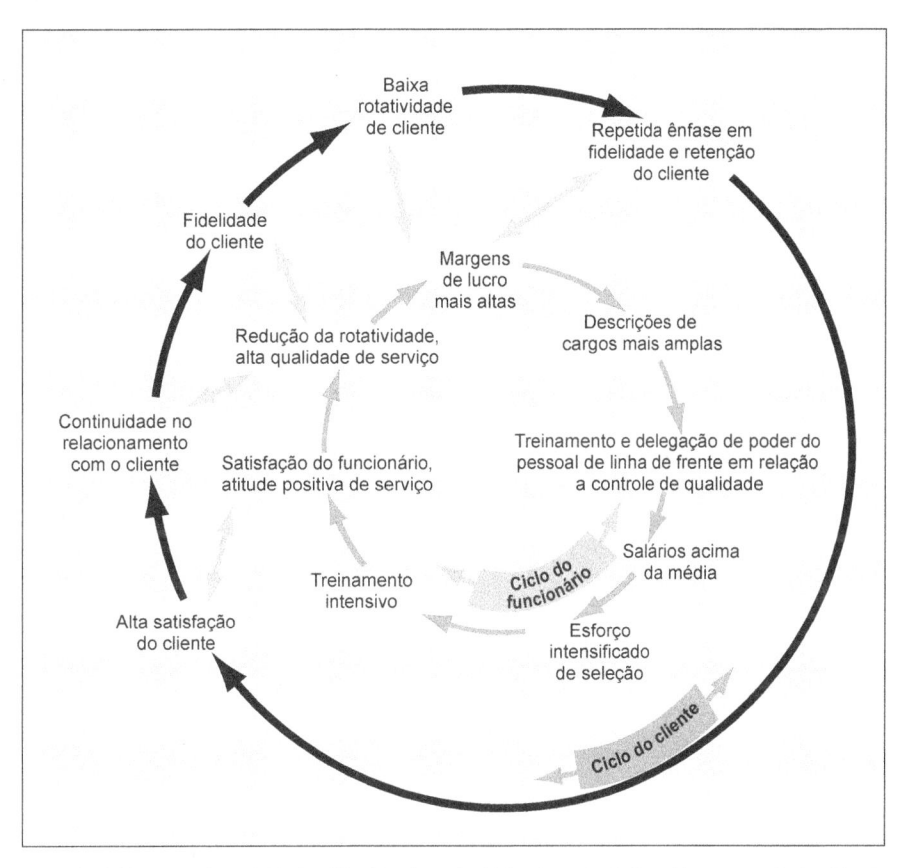

Fonte: Leonard L. Schlesinger e James L. Heskett, "Breaking the cycle of failure in services", *Sloan Management Review*, 31, primavera de 1991, p. 17-28. Reprodução permitida pelo editor. © 2003 Massachusetts Institute of Technology. Todos os direitos reservados.

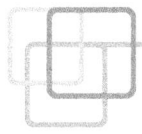

Gestão de recursos humanos: como fazer a coisa certa

Qualquer gerente racional gostaria de trabalhar no ciclo do sucesso. Nesta seção, discutiremos sobre estratégias de RH que podem ajudar empresas de serviço a chegar lá. Discutiremos também como contratar, motivar e reter profissionais de serviço dedicados, capazes e dispostos a entregar excelência de serviço, produtividade e vendas. A Figura 11.8 apresenta o ciclo de talento em serviços que é nosso guia para práticas de RH eficazes nesse tipo de empresa. A seguir abordaremos cada uma das práticas.

Contrate as pessoas certas

É ingenuidade pensar que basta satisfazer os funcionários. Isso deve ser considerado uma condição necessária, mas não suficiente, para ter um quadro de alto desempenho. Por exemplo, um estudo recente mostrou que o esforço do funcionário era um forte estimulante da satisfação do cliente, mais do que a satisfação do funcionário.[23] Como disse Jim Collins: "O velho ditado 'As pessoas são seu ativo mais importante' está errado. As pessoas *certas* são seu ativo mais importante". Gostaríamos de acrescentar: "[...] e as pessoas erradas são um risco difícil de superar". Fazer a coisa certa começa com a contratação das pessoas certas.

Figura 11.8 — O ciclo de talento em serviços — fazendo a coisa certa em RH nas empresas de serviço

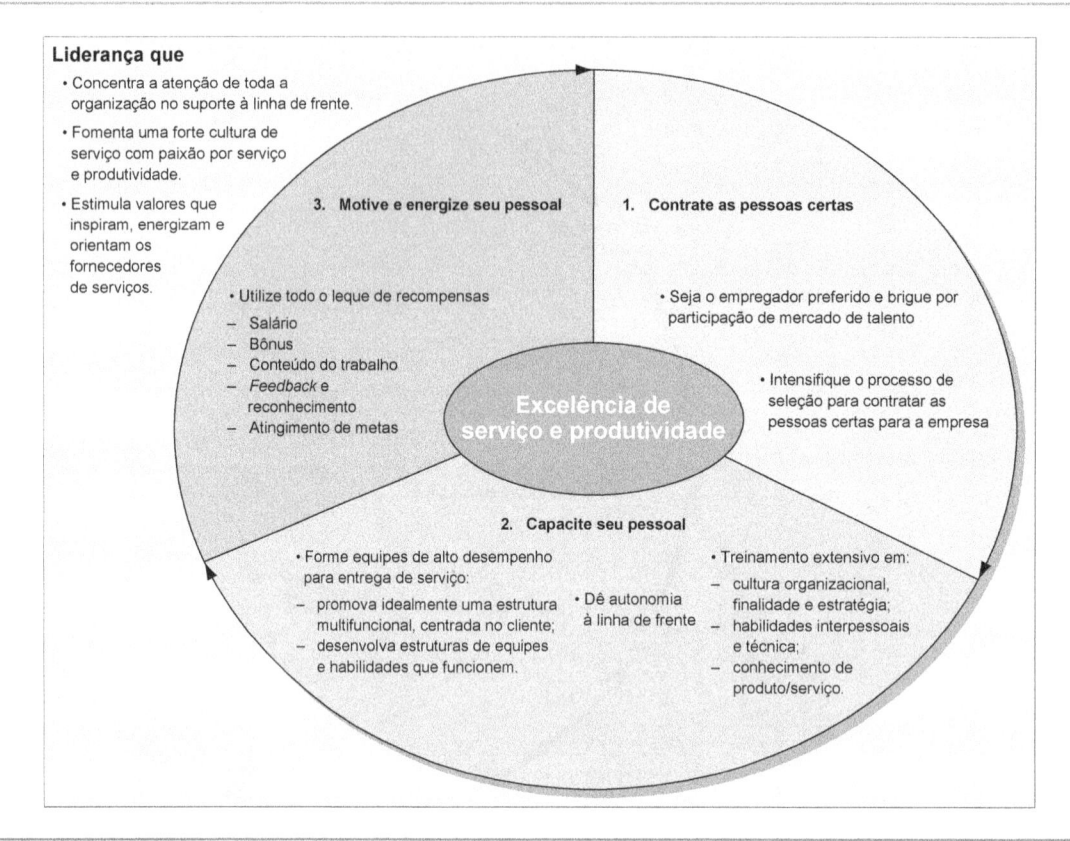

Liderança que
- Concentra a atenção de toda a organização no suporte à linha de frente.
- Fomenta uma forte cultura de serviço com paixão por serviço e produtividade.
- Estimula valores que inspiram, energizam e orientam os fornecedores de serviços.

Excelência de serviço e produtividade

1. Contrate as pessoas certas
- Seja o empregador preferido e brigue por participação de mercado de talento
- Intensifique o processo de seleção para contratar as pessoas certas para a empresa

2. Capacite seu pessoal
- Forme equipes de alto desempenho para entrega de serviço:
  - promova idealmente uma estrutura multifuncional, centrada no cliente;
  - desenvolva estruturas de equipes e habilidades que funcionem.
- Dê autonomia à linha de frente
- Treinamento extensivo em:
  - cultura organizacional, finalidade e estratégia;
  - habilidades interpessoais e técnica;
  - conhecimento de produto/serviço.

3. Motive e energize seu pessoal
- Utilize todo o leque de recompensas
  - Salário
  - Bônus
  - Conteúdo do trabalho
  - *Feedback* e reconhecimento
  - Atingimento de metas

Seja o empregador preferido. Para selecionar e contratar os melhores profissionais, primeiro é preciso que eles se candidatem e então aceitem sua oferta de emprego entre outras (os melhores tendem a ser selecionados por várias empresas). Portanto, primeiro uma empresa tem de competir pela participação de mercado de talento[24] ou (como diz a empresa McKinsey & Company) participar da 'guerra pelo talento'.[25] Competir no mercado de trabalho significa ter uma proposição de valor atraente para funcionários potenciais e inclui fatores como ter uma boa imagem de empregador na comunidade e entregar produtos e serviços de alta qualidade, que façam os funcionários se orgulharem de ser parte da equipe.

Além do mais, o pacote de remuneração não pode estar abaixo da média: os melhores profissionais esperam pacotes acima da média. Pela nossa experiência, é preciso um salário situado na faixa entre os percentis 65 e 80 do mercado para atrair os melhores profissionais às melhores empresas. Não será preciso ser um dos melhores pagadores, se outros aspectos importantes da proposição de valor forem atraentes. Em suma, entenda as necessidades dos funcionários visados e ajuste sua proposição de valor.

Selecione as pessoas certas. O funcionário perfeito não existe. Cargos diferentes costumam ser mais bem ocupados por pessoas que têm diferentes conjuntos de habilidades, estilos e personalidades. Por exemplo, a Walt Disney Company avalia possíveis funcionários em relação a seu potencial para trabalhar em cena ou nos bastidores. Os que trabalham em cena, conhecidos como membros do elenco, recebem os papéis que mais se ajustam a sua aparência, personalidade e habilidades.

O que faz notáveis profissionais de serviço serem tão especiais? Muitas vezes são coisas que *não podem* ser ensinadas. São qualidades intrínsecas que as pessoas trariam consigo para qualquer empresa empregadora. Como observou um estudo sobre esses profissionais de alto desempenho:

> Energia [...] não pode ser ensinada, tem de ser contratada. O mesmo vale para charme, atenção a detalhes, ética no trabalho, apresentação caprichada. Algumas dessas coisas podem ser aprimoradas com treinamento no trabalho [...] ou com incentivos [...] Mas, de maneira geral, são qualidades que já estão incutidas.[26]

Cenário brasileiro 11.1

Quem são os empregadores favoritos?

Criar uma reputação de bom empregador é fundamental para atrair bons funcionários. Como estes sabem onde são os melhores lugares? O boca a boca no mercado constrói em grande parte essa reputação. Contatos com amigos, outros profissionais do setor, analistas, são diversas as fontes de informação. Recentemente, temos também institutos independentes fazendo avaliações. Ser bem ranqueado por esses levantamentos pode ajudar bastante a reputação de uma empresa. No Brasil, duas das principais pesquisas são a da *Você S/A* e a do Great Place to Work Institute.

Em 2010, tivemos a 14ª edição do Guia *Você S/A-Exame*: as melhores empresas para você trabalhar, que traz o ranking das 150 empresas mais bem avaliadas e destaca as melhores em oito categorias: carreira, cidadania, desafio do RH, desenvolvimento, estratégia e gestão, gestão de talento, liderança e saúde. O estudo é conduzido pela revista *Você S/A* com base em metodologia desenvolvida pela Fundação Instituto de Administração da Universidade de São Paulo (FIA-USP). A participação é gratuita, basta a empresa ter mais de cem funcionários e existir há mais de cinco anos. No total, 541 empresas se inscreveram e mais 137 mil funcionários responderam à pesquisa. A avaliação dos funcionários corresponde a 70 por cento da nota. A equipe de jornalistas da *Você S/A* visitou e entrevistou 225 pré-classificadas, para a definição do ranking final.

As dez empresas melhor avaliadas foram:

Posição	Empresa	Sede
1º	Whirlpool	São Paulo (SP)
2º	Volvo	Curitiba (PR)
3º	Caterpillar	Piracicaba (SP)
4º	BV Financeira	São Paulo (SP)
5º	SAM A	Minaçu (GO)
6º	Laboratório Sabin	Brasília (DF)
7º	Gazin	Douradina (PR)
8º	Eurofarma	Itapevi (SP)
9º	Coelce	Fortaleza (CE)
10º	DuPont	Barueri (SP)

Para o professor da FIA e um dos coordenadores da pesquisa, André Fischer, as práticas nas quais as empresas atingiram o grau de maturidade e nas quais elas são acima da média correspondem a três quesitos: estratégia, liderança e remuneração. Primeiro, essas empresas sabem comunicar suas estratégias de negócio e têm ações para envolver seus empregados no cumprimento dos objetivos estratégicos. Segundo, seus líderes são instruídos a monitorar o clima das equipes, realizando pesquisas periódicas do clima organizacional, que servem de base para programas de ação e melhoria. Em terceiro lugar, elas acompanham as políticas salariais de suas indústrias, corrigindo defasagens. O salário mensal médio no grupo das 150 primeiras classificadas no ranking de 2010 é de 3.110 reais.

Cabe destacar que a média da rentabilidade sobre o patrimônio líquido das 150 melhores empresas é de 4 pontos percentuais, superior à das 500 empresas do ranking Melhores & Maiores, da revista *Exame*. Entre as dez primeiras, a diferença sobe para sete pontos percentuais, indicando que satisfação do funcionário e rentabilidade da empresa estão associados.

Quem são os profissionais que essas empresas contratam? O *Guia* em 2009 também entrevistou gerentes e diretores de RH dessas empresas e apontou os seis principais traços que eles buscam:

- diplomacia – saber ouvir e argumentar, buscando soluções ganha-ganha;
- resiliência – capacidade de aceitar percalços sem deixar-se abater;
- capacidade para desenvolver boas relações – não apenas ter bom relacionamento com os colegas, mas capacidade de negociação com outras áreas e funções, e construir processos baseados em confiança;
- postura ética – integridade em todas as ações, respeito e retidão diante de todas as situações;
- habilidade para trabalhar em equipe – tanto de se autogerenciar quanto administrar as relações no grupo;
- flexibilidade – saber lidar com imprevistos e mudanças.

Os executivos de RH entrevistados também destacaram a importância de 1) network: as empresas primeiro consultam os próprios funcionários para indicações, e ter uma boa rede de relacionamento ajuda muito ao conseguir o emprego, 2) identidade com a empresa: conhecer os valores da empresa e ser capaz de dizer quais são os seus e por que você se identifica com os dela e 3) a habilidade para aprender sempre: são preferidos os que mantêm curiosidade profissional, sede de aprender e capacidade de transformar o aprendizado em resultados. Buscam-se pessoas que possam evoluir e ocupar outros cargos.

O Great Place to Work Institute realiza anualmente a pesquisa Great Place to Work (GPTW) em 44 países, a partir de metodologia e questionário desenvolvido há 14 anos pelo jornalista norte-americano Robert Levering. O instrumento mede os níveis de credibilidade, respeito, imparcialidade, orgulho e camaradagem da empresa, com base nas respostas dos funcionários. Além disso, analistas do GPTW avaliam as práticas de recursos humanos de cada companhia. São mais bem avaliadas pelos analistas as empresas com práticas diferenciadas de gestão de pessoas, elevado nível de satisfação dos profissionais com o ambiente de trabalho e alto índice de confiança nas relações entre líderes e liderados. Em 2010 concorreram 774 empresas, um aumento significativo em relação às 530 do ano anterior. As cem primeiras classificadas representam 11 por cento do PIB brasileiro, um faturamento de 333 bilhões de reais, variando de cem a cem mil funcionários.

As dez primeiras empresas ranqueadas no GPTW em 2010 são:

1. Google Brasil
2. Kimberly-Clark Brasil
3. Laboratório Sabin
4. Caterpillar Brasil
5. Chemtech
6. Accor
7. Magazine Luiza
8. Fundação Fiat
9. Zanzini Móveis
10. Pormade Portas

Para o CEO do Great Place to Work Brasil, Ruy Shiozawa, a pesquisa reflete como as melhores empresas conduziram os negócios em um ano destinado a solucionar os problemas decorrentes da crise econômica internacional. "É sobretudo em momentos de crise que transparece o comprometimento dos profissionais com a empresa. E quanto maior for a reciprocidade dessa relação empresa-funcionário, tanto maior será a capacidade da organização de superar as dificuldades. A premissa de que o investimento em pessoas representa ganhos em competitividade e produtividade, defendida há vários anos pelo Great Place to Work, transparece na edição 2010 do estudo."

Em entrevista com executivos das empresas melhores posicionadas, foram apontadas as características que as levaram a essas posições e o que elas buscam em seus candidatos a uma vaga:

- a Chemtech busca seus talentos nas melhores universidades, investe em sua formação e seu desenvolvimento. Busca uma equipe jovem, motivada e que realmente gosta do que faz; um grupo que acredita e tem o mesmo ideal;
- a Caterpillar valoriza a transparência e a ética na gestão de pessoas, oferece aos funcionários ambiente de treinamento e desenvolvimento, envolvimento efetivo na realização da estratégia e um dos melhores pacotes de benefícios do mercado. Espera que os funcionários tenham 'sangue amarelo' (as cores da empresa), grande comprometimento e engajamento;
- a nona colocada, a indústria de móveis Zanzini, de Dois Córregos, no interior de São Paulo, se destacou por valorizar o ser humano e a capacidade de cativar os empregados e acreditar nas pessoas. Busca uma postura transparente, sincera, humana e bastante dinâmica;
- para a Serasa, terceira do ranking geral e eleita a melhor para os executivos, todos os que trabalham na empresa são estratégicos e por isso ela investe em qualidade de vida, bem-estar profissional, físico, social, material e espiritual;
- a sétima colocada, Magazine Luiza, e que também foi considerada a melhor empresa para a mulher trabalhar, destacou-se pela política de valorização do ser humano e pela crença de sua evolução. Oferece diversos programas de qualidade de vida, capacitação técnica e evolução pessoal. O Programa de Apoio às Mães (mulheres representam 48 por cento de seus funcionários), também conhecido como cheque-mãe, foi criado para atender às necessidades das mulheres que tinham seu primeiro bebê e sairiam da empresa por não terem condições de pagar alguém para cuidar da criança. Mulheres com filhos de até dez anos recebem uma ajuda mensal de 200 reais, podendo assim pagar uma babá ou ajudar as avós das crianças, que muitas vezes deixam de trabalhar para cuidar dos netos. Quando implantado, em 1998, esse programa reduziu em 80 por cento as saídas voluntárias das mães.

Uma pergunta fica ao compararmos as empresas dos dois rankings: por que são diferentes? Satisfação com o empregador não é um fenômeno simples. O funcionário chega com muitas expectativas e promessas que ouviu durante as entrevistas, trazendo seus valores e competências. A empresa levantou um grande volume de informações sobre os entrevistados e selecionou um candidato com base em sua experiência anterior e promessas. Vai ser ao longo da convivência no futuro que os dois lados poderão verificar o que é verdadeiro ou não. Interesses e expectativas podem mudar ao longo do tempo, seja por fusões e aquisições das empresas, seja pela experiência e amadurecimento do profissional. A satisfação é composta de muitas variáveis, que também se alteram ao longo do tempo. Diferentes metodologias que enfocam diferentes aspectos dessa relação podem levar a rankings muito diversos.

Fonte: Adaptado de site da GPTW. Disponível em: <http://www.greatplacetowork.com.br>. Acesso em: 30 maio 2011. Ranking 2010 nas revistas Exame e Você SA.

Além disso, gerentes de RH constataram que, embora seja possível ensinar boas maneiras e a necessidade de sorrir e de olhar nos olhos do cliente, o mesmo não acontece com a cordialidade. A única solução realista é certificar-se de que os critérios de recrutamento da organização favoreçam candidatos cuja personalidade seja naturalmente cordial. De acordo com Jim Collins: "As pessoas certas são as que exibiriam os comportamentos adequados de qualquer maneira, como uma extensão natural de seu caráter e atitude, independentemente de qualquer sistema de controle e incentivo".[27]

A conclusão lógica é que empresas de serviço devem devotar grande cuidado à atração e à contratação dos candidatos. A seguir, vamos analisar ferramentas que ajudam a identificar os candidatos certos a uma empresa ou vaga e, talvez o mais importante de tudo, a rejeitar aqueles que não se adequam.

Ferramentas para identificar os melhores candidatos

Empresas de serviço excelentes utilizam várias maneiras para identificar os melhores candidatos. Elas observam comportamento, realizam testes de personalidade, entrevistam as pessoas e lhes dão uma visão prévia realista do trabalho.[28]

Realize várias entrevistas estruturadas. Para tomar melhores decisões de contratação, recrutadores realizam entrevistas estruturadas centradas nos requisitos do cargo e usam mais de um entrevistador. As pessoas tendem a ser mais cuidadosas com os julgamentos que fariam quando sabem que outro indivíduo também avalia o mesmo candidato. Outra vantagem de utilizar dois ou mais entrevistadores é que isso reduz o risco do viés do 'igual a mim' (todos gostamos de pessoas parecidas conosco). Além disso, pessoas de áreas diferentes podem discutir características que são necessárias do ponto de vista de outras áreas funcionais.

Observe o comportamento. A decisão de contratação deve basear-se no comportamento que os recrutadores observam e não apenas nas palavras que ouvem. Como disse John Wooden: "Mostre-me o que você pode fazer, não me diga o que pode fazer. Quase sempre quem fala demais, faz de menos".[29] O comportamento pode ser observado direta ou indiretamente, usando simulações comportamentais ou testes realizados em empresas especializadas em avaliação, que utilizam situações padronizadas nas quais os candidatos podem ser observados para verificar se demonstram os tipos de comportamento que os clientes da empresa esperariam. Além disso, o comportamento passado é a melhor previsão do comportamento futuro: contrate pessoas que ganharam prêmios por serviços excelentes, receberam muitas cartas elogiosas e tiveram boas referências de antigos empregadores. Peça para que dê exemplos, mesmo pessoais, de como elas já demonstraram no passado que possuem o perfil desejado.

Faça testes de personalidade. Contribuem para identificar traços relevantes para o cargo. Por exemplo, disposição para tratar clientes e colegas com cortesia, consideração e tato; capacidade de percepção das necessidades de clientes; e habilidade para se comunicar com precisão e de modo agradável são traços que podem ser medidos. Decisões de contratação baseadas nesses testes tendem a ser bem precisas.

O Ritz-Carlton Hotels Group, por exemplo, utiliza perfis de personalidade para todos os candidatos. Profissionais são selecionados por sua predisposição natural para trabalhar em um contexto de serviços. Traços inerentes como sorriso fácil, disposição para ajudar os outros e habilidade para executar várias tarefas são indicativos de que a pessoa pode ir além das capacidades adquiridas. Uma candidata ao Ritz-Carlton compartilhou conosco sua experiência de passar por um teste de personalidade para um cargo de concierge júnior no Ritz-Carlton Millenia Singapore. Seu melhor conselho: "Diga a verdade. Eles são especialistas e saberão se você estiver mentindo". E acrescentou:

> No Dia D, eles me perguntaram se eu gostava de ajudar as pessoas, se era organizada e se gostava de sorrir sempre. Sim, sim e sim, respondi. Mas tive de confirmar minhas palavras com exemplos da vida real, o que me pareceu um pouco indiscreto. Para responder à primeira pergunta, por exemplo, tive de falar um pouco sobre a pessoa que eu tinha ajudado — porque ela precisava de ajuda, por exemplo. O teste me obrigou a recordar até mesmo coisas insignificantes que eu tinha feito, como aprender como dizer 'alô' em diversos idiomas, o que ajudou a dar uma ideia de meu caráter.[30]

É melhor contratar pessoas animadas e felizes, porque os clientes informam que ficam mais satisfeitos quando são atendidos por profissionais também mais satisfeitos.[31] Além de testes psicológicos intensivos baseados em entrevistas, existem conjuntos de testes de custo razoável que podem ser feitos pela Internet. Nesse caso, os candidatos registram suas respostas às perguntas diretamente em um site e o empregador potencial acessa a análise, o grau de adequação do candidato e uma recomendação de contratação. Desenvolver e aplicar tais testes tornou-se um considerável setor de serviço por si só. Um dos grandes distribuidores globais desses testes é o SHL Group, que atende a cerca de 15.500 organizações em 30 idiomas e mais de 50 países. Consulte os testes disponíveis no site da empresa: <www.shlgroup.com>.

Apresente aos candidatos uma visão prévia realista do trabalho. Empresas de serviço devem revelar aos candidatos a realidade do cargo[32] durante o processo de recrutamento, o que dará a eles uma chance de 'experimentar o trabalho' e avaliar se há concordância. Ao mesmo tempo, recrutadores podem observar como candidatos reagem às realidades do cargo. Essa é uma maneira de a empresa permitir que alguns candidatos se autosselecionem e desistam, caso achem que o trabalho não lhes serve. A empresa, por sua vez, pode administrar as expectativas dos novos funcionários quanto à nova função. Muitas empresas de serviço adotam essa abordagem. Por exemplo, a Au Bon Pain, cadeia francesa de padarias/cafés, permite que os candidatos trabalhem em um de seus cafés durante dois dias remunerados antes da entrevista final do processo de seleção. Nesse caso, os gerentes podem observar os candidatos em ação, enquanto estes podem avaliar se gostam da função e do ambiente de trabalho.[33]

A seção Melhor prática em ação 11.1 descreve como a Southwest Airlines utiliza uma combinação de entrevistas e outras ferramentas de seleção de pessoal para identificar, em seu vasto quadro de candidatos, aqueles com a atitude adequada e com personalidade que se encaixa à cultura da empresa.

Não pare de treinar seus funcionários de serviço

Quando uma empresa tem bons profissionais, investir em treinamento pode render resultados notáveis. Os campeões do setor demonstram um forte compromisso com o treinamento por meio de palavras, recompensa financeira e ações. Como dizem Benjamin Schneider e David Bowen: "Combinar a busca de um conjunto de candidatos diversos e competentes por meio de técnicas eficazes para contratar os mais adequados daquele conjunto com treinamento exaustivo teria resultados extraordinários em qualquer mercado".[34] Funcionários de serviço precisam aprender o seguinte:

- **A cultura, o objetivo e a estratégia da organização.** Não dê trégua aos novos contratados, concentre-se em despertar compromisso emocional com a estratégia principal da empresa e promova valores fundamentais, como compromisso com a excelência do serviço, responsividade, espírito de equipe e respeito mútuo, honestidade e integridade. Use gerentes para ensinar e focalize 'o que', 'por que' e 'como', em vez de aspectos específicos do trabalho.[35] Os novos contratados da Disneylândia frequentam a 'Disney University Orientation', que começa com uma discussão detalhada da história e da filosofia da empresa, os padrões de serviço que se esperam dos membros do elenco e uma visita abrangente a suas operações.[36]

- **Habilidades interpessoais e técnicas.** Habilidades interpessoais tendem a ser genéricas para todos os cargos no setor de serviços e incluem habilidades de comunicação visual (fazer contato visual, ouvir com atenção, desenvolver linguagem corporal e até mesmo expressões faciais). Habilidades técnicas abrangem todo o conhecimento requerido relacionado com processos (por exemplo, como agir na devolução de mercadorias), máquinas (como operar o terminal ou a caixa registradora) e regras e regulamentos relacionados a processos de serviços ao cliente. Ambas as habilidades são *necessárias*, mas nenhuma delas é, por si só, *suficiente* para o ótimo desempenho no trabalho.[37]

- **Conhecimento de produto/serviço.** Conhecer o produto é um aspecto fundamental da qualidade de serviço. Os profissionais da empresa devem saber explicar com eficiência as características do produto e também posicioná-lo corretamente. Por exemplo, na seção Melhor prática em ação 11.2, Jennifer Grassano, da Dial-A-Mattress, ensina cada profissional a criar um quadro na mente do cliente.

Melhor prática em ação 11.1

Contratação na Southwest Airlines

A Southwest contrata pessoas que tenham a atitude correta e personalidade que se ajuste à da empresa. Senso de humor é fundamental. Herb Kelleher, o lendário antigo CEO e agora presidente do conselho, disse: "Quero que voar seja muito divertido! Procuramos atitudes; pessoas que tenham senso de humor e não se levem muito a sério. Nós os treinaremos para qualquer coisa que tenham de fazer, mas a única coisa que a Southwest não pode mudar na pessoa são suas atitudes inerentes". A empresa tem um único princípio fundamental, consistente: contratar pessoas que tenham o espírito apropriado. A Southwest procura pessoas que tenham personalidade extrovertida, voltada para o próximo, indivíduos que se tornem parte de uma grande família de gente que trabalha muito e se diverte ao mesmo tempo.

A abordagem esmerada da Southwest em relação à entrevista continua a evoluir à luz da experiência. Talvez sua melhor qualidade inovadora esteja na seleção de comissários de bordo. Os candidatos passam um dia visitando a empresa, em geral como parte de um grupo. Recrutadores observam como eles interagem (outra oportunidade ocorrerá na hora do almoço).

Em seguida, vêm as entrevistas pessoais. Durante o dia de visita, cada candidato passa por três entrevistas individuais 'tipo comportamental'. Baseados nas informações de supervisores e pares para uma categoria de trabalho, os entrevistadores observam entre oito e dez dimensões para cada cargo. No caso de um comissário de bordo, as dimensões podem incluir: disposição para tomar iniciativas; compaixão; flexibilidade; sensibilidade em relação às pessoas; sinceridade; orientação para atendimento a clientes; e predisposição para o trabalho de equipe. Mesmo o senso de humor é 'testado', com típicas perguntas: 'Como você usou recentemente seu senso de humor em um ambiente de trabalho?' e 'Como você usou o humor para resolver uma situação difícil?'.

A Southwest descreve a entrevista ideal como 'uma conversa' cuja meta é fazer os candidatos sentirem-se à vontade. "A primeira entrevista do dia tende a ser um pouco tensa; a segunda, mais à vontade e, quando chegamos à terceira, eles já falam muito mais. É realmente difícil fingir nessas circunstâncias." Os três entrevistadores não discutem sobre os candidatos durante o dia, mas comparam anotações depois, para reduzir o risco de serem tendenciosos.

Para ajudar a selecionar pessoas que tenham a atitude apropriada, a Southwest convida supervisores e colegas (com os quais os futuros candidatos trabalharão) para participar a fundo do processo de entrevistas e seleção. Assim, os profissionais da empresa adotam o processo de recrutamento e sentem-se de certa forma responsáveis por aconselhar os novatos e ajudá-los a ser bem-sucedidos no trabalho (em vez de imaginarem, como disse um entrevistador, "quem contratou esse convencido?"). De vez em quando a Southwest convida seus próprios viajantes mais frequentes para participar das entrevistas iniciais e contar aos candidatos a comissário de bordo o que eles, os passageiros, valorizam.

A equipe de entrevistadores solicita a um grupo de candidatos que preparem uma apresentação de cinco minutos sobre si mesmos e lhes dá bastante tempo. Durante as apresentações, os entrevistadores observam não apenas quem fala, mas também o público, para ver quais candidatos usam o tempo para melhorar suas apresentações e quais animam e apoiam seus potenciais companheiros de trabalho. Chama a atenção quem não é egoísta e apoia os companheiros de equipe, e não os candidatos que tentam aperfeiçoar suas próprias apresentações enquanto os outros estão falando.

Ao contratar pessoas com a atitude apropriada, a empresa pode promover o denominado espírito da Southwest — uma qualidade intangível das pessoas que as faz desejar fazer o que for preciso e dar mais de si sempre que necessário. A própria empresa faz um esforço extra em prol de seus funcionários e nunca demitiu ninguém, mesmo após ter decidido fechar centrais de reserva em três cidades em 2004 para cortar custos. A gerência sabe que a cultura da companhia aérea é uma de suas principais vantagens competitivas.

Fontes: Kevin e Jackie Freiberg. *Nuts! Southwest Airlines' crazy recipe for business and personal success*. Nova York: Broadway Books, 1997. p. 64-69; Christopher Lovelock. *Product plus*. Nova York: McGraw-Hill 1994. p. 323-326; Barney Gimbel, "Southwest's New Flight Plan", *Fortune*, 16 maio 2005, p. 93-98.

É óbvio que o treinamento tem de resultar em mudanças tangíveis no comportamento. Se os profissionais não aplicarem o que aprenderam, o investimento será desperdiçado. Aprender não é somente ficar mais esperto, mas também mudar atitudes e aprimorar a tomada de decisão. Para consegui-lo, é preciso prática e reforço. Supervisores podem desempenhar um papel crucial ao acompanhar regularmente os objetivos de aprendizagem, por exemplo, reunindo-se com a equipe para reforçar as principais lições extraídas de reclamações e elogios recentes (veja a Figura 11.9).

Treinamento e aprendizado profissionalizam o pessoal da linha de frente e o distanciam da (auto-)imagem comum de trabalhar em serviços de baixo nível, sem nenhum significado. Funcionários bem treinados são profissionais e sentem-se como tal. Um garçom que conheça comida, cozinha, vinhos, etiqueta e saiba interagir com clientes de maneira eficaz (mesmo com os que reclamam) sente-se um profissional, possui elevada autoestima e é respeitado por seus clientes. Portanto, treinar os funcionários é uma ferramenta muito eficaz na redução do estresse pessoal e do papel representado.

Empowerment na linha de frente

Após selecionar os candidatos certos e treiná-los bem, o próximo passo é dar autonomia ao pessoal de linha de frente. Praticamente todas as empresas de serviço avançadas têm histórias famosas de funcionários que recuperaram transações de serviços fracassadas ou deram mais de si para encantar o cliente ou evitar que acontecesse algum tipo de desastre com ele (como exemplo, veja a seção Melhor prática em ação 11.3).[38] Para isso acontecer, é preciso fortalecer os funcionários. A Nordstrom treina seus funcionários, confia que eles façam a coisa certa e lhes dá força para que possam fazê-lo. O manual de instruções da empresa tem apenas uma regra: "Use o bom senso em todas as situações". A auto-orientação do funcionário está ficando cada vez mais importante, em especial em empresas de serviço,

Melhor prática em ação 11.2

Coaching na Dial-A-Mattress

O *coaching* é um método utilizado por líderes do setor de serviços para treinar e desenvolver pessoal. Jennifer Grassano, da Dial-A-Mattress, vende colchões três dias por semana e treina outros companheiros de trabalho uma vez por semana. Ela se concentra em funcionários cuja produtividade e desempenho em vendas estão decaindo.

Sua primeira providência é ouvir os telefonemas entre o profissional e os clientes por cerca de uma hora e tomar notas detalhadas de todos. Os funcionários sabem que seus telefonemas podem ser monitorados, mas não quando isso irá acontecer, o que anularia a finalidade da escuta.

Jennifer realiza uma sessão de treinamento com o funcionário, fazendo um apanhado geral de seus pontos fortes e das áreas que podem ser melhoradas. Ela sabe como é difícil manter um alto nível de energia e transmitir entusiasmo quando se recebem 60 chamadas por turno. Também gosta de sugerir novas táticas e frases 'para animar a apresentação'. Um dos treinandos não sabia como responder de maneira eficaz quando os clientes perguntavam por que um colchão era mais caro que outro. Nesse caso, ela enfatizou a necessidade de criar um quadro na mente do cliente:

"Os clientes dependem inteiramente de nós, pois não sabem qual é a diferença entre um sistema de molas e outro. É a mesma coisa quando compro um carburador para meu carro. Não faço a mínima ideia do que é um carburador. Portanto, é preciso descrever muito bem o colchão, se quisermos ajudar o comprador a tomar a decisão certa. Diga a ele que o estofamento do colchão mais caro é mais espesso e composto de uma mistura superior de seda e lã. Não diga apenas que o colchão tem mais camadas de estofamento."

Cerca de dois meses depois, Jennifer faz uma sessão de monitoramento com o vendedor e compara seu desempenho antes e depois da sessão de *coaching* para avaliar a eficácia do treinamento.

A experiência e a produtividade de Jennifer como vendedora lhe dá credibilidade como treinadora. "Se eu não estivesse me saindo bem como vendedora, como poderia ser treinadora? Minha liderança vem do exemplo e eu seria muito menos eficiente, se fosse apenas treinadora." É claro que ela adora a oportunidade de compartilhar seu conhecimento e ensinar sua arte.

Fonte: Reproduzido com permissão de The Free Press, uma divisão da Simon & Schuster, Inc., de Leonard L. Berry. *Discovering the soul of service: the nine drivers of sustainable business success*. © 1999 por Leonard L. Berry. Todos os direitos reservados.

Figura 11.9 Instruções passadas por um supervisor em uma reunião matinal oferecem oportunidades eficazes de treinamento

porque o pessoal da linha de frente muitas vezes tem de se virar sozinho quando face a face com seus clientes, o que tende a dificultar a monitoração rigorosa de seu comportamento pelos gerentes.[39] A pesquisa também associou o alto nível de *empowerment* com maior satisfação do cliente.[40]

Há muitos serviços cuja qualidade poderá ser melhorada imediatamente, se os funcionários tiverem mais poder discricionário e forem treinados para usar o bom senso, já que não precisam perder tempo pedindo permissão de supervisores. Fortalecer significa confiar

---

Melhor prática em ação 11.3

Empowerment na Nordstrom

Van Mensah, vendedor de roupas masculinas na Nordstrom, recebeu uma carta preocupante de um de seus clientes fiéis. Ele havia comprado cerca de 2 mil dólares em camisas e gravatas e por engano lavara as camisas em água quente, o que as fez encolherem. Ele escrevia para pedir a Mensah um conselho profissional sobre o que fazer nessa situação difícil. (O cliente não reclamou e admitiu de antemão que o erro tinha sido seu.)

Mensah telefonou imediatamente e lhe ofereceu a substituição das camisas por outras novas, sem custo. Pediu também que o cliente devolvesse as camisas pelo correio por conta da Nordstrom: "Não tive de pedir permissão a ninguém para fazer o que fiz por aquele cliente", disse Mensah. "A Nordstrom prefere deixar que eu decida o que é melhor".

Middlemas, um veterano da Nordstrom disse a seus funcionários: "Vocês nunca serão criticados se fizerem demais por um cliente; só serão criticados se fizerem pouco. Caso tenham qualquer dúvida sobre o que fazer em determinada situação, sempre tomem a decisão que favoreça o cliente em vez da empresa". O Manual do Funcionário da Nordstrom confirma isso:

Bem-vindo à Nordstrom

Estamos felizes por contar com você em nossa empresa.

Nossa meta número um é prestar serviços excepcionais ao cliente.

Estabeleça objetivos pessoais e profissionais altos.

Temos grande confiança em sua capacidade para atingi-los.

Regras da Nordstrom

Regra nº 1: Use seu bom senso em todas as situações. Não há outras regras. Sinta-se à vontade para perguntar o que quiser a seu gerente de departamento, gerente de loja ou gerente geral de divisão a qualquer hora.

Fonte: Robert Spector e Patrick D. McCarthy. *The Nordstrom way*. Nova York: John Wiley, 2000. p. 15-16, 95.

à linha de frente a responsabilidade de achar soluções para problemas de serviço e tomar decisões adequadas para customizar a entrega de serviço. A empresa deve confiar que seus funcionários saberão usar essa responsabilidade de forma adequada, e os funcionários também devem confiar que não serão punidos a cada erro.

O *empowerment* é sempre adequado? Defensores afirmam que essa abordagem tem mais probabilidade de produzir funcionários motivados e clientes satisfeitos do que a alternativa da 'linha de produção', na qual a gerência elabora um sistema relativamente padronizado e espera que os profissionais executem tarefas com diretrizes restritas. Contudo, David Bowen e Edward Lawler sugerem que situações diferentes podem exigir soluções diferentes e declaram que "ambas as abordagens — a do *empowerment* e a da linha de produção — têm suas vantagens [...] e [...] cada uma se ajusta a certas situações. A chave é escolher a abordagem de gerenciamento que melhor atenda às necessidades de ambos, funcionários e clientes". Nem todos os funcionários estão ansiosos por mais autonomia; muitos não estão interessados em desenvolvimento pessoal em seu emprego e preferem trabalhar sob diretivas específicas em vez de usar sua própria iniciativa. A pesquisa mostrou que uma estratégia de *empowerment* é provavelmente mais apropriada quando a maioria dos seguintes fatores estiver presente dentro da organização e de seu ambiente:

- a estratégia de negócios da empresa baseia-se na diferenciação competitiva e na oferta de serviço personalizado;
- a abordagem de clientes baseia-se em relacionamentos ampliados em vez de em transações de curto prazo;
- a organização usa tecnologias complexas e não rotineiras;
- o ambiente de negócios é imprevisível e passível de surpresas;
- gerentes não veem problemas em permitir que seus funcionários trabalhem independentemente para o benefício da organização e de seus clientes;
- funcionários sentem grande necessidade de crescer e aprofundar suas capacidades no ambiente de trabalho, estão interessados em trabalhar com outros e têm boas habilidades interpessoais para trabalhar em grupo.[41]

Controle *versus* envolvimento. A abordagem da linha de produção para a gestão de pessoas baseia-se no modelo de *controle* da estrutura e do gerenciamento da organização. Existem papéis claramente definidos, sistemas de controle de cima para baixo, estruturas hierárquicas em pirâmide e um consenso geral de que quem sabe das coisas é a gerência. *Empowerment*, ao contrário, baseia-se no modelo do *envolvimento* ou *compromisso*, que admite que a maioria dos funcionários poderá tomar boas decisões e produzir boas ideias para a operação do negócio, se for adequadamente socializada, treinada e informada. Esse modelo também admite que os funcionários tenham suas próprias motivações para agir com eficiência e que são capazes de autocontrole e auto-orientação.

Schneider e Bowen salientam que *"empowerment* não é apenas o ato de 'dar liberdade à linha de frente' ou 'jogar fora os manuais de política da empresa'. *Empowerment* requer a redistribuição sistemática de quatro componentes essenciais por toda a organização, de cima a baixo".[42] Essas quatro características são:

- *informação* sobre o desempenho organizacional (por exemplo, resultados operacionais e medições de desempenho da concorrência);
- *conhecimento* que habilite os funcionários a entender e a contribuir para o desempenho organizacional (como habilidade para resolver problemas);
- *poder* de tomar decisões que influenciem procedimentos de trabalho e direção organizacional (por exemplo, por meio de círculos de qualidade e equipes de autogestão);
- *recompensas* baseadas em desempenho organizacional (por exemplo, bônus, participação nos lucros e opções de compra de ações).

No modelo de controle, essas quatro características estão concentradas no topo da organização; no modelo de envolvimento, elas passam para baixo, por toda a organização.

Cenário brasileiro 11.2

Empowerment na hotelaria de luxo

O ritmo frenético das empresas, em mercados cada vez mais competitivos, reduziu a eficiência dos sistemas hierárquicos tradicionais de gestão. Os modelos hierárquicos tiveram sucesso durante a Revolução Industrial, quando aumentaram muito a produtividade pela divisão do trabalho em tarefas simples e repetitivas. Após um rápido treinamento, qualquer trabalhador sem muita qualificação podia realizar as tarefas. Problemas fora da rotina eram poucos e, quando surgiam, eram levados aos supervisores, que quando não resolviam levavam aos gerentes e engenheiros. Funcionou bem por muito tempo, quando o ambiente era estável e rotineiro, e os problemas eram poucos e fáceis de serem resolvidos. No mercado competitivo atual, as empresas precisaram encontrar novas soluções para resolver problemas novos e que pediam soluções imediatas. Assim, cortaram níveis de decisão — em alguns casos, de dez para quatro — para que as decisões fluíssem mais rápidas por sua estrutura. E ofereceram maior autonomia a seus funcionários, para que eles tomem decisões sem precisar consultar superiores e aguardar a resposta. Essa delegação de autoridade e autonomia foi denominada de *empowerment*, que significa criar um ambiente de maior poder de decisão para o funcionário. O perfil de funcionário agora demandado também mudou. Não basta aquele que sabe seguir instruções e respeitar a hierarquia; agora são importantes aqueles que trazem capital intelectual e empreendedorismo para a empresa, são proativos, capazes de criar e manter relacionamentos e mostrar liderança. Ele deve ser capaz de gerir sua carreira, embora a empresa continue corresponsável por seu desenvolvimento, investindo em seu crescimento profissional. E deve ter personalidade equilibrada para lidar adequadamente com as novas responsabilidades e poder, com padrões éticos de comportamento.

A empresa também deve permitir a participação no processo estratégico e criar processos, sistemas de informação e estruturas que permitam sua atuação com autonomia. O *empowerment* faz parte dos valores de uma empresa, e a empresa que decidir implantá-lo, deve considerar o processo necessário para que ocorra uma mudança cultural, o que pode levar alguns anos. As metas, o controle e a cobrança de resultados permanecem, mas o funcionário tem autonomia para encontrar as formas de atender os objetivos da empresa. A avaliação deve recompensar os que atuaram de forma adequada.

Um setor onde o *empowerment* foi implantado com sucesso é a hotelaria de luxo, para atender a clientes exigentes que não esperam para receber o serviço. Em São Paulo, os quatro hotéis de maior luxo são Fasano, Emiliano, Unique e Grand Hyatt. Alguns dos prerrequisitos para trabalhar nesses hotéis são a capacidade de observação, a discrição e o perfeccionismo. É preciso ficar atento, para oferecer um serviço impecável, sem esperar por instruções. Observar de que lado da cama o cliente dorme, se usa edredom ou manta, se prefere o despertador na cabeceira, o canal de TV favorito e o nível do ar-condicionado, para manter o quarto como o hóspede gosta. Se o cliente tem um animal de estimação, este recebe cama e alimentos especiais. Roupas delicadas são penduradas em cabides revestidos de seda. Se um cliente acompanhado pede um sanduíche, este é servido com dois pratos e conjuntos de talheres. Depois de elogiar o pão de queijo que comera em um shopping, um cliente estrangeiro encontrou uma porção deles em seu café da manhã no dia seguinte. Uma funcionária ouviu um cliente comentar que não encontrara um livro; comprou-o ela mesma e entregou no dia seguinte. Um cliente fã de Ayrton Senna foi encaminhado a uma agência que organizava tours a seu túmulo e ainda recebeu flores para levar.

Para conseguir surpreender seus hóspedes com tal rapidez, esses funcionários estão autorizados a sempre colocar o cliente em primeiro lugar e possuem até uma verba para esses 'agrados'. Em hotéis, a experiência tem um peso muito grande na satisfação, e seus executivos sabem que o investimento nesses pequenos detalhes terá retorno garantido com as muitas visitas que esses clientes satisfeitos ainda farão.

Níveis de envolvimento do funcionário. As abordagens de *empowerment* e de linha de produção estão nas extremidades de um espectro que reflete níveis crescentes de envolvimento do funcionário à medida que conhecimento adicional, informações, poder e recompensas descem até a linha de frente. O *empowerment* pode ocorrer em vários níveis:

- *envolvimento por sugestão* fortalece os funcionários para que façam recomendações segundo programas formalizados. O McDonald's, que é tido como um arquétipo da abordagem de linha de produção, ouve atentamente a seu pessoal da linha de frente. Inovações que vão de novos lanches a métodos de embrulhar sanduíches sem deixar a marca do polegar no pão foram inventadas por funcionários;

- *envolvimento no cargo* representa uma abertura radical do conteúdo dos cargos. Eles são reestruturados para permitir que os funcionários utilizem mais habilidades. Em organizações de serviços complexas, como empresas aéreas e hospitais, onde um funcionário não pode oferecer todas as facetas de um serviço, o envolvimento no cargo costuma ser conseguido com equipes. Para enfrentar as demandas adicionais que acompanham essa forma de *empowerment*, é preciso treinar os funcionários, e os supervisores devem ser reorientados para, em vez de dirigirem o grupo, facilitar seu desempenho mostrando apoio;

- *alto envolvimento* proporciona um sentimento de envolvimento no desempenho geral da empresa mesmo ao pessoal menos graduado. A informação é compartilhada e os funcionários desenvolvem habilidades para trabalho de equipe, resolução de problemas e operação de negócios, além de participarem de decisões administrativas de seus departamentos. Há participação nos lucros, muitas vezes sob a forma de bônus.

A Southwest Airlines é um exemplo de empresa de alto envolvimento, que promove bom senso e flexibilidade. A empresa confia em seus funcionários e lhes dá o espaço, o poder de discernimento e a autoridade de que precisam para executar seus serviços. A Southwest eliminou regras de trabalho inflexíveis e descrições de cargos rígidas, de modo que seu pessoal assuma a responsabilidade de fazer o trabalho ser cumprido e os aviões chegarem e partirem no horário, pouco importando quem seja o responsável 'oficial'. Isso lhes dá a flexibilidade de se ajudarem quando necessário. Assim, eles adotam a mentalidade do 'fazer o que for preciso'.

Mecânicos e pilotos da Southwest podem ajudar o pessoal de pista a embarcar malas no avião. Quando um voo atrasa, não é incomum ver pilotos ajudando passageiros em cadeiras de rodas a embarcar, os agentes operacionais a receber cartões de embarque ou mesmo os comissários de bordo a limpar as cabines. Essas ações refletem o modo como eles se adaptam à situação e assumem a responsabilidade de embarcar os passageiros mais rapidamente. Além disso, os funcionários da Southwest usam bom senso, e não regras, quando se trata do interesse do cliente.

Rod Jones, segundo piloto, lembra-se de um comandante que saiu do portão de embarque levando um senhor idoso que embarcara no avião errado. O cliente estava constrangido e muito perturbado. A Southwest pede aos pilotos que não voltem ao portão com um cliente que embarcou em voo errado. Nesse caso, o capitão estava preocupado com o bem-estar do indivíduo. "Portanto, ele se adaptou à situação", diz Jones. "Voltou ao portão, o passageiro desembarcou, o avião saiu novamente e o piloto fez um relatório sobre a irregularidade. Ainda que tenha descumprido as regras, ele usou seu discernimento e fez o que achava melhor. E nós dissemos: 'É isso aí!'".[43]

A TAM também ficou conhecida pelo envolvimento de seus funcionários, onde até o presidente, Comandante Rolim, participava dos voos e do atendimento aos passageiros.

Criando equipes de entrega de serviço de alto desempenho

Uma equipe pode ser definida como "um pequeno grupo de pessoas com habilidades complementares dedicadas a um propósito em comum, a um conjunto de metas de desempenho e a uma abordagem, pelos quais se comprometem a ser mutuamente responsáveis".[44] A natureza de muitos serviços requer que as pessoas trabalhem em equipes, muitas vezes em várias funções, se quiserem oferecer aos clientes processos de serviço impecáveis.

Muitas empresas foram organizadas em estruturas funcionais, com um departamento encarregado de realizar consultas e vendas (por exemplo, vender um telefone celular com contrato de adesão); outro, do atendimento ao cliente (como ativação de serviços de valor agregado, mudanças de planos de adesão); e um terceiro de faturamento e cobrança. Esse tipo de estrutura impede que equipes de serviço internas considerem clientes finais como seus e também pode significar pior trabalho em todas as funções, serviços mais lentos e mais erros. Quando clientes têm problemas de serviço, perdem-se com facilidade no emaranhado das funções.

Pesquisas empíricas confirmaram que o próprio pessoal da linha de frente considera a falta de apoio entre departamentos um fator importante que os impede de satisfazer seus clientes.[45] Por causa desses problemas, cada vez mais empresas de serviço em muitos setores necessitam de equipes multifuncionais que atendam os clientes do início ao fim. Tais equipes também são conhecidas como equipes de autogestão.[46]

O poder do trabalho de equipe em serviços. Equipes, treinamento e *empowerment* andam de mãos dadas. Equipes facilitam a comunicação entre seus participantes e o compartilhamento do conhecimento. Funcionando como uma pequena unidade independente, equipes de serviço assumem mais responsabilidades e exigem menos supervisão do que unidades de serviço ao cliente mais tradicionais, organizadas por funções. Além do mais, equipes costumam determinar para si metas de desempenho mais altas do que supervisores determinariam. Em uma boa equipe, a pressão pelo desempenho é alta.[47] A seção Melhor prática em ação 11.4 mostra como a Singapore Airlines usa equipes para dar suporte emocional e monitorar a tripulação de bordo e como a empresa avalia, premia e promove eficientemente seu pessoal.

Alguns estudiosos acham que há ênfase exagerada na contratação de 'estrelas individuais', sobretudo nos Estados Unidos, onde se dá grande importância à capacidade e à motivação do indivíduo. Charles O'Reilly e Jeffrey Pfeffer, professores da Universidade Stanford, enfatizam que o modo como as pessoas trabalham em equipe muitas vezes é tão importante quanto a capacidade individual dessas pessoas e que o desempenho individual de estrelas pode ser superado pelo desempenho de outros por meio de trabalho de equipe de qualidade superior.[48]

Na Custom Research Inc. (CRI), empresa de pesquisa de marketing progressista e bem-sucedida, os sentimentos dos membros de equipes são ilustrados pelas seguintes declarações:

- "gosto de participar da equipe. Você sente que pertence a algo. Todos sabem o que está acontecendo";
- "somos os donos do negócio. Todos aceitam a responsabilidade e procuram ajudar";
- "quando um cliente precisa de algo em uma hora, todos trabalhamos juntos para resolver o problema";
- "não há pessoas preguiçosas. Todos contribuem".[49]

Capacidade de trabalho de equipe e motivação são cruciais para a entrega eficaz de muitos tipos de serviço, sobretudo aqueles que envolvem indivíduos que desempenham papéis especializados. Por exemplo, serviços de saúde dependem muito da eficácia do trabalho de equipe de muitos especialistas (veja Figura 11.10).

Criando equipes de entrega de serviço bem-sucedidas. Não é fácil fazer equipes funcionarem bem. Se os participantes não estiverem preparados e a estrutura da equipe não for correta, a empresa correrá o risco de ter, de início, voluntários entusiasmados que

Figura 11.10 Equipes de cirurgia trabalham sob condições particularmente exigentes

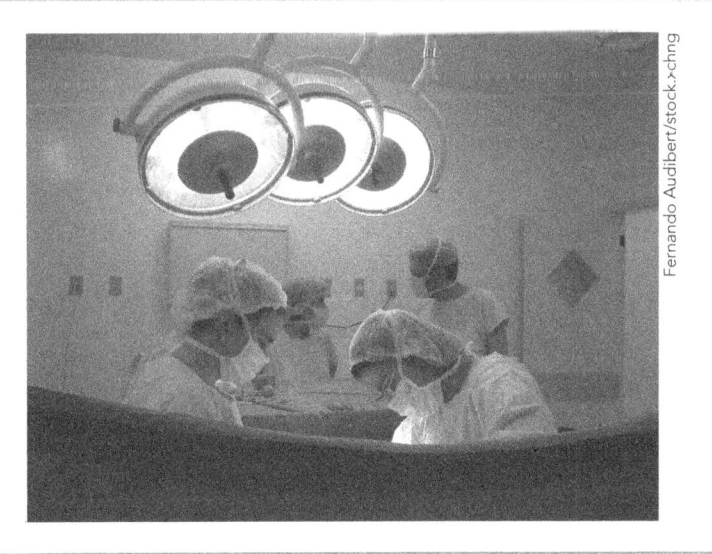

> **Melhor prática em ação 11.4**
>
> ## O conceito de equipe da Singapore Airlines
>
> A Singapore Airlines (SIA) compreende a importância do trabalho de equipe na entrega de excelência de serviço e tem focado a criação do espírito de equipe em suas tripulações de bordo, o que é difícil porque muitos membros da tripulação estão espalhados por todo o mundo. A resposta da SIA é o 'conceito de equipe'.
>
> Choo Poh Leong, gerente sênior de desempenho de tripulações de bordo, explicou:
>
> "Para gerenciar de maneira eficaz nosso pessoal de bordo, um quadro de 6.600 profissionais, nós os dividimos em pequenas unidades, com um líder encarregado de aproximadamente 13 pessoas. Tentamos escalar essas pessoas para voarem juntas o mais frequentemente possível. Voar junto, como uma unidade, permite que eles desenvolvam camaradagem e os participantes sintam-se como parte de uma equipe, e não apenas um membro da tripulação. O líder os conhece muito bem, conhece seus pontos fortes e fracos e será seu mentor e conselheiro, isto é, alguém a quem eles podem recorrer se precisarem de ajuda ou conselho. Os 'treinadores de verificação' supervisionam 12 ou 13 equipes e voam com elas sempre que possível, não apenas para inspecionar seu desempenho, mas também para ajudar sua equipe a se desenvolver.
>
> "A interação dentro de cada uma das equipes é muito intensa. O resultado é que, quando um líder de equipe faz um elogio ao pessoal, é porque o conhece realmente. Você ficaria assombrado com a meticulosidade e o grau de detalhe dos registros de cada equipe. Portanto, assim temos um bom controle e, por esse controle, podemos assegurar que a tripulação cumpre o prometido. Eles sabem que estão sob constante monitoração e, portanto, fazem o que devem fazer. Se houver problemas, nós saberemos e então poderemos enviá-los para novo treinamento. Os que forem bons serão selecionados para promoção."
>
> De acordo com Toh Giam Ming, gerente sênior de desempenho de tripulações, "o que é bom no conceito de equipe é que, apesar do grande número de tripulantes, as pessoas podem relacionar-se com uma equipe e ter a sensação de pertencer a um grupo. 'Esta é minha equipe.' E eles ficam reunidos de um a dois anos e escalados juntos em cerca de 60 a 70 por cento do tempo, o que significa que viajam bastante juntos... Desse modo, sobretudo para os mais novos, creio que eles tenham menos problemas de adaptação à carreira, qualquer que tenha sido sua experiência profissional. Porque, quando você se entrosa com a equipe, recebe apoio e orientação sobre como fazer as coisas."
>
> Choo Poh Leng acrescenta: "O indivíduo, como você sabe, não é um dígito ou um membro da equipe; se não houver espírito de equipe nos voos, teremos 6 mil pessoas desconectadas e poderá ser bem difícil realmente conhecer uma pessoa em particular".
>
> A SIA também possui uma série de atividades aparentemente dissociadas na divisão de tripulação de bordo. Por exemplo, há um comitê chamado *Performing Arts Circle* formado por funcionários que tenham algum talento artístico. Em um recente jantar de gala dos tripulantes de bordo, membros da SIA arrecadaram cerca de meio milhão de dólares para caridade. Além do *Performing Arts Circle*, a SIA tem círculos gourmet, de línguas (grupos de alemão e francês) e até de esportes (futebol e tênis). Como mencionou Sim Kay Wee, "A SIA acredita que essas coisas realmente estimulam a camaradagem e o trabalho de equipe".
>
> **Fontes:** Jochen Wirtz, Loizos Heracleous e Nitin Pangarkar, "Managing human resources for service excellence and cost effectiveness at Singapore Airlines", *Managing Service Quality*, 18, n. 1, 2008, p. 4-19; Loizos Heracleous, Jochen Wirtz e Nitin Pangarkar. *Flying high in a competitive industry: secrets of the world's leading airline*. Singapore: McGraw-Hill, 2009.

não possuem as competências requeridas pelo trabalho de equipe. Entre as capacidades necessárias estão não somente cooperação, ouvir os outros, treinar e estimular os colegas, mas também perceber como comunicar diferenças, dizer verdades, mesmo as dolorosas, e fazer perguntas difíceis. Tudo isso requer treinamento.[50] A gerência também precisa montar uma estrutura que guiará as equipes em direção ao sucesso. Um bom exemplo é a American Express Latin America, que desenvolveu as seguintes regras para fazer funcionar suas equipes:

- cada equipe tem um 'representante': uma pessoa que assume a responsabilidade pelos problemas do grupo;

- cada equipe tem um líder que monitora o progresso e o processo do grupo. Os líderes são selecionados por seu grande conhecimento do negócio e habilidade para lidar com pessoas;

- cada equipe tem um mediador de qualidade: alguém que sabe como fazer com que equipes funcionem e que pode derrubar barreiras ao progresso e treinar os outros para trabalhar com eficiência.[51]

Motive e energize as pessoas

Tão logo uma empresa tenha contratado, treinado e fortalecido as pessoas certas e as tenha organizado em equipes eficazes de entrega de serviço, como ela pode garantir que esses profissionais entregarão excelência de serviço? O desempenho do pessoal decorre da habilidade e da motivação.[52] Contratar, treinar, fortalecer e organizar equipes de modo eficaz resulta em pessoas capazes, e os sistemas de recompensa são a chave da motivação. Funcionários devem entender a mensagem de que prestar serviço de qualidade é a chave da recompensa. Motivar e premiar bons profissionais são dois dos modos mais eficazes de retê-los. O pessoal logo percebe se aqueles que conseguem promoções são de fato os mais destacados e se os demitidos são os que não atingem os padrões necessários para atender clientes.

Um grande motivo de fracasso em empresas é que elas não utilizam com eficácia toda a gama de recompensas. Muitas organizações pensam em dinheiro como recompensa, mas isso não passa no teste da premiação eficaz. Salário justo é um fator de higiene, mais do que de motivação. Pagar mais do que parece justo provoca efeitos motivadores de curto prazo que logo desapareçam. Os efeitos são apenas profiláticos, evitam a insatisfação, mas geram pouca satisfação a longo prazo. Por outro lado, bônus ligados ao desempenho devem ser merecidos a cada vez e, portanto, seu efeito tende a ser mais efetivo. Outras recompensas de efeitos duradouros são o conteúdo do trabalho em si, reconhecimento e *feedback* e cumprimento de metas.

Conteúdo do trabalho. As pessoas sentem-se motivadas e ficam satisfeitas apenas por saberem que fazem um bom trabalho. Sentem-se bem com elas mesmas e gostam de reforçar esse sentimento. Isso é válido especialmente se a função também oferece atividades variadas, exige a conclusão de porções 'inteiras' e identificáveis do trabalho. Além disso, quando a função é considerada significativa por causar um impacto na vida de outros, ela prove autonomia e uma fonte de *feedback* clara e direta para medir a qualidade do trabalho dos funcionários (como clientes agradecidos ou vendas).

Retorno e reconhecimento. Seres humanos são criaturas sociais e derivam um sentido de identidade e pertencimento a uma organização por causa do reconhecimento e do *feedback* que recebem dos próximos: clientes, colegas e chefes. Se os funcionários forem reconhecidos e a empresa mostrar-se agradecida pela excelência de serviço, eles desejarão entregá-lo. Desde que bem-feitas, premiações do tipo 'funcionário do mês' reconhecem desempenhos excelentes e podem ser altamente motivadoras.

Cumprimento de metas. Metas focalizam a energia das pessoas. Metas específicas, difíceis, porém atingíveis, e aceitas pelo pessoal são fortes motivadores e resultam em desempenho mais alto do que nenhuma meta, metas indefinidas (por exemplo, 'faça o melhor que puder') ou metas impossíveis de serem cumpridas.[53] Em suma, são motivadores eficazes.

Eis alguns pontos importantes que devem ser observados na determinação de metas eficazes:

- cumprir metas é, em si, uma recompensa, quando elas são consideradas importantes;

- o cumprimento de metas pode ser usado como base para recompensas, incluindo pagamento, *feedback* e reconhecimento. *Feedback* e reconhecimento de colegas podem ser dados com mais rapidez, menos custo e mais eficácia do que pagamentos e além disso são gratificantes para a autoestima dos funcionários;

- metas específicas e difíceis devem ser determinadas publicamente para serem aceitas. Embora as metas devam ser específicas, elas também podem ser algo intangível, como taxas de melhoria no quesito cortesia dos funcionários;

- relatórios de acompanhamento do cumprimento de metas (*feedback*) e o próprio cumprimento das metas devem ser eventos públicos (reconhecimento), se o objetivo for atender à necessidade de autoestima de funcionários;

- na maior parte das vezes, é desnecessário especificar meios para atingir metas. Acompanhamento e *feedback* no decurso da atividade servem como uma função corretiva. Contanto que seja específica, difícil, porém alcançável e aceita, a meta, se perseguida, será cumprida, mesmo na ausência de outras recompensas.

Empresas bem-sucedidas reconhecem que questões pessoais são complexas. A Hewitt Associates, de serviços de gestão do capital humano, capta o desafio da complexidade do quadro de funcionários em sua propaganda (Figura 11.11). Charles O'Reilly e Jeffrey Pfeffer pesquisaram a fundo por que algumas empresas conseguem ser bem-sucedidas durante longos períodos de tempo em setores de alta competitividade sem terem as fontes costumeiras de vantagem competitiva, como barreiras à entrada ou tecnologia própria e exclusiva. Concluíram que elas não alcançavam o sucesso vencendo a guerra pelo talento (embora fossem muito cuidadosas na contratação por ajuste ao cargo), "mas utilizando todo o potencial do talento e liberando a motivação das pessoas já existentes na organização."[54]

O papel dos sindicatos

Sindicatos e excelência de serviço aparentemente não se misturam. O poder do trabalho organizado é muito citado como desculpa para não adotar novas abordagens em empresas de serviços e manufatureiras. "Isso jamais será aprovado pelos sindicatos", dizem os gerentes, torcendo as mãos e fazendo comentários sombrios sobre práticas trabalhistas restritivas. Sindicatos costumam ser retratados como vilões na imprensa, em especial quando greves de grande visibilidade causam transtornos a milhões de pessoas. Muitos gerentes demonstram grande aversão por sindicatos.

Ao contrário dessa visão negativa, muitas das empresas de serviços bem-sucedidas no mundo inteiro são sindicalizadas. A Southwest Airlines é um exemplo. A presença de sindicatos em uma empresa de serviços não é uma barreira automática ao alto desempenho e à inovação, a menos que haja um longo histórico de desconfiança, relacionamentos ácidos e confrontos.

Jeffrey Pfeffer observou ironicamente que "sindicatos e negociação coletiva [...] são assuntos que fazem pessoas que normalmente seriam sensatas perderem sua objetividade".[55] Ele propõe uma abordagem pragmática da questão, salientando que "os efeitos dos sindicatos dependem muito daquilo que *a gerência* faz". Salários mais altos, rotatividade mais baixa, maior clareza nos procedimentos contra injustiças e melhores condições de trabalho, encontrados com frequência em organizações sindicalizadas, resultarão em benefícios positivos em uma organização de serviços bem administrada. Além disso, consultar representantes de sindicatos e negociar com eles é essencial se a empresa pretende que seus funcionários aceitem novas ideias (condições que são igualmente válidas para empresas não sindicalizadas). O desafio é trabalhar em conjunto com os sindicatos para criar um clima para serviços.[56]

Figura 11.11 "Questões relativas a pessoal são complexas: gerenciá-las não precisa ser", declara a Hewitt Associates

Cultura e liderança em serviço

Até aqui discutimos as principais estratégias que ajudam a conduzir uma organização na direção da excelência de serviço. Contudo, para realmente chegar lá, precisamos de uma cultura forte que seja continuamente reforçada e desenvolvida pela gerência da empresa para obter alinhamento com a estratégia corporativa.[57] Uma *liderança carismática*, também denominada *liderança de transformação*, acarreta mudanças fundamentais em valores, metas e aspirações da linha de frente para que fiquem consistentes com as da empresa. Nesse caso, é maior a probabilidade de o pessoal fazer o melhor que puder e apresentar desempenho 'acima e além do dever', porque isso é compatível com seus próprios valores, crenças e atitudes.[58]

Leonard Berry defende a liderança orientada por valor que inspire e oriente provedores de serviços. A liderança deve despertar a paixão por servir e aproveitar a criatividade de provedores de serviços, alimentar sua energia e seu comprometimento e lhes dar uma vida profissional repleta de realizações. Entre os valores principais que Berry constatou em conceituadas empresas de serviço estão excelência, inovação, alegria, trabalho de equipe, respeito, integridade e lucro social.[59] Esses valores são parte da cultura da empresa. Uma cultura de serviço pode ser definida como:

- percepções compartilhadas do *que* é importante em uma organização;
- valores e crenças compartilhadas do *porquê* de essas coisas serem importantes.[60]

Profissionais de serviço acreditam muito no que percebem como importante e balizam suas percepções não tanto no que a empresa e seus líderes dizem, mas no que fazem. São suas experiências diárias com os recursos humanos, as operações e as práticas de marketing da empresa que lhes proporcionam o entendimento do que é importante.

Quando a cultura de serviço é forte, toda a organização focaliza a linha de frente e entende que ela é a linha vital da empresa. E também entende que as receitas de hoje e de amanhã são geradas, em grande parte, pelo que acontece no encontro de serviço. A Figura 11.12 apresenta a pirâmide invertida, que salienta a importância da linha de frente e mostra que o papel da alta e da média gerência é dar suporte a esses funcionários em sua tarefa de proporcionar excelência de serviço aos clientes.

Figura 11.12 A pirâmide organizacional invertida

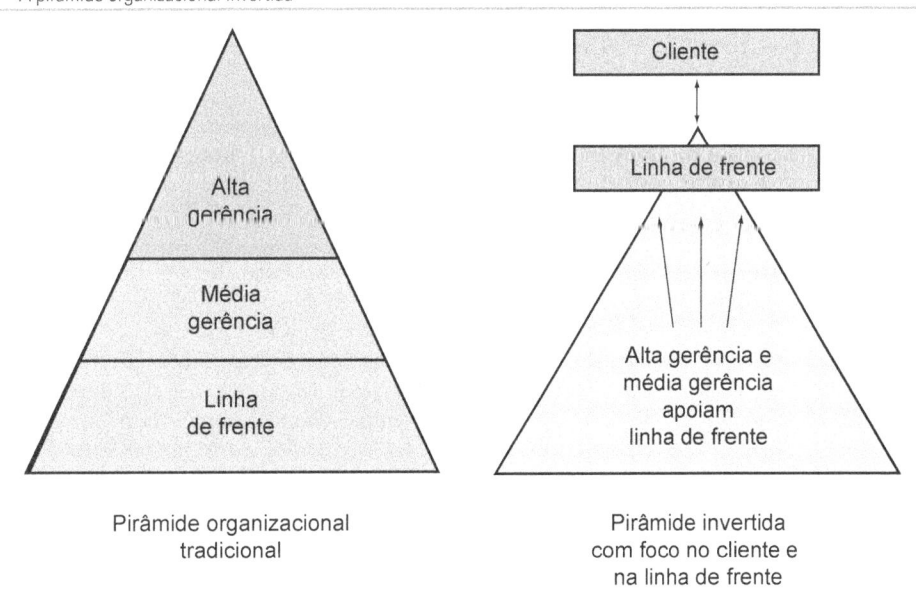

Pirâmide organizacional tradicional
- Alta gerência
- Média gerência
- Linha de frente

Pirâmide invertida com foco no cliente e na linha de frente
- Cliente
- Linha de frente
- Alta gerência e média gerência apoiam linha de frente

Legenda: ↕ = Encontros de serviço ou "momentos de verdade"

Em empresas que têm paixão por serviços, as ações da alta gerência demonstram que o que acontece na linha de frente é de crucial importância, e por isso ela se mantém bem informada e seu envolvimento é ativo. Gerentes de alto nível fazem isso conversando e trabalhando periodicamente com a linha de frente e os clientes. Muitos passam um tempo razoável atendendo clientes. Por exemplo, a gerência do Disney World passa duas semanas por ano desempenhando funções de linha de frente, como varrer ruas e vender sorvete, ou como monitores, para avaliar e conhecer melhor o que acontece em campo.[61]

Líderes em serviços não se interessam apenas pelo quadro geral, mas também pelos detalhes; eles veem oportunidades em pequenas diferenças que seus concorrentes poderiam considerar triviais e acreditam que o modo como a empresa trata essas pequenas coisas determina o tom do tratamento de todo o resto.

Marketing interno

Além de uma forte liderança que focalize a linha de frente, é preciso grande esforço de comunicação para modelar a cultura e fazer a mensagem chegar a todos. Líderes em serviço usam várias ferramentas para desenvolver suas culturas, que abrangem desde treinamento e princípios essenciais até eventos e comemorações da empresa.

Comunicações internas, de gerentes sêniores a seus funcionários, desempenham um papel vital na manutenção e no estímulo a uma cultura corporativa baseada em valores de serviço específicos. Ações bem planejadas de marketing interno são especialmente necessárias em grandes empresas de serviços que operam em localidades dispersas, às vezes ao redor do mundo. Mesmo quando os funcionários trabalham longe da matriz no país de origem, é preciso mantê-los informados sobre novas políticas, mudanças em características de serviços e novos projetos de qualidade. As comunicações também podem ser necessárias para estimular o espírito de equipe e sustentar metas corporativas comuns para além das fronteiras nacionais. Pense no desafio de manter um senso de propósito único nos escritórios no exterior de empresas como Citibank, Air Canada, Marriott ou Starbucks, onde pessoas de diferentes culturas e idiomas devem trabalhar juntas para criar níveis consistentes de serviço.

Comunicações internas eficazes podem contribuir para uma entrega de serviço eficiente e satisfatória; construir relacionamentos produtivos e harmoniosos; e desenvolver confiança, respeito e fidelidade entre os funcionários. As mídias mais usadas são boletins e revistas de circulação interna, vídeos, redes privativas de TV corporativa como as da FedEx e da Merrill Lynch, Intranets (redes privadas de sites e e-mails inacessíveis ao público em geral), instruções pessoais e campanhas promocionais que utilizam exposições, premiações e programas de reconhecimento.

O Ritz-Carlton, por exemplo, traduziu os principais requisitos de produto e serviço de seus clientes nos Padrões de Ouro do Ritz-Carlton (*Ritz-Carlton Gold Standards*), que incluem um credo, um lema, três etapas de serviços e 20 valores de serviços (veja a seção Melhor prática em ação 11.5). Um aspecto importante dos valores de serviços é sua estrutura hierárquica. Os de número 10, 11 e 12 representam valores funcionais como segurança pessoal e patrimonial e limpeza. O Ritz-Carlton refere-se ao próximo nível de excelência como envolvimento emocional, que cobre os valores de 4 a 9. Eles se referem à aprendizagem e ao crescimento profissional, trabalho de equipe, serviço, resolução de problemas e recuperação de serviço, inovação e melhoria contínua. Para além das necessidades funcionais e do envolvimento emocional dos hóspedes está o terceiro nível, que se relaciona com os valores 1, 2 e 3 e é conhecido como 'a mística do Ritz-Carlton'. Esse nível visa criar experiências únicas, memoráveis e pessoais de clientes que a empresa acredita que só ocorrem quando funcionários entregam desejos e necessidades expressos e não expressos e quando se esforçam para desenvolver relacionamentos duradouros entre o hotel e seus clientes.[62] Os três níveis estão refletidos no Sexto Diamante dos Padrões de Ouro do Ritz-Carlton como 'um novo *benchmark* no setor hoteleiro e os três níveis para obter tanto o envolvimento dos funcionários quanto o dos clientes'.[63]

Tim Kirkpatrick, diretor de treinamento e desenvolvimento do Boston Common Hotel da rede Ritz-Carlton disse: "Os Padrões de Ouro são parte de nosso uniforme, exatamente como o crachá. Mas, lembrem-se, eles não passam de um cartão plastificado até que vocês os coloquem em ação".[64] Para reforçar esses padrões, toda manhã a preleção inclui a discussão de um dos padrões. A meta dessas discussões é manter a filosofia do Ritz-Carlton sempre presente na mente dos funcionários.

Melhor prática em ação 11.5

Padrões de ouro do Ritz-Carlton

Padrões de ouro

Nossos padrões de ouro formam a base do The Ritz-Carlton Hotel Company, LLC. Eles abrangem os valores e a filosofia segundo os quais atuamos e incluem:

O Credo

O Ritz-Carlton é um lugar em que a atenção e o conforto genuínos de nossos hóspedes é nossa maior missão.

Nosso compromisso é oferecer o melhor serviço para nossos hóspedes, que sempre desfrutarão um ambiente caloroso e relaxado, sem deixar de ser refinado.

A experiência do Ritz-Carlton reaviva os sentidos, incute bem-estar e satisfaz até desejos e necessidades não expressas de nossos hóspedes.

Lema

No The Ritz-Carlton Hotel Company, "Somos senhoras e cavalheiros que prestam serviços a senhoras e cavalheiros". Esse lema ilustra o serviço proativo prestado por toda nossa equipe.

Três etapas de serviço

1. Um cumprimento caloroso e sincero. Chame os hóspedes pelo nome.
2. Antecipação e satisfação das necessidades de cada hóspede.
3. Uma despedida afetuosa. Dê um 'Até logo' caloroso e chame o hóspede pelo nome.

Valores de serviços: tenho orgulho de ser Ritz-Carlton

1. Construo relacionamentos fortes e crio hóspedes Ritz-Carlton para toda a vida.
2. Sempre atendo a desejos e necessidades expressos e não expressos de nossos hóspedes.
3. Tenho autonomia para criar experiências únicas, memoráveis e pessoais a nossos hóspedes.
4. Compreendo meu papel em atingir os fatores críticos de sucesso, adotando as pegadas da comunidade e criando a mística do Ritz-Carlton.
5. Busco incessantemente oportunidades de inovar e melhorar a experiência do Ritz-Carlton.
6. Adoto e imediatamente resolvo os problemas dos clientes.
7. Crio um ambiente de trabalho de equipe e de serviços complementares, para que as necessidades de nossos hóspedes e de cada um de nós sejam atendidas.
8. Tenho a oportunidade de aprender e crescer continuamente.
9. Estou envolvido no planejamento do trabalho que me afeta.
10. Tenho orgulho de minha aparência pessoal, modo de falar e comportamento.
11. Protejo a privacidade e a segurança de nossos hóspedes e de meus colegas, bem como as informações confidenciais e os ativos da empresa.
12. Sou responsável por níveis rigorosos de limpeza e por criar um ambiente seguro e livre de acidentes.

O sexto diamante

Mística
Envolvimento emocional
Funcional

A promessa do funcionário

No Ritz-Carlton, nossas senhoras e cavalheiros são o recurso mais importante de nosso compromisso de servir a nossos hóspedes.

Ao aplicar os princípios de verdade, honestidade, respeito, integridade e comprometimento, estimulamos e maximizamos talentos em prol do benefício de cada indivíduo e da empresa.

O Ritz-Carlton fomenta um ambiente de trabalho em que a diversidade seja valorizada, a qualidade de vida realçada, as aspirações individuais atendidas e a mística do Ritz-Carlton reforçada.

Fonte: © 1992-2006 The Ritz-Carlton Hotel Company LLC. Todos os direitos reservados. Reprodução permitida.

Outro bom exemplo de empresa que tem uma cultura forte é a Southwest Airlines, que sempre utiliza novas ideias criativas para fortalecer sua cultura. Os membros do Comitê de Cultura da empresa são defensores ferrenhos quando se trata de manter o sentido de família. O comitê representa todos, desde comissários de bordo e encarregados de reservas até altos executivos. Como observou um dos participantes, "O Comitê de Cultura não é formado por pessoas importantes; é um comitê de 'grandes corações'". Seus membros não pretendem conquistar poder. Eles usam o poder do espírito da Southwest para melhor conectar pessoas com os fundamentos culturais da empresa. O comitê trabalha nos bastidores para promover o compromisso da empresa com seus valores essenciais. Eis alguns exemplos de eventos que reforçam a cultura da Southwest:

- **coloque-se em meu lugar.** Esse programa ajudou os funcionários a avaliar o trabalho dos outros. Eles são convidados a visitar um departamento diferente em seus dias de folga e passar um mínimo de seis horas 'em ação'. Esses participantes foram recompensados não apenas com passagens de ida e volta transferíveis, mas também com boa vontade e elevação do moral.

- **um dia em campo.** Atividade é praticada em toda a empresa durante o ano inteiro. Por exemplo, Barri Tucker, na época uma representante de comunicações sênior no escritório central, juntou-se a três comissários de bordo para uma viagem de três dias. Tucker ganhou por vivenciar a empresa de um novo ângulo e ouvir diretamente o que os clientes tinham a dizer. Ela viu como era importante o apoio da sede corporativa aos funcionários da linha de frente.

- **mãos à obra.** A Southwest enviou voluntários de todo o sistema para aliviar a carga de funcionários nas cidades em que concorria diretamente com a ponte aérea da United. Isso não somente deu impulso e fortaleceu o pessoal para a guerra com a concorrente, como também ajudou a reacender o espírito de luta dos funcionários da Southwest.[65]

Pesquisas empíricas no setor de hotelaria mostram por que é importante a gerência dar o exemplo. No estudo que realizaram com 6.500 funcionários em 76 hotéis da rede Holiday Inn, Judi McLean Park e Tony Simons investigaram se os gerentes demonstravam integridade comportamental utilizando medidas como 'Meu gerente cumpre suas promessas' e 'Meu gerente pratica o que ele mesmo aconselha'. Essas declarações foram primeiramente correlacionadas com respostas de funcionários a perguntas como 'Tenho orgulho de contar aos outros que faço parte desse hotel' e 'Meus companheiros de trabalho fazem o possível para resolver os pedidos especiais dos hóspedes' e, em seguida, com receitas e lucratividade.

Os resultados surpreenderam ao mostrar que a integridade comportamental do gerente de um hotel guardava alta correlação com a confiança, o compromisso e a disposição do funcionário de fazer algo mais. Além disso, entre todos os comportamentos medidos, esse foi o fator isolado mais importante no aumento da lucratividade. Na verdade, um aumento de apenas 1,8 no resultado geral da medição da integridade comportamental de um hotel em uma escala de cinco pontos foi associado com um aumento de 2,5 por cento na receita e um aumento de 250 mil dólares nos lucros por ano por hotel.[66]

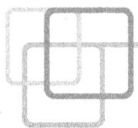

CONCLUSÃO

A qualidade do pessoal de uma empresa de serviço — sobretudo daqueles que trabalham em funções de contato direto com os clientes — desempenha um papel crucial na determinação do sucesso de mercado e do desempenho financeiro. Por isso o elemento *Pessoas* dos 7 Ps é tão importante. Empresas de serviços bem-sucedidas comprometem-se com o gerenciamento eficaz de recursos humanos (RH) e atuam em proximidade com gerentes de marketing e de operações para equilibrar o que poderiam ser metas conflitantes. Reconhecem o valor de investir em RH e compreendem os custos resultantes de altos níveis de rotatividade. No longo prazo, oferecer melhores salários e benefícios pode ser uma estratégia financeiramente mais viável do que pagar menos a funcionários que não têm nenhuma fidelidade e logo vão embora.

Os resultados de mercado e financeiros de uma gestão eficaz de pessoal para obter vantagem competitiva podem ser fenomenais. Boas estratégias de RH aliadas a uma forte liderança em todos os níveis costumam levar a uma vantagem competitiva sustentável. Provavelmente, é mais difícil reproduzir ativos humanos de alto desempenho do que qualquer outro recurso corporativo.

Resumo do capítulo

OA1. O pessoal de serviços é de crucial importância para o sucesso de uma empresa por ser:
- uma fonte de posicionamento competitivo, visto que (1) fazem parte do produto de serviço, (2) representam as empresas aos olhos do cliente e (3) fazem parte da marca porque cumprem a promessa da marca;
- com frequência crucialmente importantes porque geram vendas, vendas cruzadas e venda de atualizações de produto;
- um fator fundamental de impulso à produtividade das operações da linha de frente;
- uma fonte de fidelidade dos clientes;
- até em serviços de baixo contato, são os que causam uma impressão no cliente nos poucos, porém cruciais, 'momentos de verdade'.

OA2. O trabalho da equipe de linha de frente é difícil e estressante porque ocupa posições limítrofes que acarretam:
- conflitos organizacionais/de clientes;
- conflito pessoal/do papel desempenhado;
- conflitos entre clientes;
- trabalho e estresse emocional.

OA3. Utilizamos três tipos de ciclo para descrever como as empresas podem determinar fracasso, mediocridade e sucesso:
- o *ciclo do fracasso* envolve uma estratégia de baixos salários e alta rotatividade de funcionários, o que resulta em alto nível de insatisfação de clientes e deserções que reduzem as margens de lucro;
- o *ciclo da mediocridade* é encontrado em grandes empresas burocráticas, que oferecem segurança no emprego, mas um escopo restrito do trabalho em si. Não há incentivo para atender bem aos clientes;
- empresas de serviço bem-sucedidas atuam no *ciclo de sucesso* em que os funcionários estão satisfeitos com seus empregos e são produtivos; por decorrência, os clientes estão satisfeitos e são fiéis. Altas margens de lucro permitem investimento em recrutamento, desenvolvimento e motivação dos funcionários certos de linha de frente.

OA4. O ciclo de talento em serviços é uma estrutura de orientação para estratégias eficazes de RH em empresas de serviços, que contribuem para que elas se movam para o ciclo do sucesso. Sua correta implantação proporciona funcionários muito motivados e capazes de entregar excelência de serviço e dar algo a mais de si por seus clientes, sem deixar de ser altamente produtivos. Existem quatro prescrições fundamentais:
- contrate as pessoas certas;
- motive e energize-as;
- forme uma equipe de liderança que enfatize e apoie a linha de frente.

OA5. Para ter as pessoas certas em sua equipe, as empresas necessitam atrair, selecionar e contratar. As melhores práticas em estratégias de RH começam com o reconhecimento de que, em muitos setores, o mercado de trabalho é altamente competitivo. Competir por talentos e ser o empregador preferido requer:
- esforçar-se para ser visto como um empregador preferencial e, assim, receber muitas solicitações de emprego dos melhores candidatos no mercado de trabalho;
- uma seleção cuidadosa assegura que novos funcionários adaptem-se bem aos requisitos da função e à cultura organizacional. Selecione os candidatos mais adequados usando métodos de triagem como observação, testes de personalidade e entrevistas estruturadas, além de fornecer prévias realistas do que é o trabalho.

OA6. Para capacitar seus funcionários, as empresas necessitam conduzir treinamento extensivo e minucioso sobre (1) cultura, propósito e estratégia organizacional; (2) habilidades interpessoais e técnicas; e (3) conhecimento sobre o produto/serviço.

OA7. Delegar poder para que o pessoal de linha de frente reaja com flexibilidade a necessidades de clientes, situações não rotineiras e falhas de serviço. Autonomia e treinamento dão aos funcionários autoridade, habilidades e autoconfiança para usar sua própria iniciativa em produzir excelência de serviço.

OA8. Formar equipes de alto desempenho para entrega de serviço eficaz (geralmente multifuncionais) que possam atender aos clientes do início ao fim.

OA9. Por fim, motivar e transmitir energia aos funcionários com um conjunto completo de recompensas, que vão desde salário, função satisfatória, reconhecimento e *feeedback* até o atingimento de metas.

OA10. A alta e a média gerências, incluindo supervisores de linha de frente, devem reforçar continuamente uma cultura forte que enfatize a excelência de serviço e a produtividade. Uma liderança eficaz em serviços envolve:
- concentrar o foco de toda a organização para dar suporte à linha de frente;
- reforçar uma cultura de serviço forte que enfatize a excelência de serviço e a produtividade e desenvolva a compreensão e o suporte dos funcionários em relação às metas organizacionais;
- estimular valores que inspirem, energizem e orientem os provedores de serviço e lhes deem uma vida de trabalho plena.

Questões para revisão

1. Por que o pessoal de atendimento ao cliente é tão importante para as empresas de serviços?
2. Existe uma tendência de transferência dos serviços de alto para os de baixo contato. O pessoal de atendimento a clientes continua sendo importante em serviços de baixo contato? Justifique sua resposta.
3. O que é trabalho emocional? Explique como ele pode estressar funcionários que executam certos serviços. Exemplifique.
4. Quais são as principais barreiras para que as empresas rompam o círculo do fracasso e passem para o ciclo de sucesso? Como uma organização presa na armadilha do ciclo de mediocridade deve proceder?
5. Relacione cinco modos pelos quais o investimento em contratação e seleção, treinamento e motivação contínua de funcionários renderá dividendos sob a forma de satisfação de clientes para (a) um restaurante, (b) uma companhia aérea, (c) um hospital e (d) uma empresa de consultoria.
6. Descreva os principais componentes do ciclo de talento em serviços.
7. O que uma empresa de serviços pode fazer para tornar-se um empregador preferencial e, por conseguinte, receber muitas solicitações de emprego dos melhores candidatos no mercado de trabalho?
8. Como uma empresa pode selecionar os candidatos mais adequados em meio a um grande número de currículos?
9. Quais são os principais tipos de treinamento que as empresas de serviços devem realizar?
10. Identifique os fatores que favorecem uma estratégia de *empowerment* do funcionário.
11. Identifique os fatores necessários para que equipes de serviço sejam bem-sucedidas em (a) uma companhia aérea, (b) um restaurante e (c) uma central de atendimento.
12. Como os funcionários de linha de frente podem ser eficazmente motivados para entregar excelência de serviço e produtividade?
13. Como uma empresa de serviços pode desenvolver uma forte cultura de serviço que enfatize excelência de serviço e produtividade?

Exercícios

1. Um anúncio de recrutamento de tripulação de uma companhia aérea mostra a figura de um menininho sentado em uma poltrona de avião segurando um ursinho de pelúcia. O título é: 'Sua mãe lhe disse para não falar com estranhos. E então, o que ele vai almoçar?'. Descreva os tipos de personalidade que, em sua opinião, seriam (a) atraídos pelo trabalho representado nesse anúncio de recrutamento e (b) não atraídos.
2. Considere os seguintes empregos: enfermeira da ala de emergência; agente de cobrança; técnico de computador; caixa de supermercado; dentista; professor de educação infantil; advogado criminalista; garçom em um restaurante familiar; garçom em um caro restaurante francês; corretor de ações; e agente funerário. Que tipos de emoção você esperaria que cada um deles demonstrasse a seus clientes? O que estimula suas expectativas?
3. Use o ciclo de talentos em serviços como uma ferramenta de diagnóstico em uma empresa de serviço bem-sucedida e outra fracassada que você conheça. Quais recomendações você daria a cada uma?
4. Pense em duas organizações que você conhece bem, uma com uma cultura de serviço muito boa e outra com uma cultura de serviço muito precária. Descreva os fatores que contribuem para moldar essas culturas organizacionais. Quais você acha que mais contribuem para isso? Por quê?
5. Na qualidade de gerente de recursos humanos, quais questões, em sua opinião, têm mais probabilidade de criar problemas de ultrapassagem de fronteiras para funcionários de contato com cliente em uma central de atendimento de uma grande provedora de Internet? Selecione quatro questões e indique como você faria a mediação entre operações e marketing para criar um resultado satisfatório para todos os três grupos.

Notas

1. Leonard L. Berry. *Discovering the soul of service: the nine drivers of sustainable business success*. Nova York: The Free Press, 1999, p. 156-159.
2. Liliana L. Bove e Lester W. Johnson, "Customer relationships with service personnel: do we measure closeness, quality or strength?", *Journal of Business Research*, 54, 2001, p. 189-197; Magnus Söderlund e Sara Rosengren, "Revisting the smiling service worker and customer satisfaction", *International Journal of Service Industry Management*, 19, n. 5, 2008, p. 552-574; Anat Rafaeli, Lital Ziklik e Lorna Doucet, "The impact of call center employees' customer orientation behaviors and service quality", *Journal of Service Research*, 10, n. 3, 2008, p. 239-255.
3. Uma pesquisa recente estabeleceu a ligação entre esforço que extrapola a função e satisfação de clientes; por exemplo, Carmen Barroso Castro, Enrique Martín Armario e David Martín Ruiz, "The influence of employee organizational citizenship behavior on customer loyalty", *International Journal of Service Industry Management*, 15, n. 1, 2004, p. 27-53.
4. James L. Heskett, Thomas O. Jones, Gary W. Loveman, W. Earl Sasser Jr. e Leonard A. Schlesinger, "Putting the service-profit chain to work", *Harvard Business Review*, 72, mar./abr. 1994, p. 164-174.

5. James L. Heskett, W. Earl Sasser, Jr. e Leonard L. Schlesinger. *The value profit chain: treat employees like customers and customers like employees*. Nova York: The Free Press, 2003.
6. Benjamin Schneider e David E. Bowen, "The service organization: human resources management is crucial", *Organizational Dynamics*, 21, n. 4, primavera 1993, p. 39-52.
7. David E. Bowen e Benjamin Schneider, "Boundary-spanning role employees and the service encounter: some guidelines for management and research". In: J. A. Czepiel, M. R. Solomon e C. F. Surprenant. *The service encounter*. Lexington: Lexington Books, 1985, p. 127-148.
8. Vaikakalathur Shankar Mashesh e Anand Kasturi, "Improving call centre agent performance: A UK-India study based on the agents' point of view", *International Journal of Science Industry Management*, 17, n. 2, 2006, p. 136-137. Sobre metas potencialmente conflitantes, veja também Detelina Marinova, Jun Yo e Jagdip Singh, 'Do frontline mechanisms matter? Impact of quality and productivity orientations on unit revenue, efficiency, and customer satisfaction', *Journal of Marketing*, 72, n. 2, 2008, p. 28-45.
9. David E. Bowen e Benjamin Schneider, "Boundary-spanning role employees and the service encounter: some guidelines for management and research". In: J. A. Czepiel, M. R. Solomon e C. F. Surprenant. *The service encounter*. Lexington: Lexington Books, 1985, p. 127-148.
10. Arlie R. Hochschild. *The managed heart: commercialization of human feeling*. Berkeley: University of California Press, 1983.
11. Panikkos Constanti e Paul Gibbs, "Emotional labor and surplus value: the case of holiday 'reps'", *The Service Industries Journal*, 25, jan. 2005, p. 103-116.
12. Arlie Hochschild, "Emotional labor in the friendly skies", *Psychology Today*, jun. 1982, p. 13-15. Obra citada em Valarie A. Zeithaml e Mary Jo Bitner. *Services marketing: integrating customer focus across the firm*. 4. ed. Nova York: McGraw-Hill, 2006, p. 359. Veja também Aviad E. Raz, "The slanted smile factory: emotion management in Tokyo Disneyland", *Studies in Symbolic Interaction*, 21, 1997, p. 201-217.
13. Veja também Michel Rod e Nicholas J. Ashill, "Symptons of burnout and service recovery performance", *Managing Service Quality*, 19, n. 1, 2009, p. 60-84; Jody L. Crosno, Shannon B. Rinaldo, Hulda G. Black e Scott W. Kelley, "Half full or half empty: the role of optimism in boundary-spanning positions", *Journal of Service Research*, 11, n. 3, 2009, p. 295-309.
14. Jochen Wirtz e Robert Johnston, "Singapore Airlines: what it takes to sustain service excellence: a senior management perspective", *Managing Service Quality*, 13, n. 1, 2003, p. 10-19; Loizos Heracleous, Jochen Wirtz e Nitin Pangarkar. *Flying high in a competitive industry: secrets of the world's leading airline*. Singapore: McGraw-Hill, 2009.
15. "The Bangalore paradox", *The Economist*, 23 abr., 2005, p. 67-69.
16. Dan Moshavi e James R. Terbord, "The job satisfaction and performance of contingent and regular customer service representatives: a human capital perspective", *International Journal of Service Industry Management*, 13, n. 4, 2002, p. 333-347.
17. Vaikakalathur Shankar Mashesh e Anand Kasturi, "Improving call centre agent performance", *International Journal of Science Industry Management*, 17, n. 2, 2006, p. 136-157.
18. Veja também Vaikakalathur Shankar Mashesh e Anand Kasturi, "Improving call centre agent performance", *International Journal of Science Industry Management*, 17, n. 2, 2006, p. 136-157.
19. Os termos 'ciclo de fracasso' e 'ciclo de sucesso' foram cunhados por Leonard L. Schlesinger e James L. Heskett, "Breaking the cycle of failure in services", *Sloan Management Review*, primavera 1991, p. 17-28. O termo 'ciclo de mediocridade' apareceu em Christopher H. Lovelock, "Managing services: the human factor". W. J. Glynn e J. G. Barnes (eds.). *Understanding services management*. Chichester: John Wiley, 1995. p. 228.
20. Leonard Schlesinger e James L. Heskett, "Breaking the cycle of failure", *Sloan Management Review*, primavera 1991, p. 17-28.
21. James L. Heskett, W. Earl Sasser, Jr. e Leonard L. Schlesinger. *The value profit chain: treat employees like customers and customers like employees*. Nova York: The Free Press. p. 75-94.
22. Reg Price e Roderick J. Brodie, "Transforming a public service organization from inside out to outside in", *Journal of Service Research*, 4, n. 1, 2001, p. 50-59.
23. Mahn Hee Yoon, "The effect of work climate on critical employee and customer outcomes", *International Journal of Service Industry Management*, 12, n. 5, 2001, p. 500-521.
24. Leonard L. Berry e A. Parasuraman. *Marketing services: competing through quality*. Nova York: The Free Press, 1991. p. 151-152.
25. Charles A. O'Reilly III e Jeffrey Pfeffer. *Hidden value: how great companies achieve extraordinary results with ordinary people*. Boston: Harvard Business School Press, 2000. p. 1.
26. Bill Fromm e Len Schlesinger. *The real heroes of business*. Nova York: Currency/Doubleday, 1994. p. 315-316.
27. Jim Collins, "Turning goals into results: the power of catalytic mechanisms", *Harvard Business Review*, jul./ago. 1999. p. 77.
28. Esta seção foi adaptada de Benjamin Schneider e David E. Bowen. *Winning the service game*. Boston: Harvard Business School Press, 1995. p. 115-126.
29. John Wooden. *A lifetime of observations and reflections on and off the court*. Chicago: Lincolnwood, 1997. p. 66.
30. Serene Goh, "All the right staff "e Arlina Arshad, "Putting your personality to the test", *The Straits Times*, 5 set. 2001, H1.
31. Para uma revisão deste assunto, veja Benjamin Schneider, "Service quality and profits: can you have your cake and eat it, too?", *Human Resource Planning*, 14, n. 2, 1991, p. 151-157.
32. Esta seção foi adaptada de Leonard L. Berry. *On great service: a framework for action*. Nova York: The Free Press, 1995. p. 181-182.
33. Leonard Schlesinger e James L. Heskett, "Breaking the cycle of failure", *Sloan Management Review*, 32, primavera 1991, p. 26.
34. Benjamin Schneider e David E. Bowen. *Winning the service game*. Boston, MA: Harvard Business School Press, 1995. p. 131.
35. Leonard L. Berry. *Discovering the soul of service service: the nine drivers of sustainable business success*. Nova York: Free Press, 1999. p.161.
36. Disney Institute. *Be our guest: perfecting the art of customer service*. Disney Enterprises, 2001.
37. David A. Tansik, "Managing human resource issues for high contact service personnel". D. E. Bowen, R. B. Chase, T. G. Cummings and Associates (eds.). *Service management effectiveness*. São Francisco: Jossey-Bass, 1990. p. 152-176.
38. Partes desta seção são baseadas em David E. Bowen e Edward E. Lawler, III, "The empowerment of service workers: what, why, how and when", *Sloan Management Review*, primavera 1992, p. 32-39.
39. Dana Yagil, "The relationship of customer satisfaction and service workers' perceived control: examination of three models", *International Journal of Service Industry Management*, 13, n. 4, 2002, p. 382-398.

40. Graham L. Bradley e Beverley A. Sparks, "Customer reactions to staff empowerment: mediators and moderators", *Journal of Applied Social Psychology*, 30, n. 5, 2000, p. 991-1.012.
41. David E. Bowen e Edward E. Lawler, III, "The empowerment of service workers: what, why, how and when", *Sloan Management Review*, primavera 1992, p. 32-39.
42. Benjamin Schneider e David E. Bowen. *Winning the service game*. Boston: Harvard Business School Press, 1995. p. 250.
43. Este parágrafo é baseado em Kevin Freiberg e Jackie Freiberg. *Nuts! Southwest Airlines' crazy recipe for business and personal success*. Nova York: Broadway Books, 1997. p. 87-88.
44. Jon R. Katzenbach e Douglas K. Smith, "The discipline of teams", *Harvard Business Review*, mar./abr. 1993, p. 112.
45. Andrew Sergeant e Stephen Frenkel, "When do customer contact employees satisfy customers?", *Journal of Service Research*, 3, n. 1, ago. 2000, p. 18-34.
46. Para consultar um estudo recente sobre desempenho de equipes autogerenciadas, veja Ad de Jong, Ko de Ruyter e Jos Lemmink, "Antecedents and consequences of the service climate in boundary-spanning seld-managing service teams", *Journal of Marketing*, 68, abr. 2004, p. 18-35.
47. Leonard L. Berry. *On great service: a framework for action*. Nova York: The Free Press, 1995. p. 131.
48. Charles A. O'Reilly III e Jeffrey Pfeffer. *Hidden value: how great companies achieve extraordinary results with ordinary people*. Boston, MA: Harvard Business School Press, 2000. p. 9.
49. Leonard L. Berry. *Discovering the soul of service service: the nine drivers of sustainable business success*. Nova York: Free Press, 1999. p.189.
50. Benjamin Schneider e David E. Bowen. *Winning the service game*. Boston: Harvard Business School Press, 1995. p. 141; Leonard L. Berry. *On great service: a framework for action*. Nova York: The Free Press, 1995. p. 225.
51. Ron Zemke, "Experience shows intuition isn't the best guide to teamwork", *The Service Edge*, 7, n. 1, jan. 1994, p. 5.
52. Esta seção foi baseada em Benjamin Schneider e David E. Bowen. *Winning the service game*. Boston: Harvard Business School Press, 1995. p. 145-173.
53. Um bom resumo de determinação de metas e motivação no trabalho pode ser encontrado em Edwin A. Locke e Gary Latham. *A theory of goal setting and task performance*. Englewood Cliffs: Prentice-Hall, 1990.
54. Charles A. O'Reilly III e Jeffrey Pfeffer. *Hidden value: how great companies achieve extraordinary results with ordinary people*. Boston, MA: Harvard Business School Press, 2000. p. 232.
55. Jeffrey Pfeffer. *Competitive advantage through people*. Boston: Harvard Business School Press, 1994. p. 160-163.
56. Jody Hoffer Gittel, Andrew von Nordenflycht e Thomas A. Kochan, "Manual gains for zero sum? Labor relations and firm performance in the airline industry", *Industrial and Labor Relations Review*, 57, n. 2, 2004, p. 163-180.
57. Os autores do seguinte artigo enfatizam o papel do alinhamento entre tradição, cultura e estratégia que juntas formam a base para as práticas de RH das empresas: Benjamin Schneider et. al., "The human side of strategy: employee experiences of a strategic alignment in a service organiation", *Organizational Dynamics*, 32, n. 2, 2003, p. 122-141.
58. Scott B. MacKenzie, Philip M. Podsakoff e Gregory A. Rich, "Transformational and transactional leadership and salesperson performance", *Journal of the Academy of Marketing Science*, 29, n. 2, 2001, p. 115-134.
59. Leonard L. Berry. *On great service: a framework for action*. Nova York: The Free Press, 1995. p. 236-237; Leonard L. Berry e Kent D. Seltman. *Management lessons from Mayo Clinic: inside one of the world's most admired service organizations*. McGraw-Hill, 2008. O seguinte estudo enfatizou a importância do clima ético percebido no estímulo ao comprometimento dos funcionários de serviços: Charles H. Schwepker Jr. e Michael D. Hartline, "Managing the ethical climate of customer-contact service employees", *Journal of Service Research*, 7, n. 4, 2005. p. 377-397.
60. Benjamin Schneider e David E. Bowen. *Winning the service game*. Boston: Harvard Business School Press, 1995. p. 240.
61. Catherine DeVrye. *Good service is good business*. Upper Saddle River: Prentice-Hall, 2000. p. 11.
62. Joseph A. Mitchelli. *The new gold standard: 5 leadership principles for creating a legendary customer experience courtesy of The Ritz-Carlton Hotel Company*. McGraw-Hill, 2008. p. 61-66, p. 191-197.
63. Disponível em: <http://careers.ritzcarltonclub.com/standards.asp>. Acesso em: 3 jun. 2009>.
64. Paul Hemp, "My week as a room-service waiter at the Ritz", *Harvard Business Review*, 80, jun. 2002, p. 8-11.
65. Adaptado de Kevin Freiberg e Jackie Freiberg. *Nuts! Southwest Airlines' crazy recipe for business and personal success*. Nova York: Broadway Books, 1997. p. 165-168.
66. Tony Simons, "The high cost of lost trust", *Harvard Business Review*, set. 2002, p. 2-3.

PARTE IV

Implementando estratégias lucrativas de serviços

A Parte IV trata das quatro principais questões a considerar na implantação de estratégias eficazes de marketing de serviços e compõe-se dos seguintes capítulos:

CAPÍTULO 12 Gerenciando relacionamentos e desenvolvendo fidelidade

Discute como atingir lucratividade criando relacionamentos com clientes dos segmentos certos e buscando meios de desenvolver e reforçar sua fidelidade por meio da Roda da Fidelidade como uma estrutura de organização. Este capítulo encerra-se com uma discussão sobre os sistemas de gestão do relacionamento com clientes (CRM, do inglês, *Customer Relationship Management*).

CAPÍTULO 13 Administração de reclamações e recuperação do serviço

Muitas vezes, o desenvolvimento de uma estratégia de administração eficaz de reclamações e de recuperação de serviços determina se uma empresa pode formar uma base de clientes fiéis ou se verá seus clientes levarem seus negócios para outro lugar. O Capítulo 13 examina a eficácia com que o tratamento de queixas e a recuperação de serviços profissionais podem ser implementados. Começa com uma análise do comportamento de clientes que reclamam e dos princípios de sistemas eficazes de recuperação de serviços. As garantias são discutidas como um meio poderoso de institucionalizar a recuperação de serviço bem-sucedida e como uma ferramenta de marketing que sinaliza alta qualidade de serviço. O capítulo também apresenta como lidar com clientes inconvenientes que tiram proveito e abusam de políticas de recuperação de serviço.

CAPÍTULO 14 Melhorando a qualidade de serviço e a produtividade

Lida com produtividade e qualidade. Ambas são ingredientes necessários e relacionados ao sucesso financeiro em serviços. Abrange qualidade de serviço, diagnóstico das falhas de qualidade por meio do modelo de lacunas (*gaps model*) e análise de estratégias para resolvê-las. Sistemas de *feedback* são introduzidos como uma ferramenta eficaz de ouvir sistematicamente os clientes e ser ouvido por eles. A produtividade refere-se à redução de custos, e as principais metodologias de aumento da produtividade são discutidas.

■ CAPÍTULO 15 Buscando a liderança em serviços

Aborda o desafio de manter-se competitivo e voltado para o futuro, o que requer mudança não só no marketing da empresa, mas também em sua gestão de operações e de recursos humanos. O Capítulo 15 utiliza a cadeia de lucro em serviço como um modelo integrativo para demonstrar as ligações estratégicas envolvidas na administração de uma empresa de serviço bem-sucedida. Implantar essa cadeia de lucro implica a integração das funções de marketing, operações e recursos humanos. Veremos como mover uma organização de serviço a níveis mais altos de desempenho em cada área funcional.

O calibre de sua liderança determina se uma empresa pode ser líder em serviços em seu setor. O capítulo encerra-se com o papel da liderança tanto em ambientes caracterizados pela evolução quanto os de reviravolta, bem como na criação e na manutenção de um clima propício a serviços.

Figura IV.1 Organização de uma estrutura para marketing de serviços

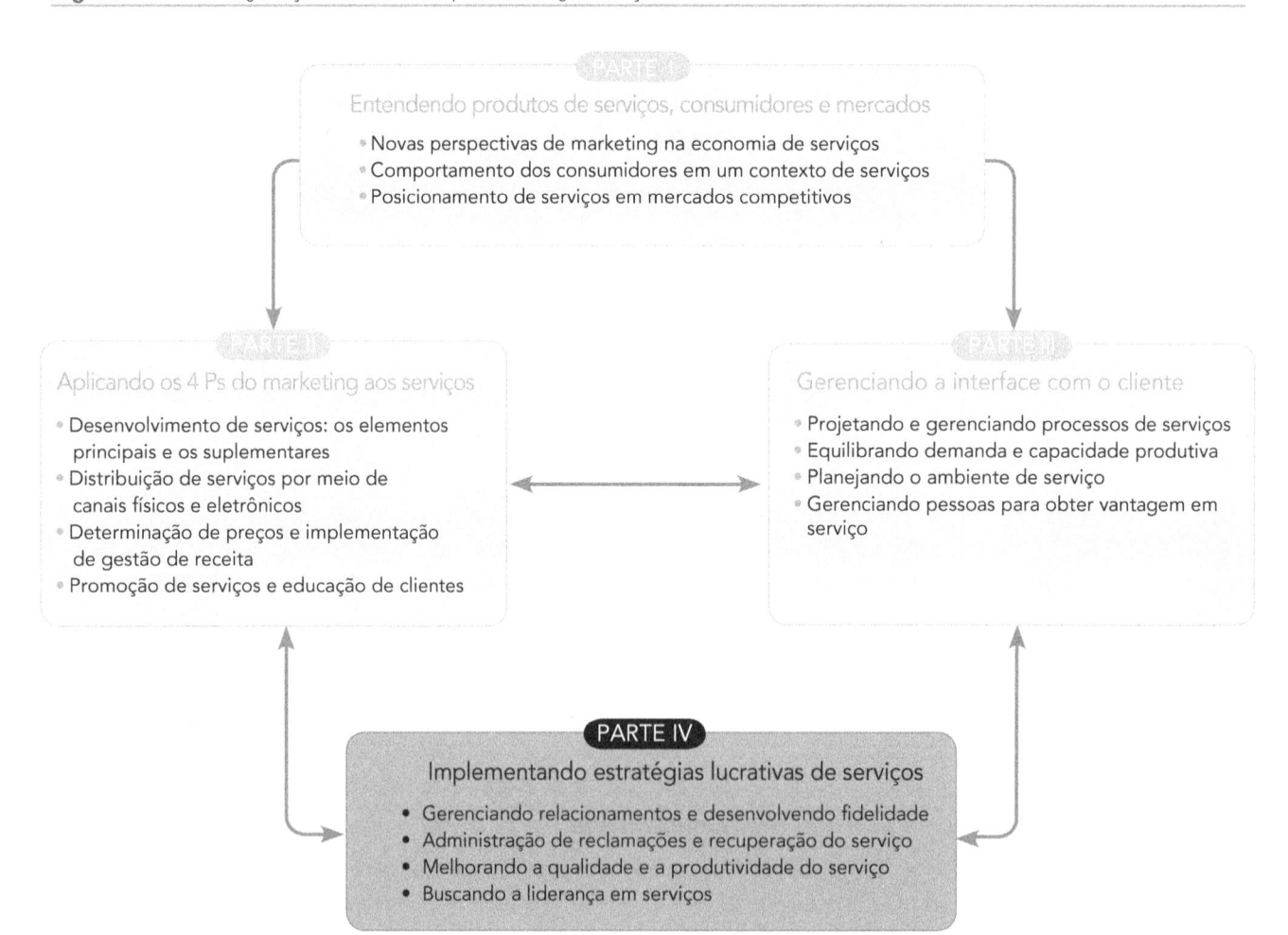

PARTE I
Entendendo produtos de serviços, consumidores e mercados
- Novas perspectivas de marketing na economia de serviços
- Comportamento dos consumidores em um contexto de serviços
- Posicionamento de serviços em mercados competitivos

PARTE II
Aplicando os 4 Ps do marketing aos serviços
- Desenvolvimento de serviços: os elementos principais e os suplementares
- Distribuição de serviços por meio de canais físicos e eletrônicos
- Determinação de preços e implementação de gestão de receita
- Promoção de serviços e educação de clientes

PARTE III
Gerenciando a interface com o cliente
- Projetando e gerenciando processos de serviços
- Equilibrando demanda e capacidade produtiva
- Planejando o ambiente de serviço
- Gerenciando pessoas para obter vantagem em serviço

PARTE IV
Implementando estratégias lucrativas de serviços
- Gerenciando relacionamentos e desenvolvendo fidelidade
- Administração de reclamações e recuperação do serviço
- Melhorando a qualidade e a produtividade do serviço
- Buscando a liderança em serviços

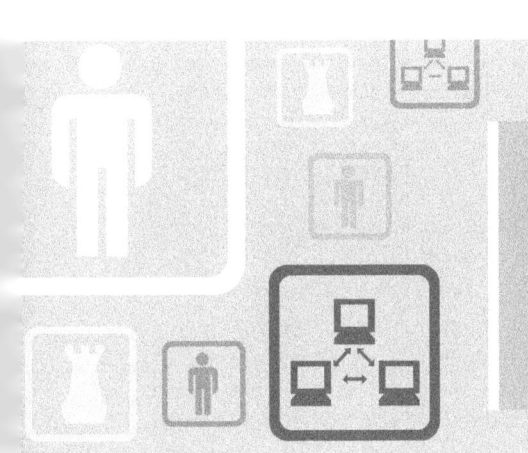

CAPÍTULO 12

Gerenciando relacionamentos e desenvolvendo fidelidade

A primeira etapa no gerenciamento de um sistema de negócios baseado em fidelidade é procurar e conquistar os clientes certos.
— Frederick F. Reichheld

Primeiro a estratégia, depois o CRM.
— Steven S. Ramsey

Objetivos de aprendizagem (OAs)

Ao final deste capítulo, você será capaz de:

OA1 Reconhecer o importante papel desempenhado pela fidelidade do cliente no fomento à lucratividade de empresas de serviços.

OA2 Calcular o valor ao longo do tempo (LTV, em inglês, *lifetime value*) de um cliente fiel.

OA3 Compreender por que clientes são fiéis a uma empresa de serviço.

OA4 Explicar os tipos de marketing associados ao relacionamento cliente-empresa e saber como criar relacionamentos de filiação.

OA5 Conhecer as estratégias essenciais da Roda da Fidelidade que explicam como desenvolver uma base de clientes fiéis.

OA6 Avaliar por que é tão importante que as empresas de serviços visem os clientes 'certos'.

OA7 Utilizar a categorização de serviços para administrar a base de clientes e desenvolver fidelidade.

OA8 Compreender a relação entre satisfação do cliente e fidelidade.

OA9 Saber como aprofundar relacionamentos por meio de vendas cruzadas e pacote conjugado de serviços.

OA10 Compreender o papel das recompensas financeiras e não financeiras no reforço à fidelidade de clientes.

OA11 Avaliar o poder de vínculos sociais, de customização e estruturais no reforço à fidelidade.

OA12 Compreender os fatores que levam clientes a trocar de fornecedor e como reduzir esse tipo de troca.

OA13 Entender o papel dos sistemas de gestão do relacionamento com clientes (CRM) na entrega de serviços customizados e no desenvolvimento de fidelidade.

Gestão do relacionamento com clientes da Harrah's Entertainment[1]

A Harrah's Entertainment, maior empresa do mundo em jogos para cassinos e hotéis com suas três marcas — Harrah's, Caesar's e Horseshoe —, é líder e foi a primeira a lançar um programa de fidelidade categorizado em seu setor. Hoje o programa possui cinco categorias — Gold, Platinum, Diamond, Seven Stars e Chairman's Club — e é integrado entre todas as propriedades e serviços. Os clientes identificam-se (e ganham pontos) em cada ponto de contato por toda a empresa, de mesas de jogos, restaurantes e hotéis até lojas de presentes e shows. Os pontos podem ser trocados por dinheiro, mercadorias, hospedagem, ingresso para shows, férias e eventos.

O que é especial sobre a Harrah's não é o programa de fidelidade, mas o que ela faz com as informações coletadas sempre que os clientes usam seus cartões para ganhar pontos. Na outra ponta, foram interligadas todas as bases de dados de gerenciamento de cassinos, reservas de hotéis e eventos para obter uma visão holística de cada cliente. Agora a empresa possui dados detalhados de mais de 42 milhões de clientes e conhece suas preferências e comportamentos, desde quanto gastam em cada tipo de jogo e suas comidas ou bebidas favoritas até as preferências de lazer e acomodação. Todas essas informações são capturadas em tempo real.

A Harrah's utiliza esses dados para direcionar suas ações de marketing e serviços ao cliente *in loco*. Por exemplo, se um portador de cartão Diamond na máquina caça-níqueis 278 acena por atendimento, um funcionário da empresa é capaz de perguntar: 'O de sempre, Sr. Jones?' e monitorar o tempo gasto para um garçom atender ao pedido do cliente. Em outro exemplo, quando um cliente ganha uma bolada, a Harrah's pode personalizar um prêmio para comemorar esse ganho. A empresa também sabe quando um cliente se aproxima de seu teto de jogo em uma noite e, portanto, quando é provável que ele pare de jogar. Pouco antes de ser atingido o limite, a Harrah's pode oferecer-lhe naquele exato momento, via mensagem de texto, um ingresso com grande desconto para um show da casa com lugares disponíveis. Isso mantém o cliente na casa (e gastando), faz que ele se sinta valorizado por receber uma oferta tão especial bem no momento em que queria parar de jogar e utiliza uma capacidade que de outra forma ficaria ociosa em seus shows e restaurantes.

De modo análogo, quando um cliente contata a central de atendimento de uma empresa, a equipe tem informações detalhadas em tempo real sobre suas preferências e seus hábitos de consumo e pode customizar promoções que representem vendas cruzadas ou vendas de atualização de serviços. A Harrah's não faz promoções massificadas que atingem todos os clientes ao mesmo tempo, o que, de acordo com o presidente da empresa, Gary Loveman, é 'um pesadelo que corrói os lucros'. Em vez disso, faz promoções altamente segmentadas que criam os incentivos certos para cada um de seus diferentes clientes. E usa grupos de controle para medir o sucesso de uma promoção em dólares e refinar ainda mais suas campanhas.

Com seu CRM munido de dados, a Harrah's é capaz de transformar transações com clientes em interações pessoais e diferenciadas. Com isso, a empresa aumentou a participação na carteira (*share of wallet*, ou seja, quanto do dispêndio de um cliente com uma categoria específica de serviço é obtida por determinado fornecedor) dos portadores do cartão Harrah's Total Rewards para mais de impressionantes 50 por cento, com um aumento de 34 por cento em relação a antes da implementação desse programa de gestão de relacionamento com clientes.

Figura 12.1 A Harrah's acertou em cheio com sua inovação tecnológica de desenvolvimento de relacionamentos com clientes

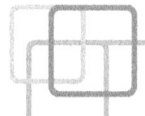

Em busca da fidelidade do cliente

Segmentar, conquistar e reter os clientes 'certos' são aspectos fundamentais de muitas empresas de serviço bem-sucedidas. No Capítulo 3, abordamos segmentação e posicionamento. Neste, reforçamos a importância de escolher segmentos-alvo com cuidado e de esforçar-se para desenvolver e manter a fidelidade desses clientes por meio de estratégias de marketing de relacionamento bem concebidas. O objetivo é desenvolver relacionamentos e transformá-los em clientes fiéis que, no futuro, darão origem a um volume crescente de receita para a empresa.

Fidelidade é uma palavra antiquada que, por tradição, é usada para descrever a lealdade e a devoção entusiásticas a um país, a uma causa ou a um indivíduo. Mais recentemente, tem sido utilizada em negócios para descrever a disposição de um cliente para prestigiar uma empresa a longo prazo, de preferência com exclusividade, e recomendar seus produtos e serviços a amigos e colegas. A fidelidade de marca significa mais do que comportamento e abrange preferência, amizade e intenções futuras. Pergunte a si mesmo a quais empresas você é fiel e por quê.

"Poucas empresas pensam em clientes como uma renda anual", diz Frederick Reichheld, coautor de *The loyalty effect* e importante pesquisador da área.[2] No entanto, é isso o que um cliente fiel pode significar para uma empresa: uma fonte consistente de receita durante muitos anos. O gerenciamento ativo da base e da fidelidade dos clientes também é conhecido como *gestão de ativos de clientes*.[3]

Em tempo de guerra, 'desertor' era uma palavra detestável, que denominava quem traía seu próprio lado e passava para o do inimigo. Mesmo que a deserção fosse para 'nosso' lado, ainda assim era suspeita. Hoje, em marketing, a palavra *deserção* descreve a ação de clientes que saem da tela do radar de uma empresa e transferem sua fidelidade de marca para outro fornecedor. Frederick Reichheld e Earl Sasser popularizaram o termo *deserção zero*, que significa uma empresa manter todos os clientes que possa atender com lucratividade.[4] A elevação da taxa de deserção não indica apenas que há algo errado com a qualidade (ou que os concorrentes oferecem melhor valor), mas também pode sinalizar queda iminente nos lucros. Grandes clientes nem sempre desaparecem da noite para o dia. Eles podem dar sinais de sua crescente insatisfação pela redução constante de suas compras e pela transferência de parte de seus negócios para outro fornecedor.

Por que a fidelidade do cliente é importante para a lucratividade de uma empresa?

Quanto vale um cliente fiel em termos de lucros? Em seu estudo, Reichheld e Sasser analisaram o lucro por cliente em várias empresas de serviços, categorizado pelo número de anos que este permanecia vinculado.[5] Eles constataram que, quanto maior o tempo de permanência, mais lucrativo ficava atendê-los. Lucros anuais por cliente, indexados durante cinco anos para facilitar a comparação, estão resumidos na Figura 12.2. Os setores

Figura 12.2 Quanto lucro um cliente gera ao longo do tempo

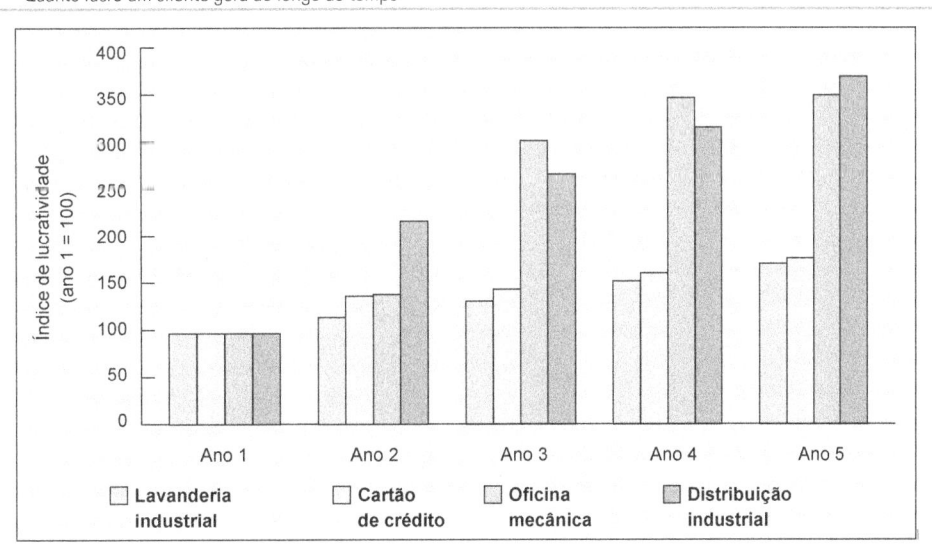

Fonte: Reprodução permitida pela Harvard Business School. Baseado em dados apresentados em Frederick F. Reichheld e W. Earl Sasser Jr., "Zero defections: quality comes to services", *Harvard Business Review*, 73, set./out. 1990, p. 108. © 1990 por Harvard Business School Publishing Corporation. Todos os direitos reservados.

estudados (com os lucros médios gerados por clientes no primeiro ano) foram: cartões de crédito (30 dólares); lavanderias industriais (144 dólares); distribuição industrial (45 dólares); e assistência técnica de automóveis (25 dólares). Efeitos semelhantes também foram constatados na Internet, em que o período típico de recuperação de custos de aquisição era de mais de um ano e os lucros aumentavam à medida que os clientes permaneciam mais tempo com a empresa.[6]

Os pesquisadores afirmam que há quatro fatores subjacentes a esse crescimento do lucro que favorecem a vantagem do fornecedor para criar lucros incrementais. Por magnitude ao final de sete anos, são eles:

1. *lucro derivado do aumento no número de compras (ou, no caso de um cenário de cartão de crédito ou bancário, extratos de contas mais elevados).* Clientes empresariais costumam crescer ao longo do tempo e, portanto, precisam comprar maiores quantidades. Indivíduos também podem comprar mais à medida que sua família cresce ou que se tornam mais ricos. Ambos podem decidir consolidar suas compras com um único fornecedor que preste serviços de alta qualidade;

2. *lucro derivado da redução de custos operacionais.* À medida que ficam mais experientes, os clientes passam a exigir menos do fornecedor (reduzem a necessidade de informação ou assistência e usam mais as opções de autosserviço). Também cometem menos erros em processos operacionais, contribuindo assim para maior produtividade;

3. *lucro gerado por indicações a outros clientes.* Recomendações positivas boca a boca funcionam como vendas e propaganda gratuitas, poupando à empresa uma parcela da verba que teria de destinar a essas atividades;

4. *lucro gerado por preços mais elevados.* Novos clientes costumam beneficiar-se de descontos promocionais iniciais, ao passo que os de longo prazo provavelmente pagam preços normais quando estão muito satisfeitos e tendem a ser menos sensíveis a preço.[7] E também, quando confiam em um fornecedor, estão dispostos a pagar mais em períodos de pico ou para serviços de urgência.

Além do mais, os custos iniciais para atrair esses compradores podem ser amortizados durante muitos anos. Os custos de aquisição podem ser consideráveis e incluir comissões de vendas, custos de propaganda e promoções, custos administrativos de iniciar uma conta e envio de pacotes de boas-vindas e brindes por adesão.

A Figura 12.3 mostra a contribuição relativa de cada fator durante um período de sete anos, com base em uma análise de 19 categorias de produtos (bens e serviços). Reichheld argumenta que os benefícios econômicos da fidelidade do cliente observados anteriormente muitas vezes explicam por que uma empresa é mais lucrativa do que a concorrente.

Avaliando o valor de um cliente fiel

É um erro admitir que clientes fiéis sejam sempre mais lucrativos do que os que realizam uma única transação.[8] Do lado do custo, nem todos os tipos de serviço incorrem em grandes despesas promocionais para atrair um novo cliente. Às vezes, é mais importante investir na boa localização de uma loja, que atrairá tráfego de passagem. Diferente de bancos, companhias seguradoras e outras organizações de 'associados', que requerem um processo de inscrição e procedimentos específicos para abrir uma nova conta, muitas empresas de serviço não incorrem em custos de preparação quando um novo cliente procura fazer uma compra pela primeira vez. Do lado da receita, pode ser que clientes fiéis não gastem necessariamente mais do que aqueles que fazem apenas uma compra e, em algumas ocasiões, talvez até esperem preços com descontos.

Por fim, nem sempre a receita aumenta ao longo do tempo para todos os tipos de cliente.[9] Na maioria dos serviços do mercado de massa B2C (do inglês, *business to consumer*) — como bancos, telefonia celular ou hotelaria — clientes não podem negociar preços. Entretanto, em muitos contextos B2B, grandes clientes possuem considerável poder de barganha e, por isso, quase sempre tentarão negociar preços mais baixos na renovação, o que força os fornecedores a compartilhar as economias de custo obtidas na negociação com um cliente fiel de grande porte. A DHL descobriu que, embora cada uma de suas maiores contas gere um volume significativo de negócios, elas rendem margens abaixo

Figura 12.3   Por que os clientes tornam-se mais lucrativos ao longo do tempo

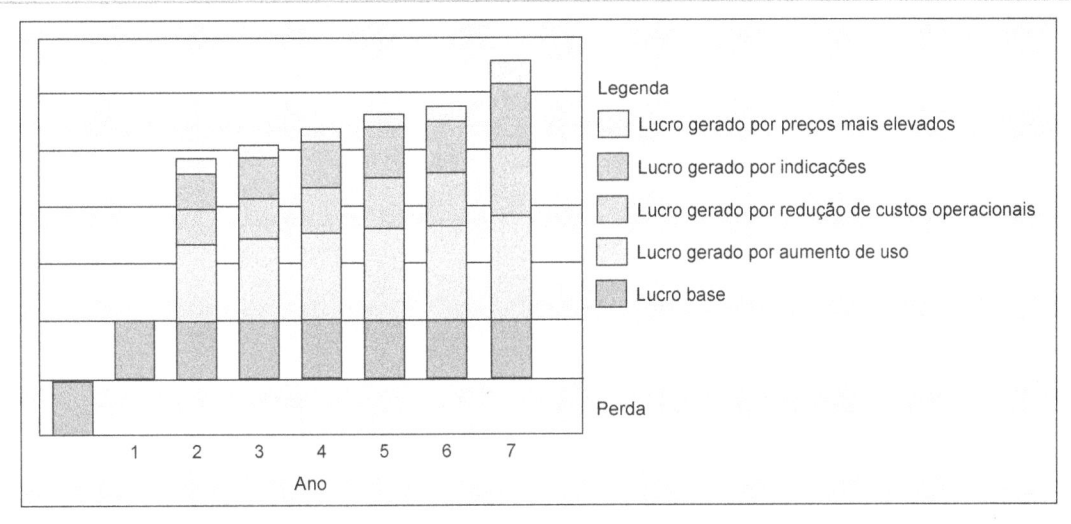

Legenda
- Lucro gerado por preços mais elevados
- Lucro gerado por indicações
- Lucro gerado por redução de custos operacionais
- Lucro gerado por aumento de uso
- Lucro base

Perda

Ano: 1, 2, 3, 4, 5, 6, 7

Fonte: Frederick F. Reichheld e W. Earl Sasser Jr., "Zero defections: quality comes to services", *Harvard Business Review*, 73, set./out. 1990, p. 108. Reprodução permitida pela Harvard Business School.

da média. Em contraposição, contas menores e menos poderosas proporcionam uma lucratividade bem mais alta.[10]

Alguns trabalhos recentes também mostraram que o impacto de um cliente no lucro pode variar de modo significativo dependendo do estágio do ciclo de vida do produto. Indicações de clientes satisfeitos e um boca a boca negativo de 'desertores' têm impacto muito maior nos primeiros estágios — quando o que está em jogo é a aquisição de novos clientes — do que em estágios mais adiantados quando o foco é a geração de fluxo de caixa a partir da base existente de clientes.[11]

Um dos desafios que você provavelmente enfrentará consiste em determinar custos e receitas associados ao atendimento a diferentes segmentos de mercado em diferentes pontos do ciclo de vida do cliente e a prever lucratividade futura. Para aprofundar-se no cálculo de valor do cliente, veja a seção "Planilha de cálculo do valor do cliente ao longo do tempo".[12]

A lacuna entre valor presente e potencial de clientes

Para empresas que buscam lucro, o potencial de lucratividade de um cliente deve ser um aspecto fundamental da estratégia de marketing. Como disseram Alan Grant e Leonard Schlesinger: "Conseguir realizar o potencial total de lucro do relacionamento com cada cliente deve ser a meta fundamental de toda empresa. [...] Ainda que sejam usadas estimativas conservadoras, é enorme a lacuna entre o desempenho corrente e o desempenho total potencial da maioria das empresas".[13] Os autores recomendam a análise das lacunas abaixo:

- Qual é o comportamento de compra atual de clientes em cada segmento-alvo? Qual seria o impacto sobre vendas e lucros, se cada cliente exibisse o perfil ideal de comportamento de (1) comprar todos os serviços oferecidos pela empresa, (2) usá-los a ponto de excluir quaisquer compras de concorrentes e (3) pagar o preço total?
- Por quanto tempo, em média, os clientes permanecem com a empresa? Qual seria o impacto, se continuassem clientes por toda a vida?

Como já vimos, a lucratividade de um cliente costuma aumentar com o tempo. A tarefa da gerência é planejar e implementar programas de marketing que aumentem a fidelidade — incluindo participação em carteira, venda de atualizações de produto e vendas cruzadas — e identificar os motivos pelos quais clientes desertam para então tomar medidas corretivas.

Por que clientes são fiéis?

Uma vez compreendida a importância de clientes fiéis para o resultado financeiro de empresas de serviços, vamos explorar o que os fideliza. Clientes não são inerentemente fiéis! Ao contrário, precisamos dar-lhes um motivo para consolidar sua compra e permanecer conosco. Precisamos criar valor para que se tornem e se mantenham fiéis. Pesquisas demonstram que relacionamentos podem criar valor para consumidores individuais por meio de fatores como inspirar maior confiança, oferecer benefícios sociais e proporcionar tratamento especial (veja a seção Novas ideias em pesquisa 12.2).

Novas ideias em pesquisa 12.1

Planilha de cálculo do valor do cliente ao longo do tempo

Calcular o valor do cliente é uma ciência inexata sujeita a múltiplas premissas. Seria interessante variá-las a fim de verificar como afetam novos clientes. É mais fácil rastrear as receitas por cliente individual do que custos associados ao atendimento de um cliente, a menos que (1) não existam registros individuais e/ou (2) as contas atendidas sejam muito grandes e todos os custos a elas relacionados estejam documentados e designados individualmente.

Receitas de aquisição menos custos

Se existirem registros individuais de contas, a taxa inicial de inscrição paga e a primeira compra (se relevante) deverão ser encontradas nesses registros. Custos, ao contrário, talvez tenham de ser avaliados por médias de dados. Assim, o custo de marketing da aquisição de um novo cliente pode ser calculado pela divisão dos custos totais de marketing (propaganda, promoções, vendas etc.) alocados à aquisição de novos clientes pelo número total de clientes conquistados durante o mesmo período. Se cada aquisição demorar muito tempo, será preciso considerar o efeito da defasagem entre o momento em que as despesas de marketing foram incorridas e o momento da adesão do novo cliente. O custo de verificação de crédito — quando relevante — deve ser dividido pelo número de novos clientes e não pelo número total de candidatos, porque alguns destes provavelmente serão detidos por essa barreira. Em grande parte das organizações, os custos de abertura de contas também serão um número médio.

Receitas e custos anuais

Caso vendas anuais, taxas de contas e taxas de serviços forem documentadas conta por conta, é fácil identificar as correntes de receitas geradas por conta (exceto indicações). A prioridade é segmentar a base de clientes conforme a duração de seu relacionamento com a empresa. Dependendo da sofisticação e da precisão dos registros, será possível atribuir custos anuais por categoria diretamente a um titular de conta ou, então, calcular a média de custos considerando todos os titulares de contas pertencentes àquela categoria de tempo de existência da conta.

Valor de indicações

Calcular o valor de indicações exige várias premissas. Para começar, serão necessários levantamentos para determinar (1) a porcentagem de novos clientes que declaram terem seguido a recomendação de outro cliente e (2) as outras atividades de marketing que também atraíram a atenção para a empresa. Os dois itens permitem estimar a porcentagem do crédito referente à aquisição dos clientes e atribuída às indicações. Talvez sejam necessárias pesquisas adicionais para esclarecer se recomendações de clientes 'mais antigos' são mais eficientes do que as de clientes 'mais recentes'.

Valor presente líquido

O cálculo do valor presente líquido (VPL) de uma futura corrente de lucro requer a escolha de um índice para o desconto anual. (Esse índice poderia refletir estimativas de taxas de inflação futuras.) Requer também uma avaliação da duração média do relacionamento. Assim, o VPL de um cliente será a soma do lucro anual esperado para cada cliente durante o tempo de vida previsto do relacionamento, descontado adequadamente pelo índice para cada ano no futuro.

Tabela A

Aquisição			Ano 1	Ano 2	Ano 3	Ano n
Receita inicial		*Receitas anuais*				
Taxa de inscrição[a]	_____	Taxa anual da conta[a]	_____	_____	_____	_____
Compra inicial[a]	_____	Vendas	_____	_____	_____	_____
		Taxas de serviço[a]	_____	_____	_____	_____
		Valor de indicações[b]	_____	_____	_____	_____
Total de receitas	_____		_____	_____	_____	_____
Custos iniciais		*Custos anuais*				
Marketing	_____	Gerenciamento de conta	_____	_____	_____	_____
Verificação de crédito[a]	_____	Custo de vendas	_____	_____	_____	_____
Abertura de conta[a]	_____	Baixas contábeis (por exemplo, créditos em liquidação)	_____	_____	_____	_____
Menos custos totais	_____		_____	_____	_____	_____
Lucro (prejuízo)	_____		_____	_____	_____	_____

[a] Se aplicável.
[b] Lucros esperados gerados por cada novo cliente indicado (poderiam ser limitados ao primeiro ano ou expressos como o valor líquido presente da futura corrente estimada de lucros até o ano n); esse valor poderá ser negativo, se um cliente descontente começar um boca a boca negativo que resulte na deserção de clientes existentes.

Novas ideias em pesquisa 12.2

Como os clientes veem os benefícios relacionais em setores de serviços

Quais benefícios os clientes esperam receber do relacionamento duradouro com uma empresa de serviços? Pesquisadores interessados em respostas para essa pergunta realizaram dois estudos. O primeiro consistiu em entrevistas minuciosas com 21 participantes de origens e históricos diversos. Solicitava-se aos entrevistados que citassem as empresas de serviços que utilizavam com frequência e identificassem e discutissem quaisquer benefícios recebidos por serem clientes assíduos. Eis alguns dos comentários:

- 'eu gosto dele [cabeleireiro]. (...) Ele é muito divertido e sempre conta ótimas piadas. Agora eu o considero um amigo.';

- 'eu sei o que estou recebendo — sei que se eu for a um restaurante que sempre frequento, em vez de me arriscar em restaurantes novos, a comida será boa.';

- 'sempre consigo descontos. De vez em quando, a padaria onde compro pão todas as manhãs me oferece um bolinho gratuito dizendo: 'Você é um bom cliente, hoje é por nossa conta.'';

- 'podemos receber melhor serviço do que clientes ocasionais... Continuamos a frequentar a mesma oficina mecânica porque conhecemos o proprietário e ele (...) sempre consegue encaixar nosso serviço.';

- 'quando as pessoas se sentem bem, não querem trocar de dentista. Elas não querem servir de cobaia ou cartão de apresentação para um novo dentista.'.

Após avaliar e categorizar os comentários, os pesquisadores elaboraram um segundo estudo, no qual coletaram 299 questionários. Solicitou-se aos participantes que selecionassem um provedor de serviços com o qual mantivessem um relacionamento forte e duradouro. Em seguida, deveriam avaliar a proporção em que recebiam cada um dos 21 benefícios listados (derivada da análise do primeiro estudo) como resultado de seu relacionamento. Por fim, o levantamento solicitava que avaliassem a importância desses benefícios para eles.

A análise fatorial dos resultados mostrou que grande parte daqueles benefícios podia ser agrupada em três conjuntos. O primeiro grupo, e o mais importante, referia-se ao que os pesquisadores denominaram benefícios de confiança, seguidos por benefícios sociais e tratamento especial.

- *Benefícios de confiança* referiam-se à impressão dos clientes de que um relacionamento resultava em menor risco de algo dar errado, confiança no desempenho correto, capacidade de confiar no provedor, menos ansiedade na compra, saber o que esperar e receber o nível máximo de serviço oferecido pela empresa.

- *Benefícios sociais* abrangiam o reconhecimento mútuo entre clientes e funcionários, a utilização de seus nomes próprios, a amizade com o provedor de serviços e o prazer de certos aspectos sociais do relacionamento.

- *Benefícios de tratamento especial* incluíam melhores preços, descontos não disponíveis para a maioria dos outros clientes, serviços extras, prioridade quando havia espera e serviços mais rápidos do que o recebido por outros clientes.

Fonte: Kevin P. Gwinner, Dwayne D. Gremler e Mary Jo Bitner, "Relational benefits in services industries: the customer's perspective", *Journal of the Academy of Marketing Science*, 26, n. 2, 1998, p. 101-114.

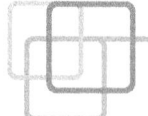

Entendendo o relacionamento cliente/empresa

Antes de explorarmos como podemos melhorar de modo ativo a fidelidade do cliente, devemos conhecer os tipos de relacionamento que os clientes podem manter com seus provedores de serviços. Existe uma distinção fundamental entre estratégias cujo objetivo é produzir uma única transação e as elaboradas para criar relacionamentos prolongados.

Marketing transacional

Uma *transação* é um evento durante o qual ocorre permuta de valor entre duas partes. Porém, mesmo uma série de transações não constitui, necessariamente, um relacionamento, pois isso requer reconhecimento e conhecimento mútuo. Quando cada transação entre um cliente e um fornecedor é, em essência, ocasional e anônima, não se mantém nenhum registro de longo prazo do histórico de compra, o reconhecimento mútuo entre cliente e funcionários é pouco, ou nenhum, e não se pode afirmar que exista marketing de relacionamento significativo. Isso é válido para muitos serviços — desde transporte de passageiros e alimentação a ida ao cinema, quando cada compra e utilização configura um evento separado.

Marketing de relacionamento

O termo *marketing de relacionamento* tem sido muito usado para descrever o tipo de atividade de marketing destinada a criar relacionamentos duradouros com clientes, mas até recentemente sua definição era vaga. Uma pesquisa realizada por Nicole Coviello, Roderick Brodie e Hugh Munro sugere que, na verdade, há quatro tipos de marketing sendo praticados dentro desse conceito — *marketing de banco de dados*, *marketing de interação* e *marketing de rede*.[14]

Marketing de banco de dados. Aqui, o foco continua na transação de mercado, mas agora inclui troca de informações. Profissionais de marketing recorrem à tecnologia da informação, em geral sob a forma de banco de dados, para criar relacionamento com clientes-alvo e manter sua preferência ao longo do tempo. Contudo, nem sempre a natureza dos relacionamentos é próxima, pois a comunicação é dirigida e gerenciada pelo vendedor. A tecnologia é usada para (1) identificar e montar um banco de dados de clientes (atuais e potenciais), (2) entregar mensagens diferenciadas com base nas características e preferências e (3) rastrear cada relacionamento para monitorar o custo de aquisição e o valor do cliente no tempo gerados pelas compras resultantes.[15] Embora a tecnologia possa ser usada para personalizá-los, os relacionamentos continuam, de certa forma, distantes. Serviços públicos como eletricidade, gás e TV a cabo são bons exemplos.

Marketing de interação. O relacionamento é mais próximo quando há interação face a face entre clientes e representantes do fornecedor (ou interação por telefone). Embora o serviço continue importante, pessoas e processos sociais lhe agregam valor. Interações podem incluir negociações e compartilhamento de percepções de parte a parte. Esse tipo de relacionamento existe há muito tempo em diversos ambientes locais, que vão desde agências bancárias de bairros a consultórios odontológicos, em que comprador e vendedor se conhecem e confiam um no outro. Também costuma ser encontrado em muitos serviços B2B. Ambos, empresa e cliente, estão preparados para investir recursos no desenvolvimento de um relacionamento mutuamente benéfico. Esse investimento pode incluir tempo despendido no compartilhamento e no registro de informações.

À medida que as empresas de serviços crescem e utilizam cada vez mais tecnologias, como sites interativos e equipamentos de autosserviço, manter relacionamentos significativos com os clientes torna-se um grande desafio de marketing. As organizações de serviços mais sofisticadas encontram mais e mais dificuldade em formar e manter tais relacionamentos por meio de centrais de atendimento, sites e outros canais de massa (veja Figura 12.4).

Marketing de rede. Costumamos dizer que alguém 'trabalha bem em rede' porque consegue promover contato entre indivíduos que têm um interesse mútuo. Em um contexto B2B, profissionais de marketing trabalham para desenvolver uma rede de relacionamentos com clientes, distribuidores, fornecedores, meios de comunicação, consultores, associações comerciais, agências governamentais, concorrentes e mesmo com clientes de seus clientes. Muitas vezes, uma equipe na empresa do fornecedor colabora prestando serviços eficazes a uma equipe paralela na organização do cliente.

Os quatro tipos de marketing descritos não precisam ser mutuamente exclusivos. Eles surgiram em resposta à necessidade de novos conceitos que ajudassem a empresa a melhorar seu desempenho em mercados altamente competitivos. Uma empresa pode realizar transações com alguns clientes que não desejam nem precisam fazer compras futuras e, ao mesmo tempo, esforçar-se para melhorar a posição de outros em um programa de fidelidade.[16] Evert Gummesson identificou até 30 tipos de relacionamento e defende o *marketing de relacionamento total*, descrito como

> Marketing baseado em relacionamentos, redes e interação, reconhecendo que marketing é parte integrante do gerenciamento total das redes da organização vendedora, do mercado e da sociedade. É dirigido a relacionamentos de longa duração com clientes individuais, nos quais os dois lados ganham, e o valor é criado em conjunto entre as partes envolvidas.[17]

Figura 12.4 Formar e manter relacionamentos por meio de centrais de atendimento é um desafio

Criando relacionamentos de 'associação'

A natureza do relacionamento atual com clientes pode ser analisada verificando-se se o fornecedor mantém um relacionamento formal 'de associação' com seus clientes (assinaturas de linhas telefônicas, serviços bancários, por exemplo), ou se não existe um relacionamento definido. O segundo ponto é saber se a entrega do serviço é contínua, (como seguros, transmissões de rádio e TV e proteção policial), ou se cada transação é registrada e cobrada em separado. A Tabela 12.1 mostra a matriz resultante dessa categorização. Um *relacionamento de associação* é formalizado entre a empresa e um cliente identificável, e pode oferecer benefícios especiais a ambas as partes.

Transações descontínuas, nas quais cada uso envolve um pagamento por um consumidor 'anônimo', são características em transporte, restaurantes, cinemas e sapatarias. O problema dos responsáveis pelo marketing de tais serviços é que eles tendem a estar menos informados do que seus colegas de organizações do tipo associativo a respeito de quem são seus clientes e como utilizam o serviço. Gerentes de negócios que realizam transações descontínuas precisam trabalhar um pouco mais para estabelecer relacionamentos.

Em pequenos e grandes negócios, clientes regulares são (ou deveriam ser) recebidos como 'assíduos', cujas necessidades e preferências são lembradas. Manter registros de necessidades, preferências e comportamento de compra de clientes é útil mesmo para empresas de pequeno porte, porque evita a repetição de perguntas em cada ocasião, permite a personalização do serviço prestado e habilita a empresa a prever necessidades futuras.

Até em grandes empresas com bases consideráveis de clientes, as transações podem ser transformadas em relacionamentos pela oferta de benefícios extras aos clientes que optam por registrar-se na empresa (recaem nessa categoria os programas de fidelidade de hotéis, companhias aéreas e locadoras de veículos). Ter um programa de fidelidade ativo possibilita à empresa conhecer seus clientes atuais e a capturar suas transações e preferências. Trata-se de uma informação valiosa para entrega de serviço, para customização e personalização e para fins de segmentação. No caso de negócios do tipo transacional, programas de recompensa por fidelidade tornam-se um facilitador necessário à implementação de estratégias na Roda da Fidelidade (discutida na próxima seção).

Além de usar programas de fidelidade, vender um serviço em quantidades maiores, como a assinatura para uma temporada de teatro ou o bilhete mensal para transporte público, também pode transformar transações descontínuas em relacionamentos de associação. A seguir discutiremos como pensar na criação de proposições de valor para fidelizar nossos clientes.

Tabela 12.1 Relacionamentos com clientes

Natureza da entrega de serviço	Tipo de relacionamento entre a organização de serviços e seus clientes	
	Relacionamento de associação	Nenhum relacionamento formal
Entrega contínua de serviço	Seguros	Estação de rádio
	Assinatura de TV a cabo	Proteção policial
	Matrícula em universidade	Farol marítimo
	Serviços bancários	Rodovia pública
Transações descontínuas	Chamadas de longa distância por telefone	Locação de automóveis
	Assinatura para uma série de peças teatrais	Serviço postal
	Transporte com bilhete eletrônico	Rodovias com pedágio
	Consertos sob garantia	Telefone público
	Tratamento de saúde para pacientes de convênios	Cinema
		Transporte público
		Restaurante

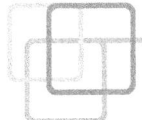

A Roda da Fidelidade

Desenvolver fidelidade de clientes não é tarefa fácil. Pense em todas as empresas de serviços a quem você é fiel. A maioria das pessoas não consegue pensar em mais do que um punhado de empresas das quais gosta de verdade (isto é, dedica um alto *share of heart* — participação na predileção) e com quem se comprometa a voltar (isto é, um alto *share of wallet* — participação na carteira). Isso demonstra que, embora as empresas invistam muito dinheiro e esforço em ações de fidelidade, não se dão bem na formação de uma genuína fidelidade de cliente. Usamos a Roda da Fidelidade mostrada na Figura 12.5 como uma estrutura de organização para refletir sobre como desenvolver a fidelidade de clientes. Ela compreende três estratégias sequenciais.

- Primeiro, a empresa precisa de uma base sólida para criação de fidelidade de clientes, que inclua visar o portfólio de segmentos de cliente, atrair os clientes certos, categorizar o serviço e gerar altos níveis de satisfação.

- Segundo, para desenvolver fidelidade de fato, a empresa necessita criar vínculos estreitos com seus clientes, que aprofundem o relacionamento por meio de vendas cruzadas e pacotes conjugados de serviços ou agreguem valor por meio de recompensas à fidelidade e vínculos mais estreitos.

Figura 12.5 A Roda da Fidelidade

Habilitado por:
- equipe de linha de frente
- gerentes de conta
- programa de fidelidades
- sistemas de CRM

Fidelidade do cliente

1. Construa uma base para a fidelidade
- Segmente o mercado de modo a equiparar as necessidades dos clientes às capacidades da empresa.
- Seja seletivo. Atraia apenas os clientes que se encaixam na proposição de valor central.
- Gerencie a base de clientes por meio de uma categorização eficaz do serviço.
- Entregue serviço de qualidade.

2. Crie vínculos de fidelidade
- Forme vínculos mais estreitos:
  - sociais;
  - de customização;
  - estruturais.
- Dê recompensas à fidelidade:
  - financeiras;
  - não financeiras;
  - níveis de serviços de categoria mais alta;
  - reconhecimento e apreciação.
- Aprofunde o relacionamento por meio de:
  - vendas cruzadas;
  - pacotes conjugados de serviço.

3. Reduza os fatores impulsionadores do *churn*
- Faça diagnóstico do *churn* e monitore clientes em declínio/encerramento.
- Aborde os principais fatores impulsionadores do *churn*.
  - Medidas de retenção proativas;
  - Medidas de retenção reativas (por exemplo, equipes de resgate).
- Ponha em prática processos de administração de reclamações e de recuperação de serviço.
- Aumente os custos de troca.

- Terceiro, a empresa deve identificar e eliminar fatores que resultem no *churn*, a perda de clientes pelo desgaste do relacionamento leva à necessidade de substituí-los por novos.

Discutiremos cada componente da Roda da Fidelidade na seção a seguir.

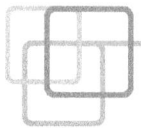

Construindo uma base para a fidelidade

Há muitos elementos envolvidos na criação de relacionamentos com clientes e fidelidade de longo prazo. No Capítulo 3, discutimos sobre segmentação e posicionamento. Nesta seção, enfatizamos a importância de focar o atendimento a uma carteira composta de vários segmentos desejáveis de clientes, para então dedicar esforços ao desenvolvimento e à manutenção de sua fidelidade por meio de estratégias bem concebidas de marketing de relacionamento.

Visando os clientes certos

O gerenciamento da fidelidade começa com a segmentação do mercado para equiparar as necessidades dos clientes às das empresas; em suma, para identificar e visar os clientes certos. 'A quem devemos atender?' Essa é a pergunta que toda empresa de serviços precisa fazer periodicamente. Em geral, existem grandes diferenças entre as necessidades dos clientes e os valores com que podem contribuir para uma empresa. Nem todos os clientes se ajustam bem às capacidades, às tecnologias de prestação de serviços e à direção estratégica da empresa.

Se quiserem construir relacionamentos bem-sucedidos com clientes, as empresas precisam ser seletivas sobre os segmentos a que visam. Isto é, focar a aquisição de clientes que se encaixem na proposição de valor central! Ajustar clientes às capacidades da empresa é vital. Os gerentes devem pensar com cuidado em como o cliente precisa se relacionar com elementos operacionais — como rapidez e qualidade —, os horários em que o serviço está disponível, a capacidade da empresa para atender muitos clientes ao mesmo tempo e os aspectos físicos e a aparência das instalações de serviço. Eles também precisam considerar quão bem seu pessoal de serviço pode atender às expectativas de tipos específicos de cliente no tocante a estilo pessoal e competência técnica.[18] Por fim, precisam perguntar a si próprios se os serviços de sua empresa podem se equiparar ou superar os de concorrentes dirigidos aos mesmos tipos de cliente.

O resultado da cuidadosa escolha de clientes-alvo mediante o ajuste das capacidades e forças da empresa às necessidades dos clientes deve ser uma oferta de serviço superior aos olhos dos clientes que valorizam o que a empresa tem a oferecer. Frederick Reichheld disse que "o resultado deve ser uma situação em que todos ganham e os lucros são realizados mediante o sucesso e a satisfação dos clientes e não a sua custa".[19]

Em busca de valor e não apenas de números

Um número demasiado grande de empresas de serviços ainda focaliza o *número* de clientes atendidos, mas dá pouca atenção ao *valor* de cada um.[20] Grandes usuários, que compram com mais frequência e em maiores volumes, são mais lucrativos do que usuários ocasionais. Roger Hallowell destaca muito bem esse ponto ao discutir serviços bancários:

> A população de clientes de um banco, sem dúvida, contém indivíduos a quem o banco não pode satisfazer, dados os níveis de serviço e de preços que pode oferecer, ou que nunca serão lucrativos, dada sua atividade bancária (a utilização de recursos do banco em relação à receita que fornecem). É normal que qualquer banco vise e atenda somente aos clientes cujas necessidades possa satisfazer melhor do que seus concorrentes, e com lucro. Esses são os clientes que mais provavelmente permanecerão por longos períodos, que comprarão vários produtos e serviços, que recomendarão o banco a seus amigos e conhecidos e que podem ser a fonte de retornos superiores para os acionistas do banco.[21]

Cenário brasileiro 12.1

Construindo relacionamentos no Club Med

Mais do que a implantação de sistemas contendo todos os hábitos, preferências e padrões de consumo, criar um relacionamento significa que a empresa volta-se para o cliente, em todas as suas decisões, valorizando-o em todos os momentos. Deve se dispor a satisfazê-lo em todas as suas necessidades por meio de um atendimento e proposta de valor de qualidade excepcional e personalizada. Para que toda a empresa atue dessa forma, é necessário criar os valores apropriados e disseminá-los entre todos os envolvidos. Isso costuma representar uma mudança em toda a cultura corporativa, a reavaliação de suas estratégias, a modificação de suas estruturas e processos. Do sistema de remuneração e bônus até os cortes de custos, tudo deve estar alinhado para a retenção dos clientes certos e a manutenção do relacionamento que resulte em satisfação. A prioridade deve ser a de resolver os problemas do cliente, e não da empresa. A análise deve ser feita com base nas taxas de *churn*, e não na de conquista de novos clientes. Questões como essas podem se chocar com valores mais tradicionais, principalmente daqueles que já trabalharam por mais tempo em empresas com esse tipo de cultura.

Uma empresa que busca oferecer uma experiência inesquecível e que mantém estreito relacionamento com seus clientes é o Club Med. A organização foi criada como Club Mediterranée em 1950, por Gérard Blitz e Gilbert Trigano, na ilha de Mallorca, na Espanha. Voltado para as pessoas que buscam a natureza e os esportes ao ar livre, criou o conceito de resort *all inclusive*, que oferece, em um único preço, transporte, hospedagem, alimentação e esportes. O posicionamento era de oferecer um lugar longe, fora da fome e depressão do pós-guerra, com muita diversão e alimentação à vontade. Tornou-se famoso por uma série de inovações, como as atrações programadas, os bufês de comida, os bangalôs típicos e os termos G.O. (Gentis Organizadores), pessoal encarregado de entreter os G.M. (Gentis Membros, os hóspedes).

O sucesso foi rápido e também o crescimento, com a abertura de resorts em diversos outros lugares, com a expansão para o Caribe e a África, com a inauguração na Ilha de Itaparica, Bahia (1979), e em Angra dos Reis, Rio de Janeiro (1988), os primeiros dois resorts brasileiros, com a criação do Mini Club Med, para crianças, e com os cruzeiros Club Med.

Em 1991, a Guerra do Golfo abalou seu principal mercado, afastando os turistas do Mediterrâneo, o que levou a uma crise financeira e à mudança de comando para Phillipe Bourguignon, que havia trabalhado na EuroDisney. Ele reformulou a rede, reformou os *villages* e inaugurou novos, inclusive o terceiro brasileiro, em Trancoso, na Bahia (2002). Em 2005, Henri Giscard d'Estaing, filho do ex-presidente francês, assumiu o comando da empresa, sofisticando-a ainda mais e introduzindo os resorts 'cinco tridentes', equivalentes à categoria cinco estrelas.

A empresa, hoje de capital aberto, fatura cerca de 1,3 bilhão de euros e lucra 48 milhões de euros com 80 resorts em 40 países. São 25 mil funcionários (15 mil G.O.s) que atendem 1,36 milhão de hóspedes por ano e mantêm uma ocupação média de 70 por cento.

Segundo pesquisa da CSU MarketSystem, 60 por cento dos clientes entrevistados no Brasil que já tentaram acumular pontos em programas de fidelidade de cartões de crédito se sentiram frustrados porque nunca conseguiram resgatar seus prêmios. Nos Estados Unidos, 54 por cento dos entrevistados pelo CMO Council se declararam cansados de receber mensagens irrelevantes e recompensas de baixo valor, e ameaçam abandonar a marca. Embora o número de usuários de cartões de fidelidade no Brasil seja menor que nos Estados Unidos, a insatisfação é comum. As empresas precisam rever seus programas e, principalmente, seus relacionamentos, para torná-los mais atrativos e relevantes. Segundo estudo da CSU MarketSystem, programas reformulados que atenderam melhor a seus clientes levaram 25 por cento deles a consumir mais. Pensando nisso, o Club Med reformulou recentemente seu programa de fidelidade, o Unique, para os clientes de seus três resorts. Estima-se que 15 por cento do faturamento no Brasil venha de clientes fidelizados.

O novo programa, lançado mundialmente, muda o nome para Great Members, passa de mil para 24 mil participantes, divididos em três categorias: Turquoise, Silver e Gold (no antigo era somente uma), e os pontos, baseados no gasto e nas diárias pagas nos últimos três anos, são válidos para todos os resorts da rede no mundo.

O cliente começa na categoria Great Member Turquoise e passa a receber todas as comunicações da rede, informações sobre hospedagens e tarifas promocionais. Ao consumirem mais de 12 mil reais ou 35 diárias, torna-se um Great Member Silver, e ao atingir mais de 41 mil reais ou 80 diárias, entram para a categoria Great Members Gold. A categoria Gold é que oferece mais benefícios, como descontos em serviços e lojas do resort, atendimento personalizado no *call center*, *transfer* personalizado, *upgrade* de quarto, check-in prioritário e *late* check-out. O objetivo do grupo é ter retorno com a retenção de clientes frequentes, reduzindo os gastos com a busca por novos clientes.

Por definição, clientes de relacionamento não compram serviços comuns. Os que se limitam a comprar com base no preço mais baixo (minoria em grande parte dos mercados) não são bons clientes-alvo para o marketing de relacionamento. Eles gostam de pechinchas, sempre procuram o menor preço em oferta e trocam de fornecedor com facilidade.

Líderes de fidelidade são exigentes: interessam-lhes somente os clientes certos, aqueles a quem suas empresas foram projetadas para entregar um valor especial de fato. A conquista desses clientes pode gerar receitas de longo prazo, crescimento contínuo graças às indicações e maior satisfação de funcionários, cujo serviço diário melhora quando tratam com clientes gratos. Atrair os clientes errados costuma acarretar dispendioso *churn*, redução da reputação da empresa e funcionários desiludidos. Por ironia, muitas vezes, empresas cujas estratégias de aquisição são muito focadas e seletivas crescem mais rapidamente durante longos períodos do que empresas que adotam uma estratégia de aquisição desenfreada.[22] A seção Melhor prática em ação 12.1 mostra como o Vanguard Group projetou seus produtos e determinou seus preços para atrair e reter os clientes certos para seu modelo de negócios.

Diferentes segmentos oferecem diferentes valores para uma empresa de serviços. Alguns tipos de cliente são mais lucrativos do que outros a curto prazo, porém outros têm maior potencial para crescimento a longo prazo. Assim também os padrões de gastos de alguns clientes podem ser estáveis ao longo do tempo, ao passo que os de outros são mais cíclicos e tendem a gastar muito em tempos de expansão, mas a cortar fundo os custos em tempos de recessão. Uma empresa prudente deve buscar um misto desses segmentos para reduzir os riscos associados à volatilidade.[23]

Como David Maister enfatiza, em muitos casos, marketing significa conseguir *melhores* negócios, e não simplesmente *mais* negócios.[24] O calibre de uma empresa profissional é medido pelo tipo de cliente atendido e pela natureza das tarefas que executa. Apenas o volume não serve como medida de excelência, sustentabilidade ou lucratividade. Em serviços profissionais (consultorias, escritórios de advocacia) o mix de negócios atraídos pode ter papel importante na definição da empresa e no fornecimento de um mix adequado de atribuições para o pessoal em diferentes níveis da organização.

Por fim, os profissionais de marketing não devem presumir que os 'clientes certos' são sempre os que gastam muito. Dependendo do modelo da empresa, clientes certos podem vir de um grande grupo que nenhum outro fornecedor esteja atendendo bem. Muitas empresas desenvolveram estratégias de sucesso atendendo a segmentos desprezados pelas outras participantes do mercado, que não os percebiam como 'valiosos' o bastante. Como exemplo, citamos a Enterprise Rent-A-Car, cujo alvo são clientes que precisavam de um carro substituto por certo tempo e evitou o segmento mais tradicional de executivos em viagem, preferido pelas principais concorrentes; a Charles Schwab, que se concentrou em compradores de ações no varejo, e a Paychex, que oferece serviços de folha de pagamento e recursos humanos a pequenas empresas.[25] Ao perceber a redução da demanda no mercado de armas, a Taurus, a partir de 2003, buscou mercados inexplorados, onde pudesse aplicar suas competências, como containers e ferramentas. Outros exemplos de empresas que abriram mercados antes pobremente atendidos são a Freeway Adventures, a maior agência de ecoturismo do Brasil, a Mundo Verde, rede de mercados de produtos naturais, a Dotz, especializada em programas de fidelidade pela internet, a Electrocell, produtora de combustível de hidrogênio, a 24×7, que vende livros em *vending machines*, a Comerc, que atua no mercado livre de energia, entre outras.

Gerenciamento da base de clientes por meio de uma boa categorização de serviço em classes

Profissionais de marketing devem adotar uma abordagem estratégica para retenção, mudança para classe superior (*upgrade*) e mesmo fim de relacionamento com clientes. Retenção envolve desenvolver com clientes vínculos de longo prazo e eficientes em custo para o benefício mútuo, mas esses esforços nem sempre precisam ser dirigidos a todos os clientes com a mesma intensidade. Pesquisas confirmam que lucratividade de clientes e retorno de vendas podem ser incrementados se a empresa focar seus recursos nos clientes 'top'.[26] A maioria das empresas tem várias classes de cliente no tocante à lucratividade e as expectativas e necessidades dessas classes costumam ser bastante diferentes. Segundo Valarie Zeithaml, Roland Rust e Katherine Lemon, é importante as empresas entenderem as necessidades dos clientes das diferentes classes de lucratividade e ajustarem seus níveis de serviço a elas.[27]

Melhor prática em ação 12.1

O Vanguard desestimula a aquisição de clientes 'errados'

Vanguard Group é líder de crescimento no setor de fundos mútuos que acumulou uma carteira de 1 trilhão de dólares em ativos gerenciados, visando com esmero os clientes certos para seu modelo de negócios. Sua participação de novas vendas, que era de aproximadamente 25 por cento, refletia sua participação de ativos ou de mercado. Contudo, a taxa de resgate era bem mais baixa, o que lhe conferia uma participação de mercado de 55 por cento (novas vendas menos resgates) e transformou-o no fundo mútuo de crescimento mais rápido em seu setor.

Como o Vanguard conseguiu essas taxas de resgates tão baixas? O segredo era sua cuidadosa aquisição e suas estratégias de produto e determinação de preços que incentivavam a conquista dos clientes 'certos'.

Seu fundador, John Bogle, acreditou na superioridade dos fundos indexados (reajustáveis) e que taxas de administração menores resultariam em retornos mais altos a longo prazo. Ele ofereceu taxas de administração imbatíveis, graças a uma política de não negociar (seus fundos indexados permanecem no mercado para os quais foram designados e cujas variações devem acompanhar), não manter uma força de vendas e gastar em propaganda apenas uma fração do que seus concorrentes gastavam. Outro fator de redução de custos era desestimular a aquisição de clientes que não investissem em fundos indexados de longo prazo.

Bogle atribui o alto nível de fidelidade à atenção redobrada à deserção de clientes, que, no setor de fundos, significa taxas de resgate. "Eu vigiava as taxas como um falcão", explicou, e as analisava com mais cuidado do que as novas vendas para garantir que a estratégia de aquisição de clientes estivesse em curso. Baixas taxas de resgate significavam que a empresa atraía o tipo certo de investidores fiéis, os de longo prazo. A estabilidade inerente de sua base de clientes fiéis é a chave da vantagem de custo do Vanguard. O nível de exigência de Bogle tornou-se lendário. Ele examinava resgates individuais para verificar quem tinha autorizado a entrada do tipo errado de cliente. Quando um investidor institucional resgatou 25 milhões de dólares de um fundo adquirido apenas nove meses antes, Bogle considerou a aquisição desse cliente uma falha do sistema. E explicou: "Não queremos investidores de curto prazo. Eles atrapalham o jogo à custa do de longo prazo". Ao final de seu comunicado como presidente do conselho dirigido ao Vanguard Index Trust, Bogle reiterou: "Recomendamos que eles (investidores de curto prazo) procurem em outros lugares oportunidades de investimento".

Tais cuidados e a atenção com a aquisição dos clientes certos ganharam repercussão. Por exemplo, o Vanguard recusou um cliente institucional que queria aplicar 40 milhões de dólares, por suspeitar que ele mudaria de investimento em poucas semanas, criando custos extras para os demais clientes. O investidor potencial queixou-se ao CEO, que não apenas apoiou a decisão, mas também aproveitou a oportunidade para reforçar às equipes por que precisavam ser seletivas em relação aos clientes que aceitavam.

O Vanguard também introduziu várias mudanças nas práticas do setor que desencorajavam a compra de seus fundos por *traders* ativos. Assim, o grupo não permitia transferências por telefone para os fundos indexados, alguns fundos cobravam taxas de resgate e a prática de subsidiar novas contas à custa de clientes existentes foi rejeitada como desleal para sua base principal de investidores. Essas políticas de produto e determinação de preços, na verdade, afastaram os grandes *traders*, mas deram ao fundo características atraentes e exclusivas para o investidor de longo prazo.

Por fim, a política de preços favorecia clientes fiéis. Em muitos de seus fundos, os investidores pagavam taxa inicial única, que revertia para os próprios fundos, para compensar todos os investidores correntes pelos custos administrativos da venda de novas ações. Essa taxa subsidia investidores de longo prazo e penaliza os de curto prazo. Outra novidade da política de preços foi a criação das ações Admiral para investidores fiéis, cuja taxa de administração era um terço mais baixa do que a das ações ordinárias.

Fonte: Adaptado de Frederick F. Reichheld, *Loyalty Rules! How Today's Leaders Build Lasting Relationships*. Boston, MA: Harvard Business School Press, 2001, pp. 24-29, 84-87, 144-145. Disponível em: <www.vanguard.com>. Acesso em: 10 Jun. 2009.

Assim como ocorre com os serviços, grupos de clientes podem ser categorizados para refletir o nível de valor incluso (por exemplo, primeira classe, executiva e econômica em viagens aéreas; veja o Capítulo 4). Nesse caso, as categorias de serviço podem ser desenvolvidas conforme vários níveis de contribuição ao lucro, diferentes necessidades (incluindo sensibilidades a variáveis como preço, conforto e rapidez) e perfis pessoais identificáveis, como os demográficos. Zeithaml, Rust e Lemon ilustraram esse princípio por meio de uma pirâmide de quatro níveis, como mostra a Figura 12.6.

- *Platina.* Constituem uma porcentagem muito pequena da base de clientes de uma empresa, são grandes usuários e contribuem muito com os lucros gerados. A menor sensibilidade ao preço é sua característica, porém, em troca, espera níveis superiores de serviço e mostra-se mais disposto a experimentar e a investir em novos serviços.

- *Ouro.* A classe tem uma porcentagem maior de clientes do que a platina, mas seus clientes individuais contribuem menos para o lucro realizado do que os da primeira categoria. Eles tendem a ser um pouco mais sensíveis ao preço e menos comprometidos com a empresa.

- *Ferro.* Formam a maior parte da base de clientes. Como seu grande número proporciona economias de escala à empresa, são importantes para a manutenção de certo nível de capacidade e infraestrutura necessários para atender clientes das classes ouro e platina. Contudo, por si sós, eles costumam ser apenas marginalmente lucrativos. Seu nível de negócios não é bastante substancial para merecer tratamento especial.

- *Chumbo.* Tendem a gerar baixas receitas de serviço, mas ainda assim costumam exigir o mesmo nível de serviço que os da categoria ferro; isso os transforma em um segmento que, do ponto de vista da empresa, gera prejuízos.

As características da categorização de clientes variam, de acordo com o tipo de negócio e até de empresa. A seção Panorama de serviços 12.1 fornece um exemplo do setor de pesquisa de mercado.

Em geral, classes de clientes são baseadas em lucratividade e em necessidades de serviços. Em vez de prestar o mesmo serviço a todos os clientes, cada segmento recebe um nível customizado, com base em seus requisitos e em seu valor para a empresa. Benefícios extras devem ser oferecidos aos melhores clientes, de forma seletiva. Os níveis de benefícios para clientes das classes platina e ouro costumam ser estruturados, tendo em mente a retenção, por serem os únicos que os concorrentes gostariam de conquistar.

Podem-se usar esforços de marketing para incentivar o aumento no volume de compras, subir de um nível de serviço ou fazer venda cruzada de serviços adicionais para qualquer uma das classes. Contudo, o impulso desses esforços varia em função das classes, refletindo suas diferentes necessidades, seus comportamentos de utilização e seus padrões de gastos. Para os segmentos nos quais a participação da empresa na carteira do cliente já é alta, o foco deve concentrar-se no cultivo, na defesa e na retenção, possivelmente por meio de programas de fidelidade.[28]

Figura 12.6 A pirâmide do cliente

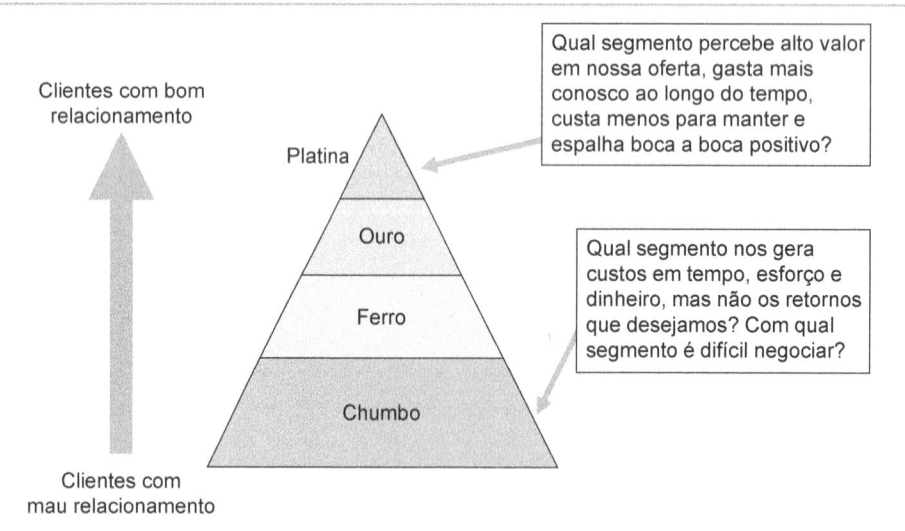

Fonte: Valarie A. Zeithaml, Roland T. Rust e Katherine N. Lemon, "The customer pyramid: creating and serving profitable customers", *California Management Review*, 43, n. 4, verão 2001, Figura 1, p. 118-142. © 2001 The Regents of the University of California. Reprodução permitida por The Regents.

Panorama de serviços 12.1

Categorização dos clientes de uma agência de pesquisa de mercado

Dividir clientes em classes ajudou uma agência líder em pesquisa de mercado nos Estados Unidos a entendê-los melhor. A agência definiu como *classe platina* os grandes clientes que não apenas se mostravam dispostos a planejar certa quantidade anual de pesquisas, como também ajudavam a decidir o cronograma, o escopo e a natureza destas, o que facilitava o gerenciamento de capacidade e o planejamento de projetos. Os custos de aquisição para projetos vendidos a esses clientes ficavam apenas entre 2 e 5 por cento do valor total (em comparação com até 25 por cento no caso de clientes que demandavam grande trabalho de preparação de propostas e licitações a cada projeto). Clientes classe platina também eram mais propensos a experimentar e a adquirir uma faixa mais ampla de serviços de seu fornecedor predileto. De modo geral, estavam muito satisfeitos com o trabalho da agência de pesquisa e dispunham-se a servir como referência para clientes potenciais.

Clientes classe ouro tinham perfil semelhante aos da classe platina, mas eram mais sensíveis ao preço e tendiam a distribuir suas verbas entre diversas empresas. Embora fossem clientes há muitos anos, não se dispunham a decidir seu trabalho de pesquisa com um ano de antecedência, apesar de a empresa de pesquisa lhes oferecer melhor qualidade e prioridade na alocação de capacidade.

Clientes classe ferro gastavam quantias moderadas e contratavam serviços projeto por projeto. Os custos de venda eram altos, pois eles enviavam pedidos de propostas a várias empresas para cada projeto. Esses clientes procuravam o preço mais baixo e muitas vezes não davam à empresa de pesquisa tempo suficiente para realizar um trabalho de qualidade.

Clientes classe chumbo realizavam apenas projetos isolados, de baixo custo, rápidos e pouco precisos, que proporcionavam à empresa de pesquisa pouca oportunidade de agregar valor ou aplicar bem seu conjunto de capacidades. Os custos de vendas eram altos, pois o cliente costumava solicitar propostas a várias empresas. Além disso, como não tinham experiência em executar pesquisas e trabalhar com agências, a venda de um projeto exigia várias reuniões e muitas revisões da proposta. O custo de manutenção era alto, pois os clientes não entendiam bem o trabalho de pesquisa. Muitas vezes mudavam os parâmetros, o escopo do projeto e os produtos, que deveriam ser entregues com o trabalho já em andamento, e achavam que cabia à agência absorver o custo de qualquer retrabalho. Isso reduzia a lucratividade do empreendimento.

Fonte: Valarie A. Zeithaml, Roland T. Rust e Katherine N. Lemon,"The customer pyramid:creating and serving profitable customers", *California Management Review*, 43, n. 4, verão 2001, p. 127-128.

Para clientes da classe chumbo, as opções são fazê-los migrar para o segmento ferro ou encerrar o relacionamento. A migração pode ser conseguida por uma combinação de estratégias, como venda de atualizações de serviço, vendas cruzadas e fixação de taxas básicas e elevação de preços. Por exemplo, instituir uma taxa mínima, que deixará de ser cobrada quando for gerado certo nível de receita, pode incentivar clientes a consolidar suas transações com um único fornecedor. O comportamento do cliente pode ser moldado de modo a reduzir os custos incorridos em atendê-los; por exemplo, tarifas cobradas em transações por canais eletrônicos mais baixas do que as cobradas por canais que utilizam muitas pessoas. Outra opção é criar uma plataforma de preço atraente e baixo custo. No setor da telefonia celular, clientes cuja frequência de utilização do serviço é baixa podem optar por pacotes pré-pagos, para os quais a empresa não precisa enviar faturas nem receber pagamentos, o que elimina o risco de inadimplência. A migração deve ser feita de forma cuidadosa, de modo a não incorrer em problemas éticos ou legais.

Excluir clientes é uma consequência lógica da percepção de que nem sempre vale a pena conservar todos os clientes.[29] Muitos deixam de ser lucrativos para a empresa, pois sua manutenção pode custar mais do que as receitas que geram. Alguns já não se ajustam mais à estratégia da empresa, seja porque ela mudou ou porque o comportamento e as necessidades deles mudaram. No entanto, é uma medida extrema, a ser tomada como última opção. Antes, a empresa deve entender por que aquele cliente não é atrativo. Mudanças de mercado podem alterar a sua atratividade, o que a empresa deveria ter previsto. Seu serviço pode ter perdido qualidade e por isso o cliente talvez divida o que antes entregava integralmente a ela. Nesse caso, é necessário primeiro avaliar se o problema não é de competitividade. O relacionamento talvez tenha se desgastado por fatores pessoais ou incidentes específicos, e assim, se houver mudança na equipe de atendimento, o *share of wallet* anterior poderá ser recuperado. Às vezes, clientes mudam a política de compra e criam novos padrões que a empresa ainda não atende. Isso indica uma falha da equipe de relacionamento, que não captou a mudança. Acontece também de o cliente alterar sua demanda em função de deslocamentos da região de atuação, mudança de tecnologia ou de setor de atividade. A empresa precisa avaliar se pode reclassificar o cliente em uma categoria que atenda aos interesses de ambos. Mesmo que a conclusão seja pelo término do relacionamento, a ruptura deve ser feita com cuidado, para não criar incertezas no mercado, ou expectativas negativas em outros clientes e funcionários. Se possível, o cliente não deve ser apenas excluído, mas encaminhado a outro prestador de serviço mais adequado a seu potencial de consumo.

Pode ocorrer de clientes serem dispensados sem mais delongas (mesmo assim é importante observar os processos legais). A ING Direct é o modelo *fast-food* de serviços bancários a pessoas físicas — simplesmente não há mordomias. Há um punhado de produtos básicos para atrair clientes que requerem baixa manutenção com altas taxas de juros (uma de suas contas de poupança pagava muitas vezes mais do que a média do setor em janeiro de 2006). Quando um cliente faz contatos demais por telefone (cada telefonema custa ao banco em média 5,25 dólares) ou solicita muitas exceções à regra, o pessoal de atendimento do banco diz: 'Bem, este não é o lugar certo para você. Sugiro que volte a negociar com seu banco anterior para ter o tipo de atendimento que mais lhe convém'. Com isso, o custo por conta do ING Direct é de apenas um terço da média do setor.[30]

Exemplos em que clientes são dispensados incluem alunos que colam em exames ou sócios de clubes que fazem uso abusivo das instalações ou importunam outras pessoas. Em outros casos, a exclusão pode ser menos direta e traumatizante. Bancos norte-americanos que querem se livrar de conta que não se ajustam mais às prioridades corporativas costumam vendê-las para outros bancos (um exemplo são portadores de cartões de crédito que recebem uma carta informando que suas contas foram transferidas para outra operadora de cartões de crédito).

Assim como investidores precisam se livrar de maus investimentos e bancos talvez tenham de dar baixa em seus créditos de difícil liquidação, cada empresa de serviços deve avaliar periodicamente a carteira de clientes e considerar o término de relacionamentos malsucedidos. É claro que considerações éticas e jurídicas determinarão como tomar tais medidas. Por exemplo, um banco pode instituir uma taxa mínima mensal para contas com baixo saldo, mas por questões de responsabilidade social pode aboná-la para clientes aposentados.

Satisfação do cliente e qualidade de serviço são pré-requisitos da fidelidade

A base da verdadeira fidelidade está na satisfação do cliente, para a qual a qualidade de serviço é um componente fundamental. Clientes muito satisfeitos ou mesmo encantados têm mais probabilidade de serem defensores leais da empresa,[31] consolidarem compras com um só fornecedor e disseminar o boca a boca positivo. Ao contrário, a insatisfação afasta clientes e é fator fundamental de mudança de comportamento. Pesquisa recente demonstrou que aumentos nos níveis de satisfação de clientes levam a aumentos no valor das ações (veja a seção Novas ideias em pesquisa 12.3)

A relação satisfação/fidelidade pode ser dividida em três zonas: deserção, indiferença e afeição (veja Figura 12.7). A *zona de deserção* encontra-se nos níveis baixos de satisfação. Os clientes trocarão de fornecedor a menos que os custos de troca sejam altos, ou que não haja nenhuma alternativa viável ou conveniente. Clientes muito insatisfeitos podem tornar-se 'terroristas' e espalhar muito o boca a boca negativo.[32] A *zona de indiferença* está nos níveis intermediários de satisfação. Nesse ponto, os clientes estão dispostos a trocar de fornecedor caso encontrem uma alternativa melhor. Por fim, a *zona de afeição* situa-se em níveis de satisfação muito altos e, nesse ponto, a fidelidade atitudinal de clientes pode ser tão elevada que eles não procuram outros prestadores de serviço. Clientes que elogiam a empresa em público e a indicam a outros são descritos como 'apóstolos'. Altos índices de satisfação levam à melhoria do desempenho futuro de um negócio.[33]

Figura 12.7 A relação satisfação/fidelidade do cliente

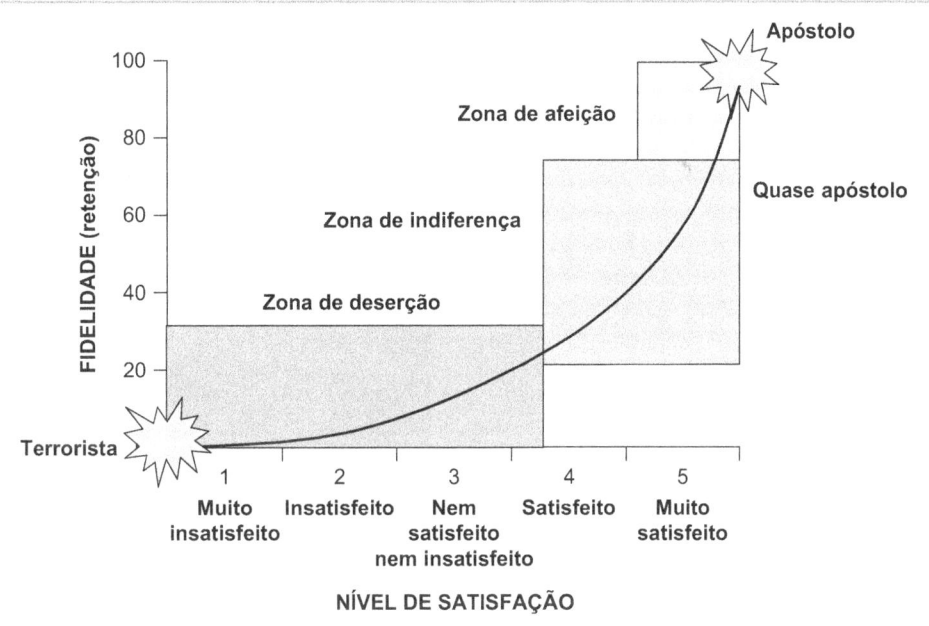

[Gráfico mostrando a relação entre nível de satisfação (eixo X, de 1 a 5) e fidelidade/retenção (eixo Y, de 0 a 100). Zonas indicadas: Zona de deserção (Terrorista), Zona de indiferença, Zona de afeição (Apóstolo, Quase apóstolo). Eixo X: 1 Muito insatisfeito, 2 Insatisfeito, 3 Nem satisfeito nem insatisfeito, 4 Satisfeito, 5 Muito satisfeito.]

Fonte: Adaptado de Thomas O. Jones e W. Earl Sasser Jr., "Why satisfied customers defect", *Harvard Business Review*, nov./dez. 1995, p. 91. © 1995 por Harvard Business School Publishing Corporation. Reprodução permitida pela Harvard Business School. Todos os direitos reservados.

Novas ideias em pesquisa 12.3

Satisfação do cliente e Wall Street — altos retornos e baixo risco!

Os níveis de satisfação dos clientes de uma empresa têm alguma correlação com o preço de suas ações? Essa era a pergunta intrigante para a qual Claes Fornell e seus colegas queriam uma resposta. Eles examinaram se investimentos em satisfação do cliente levam a retorno adicional sobre as ações (veja Figura 12.8) e, nesse caso, se esses retornos estavam associados a riscos mais elevados como seria de se esperar pela teoria financeira.

Foram formadas duas carteiras de ações, uma hipotética com compra retroativa de ações (*backdating*) e outra real. Ambas eram compostas exclusivamente de empresas bem-sucedidas em índices de satisfação do cliente (conforme medido pelo American Customer Satisfaction Index, ACSI). As carteiras baseadas no ACSI eram ajustadas uma vez por ano, no dia do anúncio dos resultados anuais do índice. Somente as empresas classificadas na faixa superior de 20 por cento no índice eram incluídas (retinham-se as que já haviam atingido o patamar no ano anterior ou se acrescentavam as que haviam melhorado a classificação). Empresas que ficavam abaixo da linha de corte de 20 por cento eram vendidas.

O retorno e risco de ambas as carteiras eram medidos, e seus retornos ajustados ao risco eram comparados com índices macroeconômicos (S&P 500 e NAS-DAQ). As constatações surpreenderam tanto gestores quanto investidores. Fornell e seus colegas descobriram que a carteira baseada no ACSI gerava retornos ajustados ao risco bem mais altos do que seus índices de *benchmark* de mercado. Mudanças nas classificações ACSI de cada empresa estavam bastante associadas à oscilação futura do preço de suas ações. No entanto, apenas publicar os dados mais recentes sobre o índice ACSI não surtia efeito imediato na mudança dos preços de ações, como previa uma teoria de mercado eficiente. Em vez disso, preços de ações pareciam ajustar-se mais lentamente ao longo do tempo à medida que as empresas publicavam outros resultados (dados de lucros ou outros fatos 'tangíveis' que pudessem retardar a satisfação do cliente), e retorno adicional sobre suas ações eram gerados por consequência. Esse retorno representa uma imperfeição do mercado de ações, mas é compatível com outras pesquisas em marketing, que sustentam que clientes satisfeitos melhoram o nível e a estabilidade do fluxo de caixa.

Em um estudo posterior, Lerzan Aksoy e seus colegas aprofundaram-se nessas descobertas e confirmaram que uma carteira baseada em dados ACSI superava o desempenho do índice do S&P 500 por um período de 10 anos e geravam retornos ajustados ao risco acima da média.

Para gerentes de marketing, as conclusões de ambos os estudos confirmam que os investimentos (ou 'gastos', na terminologia contábil) na gestão de relacionamentos com clientes e os fluxos de caixa que eles geram são fundamentais à criação de valor para a empresa e, consequentemente, para os acionistas.

Embora os resultados sejam convincentes, é preciso ter cuidado ao explorar essa aparente ineficiência de mercado e investir em empresas que demonstram altos aumentos de satisfação do cliente em futuras divulgações do ACSI — seus amigos da área financeira lhe dirão que os mercados eficientes aprendem rápido! Você saberá que isso aconteceu quando observar o preço das ações oscilar em resposta a futuras divulgações do ACSI. Para saber mais sobre o ACSI, acesse <www.theasci.org>.

Figura 12.8 Dados de satisfação do cliente podem ajudar a empresa a ter desempenho acima do mercado?

Fontes: Claes Fornell, Sunil Mithas, Forrest V. Morgeson III e M. S. Krishnan, "Customer satisfaction and stock prices: high returns, low risk", *Journal of Marketing*, 70, jan. 2006, p. 3-14; Lerzan Aksoy, Bruce Cooil, Christopher Groening, Timothy L. Keiningham e Atakan Yalçın, "The long-term stock market valuation of customer satisfaction", *Journal of Marketing*, 72, n. 4, 2008, p. 105-122.

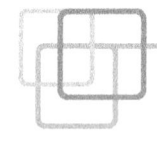

Estratégias para desenvolver vínculos de fidelidade com clientes

Ter a carteira certa de segmentos de clientes, atrair os clientes certos, dividir o serviço em classes e proporcionar altos níveis de satisfação são fundamentos sólidos para criar fidelidade, como mostra a Figura 12.5. Contudo, as empresas podem fazer mais para estreitar 'vínculos' com seus clientes. Estratégias incluem (1) aprofundar o relacionamento por meio de vendas cruzadas e pacote conjugado de serviços; (2) criar recompensas à fidelidade; e (3) formar vínculos de mais alto nível, como sociais, de customização e estruturais.[34] Discutiremos essas três estratégias a seguir.

Aprofundando o relacionamento

Uma estratégia eficaz para estreitar vínculos é aprofundar o relacionamento por meio de pacotes conjugados de serviços e/ou vendas cruzadas. Bancos, por exemplo, gostam de vender o máximo possível de produtos financeiros para uma conta ou domicílio. Softwares analíticos de alta complexidade tornam possível adotar estratégias de microssegmentação dirigidas a pequenos grupos de clientes, que compartilham certas características relevantes em um ponto específico no tempo e que são vistos como alvos potenciais para campanhas de vendas cruzadas ou de atualizações de produtos (note a estratégia utilizada pelo Royal Bank of Canada, descrita na seção Melhor prática em ação 12.2). Quando uma família tem conta-corrente, cartão de crédito, poupança, cofre de segurança, empréstimo para compra de carro e hipoteca no mesmo banco, o relacionamento é tão profundo que trocar de fornecedor é uma ação complicada e improvável, a menos, é claro, que o cliente fique extremamente insatisfeito com o banco.

Clientes podem beneficiar-se ao consolidar suas compras de vários serviços no mesmo provedor. Comprar tudo de que se necessita em um único local é geralmente mais conveniente e menos estressante do que adquirir cada serviço de um fornecedor diferente. Ao ter muitos serviços com a mesma empresa, o cliente pode atingir uma categorização de serviço mais alta e receber melhor atendimento, e às vezes os pacotes conjugados de serviços realmente vêm acompanhados de descontos de preço.

Estimulando a fidelidade por meio de recompensas financeiras e não financeiras

Poucos clientes compram de um único fornecedor, sobretudo se a entrega de serviços envolver uma transação isolada (como a locação de um automóvel) e não uma transação contínua (como apólices de seguro). Em muitas ocasiões, os consumidores são fiéis a diversas marcas — situação às vezes descrita como 'fidelidade polígama' —, mas desprezam outras. Nesses casos, a meta do marketing deve ser o fortalecimento da preferência do cliente por uma das marcas e a conquista de maior participação nos gastos nessa categoria de serviço (também conhecido como aumento da participação na carteira). Programas de fidelidade bem planejados podem atingir maiores vínculos de participação na carteira e baseados em recompensas.[35] Incentivos que oferecem recompensas baseadas na frequência, no valor da compra ou na combinação dos dois representam um nível básico de vínculos com o cliente. Recompensas podem ser de natureza *financeira* ou *não financeira*.

Melhor prática em ação 12.2

Marketing de banco de dados no Royal Bank of Canada

Ao menos uma vez por mês, analistas do Royal Bank of Canada (o maior do país) baseados em Toronto usam modelagem de dados para segmentar sua base de 10 milhões de clientes. As variáveis de segmentação incluem perfil de risco de crédito; lucratividade corrente e projetada; estágio de vida; probabilidade de deixar o banco, preferência de canal (isto é, se os clientes preferem ir a uma filial, usar máquinas de autosserviço, ligar para a central de atendimento ou realizar transações pela Internet); ativação de produto (com que rapidez os clientes utilizam um produto que compraram) e a propensão a comprar outro produto (isto é, o potencial de vendas cruzadas). Segundo um vice-presidente sênior, "Foi-se o tempo em que tínhamos uma massa de clientes que recebiam o mesmo tratamento ou a mesma oferta em bases mensais. Nossa estratégia de marketing é [agora] muito mais personalizada. É claro que é a tecnologia que nos permite fazer isso".

A principal fonte de dados é o arquivo de informações de marketing, que registra quais produtos os clientes têm no banco, os canais que utilizam, suas respostas a campanhas passadas, dados transacionais e detalhes sobre quaisquer restrições a solicitações de clientes. Outra fonte é a armazenagem de dados corporativos, que arquiva registros de faturamento e informações de todo documento preenchido por um cliente novo ou existente.

Analistas do Royal Bank rodam modelos baseados em algoritmos complexos capazes de fatiar o enorme banco de dados de clientes em microssegmentos modelados em detalhe e que se baseiam em muitas variáveis, incluindo a probabilidade de clientes-alvo responderem positivamente a uma oferta em particular. Programas customizados de marketing podem então ser desenvolvidos para cada microssegmento, fazendo a oferta parecer altamente personalizada. A seguir os dados podem ser usados também para melhorar o desempenho do banco em contas não lucrativas ao identificar tais clientes e oferecer-lhes incentivos para usar canais de custo mais baixo.

Um objetivo importante dessa análise do Royal Bank é manter e aprimorar relacionamentos lucrativos. O banco descobriu que clientes que mantêm pacotes de diversos serviços são mais lucrativos. Eles também permanecem fiéis ao banco por três anos a mais em média. Como resultado dessas sofisticadas práticas de segmentação, as taxas de resposta a seus programas de mala direta saltaram de uma média setorial de apenas 3 por cento a elevados 30 por cento.

Fonte: Meredith Levinson, "Slices of lives", *CIO Magazine*, 15 ago. 2000.

Recompensas financeiras. Vínculos financeiros são incentivos a clientes que têm valor financeiro (também conhecidos como 'benefícios tangíveis'), como descontos sobre o valor da compra e prêmios oferecidos por programas de fidelidade, como milhas para passageiros assíduos ou os programas de reembolso oferecidos por alguns cartões de crédito.

Além de companhias aéreas e hotéis, cada vez mais empresas de serviços, desde varejistas (lojas de departamento, supermercados, livrarias e redes de postos de combustível), provedores de telecomunicações e redes de lojas de café até entregadores de encomenda expressa e redes de cinema, têm ou estão lançando programas de recompensas semelhantes em resposta à crescente competitividade de seus mercados. Embora alguns ofereçam suas próprias recompensas — como mercadorias gratuitas, *upgrades* de veículos ou diárias em hotéis nas férias — muitas empresas convertem seus prêmios em milhas, que podem ser creditadas a um programa. Em suma, milhas aéreas tornaram-se uma forma de moeda promocional no setor de serviços.[36]

Uma pesquisa recente no setor de cartões de crédito sugere que programas de fidelidade fortalecem a percepção de clientes em relação à proposição de valor e geram aumento de receitas graças ao menor número de deserções e a níveis de utilização mais altos.[37] Para avaliar o potencial de um programa de fidelidade para alterar padrões normais de comportamento, Dowling e Uncles recomendam que os profissionais de marketing examinem três efeitos psicológicos:[38]

- **fidelidade à marca versus fidelidade à negociação**. Até que ponto os clientes são fiéis ao serviço principal (ou à marca) e não ao programa de fidelidade? Profissionais de marketing devem focalizar programas que deem suporte direto à proposição de valor e ao posicionamento do produto;

- **o valor que os compradores atribuem às recompensas**. Vários elementos determinam o valor de um programa de fidelidade para os clientes: (1) o valor em dinheiro dos prêmios (se os clientes os tivessem comprado); (2) a amplitude de escolha das recompensas — por exemplo, vários prêmios em vez de um só; (3) o valor aspiracional dos prêmios (algum artigo exótico que o consumidor talvez não comprasse pode ter apelo maior do que uma oferta de reembolso); (4) se o nível de utilização requerido para obter um prêmio é viável para qualquer consumidor; (5) a facilidade de utilização do programa e de reclamar os prêmios e (6) os benefícios psicológicos de pertencer ao programa e acumular pontos;

- **prazo de recebimento**. Quanto tempo leva para os clientes obterem os benefícios por sua participação em programas de recompensa? Um prazo muito longo tende a enfraquecer o apelo do programa de fidelidade. Uma solução é enviar aos clientes extratos periódicos de suas contas, indicando o progresso em relação a uma meta determinada e promovendo os prêmios que podem ser recebidos quando esta for atingida.

É evidente que somente programas de recompensas bem planejados não bastam para reter os clientes mais desejáveis de uma empresa. Se você e outros clientes estão insatisfeitos com a qualidade de um serviço ou acreditam que obteriam melhor valor de um serviço menos oneroso, poderão deixar de ser fiéis. Nenhum provedor de serviço que tenha instituído um programa de recompensas por assiduidade pode dar-se ao luxo de perder de vista as metas de oferecer alta qualidade de serviço e bom valor em relação ao preço e outros custos para os clientes.[39] Além disso, um dos riscos é a empresa permitir a deterioração do atendimento a outros clientes.

Por fim, os clientes podem se frustrar, sobretudo com programas baseados em recompensas financeiras, de modo que, em vez de gerar fidelidade e benevolência, eles podem alimentar a insatisfação! Isso ocorre quando clientes se sentem excluídos de um programa de recompensa por causa de baixos saldos ou volume de negócios, ou se não conseguem resgatar pontos de fidelidade por causa de indisponibilidade em períodos de pico de demanda, se as recompensas são consideradas de baixo ou nenhum valor e se os processos de resgate são complicados ou consomem tempo demais.[40] Alguns clientes possuem tantos cartões de fidelidade na carteira que simplesmente não estão interessados em acrescentar mais cartões à pilha, especialmente se tiverem a percepção de um valor apenas marginal.

Recompensas não financeiras. Também conhecidas como 'benefícios intangíveis', proporcionam benefícios ou valores que não podem ser traduzidos em termos monetários. Por exemplo, dar prioridade em listas de espera e acesso mais rápido a centrais de atendimento. Algumas companhias aéreas oferecem tais benefícios sob a forma de limites maiores de peso de bagagem, prioridade na mudança de classe e acesso a saguões exclusivos nos aeroportos para seus passageiros frequentes, mesmo que viajem na classe econômica. Recompensas informais à fidelidade, às vezes encontradas em empresas de pequeno porte, tomam forma de pequenos presentes periódicos como agradecimento.

Reconhecimento e apreciação especial são importantes formas de recompensas intangíveis. Clientes tendem a valorizar a atenção extra dedicada a suas necessidades, bem como a garantia de serviço implícita oferecida a associados de classes superiores, incluindo esforços para atender a pedidos especiais. Muitos programas de fidelidade também concedem benefícios de *status* a clientes nas classes mais elevadas, que se sentem parte de uma e recebem tratamento especial.[41] Programas de fidelidade com divisão em classes podem oferecer poderosos incentivos e motivação para que clientes passem para um nível mais alto que geralmente leva a maior participação na carteira para o fornecedor preferencial.

Recompensas não financeiras, sobretudo se associadas a níveis de serviço de classe superior, costumam ser mais poderosas do que as financeiras, visto que podem criar extraordinário valor aos clientes. Diferentemente das recompensas financeiras, elas relacionam-se diretamente com o principal serviço da empresa e realçam a experiência e a percepção de valor do cliente. No setor hoteleiro, por exemplo, resgatar pontos de fidelidade por presentes gratuitos não contribui em nada para intensificar a experiência do hóspede. Porém, obter prioridade em reservas, check-in antecipado, check-out estendido, mudança para classe superior e atenção especial tornam sua estadia mais agradável, propiciam uma sensação de calorosa acolhida e de que seu negócio é importante para a empresa e fazem o cliente querer voltar.

A seção Melhores práticas em ação 12.3 descreve como a British Airways projetou seu Executive Club de modo eficaz ao combinar recompensas financeiras e não financeiras à fidelidade.

Formando vínculos de nível superior

Um dos objetivos dos programas de fidelidade é motivar os clientes a consolidar suas compras com um único fornecedor ou ao menos fazer dele o fornecedor preferido. Contudo, programas baseados em recompensa são fáceis de ser copiados por outros fornecedores e raramente proporcionam uma vantagem competitiva durável. Ao contrário, vínculos de níveis superiores tendem a ser mais sustentáveis. Discutiremos a seguir os três principais tipos de vínculo de nível superior: (1) social, (2) de customização e (3) estrutural.

Vínculos sociais. Você já notou como seu cabeleireiro preferido o chama pelo nome, pergunta por que faz tanto tempo que você não aparece e espera que tudo tenha corrido bem naquela sua longa viagem de negócios? Vínculos sociais normalmente são baseados em relacionamentos pessoais entre provedores e clientes. Podem refletir o orgulho e a satisfação de ser associado a uma organização (como a associação de ex-alunos de uma universidade de prestígio). Embora seja mais difícil e talvez muito mais demorado desenvolver vínculos sociais do que financeiros, por essas mesmas razões também é mais difícil que eles sejam copiados por outros fornecedores para o mesmo cliente. Uma empresa que criou fortes vínculos sociais com seus clientes tem mais chance de retê-los a longo prazo. Quando vínculos sociais estendem-se a relacionamentos ou experiências compartilhados entre clientes, como em clubes ou ambientes educacionais, pode haver um maior impulsionador de fidelidade para a organização.[42]

Vínculos de customização. Desenvolvem-se quando o provedor consegue prestar serviços customizados a seus clientes fiéis. Assim, os funcionários da Starbucks são incentivados a conhecer as preferências de seus clientes assíduos e customizar o serviço de acordo com elas (veja Figura 12.9). O marketing *one-to-one* é a forma mais especializada de customização pela qual cada indivíduo é tratado como um segmento.[43] Muitas redes de hotéis grandes registram as preferências de seus clientes por meio de seus bancos de dados de programas de fidelidade; quando eles chegam ao hotel, constatam que suas necessidades individuais já foram previstas, desde bebidas no frigobar e salgadinhos até o tipo de travesseiro de que gostam e o jornal que querem receber pela manhã. Um cliente que se acostuma com esse tipo especial de serviço pode achar difícil se acertar com outro fornecedor que não seja capaz de customizar o serviço (ao menos não imediatamente, pois é preciso tempo para que o novo fornecedor conheça as necessidades dos clientes).[44]

Figura 12.9 Funcionários da linha de frente são incentivados a conhecer as preferências de seus clientes.

Melhor prática em ação 12.3

A British Airways recompensa o valor de utilização e não apenas a frequência

Diferentemente de alguns programas de milhagem, nos quais a utilização do cliente é medida somente em milhas, os membros do Executive Club da British Airways (BA) recebem tanto *milhas aéreas* para resgatar viagens quanto *pontos* para conquistar *status* de classe prata ou ouro em viagens pela BA. Com a criação da aliança OneWorld com American Airlines, Qantas, Cathay Pacific e outras, os participantes do Executive Club podem ganhar milhas (e em alguns casos pontos) também quando viajam por companhias aéreas parceiras.

Como mostra a Tabela 12.2, os membros das classes prata e ouro têm direito a benefícios especiais, como prioridade em reservas e nível superior de serviço em terra. Assim, mesmo que um membro da classe ouro viaje na classe econômica, terá direito a padrões de tratamento de primeira classe no check-in e nos saguões de aeroportos. Contudo, embora seja permitido acumular milhas por até três anos, o privilégio de classe é válido por apenas 12 meses após o ano da filiação. Em suma, o direito a privilégios especiais tem de ser reconquistado a cada ano. O objetivo de conceder privilégios de classe é incentivar passageiros que têm livre escolha de empresas aéreas a concentrar suas viagens na British Airways, em vez de se associarem a vários programas de viajantes assíduos e acumular milhas em todos eles. São poucos os passageiros cuja frequência de viagens é tal que conseguirão obter os benefícios de um passageiro classe ouro (ou equivalente) em mais de uma empresa aérea.

A atribuição de pontos também varia segundo a classe de serviço. Viagens mais longas ganham mais pontos do que as mais curtas. Contudo, certas passagens compradas com grande desconto podem angariar poucas milhas e nenhum ponto.

Para recompensar a compra de passagens de preços maiores, os participantes ganham o dobro dos pontos que ganhariam na classe econômica se viajarem na classe Club (executiva), e o triplo, se viajarem na primeira classe. Para incentivar membros das classes ouro e prata a continuarem fiéis, a companhia oferece incentivos para manter a classe em que se encontram (ou para passar de prata para ouro). Membros da classe prata recebem um bônus de 25 por cento sobre todas as suas milhas aéreas, independentemente da classe de serviço, enquanto os da classe ouro recebem um bônus de 50 por cento. Em outras palavras, não vale a pena distribuir milhas entre diversos programas de fidelidade!

Tabela 12.2 — Benefícios oferecidos pela British Airways a seus passageiros mais valiosos

Benefícios	Membros da classe prata	Membros da classe ouro
Reservas	Linha telefônica classe prata exclusiva	Linha telefônica classe ouro exclusiva
Garantia de reserva	Se o voo estiver lotado, poltrona garantida na classe econômica na reserva de passagem pela tarifa total, com pelo menos 24 horas de antecedência, e check-in com, no mínimo, uma hora de antecedência	Se o voo estiver lotado, poltrona garantida na classe econômica na reserva de passagem pela tarifa total, com pelo menos 24 horas de antecedência, e check-in com, no mínimo, uma hora de antecedência
Prioridade de espera e stand-by	Prioridade mais alta	Prioridade mais alta
Aviso antecipado de atrasos superiores a quatro horas de voos vindos dos Estados Unidos ou do Canadá	Sim	Sim
Balcão de check-in	Club (para bilhete em qualquer classe)	First (para bilhete em qualquer classe)
Acesso a saguões	Saguões de embarque classe Club para o passageiro e um acompanhante, para bilhete em qualquer classe	Saguões de embarque classe First para passageiro e um acompanhante, para bilhete em qualquer classe; uso de saguões de desembarque; acesso ao saguão a qualquer momento; permissão para uso do saguão mesmo que não esteja viajando pela BA
Embarque preferencial	Embarque livre	Embarque livre
Serviços especiais		Resolução de problemas, além da assistência prestada a outros passageiros da BA
Bônus de milhas aéreas	+25%	+50%
Passar para uma classe superior		Gratuito para o participante, e um acompanhante após acumular 2.500 pontos na classe em um ano; mais um *upgrade* para ambos, com mais de 3.500 pontos no mesmo ano. Concessão de um cartão prata a uma pessoa indicada ao atingir 4.500 pontos dentro do ano de associação.

Embora a BA não prometa premiar um passageiro passando-o de uma classe para outra superior, membros do Executive Club têm mais probabilidade de receber tal convite do que outros, pois a classe a que pertencem é um fator importante a considerar. A BA limita mudanças para classe superior a situações em que a cabine em classe inferior esteja lotada. A empresa quer evitar que passageiros assíduos achem que podem planejar a compra de uma passagem mais barata e depois passar automaticamente para outra classe de voo.

Fonte: British Airways Executive Club. Disponível em: <www.britishairways.com/travel/ecbenftgold/public/en_us>. Acesso em: 27 abr. 2009.

Vínculos estruturais. São observados, em sua maioria, em ambientes B2B e visam estimular a fidelidade por meio de relacionamentos estruturais entre o provedor e o cliente. Por exemplo, investimentos conjuntos em projetos e compartilhamento de informações, processos e equipamentos. Vínculos estruturais também podem ser criados em um ambiente B2C. Por exemplo, algumas empresas aéreas introduziram SMS e e-mail de alerta para horários de chegada e partida de voos para que passageiros não percam tempo esperando no aeroporto. Algumas locadoras de automóveis oferecem a oportunidade de criar páginas customizadas no site da empresa, onde podem consultar detalhes de locações anteriores (tipos de carro, apólices de seguro e assim por diante). Isso simplifica e acelera a tarefa de fazer novas reservas. Quando clientes integram seu modo de fazer as coisas aos processos da empresa, criam-se vínculos estruturais que os ligam à empresa, o que dificulta o trabalho de atração da concorrência.

Você já notou que, além de todos esses vínculos estreitarem os laços com a empresa, se combinados, também geram a confiança, os benefícios sociais e o tratamento especial que os clientes desejam? (Volte ao quadro Novas ideias em pesquisa 12.2.)

Em geral, vínculos não funcionarão bem a menos que também gerem valor para o cliente!

O principal é o cliente sentir-se importante para a empresa, sob diferentes aspectos, desde a orientação total da empresa para suas necessidades até o reconhecimento no dia a dia e em todos os encontros de serviços e momentos da verdade.

O Magazine Luiza convida seus melhores clientes (os clientes ouro) a visitá-los, duas vezes por ano, aos domingos, em todas as 245 unidades. Ao entrar, são recebidos com um tapete vermelho e aplaudidos pela equipe de vendedores. Tomam o café da manhã, recebem serviços de cabelereiro e maquiagem, brindes e folhetos com ofertas especiais exclusivas.

Clientes ouro são os que já compraram pelo menos sete vezes em suas lojas, gastaram mais de 2 mil reais e nunca atrasaram o pagamento. São em torno de 290 mil pessoas, que correspondem a cerca de 6 por cento da carteira de clientes e que respondem por 180 milhões de reais, aproximadamente 20 por cento do faturamento. A carteira de clientes está armazenada no banco de dados que registra todo o histórico de vendas desde 1998.

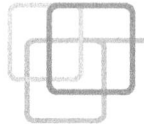

Estratégias para reduzir deserções de clientes

Até aqui discutimos impulsionadores de fidelidade e estratégias para fortalecer vínculos. Uma alternativa é entender o que impulsiona a perda de clientes pelo desgaste no relacionamento, ou *churn*, e tentar eliminar ou reduzir esses fatores.

Analise deserções de clientes e monitore contas em declínio

O primeiro passo é compreender o que leva clientes a trocar de fornecedor. Susan Keaveney realizou um estudo de grande escala focalizando vários serviços e constatou diversas razões para isso[45] (Figura 12.10). Quarenta e quatro por cento dos entrevistados mencionaram falhas no serviço principal como razão para a troca; 34 por cento, encontros de serviço insatisfatórios; 30 por cento, preços altos, enganosos ou injustos; 21 por cento, inconveniências em termos de horário, localização ou atrasos; e 17 por cento resposta precária à falha de serviço. Muitos entrevistados declararam que a decisão de trocar resultou de incidentes inter-relacionados, como falha no serviço seguida de recuperação insatisfatória.

Muitas empresas de serviços realizam 'diagnósticos de *churn*' periódicos, que incluem análises de informações sobre *churn* e redução no número de clientes contidas em bancos de dados, entrevistas realizadas quando o cliente abandona a empresa e entrevistas com antigos clientes realizadas por uma agência de pesquisas terceirizada, o que costuma resultar em entendimento mais detalhado dos impulsionadores do *churn*.[46]

Algumas empresas tentam até prever o *churn* de contas individuais. Operadoras de telefonia celular usam *sistemas de alerta contra churn* que monitoram padrões de utilização de clientes com o objetivo de prever uma troca iminente. Contas importantes em risco são sinalizadas e iniciam-se esforços proativos de retenção, como enviar um cupom de prêmio e/ou telefonar para o cliente para verificar o estado do relacionamento e dar início a uma ação corretiva, se necessário.

Lidar com os principais impulsionadores de *churn*

As constatações de Keaveney destacam a importância de lidar com alguns impulsionadores genéricos de *churn* ao entregar qualidade de serviço (a ser discutida no Capítulo 14), minimizar a inconveniência e outros custos não monetários e de uma

Figura 12.10 O que leva clientes a abandonar uma empresa de serviço?

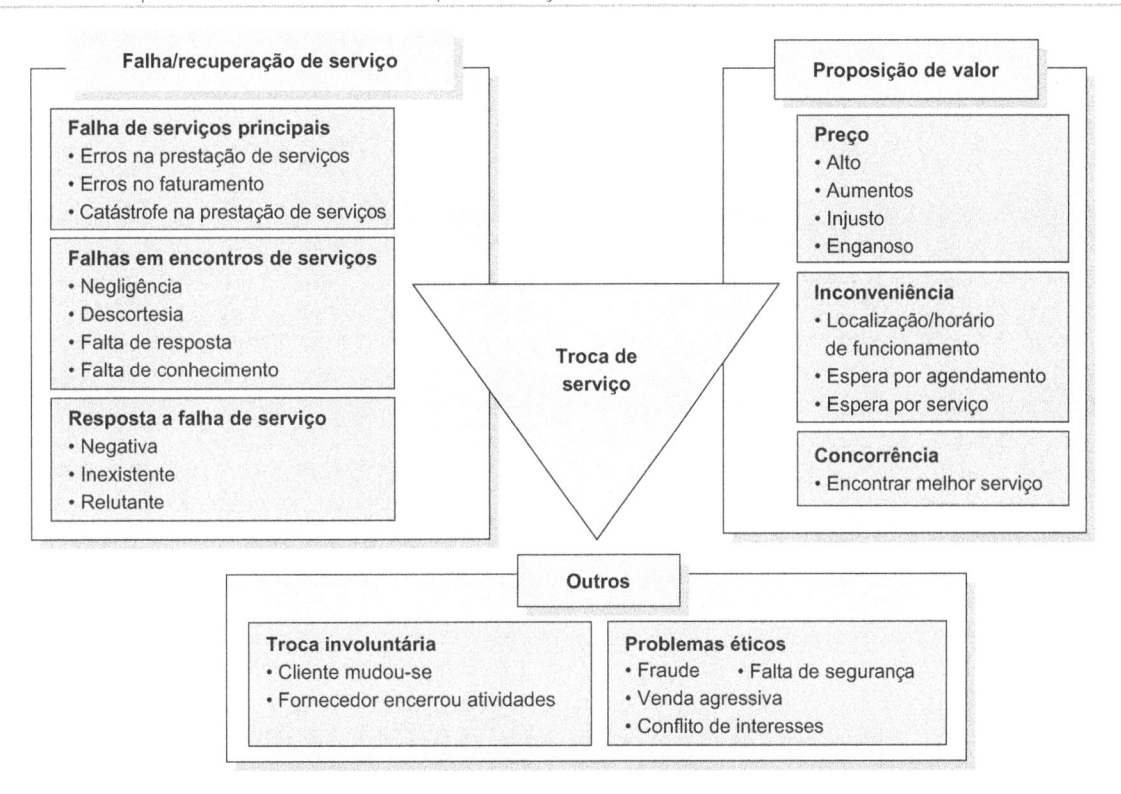

Falha/recuperação de serviço

Falha de serviços principais
- Erros na prestação de serviços
- Erros no faturamento
- Catástrofe na prestação de serviços

Falhas em encontros de serviços
- Negligência
- Descortesia
- Falta de resposta
- Falta de conhecimento

Resposta a falha de serviço
- Negativa
- Inexistente
- Relutante

Proposição de valor

Preço
- Alto
- Aumentos
- Injusto
- Enganoso

Inconveniência
- Localização/horário de funcionamento
- Espera por agendamento
- Espera por serviço

Concorrência
- Encontrar melhor serviço

Troca de serviço

Outros

Troca involuntária
- Cliente mudou-se
- Fornecedor encerrou atividades

Problemas éticos
- Fraude
- Falta de segurança
- Venda agressiva
- Conflito de interesses

Fonte: Adaptado de Susan M. Keaveney, "Customer switching behavior in service industries: an exploratory study", *Journal of Marketing*, 59, abr. 1995, p. 71-82. © 1995. Reproduzido com permissão de *Journal of Marketing*. Publicado por American Marketing Association.

determinação de preços justa e transparente (Capítulo 6). Além desses, existem outros específicos de um setor. Por exemplo, em serviços de telefonia celular, a substituição de equipamentos é uma razão comum para assinantes interromperem um plano e migrarem para outro que, em geral, vem acompanhado de um aparelho cujo preço é muito subsidiado. Para evitar o *churn* associado à troca de equipamentos, muitas operadoras adiantam-se e oferecem programas de troca pelos quais os assinantes podem comprar novos equipamentos subsidiados de seus fornecedores a intervalos regulares ou até mesmo recebê-los gratuitamente mediante o resgate de pontos acumulados pela utilização do telefone.

A rede paranaense de clínicas odontológicas Ortodontic Center, que em 2009 faturou cerca de 14 milhões de reais, tinha problemas com clientes que desistiam de tratamentos, principalmente os mais longos. Para estimulá-los, passou a dar uma bicicleta nova, de 18 marchas a todos os clientes que ultrapassaram 30 meses de tratamento e pagaram suas prestações em dia. Desde o início do programa, em 2006, já foram distribuídas mais de 20 bicicletas, enquanto a permanência nos tratamentos subiu de 18 para 26 meses. Para outros tratamentos mais curtos, o programa de brindes oferece incentivos como bonés, mochilas e perfumes.

Além dessas medidas proativas de retenção, muitas empresas utilizam ações reativas, como pessoal especialmente treinado da central de atendimento. Também conhecidas como *equipes de socorro*, sua função é negociar com clientes que pretendem cancelar contas. A tarefa principal é ouvir as necessidades e as reclamações e tentar resolvê-las, tendo em mente o propósito principal de reter o cliente. No entanto, as equipes de socorro devem ser recompensadas com todo o cuidado — como veremos no Panorama de serviços 12.2.

Panorama de serviços 12.2

Um gerenciamento de *churn* que deu errado

America Online (AOL) concordou em pagar 1,25 milhão de dólares em multas e custos e mudar algumas de suas práticas de atendimento ao cliente para encerrar uma investigação conduzida pelo Estado de Nova York. Cerca de 300 assinantes acusavam a AOL de ignorar seus pedidos de cancelamento de serviço e continuar a lhes enviar cobranças.

O que deu errado? A AOL recompensava seus funcionários da central de atendimento por 'salvar' clientes que ligassem para cancelar o serviço. Eles podiam ganhar altos bônus se dissuadissem metade, ou mais, desses clientes e os fizessem permanecer na empresa. Segundo alegações da Procuradoria Geral, isso poderia ter levado os funcionários da AOL a dificultar o cancelamento do serviço. Em resposta, a AOL concordou em ter os pedidos de cancelamento de serviço gravados e verificados por uma empresa de monitoramento e ofereceu o valor de até quatro meses de assinatura a todos os clientes que reclamassem de ter seus pedidos ignorados (não admitiu, contudo, ter cometido qualquer infração). Eliot Spitzer, procurador-geral na época, declarou: 'Esse acordo ajuda a garantir que a AOL se esforce em manter seus clientes por meio de qualidade de serviço, e não de programas de retenção forçada'.

Fonte: *The Associated Press*, "AOL to pay $ 1.25M to settle Spitzer probe", *USA Today*, 25 ago. 2005, p. 5B.

Implementar procedimentos eficazes de administração de reclamações e recuperação de serviços

Eficácia na administração de reclamações e excelência na recuperação de serviços são primordiais para evitar que clientes insatisfeitos mudem de fornecedor. Isso inclui permitir que clientes verbalizem seus problemas e responder com uma forte recuperação de serviço. Discutiremos a fundo como fazer isso com sucesso no Capítulo 13.

Aumentar custos de troca

Outro modo de reduzir o *churn* é aumentar as barreiras à troca.[47] Muitos serviços têm custos naturais de troca (mudar de banco dá muito trabalho aos correntistas, em especial quando há muitos débitos, créditos diretos e outros serviços vinculados; além disso, muitos clientes relutam em conhecer produtos e procedimentos de um novo fornecedor).[48]

Alguns custos de troca podem ser criados pela instituição de multas contratuais, como as taxas cobradas por algumas corretoras na transferência de ações e títulos mobiliários para outra instituição. Todavia, as empresas precisam tomar cuidado para que os clientes não se sintam reféns. Uma empresa com grandes barreiras à troca e má qualidade de serviço provavelmente dará origem a atitudes negativas e boca a boca desfavorável. 'Em algum momento, a gota d´água que faltava cai e um cliente anteriormente inerte reagirá e mudará de fornecedor'.[49]

Sistemas de gerenciamento do relacionamento com clientes

Profissionais de marketing de serviços há muito entenderam o poder do gerenciamento do relacionamento, e certos setores já o aplicam há décadas. Alguns exemplos são a mercearia da esquina, a oficina mecânica da vizinhança e provedores de serviços bancários a clientes de grande valor líquido. Basta mencionar o termo CRM que logo nos lembramos de dispendiosos e complexos sistemas e infraestruturas de tecnologia da informação (TI) e fabricantes de CRM, como SAP e Siebel. Contudo, na realidade, CRM significa todo o processo pelo qual são desenvolvidos e mantidos relacionamentos com os clientes.[50] Deve ser considerado um facilitador da implementação bem-sucedida da Roda da Fidelidade. Vamos analisar os sistemas de CRM antes de passarmos para uma perspectiva mais estratégica.

Objetivos de sistemas de CRM

Muitas empresas têm um grande número de clientes (às vezes, milhões), diversos pontos de contato (guichês, pessoal de atendimento, máquinas de autosserviço e sites) em várias localizações. Em uma grande empresa, é improvável que um cliente seja atendido pelo mesmo pessoal da linha de frente em duas visitas consecutivas. Nessas situações, o normal, no passado, era os gerentes não disporem de ferramentas para praticar marketing de relacionamento. Hoje, porém, sistemas de CRM agem como um fator de capacitação, registrando informações e entregando-as aos vários pontos de contato.

Para o cliente, sistemas de CRM bem implementados podem oferecer uma 'interface unificada', isto é, em cada transação, os detalhes relevantes de uma conta, o conhecimento de suas preferências e transações anteriores ou o histórico de um problema de serviço estão ao alcance do atendente. Isso pode resultar em grande melhoria no serviço e maior valor de cliente.

Da perspectiva de uma empresa, esses sistemas permitem-lhe entender, segmentar e classificar melhor sua base de clientes, realizar promoções e vendas cruzadas com alvos mais bem definidos e até mesmo implantar sistemas de alerta de *churn* que avisam quando há perigo de deserção.[51] A seção Panorama de serviços 12.3 destaca algumas aplicações comuns do CRM.

O que uma estratégia de CRM abrangente envolve?[52]

Em vez de definir o CRM como uma tecnologia, adotamos uma visão mais estratégica que enfoca o desenvolvimento lucrativo e o gerenciamento dos relacionamentos com clientes. A Figura 12.11 provê uma estrutura integrada dos cinco principais processos envolvidos em uma estratégia de CRM.

Panorama de serviços 12.3

Aplicações comuns do CRM

- **Coleta de dados.** O sistema registra dados de clientes, como detalhes de contato, dados demográficos, histórico de compras, preferências de serviço e assemelhados.
- **Análise de dados.** Os dados são analisados e categorizados, segundo os critérios estabelecidos pela empresa. As informações são utilizadas para dividir a base de clientes em classes e personalizar a entrega de serviço de acordo com essa divisão.
- **Automação da força de vendas.** Indicações de vendas, vendas cruzadas e oportunidades de vendas de valores mais elevados podem ser identificadas e processadas, e todo o ciclo, desde a geração de indicações até o fechamento e serviços pós-vendas, pode ser acompanhado e facilitado por meio do sistema de CRM.
- **Automação do marketing.** O *data mining* habilita a empresa a definir seu mercado-alvo. Um bom sistema de CRM permite a realização de marketing *one-to-one* e economia de custo, o que resulta no aumento do retorno sobre o investimento (ROI, do inglês, *return on investment*) da verba de marketing. Sistemas de CRM também facilitam a avaliação da eficácia de campanhas de marketing por meio da análise de respostas.
- **Automação da central de atendimento.** Os profissionais da central de atendimento têm as informações ao alcance de seus dedos e podem melhorar os níveis de serviço para todos eles. Além do mais, sistemas de identificação de clientes (ID) e de números de contas permitem que as centrais identifiquem a classe dos clientes e personalizem o serviço de acordo com ela. Por exemplo, portadores de cartões platina têm prioridade em filas de espera eletrônicas.

1. **Desenvolvimento de estratégia** envolve a avaliação da estratégia de negócios (incluindo a articulação entre a visão da empresa, as tendências setoriais e a concorrência). É comum essa estratégia ser de responsabilidade da alta gerência. Uma vez definida, deve orientar o desenvolvimento da estratégia de clientes, abrangendo a escolha dos segmentos a serem visados, a categorização da base de clientes, o planejamento dos vínculos de fidelidade e o gerenciamento do *churn* (como discutimos quando abordamos a Roda da Fidelidade; veja Figura 12.5).

2. **Criação de valor** converte as estratégias de negócios e de clientes em proposições de valor específicas tanto para os clientes quanto para a empresa. O valor criado para os clientes inclui todos os benefícios gerados por meio de serviços classificados por prioridade, recompensas à fidelidade e customização e personalização. O valor criado para a empresa necessita envolver a redução dos custos de aquisição e retenção de clientes e o aumento da participação na carteira.

    Fundamental ao CRM é o conceito de criação de valor de mão dupla: clientes necessitam participar (fornecendo informações de modo voluntário) para obterem valor das ações de CRM de uma empresa. Por exemplo, é preciso que os dados da carteira de motorista, endereço de cobrança, cartão de crédito e preferências de automóvel e seguro sejam armazenados no sistema de CRM da locadora de veículos para que você se beneficie da conveniência de não ter de fornecer esses dados a cada reserva.

    As empresas podem até criar valor a partir de informações extraídas de um cliente e que podem ser extrapoladas (por exemplo, a análise da Amazon sobre outros livros comprados por clientes de perfil semelhante ao seu e a avaliação de livros pelos clientes). O CRM parecer ter mais sucesso quando ambos, a empresa e seus clientes, saem ganhando.[53]

3. **Integração multicanal.** A maioria das empresas interage com seus clientes por vários canais. Tem sido um desafio atender bem aos clientes com tantas interfaces potenciais e oferecer uma interface unificada que entregue customização e personalização. A integração de canais do CRM lida com esse desafio.

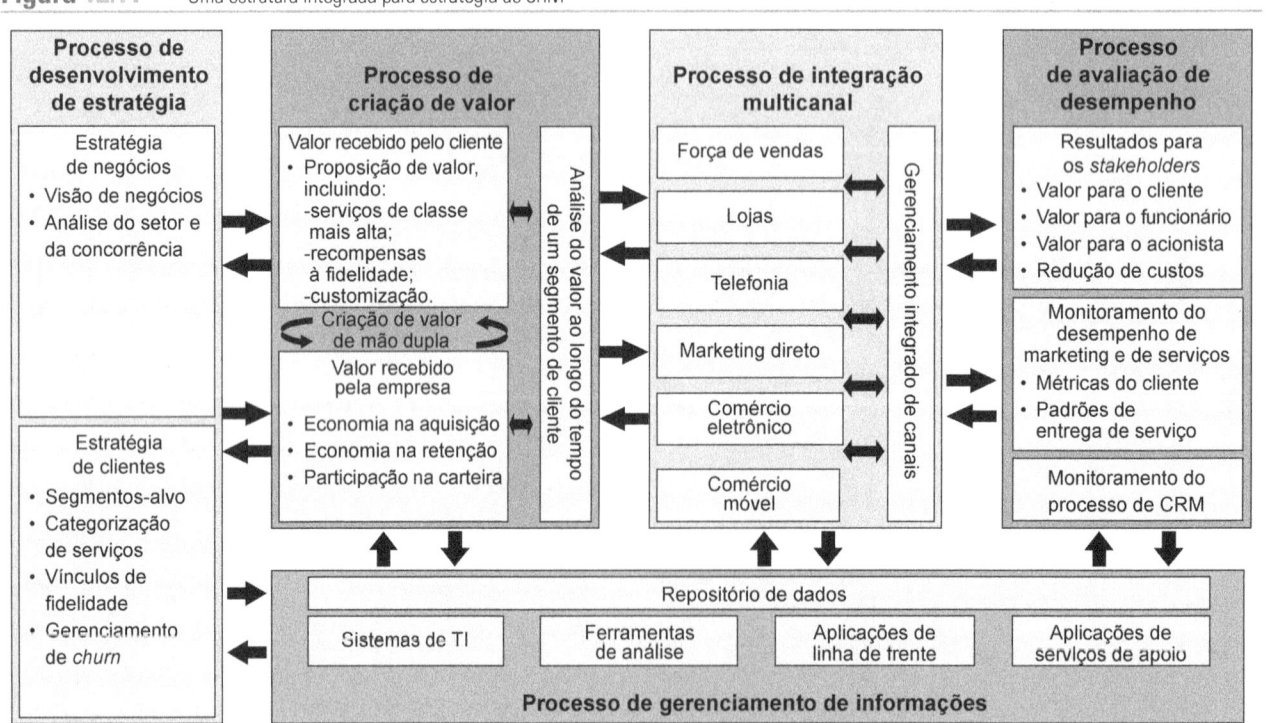

Figura 12.11 Uma estrutura integrada para estratégia de CRM

Fonte: Adaptado de Adrian Payne e Pennie Frow, "A strategic framework for customer relationship management", *Journal of Marketing*, 69, out. 2006, p. 167-176. © 2005 *Journal of Marketing*. Reproduzido com permissão da American Marketing Association.

4. **Gerenciamento de informações.** A entrega de serviços por diversos canais depende da capacidade da empresa de coletar informações em todos os canais, integrá-las e disponibilizá-las ao pessoal de linha de frente (ou para o cliente no contexto de autosserviço) em vários pontos de contato. O gerenciamento de informações envolve: repositório de dados (que contém todos os dados do cliente); sistemas de TI (que abrangem hardware e software); ferramentas analíticas (que incluem software de *data mining* e outros pacotes, como análise de gestão de campanhas e até detecção e administração de fraude de clientes); aplicações de linha de frente (que dão suporte a atividades de contato direto, incluindo automação da força de vendas e gerenciamento de centrais de atendimento); e aplicações de serviços de apoio (que dão suporte a processos relacionados com o cliente interno, como logística, compras e processamento financeiro).

5. **Avaliação de desempenho.** Deve responder a três perguntas: 1) A estratégia de CRM está criando valor para seus principais *stakeholders*? 2) Os objetivos de marketing (que variam de aquisição, retenção e satisfação de clientes a participação na carteira) e os objetivos de desempenho da entrega do serviço (padrões de serviço da central de atendimento, como taxas de espera de chamadas e solução na primeira ligação) estão sendo atingidos? 3) O processo de CRM está tendo um desempenho de acordo com as expectativas (as estratégias relevantes sendo estabelecidas, o valor para os clientes e a empresa sendo criado, o processo de gerenciamento de informações funcionando eficazmente e a integração dos canais de serviço aos clientes adequadamente atingida)? O processo de avaliação de desempenho deve levar à melhoria contínua da própria estratégia de CRM.

Falhas comuns na implementação de CRM

Infelizmente, a maioria das implementações de CRM fracassa. Segundo o Gartner Group, a taxa de fracasso de implementação é de 55 por cento; a Accenture afirma que é de cerca de 60 por cento. Uma razão fundamental para essa alta taxa de fracasso é que as empresas costumam achar que instalar sistemas de CRM é o mesmo que ter uma estratégia de relacionamento com clientes. Elas se esquecem de que o sistema é uma mera ferramenta para aprimorar a capacidade de prestar serviços ao cliente da empresa, e não uma estratégia em si.

O CRM envolve departamentos e funções (de centrais de contato, serviços on-line e distribuição até operações de filiais, treinamento de funcionários e departamentos de TI); programas (vendas e fidelidade até lançamento de serviços e ações de vendas cruzadas); e processos (da autorização de linha de crédito até a administração de reclamações e a recuperação de serviços). O amplo escopo da implementação de CRM e a desafortunada realidade de que é, com frequência, o elo mais fraco que determina seu sucesso, mostra o desafio de fazê-lo certo. As razões mais comuns de fracassos de CRM são:[54]

- **considerar o CRM apenas uma tecnologia.** É fácil deixar o foco ser transferido para a tecnologia e seus meandros, com o resultado de que o departamento de TI — e não a alta gerência ou o marketing — assume a elaboração da estratégia de CRM. Isso quase sempre resulta em uma falta de direção estratégica e de compreensão a respeito de clientes e mercados durante a implantação;

- **falta de foco no cliente.** Muitas empresas implantam o CRM sem ter como meta principal garantir uma entrega consistente de serviços a clientes valiosos durante todos os processos de atendimento e canais de entrega;

- **avaliação insuficiente do valor do cliente ao longo do tempo (LTV).** O marketing de muitas empresas não está estruturado o bastante em relação à diferente lucratividade de diversos clientes. Além disso, os custos de serviço para os vários segmentos de cliente nem sempre são bem capturados (por exemplo, utilizando-se o custo por atividade discutido no Capítulo 6);

- **suporte inadequado da alta gerência.** Sem sentido de posse e envolvimento ativo da alta gerência, o propósito estratégico de CRM não passará ileso pela fase de implantação;

- **falha na reengenharia de processos de negócios.** É virtualmente impossível implantar bem o CRM sem redesenhar processos de atendimento ao cliente e serviços de apoio. Muitas implantações falham porque o CRM é incorporado a processos existentes, em vez de os processos serem redesenhados para se adequar à implantação. O redesenho também requer uma eficaz gestão de mudanças e o engajamento e suporte de funcionários, fatores que costumam faltar;

- **subestimar os desafios da integração de dados.** Com frequência as empresas falham em integrar dados de cliente, que quase sempre estão disseminados por toda a organização. A chave para liberar o pleno potencial de CRM é disponibilizar o conhecimento que se tem do cliente em tempo real aos funcionários que necessitarem.

A longo prazo, as empresas colocarão suas estratégias de CRM sob considerável risco se os clientes acreditarem que o CRM é utilizado de uma forma prejudicial a eles.[55] Exemplos disso são as percepções de não serem tratados de modo justo (como no caso de clientes que não recebem ofertas de preços ou promoções atrativas oferecidas, por exemplo, a novas contas) e as questões de privacidade latentes (veja o quadro Panorama de serviços 12.4). Estar ciente dessas armadilhas e evitá-las a todo custo constitui um primeiro passo para uma implementação bem-sucedida de CRM.

Como implementar CRM corretamente

Apesar das muitas histórias de horror de milhões de dólares perdidos em projetos malsucedidos de CRM, cada vez mais empresas têm sucesso em implementá-lo. "O CRM está deixando de ser um buraco negro, para se tornar uma pedra fundamental do sucesso corporativo", argumentam Darrell Rigby e Dianne Ledingham.[56] Até mesmo sistemas de CRM que já foram implantados mas ainda não mostraram resultados têm boas oportunidades de sucesso futuro. Consultores experientes da McKinsey recomendam dar um passo para trás e estudar como desenvolver a fidelidade dos clientes, em vez de focar a tecnologia em si.[57] Em vez de usar o CRM para transformar negócios inteiros com a implantação generalizada do modelo apresentado na Figura 12.11, recomenda-se focar em problemas bem definidos no âmbito de seu ciclo de relacionamento com clientes. Estratégias de CRM com escopo mais restrito em geral revelam oportunidades adicionais para melhorias que, reunidas, podem evoluir para uma ampla implantação que permeie toda a empresa.[58] De modo análogo, Rigby, Reichheld e Schefter recomendam o foco na estratégia e não na tecnologia, colocando a seguinte questão:

> Se seus melhores clientes soubessem que você planeja investir 130 milhões de dólares para aumentar sua fidelidade [...], como o aconselhariam a gastar esse dinheiro? Será que prefeririam que fosse criado um cartão de fidelidade ou pediriam à empresa que abrisse mais caixas registradoras e mantivesse estoque suficiente de leite? A resposta depende do perfil de sua empresa e dos tipos de relacionamento que você e seus clientes querem ter um com o outro.[59]

Entre as questões fundamentais que os gerentes devem debater quando definirem sua estratégia de relacionamento com clientes para a possível instalação de um sistema de CRM, estão as seguintes:

1. Como nossa proposição de valor deve mudar para aumentar a fidelidade do cliente?
2. Que níveis de customização ou marketing *one-to-one* e entrega de serviço são adequados e lucrativos?
3. Qual é o potencial de lucro incremental do aumento de participação na carteira de nossos clientes atuais? Como ele varia por classe e/ou segmento de clientes?
4. Quanto tempo e recursos podemos alocar ao CRM imediatamente?
5. Se acreditamos em gerenciamento do relacionamento com clientes, por que não tomamos mais providências nesse sentido no passado? O que podemos fazer hoje para desenvolver relacionamento com clientes sem gastar em tecnologia?[60]

Responder a essas perguntas pode levar à conclusão de que um sistema de CRM talvez não seja o melhor investimento nem a prioridade no momento, ou que uma versão simplificada pode bastar para a estratégia pretendida. De qualquer modo, salientamos que o sistema é uma mera ferramenta para implementar a estratégia e, portanto, deve ser estruturado para executá-la.

Panorama de serviços 12.4

CRM ao extremo — um olhar de relance a um pedido de pizza em 2015?

Atendente: 'Obrigada por ligar para a Pizza Delícia. Meu nome é Linda. Como posso ajudá-lo?'

Cliente: 'Boa noite, gostaria de pedir...'

Atendente: 'Senhor, antes de anotar seu pedido, poderia por favor me passar o número de seu cartão multiuso?'

Cliente: 'Espere um pouco... é... vejamos... 4555 1000 9831 3213.'

Atendente: 'Obrigada! Poderia por favor confirmar que é o Sr. Pereira, do nº 10940 da Avenida Principal? O senhor está ligando de seu telefone residencial 432-3876, seu celular é 922-4566 e seu número comercial é 432-9377.'

Cliente: 'Onde foi que você conseguiu meu endereço e todos os meus telefones?'

Atendente: 'Senhor, estamos conectados ao Sistema Integrado de Informações Sigilosas de Clientes.'

Cliente: 'Gostaria de pedir uma pizza grande de camarão...'

Atendente: 'Senhor, essa não é uma boa ideia.'

Cliente: 'Por quê?!?'

Atendente: 'De acordo com seu registro médico, o senhor tem pressão alta e um nível muito alto de colesterol.'

Cliente: 'O quê?... O que você recomenda então?'

Atendente: 'Experimente a pizza de baixo teor de gordura com iogurte de soja. O senhor vai gostar.'

Cliente: 'Como é que você pode saber disso?'

Atendente: 'O senhor retirou o livro *Pratos populares à base de soja* na biblioteca municipal na semana passada.'

Cliente: 'OK, eu desisto... Por favor, me mande três grandes. Quanto custa?'

Atendente: 'Isso será suficiente para sua família de oito pessoas. O total é de 47,85 reais.'

Cliente: 'Posso pagar com cartão de crédito?'

Atendente: 'Sinto muito, mas o senhor terá de pagar em dinheiro. Seu cartão de crédito está com limite estourado e sua conta bancária tem saldo devedor de 2.435,88 reais. Isso sem contar os juros por atraso de seu empréstimo para casa própria.'

Cliente: 'Acho que vou ter de correr até um caixa eletrônico para sacar dinheiro antes de seu entregador chegar.'

Atendente: 'O senhor não poderá fazer isso. Com base nos registros, já atingiu seu limite de saque diário na máquina.'

Cliente: 'Não faz mal. Mande as pizzas, pagarei em dinheiro. Quanto tempo vai levar?'

Atendente: 'Cerca de 45 minutos, mas se o senhor não quiser esperar poderá vir buscá-las em sua Harley de placa LA 6468...'

Cliente: '#@$#@%^%%@!'

Atendente: 'Por favor, o senhor modere sua linguagem. Lembre-se, em 28 de abril de 2014, o senhor foi multado por xingar um agente de trânsito...'

Cliente: (sem fala)

Atendente: 'Algo mais, senhor?'

Fonte: Essa história foi adaptada de várias fontes, incluindo <www.lawdebt.com/gazette/nov2004/nov2004.pdf> (acesso em: jan. 2006) e um vídeo criado pela American Civil Liberties Union (ACLU). Disponível em: <www.aclu.org/pizza>. Esse vídeo visa comunicar ameaças à privacidade que o CRM impõe aos consumidores. O ACLU é uma organização sem fins lucrativos que faz campanha contra a coleta de dados agressiva da parte de governos e empresas sobre a vida pessoal e os hábitos das pessoas.

CONCLUSÃO

Há muitos elementos na conquista de participação de mercado e no aumento da participação na carteira do cliente, na venda cruzada de outros produtos e serviços a clientes existentes e na criação de fidelidade de longo prazo. Usamos a Roda da Fidelidade como uma estrutura de organização, que começa com a identificação e a escolha dos clientes certos e continua com a determinação de suas necessidades, incluindo suas preferências por várias formas de entrega de serviço. Traduzir esse conhecimento em entrega de serviço, níveis de serviços por classe e estratégias de relacionamento com clientes são as principais etapas para conquistar a fidelidade do cliente.

Profissionais de marketing precisam dar especial atenção aos clientes que oferecem à empresa o maior valor, pois eles compram seus produtos com mais frequência e gastam mais em serviços de preços mais elevados. Programas de fidelidade também habilitam profissionais de marketing a rastrear o comportamento de clientes de alto valor no que se refere a onde e quando eles usam o serviço, que classes de serviço ou tipos de produto compram e quanto gastam.

O gerenciamento do relacionamento com clientes é um dos principais facilitadores das estratégias discutidas na Roda da Fidelidade e geralmente está integrado a programas de fidelidade. Do ponto de vista do cliente, o CRM pode resultar em amplas melhorias de serviço e maior valor do cliente (por exemplo, por meio de customização e maior conveniência).

Resumo do capítulo

OA1. A fidelidade do cliente é um importante fator impulsionador da lucratividade de uma empresa de serviço. Os lucros gerados por clientes fiéis resultam de (1) aumento no número de compras, (2) redução de custos operacionais, (3) indicações a outros clientes e (4) preços mais elevados. Além disso, os custos de aquisição de clientes podem ser amortizados por um período de tempo mais longo.

OA2. No entanto, não é verdadeiro que clientes fiéis são sempre mais lucrativos. Eles podem ter expectativa de descontos de preço por permanecerem fiéis. Para compreender realmente o impacto de lucro dos clientes, as empresas necessitam aprender a calcular o LTV de seus clientes. Os cálculos de LTV devem incluir (1) custos de aquisição, (2) correntes de receita, (3) custos de atendimento específicos de uma conta, (4) número esperado de anos que o cliente permanecerá com a empresa e (5) taxa de desconto para fluxos de caixa futuros.

OA3. Clientes são fiéis somente se isso lhes traz benefícios.
- *Benefícios de confiança*: impressão de que há menor risco de algo dar errado, capacidade de confiar no provedor, menos ansiedade na compra e receber o nível máximo de serviço oferecido pela empresa.
- *Benefícios sociais*: ser chamado pelo nome, amizade com o provedor e prazer de certos aspectos sociais do relacionamento.
- *Benefícios de tratamento especial*: melhores preços, serviços extras e maior prioridade.

OA4. Existe uma diferença fundamental entre marketing de relacionamento e marketing transacional.
- *Marketing de relacionamento* inclui as abordagens não mutuamente excludentes de (1) marketing de banco de dados, (2) marketing de interação e (3) marketing de rede.
- Empresas que realizam *transações descontínuas* precisam trabalhar mais para desenvolver relacionamentos. Oferecer programas de fidelidade que rastreiam compras de clientes por vários pontos de venda e ao longo do tempo configuram uma ferramenta eficaz para muitas dessas empresas.

OA5. Não é fácil desenvolver fidelidade de cliente. A Roda da Fidelidade fornece uma estrutura sistemática que orienta as empresas sobre isso. A estrutura possui três componentes que obedecem a uma sequência:
- primeiro, as empresas necessitam construir uma *base para fidelidade* sem a qual não se pode obter fidelidade. Essa base entrega os benefícios de confiança a seus clientes fiéis;
- formada a base, as empresas precisam criar *vínculo de fidelidade* para fortalecer o relacionamento. Benefícios de fidelidade entregam benefícios sociais e de tratamento especial;
- por fim, além de focar a fidelidade, as empresas também têm que se esforçar em reduzir o *churn de clientes*.

Para formar a base da fidelidade, as empresas devem:

OA6. Segmentar o mercado e *selecionar os clientes 'certos'*. É preciso selecionar seus segmentos de atuação com cuidado e combiná-los com o que pode oferecer de melhor. Empresas necessitam focar valor de clientes, em vez de se limitarem a buscar volume.

OA7. Administrar a base de clientes por meio de *categorização de serviços*, para dividi-la em classes de valor (como platina, ouro, ferro e bronze). Isso ajuda a customizar estratégias às diferentes classes. As mais altas oferecem maior valor para a empresa, mas também esperam níveis de serviço mais altos. Para as inferiores, o foco deve recair sobre o aumento da lucratividade por meio de geração de volume, elevação de preços, redução de custos de atendimento e, em última instância, até o término de relacionamentos não lucrativos.

OA8. Compreender que a base da fidelidade está na *satisfação do cliente*. A relação satisfação/fidelidade pode ser dividida em três zonas: deserção, indiferença e afeição. Somente clientes altamente satisfeitos ou encantados na zona de afeição serão genuinamente fiéis.

Vínculos de fidelidade são utilizados para construir relacionamentos com clientes. Existem três tipos de vínculo com cliente:

OA9. Vendas cruzadas e pacote conjugado de serviços *aprofundam relacionamentos* que dificultam a troca de fornecedor e geralmente aumentam a conveniência por meio de compras em um único local.

OA10. Programas de fidelidade visam desenvolver participação na carteira por meio de *recompensas financeiras* (como pontos de fidelidade) e *não financeiras* (como níveis de serviço de classe mais alta e reconhecimento e apreciação).

OA11. Vínculos de nível mais alto incluem os sociais, de customização e estruturais. Esses vínculos tendem a ser mais difíceis de serem copiados pela concorrência do que aqueles baseados em recompensas.

OA12. A última etapa na Roda da Fidelidade consiste em compreender os fatores que levam clientes a trocar de fornecedor e como sistematicamente reduzir esses *impulsionadores de* churn.

- Entre as causas mais comuns para a troca de fornecedor estão falhas de serviço principal e insatisfação, percepções de preço enganoso e injusto, inconveniência e resposta precária a falhas de serviço.
- Para evitar a deserção, as empresas devem analisar e abordar as principais razões de seus clientes os deixarem, adotar processos eficazes de administração de reclamações e recuperação de serviços e potencialmente aumentar os custos de troca para os clientes.

OA13. Por fim, os *sistemas de CRM* devem ser considerados facilitadores da implantação bem-sucedida da Roda da Fidelidade. São particularmente úteis quando as empresas atendem a um grande número de clientes por meio de vários canais de entrega de serviço. Uma estratégia eficaz de CRM inclui cinco processos principais:

- desenvolvimento de estratégia, incluindo seleção de segmentos-alvo, categorização de serviço e planejamento de recompensas à fidelidade;
- criação de valor, incluindo benefícios aos clientes por meio de categorização de serviços e programas de fidelidade (por exemplo, prioridade em listas de espera e mudanças para classe superior);
- integração multicanal para prover uma interface única com clientes através de diversos canais de entrega de serviço (como do site para o escritório da filial);
- gerenciamento de informações, que inclui repositório de dados, ferramentas analíticas (como análise de gestão de campanhas e sistemas de alerta contra *churn*) e aplicações para linha de frente e serviços de apoio;
- avaliação de desempenho, que deve abordar três questões:

  (1) O CRM está criando valor para clientes e empresa?

  (2) Seus objetivos de marketing estão sendo atingidos?

  (3) O desempenho do sistema de CRM em si está correspondendo às expectativas?

  Avaliação de desempenho deve levar à melhoria contínua da estratégia e do sistema de CRM.

Questões para revisão

1. Por que a fidelidade do cliente é um importante fator impulsionador de lucratividade para empresas de serviços?
2. Por que visar 'clientes certos' é tão importante para o sucesso do gerenciamento do relacionamento com clientes?
3. Como se pode estimar o valor de um cliente ao longo do tempo (LTV)?
4. O que significa carteira (ou portfólio) de clientes? Como uma empresa deve determinar qual é o mix de clientes mais adequado?
5. O que é dividir serviços em classes? Explique por que isso é utilizado e suas implicações para empresas e seus clientes.
6. Como as várias estratégias descritas na Roda da Fidelidade relacionam-se entre si?
7. Cite algumas providências fundamentais que podem ser tomadas para criar vínculos com clientes e incentivar relacionamentos de longo prazo com eles.
8. Quais são os argumentos em favor de gastar dinheiro na manutenção da fidelidade de clientes existentes?
9. Qual é o papel do CRM na implantação de uma estratégia de relacionamento com clientes?

Exercícios

1. Escolha três empresas de serviços que você utiliza regularmente e, para cada uma delas, complete a seguinte frase: 'Eu sou fiel a essa empresa porque _____'.

2. O que você conclui (a) sobre si mesmo como consumidor e (b) sobre o desempenho de cada uma das empresas do Exercício 1? Avalie se qualquer uma dessas empresas conseguiu desenvolver uma vantagem com-

petitiva sustentável tendo como base o modo como ela conquistou sua fidelidade.

3. Escolha duas empresas de serviços que você já utilizou diversas vezes, mas que agora deixou de prestigiar (ou planeja deixar de prestigiar em pouco tempo) porque está insatisfeito, e complete a sentença: 'Deixei de utilizar (ou em breve vou deixar de utilizar) essa organização como cliente porque _____'.

4. Mais uma vez, o que você conclui sobre si mesmo e sobre as empresas em questão? Como cada uma dessas empresas poderia evitar sua deserção? O que cada uma delas poderia fazer para evitar deserções futuras de clientes com perfis semelhantes ao seu?

5. Avalie os pontos fortes e fracos de dois programas de usuários assíduos, de setores diferentes. Avalie como cada programa poderia ser aprimorado.

6. Elabore um questionário e realize um levantamento sobre dois programas de fidelidade. O primeiro é sobre um programa de associação/fidelidade de que seus colegas ou sua família gostam mais e sobre o que os faz serem fiéis àquela empresa. O segundo é sobre um programa que não é bem percebido e aparentemente não agrega valor para o cliente. Use perguntas abertas como 'O que o motivou a se inscrever, em primeiro lugar?', 'Por que você está usando esse programa?', 'Sua participação no programa mudou de alguma forma seu comportamento de compra/utilização?', 'O programa reduziu a possibilidade de você utilizar fornecedores concorrentes?', 'O que você acha das recompensas do programa?', 'Sua inscrição no programa resultou em algum benefício imediato na utilização do serviço?', 'Cite as três coisas de que você mais gosta nesse programa de fidelidade/associação.', 'De que você menos gosta?' e 'Quais melhorias você recomendaria?'. Analise quais são as características responsáveis pelo sucesso de programas de fidelidade/associação e quais não alcançam os resultados desejados. Use estruturas como a Roda da Fidelidade para orientar sua análise e apresentação.

7. Aborde dois funcionários de serviços em duas ou três empresas que implantaram sistemas de CRM. Pergunte-lhes sobre suas experiências na interface com esses sistemas e se os sistemas de CRM (1) contribuem para que entendam melhor seus clientes e/ou (b) levam a experiências de serviço aprimoradas para seus clientes. Pergunte-lhes sobre preocupações latentes e sugestões de melhorias que possam ter sobre os sistemas de CRM de suas organizações.

Notas

1. T. Stanley, "High stakes analytics. Optimize: business strategy & execution for CIOs", fev. 2006. Disponível em: <www.cognos.com/company/success/harrahs.html>. Acesso em: 28 abr. 2009; J. Voight, "Total rewards pays off for Harrah´s", Brandweek.com, 17, set. 2007. Disponível em: <www.brandwweek.com/bw/news/recent_display.jsp?vnu_content_id=1003641351>. Acesso em: 28 abr. 2009; J. N. Hoover, "2007 Chief of the Year: Tim Stanley", *Information Week*, 8 dez. 2007. Disponível em: <www.informationweek.com/story/showArticle.jhtml?aticleID=204702770>. Acesso em: 28 abr. 2009; James L. Heskett, W. Earl Sasser e Joe Wheeler. *The ownership quotient*. Boston: Harvard Business Press, 2008, p. 9-13. Disponível em: <www.harrahs.com>. Acesso em: 6 jun. 2009.

2. Frederick F. Reichheld e Thomas Teal. *The loyalty effect*. Boston: Harvard Business School Press, 1996.

3. Ruth Bolton, Katherine N. Lemon e Peter C. Verhoef, "The theoretical underpinnings of customer asset management: a framework and propositions for future research", *Journal of the Academy of Marketing Science*, 32, n. 3, 2004, p. 271-292.

4. Frederick F. Reichheld e W. Earl Sasser Jr., "Zero defections: quality comes to services", *Harvard Business Review*, 68, out. 1990, p. 105-111.

5. Ibidem.

6. Frederick F. Reichheld e Phil Schefter, "E-loyalty — your secret weapon on the Web", *Harvard Business Review*, 80, jul./ago. 2002, p. 105-113.

7. Christian Homburg, Nicole Koschate e Wayne D. Hoyer, "Do satisfied customers really pay more? A study of the relationship between customer satisfaction and willingness to pay", *Journal of Marketing*, 69, abr. 2005, p. 84-96.

8. Grahame R. Dowling e Mark Uncles, "Do customer loyalty programs really work?", *Sloan Management Review*, verão 1997, p. 71-81; Werner Reinartz e V. Kumar, "The mismanagement of customer loyalty", *Harvard Business Review*, jul. 2002, p. 86-94.

9. Werner J. Reinartz e V. Kumar, "On the profitability of long-life customers in a noncontractual setting: an empirical investigation and implications for marketing", *Journal of Marketing*, 64, out. 2000, p. 17-35.

10. Jochen Wirtz, Indranil Sen e Sanjay Singh, "Customer asset management at DHL in Asia". In: Jochen Wirtz e Christopher Lovelock (eds.). *Services marketing in Asia – a case book*. Singapore: Prentice Hall, 2005, p. 379-396.

11. John E. Hogan, Katherine N. Lemon e Barak Libai, "What is the true cost of a lost customer?", *Journal of Services Research*, 5, n. 3, 2003, p. 196-208.

12. Para consultar uma discussão sobre como avaliar a base de clientes de uma empresa, veja Sunil Gupta, Donald R. Lehmann e Jennifer Ames Stuart, "Valuing Customers", *Journal of Marketing Research*, 41, n. 1, 2004, p. 7-18.

13. Alan W. H. Grant e Leonard H. Schlesinger, "Realize your customer's full profit potential", *Harvard Business Review*, set./out. 1995, p. 59-75. Veja também Nicolas Glady e Christophe Croux, "Predicting customer wallet without survey data", *Journal of Service Research*, 11, n. 3, 2009, p. 219-231.

14. Nicole E. Coviello, Roderick J. Brodie e Hugh J. Munro, "Understanding contemporary marketing: development of a classification scheme", *Journal of Marketing Management*, 13, n. 6, 1995, p. 501-522.

15. J. R. Copulsky e M. J. Wolf, "Relationship marketing: positioning for the future", *Journal of Business Strategy*, 11, n. 4, 1990, p. 16-20.

16. Johnson e Selnes propuseram uma tipologia de relacionamentos de troca que incluía 'estranhos', 'conhecidos', 'amigos' e 'parceiros' e derivavam implicações para a gestão da carteira de clientes. Para conhecer detalhes, veja Michael D. Johnson e Fred Selnes, "Customer portfolio management: towards

a dynamic theory of exchange relationships", *Journal of Marketing*, 68, n. 2, 2004, p. 1-17.

17. Evert Gummesson, *Total relationship marketing*. Oxford: Butterworth-Heinemann, 1999, p. 24.

18. Foi sugerido deixar 'o cliente insatisfeito crônico sair para permitir que a equipe de linha de frente concentre-se na satisfação dos clientes 'certos''. veja Ka-shing Woo e Henry K. Y. Fock, "Retaining and divesting customers: an exploratory study of right customers, 'at risk' right customers, and wrong customers", *Journal of Services Marketing*, 18, n. 3, 2004, p. 187-197.

19. Frederick F. Reichheld. *Loyalty rules — how today's leaders build lasting relationship*. Boston, MA: Harvard Business School Press, 2001. p. 45.

20. Yuping Liu, "The long-term impact of loyalty programs on consumer purchase behavior and loyalty", *Journal of Marketing*, 71, n. 4, out. 2007, p. 19-35.

21. Roger Hallowell, "The relationships of customer satisfaction, customer loyalty, and profitability: an empirical study", *International Journal of Service Industry Management*, 7, n. 4, 1996, p. 27-42.

22. Frederick F. Reichheld. *Loyalty rules — how today's leaders build lasting relationships*. Boston: Harvard Business School Press, 2001, p. 84-85.

23. Ravi Dahr e Rashi Glazer, "Hedging customers", *Harvard Business Review*, 81, maio 2003, p. 86-92.

24. David H. Maister. *True professionalism*. Nova York: The Free Press, 1997. (Veja especialmente o Capítulo 20.)

25. David Rosenblum, Doug Tomlinson e Larry Scott, "Bottom-feeding for blockbuster business", *Harvard Business Review*, mar. 2003, p. 52-59.

26. Chrstian Homburg, Mathias Droll e Dirk Totzek, "Customer prioritization: does it pay off, and how should it be implemented?", *Journal of Marketing*, 72, n. 5, 2008, p. 110-130.

27. Valarie A. Zeithaml, Roland T. Rust e Katherine N. Lemon, "The customer pyramid: creating and serving profitable customers", *California Management Review*, 43, n. 4, verão 2001, p. 118-142.

28. Werner J. Reinartz e V. Kumar, "The impact of customer relationship characteristics on profitable lifetime duration", *Journal of Marketing*, 67, n. 1, 2003, p. 77-99.

29. Vikras Mittal, Matthew Sarkees e Feisal Murshed, "The right way to manage unprofitable customers", *Harvard Business Review*, abr. 2008, p. 95-102.

30. Elizabeth Esfahani, "How to get tough with bad customers", *ING Direct*, out. 2004. Disponível em: <http://home.ingdirect.com>. Acesso em: 19 jan. 2006.

31. Não só existe uma relação positiva entre satisfação e participação na carteira do cliente, como também o maior impacto positivo ocorre nos níveis superiores extremos de satisfação. Para obter detalhes, consulte Timothy L. Keiningham, Tiffany Perkins-Munn e Heather Evans, "The impact of customer satisfaction on share of wallet in a business-to-business environment", *Journal of Service Research*, 6, n. 1, 2003, p. 37-50.

32. Florian v. Wangenheim, "Postswitching negative word of mouth", *Journal of Service Research*, 8, n. 1, 2005, p. 67-78.

33. Neil A. Morgan e Lopo Leotte Rego, "The value of different customer satisfaction and loyalty metrics in predicting business performance", *Marketing Science*, 25, n. 5, set.-out. 2006, p. 426-439.

34. Leonard L. Berry e A. Parasuraman, "Three levels of relationship marketing". In: *Marketing services — competing through quality*. Nova York: The Free Press, 1991, p. 136-142; Valarie A. Zeithaml, Mary Jo Bitner e Dwayne D. Gremler. *Services marketing*. 4 ed. Nova York: McGraw-Hill, 2003, p. 196-201.

35. Michael Lewis, "The influence of loyalty programs and short-term promotions on customer retention", *Journal of Marketing Research*, 41, ago. 2004, p. 281-292; Jochen Wirtz, Anna S. Mattila e May Oo Lwin, "How effective are loyalty reward programs in driving share of wallet?", *Journal of Service Research*, 9, n. 4, 2007, p. 327-334.

36. Katherine N. Lemon e Florian V. Wangenheim, "The reinforcing effects of loyalty program partnerships and core service usage", *Journal of Service Research*, 11, n. 4, 2009, p. 357-370.

37. Ruth N. Bolton, P. K. Kannan e Matthew D. Bramlett, "Implications of loyalty program membership and service experience for customer retention and value", *Journal of the Academy of Marketing Science*, 28, n. 1, 2000, p. 95-108; Michael Lewis, "The influence of loyalty programs and short-term promotions on customer retention", *Journal of Marketing Research*, 41, ago. 2004, p. 281-292.

38. Grahame R. Dowling e Mark Uncles, "Do customer loyalty programs really work?", *Sloan Management Review*, verão 1997, p. 71-81.

39. Veja exemplo de Iselin Skogland e Judy Siguaw, "Are your satisfied customers loyal?", *Cornell Hotel and Restaurant Administration Quarterly*, 45, n. 3, 2004, p. 221-234.

40. Bernd Stauss, Maxie Schmidt e Adreas Schoelet, "Customer frustration in loyalty programs", *International Journal of Service Industry Management*, 16, n. 3, 2005, p. 229-252.

41. Sobre a percepção de planejamento de classes de fidelidade, veja Xavier Drèze e Joseph C. Nunes, "Feeling superior: the impact of loyalty program structure on consumers´perceptions of status", *Journal of Consumer Research*, 35, n. 6, 2009, p. 890-905.

42. Mark S. Rosenbaum, Amy L. Ostrom e Ronald Kuntze, "Loyalty programs and a sense of community", *Journal of Services Marketing*, 19, n. 4, 2005, p. 222-233; Isabelle Szmigin, Louise Canning e Alexander E. Reppel, "Online community: enhancing the relationship marketing concept through customer bonding", *International Journal of Service Industry Management*, 16, n. 5, 2005, p. 480-496; Iger Roos, Anders Gustafsson e Bo Edvardsson, "The role of customer clubs in recent telecom relationships", *Internationl Journal of Service Industry Management*, 16, n. 5, 2005, p. 436-454; Dennis Pitta, Frank Franzak e Danielle Fowler, "A strategic approach to building online customer loyalty: integrating customer profitability tiers", *Journal of Consumer Marketing*, 23, n. 7, 2006, p. 421-429.

43. Don Peppers and Martha Rogers. *The one-to-one manager*. Nova York: Currency/Doubleday, 1999.

44. Rick Ferguson e Kelly Hlavinka, "The long tail of loyalty: how personalized dialogue and customized rewards will change marketing forever", *Journal of Consumer Marketing*, 23, n. 6, 2006, p. 357-361.

45. Susan M.Keaveney, "Customer switching behavior in service industries: an exploratory study", *Journal of Marketing*, 59, abr. 1995, p. 71-82.

46. Para obter uma discussão mais detalhada de comportamento de troca em uma situação específica, consulte Iger Roos, Bo Edvardsson e Anders Gustafsson, "Customer switching patterns in competitive and noncompetitive service industries", *Journal of Service Research*, 6, n. 3, 2004, p. 256-271.

47. Jonathan Lee, Janghyuk Lee e Lawrence Feick, "The impact of switching costs on the consumer satisfaction loyalty link:

mobile phone service in France", *Journal of Services Marketing*, 15, n. 1, 2001, p. 35-48; Shun Yin Lam, Venkatesh Shankar, M. Krishna Erramilli e Bvsan Murthy, "Customer value, satisfaction, loyalty and switching costs: an illustration from a business-to-business service context", *Journal of the Academy of Marketing Science*, 32, n. 3, 2004, p. 293-311; Michael A. Jones, Kristy E. Reynolds, David L. Mothersbaugh e Sharon Beatty, "The positive and negative effects of switching costs on relational outcomes", *Journal of Service Research*, 9, n. 4, 2007, p. 335-355.

48. Moonkyu Lee e Lawrence F. Cunningham, "A cost/benefit approach to understanding loyalty", *Journal of Services Marketing*, 15, n. 2, 2001, p. 113-130; Simon J. Bell, Seigyoung Auh e Karen Smalley, "Customer relationship dynamics: service quality and customer loyalty in the context of varying levels of customer expertise and switching costs", *Journal of the Academy of Marketing Science*, 33, n. 2, 2005, p. 169-183.

49. Lesley White e Venkat Yanamandram, "Why customers stay: reasons and consequences of inertia in financial services", *International Journal of Service Industry Management*, 14, n. 3, 2004, p. 183-194.

50. Para consultar um livro excelente sobre CRM, veja V. Kumar e Werner J. Reinartz. *Customer relationship management: a database approach*. Hoboken, NJ: John Wiley & Sons, 2006.

51. Kevin N. Quiring e Nancy K. Mullen, "More than data warehousing: an integrated view of the customer". In: John G. Freeland (ed.). *The ultimate CRM handbook – strategies &concepts for building enduring customer loyalty & profitability*. NovaYork: McGraw-Hill, 2002, p. 102-108.

52. Esta seção foi adaptada de Adrian Payne e Pennie Frow, "A strategic framework for customer relationship management", *Journal of Marketing*, 69, out. 2005, p. 167-176.

53. William Boulding, Richard Staelin, Michael Ehret e Wesley J. Johnston, "A customer relationship management roadmap: what is known, potential pitfalls and where to go", *Journal of Marketing*, 69, 2005, p. 155-166.

54. Esta seção é largamente baseada em Sudhir H. Kale, "CRM failure and the seven deadly sins", *Marketing Management*, set./out. 2004, p. 42-46.

55. William Boulding, Richard Staelin, Michael Ehret e Wesley J. Johnston, "A customer relationship management roadmap: what is known, potential pitfalls and where to go", *Journal of Marketing*, 69, 2005, p. 155-166.

56. Darrell K. Rigby and Dianne Ledingham, "CRM done right", *Harvard Business Review*, nov. 2004, p. 118-129.

57. Manuel Ebner, Arthur Hu, Daniel Levitt e Jim McCrory, "How to rescue CRM?", *The McKinsey Quarterly*, 4, Technology, 2002.

58. Darrell K. Rigby and Dianne Ledingham, "CRM done right", *Harvard Business Review*, nov. 2004, p. 118-129.

59. Darrell K. Rigby, Frederick F. Reichheld e Phil Schefter, "Avoid the four perils of CRM", *Harvard Business Review*, fev. 2002, p. 108.

60. Darrell K. Rigby, Frederick F. Reichheld e Phil Schefter, "Avoid the four perils of CRM", *Harvard Business Review*, fev. 2002, p. 108.

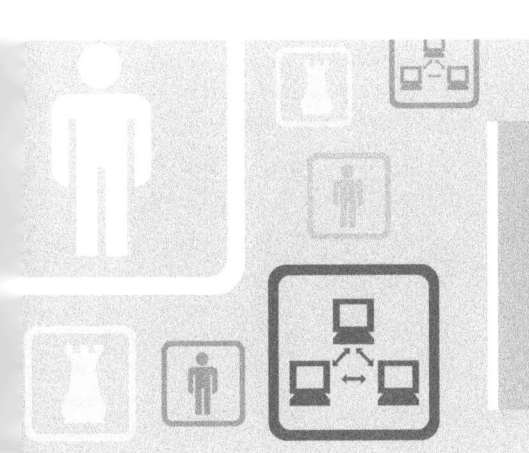

CAPÍTULO 13

Administração de reclamações e recuperação do serviço

Um dos sinais mais inequívocos de um mau relacionamento ou de um relacionamento que está minguando é a ausência de reclamações do cliente. Ninguém jamais está tão satisfeito, principalmente durante um período de tempo prolongado.
— Theodore Levitt

Errar é humano; recuperar é divino.
— (parafraseando Alexander Pope, poeta do século XVIII)

Objetivos de aprendizagem (OAs)

Ao final deste capítulo, você será capaz de:

OA1 Reconhecer as ações que os clientes podem tomar em resposta a falhas de serviço.

OA2 Compreender por que clientes reclamam.

OA3 Saber o que os clientes esperam da empresa quando reclamam.

OA4 Entender como os clientes reagem a uma recuperação de serviço eficaz.

OA5 Conhecer os princípios de sistemas eficazes de recuperação de serviço.

OA6 Familiarizar-se com as diretrizes a serem seguidas pelos funcionários de linha de trente em relação a clientes que reclamam e sobre como recuperar-se de uma falha de serviço.

OA7 Reconhecer o poder das garantias de serviço.

OA8 Entender como elaborar garantias de serviço eficazes.

OA9 Saber quando as empresas não devem oferecer garantias de serviço.

OA10 Conhecer os sete grupos de clientes inconvenientes e compreender como administrá-los bem.

Muito pouco e tarde demais – Recuperação de serviço da Jetblue[1]

Uma nevasca assolou a costa leste dos Estados Unidos. Centenas de passageiros ficaram presos por 11 horas em aviões da JetBlue no aeroporto em Nova York. Eles estavam furiosos. Ninguém da companhia aérea fizera algo para tirá-los dos aviões. Como se não bastasse, a empresa cancelou mais de mil voos em seis dias, deixando ainda mais passageiros desamparados. O incidente anulou muito dos acertos que fizeram da JetBlue uma das marcas de serviço ao cliente mais fortes dos Estados Unidos. A empresa estava prestes a assumir a quarta posição na lista dos 25 maiores líderes de serviço ao cliente da *Business Week*, mas por causa desse problema foi retirada da classificação. O que houve?

Não havia nenhum plano de recuperação de serviço em vigor. Ninguém da equipe — piloto, comissários de voo ou gerente de área — tinha autoridade para retirar as pessoas do avião. A oferta de reembolsos e remarcação de bilhetes não conseguiu aplacar a raiva dos passageiros, que haviam ficado sem atendimento por tantas horas. David Neeleman, CEO da JetBlue, enviou um e-mail pessoal a todos os clientes no banco de dados da empresa para explicar o que causara o problema, pediu desculpas e detalhou suas ações de recuperação de serviço. Ele até apareceu em um programa de televisão tarde da noite para desculpar-se e admitir que a empresa deveria ter um plano de contingência melhor — mas ainda era longo o caminho a percorrer para recuperar o dano a sua reputação.

Aos poucos, a JetBlue reconstruiu seu nome, começando por sua nova *Declaração dos direitos dos clientes*, que estabelece que a companhia aérea providenciasse bilhetes ou reembolsos em certas situações, quando ocorressem atrasos de voos. Neeleman também mudou os sistemas de informação para monitorar a localização de sua tripulação, melhorou o site para permitir alteração de reserva on-line e treinou sua equipe no escritório central para ajudar no aeroporto, quando necessário. Todas essas atividades visavam reassumir a alta classificação de onde a empresa despencara.

Figura 13.1 Falhas de serviços tornam a recuperação mais complexa e demorada e prejudicam a experiência de serviço dos clientes.

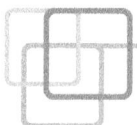

O comportamento de reclamação do cliente

A primeira lei da produtividade e qualidade de serviço poderia ser: faça certo da primeira vez. Mas não podemos ignorar o fato de que falhas continuam a ocorrer, às vezes, por razões fora do controle da organização, como a nevasca que causou o incidente da JetBlue descrito em nossa seção de abertura. Muitos 'momentos de verdade' em encontros de serviço são vulneráveis a colapsos. Características distintivas de serviços, como desempenho em tempo real, envolvimento do cliente e pessoas como parte do produto, aumentam muito a probabilidade de falhas de serviço. O modo como a empresa lida com reclamações e resolve problemas pode determinar se ela fideliza seus clientes ou os perde para a concorrência.

Opções de reação do cliente às falhas de serviço

É bem provável que você não fique satisfeito ao menos com alguns dos serviços que recebe. Como você reage à insatisfação com esses serviços? Faz uma reclamação informal a um funcionário, pede para falar com o gerente ou registra uma reclamação? Ou então, você talvez apenas resmungue consigo mesmo, comente com amigos ou familiares e escolha outro fornecedor na próxima vez que precisar de um serviço semelhante.

Se você é daqueles que não reclamam de um serviço malfeito, não está sozinho. Pesquisas realizadas no mundo todo mostraram que a maioria das pessoas não reclamará de um serviço, principalmente se achar que a reclamação não surtirá nenhum efeito. Desconhecendo essa informação, muitas empresas ainda acreditam que, se o cliente não reclama, seu serviço está satisfatório. Muitas vezes, o cliente está quieto, aguardando uma oportunidade para mudar para o concorrente. A Figura 13.2 mostra os cursos de ação que um cliente pode tomar em resposta a uma falha de serviço. Esse modelo sugere que há, no mínimo, três principais possibilidades:

Figura 13.2 Categorias de reação de clientes a falhas de serviço

Encontro de serviço insatisfatório →
- Tomar algum tipo de *ação pública* →
  - Reclamar ao prestador de serviço
  - Reclamar a um terceiro
  - Tomar medida legal para buscar reparação
- Tomar algum tipo de *ação privada* (como abandonar o fornecedor) →
  - Desertar (mudar de fornecedor)
  - Boca a boca negativo
- Não tomar *nenhuma ação*

→ Qualquer uma ou qualquer combinação dessas reações é possível

---

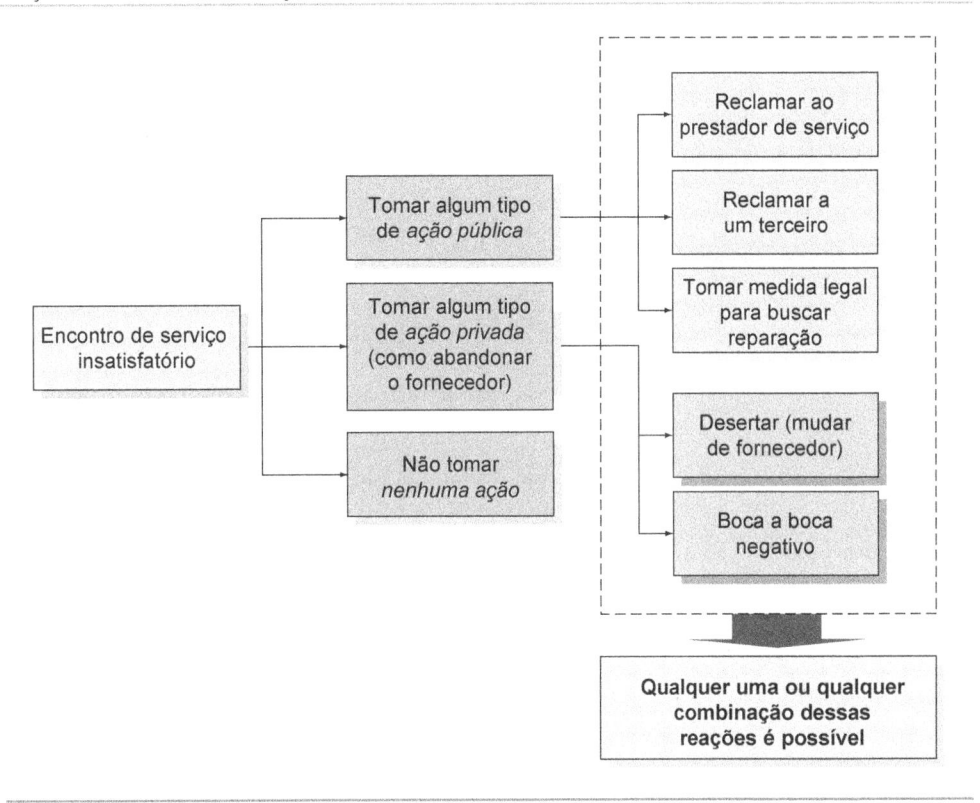

1. proceder a algum tipo de ação pública (reclamar para a empresa ou com terceiro, como um grupo de defesa do consumidor, um órgão governamental de regulamentação e proteção ao consumidor ou até recorrer à ação civil ou criminal);
2. tomar alguma ação privada (como abandonar o fornecedor);
3. não tomar nenhuma ação.

É importante lembrar que o cliente pode seguir qualquer uma das alternativas, ou uma combinação delas. Os gerentes precisam estar cientes de que o impacto de uma deserção pode ir muito além da perda do fluxo de receita futura gerado por aquela pessoa. Clientes irritados costumam contar seus problemas a muitas outras pessoas.[2] A Internet permite que consumidores contrariados alcancem milhares de pessoas publicando reclamações em painéis de notícias ou montando um site para divulgar suas más experiências.[3] Se no comentário boca a boca tradicional um cliente descontente fala mal da empresa a algumas dezenas de pessoas, a Internet permite atingir milhares — ou mesmo milhões — de outras. No Orkut, existem comunidades 'detesto' para praticamente todas as grandes empresas brasileiras de serviços, tais como: Casas Bahia eu odeio, Eu odeio o Fiat Uno, Eu ODEIO a Rede Globo!, Eu detesto o bradesco!, detesto o banco Itau, entre tantas outras..

Entendendo o comportamento de reclamação do cliente

Para tratar de maneira eficaz com clientes insatisfeitos e que reclamam, os gerentes precisam entender os aspectos fundamentais do comportamento de reclamação, começando com várias perguntas.

Por que os clientes reclamam? Estudos do comportamento de reclamação de consumidores identificaram quatro finalidades principais:

1. *obter restituição ou compensação*. Muitas vezes, consumidores reclamam para recuperar algum prejuízo econômico por meio de reembolso ou compensação e/ou para que o serviço seja executado novamente;[4]

2. *dar vazão à raiva*. Alguns clientes reclamam para recuperar a autoestima e/ou dar vazão à raiva e à frustração. Quando processos são burocráticos e irracionais ou quando funcionários são rudes, intimidantes ou descuidados, a autoestima, o senso de valor próprio e o senso de justiça dos clientes podem ser afetados de modo negativo. Eles podem ficar irritados e agir com a emoção;

3. *ajudar a melhorar o serviço*. Quando estão muito envolvidos com um serviço (por exemplo, uma universidade, uma associação de ex-alunos ou o banco com o qual costumam trabalhar), os clientes dão retorno para tentar contribuir para a melhoria do serviço. Eles são motivados pela perspectiva de obter melhor serviço no futuro;

4. *por razões altruístas*. Por fim, alguns clientes querem evitar que outros tenham os mesmos problemas e se sentirão mal se não apontarem um problema que causará dificuldades a outras pessoas.

Qual é a proporção de clientes insatisfeitos que reclamam? Pesquisas mostram que, em média, somente 5 a 10 por cento dos clientes insatisfeitos com um serviço reclamam de fato.[5] Às vezes, a porcentagem é bem menor. Um dos autores deste livro analisou as reclamações recebidas por uma empresa de transporte público — cerca de três reclamações para cada milhão de passageiros/viagem. Admitindo-se duas viagens por dia, uma pessoa precisaria de 1.370 anos (cerca de 27 vidas) para fazer um milhão de viagens. Em outras palavras, a taxa de reclamações era inacreditavelmente baixa, dado que as empresas de transporte público não costumam se destacar por seus bons serviços. Contudo, embora apenas uma minoria de clientes insatisfeitos reclame, há evidências de que consumidores de todo o mundo estão tornando-se mais bem informados, autoconfiantes e assertivos, quando se trata de buscar resultados satisfatórios para suas reclamações.

Por que clientes descontentes não reclamam? A TARP Worldwide, empresa especializada em satisfação de clientes e medição, identificou inúmeras razões.[6] Alguns não querem perder tempo escrevendo uma carta, preenchendo um formulário ou telefonando, principalmente se não consideram o serviço importante o bastante para merecer o esforço. Muitos clientes consideram que o retorno financeiro é incerto e acreditam que ninguém estaria preocupado com seus problemas ou disposto a resolvê-los. Em algumas situações, as pessoas não sabem onde ir, nem o que fazer. Além disso, muitas pessoas acham desagradável reclamar. Elas temem uma confrontação, em especial se a reclamação envolver alguém que o cliente conhece e com quem talvez terá de tratar novamente.

Esse comportamento pode ser influenciado pela percepção de papéis e normas sociais. Em serviços nos quais o cliente tem 'poder restrito' (definido como a capacidade percebida de influenciar ou controlar a transação),[7] as pessoas são menos propensas a articular reclamações. Isso é válido, em particular, quando envolve provedores como médicos, advogados ou arquitetos. Normas sociais tendem a desencorajar a crítica de clientes contra esses indivíduos por causa de sua *expertise* percebida. Isso muitas vezes resulta no sumiço do cliente sem que se saiba por quê. Se houver opção, o cliente faz a troca. Muitos médicos têm como norma não procurar saber por que os clientes não retornaram, o que piora ainda mais a situação.

Quem tende mais a reclamar? Constatações de pesquisas mostram que pessoas de níveis socioeconômicos mais altos tendem mais a reclamar do que as de níveis mais baixos. Sua melhor educação, renda mais elevada e o maior envolvimento social dá-lhes a confiança, o conhecimento e a motivação para falar abertamente quando encontram problemas.[8] Além do mais, os que reclamam também tendem a conhecer melhor os produtos. Empresas que não trabalham com esse perfil de cliente devem ter ainda maiores cuidados em incentivar seus clientes a reclamarem.

Onde os clientes reclamam? Estudos mostram que a maioria das reclamações é feita no local onde o serviço foi recebido. Um dos autores deste livro concluiu, há pouco tempo, um projeto de consultoria para desenvolvimento e implementação de um sistema de *feedback* de cliente e constatou que assombrosos 99 por cento ou mais dos *feedbacks* eram transmitidos face a face ou por telefonemas a representantes de atendimento ao cliente. Menos de 1 por cento de todas as reclamações era enviado por e-mail, carta, fax ou cartões de opiniões. Um levantamento com passageiros de uma companhia aérea constatou que apenas 3 por cento

Panorama de serviços 13.1

Reclame aqui

Não é apenas a empresa que deve incentivar seus clientes a reclamarem. Quando o cliente protesta, ele reivindica seus direitos de consumidor e, como cidadão, contribui para uma sociedade mais eficiente. Entidades particulares e não governamentais também podem contribuir, criando canais para reclamações. Com a Internet, surge um novo e poderoso canal para a expressão dos clientes. No Brasil, um dos maiores sites disponíveis para o consumidor é o Reclame Aqui (www.reclameaqui.com.br), gratuito e aberto a todos que tenham qualquer queixa sobre atendimento, compra ou venda de produtos e serviços. Para tanto, o consumidor deve cadastrar seus dados pessoais, para evitar manifestações anônimas. A maioria dos casos é de clientes que já reclamaram com a empresa, mas não tiveram resposta. Os dados, no entanto, estão disponíveis somente para a empresa reclamada, para que ela possa buscar solução para o problema apontado. O consumidor não é identificado e as reclamações são gerenciadas pelo software do site, o que permite a consulta e a busca de forma consolidada. A equipe do site avalia a queixa, evitando o uso de palavras ofensivas, a empresa que recebeu a reclamação é acionada via e-mail e suas respostas são registradas automaticamente, gerando rankings. Enquanto o problema não é resolvido, um ícone indicando uma face insatisfeita permanece habilitado. O cliente pode voltar a responder, informando se foi ou não resolvido o problema e avaliando o desempenho final da empresa. O ícone muda quando há uma resposta, mas ainda sem solução, e um terceiro ícone de uma face satisfeita aparece quando o problema é resolvido.

O índice de avaliação de uma empresa é calculado a partir da média ponderada de quatro fatores: índice de resposta, média das avaliações, índice de solução e índice de novos negócios (voltaria a fazer negócios com a empresa?).

Para uma empresa receber o selo RA 1000, deve atingir: índice de resposta igual ou superior a 90 por cento; índice de solução igual ou superior a 90 por cento; média das avaliações (dadas pelo consumidor) igual ou superior a 7 (número mínimo de 10 avaliações); e índice de novos negócios (voltaria a fazer negócios com a empresa?) igual ou superior a 70 por cento.

São também divulgadas informações de interesse das empresas, como condenações, fraudes, novas leis e outros temas relacionados.

O site foi criado em 2002 por quatro sócios (três administradores de sistemas e um publicitário), depois de terem tido problemas de atendimento com empresas fornecedoras, serem ignorados e discutirem o problema. Resolveram então criar um site gratuito, totalmente automatizado, onde o consumidor pudesse reclamar e a empresa, responder.

A partir das respostas, o site gera diversas métricas, como as sobre frequência e velocidade de resposta, notas de avaliação dos clientes etc. Os consumidores também podem interagir em foruns e chats.

Nesses anos de operação, são cerca de 250 mil visitantes ao mês e mais de 300 reclamações diárias. Segundo Mauricio Vargas, um dos fundadores, o site não foi levado a sério no início, mas aos poucos foi ganhando reputação e confiança, e o volume de respostas vem crescendo, com exceção de algumas empresas, notadamente as de telefonia fixa e móvel, que continuam ignorando os clientes descontentes. Ele conta o caso de um consumidor que recebeu um aparelho de DVD com uma marca diferente da que havia comprado e, depois de um ano e meio tentando fazer a troca, teve seu problema resolvido seis horas após registrar a reclamação no site.

Até 2007, o site, com 6 funcionários de período integral e 12 de período parcial e custo mensal de cerca de 14 mil reais, era mantido somente pela empresa dos quatro sócios, a Widea Soluções Digitais de Campo Grande, Mato Grosso do Sul, que desenvolve sistemas para órgãos do governo. Segundo Vargas, a empresa optou por evitar conflitos éticos; por isso, não cobra de consumidores ou de clientes. Nos últimos anos os sócios buscaram novas soluções de receita: abriram uma loja de produtos com temas ligados ao site, colocaram anúncios no Google e permitem que empresas com índices BOM ou ÓTIMO, ou o selo RA1000, anunciem diretamente.

Eles usam as informações para consultorias, treinamentos e seminários sobre reclamações. Também oferecem para as grandes empresas, mediante pagamento, a possibilidade de integração das reclamações a seus sistemas de CRM. Além disso, aceitam doações de pessoas físicas. Os sócios estimam uma receita anual de 2 milhões de reais com esses novos serviços, o que permite lucrar com o site. Também estudam criar um serviço de testes de produtos, com seus clientes cadastrados, um selo de qualidade para lojas virtuais e links 'Reclame aqui' em outros sites.

---

dos entrevistados insatisfeitos com a refeição servida reclamaram oficialmente, mas todos reclamaram com a comissária de bordo. Ninguém enviou uma reclamação ao escritório central da empresa ou a um órgão de proteção ao consumidor.[9] Além disso, clientes tendem a usar canais não interativos para reclamar (e-mails ou cartas) quando querem acima de tudo expressar raiva e frustração, mas recorrem a canais interativos (contato pessoal ou por telefone) quando querem que um problema seja solucionado ou reparado.[10] Na prática, mesmo quando os clientes de fato reclamam, muitas vezes os gerentes nem ficam sabendo das queixas feitas ao pessoal da linha de frente. Menos de 5 por cento das reclamações chegam aos escritórios centrais das empresas.[11]

Expectativas do cliente em relação a suas reclamações

Sempre que ocorre uma falha de serviço, as pessoas esperam uma compensação adequada e justa. No entanto, estudos recentes mostraram que muitos clientes acham que não foram tratados com justiça e que não receberam o que era certo. Quando isso acontece, suas reações tendem a ser imediatas, emocionais e duradouras.[12]

As empresas devem levar em conta que o conceito de justiça, para o cliente, tem diferentes aspectos. Stephen Tax e Stephen Brown constataram que até 85 por cento da variação na satisfação com uma recuperação de serviço era determinada pelas três dimensões de justiça mostradas na Figura 13.3.[13]

- *Justiça de procedimentos* tem a ver com as políticas e regras que qualquer cliente terá de seguir para buscar justiça. Nesse caso, os clientes esperam que a empresa assuma a responsabilidade, que é o ponto fundamental para o início de um procedimento justo, seguida de um processo de recuperação conveniente e responsivo. Isso inclui flexibilidade do sistema e consideração dos insumos fornecidos pelo cliente ao processo de recuperação. Os processos devem ser justos.

- *Justiça interativa* envolve os funcionários da empresa que executam a recuperação de serviço e seu comportamento em relação ao cliente. É muito importante explicar a falha e esforçar-se para resolver o problema. Contudo, o esforço de recuperação deve ser percebido como autêntico, honesto e cortês. O relacionamento deve ser justo.

- *Justiça do resultado* refere-se à compensação que um cliente recebe como resultado dos prejuízos e das inconveniências que sofreu por causa da falha de serviço. Isso inclui compensação não apenas pela falha, mas também por tempo, esforço e energia despendidos durante o processo de recuperação de serviço. O resultado deve ser justo.

Figura 13.3 Três dimensões da justiça percebida nos processos de recuperação de serviço

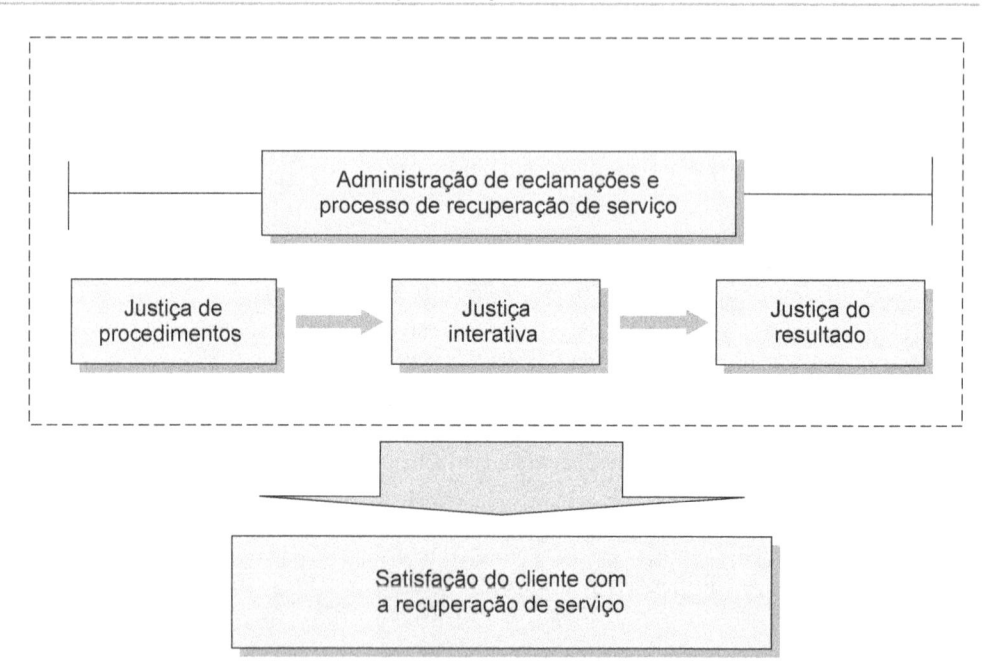

```
          Administração de reclamações e
          processo de recuperação de serviço

   Justiça de    →    Justiça     →    Justiça do
 procedimentos        interativa        resultado

              ↓
     Satisfação do cliente com
     a recuperação de serviço
```

Fonte: Adaptado de Stephen S. Tax e Stephen W. Brown, "Recovering and learning from service failure", *Sloan Management Review*, 49, n. 1, outono 1998, p. 75-88.
© 1998 Massachusetts Institute of Technology. Todos os direitos reservados.

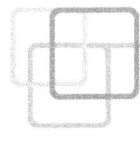

Respostas do cliente à recuperação eficaz de serviço

"Benditos sejam os que reclamam" era o título provocativo de um artigo sobre o comportamento de reclamação do cliente, que também apresentava um gerente bem-sucedido que dizia: "Graças a Deus eu tenho um cliente insatisfeito ao telefone! O que me preocupa são aqueles que nunca telefonam".[14] Clientes que reclamam dão à empresa a chance de corrigir problemas (incluindo alguns que ela talvez nem saiba que tem), restaurar o relacionamento com o reclamante e melhorar a satisfação futura para todos.

Recuperação de serviço é um termo que abrange os esforços sistemáticos da empresa para corrigir um problema logo após uma falha e conservar a boa vontade do cliente. Esforços de recuperação de serviço desempenham papel crucial na conquista (ou restauração) da satisfação e fidelização do consumidor.[15] Em toda organização podem ocorrer fatos que causam impacto negativo em seus relacionamentos com clientes. O verdadeiro teste do compromisso de uma empresa com a satisfação e a qualidade de serviço não está nas promessas da propaganda, mas em sua reação quando as coisas dão errado para o cliente. O sucesso requer treinamento e motivação de funcionários. Simon Bell e James Luddington descobriram que, embora as reclamações exerçam efeito negativo sobre o comprometimento do pessoal de atendimento com o serviço ao cliente, funcionários com uma atitude positiva em relação ao serviço e a seus próprios empregos tendem a ver reclamações como fonte potencial de melhoria e a explorar formas adicionais de ajudar os clientes.[16]

Uma recuperação eficaz de serviço requer procedimentos sérios para resolver problemas e lidar com clientes decepcionados. É fundamental que as empresas tenham estratégias eficazes de recuperação, porque até mesmo um único problema de serviço pode destruir a confiança de um cliente sob as seguintes condições:

- a falha é totalmente ultrajante (por exemplo, pura e simples desonestidade da parte do fornecedor);
- o problema segue um padrão de falha em vez de ser um incidente isolado;
- os esforços de recuperação são fracos e servem mais para disfarçar o problema original do que para corrigi-lo.[17]

O risco de deserção é alto, em especial quando há muitas alternativas concorrentes à disposição. Um estudo de comportamento de troca dos clientes em setores de serviços constatou que cerca de 60 por cento de todos os entrevistados trocaram de fornecedores por causa de uma falha de serviço, 25 por cento citaram falhas no serviço principal, 19 por cento informaram um contato insatisfatório com um funcionário, 10 por cento obtiveram uma resposta insatisfatória a uma falha de serviço anterior e 4 por cento descreveram comportamento antiético da parte do fornecedor.[18] Esses resultados sugerem que a maior causa de insatisfação e perda de clientes não está no planejamento inadequado, mas na operacionalização inadequada do serviço.

Impacto da recuperação eficaz de serviço na fidelidade do cliente

Quando as reclamações são resolvidas de maneira satisfatória, os clientes ficam muito mais propensos a permanecer fiéis. A pesquisa da TARP constatou que intenções de novas compras para diferentes tipos de produto ficavam entre 9 e 37 por cento para clientes insatisfeitos que não reclamaram. Quando se tratava de uma reclamação grave, a taxa de retenção passava de 9 para 19 quando os clientes reclamaram e a empresa os ouviu com atenção, mas sem conseguir resolver o problema de modo satisfatório para o cliente. Se a reclamação foi resolvida de modo satisfatório, a taxa de retenção saltava para 54 por cento. A taxa de retenção mais alta foi atingida nos casos em que os problemas foram resolvidos rapidamente, normalmente no local, quando então passava para 82 por cento.[19]

A conclusão é que o tratamento de reclamações deve ser considerado um centro de lucro, e não de custo. Quando um cliente insatisfeito deserta, a empresa perde mais do que o valor da próxima transação. Pode perder também um fluxo de lucros de longo prazo daquele cliente e de qualquer outro que troque de fornecedor ou desista de fazer negócios com aquela empresa por causa de comentários negativos de um amigo descontente. O valor da perda de referências positivas a terceiros pode ser maior que o próprio valor do cliente perdido. Entretanto, muitas organizações ainda precisam aderir ao conceito de que vale a pena investir em recuperação de serviço elaborada para proteger esses lucros de longo prazo.

O paradoxo da recuperação de serviço

Clientes que sofreram uma falha de serviço resolvida de modo satisfatório muitas vezes estão mais satisfeitos do que outros que não tiveram nenhum problema.[20] Uma pesquisa revelou que o paradoxo da recuperação de serviço não funciona no caso de repetições.[21] Um estudo sobre falhas de serviço repetidas em um banco de varejo mostrou que o paradoxo da recuperação de serviço aplicava-se à primeira falha de serviço recuperada de modo totalmente satisfatório para o cliente.[22] Porém, quando ocorria uma segunda falha, o paradoxo não se repetia. Parece que os clientes podem perdoar a empresa uma vez, mas ficam desiludidos se os erros persistem. A frustração pode ser maior pela ineficiência que pela falta de ação. Além disso, o estudo mostrou que as expectativas dos clientes aumentavam após uma recuperação muito boa; assim, recuperação excelente torna-se o padrão que eles esperam no tratamento de problemas futuros.

O fato de um cliente sair encantado de uma recuperação de serviço provavelmente também depende da gravidade e da condição de recuperação da falha. Nem sempre é possível oferecer uma compensação adequada que restaure a satisfação. Ninguém pode recuperar fotos de casamento danificadas, um feriado arruinado ou um ferimento causado por algum equipamento de serviço. Nessas situações, é difícil imaginar que alguém fique encantado, mesmo que tenha sido realizado um serviço de recuperação o mais profissional possível. Compare esses exemplos com uma reserva de hotel não registrada, para a qual a recuperação é uma suíte de classe superior. Quando o serviço é recuperado de modo que permite a entrega de um produto superior, é claro que o cliente fica encantado — e é provável que torça para perder mais reservas no futuro.

A melhor estratégia é fazer a coisa certa da primeira vez. Como diz Michael Hargrove: "Recuperação de serviço é transformar uma falha de serviço em uma oportunidade que você desejaria nunca ter tido".[23] Infelizmente, evidências empíricas demonstram que entre 40 e 60 por cento dos clientes entrevistados informaram insatisfação com o processo de recuperação de serviço.[24]

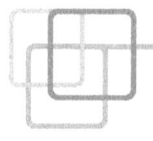

Princípios de sistemas eficazes de recuperação de serviços

Ao reconhecerem que os clientes existentes são um ativo valioso, os gerentes precisam desenvolver procedimentos eficazes para a recuperação de serviço após experiências insatisfatórias. Infelizmente, como já vimos, muitas ações de recuperação de serviço fracassam e algumas das causas mais comuns para isso são apresentadas na seção Panorama de serviços 13.2.

Panorama de serviços 13.2

Erros comuns em recuperação de serviço

Relacionamos a seguir alguns dos erros mais comuns de recuperação de serviço cometidos por muitas organizações.

- *Gerentes não levam em conta evidências de como a recuperação de serviço gera significativo retorno financeiro.* Nos anos recentes, muitas organizações focaram a redução de custos, negligenciando a retenção dos clientes mais lucrativos. Além disso, elas também perderam de vista a necessidade de respeitar todos os clientes. Muitas empresas ainda priorizam a resolução de seus problemas, antes dos de seus clientes.

- *Empresas não investem o suficiente em ações que evitariam problemas de serviço.* O ideal é que os responsáveis pelo planejamento de serviços tratem potenciais problemas antes que eles ocorram. Embora medidas preventivas não eliminem a necessidade de bons sistemas de recuperação de serviço, elas reduzem consideravelmente a carga sobre a equipe de linha de frente e o sistema de recuperação de serviço como um todo. As empresas precisam deixar de ver a recuperação de serviços como uma despesa e passar a entendê-la como uma fonte de receita futura.

- *Funcionários de atendimento ao cliente não exibem boas atitudes.* Os três fatores mais importantes na recuperação de serviços são atitude, atitude e atitude. Por mais bem estruturado e planejado que seja um sistema de recuperação de serviço, ele não funcionará bem sem a atitude cordial e proverbial de ter sempre um sorriso nos lábios por parte dos funcionários de linha de frente. As empresas precisam desenvolver uma cultura corporativa que garanta e incentive seus funcionários a entender e buscar soluções para seus clientes.

- *Organizações dificultam que os clientes façam reclamações ou deem* feedback. Embora alguma melhoria possa ser notada, como no caso de hotéis e restaurantes que oferecem cartões para registro de opiniões, pouco se faz para comunicar simplicidade e valor aos clientes. Uma pesquisa revelou que uma grande parcela de clientes desconhece a existência de um adequado sistema de *feedback* que poderia ajudá-los a ter seus problemas solucionados. O cliente que reclama está dando seu tempo e experiência para a empresa, através de seu depoimento de uma falha, e demonstra que acredita que a empresa pode resolvê-la. Ele deve ser tratado com respeito e ter sua reclamação facilitada.

Fonte: Adaptado de Ron Stiefbold, "Dissatisfied customers require service recovery plans", *Marketing News*, 37, n. 22, 27 out. 2003, p. 44-45.

A seguir discutiremos três diretrizes para fazer isso bem: (1) facilite o *feedback* de clientes, (2) habilite a recuperação eficaz de serviço e (3) determine níveis de compensação adequados. Uma quarta diretriz, a de aprender com o *feedback* de clientes e impulsionar melhorias de serviço, será discutida no Capítulo 14 no contexto de sistemas de *feedback* de clientes. Os componentes de um sistema eficaz de recuperação de serviço são mostrados na Figura 13.4.[25]

Facilite o *feedback* de clientes

É fundamental incentivar os clientes a reclamar, mas eles encontram diversas barreiras para dar seu *feedback*. Como os gerentes podem vencer a relutância de seus clientes insatisfeitos a reclamar de falhas de serviço? A melhor maneira é atacar diretamente as razões de relutância. A Tabela 13.1 apresenta uma visão geral de providências a serem adotadas para superar essas razões. Muitas empresas melhoraram seus procedimentos de coleta de reclamações com instalação de linhas telefônicas especiais de chamada gratuita, links em seus sites, exibição de cartazes com comentários de clientes em lugares visíveis em suas filiais ou até mesmo providenciando terminais de vídeo ou telefone para registrar reclamações. Algumas empresas publicam em seus boletins informativos dirigidos aos clientes as melhorias de serviço que resultaram diretamente do retorno do cliente sob o título 'Você informou, nós agimos'.

Habilite a recuperação eficaz de serviço

Para recuperar falhas de serviço é preciso mais do que expressões respeitosas de determinação para resolver quaisquer problemas que possam ocorrer. É preciso compromisso, planejamento e diretrizes claras. Especificamente, procedimentos eficazes de recuperação de serviço devem ser (1) proativos, (2) planejados, (3) treinados e (4) fortalecidos.

A recuperação de serviço deve ser proativa. A recuperação de serviço precisa ser iniciada imediatamente, de preferência antes de o cliente ter chance de reclamar (veja a seção Melhor prática em ação 13.1). O pessoal de serviço deve ter sensibilidade para antecipar sinais de insatisfação e perguntar ao cliente se há algum problema. Por exemplo, o garçom pode

Figura 13.4 — Componentes de um sistema eficaz de recuperação de serviço

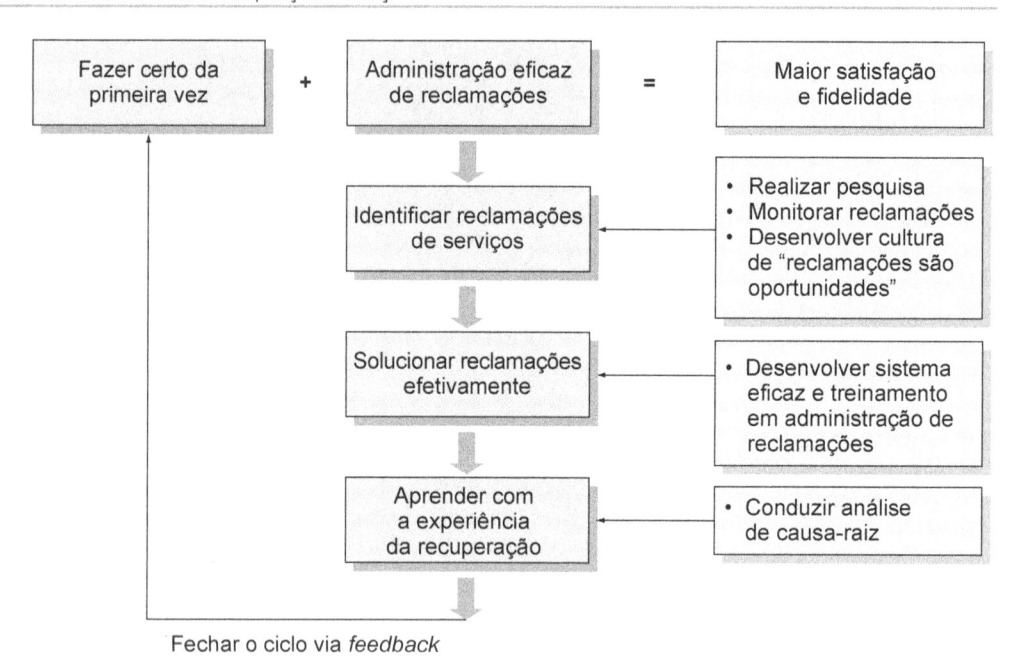

Fazer certo da primeira vez + Administração eficaz de reclamações = Maior satisfação e fidelidade

- Identificar reclamações de serviços
  - Realizar pesquisa
  - Monitorar reclamações
  - Desenvolver cultura de "reclamações são oportunidades"
- Solucionar reclamações efetivamente
  - Desenvolver sistema eficaz e treinamento em administração de reclamações
- Aprender com a experiência da recuperação
  - Conduzir análise de causa-raiz

Fechar o ciclo via *feedback*

Fonte: Adaptado de Christopher H. Lovelock, Paul G. Patterson e Rhett Walker. *Services marketing: an Asia-Pacific and Australian perspective.* 4ª ed., Sydney: Prentice-Hall Australia, 2007. p. 388.

Tabela 13.1 — Estratégias para reduzir barreiras às reclamações de clientes

Barreiras às reclamações de clientes insatisfeitos	Estratégias para reduzir essas barreiras
Inconveniência > Difícil saber qual é o procedimento correto para fazer reclamações. > Esforço, por exemplo, para escrever e enviar uma carta pelo correio.	O *feedback* deve ser fácil e conveniente: > Imprima números de linhas telefônicas exclusivas e endereços postais e de e-mail em todos os materiais de comunicação com clientes (cartas, notas fiscais, folhetos, site, lista telefônica, páginas amarelas etc.).
Compensa dar retorno? > Incerteza de que a empresa tomará alguma providência (ou qual será a providência) para atacar o assunto que deixou o cliente insatisfeito.	Tranquilize os clientes, garantindo que seu retorno será levado a sério e que valerá a pena: > Implemente procedimentos de recuperação de serviço e comunique isso aos clientes, por exemplo, em boletins informativos e sites. > Divulgue melhorias de serviço que resultaram de retornos de clientes.
Aborrecimento > Medo de ser tratado com descortesia. > Receio de ser maltratado. > Sensação de constrangimento.	Transforme o retorno em uma experiência positiva: > Agradeça aos clientes pelo *feedback* (pode ser feito em público e, em geral, dirigindo-se a toda a base de clientes). > Treine a linha de frente para que trate bem o cliente e faça com que ele se sinta à vontade. > Permita retorno anônimo.

perguntar a um cliente que comeu apenas metade de seu jantar: "Está tudo bem, senhor?". O cliente pode responder: "Sim, obrigado, não estou com muita fome" ou "O filé está bem-passado, mas eu pedi malpassado; além disso, está muito salgado". A última resposta dará ao garçom uma chance de recuperar o serviço, em vez de permitir que um cliente saia insatisfeito do restaurante para talvez nunca mais voltar.

Melhor prática em ação 13.1

Recuperação eficaz de serviço em ação

O saguão está deserto. Fica fácil ouvir a conversa entre o gerente noturno do Marriott Long Wharf Hotel em Boston e um hóspede que chegou tarde.

"Sim, doutor Jones, nós o estávamos esperando. Sei que o senhor reservou três noites, mas sinto informar que hoje o hotel está completamente lotado. Achávamos que um grande número de hóspedes sairia hoje, mas isso não aconteceu. Onde é sua reunião amanhã?"

O médico informa o local da reunião.

"É perto do Omni Parker House! Não é muito longe daqui. Vou ligar para lá e conseguir um quarto para esta noite. Um momentinho só; volto já."

Alguns minutos depois o recepcionista volta com boas notícias.

"Há um quarto no Omni Parker House disponível para o senhor, e é claro que a diária será por nossa conta. Eu me encarrego de transferir para lá todos os telefonemas que o senhor receber aqui. Eis uma carta que explicará a situação e agilizará seu registro e também meu cartão para que o senhor possa me ligar diretamente aqui na recepção, se houver algum problema."

O humor do hóspede estava passando da exasperação para a calma. Mas o recepcionista ainda não tinha concluído o encontro. Ele abriu a caixa registradora e disse: "Eis duas notas de 5 dólares para pagar o táxi daqui até o Parker House e o retorno amanhã de manhã. Nosso problema de falta de quartos é só por esta noite. E eis aqui um vale de cortesia para seu café da manhã de amanhã, servido no quinto andar de nosso hotel... e, mais uma vez, peço desculpas pelo ocorrido".

Quando o médico estava saindo, o gerente da noite disse ao recepcionista: "Espere uns 15 minutos e ligue para o hotel para ver se está tudo certo".

Uma semana depois, ainda no período de pico para hotéis naquela cidade, o mesmo hóspede que ouviu a conversa está em um táxi, dirigindo-se ao mesmo hotel. No caminho, ele comenta com seu companheiro o grande episódio de recuperação de serviço que testemunhou na semana anterior. Eles chegaram ao hotel e dirigiram-se à recepção para se registrarem.

Foram saudados com notícias inesperadas: "Desculpem-me senhores. Eu sei que os senhores reservaram duas noites, mas hoje o hotel está completamente lotado. Onde é sua reunião amanhã?". Os hóspedes trocaram um olhar de dúvida e informaram seus planos futuros ao recepcionista. "É perto do Méridien. Vou ligar para lá e ver se consigo um quarto para esta noite. Um momentinho só." Quando o recepcionista sai, o hóspede que tinha comentado o caso diz: "Aposto que ele voltará com uma carta e um cartão". Dito e feito, o recepcionista volta para dar a solução; não chegou a ser uma repetição robótica do roteiro, mas todos os elementos do acontecido na semana anterior estavam presentes. O hóspede percebeu que a iniciativa que ele havia testemunhado na semana anterior e pensava ser exclusivamente do recepcionista era planejada — uma resposta predeterminada, mas que parecia espontânea, para uma categoria específica de problema do cliente. Para o hotel, é melhor pagar a primeira diária e não perder as demais.

Fonte: Ron Zemke e Chip R. Bell. *Knock your socks off service recovery*. Nova York: AMACOM, 2000. p. 59-60.

Os procedimentos de recuperação precisam ser planejados. É preciso desenvolver planos de contingência para falhas de serviço, principalmente para as que podem ocorrer com frequência e não podem ser eliminadas do sistema.[26] Práticas de gerenciamento de receita nos setores de viagens e hoteleiro quase sempre resultam em lotação excessiva, conhecida como *overbooking*. Para simplificar a tarefa do pessoal da linha de frente, as empresas devem identificar os problemas de serviço mais comuns e desenvolver conjuntos de soluções predeterminadas que os funcionários devem seguir. Em centrais de atendimento, atendentes de serviço ao cliente seguem roteiros prontos para guiá-los em situações de recuperação de serviço.

As habilidades de recuperação devem ser ensinadas. É fácil os clientes sentirem-se inseguros quando acontece uma falha de serviço e as coisas não acontecem conforme o planejado. Nesses casos, procuramos um funcionário para pedir ajuda. Mas eles estão dispostos e treinados para ajudar-nos? Um treinamento eficaz oferece à linha de frente a confiança e a competência para transformar angústia em encanto.[27]

A recuperação requer funcionários fortalecidos. Esforços de recuperação de serviço devem ser flexíveis, e os funcionários devem estar fortalecidos para usar seu discernimento e capacidade de comunicação para desenvolver soluções que satisfarão reclamações de clientes.[28] Isso vale, em especial, para falhas fora do comum, para as quais a empresa talvez não tenha desenvolvido e treinado conjuntos de soluções. Os funcionários devem ter a autoridade de tomar decisões e gastar dinheiro para resolver problemas de serviço imediatamente e recuperar a boa vontade do cliente. Não há tempo para buscar autorizações para resolver problemas de clientes que chegam de madrugada em um hotel, por exemplo. Nos hotéis Ritz-Carlton e Sheraton, funcionários têm liberdade para serem proativos, e não reativos. Eles assumem o controle da situação e ajudam a resolver os problemas dos clientes da melhor maneira que estiver a seu alcance. Possuem uma verba para usar, caso julguem necessário.

De quanto deve ser a compensação?

É óbvio que os custos associados com possíveis estratégias de recuperação podem ser bem diferentes. De quanto deve ser a compensação oferecida por uma empresa quando ocorre uma falha de serviço? Ou um pedido de desculpas é suficiente? As seguintes regras práticas podem ajudar a responder a essas perguntas:

- **Qual é o posicionamento da empresa no mercado?** Se for conhecida por sua excelência em serviços e cobrar um preço mais alto pela qualidade, a expectativa dos clientes é de que as falhas de serviço sejam raras; portanto, a empresa deve fazer um esforço bem evidente para recuperar as poucas falhas que ocorrem e estar preparada para oferecer algo de valor significativo. Mas, no caso de uma empresa mais modesta, de mercado de massa, provavelmente os clientes esperam algo bem modesto, como um cafezinho ou uma sobremesa grátis, como uma compensação justa.

- **Qual a gravidade da falha de serviço?** A diretriz geral é: 'A penalidade deve corresponder ao crime'. Clientes esperam menos por pequenas inconveniências e uma compensação bem mais significativa no caso de grandes prejuízos no tocante a tempo, esforço, aborrecimento, ansiedade e assim por diante. A gravidade deve ser sempre avaliada do ponto de vista do cliente.

- **Quem é o cliente afetado?** Clientes antigos e aqueles que gastam muito com um provedor de serviços esperam mais, e vale a pena fazer um esforço para conservar sua preferência. Clientes ocasionais tendem a ser menos exigentes e têm menor importância econômica para a empresa. Por conseguinte, a compensação pode ser menor, embora, ainda assim, justa. Haverá sempre a possibilidade de um usuário de primeira viagem tornar-se um cliente assíduo, se for tratado com justiça. Essas informações devem estar disponíveis na hora, para que o funcionário possa tomar a decisão adequada.

A regra prática geral para compensação é a 'generosidade bem dosada'. Se a compensação for percebida como sovina, apenas agravará a situação e provavelmente teria sido melhor que a empresa se desculpasse em vez de oferecer uma compensação mínima. O cliente pode se sentir insultado, se o valor de seu inconveniente for avaliado muito abaixo de sua expectativa.

O extremo oposto também não é recomendável. Uma compensação excessivamente generosa não apenas sai caro, mas pode até ser interpretada negativamente pelos clientes. Pode suscitar perguntas sobre a seriedade da empresa e despertar desconfiança neles sobre seus reais motivos. Eles podem ficar preocupados com as implicações para os funcionários, bem como para a empresa. Além disso, generosidade excessiva não parece resultar em taxas mais altas de compras repetidas do que simplesmente oferecer uma compensação justa.[29] Há também o risco de que a reputação de generosidade excessiva incentive clientes desonestos a 'procurar' falhas de serviço.

Lidando com clientes que reclamam

Tanto os gerentes quanto o pessoal da linha de frente devem estar preparados para lidar com clientes zangados que adotam atitudes de confrontação e às vezes ofendem profissionais de serviço que não têm a mínima culpa. A seção Panorama de serviços 13.3 apresenta diretrizes específicas para a resolução efetiva de problemas, elaboradas para ajudar a acalmar clientes contrariados e proporcionar uma resolução que eles considerarão justa e satisfatória.

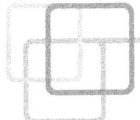

Garantias de serviço

Em empresas altamente focadas no cliente, um meio de institucionalizar a administração de reclamações e uma eficaz recuperação de serviço é oferecer garantias. Na realidade, um número cada vez maior de empresas oferece a seus clientes uma garantia de satisfação, prometendo que, se a entrega do serviço não cumprir padrões predefinidos, eles terão direito a uma ou mais formas de compensação, como facilidade de substituição, reembolso ou crédito. Uma garantia de serviço bem planejada não só promove o sucesso de uma recuperação de serviço, mas também incentiva a empresa a não repeti-los e institucionaliza as lições aprendidas com falhas de serviço e subsequentes melhorias do sistema.[30]

O poder das garantias de serviço

Christopher Hart afirma que as garantias de serviço são ferramentas poderosas para promover e obter qualidade de serviço pelas seguintes razões:[31]

1. obrigam as empresas a focalizar o que seus clientes querem e esperam de cada elemento do serviço;
2. determinam padrões claros e informam a clientes e funcionários o que a empresa representa. Pagamentos em dinheiro para compensar clientes por maus serviços obrigam gerentes a levar as garantias a sério, porque destacam os custos financeiros de falhas de qualidade;
3. exigem o desenvolvimento de sistemas para gerar retorno significativo do cliente e utilizá-lo para o bem do serviço;
4. obrigam as organizações a entender por que falham e as incentivam a identificar e superar potenciais pontos de falha;
5. produzem 'força de marketing' pela redução do risco da decisão de compra e pelo desenvolvimento de fidelidade de longo prazo.

Do ponto de vista do cliente, a função primordial das garantias de serviço é reduzir os riscos percebidos associados com a compra.[32] A existência de uma garantia também pode facilitar a reclamação dos clientes e aumenta a probabilidade de eles o fazerem, já que dão como certo que os funcionários da linha de frente estarão preparados para resolver o problema e providenciar a compensação adequada. Sara Björlin Lidén e Per Skålén constataram que, mesmo quando não sabiam da existência de uma garantia de serviço antes de reclamarem, clientes insatisfeitos tiveram uma impressão positiva da empresa ao descobrirem que existia um procedimento planejado para tratar de falhas e ao perceberem que suas reclamações eram tratadas com seriedade.[33]

Panorama de serviços 13.3

Diretrizes para a linha de frente: como lidar com reclamações de clientes

1. *Aja rapidamente.* Se a reclamação for feita durante a entrega do serviço, o tempo é um fator essencial para uma recuperação completa. Quando as reclamações são feitas depois, muitas empresas estabelecem políticas de resposta em 24 horas ou menos. Mesmo quando é provável que a resolução demore um pouco mais, o rápido reconhecimento continua muito importante.
2. *Reconheça os sentimentos do cliente.* Faça isso tácita ou explicitamente (por exemplo,

'Entendo por que o senhor está contrariado'). Isso ajuda a criar empatia, o primeiro passo para reconstruir um relacionamento arruinado.

3. *Não discuta com clientes.* A meta deve ser reunir fatos para chegar a uma solução aceitável, e não vencer um debate ou provar que o cliente é um idiota. Discutir impede que as pessoas ouçam e raramente faz passar a raiva. O cliente está relatando uma falha da empresa, ela não deve tentar jogar sua culpa para ele.

4. *Mostre que você entende o problema do ponto de vista do cliente.* Colocar-se no lugar dos clientes é o único modo de entender o que eles acham que deu errado e por que estão contrariados. O pessoal de serviço deve evitar conclusões precipitadas conforme suas próprias interpretações. Incentive seus funcionários a ficar do lado do cliente.

5. *Esclareça a verdade e identifique as causas.* Uma falha pode resultar de ineficiência de serviço, mal-entendido de clientes ou mau comportamento de um terceirizado. Se você cometeu um erro, peça desculpas de imediato. Quanto maior a propensão de um cliente em perdoá-lo, menos ele esperará ser recompensado. Não fique na defensiva, pois isso pode sugerir que a organização tem algo a esconder ou reluta em examinar completamente a situação.

6. *Dê aos clientes o benefício da dúvida.* Nem todos os clientes dizem a verdade e nem todas as reclamações são justificadas. Mas eles devem ser tratados como se sua reclamação fosse válida até surgirem claras evidências em contrário. Se houver muito dinheiro em jogo (seguros, ações judiciais), é preciso investigar com cuidado antes de questionar o cliente. Se a quantia for pequena, talvez não valha a pena regatear um reembolso ou outra compensação. Contudo, continua sendo uma boa ideia verificar registros para ver se existe algum histórico de reclamações duvidosas do mesmo cliente. Empresas que se preocupam em manter e avaliar seu relacionamento costumam saber identificar esses tipos de clientes.

7. *Esclareça as etapas necessárias para resolver o problema.* Quando não é possível uma solução imediata, informar aos clientes como a organização planeja proceder mostra que uma providência corretiva está sendo tomada. Além disso, também estabelece expectativas sobre o tempo envolvido, portanto as empresas precisam tomar cuidado para não prometer o que não podem cumprir. Deve ficar claro para o cliente quem é o responsável pela solução, o prazo e as medidas a serem tomadas. E caso a promessa não seja cumprida, a empresa deve ter processos que acionem e responsabilizem o superior imediato, para evitar que o problema se estenda.

8. *Mantenha os clientes informados sobre o andamento da reclamação.* Ninguém gosta de ficar no escuro, e a incerteza gera ansiedade e estresse. As pessoas aceitarão melhor um problema se souberem o que está sendo feito e receberem relatórios periódicos de progresso. Também é interessante disponibilizar a informação para consultas a qualquer momento.

9. *Considere uma compensação.* Quando clientes não recebem os resultados de serviço pelos quais pagaram ou sofrem sérias inconveniências e/ou falta de tempo e dinheiro por causa da falha de serviço, é apropriado oferecer uma compensação monetária ou uma oferta de serviço equivalente em espécie. Essa estratégia de recuperação também pode reduzir o risco de ações judiciais por um cliente contrariado. Garantias de serviço costumam determinar com antecedência essas compensações, e a empresa deve garantir que todas elas sejam cumpridas. Discuta com funcionários e clientes frequentes para avaliar o valor mais adequado das compensações e estabeleça políticas para que o funcionário de linha de frente não tenha que decidir na pressão do momento.

10. *Persista na reconquista da boa vontade do cliente.* Quando clientes ficam desapontados, um dos maiores desafios é restaurar sua confiança e preservar o relacionamento para o futuro. Talvez seja preciso perseverança para acalmar a raiva dos clientes e convencê-los de que estão sendo tomadas providências para evitar a recorrência do problema. Esforços de recuperação de serviço excepcionais podem ser de extrema eficiência no desenvolvimento de fidelidade e indicações.

11. *Verifique o sistema de entrega de serviço e busque a excelência.* Resolvido o problema com o cliente, é preciso verificar se a causa foi por erros acidentais ou defeitos do sistema. Tire proveito de cada reclamação para aperfeiçoar todo o sistema de serviço. Mesmo que a reclamação seja decorrente de um mal-entendido do cliente, isso implica que alguma parte de seu sistema de comunicação é ineficiente. Discuta todas as possibilidades de falhas com seus funcionários, que têm a experiência do dia a dia e podem contribuir com boas soluções. A discussão também pode servir como treinamento para a solução de problemas futuros.

Os benefícios das garantias de serviço podem ser observados com clareza no caso da "Garantia de 100 por cento de satisfação" da rede de hotéis Hampton Inn (veja a Figura 13.5), que agora foi estendida para as cadeias Embassy Suites e Homewood Suites.[34] A Hampton instituiu, como programa de desenvolvimento de negócios, a estratégia de oferecer reembolso do custo da diária a qualquer hóspede que se declare insatisfeito. A estratégia atraiu novos clientes e serviu como poderoso instrumento de retenção. As pessoas preferiam hospedar-se em um dos hotéis da rede Hampton Inn porque tinham certeza de que ficariam satisfeitas. A garantia também se tornou uma ferramenta vital para ajudar gerentes a identificar novas oportunidades para melhoria de qualidade.

Ao discutir o impacto da garantia no pessoal, o vice-presidente de marketing da Hampton Inn declarou: "Elaborar a garantia nos obrigou a entender o que gerava satisfação para nossos hóspedes, e não o que *achávamos* que gerava essa satisfação". Tornou-se imperativo que todos, dos responsáveis por reservas e os profissionais da linha de frente aos gerentes gerais e o pessoal da sede corporativa, ouvissem os hóspedes com cuidado, prevessem suas necessidades com a maior frequência possível e resolvessem os problemas com rapidez, para que eles ficassem satisfeitos com a solução. Vislumbrar a função de um hotel sob a perspectiva centrada no hóspede causou profundo impacto no modo como a empresa conduzia os negócios.

A garantia "aumentou a pressão da torneira", como disse um gerente, mostrou onde estavam os 'furos' e proporcionou o incentivo financeiro para acabar com eles. O resultado é que a garantia continua exercendo grande impacto na consistência do produto e na entrega de serviço em toda a rede. Por fim, estudos sobre o impacto da "Garantia de 100 por cento de satisfação" mostraram um efeito muito positivo no desempenho financeiro.

Como elaborar garantias de serviço

Algumas garantias são simples e incondicionais. Outras parecem ter sido escritas por advogados e contêm muitas restrições. Compare os exemplos de garantias apresentados na seção Panorama de serviços 13.4 e pergunte-se quais deles inspiram credibilidade e confiança e despertam seu desejo de fazer negócios com o fornecedor em questão.

As três garantias – da L. L. Bean, MFA Group e BBBK — são poderosas e incondicionais e instilam credibilidade. No Brasil, ficou famosa a garantia do Habib's de entregar qualquer pedido em até 28 minutos. As outras duas são enfraquecidas pelas muitas condições impostas. Os Correios dos Estados Unidos acrescentaram seis novas condições de garantia nos últimos anos. Segundo Hart, uma garantia de serviço deve cumprir os seguintes critérios:[35]

1. *incondicional*. O que quer que seja prometido na garantia deve ser totalmente incondicional e não deve conter nenhum elemento de surpresa para os clientes;

2. *fácil de entender e comunicar* aos clientes, de modo que os benefícios oferecidos pela garantia fiquem bem claros;

Figura 13.5 O Hampton Inn mudou sua cultura e seus processos para atender as demandas de sua "Garantia de 100 por cento de satisfação"

Panorama de serviços 13.4

Exemplos de garantias de serviço

Garantia do serviço de Express Mail dos Correios dos Estados Unidos (USPS — United States Postal Service)

Garantia de serviço: encomendas enviadas pelo Express Mail internacional não são cobertas por este acordo de serviço. Também estão excluídos carregamentos das Forças Armadas atrasados por inspeções aduaneiras. Se a encomenda for despachada em uma agência autorizada do USPS Express Mail até o horário especificado para entrega ao destinatário no dia seguinte, o Express Mail tentará entregar a encomenda ao destinatário ou a seu agente antes do horário garantido no dia seguinte. A entrega da encomenda será feita mediante assinatura do destinatário, do agente do destinatário ou do funcionário que a entregou. Se a encomenda não for entregue até o horário garantido e o remetente reclamar reembolso, o USPS reembolsará a franquia postal a menos que o atraso tenha sido causado por: embargo por determinação legal; greve ou paralisação do trabalho; atraso no depósito da carga; erro no endereço de entrega e devolução ou no CEP; atraso ou cancelamento de voos; ação governamental fora do controle dos Correios ou das transportadoras aéreas; guerra, insurreição ou rebelião civil; colapso em uma parcela substancial da rede de transporte USPS resultante de eventos ou fatores fora do controle dos Correios ou força maior.

Fonte: Impresso no verso do recibo do Express Mail, jan. 2006.

Garantia da L. L. Bean

Nossa garantia. Garantimos que nossos produtos lhe darão 100 por cento de satisfação em todos os aspectos. Devolva qualquer artigo comprado em nossas lojas caso isso não aconteça. Não queremos que você tenha nada da marca L. L. Bean que não o satisfaça completamente.

Fonte: Impresso em todos os catálogos da L.L. Bean e no site da empresa. Disponível em: <www.llbean.com/customerService/aboutLLBean/guarantee.html?feat=ln&nav=ln>. Acesso em: 25 jan. 2011.

MFA Group Inc. (agência de recrutamento de pessoal)

"Colocamos nosso dinheiro onde nossa palavra está" de duas maneiras, não apenas uma:

1. seu dinheiro de volta: oferecemos uma garantia incondicional de devolução de dinheiro — se em algum ponto de nosso serviço de busca você não estiver satisfeito com o progresso, simplesmente fale sobre isso conosco e, se ainda não ficar 100 por cento satisfeito após essa conversa, teremos prazer em reembolsar de modo incondicional cada centavo pago como adiantamento. Sem mesquinharia, sem chateação, sem prazo de validade;

2. garantia de 12 meses do candidato: todos os candidatos oferecidos por nós têm garantia plena de 12 meses. Se, durante esse período, eles deixarem sua empresa por qualquer motivo que seja, realizaremos nova busca, completamente livre de ônus, até que um substituto adequado seja encontrado.

Fonte: Site da empresa. Disponível em: <www.mfagroup.com/recruiting.htm>. Acesso em: 1º jun. 2009.

Trecho das "Garantias de Padrão de Qualidade" (Quality Standard Guarantees) de uma empresa prestadora de serviços administrativos

- Garantimos prazo de seis horas para documentos de duas páginas ou menos [...] (não inclui modificações posteriores do cliente nem falhas de equipamentos).
- Garantimos que haverá um recepcionista para receber o cliente e seus visitantes durante o horário normal de serviço (pequenos intervalos de menos de cinco minutos não estão sujeitos a essa garantia).
- Caso não haja um gerente no local para atendê-lo, a taxa diária não será cobrada (horários de almoço e intervalos razoáveis previstos não estão sujeitos a essa garantia).

Fonte: Reproduzido em Eileen C. Shapiro. *Fad surfing in the boardroom.* Reading: Addison-Wesley, 1995. p. 180.

Garantia da Bugs Burger Bug Killer (empresa de controle de pragas)

- Você não pagará um centavo até que todos os insetos e pragas existentes em suas instalações sejam erradicados.
- Caso esteja insatisfeito com o serviço da BBBK, você receberá um reembolso correspondente a até 12 meses de serviço — mais o pagamento de outra empresa exterminadora de sua preferência para o próximo ano.
- Se um cliente achar um inseto ou praga em suas instalações, a empresa pagará a refeição ou a diária do cliente, enviará uma carta de desculpas e pagará uma futura refeição ou estadia.
- Se suas instalações forem embargadas por causa da presença de baratas ou roedores, a BBBK pagará todas as multas, bem como todo o prejuízo causado e mais 5 mil dólares.

Fonte: Reproduzido em Christopher W. Hart, "The power of unconditional service guarantees", *Harvard Business Review,* jul./ago. 1990.

O código brasileiro do consumidor estabelece garantias mínimas, independente da garantia oferecida pelas empresas.

Bens duráveis, como eletrodomésticos, veículos, máquinas etc., têm 90 dias de garantia a partir do recebimento.

Para os bens não duráveis, de consumo mais rápido, tais como calçados, roupas, brinquedos etc., o prazo mínimo de garantia é de 30 dias, a partir do seu recebimento.

3. *significativa para os clientes* em termos do que eles achariam importante em uma garantia. A compensação oferecida deve ser mais do que adequada para cobrir a falha de serviço;[36]
4. *fácil de acionar.* A menor parcela da garantia deve depender do cliente; a maior, do provedor do serviço;
5. *fácil de cobrar.* Se ocorrer uma falha de serviço, os clientes devem poder cobrar a garantia sem nenhum problema;
6. *digna de crédito.* A garantia deve ser crível.

Satisfação total é o melhor que você pode garantir?

Até pouco tempo atrás, as garantias de satisfação total eram consideradas as melhores possíveis. Porém, alguns autores têm sugerido que a ambiguidade muitas vezes associada a essas garantias pode levar a uma redução de seu valor percebido. Clientes podem perguntar: 'O que quer dizer satisfação total?', ou 'Posso lançar mão de uma garantia quando estou insatisfeito, embora a falha não seja da empresa de serviços?'.[37] A *garantia combinada* trata dessa questão ao mesclar o escopo abrangente de uma garantia de satisfação total com a baixa incerteza de padrões de desempenho específicos.[38] A garantia combinada demonstrou ser superior às garantias exclusivamente de satisfação total ou específicas de atributos. Padrões determinados de desempenho são garantidos (por exemplo, entrega pontual), mas, se o consumidor estiver insatisfeito com qualquer elemento do serviço, a cobertura de satisfação total da garantia combinada será aplicável. A Tabela 13.2 mostra exemplos de vários tipos de garantia.

Tabela 13.2 Tipos de garantia de serviço

Designação	Escopo da garantia	Exemplos
Garantia específica para um único atributo	Um atributo fundamental do serviço é coberto pela garantia.	"Garantimos que qualquer uma das três pizzas populares especificadas será servida em dez minutos após o pedido, em qualquer dia útil, nos horários entre meio-dia e duas horas da tarde. Se houver atraso, o próximo pedido do cliente será gratuito."
Garantia específica para vários atributos	Alguns atributos importantes do serviço são cobertos pela garantia.	Garantia do Marriott de Minneapolis: "Nosso compromisso de qualidade com os senhores é oferecer: • uma recepção agradável e eficiente; • um quarto confortável e limpo, onde tudo funciona; • uma saída agradável e eficiente. Se, em sua opinião, não cumprirmos essas promessas, nós lhe reembolsaremos 20 dólares em dinheiro. Não faremos perguntas. Vale sua interpretação".
Garantia de satisfação total	Todos os aspectos do serviço são cobertos pela garantia. Não há exceções.	Garantia da Land's End: "Se você não estiver completamente satisfeito com qualquer item que comprar de nossa empresa, a qualquer momento de sua utilização, devolva-o e nós lhe reembolsaremos o preço total da compra. Garantimos palavra por palavra. Seja o que for. E quando for. Sempre. Mas, para não haver nenhuma dúvida, decidimos simplificar mais ainda. GARANTIDO. E ponto final".
Garantia combinada	Todos os aspectos do serviço são cobertos pela promessa de satisfação total da garantia. Para reduzir a incerteza, são incluídos na garantia padrões explícitos de desempenho mínimo em atributos importantes.	A Datapro Information Services garante "entregar o relatório no prazo combinado, com alto padrão de qualidade e segundo o conteúdo dessa proposta. Se não entregarmos o serviço de acordo com a garantia, *ou se você estiver insatisfeito com qualquer aspecto de nosso trabalho*, pode deduzir do pagamento final qualquer quantia que achar justa".

Fonte: Adaptado de Jochen Wirtz e Doreen Kum, "Designing service guarantees: is full satisfaction the best you can guarantee?", *Journal of Services Marketing*, 15, n. 4, 2001, p. 282-299.

É sempre adequado introduzir uma garantia de serviço?

Gerentes devem pensar com muito cuidado nos pontos fortes e fracos de suas empresas antes de decidir introduzir uma garantia de serviço. Há muitas ocasiões em que fazer isso talvez seja inapropriado.[39]

- Empresas que já têm sólida reputação de serviço de alta qualidade talvez não necessitem de garantia. Isso pode até ser incongruente com a imagem da empresa e confundir o mercado.[40] Espera-se que empresas de serviços de classe superior façam tudo certo, sem ter de oferecer qualquer garantia.

- Ao contrário, uma empresa cujo serviço é precário no momento deve, em primeiro lugar, esforçar-se para elevar a qualidade até um nível acima do que garante. Ou então, um grande número de clientes acionará a garantia com implicações significativas de custo.

- Em empresas de serviço cuja qualidade está sujeita a forças externas, seria tolice oferecer uma garantia. Quando percebeu que pagava reembolsos substanciais porque não tinha controle suficiente da infraestrutura de sua ferrovia, a Amtrak foi obrigada a abandonar a garantia de serviço que incluía reembolso de tarifas no caso de impontualidade no serviço de trens.

- Em um mercado no qual os consumidores percebem pouco risco financeiro, pessoal ou fisiológico associado à compra e utilização de um serviço, a garantia agrega pouco valor, mas sua elaboração, implementação e gerenciamento continuam custando bem caro.

Além disso, quando a diferença percebida na qualidade de serviço entre empresas concorrentes é pequena, a primeira a instituir uma garantia pode obter vantagem por ser pioneira e criar uma diferenciação valorizada para seus serviços. Se mais de um concorrente já tiver instituído uma garantia, oferecê-la pode tornar-se um qualificador para o setor, e o único modo efetivo de causar impacto é lançar uma garantia muito distintiva e mais abrangente do que a oferecida pela concorrência.[41]

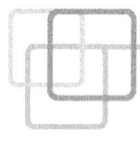

Desestimulando o abuso e o comportamento oportunista

No decorrer deste capítulo afirmamos que as empresas devem receber bem as reclamações e o acionamento de garantias de serviço e até mesmo incentivá-las. Mas, embora tenhamos discutido a importância da administração de reclamações e da recuperação de serviços, devemos reconhecer que nem todas as queixas são honestas. Quando empresas possuem políticas generosas de recuperação de serviço ou oferecem garantias, sempre há o receio de que alguns clientes tirem vantagem disso. Além disso, nem todos os clientes que reclamam estão certos ou são razoáveis em seu comportamento e alguns podem até ser a causa de reclamações de outros clientes. Vamos nos referir a eles como *clientes inconvenientes*.

Clientes que agem de maneira pouco cooperativa ou até abusiva representam um problema para qualquer organização. Entretanto, eles podem causar ainda mais danos às empresas de serviço, em especial se outros clientes estão presentes na fábrica de serviço. Como você deve saber por experiência própria, o comportamento de outras pessoas pode afetar sua experiência de serviço. Se você gosta de música clássica e vai assistir a uma orquestra sinfônica, espera que o público mantenha-se em silêncio durante o concerto. Em contraste, um público silencioso seria péssimo para um show de rock ou evento esportivo, pois a participação dos espectadores intensifica o entusiasmo. Entretanto, há uma linha divisória entre entusiasmo do público e comportamento abusivo de torcedores de times rivais. Empresas que falham em lidar eficazmente com o mau comportamento de alguns clientes correm o risco de arruinar seus relacionamentos com todos os demais que eles gostariam de manter.

Todo serviço tem sua cota de clientes inconvenientes, mas opiniões sobre o assunto dividem-se em duas visões opostas. Uma é de negação: 'o cliente é rei e não pode fazer nenhum mal'. A outra considera que o mercado de clientes está abarrotado de pessoas desagradáveis e que não se pode confiar que se comportem do modo que provedores de serviço com respeito próprio devem esperar e exigir. A primeira recebeu ampla publicidade em *best-sellers* de administração e em palestras motivacionais para plateias de funcionários. Com frequência, porém, a segunda visão parece dominante entre gerentes e trabalhadores que, em algum momento, foram atingidos pelo mau comportamento de clientes. Como ocorre com tantos pontos de vista opostos na vida, há importantes parcelas de verdade em ambas as perspectivas, contudo fica claro que nenhuma empresa que se preze deseja um relacionamento contínuo com clientes abusivos.

Todo serviço tem sua cota de clientes inconvenientes, e eles são indesejáveis. Na melhor das hipóteses, para começar, uma empresa deve evitar atraí-los; na pior, precisa controlar ou evitar um comportamento abusivo da parte deles. Vamos descrever os principais tipos de cliente inconveniente antes de discutirmos sobre como lidar com eles.

Oito tipos de cliente inconveniente[42]

Definir um problema é o primeiro passo para resolvê-lo, por isso vamos começar analisando os diferentes tipos de cliente inconveniente. Identificamos oito categorias e atribuímos nomes genéricos a elas, mas muitos profissionais de contato com clientes têm seus próprios termos.

O trapaceador. Clientes podem enganar as empresas de serviços de muitas maneiras, desde enviar cartas solicitando compensação com o único propósito de explorar políticas de recuperação e burlar as garantias de serviço até inflar ou fraudar resgates de seguro e *wardrobing* (usar um vestido de gala ou *smoking* por uma noite e devolvê-lo à loja).[43] As seguintes citações descrevem muito bem o modo de pensar desse tipo de cliente:

> Ao me registrar em um hotel, notei que eles tinham uma garantia de '100 por cento de satisfação ou seu dinheiro de volta' e não pude resistir à oportunidade de tirar proveito. Por isso, ao dar saída do hotel, disse ao recepcionista que eu queria um reembolso porque o ruído do tráfego não havia me deixado dormir a noite toda. Eles me reembolsaram, sem fazer perguntas. Essas empresas podem ser tão estúpidas; elas precisam ser mais atentas.[44]

> Já reclamei que o serviço era lento demais, rápido demais, quente demais, frio demais, claro demais, escuro demais, cordial demais, impessoal demais, público demais, privativo demais... na verdade, não importa; contanto que você envie um recibo com sua carta, você recebe uma carta-padrão e um cupom de cortesia.[45]

Não é tão fácil para as empresas verificar se um cliente finge insatisfação ou se está realmente descontente. Ao final desta seção, discutiremos como lidar com esse tipo de fraude de consumidores.

O ladrão. O cliente inconveniente que rouba não tem nenhuma intenção de pagar e põe-se a roubar bens e serviços (pagando menos ao trocar etiquetas de preço ou contestando faturas sem nenhuma base concreta). Furtos em lojas representam um grande problema no varejo. Estima-se que aquilo que os lojistas chamam eufemisticamente de 'encolhimento' pode custar-lhes enormes quantias de dinheiro em receitas anuais. Segundo pesquisa do PROVAR (Programa de Administração de Varejo) da FIA (Fundação Instituto de Administração), as perdas no varejo somam 1,77 por cento da receita operacional das empresas — que foi de 635 bilhões de reais em 2009, segundo estimativas da Confederação Nacional do Comércio (CNC). Isso representa uma perda de cerca de 11,2 bilhões de reais no ano. Segundo a pesquisa, 40,5 por cento (4,6 bilhões de reais) são causados por furtos, metade cometidos por funcionários. Nos supermercados, a situação é mais crítica, com as perdas chegando a 2,33 por cento do faturamento, o que representa um valor maior que o lucro, de 2,12 por cento. Muitos serviços prestam-se a esquemas tecnológicos de evasão do pagamento. Para aqueles que possuem certas habilidades, às vezes é possível fraudar medidores de eletricidade, acessar linhas telefônicas sem pagar ou burlar alimentadores de TV a cabo. O Sindicato das Empresas de TV por Assinatura (SETA) estima em cerca de 13 por cento o número de ligações clandestinas de TV por assinatura no Brasil. Viajar de graça em transporte público, infiltrar-se em cinemas ou sair de um restaurante sem pagar pela refeição também são delitos comuns. Sem falar no uso de meios fraudulentos de pagamento, como cartões de crédito roubados ou cheques sem fundo. Descobrir como as pessoas lesam um serviço é o primeiro passo para evitar roubos ou pegar os ladrões e, se for o caso, processá-los. Entretanto, gerentes devem tentar não alienar clientes honestos degradando suas experiências de serviço. E devem-se tomar providências em relação aos que são honestos, mas distraídos, e esquecem-se de pagar a conta.

O transgressor. Assim como as estradas necessitam de regras de segurança (como não atravessar em lugar impróprio), muitas empresas precisam estabelecer regras de conduta para funcionários e clientes que os guiem de modo seguro pelas várias etapas da prestação de serviço. Algumas são impostas por órgãos governamentais por questões de saúde e segurança. O transporte aéreo provê um dos melhores exemplos de regra destinada a garantir segurança — há poucos outros ambientes, exceto as prisões, em que clientes adultos saudáveis e mentalmente capazes são tão restringidos (embora por um bom motivo).

Além de aplicar regulamentações governamentais, é comum fornecedores imporem suas próprias regras para garantir operações tranquilas, evitar exigências nada razoáveis feitas a funcionários, evitar mau uso de produtos e instalações, proteger-se legalmente e desestimular o mau comportamento de clientes.

Como uma empresa deve lidar com transgressores? Depende muito das regras quebradas. No caso daquelas legalmente executáveis — roubo, dívida irrecuperável, porte de arma em aviões —, os cursos de ação têm de ser instituídos explicitamente para proteger funcionários e punir ou desestimular a transgressão de clientes.

Regras corporativas são um pouco mais ambíguas. São realmente necessárias? Se não forem, a empresa deve livrar-se delas. Garantem de fato saúde e segurança? Se sim, educar clientes sobre as regras deve reduzir a necessidade de medidas corretivas. O mesmo vale para regras destinadas a preservar o conforto e o divertimento de todos os clientes. Existem também normas sociais implícitas, como 'não furar filas'. Muitas vezes, outros clientes contribuem com os funcionários de serviço para aplicar as regras que afetam a todos; eles podem até tomar a iniciativa de fazer isso. Outra opção é criar mecanismos *poka yoke* que evitem as transgressões. Um sistema de senhas, por exemplo, já não permite mais que se fure a fila.

Há riscos em exagerar na elaboração de regras. Elas podem fazer a organização parecer burocrática e opressora. E podem transformar funcionários — cuja função deveria ser a de atender aos clientes — em policiais que veem (ou são obrigados a ver) como sua tarefa mais importante o cumprimento de todas as regras. Quanto menos regras, mais explícitas serão as realmente importantes.

O beligerante. Você já deve ter visto alguém em uma loja, aeroporto, hotel ou restaurante com o rosto vermelho e gritando com raiva ou talvez verbalizando insultos, ameaças e obscenidades. Nem sempre as coisas acontecem como deveriam: máquinas quebram, o atendimento é ruim, clientes são ignorados, um voo atrasa, um pedido é entregue errado, a equipe não é colaborativa, uma promessa não é cumprida. Ou talvez o cliente expresse ressentimento por ser solicitado a seguir as regras. Com frequência o pessoal de serviço é maltratado, mesmo quando não têm nada do que se culpar. Se um funcionário não tiver autonomia para resolver o problema, o beligerante poderá ficar mais bravo ainda, a ponto de partir para a agressão física. Infelizmente, quando clientes furiosos perdem as estribeiras com um atendente, este às vezes responde à altura, o que só agrava o confronto e reduz as chances de solução (Figura 13.6).

Alcoolismo e uso de drogas agravam os problemas. Organizações que se importam com seus funcionários não medem esforços para desenvolver habilidades para lidar com situações complicadas como essas. Exercícios de treinamento que envolvem a simulação de papéis ajudam funcionários a desenvolver a autoconfiança e a assertividade de que necessitam para lidar com clientes irados e beligerantes (em geral chamados de 'estressados'). Os funcionários também precisam aprender a dissipar a raiva, acalmar a ansiedade e aplacar a angústia (em especial quando há uma boa razão para o cliente estar irritado com o desempenho da empresa). As primeiras ações devem visar reduzir as explosões emocionais e, caso não tenham sucesso, medidas mais rígidas devem ser usadas.

Figura 13.6 Confrontos entre clientes e pessoal de atendimento podem facilmente assumir grandes proporções

"Parece que vivemos na era da fúria", declararam Stephen Grove, Raymond Fisk e Joby John, ao comentar sobre um declínio geral de civilidade.[46] Eles sugerem que comportamentos irados são aprendidos por meio da socialização como respostas apropriadas a certas situações. Uma pesquisa de Roger Bougie e seus colegas determinou que raiva e insatisfação são emoções qualitativamente diferentes. Enquanto clientes insatisfeitos nutriam um sentimento de não realização ou 'falta' e desejavam descobrir quem ou o que era o responsável, clientes com raiva pensavam em como a situação era injusta, buscavam vingar-se da empresa e queriam prejudicar alguém.[47] Assim, a resposta da empresa deve passar pela avaliação do tipo de emoção que o cliente está sentindo — insatisfação pode ser reduzida com recuperação de serviço, enquanto raiva torna o cliente pouco receptivo a qualquer apelo.

O problema do *air rage*[48] atraiu especial atenção nos últimos anos pelos riscos a que expõe pessoas inocentes (veja a seção Panorama de serviços 13.5). Blair Berkley e Mohammad Ala observam que passageiros violentos eram considerados a preocupação de segurança número um do setor aéreo.[49]

Panorama de serviços 13.5

Air rage: passageiros descontrolados representam um problema contínuo

Por analogia ao termo *road rage* — cunhado em 1988 para descrever motoristas irados e agressivos que ameaçavam outros nas estradas — surgiu o *air rage*, que se refere ao comportamento de passageiros violentos e descontrolados que põem em risco comissários de bordo, pilotos e outros passageiros. Incidentes de *air rage* são perpetrados por apenas uma minúscula fração de todos os passageiros de transporte aéreo, com relatos de cerca de 5 mil casos ao ano, mas cada incidente no ar pode afetar o conforto e a segurança de centenas de outras pessoas.

Embora o terrorismo seja uma preocupação contínua, passageiros descontrolados também representam uma séria ameaça. Em um voo de Orlando a Londres, um passageiro bêbado esmurrou uma tela de vídeo e começou a socar uma janela, dizendo aos outros passageiros que eles estavam prestes a ser 'sugados e morrer'. A tripulação amarrou o homem e o avião fez um pouso de emergência em Bangor, no Maine, onde ele foi preso. Outro pouso não programado em Bangor envolveu um traficante de drogas que voava da Jamaica para a Holanda.

Quando uma bolsa cheia de cocaína estourou em seu estômago, ele ficou fora de si, quebrou em pedaços a porta do banheiro e agarrou uma passageira pelo pescoço.

Em um voo de Londres à Espanha, um passageiro que já estava bêbado ao embarcar ficou nervoso quando uma comissária de bordo pediu-lhe para não fumar no lavatório e depois se recusou a servir-lhe outro drinque. Mais tarde, ele bateu na cabeça dela com uma garrafa de vodca antes de ser imobilizado pelos outros passageiros (ela levou 18 pontos no ferimento). Outros incidentes perigosos incluíram jogar café quente em comissários de bordo, golpear a cabeça de um copiloto, tentar invadir a cabine de comando, arremessar um comissário de bordo por três fileiras de poltronas e tentar abrir uma porta de emergência em pleno voo. Em um voo doméstico nos Estados Unidos, um incidente terminou tragicamente, quando um passageiro violento foi dominado e acabou sendo sufocado pelos demais após chutar a porta da cabine de comando 20 minutos antes do pouso em Salt Lake City.

Um número crescente de transportadoras está processando judicialmente os autores desses acessos de fúria. A Nothwest Airlines colocou três passageiros violentos em sua lista de banidos em caráter permanente de seus voos. A British Airways entrega 'cartões de advertência' a qualquer passageiro que perca perigosamente o controle. Celebridades não estão imunes a esse tipo de descontrole. A estrela de rock Courtney Love culpou sua 'boca suja' após ser presa ao desembarcar em Londres por comportamento tumultuado em um voo vindo de Los Angeles. Algumas companhias transportam instrumentos físicos de repressão para subjugar passageiros descontrolados até entregá-los às autoridades aeroportuárias.

Em abril de 2000, o Congresso norte-americano aumentou a penalidade civil por *air rage* de 1.100 para 25 mil dólares em uma tentativa de desencorajar passageiros a se comportarem mal. Penalidades criminais — que vão desde uma multa de 10 mil dólares a até 20 anos de prisão — também podem ser impostas à maioria dos incidentes mais sérios. Algumas companhias aéreas têm relutado em divulgar essa informação com receio de parecerem agressivas ou intimidadoras. Entretanto, a implantação explícita de precauções de segurança antiterrorista tornou mais aceitável a aplicação rigorosa de procedimentos para controlar e punir acessos de fúria no ar.

O que causa *air rage*? Sensações psicológicas de perda de controle ou problemas com figuras de autoridade podem ser fatores causais de comportamento raivoso em muitos cenários de serviço. Pesquisadores sugerem que a viagem aérea, em particular, tornou-se cada vez mais estressante por causa de voos lotados e mais longos; as próprias companhias aéreas podem ter contribuído para o problema ao diminuir a distância entre as poltronas e deixar de justificar atrasos. Constatou-se que fatores de risco ao estresse em viagens aéreas incluem ansiedade e uma personalidade propensa à raiva; observou-se também que viajar por rotas desconhecidas é mais estressante do que por rotas conhecidas. Outro fator podem ser as restrições ao fumo. Entretanto, o abuso de bebidas alcoólicas está por trás da maioria dos incidentes.

Companhias aéreas têm treinado funcionários para lidar com indivíduos violentos e identificar passageiros perturbados antes de começarem a causar problemas sérios. Algumas oferecem aos viajantes sugestões sobre como relaxar durante voos longos. E outras pensaram em oferecer adesivos de nicotina a passageiros desesperados por fumar, mas proibidos de acender o cigarro. A maior segurança no ar pode restringr o comportamento raivoso a bordo, mas a preocupação continua a crescer em relação a acessos de fúria em terra. Uma pesquisa australiana com funcionários de aeroportos descobriu que 96 por cento deles haviam passado por um acesso de fúria no trabalho: 31 por cento dos agentes haviam vivenciado alguma forma de acesso de fúria diariamente e 15 por cento relataram que haviam sido fisicamente agredidos por um passageiro.

Fonte: Baseado em informações extraídas de várias fontes, incluindo Daniel Eisenberg, "Acting up in the air", *Time*, 21 dez. 1998; "Air rage capital: Bangor becomes nation's flight problem drop point", *The Baltimore Sun*, artigo sindicalizado, set. 1999; Melanie Trottman e Chip Cummins, "Passenger's death prompts calls for improved 'air rage' procedures", *The Wall Street Journal*, 26 set. 2000; Blair J. Berkley e Mohammad Ala, "Identifying and controlling threatening airline passengers", *Cornell Hotel and Restaurant Administration Quarterly*, 42, ago.-set. 2001, p. 6-24. Disponível em: <www.airsafe.com/issues/rage.html>. Acesso em: 16 jan. 2006; Australian Services Union. Disponível em: <www.asu.asn.au/media/airlines_general/20031021_airrage.html>. Acesso em: 16 jan. 2006.

O que um funcionário deve fazer quando um cliente recusa qualquer tentativa de acalmar a situação? Em um ambiente público, a prioridade é afastar a pessoa dos demais clientes. Em alguns casos, supervisores devem ter de arbitrar disputas entre clientes e membros da equipe; outras vezes, eles precisam apoiar as ações dos funcionários. Se um cliente agredir fisicamente um funcionário, pode ser necessário chamar os seguranças ou a polícia. Algumas empresas tentam ocultar certos fatos, temendo má publicidade. Outras, porém, sentem-se obrigadas a tornar público um ato em defesa de seus funcionários, como uma gerente da Body Shop que colocou uma cliente mal-humorada para fora da loja, dizendo-lhe: "Não aceitarei sua grosseria com minha equipe".

A grosseria ao telefone configura um desafio diferente. Sabe-se que o pessoal de atendimento desliga quando um cliente fica furioso do outro lado da linha, mas essa ação não resolve o problema e os funcionários devem ser orientados. Clientes de bancos se irritam quando sabem que seus cheques foram devolvidos porque a conta estava estourada (o que significa que eles transgrediram as regras) ou que um pedido de empréstimo foi recusado. Uma abordagem para lidar com clientes que continuam a repreender severamente um funcionário ao telefone é este dizer com firmeza: "Esta conversa não está nos levando a lugar nenhum. Posso voltar a ligar em alguns minutos para o senhor ter tempo de digerir as informações?". Em muitos casos, uma pausa para reflexão é exatamente o que se faz necessário.

Os briguentos em família. Pessoas que brigam com membros de sua própria família (ou pior, com outros clientes) são a subcategoria de beligerantes a que chamamos de 'briguentos em família'. A intervenção de funcionários pode acalmar a situação — ou piorá-la. Alguns contextos requerem análise detalhada e uma resposta muito bem ponderada. Outras, como a de clientes que começam uma guerra de comida em um bom restaurante (sim, essas coisas acontecem), exigem resposta quase instantânea. Gerentes de serviços nesses contextos precisam estar preparados para pensar e agir de imediato.

O vândalo. O nível de agressão física a que instalações e equipamentos de serviço podem estar sujeitos é assustador. Refrigerantes despejados sobre caixas automáticos, grafite pintado em superfícies internas e externas, buracos de queimadura de cigarro em carpetes, toalhas de mesa e colchas de cama, assentos de ônibus cortados, móveis de hotéis quebrados, aparelhos de telefone destruídos, carros de clientes vandalizados, vidros quebrados e tecidos rasgados. A lista não tem fim. Não são só os clientes que causam todos esses danos, é claro. Jovens entediados ou bêbados causam grande parte do vandalismo externo. E sabe-se que funcionários ressentidos, como vimos anteriormente, praticam sabotagem. Mas grande parcela do problema origina-se de clientes pagantes que se comportam mal por opção. Às vezes, bebidas alcoólicas e drogas são a causa, outras vezes problemas psicológicos podem contribuir e a negligência pode ter seu papel. Em certas ocasiões, clientes descontentes, sentindo-se desconsiderados pelos provedores de serviço, tentam vingar-se de algum modo.

A melhor solução para o vandalismo é a prevenção. Reforços na segurança desencorajam alguns vândalos. Uma boa iluminação ajuda, assim como uma arquitetura aberta em áreas públicas. Música às vezes também é eficiente, como vimos no Capítulo 10. Empresas podem optar por superfícies agradáveis, mas resistentes ao vandalismo, capas protetoras para equipamentos e mobília reforçada. Educar clientes a usar equipamentos de modo adequado (em vez de lutar contra eles) e alertar sobre objetos frágeis reduzem a probabilidade de agressões ou manuseio descuidado. Sem falar nas sanções econômicas: depósitos de segurança ou termos assinados em que os clientes concordam em pagar por danos causados.

O que os gerentes devem fazer se a prevenção falhar e o dano acontecer? Se o responsável é apanhado, deve-se antes de tudo compreender a situação e esclarecer se há circunstâncias atenuantes (pois acidentes acontecem). Sanções para dano deliberado podem variar de uma advertência a um processo criminal. No que tange ao dano físico, é melhor consertá-lo o mais rápido possível (consideradas quaisquer restrições legais ou de seguro). O gerente geral de uma empresa de ônibus teve a ideia certa quando disse: "Se um de nossos ônibus é vandalizado, seja um vidro quebrado, um assento rasgado ou grafite no teto, retiramos o veículo de circulação imediatamente, para que ninguém veja o estrago. Senão, você dá a mesma ideia a cinco outros idiotas que ainda não haviam pensado nisso!".

O caloteiro. Excluídos os que nunca tiveram intenção de pagar (nós os chamamos de 'ladrões'), há muitas razões para clientes não pagarem por serviços recebidos. Novamente, a ação preventiva é melhor do que a reparação. Um número crescente de empresas insiste no pagamento de um sinal. Qualquer forma de venda de ingresso é um bom exemplo. Agências de marketing direto pedem o número de seu cartão de crédito ao registrar o pedido, assim como a maioria dos hotéis ao fazer sua reserva. Outro passo essencial é apresentar a conta logo após a finalização do serviço. Se precisar ser enviada pelo correio, a empresa deve remetê-la rapidamente, enquanto o serviço ainda está fresco na memória do cliente.

Nem todo caloteiro é incorrigível. Talvez haja uma boa justificativa para o atraso, e acordos aceitáveis de pagamento podem ser formalizados. Uma questão fundamental é se o custo de tal abordagem personalizada justifica-se em relação aos resultados obtidos com os serviços de uma agência de cobrança. Pode haver outras questões envolvidas. Se os problemas do cliente forem apenas temporários, há vantagem de longo prazo em manter o relacionamento?

Ajudar o cliente a resolver seus problemas criará boa vontade e comentários de boca a boca positivos? Essas decisões devem ser bem ponderadas, mas, se criar e manter relacionamentos duradouros for a principal meta de uma empresa, elas devem ser exploradas.

O paquerador. É aquele que tenta 'passar a cantada' na atendente, valendo-se da vantagem de estar no papel do cliente, e procura forçar uma 'troca' da compra por outros favores, abusando do contato pessoal e faltando com o respeito de modo geral, contando que irá intimidar ou assustar a funcionária de linha de frente. Olham com insistência pernas e decotes, fazem convites e piadas, nem sempre sutis. São pessoas que tentam tirar proveito de uma vantagem de momento. O mesmo pode ocorrer — talvez com menor frequência — com funcionários do sexo masculino. O vendedor poderá se sentir no início com a obrigação de segurar o cliente e não ser tão firme quanto deveria, mas a empresa deve preparar seus funcionários para tais situações e ter processos definidos. A vendedora poderá pedir para outro substituí-la no atendimento e alertar colegas sobre o que está ocorrendo, já funcionários em posição de autoridade, como gerentes ou supervisores, devem estar preparados para intervir e resolver o problema com firmeza, se necessário.

Consequências de um comportamento disfuncional do cliente

Lloyd Harris e Kate Reynolds enfatizam que o comportamento disfuncional de um cliente traz consequências para a equipe de linha de frente, para outros clientes e para a organização.[50] Funcionários que sofreram alguma forma de agressão podem não só sentir que seu humor ou temperamento foi negativamente afetado, mas também acabar sofrendo danos psicológicos. Seu próprio comportamento também pode assumir dimensões negativas, como querer vingar-se de clientes agressivos. O moral da equipe pode ser prejudicado, com implicações tanto para a produtividade quanto para a qualidade.

As consequências para os clientes podem assumir uma forma positiva ou negativa. Outros clientes podem reunir-se para apoiar um funcionário que eles julguem ter sido maltratado; entretanto, o mau comportamento também pode ser contagioso, fazendo que uma situação desagradável fique pior com a adesão dos outros. Expor-se a incidentes negativos pode estragar a experiência de consumo de muitos clientes, levando até à descontinuidade do uso do serviço em questão. As empresas sofrem prejuízos financeiros quando funcionários desmotivados não trabalham mais com a mesma eficácia e eficiência de antes, ou quando eles são afastados por licença médica. Elas também podem incorrer em prejuízos financeiros diretos para recuperar propriedade perdida ou danificada, cobrir custos com ações jurídicas e pagar indenizações fraudulentas.

Como sugerimos na discussão sobre *air rage*, é provável que a natureza do comportamento de clientes inconvenientes seja moldada pelas características do setor de serviço em que ele ocorre. A seção Novas ideias em pesquisa 13.1 relata um estudo sobre clientes inconvenientes no setor de hotéis, restaurantes e bares.

Lidando com fraude de consumidores

Clientes desonestos podem, de diversas formas, tirar proveito de estratégias generosas de recuperação de serviço, de garantias de serviço ou até mesmo de uma forte orientação para o cliente. Por exemplo, podem roubar alguma coisa da empresa, recusar-se a pagar pelo serviço, fingir insatisfação, causar falhas de serviço propositalmente ou superestimar prejuízos quando acontecem falhas de serviço reais. Que providências uma empresa pode tomar para se proteger contra o comportamento oportunista de clientes?

Tratar os clientes com desconfiança provavelmente os afastará, em especial em situações de falha de serviço. O presidente da TARP (a empresa que realizou os estudos sobre comportamento de reclamação descritos anteriormente) observa:

> Nossa pesquisa constatou que fraudes premeditadas representam de 1 a 2 por cento da base de clientes na maioria das organizações. Contudo, grande parte delas se defende de clientes inescrupulosos [...] tratando os 98 por cento honestos como se fossem trapaceiros para pegar os 2 por cento que *realmente o são*.[51]

Ciente disso, a premissa de trabalho deve ser: 'na dúvida, acredite no cliente'. Todavia,

Novas ideias em pesquisa 13.1

Categorização de clientes inconvenientes em hotéis, restaurantes e bares

Para aprender mais sobre o comportamento disfuncional de clientes no setor de hotéis, restaurantes e bares, Lloyd Harris e Kate Reynolds realizaram pesquisas para identificar e classificar diferentes tipos de má conduta. Entrevistas abertas, com duração aproximada de uma hora (às vezes mais longas) foram conduzidas com 31 gerentes, 46 funcionários de atendimento e 29 clientes. Essas entrevistas foram realizadas em 19 hotéis (com restaurante e bar), 13 restaurantes e 16 bares. Utilizou-se a metodologia de *purposive sampling*, com o objetivo de selecionar informantes com extensiva participação e percepções em relação a encontros de serviços. Todos os entrevistados haviam encontrado — ou até cometido — o que se poderia considerar um comportamento inconveniente e eram convidados a fornecer detalhes de incidentes específicos. No total, 106 entrevistados geraram 417 incidentes críticos.

Com base na análise desses incidentes, Harris e Reynolds codificaram oito tipos de comportamento:

1. *autores de cartas de compensação* que, de modo deliberado e fraudulento, escreveram a centrais de atendimento ao cliente com queixas amplamente injustificadas esperando receber um cheque ou vale-brinde;
2. *clientes indesejáveis* cujo comportamento recaía em três subgrupos: (a) comportamento irritante por crianças e famílias inconvenientes; (b) comportamento criminoso, geralmente envolvendo venda de drogas ou prostituição; (c) indivíduos sem teto que usavam as instalações da empresa e roubavam lanches de outros clientes;
3. *agressores a propriedades* que vandalizavam instalações e roubavam itens — na maioria dos casos para guardar como suvenir;
4. *funcionários de serviços [de folga]* que sabem como tirar proveito do sistema como clientes e deliberadamente perturbam encontros de serviço, para obter ganho financeiro ou simplesmente causar problemas para a equipe de linha de frente;
5. *clientes vingativos* que agem com violência contra pessoas ou propriedades, talvez por causa de alguma injustiça percebida;
6. *agressores verbais* incluem reclamantes profissionais, que buscam compensação e 'caçadores de ego' que sentem prazer em ofender equipes de atendimento e outros clientes;
7. *agressores físicos* que agridem fisicamente os profissionais de linha de frente;
8. *predadores sexuais* — geralmente agindo em bandos — que se envolvem em assédio sexual a profissionais de atendimento, seja de modo verbal ou comportamental.

Algumas dessas condutas, como escrever cartas ou praticar atos de vandalismo contra propriedades, são furtivas por natureza (isto é, não são evidentes aos outros no momento em que são cometidas). Determinadas causas subjacentes disseminam-se por múltiplas categorias, incluindo desejo de ganho pessoal, alcoolismo, problemas psicológicos pessoais e dinâmica negativa no grupo.

A Tabela 13.3 mostra a porcentagem de funcionários e clientes que relatam incidentes em cada categoria. Curiosamente, com exceção da categoria 'clientes indesejáveis', os incidentes na coluna de clientes são todos relatos de má conduta dos próprios entrevistados.

Os relatos de comportamento inconveniente de clientes registrados nesse estudo tornam a leitura sombria — até assustadora. Demonstram os desafios apresentados à gerência e à equipe por clientes manipuladores em busca de ganho financeiro pessoal e por comportamento abusivo de indivíduos, às vezes agindo em grupos e estimulados por bebidas alcoólicas, que parecem não se importar com as normas sociais tradicionais.

Tabela 13.3 Porcentagem de entrevistados que relatam incidentes por categoria

Categoria	Funcionários (em %)	Clientes (em %)
Autores de cartas de compensação	30	20
Clientes indesejáveis	39	47
Agressores a propriedades	51	20
Funcionários de serviços	11	11
Clientes vingativos	30	22
Agressores verbais	92	70
Agressores físicos	49	20
Predadores sexuais	38	0

Fonte: Lloyd C. Harris e Kate L. Reynolds, "Jaycustomer behavior: an exploration of types and motives in the hospitality industry", *Journal of Services Marketing* 18, n. 5, 2004, p. 339-357. © 2004 Emerald Group Publishing Ltd.

como mostra a seção Panorama de serviços 13.6, é crucial monitorar o acionamento de garantias de serviço ou pagamentos de compensação por falhas de serviços, mantendo bancos de dados desses casos e monitorando reembolsos repetidos ao mesmo cliente. Uma empresa aérea, por exemplo, constatou que a bagagem de um mesmo cliente tinha sido extraviada em três voos consecutivos. As chances de tal fato acontecer na realidade são provavelmente menores do que ganhar na loteria, portanto o pessoal da linha de frente foi avisado. Na vez seguinte em que ele despachou sua bagagem, o pessoal do check-in filmou a mala em vídeo desde o embarque até o destino. A empresa descobriu que um amigo apanhava a mala e a levava embora enquanto o viajante se dirigia novamente ao balcão para registrar o extravio. Dessa vez a polícia estava esperando por ele e por seu amigo.

Em outro exemplo, a Continental Airlines consolidou 45 cadastros distintos de clientes em um único banco de dados central (*data warehouse*), para melhorar o serviço e detectar fraudes de clientes. A companhia aérea descobriu um cliente que recebera 20 concessões da menor tarifa aérea oferecida às pessoas que viajam por motivo de morte ou doença grave na família (*bereavement fare*) em 12 meses, todas referentes ao mesmo avô falecido. Para garantir a eficácia na detecção desse tipo de fraude, é necessário manter um armazenamento central de dados de todos os pagamentos compensatórios, recuperações de serviço, devolução de mercadorias e outros benefícios concedidos com base em circunstâncias especiais (isto é, essas transações não podem ser retidas somente no nível local ou de filial, mas sim capturadas em um sistema centralizado), e é importante cruzar os dados armazenados para detectar transações incomuns e quais falhas de sistema permitem que elas ocorram.[52]

Uma pesquisa recente revelou que o valor da restituição prevista (isto é, se a garantia representa 10 por cento ou 100 por cento de devolução do que foi pago) não tinha nenhum efeito sobre as trapaças dos clientes. Entretanto, a intenção de compras repetidas reduzia consideravelmente a intenção de fraudes. Essas constatações sugerem implicações gerenciais relevantes: (1) gerentes podem implementar e portanto colher os maiores benefícios de marketing de uma garantia de 10 por cento de restituição do valor pago sem se preocupar que altas indenizações incentivem as fraudes; e (2) garantias podem ser oferecidas a clientes assíduos, ou como parte de um programa de filiação, porque é improvável que clientes que compram em bases frequentes recorram a trapaças para obter garantias de serviço.

Panorama de serviços 13.6

Pegando hóspedes trapaceiros

Como parte de seu sistema de monitoramento, a Hampton Inn desenvolveu maneiras de identificar hóspedes que parecem estar trapaceando — usando nomes falsos ou alegando diferentes problemas para cobrar a garantia várias vezes e obter o reembolso. Aqueles que mostram grande tendência de acionar garantias recebem atenção e acompanhamento personalizados da equipe de assistência aos hóspedes. Sempre que possível, gerentes executivos telefonam para eles perguntando sobre suas estadias recentes. A conversa pode ser assim: "Alô, senhor Jones, aqui é o diretor de atendimento de hóspedes da Hampton Inn e percebi que o senhor encontrou algumas dificuldades nos últimos quatro de nossos hotéis em que se hospedou. Como encaramos nossa garantia com muita seriedade, achei melhor ligar para o senhor para saber quais são os problemas".

A resposta mais comum é um silêncio mortal! Às vezes, esse silêncio é seguido por perguntas sobre como o escritório central da empresa ficou sabendo desses problemas. E também acontecem momentos engraçados. Foi feita a seguinte pergunta a um indivíduo que tinha acionado a garantia 17 vezes durante uma viagem de ida e volta que parece ter atravessado os Estados Unidos: "Onde o senhor gosta de se hospedar quando está viajando?" "Hampton Inn", foi a resposta entusiasmada. "Mas", disse o executivo ao telefone, "nossos registros mostram que nas últimas 17 vezes que se hospedou em uma Hampton Inn, o senhor cobrou o reembolso previsto por nossa política de 100 por cento de satisfação garantida". "É por isso que eu gosto desse hotel!", exclamou o hóspede.

Fonte: Christopher W. Hart e Elizabeth Long. *Extraordinary guarantees*. Nova York: AMACOM, 1997.

Outra constatação foi que os clientes também relutavam em ser desonestos se a qualidade de serviço oferecida fosse realmente elevada, e não apenas satisfatória. Isso implica que empresas de serviços verdadeiramente excelentes têm menos com que se preocupar em relação a fraudes do que o fornecedor médio.[53] Em resumo, confie na honestidade de seu cliente, e na maioria das vezes você acertará. Mas esteja preparado para identificar e punir a minoria criminosa.

Cenário brasileiro 13.1

Pode acontecer que, mesmo que a empresa tenha tomado todas as medidas para receber e atender as reclamações, o cliente não se sinta satisfeito e, além de acionar os mecanismos da empresa, também decida tomar ações judiciais. No Brasil, é importante que a empresa conheça o Código de Defesa do Consumidor (www.idec.org.br/cdc.asp) e as instituições que atuam em sua defesa. As duas principais são a Fundação PROCON e o IDEC.

O Código de Defesa do Consumidor tem como objetivo disciplinar as relações entre produtores, comerciantes e consumidores finais de qualquer produto ou serviço. Foi esboçado durante a Constituição de 1988, promulgado como Lei 8078 em 11 de setembro de 1990 e modificado em novembro de 1999. Entre outros direitos, ele garante que o consumidor pode devolver qualquer produto ou serviço que não corresponda à qualidade prometida e inverte o ônus da prova para a empresa, que deve comprovar que entregou o combinado. Todo estabelecimento comercial é obrigado a ter uma cópia do Código disponível para consulta pelo consumidor.

A Fundação PROCON de Proteção e Defesa do Consumidor (www.procon.sp.gov.br) é uma procuradoria (Procuradoria de Proteção e Defesa do Consumidor), que orienta consumidores em suas reclamações, informa-os sobre seus direitos e fiscaliza as relações de consumo. Também oferece cursos e seminários de conscientização dos direitos do consumidor. Ele funciona como um órgão auxiliar do Poder Judiciário, tentando solucionar previamente conflitos entre consumidor e empresa que vende ou presta produtos ou serviços, verifica a procedência da reclamação, encaminhando o processo para o Juizado Especial Cível com jurisdição sobre o local, ou ao Jecon (Juizado Especial do Consumidor), caso não haja acordo. Cerca de 80 por cento dos casos são resolvidos em uma única ligação, na presença do consumidor.

O PROCON tem poder legal para convocar o fornecedor a comparecer em audiência, com data e hora agendadas. Ele pode aplicar multas que variam de 200 reais a 3 milhões de reais, interditar estabelecimentos e apreender produtos impróprios para consumo. O consumidor, ainda, independentemente de processo realizado perante o Procon, poderá ingressar com processo judicial. O consumidor não precisa constituir advogado para ser atendido pelo PROCON.

O PROCON é parte integrante do Sistema Nacional de Defesa do Consumidor e pode ser estadual ou municipal. O primeiro é criado pelo governo estadual, e as cidades criam os seus com jurisdição municipal. Se não houver um em sua cidade, o consumidor pode utilizar o da cidade mais próxima. Além dos processos, o PROCON também mantém o Cadastro para o Bloqueio de Recebimento de Ligações de Telemarketing, onde o consumidor pode se cadastrar gratuitamente, e impões sanções às empresas transgressoras.

O IDEC (Instituto Brasileiro de Defesa do Consumidor, www.idec.org.br) é uma associação de consumidores, sem fins lucrativos, fundada em 1987, sem vínculos com empresas, partidos ou governos, mantida por seus associados, através de anuidades, vendas de assinaturas da *Revista do Idec* e outras publicações, além da realização de cursos. Também recebe recursos de agências de financiamento internacionais de apoio a entidades da sociedade civil. Suas contas são auditadas por auditorias independentes. Atua em temas relativos a consumo, realizando testes de produtos e serviços, movendo ações judiciais coletivas e incentivando o respeito aos direitos do consumidor. É membro da Consumers International, uma federação de 250 associações de consumidores que operam no mundo todo, do Fórum Nacional das Entidades Civis de Defesa do Consumidor, entidade criada para fortalecer o movimento dos consumidores em todo o país, e da Associação Brasileira de Organizações Não Governamentais (Abong). O Instituto oferece a seus associados conteúdo de orientação, com base no Código de Defesa do Consumidor, para a prevenção e a solução de problemas nas relações de consumo, testa produtos e serviços, move ações judiciais contra empresas e governos, em nome de seus associados e ações civis públicas em nome da sociedade, mas não entra com processos individuais. A *Revista do IDEC* é distribuída mensalmente a todos os associados e aos meios de comunicação e não veicula nenhum tipo de publicidade. O Instituto também edita livros com informações complementares quanto a direitos, segurança e saúde do consumidor. Mantém também o portal www.idec.org.br, com conteúdos relacionados a defesa do consumidor. Os associados dispõem de conteúdos exclusivos.

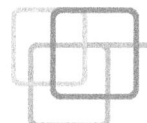

CONCLUSÃO

Estimular o *feedback* de clientes é uma forma de aumentar sua satisfação e retenção, além de uma oportunidade de entrar no coração e na mente do cliente. Com exceção das piores circunstâncias, clientes que reclamam indicam o desejo de continuar seu relacionamento com a empresa, mas também indicam que nem tudo vai bem e que eles esperam que a empresa acerte as coisas. Nesse caso, empresas de serviço precisam desenvolver estratégias eficazes para a recuperação de falhas de serviço, de modo a manter a boa vontade do cliente. Isso é vital para o sucesso da empresa a longo prazo.

Manter generosos sistemas de recuperação de serviços não significa que 'o cliente tem sempre razão' e que a empresa favorece o abuso da parte de seus clientes. Em vez disso, é importante para o benefício de todos (isto é, outros clientes, funcionários de atendimento e a empresa de serviço) lidar eficazmente com clientes inconvenientes.

Resumo do capítulo

OA1. Quando estão insatisfeitos, os clientes têm várias alternativas:
- tomar algum tipo de *ação pública* (por exemplo, reclamar para a empresa ou com terceiros e até recorrer à ação cível ou criminal);
- tomar algum tipo de *ação privada* (como abandonar o fornecedor ou espalhar comentários negativos);
- não tomar *nenhuma ação*.

OA2. Para recuperar eficazmente uma falha de serviço, as empresas necessitam compreender o comportamento e as motivações de clientes que reclamam e o que eles esperam em troca.
- De modo geral, clientes reclamam por uma combinação das seguintes quatro razões. Eles desejam (1) obter alguma forma de restituição ou compensação; (2) expressar sua raiva; (3) ajudar a melhorar o serviço; e (4) poupar outros clientes de passar pelos mesmos problemas (isto é, eles reclamam por razões altruístas).
- Na prática, a maioria dos clientes insatisfeitos não reclama porque não sabe como fazer isso, acha esse esforço complicado e desagradável ou tem a percepção de que a compensação por seus esforços é duvidosa.
- As pessoas com maior probabilidade de reclamar tendem a ser bem educadas, ter renda mais alta e ser socialmente mais ativas.

OA3. Quando reclamam, clientes esperam que as empresas lidem com essa situação de forma justa, de acordo com três dimensões:
- *justiça de procedimentos* — os clientes esperam que a empresa tenham um processo de recuperação conveniente, responsivo e flexível;
- *justiça interativa* — nesse caso, esperam uma explicação honesta, um esforço genuíno para que o problema seja solucionado e um tratamento cortês;
- *justiça do resultado* — os clientes esperam uma compensação que reflita o prejuízo e a inconveniência que sofreram por causa da falha de serviço.

OA4. Em muitos casos, a eficácia na recuperação de serviço pode evitar que o cliente troque de fornecedor e recupere a confiança na empresa. Quando reclamam, os clientes dão à empresa uma chance de corrigir problemas, recuperar o relacionamento com o reclamante e melhorar a satisfação futura. Portanto, a recuperação de serviço representa uma importante oportunidade de reter um cliente valioso.

OA5. Sistemas eficazes de recuperação de serviço devem:
- facilitar o *feedback* de clientes (divulgar números de telefone e e-mails exclusivos em todos os materiais de comunicação);
- habilitar a recuperação eficaz de serviço, tornando-a (1) proativa, (2) planejada, (3) treinada e (4) fortalecida;
- determinar níveis de compensação adequados. A compensação deve ser mais alta: se a empresa é conhecida por excelência de serviço, se a falha de serviço é grave e se o cliente é importante para a empresa.

OA6. As diretrizes a serem seguidas pelos funcionários de linha de frente para lidar eficazmente com reclamações de clientes e falhas de serviço incluem:
- (1) agir rápido; (2) tomar ciência dos sentimentos do cliente; (3) não discutir com ele; (4) demonstrar que você entende o problema do ponto de vista do cliente; (5) esclarecer a verdade e identificar a causa; (6) dar aos clientes o benefício da dúvida; (7) propor etapas a seguir para solucionar o problema; (8) manter os clientes informados do progresso; (9) considerar alguma forma de compensação; (10) perseverar para reconquistar a boa vontade do cliente; e (11) verificar o sistema de entrega de serviço e melhorá-lo.

OA7. Garantias de serviço são um meio poderoso de instituir a administração de reclamações e a recuperação de serviços de um modo profissional. Elas determinam padrões claros para a empresa, além de reduzir as percepções de risco do cliente e desenvolver fidelidade de longo prazo.

OA8. Garantias de serviço devem ser (1) incondicionais, (2) fáceis de entender e comunicar, (3) significativas para o cliente, (4) fáceis de acionar, (5) fáceis de cobrar e (6) dignas de crédito.

OA9. Nem todas as empresas têm a ganhar com garantias de serviço. Elas devem tomar cuidado ao oferecê-las, sobretudo quando: (1) já têm uma reputação por excelência de serviço; (2) a qualidade de serviço é baixa demais e tem de ser melhorada primeiro; (3) os fatores determinantes da qualidade de serviço dependem de fatores externos (por exemplo, condições climáticas); e (4) é baixa a percepção de risco dos clientes ao adquirir o serviço.

OA10. Nem todos os clientes são honestos, cordiais e sensatos. Alguns podem querer tirar proveito de situações de recuperação de serviço e outros podem importunar e estressar tanto os funcionários de atendimento quanto os demais clientes. São os chamados clientes inconvenientes.

- Há oito grupos de cliente inconveniente: (1) o trapaceador, (2) o ladrão, (3) o transgressor, (4) o beligerante, (5) os briguentos em família, (6) o vândalo, (7) o caloteiro e (8) o paquerador.
- Cada tipo de cliente inconveniente causa um problema diferente para as empresas e pode arruinar a experiência de serviço de outros clientes. Portanto, as empresas precisam administrar seu comportamento, mesmo que isso signifique, por exemplo, monitorar a frequência com que um cliente aciona uma garantia de serviço ou, em última instância, colocá-lo em uma lista negra para impedir que utilize os serviços da empresa.

Questões para revisão

1. Como os clientes costumam reagir a falhas de serviço?
2. Por que a maioria dos clientes descontentes não reclama? O que esperam da empresa quando registram uma reclamação?
3. Por que é preferível que os clientes descontentes de uma empresa reclamem?
4. Qual é o paradoxo da recuperação de serviço? Sob quais condições é mais provável que esse paradoxo se sustente? Por que é melhor entregar o serviço como planejado mesmo que o paradoxo seja válido em um contexto específico?
5. O que uma empresa poderia fazer para facilitar o processo de reclamação de clientes insatisfeitos?
6. Por que uma estratégia de recuperação de serviço deve ser proativa e planejada e requer pessoal treinado e fortalecido?
7. Quão generosas devem ser as compensações relacionadas à recuperação de serviço?
8. Como devem ser elaboradas as garantias de serviço? Quais são os benefícios de garantias de serviço que são mais do que um bom sistema de tratamento de reclamações e recuperação de serviço?
9. Sob quais condições não é adequado oferecer uma garantia de serviço?
10. Quais são os tipos de cliente inconveniente e como uma empresa de serviço pode lidar com eles?

Exercícios

1. Pense na última vez em que você passou por uma experiência de serviço menos do que satisfatória. Você reclamou? Por quê? Se não reclamou, explique por quê.
2. Quando foi a última vez que você ficou realmente satisfeito com a resposta de uma organização a sua reclamação? Dê uma descrição detalhada do que aconteceu e do que o deixou satisfeito.
3. Como seria uma política adequada de recuperação de serviço para um cheque devolvido erroneamente como sem fundo para (a) um banco regional, (b) um importante banco nacional e (c) um banco privado de perfil de alto nível para indivíduos que proporcionam alto valor líquido? Explique os princípios racionais de sua política e calcule os custos econômicos de políticas alternativas de recuperação de serviço.
4. Elabore uma garantia de serviço bem eficaz para um serviço de alto risco percebido. Explique (a) por que e como sua garantia reduziria o risco percebido para clientes potenciais e (2) por que clientes existentes gostariam que essa garantia lhes fosse oferecida, embora já sejam clientes da empresa e, portanto, provavelmente percebem níveis mais baixos de risco.
5. Quão generosa deve ser uma compensação? Leia e comente o incidente descrito a seguir. Em seguida, avalie as opções disponíveis, comente cada uma delas, selecione uma que você recomenda e defenda sua decisão.

"O coquetel de camarão estava parcialmente congelado. A garçonete desculpou-se e não cobrou nada pelo meu jantar", foi a resposta de um cliente muito satisfeito sobre a recuperação de serviço que recebeu. Considere as seguintes políticas de recuperação de serviço que uma rede de restaurantes poderia estabelecer.

- *Opção 1*: Sorria e peça desculpas, descongele o coquetel de camarão e traga-o de volta, sorria e peça desculpas novamente.

- *Opção 2*: Sorria e peça desculpas, substitua o coquetel de camarão por outro e sorria e peça desculpas novamente.
- *Opção 3*: Sorria, peça desculpas, substitua o coquetel de camarão e ofereça um café ou uma sobremesa grátis.
- *Opção 4*: Sorria, peça desculpas, substitua o coquetel de camarão e não cobre a conta de 80 reais referente ao total do jantar.
- *Opção 5*: Sorria, peça desculpas, substitua o coquetel de camarão, não cobre pelo jantar e ofereça uma garrafa de champanhe grátis.
- *Opção 6*: Sorria, peça desculpas, não cobre pelo jantar, ofereça uma garrafa de champanhe grátis e um vale para outro jantar (a ser resgatado em três meses).

6. Identifique o provável comportamento de clientes inconvenientes para um serviço de sua escolha. Como o processo de serviço deve ser planejado para minimizar ou controlar o comportamento de clientes inconvenientes?

Notas

1. "An extraordinary stumble at JetBlue", *Business Week*, 5 mar. 2007. Disponível em: <www.businessweek.com/magazine/content/07_10/b4024004.htm>. Acesso em: 11 jun. 2009; J. Tschohl, "Too little, too late: service recovery must occur immediately – as JetBlue discovered", Service Quality Institute, maio 2007. Disponível em: <www.customer-service.com>. Acesso em: abr. 2008.

2. Roger Bougie, Rik Peters e Marcel Zeelenberg, "Angry customer don´t come back, they get back: the experience and behavioral implications of anger and dissatisfaction in service", *Journal of the Academy of Marketing Science*, 31, n. 4, 2003, p. 377-393; Florian v. Wangenheim, "Postswitching negative word of mouth", *Journal of Service Research*, 8, n. 1, 2005, p. 67-78.

3. Bernd Stauss, "Global word of mouth", *Marketing Management* 6, outono 1997, p. 28-30.

4. Para pesquisa sobre os fatores impulsionadores cognitivos e afetivos do comportamento de reclamação, consulte Jean-Charles Chebat, Moshe Davidow e Isabelle Codjovi, "Silent voices: why some dissatisfied consumers fail do complain", *Journal of Service Research*, 7, n. 4, 2005, p. 328-342.

5. Stephen S.Tax e Stephen W.Brown, "Recovering and learning from service failure", *Sloan Management Review*, 49, n. 1, outono 1998, p. 75-88.

6. Technical Assistance Research Programs Institute (TARP), *Consumer complaint handling in America; an update study*, Part II. Washington: TARP e U.S. Office of Consumer Affairs, abr. 1986; Nancy Stephens e Kevin P. Gwinner, "Why don't some people complain? A cognitive-emotive process model of consumer complaining behavior", *Journal of the Academy of Marketing Science*, 26, n. 3, 1998, p. 172-189.

7. Cathy Goodwin e B. J. Verhage, "Role perceptions of services: a cross-cultural comparison with behavioral implications", *Journal of Economic Psychology*, 10, 1990, p. 543-558.

8. Nancy Stephens, "Complaining". In: Teresa A. Swartz e Dawn Iacobucci (eds.). *Handbook of services marketing and management*. Thousand Oaks: Sage Publications, 2000. p. 291.

9. John Goodman, "Basic facts on customer complaint behavior and the impact of service on the bottom line", *Competitive Advantage*, jun. 1999, p. 1-5.

10. Anna Matila e Jochen Wirtz, "Consumer complaining to firms: the determinants of channel choice", *Journal of Services Marketing*, 18, n. 2, 2004, p. 147-155; Kaisa Snellman e Tiina Vihtkari, "Customer complaining behavior in technology-based service encounters", *International Journal of Service Industry Management*, 14, n. 2, 2003, p. 217-231; Terri Shapiro e Jennifer Nieman-Gonder, "Effect of communication mode in justice-based service recovery", *Managing Service Quality*, 16, n. 2, 2006, p. 124-144.

11. Technical Assistance Research Programs Institute (TARP), *Consumer complaint handling; an update study*, Part II. Washington: TARP e U.S. Office of Consumer Affairs, abr. 1986.

12. Kathleen Seiders e Leonard L. Berry, "Service fairness: what it is and why it matters", *Academy of Management Executive*, 12, n. 2, 1990, p. 8-20. Veja também Klaus Schoefer e Adamantios Diamantopoulos, "The role of emotions in transating perceptions of (in)justice into postcomplaint behavioral responses", *Journal of Service Research*, 11, n. 1, 2008, p. 91-103; Yany Grégoire e Robert J. Fisher, "Customer betrayal and retaliation: when your best customers become your worst enemies", *Journal of the Academy of Marketing Science*, 36, n. 2, 2008, p. 247-261.

13. Stephen S.Tax e Stephen W.Brown, "Recovering and learning from service failure", *Sloan Management Review*, 49, n. 1, outono 1998, p. 75-88. Veja também Stephen S. Tax e Stephen W. Brown, "Service recovery: research, insight and practice". In: Teresa A. Swartz e Dawn Iacobucci (eds.). *Handbook of services marketing and management*. Thousand Oaks: Sage Publications, 2000. p. 277; Tor Wallin Andreassen, "Antecedents of service recovery", *European Journal of Marketing*, 34, n. 1 e 2, 2000, p. 156-175; Ko de Ruyter e Martin Wetzel, "Customer equity considerations in service recovery", *International Journal of Service Industry Management*, 11, n. 1, 2002, p. 91-108; Janet R. McColl-Kennedy e Beverley A. Sparks, "Application of fairness theory to service failures and service recovery", *Journal of Service Research*, 5, n. 3, 2003, p. 251-266; Jochen Wirtz e Anna Mattila, "Consumer responses to compensation, speed of recovery and apology after a service failure", *International Journal of Service Industry Management*, 15, n. 2, 2004, p. 150-166.

14. Oren Harari, "Thank heavens for complainers", *Management Review*, mar. 1997, p. 25-29.

15. Clyde A. Warden, Tsung-Chi Liu, Chi-Tsun Huang e Chi-Hsun Lee, "Service failures away from home: benefits in intercultural service encounters", *International Journal of Service Industry Management*, 14, n. 4, 2003, p. 436-457; Anna S. Mattila e Paul G. Patterson, "Service recovery and fairness perceptions in collectivist and individualist contexts", *Journal of Service Research*, 6, n. 4, 2004, p. 336-346; Tom DeWitt, Doan T. Nguyen e Roger Marshall, "Exploring customer loyalty following service recovery", *Journal of Service Research*, 10, n. 3, 2008, p. 269-281.

16. Simon J. Bell e James A. Luddington, "Coping with customer complaints", *Journal of Service Research*, 8, n. 3, fev. 2006, p. 221-233.
17. Leonard L. Berry. *On great service: a framework for action*. Nova York: The Free Press, 1995. p. 94.
18. Susan M. Keaveney, "Customer switching behavior in service industries: an exploratory study", *Journal of Marketing*, 59, abr. 1995, p. 71-82.
19. Technical Assistance Research Programs Institute (TARP), *Consumer complaint handling; an update study, Part II*. Washington: TARP e U.S. Office of Consumer Affairs, abr. 1986.
20. Celso Augusto de Matos, Jorge Luiz Henrique e Carlos Alberto Vargas Rossi, "Service recovery paradox: a meta-analysis", *Journal of Service Research*, 10, n. 1, 2007, p. 60-77; Stefan Michel, "Analyzing service failures and recoveries: a process approach", *International Journal of Service Industry Management*, 12, n. 1, 2001, p. 20-33; Chihyung Ok, Ki-Joon Back e Carol W. Shankin, "Mixed findings on the service recovery paradox", *The Service Industries Journal*, 27, n. 5, 2007, p. 671-686.
21. Stefan Michel e Matthew L. Meuter, "The service recovery paradox: true but overrated?", *International Journal of Service Industry Management*, 19, n. 4, 2008, p. 441-457. Outros estudos também confirmaram que o paradoxo da recuperação de serviço não é universal; Tor Wallin Andreassen, "From disgust to delight: do customers hold a grudge?", *Journal of Service Research*, 4, n.1, 2001, p. 39-49; Michael A. McCollough, Leonard L. Berry e Manjit S. Yadav, "An empirical investigation of customer satisfaction after service failure and recovery", *Journal of Service Research*, 3, n. 2, 2000, p. 121-137; James G. Maxham III, "Service recovery's influence on consumer satisfaction, positive word-of-mouth, and purchase intentions", *Journal of Business Research*, 54, 2001, p. 11-24.
22. James G. Maxham III e Richard G. Netemeyer, "A longitudinal study of complaining customers evaluations of multiple service failures and recovery efforts", *Journal of Marketing*, 66, n. 4, 2002, p. 57-72.
23. Michael Hargrove, relatado em Ron Kaufman. *UP your service!* Cingapura: Ron Kaufman Plc. Ltd., 2000. p. 225.
24. Steven S. Tax e Steven W. Brown, "Recovering and learning from service failure", *Sloan Management Review*, 49, n. 1, outono 1998, p. 75-88; Stephen S. Tax, Stephen W. Brown e Murali Chandrashekaran, "Customer evaluation of service complaint experiences: implications for relationship marketing", *Journal of Marketing*, 62, n. 2, primavera 1998, p. 60-76; para um estudo sobre o ambiente on-line, consulte Betsy B. Holloway e Sharon E. Beatty, "Service failure in online retailing: a recovery opportunity", *Journal of Service Research*, 6, n. 1, 2003, p. 92-105.
25. Para uma discussão sobre como quantificar a lucratividade da gestão de reclamações, consulte Bernd Stauss e Andreas Schoeler, "Complaint management profitability: what do complaint managers know?", *Managing Service Quality*, 14, n. 2/3, p. 147-156. Para um tratamento abrangente de todos os aspectos da gestão eficaz de reclamações, veja Bernd Stauss e Wolfgang Seidel. *Complaint Management: the heart of CRM*. Mason, OH: Thomson, 2004; Janelle Barlow e Claus Moller, *A complaint is a gift*. 2 ed., San Francisco, CA: Berrett-Koehler Publishers, 2008.
26. Christian Homburg e Andreas Fürst, "How organizational complaint handling drives customer loyalty: an analysis of the mechanistic and the organic approach", *Journal of Marketing*, 69, jul. 2005, p. 95-114.
27. Ron Zemke e Chip R. Bell. *Knock your socks off service recovery*. Nova York: AMACOM, 2000. p. 60.
28. Barbara R. Lewis, "Customer care in services". In: W. J. Glynn e J. G. Barnes (eds.). *Understanding services management*. Chichester: John Wiley, 1995. p. 57–89. Também se mostrou que a concordância prévia entre funcionários e clientes melhora a satisfação da recuperação de serviço; veja Tom DeWitt e Michael K. Brady, "Rethinking service recovery strategies: the effect of rapport on customer responses to service failure", *Journal of Service Research*, 6, n. 2, 2003, p. 193-207.
29. Rhonda Mack Crotts e Amanda Broderick, "Perceptions, corrections and defections: implications for service recovery in the restaurant industry", *Managing Service Quality*, 10, n. 6, 2000, p. 339-346; Randi Priluck e Vishal Lala, "The impact of the recovery paradox on retailer-customer relationships", *Managing Service Quality*, 19, n. 1, 2009, p. 42-59.
30. Para uma excelente análise da literatura acadêmica existente sobre garantias de serviço, veja Jens Hogreve e Dwayne D. Gremler, "Twenty years of service guarantee research", *Journal of Service Research*, 11, n. 4, 2009, p. 322-343.
31. Christopher W. L. Hart, "The power of unconditional service guarantees", *Harvard Business Review*, jul./ago. 1990, p. 54-62.
32. L. A. Tucci e J. Talaga, "Service guarantees and consumers' evaluation of services", *Journal of Services Marketing*, 11, n. 1, 1997, p. 10-18; Amy Ostrom e Dawn Iacobucci, "The effect of guarantees on consumers' evaluation of services", *Journal of Services Marketing*, 12, n. 5, 1998, p. 362-378.
33. Sara Björlin Lidén e Per Skålén, "The effect of service guarantees on service recovery", *International Journal of Service Industry Management*, 14, n. 1, 2003, p. 36-58.
34. Christopher W. Hart e Elizabeth Long. *Extraordinary guarantees*. Nova York: AMACOM, 1997.
35. Christopher W. Hart, "The power of unconditional service guarantees", *Harvard Business Review*, jul./ago. 1988, p. 54-62.
36. Para uma discussão científica sobre o valor ideal do pagamento de garantia, veja Tim Baker e David A. Collier, "The economic payout model for service guarantees", *Decision Sciences*, 36, n. 2, 2005, p. 197-220.
37. Gordon H. McDougall, Terence Levesque e Peter VanderPlaat, "Designing the service guarantee:unconditional or specific?", *Journal of Services Marketing*, 12, n. 4, 1998, 278-293; Jochen Wirtz, "Development of a service guarantee model", *Asia Pacific Journal of Management*, 15, 1, 1998, p. 51-75.
38. Jochen Wirtz e Doreen Kum, "Designing service guarantees: is full satisfaction the best you can guarantee?", *Journal of Services Marketing*, 15, n. 4, 2001, p. 282-299.
39. Amy L. Ostrom e Christopher Hart, "Service guarantee: research and practice". In: T. Schwartz e D. Iacobucci (eds.). *Handbook of services marketing and management*. Thousand Oaks: Sage Publications, 2000. p. 299-316.
40. Jochen Wirtz, Doreen Kum e Khai Sheang Lee, "Should a firm with a reputation for outstanding service quality offer a service guarantee?", *Journal of Services Marketing*, 14, n. 6, 2000, p. 502-512.

41. Para um modelo de suporte à decisão e se é adequado ter uma garantia de serviço, e, nesse caso, sobre como elaborar e implementá-la, veja Louis Fabien, "Design and implementation of a service guarantee", *Journal of Services Marketing*, 19, n. 1, 2005, p. 33-38.

42. Esta seção é adaptada e atualizada de Christopher Lovelock. *Product plus*. Nova York: McGraw-Hill, 1994, Capítulo 15.

43. Lloyd C. Harris e Kate L. Reynolds, "The consequences of dysfunctional customer behavior", Wirtz e Doreen Kum, "Consumer cheating on service guarantees", *Journal of the Academy of Marketing Science*, 32, n. 2, 2004, p. 159-175; Accenture Inc., "One-fourth of Americans say it´s acceptable to defraud insurance companies, Accenture survey finds", comunicado de imprensa, 12 fev. 2003. Disponível em: <http://newsroom.accenture.com/article_display_cfm?article_id=3970>. Acesso em: 29 abr. 2009; Chu Wujin, Eitan Gerstner e James D. Hess, "Managing dissatisfaction: how to decrease customer opportunism by partial refunds", *Journal of Service Research*, 1, n. 2, 1998, p. 140-155.

44. Kate L. Reynolds e Lloyd C. Harris, "When service failure is not service failure: an exploration of the forms and motives of 'illegitimate' customer complaining", *Journal of Service Marketing*, 19, n. 5, 326.

45. Lloyd C. Harris e Kate L. Reynolds, "Jaycustomer behavior: an exploration of types and motives in the hospitality industry", Journal of Services Marketing 18, n. 5, 2004, p. 339-357.

46. Stephen J. Grove, Raymond P. Fisk e Joby John, "Surviving in the age of rage", *Marketing Management*, 13, mar./abr. 2004, p. 41-46.

47. Roger Bougie, Rik Peters e Marcel Zeelenberg, "Angry customer don´t come back, they get back: the experience and behavioral implications of anger and dissatisfaction in service", *Journal of the Academy of Marketing Science*, 31, n. 4, 2003, p. 377-393.

48. O termo *air rage* (ou *sky rage*) é a nova nomenclatura para um comportamento muito inadequado a bordo. Pode ser um produto combinado de diversos fatores que incluem: consumo de álcool; sentimento de impotência em relação à própria segurança ou a transtornos como atrasos, cancelamentos etc; ansiedade; medo (aerofobia).

49. Blair J. Berkley e Mohammad Ala, "Identifying and controlling threatening airline passengers", *Cornell Hotel and Restaurant Administration Quarterly*, 42, ago./set. 2001, p. 6-24.

50. Lloyd C. Harris e Kate L. Reynolds, "The consequences of dysfunctional customer behavior"; Wirtz e Doreen Kum, "Consumer cheating on service guarantees", *Journal of the Academy of Marketing Science*, 6, nov. 2003, p. 144-161; Lloyd C. Harris e Kate L. Reynolds, "Jaycustomer behavior: an exploration of types and motives in the hospitality industry", *Journal of Services Marketing*, 18, n. 5, 2004, p. 339-357.

51. John Goodman, citado em "Improving service doesn't always require big investment", *The Service Edge*, jul./ago. 1990, p. 3.

52. Jill Griffin, "What your worst customers teach you about loyalty", 24 jan. 2006. Disponível em: <www.marketingprofs.com/6/griffin5.asp>. Acesso em: 6 jun. 2009.

53. Jochen Wirtz e Doreen Kum, "Consumer cheating on service guarantees", *Journal of the Academy of Marketing Science*, 32, n. 2, 2004, p. 159-175

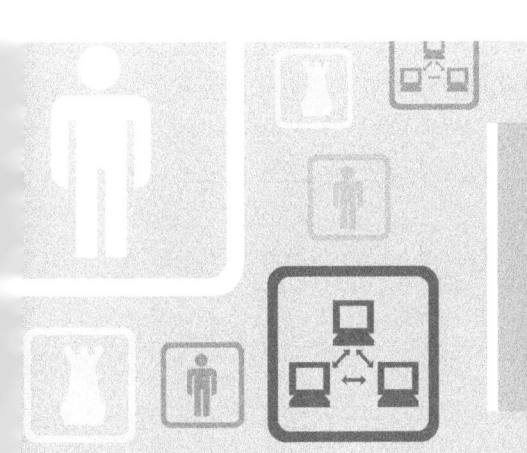

CAPÍTULO 14

Melhorando a qualidade e a produtividade do serviço

Nem tudo que conta pode ser contado, e nem tudo que pode ser contado conta.
—Albert Einstein

Nossa missão continua inviolável: oferecer ao cliente o melhor serviço que pudermos fornecer, cortar os custos até o osso e gerar um excedente para continuar o eterno processo de renovação.
— Joseph Pillay, ex-Presidente do Conselho, Singapore Airlines

Objetivos de aprendizagem (OAs)

Ao final deste capítulo, você será capaz de:

OA1 Entender como a qualidade e a produtividade correlacionam-se em um contexto de serviço.

OA2 Conhecer as diferentes perspectivas e dimensões da qualidade de serviço.

OA3 Saber como usar o modelo de gaps (*gaps model*) para diagnosticar e tratar problemas em qualidade de serviço.

OA4 Compreender a diferença entre métricas tangíveis e intangíveis da qualidade do serviço.

OA5 Explicar os principais objetivos dos sistemas eficazes de *feedback* de clientes.

OA6 Estar familiarizado com as principais ferramentas de coleta de *feedback* de clientes.

OA7 Conhecer as medidas tangíveis de qualidade de serviço e gráficos de controle.

OA8 Conhecer ferramentas importantes de análise de problemas de serviço.

OA9 Avaliar as implicações financeiras de melhorias de qualidade.

OA10 Saber como definir e medir a produtividade em serviços.

OA11 Entender a diferença entre produtividade, eficiência e eficácia.

OA12 Estar familiarizado com os principais métodos para melhorar a produtividade em serviço.

OA13 Saber como melhorias de produtividade impactam a qualidade e o valor.

OA14 Compreender como TQM, ISO 9000, Abordagem de Malcolm-Baldrige e Seis Sigma relacionam-se com o gerenciamento e a melhoria da qualidade de serviços e da produtividade.

Melhorando a qualidade de um serviço de balsa[1]

A Sealink British Ferries, cujas rotas ligavam a Inglaterra à Irlanda e a diversos países europeus, era um fornecedor de baixa qualidade de serviço. Sua estrutura hierárquica era de cima para baixo, no estilo militar, e focava os aspectos operacionais da movimentação de embarcações. A qualidade das experiências dos clientes estava relegada ao segundo plano. A Sealink foi então adquirida pela empresa sueca Stena Line, que atualmente é uma das maiores operadoras de balsas para carros do mundo.

Os pontos fracos gerenciais da Sealink incluíam falta de atenção à concorrência crescente de empresas cujas balsas novas e velozes ofereciam aos clientes uma travessia mais rápida e confortável. A alta gerência exercia rígido controle, impondo diretrizes e aplicando os padrões gerais a todas as divisões da empresa, em vez de políticas de customização às necessidades de cada rota. Todas as decisões estavam sujeitas à análise do escritório central. Gerentes de divisão eram separados por dois níveis gerenciais das equipes funcionais da operação. Essa estrutura organizacional acarretava conflitos, processo decisório lento e incapacidade de responder com rapidez às mudanças de mercado.

A filosofia da Stena era muito diferente. Ela operava uma estrutura descentralizada, convicta de que cada função gerencial deveria ser responsável por suas próprias atividades e também pelos resultados. A Stena queria que as decisões gerenciais na subsidiária britânica fossem tomadas por pessoas próximas ao mercado que compreendiam a concorrência e a demanda locais. Algumas funções centrais foram transferidas para as divisões, incluindo grande parte da responsabilidade pelas atividades de marketing. Novas habilidades e perspectivas resultaram de treinamento, transferências e contratação externa.

Antes da fusão, a Sealink não priorizava operações pontuais ou confiáveis. Com frequência, as balsas atrasavam, justificativas-padrão eram apresentadas nos relatórios, queixas dos clientes eram ignoradas e havia pouca pressão dos gerentes de atendimento ao cliente para melhorar a situação. Após a aquisição, as coisas começaram a mudar. O desafio do atraso em partidas e chegadas foi resolvido por meio da concentração em cada área problemática. Assim, em uma das rotas, o gerente do porto envolveu toda a equipe e designou cada pessoa como 'dona' de um aspecto do processo de melhoria. Elas mantinham registros detalhados de cada travessia, com as razões para os atrasos e monitoravam o desempenho dos concorrentes. Essa abordagem participativa criou uma ligação estreita entre os membros da equipe em diferentes cargos e ajudou a equipe de atendimento ao cliente a aprender com a experiência. Em dois anos, as balsas Stena nessa rota operavam com pontualidade de quase cem por cento.

O serviço de bordo era outra área que exigia melhorias. Os gerentes de atendimento faziam o que convinha à equipe e não aos clientes, incluindo programar pausas para refeições nos períodos de pico da demanda. Como comentou um observador, "os clientes eram ignorados durante a primeira e a última meia hora a bordo, quando as instalações ficavam fechadas (...) Os clientes tinham de se virar para encontrar seu próprio caminho [pelo navio]. (...) Os funcionários só atendiam aos clientes quando estes faziam um pedido incisivo e certo esforço para chamar sua atenção". A Stena solicitou que o pessoal em cada área funcional a bordo escolhesse uma área específica a melhorar e trabalhasse em pequenos grupos para conseguir isso. Inicialmente algumas equipes tiveram mais êxito do que outras, resultando em níveis inconsistentes de serviço e orientação ao cliente de uma embarcação para outra. Com o tempo, os gerentes compartilhavam ideias, avaliavam experiências e realizavam adaptações para cada balsa. Mudanças relevantes nos primeiros dois anos (Tabela 14.1) contribuíram para o eventual sucesso em atingir níveis de serviço consistentes em todas as travessias e balsas.

Em 2009, a Stena tinha 35 embarcações que cruzavam 18 rotas (das quais sete atendiam a portos no Reino Unido) e transportavam cerca de 16 milhões de passageiros e 3 milhões de veículos anualmente, três das quais eram as mais rápidas do mundo. Líder em todos os mercados, a Stena enfatiza a melhoria contínua de serviços e produtos. De acordo com o site da empresa:

> A expressão 'making good time' (em tempo útil; a tempo, em inglês) resume a essência do negócio de viagem marítima da Stena Line em três palavras: rápida, agradável e eficiente. (...) Os clientes hoje querem mais. Fatores básicos como pontualidade, segurança, limpeza e balsas bem equipadas com bom serviço passaram a ser itens obrigatórios, por isso na Stena Line nós nos esforçamos para proporcionar aos clientes aquele algo a mais que os fará querer viajar conosco novamente. Uma forma de atender a essas novas demandas consiste em desenvolver novos produtos e serviços e customizar ainda mais nossas ofertas para que se adequem a diversas necessidades. Nossa ambição é que todos encontrem uma oferta de viagem que agrade em nosso leque de opções.

Figura 14.1 O *status* de liderança da Stena Line é atribuído a sua excelência de serviço a bordo

Tabela 14.1 Melhoria de qualidade e produtividade de serviço da Sealink após a aquisição da empresa

		Situação herdada	Situação após dois anos
Causas externas		Concorrência inativa – 'compartilhamento' de mercado com um concorrente.	Concorrência acirrada (dois concorrentes, um deles operando balsas novas, de alta velocidade).
		Demanda de mercado estática.	Mercado em expansão.
Contexto interno		Organização centralizada.	Organização descentralizada.
		Tomada de decisão centralizada.	Delegação para unidades de tomada de decisão especializada.
		Diretrizes da alta gerência.	Gerente responsável por cada equipe de unidade.
Competências gerenciais			
	> *Conhecimento*	Geral do setor em vez de específico de mercados locais.	Conhece tanto o setor quanto o mercado local.
	> *Experiência*	Operacional e tática.	Operacional e decisória.
		Geral, baseada no setor.	Responsabilidade de gerência funcional.
		Ambiente não competitivo.	Exposição a ambiente competitivo.
	> *Especialidade*	Abordagem vaga a situações de avaliação.	Capacidade de diagnóstico.
		Foco de curto prazo.	Foco de longo prazo.
		Competências gerais.	Habilidades específicas para tarefas funcionais.
Processo decisório de marketing			
	> *Planejamento*	Reação a circunstâncias internas e ameaças externas.	Identificação proativa de problemas.
		Limitadas buscas de informações e avaliação de alternativas.	Coleta de informações, análise de opções.
		Foco em questões táticas.	Seleção entre várias alternativas.
		Inconsistência com outras atividades de marketing.	Consistência com outras atividades de marketing.
	> *Ações*	Seguir diretrizes da alta gerência.	Delegação de responsabilidade.
		Recorrer ao próximo na hierarquia para assumir responsabilidade.	Responsabilidade pela atividade, sentir-se dono.
		Comunicação mínima ou irregular entre funções.	Ligação entre funções.
Ações de marketing			
	> *Pré-compra*	Na maior parte, publicidade na mídia.	Propaganda mais promoções e materiais informativos.
	> *Entrega de serviço*	Sistema de reserva lento, manual.	Sistema de reserva novo, computadorizado.
		Foco nos aspectos tangíveis do atendimento a bordo (por exemplo, assentos, cabines, alimentos e bebidas).	Melhoria dos aspectos tangíveis, acentuada melhoria das interações equipe/clientes.
		Pouca pressão nas operações para melhorar pontualidade precária.	Serviço altamente confiável e pontual.
		Falta de comunicação em portos e a bordo das embarcações.	Grande melhoria em sinalização, guias impressos, painéis eletrônicos de mensagens, anúncios ao público.
		Abordagem reativa à resolução de problemas.	Abordagem proativa na recepção aos convidados e resolução de seus problemas.

Fonte: Adaptado de Audrey Gilmore, "Service marketing management competencies: a ferry company example", *International Journal of Service Industry Management*, 9, n. 1, 1998, p. 74-92. Disponível em: <www.stenaline.com>. Acesso em: 2 jun. 2009.

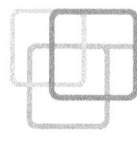

Integrando estratégias de qualidade e produtividade de serviços

A história de sucesso da Stena Line é um excelente exemplo de como a melhoria da qualidade e da produtividade em serviços pode reverter o fracasso de um negócio. A participação ativa dos funcionários e o apoio dos sistemas adequados permitiram recuperar uma situação que poucos acreditavam que podia ser mudada. Neste capítulo, veremos que qualidade e produtividade caminham lado a lado na criação de valor tanto para consumidores quanto para empresas, embora tentativas de aumento de produtividade possam resultar em diminuição da qualidade.

Em termos gerais, qualidade focaliza os benefícios criados para o cliente e produtividade, os custos financeiros incorridos pela empresa. Por exemplo, melhorar a eficiência de processos de serviço não leva necessariamente à experiência de melhor qualidade para os clientes, nem resulta sempre em melhores benefícios para eles. Além disso, fazer os funcionários trabalharem mais depressa às vezes pode agradar aos clientes, mas, em outras, pode fazer que se sintam pressionados e indesejados. De modo semelhante, implementar estratégias de marketing para melhorar a satisfação do cliente com serviços poderá revelar-se uma tarefa dispendiosa e provocar rupturas em uma organização, se as implicações para operações e recursos humanos não forem pensadas com cuidado. Portanto, estratégias de melhoria de qualidade e produtividade devem ser consideradas em conjunto e não isoladamente. Isso significa que gerentes de marketing, de operações e de recursos humanos precisam colaborar entre si para garantir a entrega de experiências de qualidade com mais eficiência e melhorar a lucratividade de longo prazo da empresa.

Qualidade, produtividade e marketing de serviços

O interesse do marketing por qualidade de serviço é óbvio: a má qualidade coloca uma empresa em desvantagem competitiva, com risco de afastar clientes insatisfeitos. Os últimos anos testemunharam uma verdadeira explosão de descontentamento com a qualidade de serviço em uma época em que a qualidade de muitos bens manufaturados parece ter conseguido significativa melhora. Se a qualidade do produto se torna semelhante, melhor serviço pode ser um novo diferencial para competir no mercado. Os resultados agregados do American Customer Satisfaction Index (ACSI) de 2005 para bens manufaturados e serviços dos setores privado e público nos Estados Unidos mostram com clareza que o setor de serviços manufatureiro está bastante defasado em relação à qualidade oferecida.

A Figura 14.2 ilustra o fato surpreendente de que os serviços do setor privado obtiveram pontuação apenas um pouco superior à dos serviços públicos federais. Claes Fornell concluiu que "de modo geral, os cidadãos têm expectativas bem mais baixas em relação ao setor público que sobre o privado. A razão por trás disso é difícil de determinar, mas possivelmente emana do ceticismo geral dos norte-americanos em relação ao governo".[2] Essas conclusões revelam que há muita margem para melhoria da qualidade de serviço tanto no setor privado quanto no público.

Melhorar a produtividade é importante para profissionais de marketing por diversas razões. Em primeiro lugar, ajuda a manter os custos baixos, que por sua vez significam lucros mais altos ou a capacidade de conter a elevação de preços. A empresa que tiver os custos mais baixos de um setor — mas somente ela — tem a opção de se posicionar como a líder em preços baixos, o que costuma ser uma vantagem significativa para segmentos de mercado sensíveis ao preço. Em segundo lugar, empresas cujos custos são mais baixos também geram margens mais altas, o que lhes dá a opção de gastar mais do que a concorrência em atividades de marketing, melhoria de atendimento ao cliente e serviços suplementares. Tais empresas também podem oferecer margens mais altas para atrair e recompensar os melhores distribuidores e intermediários. Em terceiro lugar, temos a oportunidade de garantir o futuro da empresa no longo prazo por meio de investimentos em novas tecnologias e em pesquisas para criar novos serviços superiores, melhores características e sistemas de entrega inovadores. Por fim, esforços para melhorar a produtividade costumam causar impacto nos clientes. Profissionais de marketing são responsáveis por assegurar que impactos negativos sejam evitados, ou minimizados, e que novos procedimentos sejam apresentados com cuidado aos clientes. Impactos positivos podem ser promovidos como uma nova vantagem.

Figura 14.2 Serviços possuem qualidade inferior à de bens manufaturados

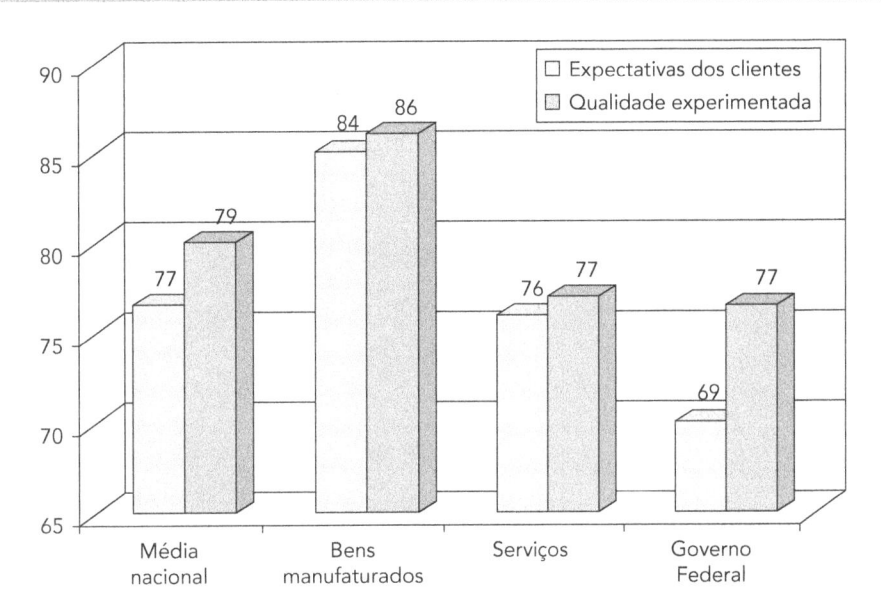

	Expectativas dos clientes	Qualidade experimentada
Média nacional	77	79
Bens manufaturados	84	86
Serviços	76	77
Governo Federal	69	77

Fonte: Claes Fornell, "ACSI commentary: federal government scores". *Special report: government satisfaction scores.* Michigan: CFI Group, 15 dez. 2005. Disponível em: <www.theacsi.com>. Acesso em: 21 jan. 2006.

O setor de serviços tem ficado atrás do manufatureiro em aumento de produtividade, mas uma pesquisa do McKinsey Global Institute revela que cinco das sete empresas que mais contribuíram para o aumento da produtividade de mão de obra nos Estados Unidos desde 2000 atuavam em serviços, incluindo comércio varejista e atacadista, finanças e seguros, suporte administrativo e serviços científicos e técnicos.[3] A conclusão é que qualidade e produtividade caminham lado a lado para criar valor para consumidores e empresas de serviços. Vamos examinar a qualidade de serviço e como aprimorá-la antes de analisarmos a produtividade.

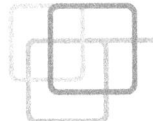

O que é qualidade em serviços?

É preciso que o pessoal da empresa tenha um entendimento comum para atacar questões como a medição da qualidade de serviço, a identificação das causas de deficiências e a elaboração e implementação de ações corretivas. Como sugere a Figura 14.3, qualidade de serviço pode ser difícil de administrar, mesmo quando as falhas são de natureza tangível.

Perspectivas da qualidade de serviço

A palavra *qualidade* tem significados diferentes, conforme o contexto. Entre as perspectivas mais comuns, estão:[4]

1. *a visão transcendente* da qualidade é sinônimo de excelência inata: uma marca de padrões rígidos e alto nível de realização. Esse ponto de vista costuma ser aplicado às artes dramáticas e visuais e no setor de serviços de luxo, e afirma que as pessoas aprendem a reconhecer qualidade somente pela experiência adquirida por exposição repetida. Contudo, do ponto de vista prático, não ajuda muito sugerir que gerentes ou clientes reconhecerão a qualidade quando a virem;

2. *a abordagem voltada para a manufatura* tem como base a oferta e preocupa-se com práticas de engenharia e manufatura. (No caso de serviços, diríamos que a qualidade é

Figura 14.3 Qualidade de serviço é difícil de administrar

voltada para operações.) Focaliza a obediência a especificações internas, que muitas vezes são orientadas por metas de produtividade e contenção de custos;

3. *definições baseadas no usuário* partem da premissa de que a qualidade está nos olhos de quem vê e equiparam qualidade com máxima satisfação. Essa perspectiva subjetiva, voltada para a demanda, leva em conta que clientes diferentes têm desejos e necessidades diferentes;

4. *definições baseadas em valor* estabelecem qualidade em termos de valor e preço. Considerando o *trade-off* entre desempenho (ou conformidade) e preço, qualidade passa a ser definida como 'a excelência possível com os recursos disponíveis'.

Essas diversas visões da qualidade ajudam a explicar os eventuais conflitos entre gerentes de diferentes departamentos funcionais. Todavia, pesquisadores argumentam que a natureza dos serviços requer uma abordagem diferenciada para definir e medir a qualidade. A natureza intangível e multifacetada de muitos serviços dificulta a avaliação de sua qualidade em comparação com a de um bem. Como os clientes costumam ser envolvidos na produção, uma distinção precisa ser traçada entre o *processo* de entrega (o que Christian Grönroos chama de qualidade funcional) e o efetivo *resultado* (ou produto) do serviço (o que ele denomina qualidade técnica).[5] Grönroos e outros também sugerem que a qualidade percebida resulta de um processo no qual clientes comparam suas percepções da entrega do serviço e seu resultado com aquilo que esperavam. Assim, define-se qualidade de serviço, do ponto de vista do usuário, como aquilo que atende ou excede às expectativas dos clientes.

Dimensões da qualidade em serviços

Valarie Zeithaml, Leonard Berry e A. Parasuraman conduziram uma extensa pesquisa sobre qualidade em serviços e identificaram cinco critérios utilizados por consumidores para avaliá-la (Tabela 14.2). Em pesquisas posteriores, eles constataram um alto grau de correlação entre diversas dessas variáveis, o que os levou a consolidá-las em cinco dimensões:

- *tangibilidade* (aparência de elementos físicos);
- *confiabilidade* (desempenho preciso, digno de confiança);
- *responsividade* (rapidez e prestimosidade);
- *segurança* (credibilidade, segurança, competência e cortesia);
- *empatia* (acesso fácil, boa comunicação e entendimento do cliente).[6]

Tabela 14.2 Dimensões genéricas usadas por clientes para avaliar qualidade em serviços

Dimensão	Características	Perguntas
Tangibilidade	Aparência de instalações físicas, equipamentos, pessoal e materiais de comunicação.	As instalações do hotel são atraentes? Meu contador veste-se adequadamente? O extrato de minha conta bancária é fácil de entender?
Confiabilidade	Capacidade de realizar o serviço prometido com segurança e precisão.	Meu advogado me telefona quando prometido? Minha conta de telefone não contém erros? O conserto de meu televisor foi benfeito da primeira vez?
Responsividade	Disposição para ajudar clientes e prestar serviço imediato.	Quando surge um problema, a empresa é rápida em resolvê-lo? Minha corretora de valores dispõe-se a responder às minhas perguntas? A operadora de TV a cabo dispõe-se a marcar um horário específico para a instalação?
Segurança		
> *Credibilidade*	Confiabilidade, credibilidade, honestidade do provedor do serviço.	O hospital tem boa reputação? Minha corretora de valores evita fazer pressão para que eu compre? A empresa de assistência técnica dá garantia de seu trabalho?
> *Segurança*	Isento de perigo, risco ou dúvida.	É seguro utilizar o caixa eletrônico do banco à noite? Meu cartão de crédito está protegido contra uso não autorizado? Posso ter certeza de que minha apólice de seguro proporciona cobertura completa?
> *Competência*	Apresentar as capacidades e o conhecimento requeridos para realizar o serviço.	O caixa do banco processa minha transação sem se atrapalhar? Meu agente de viagens consegue obter a informação de que necessito quando telefono? O dentista parece competente?
> *Cortesia*	Educação, respeito, consideração e simpatia do pessoal de contato.	A conduta da comissária de bordo é agradável? As telefonistas são sempre educadas ao atender meus telefonemas? O encanador tira seus sapatos enlameados antes de pisar em meu tapete?
Empatia		
> *Acesso*	Facilidade de aproximação e contato.	É fácil falar com um supervisor quando tenho um problema? A empresa aérea tem uma linha telefônica de chamada gratuita em funcionamento 24 horas por dia? A localização do hotel é conveniente?
> *Comunicação*	Ouvir os clientes e mantê-los informados em linguagem que eles possam entender.	O gerente está disposto a me ouvir quando tenho uma reclamação a fazer? Meu médico evita utilizar terminologia técnica? O eletricista telefona, se não puder me atender no horário marcado?
> *Entender o cliente*	Fazer um esforço para conhecer os clientes e suas necessidades.	Alguém no hotel me reconhece como um cliente assíduo? Minha corretora de valores tenta determinar meus objetivos financeiros específicos? A empresa de mudanças concorda em se adequar a meu horário?

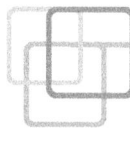

Identificando e corrigindo problemas de qualidade de serviço

Após entender o que é qualidade em serviço, vamos explorar um modelo que nos permite identificar e corrigir problemas referentes a ela.

Modelo de gaps (*gaps model*) no projeto e na entrega do serviço

Valarie Zeithaml, A. Parasuraman e Leonard Berry identificam quatro gaps potenciais que podem resultar em um gap final muito sério: a diferença entre o que os clientes esperavam e o que perceberam ter sido entregue.[7] A Figura 14.4 amplia e refina a estrutura proposta por eles para identificar um total de seis tipos de gap, que podem ocorrer em vários pontos na elaboração e na entrega de um serviço. O gap ocorre sempre que há uma diferença entre a expectativa do cliente e sua interpretação pela empresa.

- *Gap 1 — o gap do conhecimento —* é a diferença entre o que os provedores de serviços acham que os clientes esperam e as reais necessidades e expectativas dos clientes.

- *Gap 2 — o gap da política —* é a diferença entre as percepções da gerência sobre as expectativas dos clientes e os padrões de qualidade estabelecidos para a entrega do serviço. É chamado de gap da política porque a gerência tomou a decisão política de não entregar o que pensa que os clientes esperam. As justificativas costumam incluir considerações de custo e viabilidade.

- *Gap 3 — o gap da entrega —* é a diferença entre os padrões de entrega especificados e o real desempenho do provedor do serviço.

Figura 14.4   O modelo de gaps

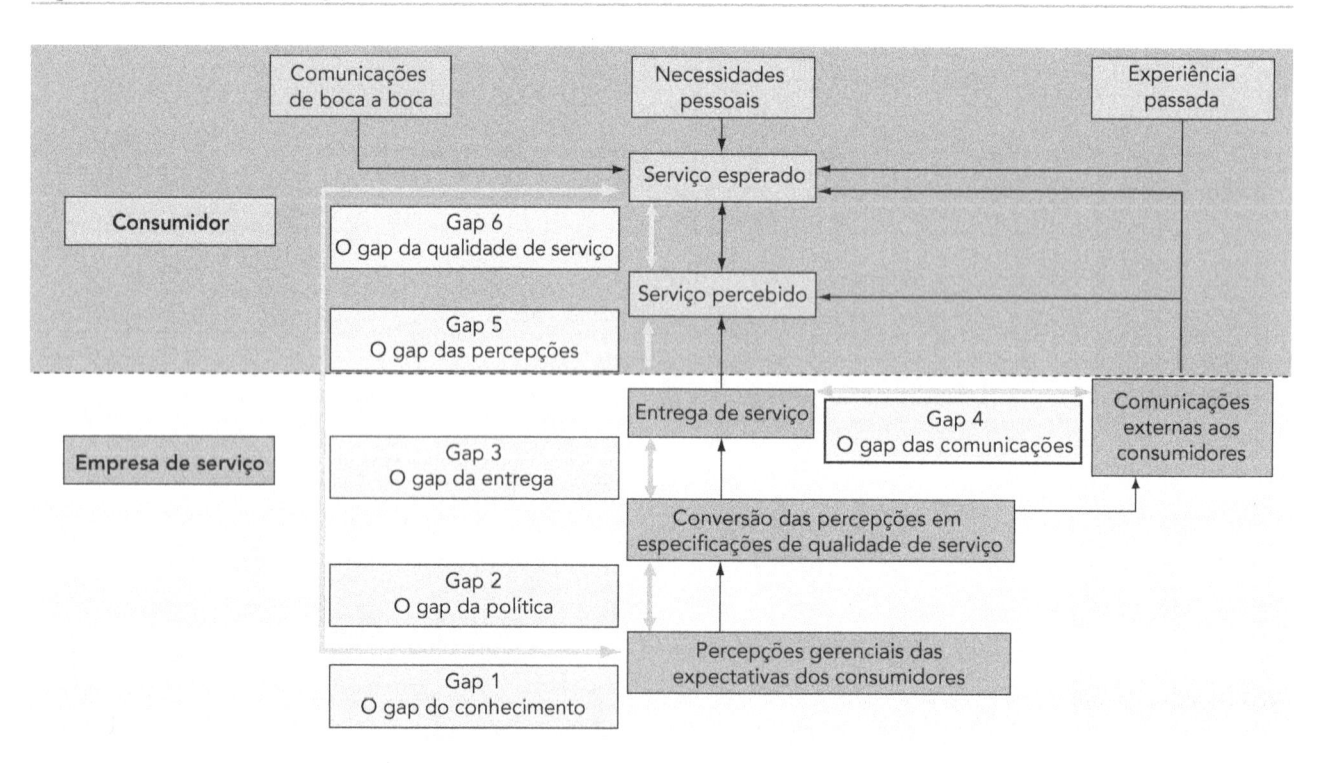

Fontes: Adaptado do modelo original dos cinco gaps desenvolvido por A. Parasuraman, Zeithaml e L. Berry. "A conceptual model of service quality and its implications for future research", *Journal of Marketing*, 49, outono 1985, p. 41-50; V. Zeithaml, M. J. Bitner e D. Gremler. *Services marketing: integrating customer focus across the firm*, p. 46. Nova York: McGraw-Hill/Irwin, 2006. Um gap adicional (número 5) foi acrescentado por Christopher Lovelock. *Product Plus*, p. 112. Nova York: McGraw-Hill, 1994.

- *Gap 4 — O gap das comunicações* é a diferença entre o que a empresa comunica e o que é de fato entregue. É causado por dois gaps secundários.[8] Primeiro, o de comunicação interna, é a diferença entre o que a propaganda e o pessoal de vendas entendem como as características do produto, o desempenho e o nível de qualidade de serviço e o que a empresa pode entregar de verdade. Segundo, o da promessa exagerada que pode ser causada pelo pessoal de propaganda e vendas, avaliado pelos negócios gerados.

- *Gap 5 — O gap das percepções* é a diferença entre o que é realmente entregue e o que os clientes percebem como recebido (porque não conseguem avaliar com precisão a qualidade do serviço).

- *Gap 6 — O gap da qualidade de serviço* é a diferença entre o que os clientes esperam receber e suas percepções do serviço que foi entregue.

Nesse modelo, os números 1, 5 e 6 representam gaps externos entre o cliente e a organização. Os gaps 2, 3 e 4 são internos e ocorrem entre diferentes funções e departamentos.

Principais estratégias para eliminar gaps de qualidade de serviço

A existência de gaps em qualquer ponto do projeto e da entrega de serviço pode prejudicar os relacionamentos com os clientes. O de qualidade de serviço (número 6) é o mais importante; assim, o objetivo último da melhoria da qualidade é preencher ou reduzi-lo o máximo possível. Contudo, para conseguir isso, as organizações de serviço talvez precisem trabalhar em um ou mais dos outros cinco gaps apresentados na Figura 14.4. Melhorar a qualidade do serviço requer identificar as causas de cada gap e então desenvolver estratégias para preenchê-los.

A força do modelo de gaps é que ele oferece percepções e soluções genéricas aplicáveis em diferentes setores de serviços. Na Tabela 14.3 resumimos uma série de prescrições genéricas para preencher os seis gaps de qualidade. Essas prescrições são um bom ponto de partida para refletir sobre como preencher gaps específicos. É claro que cada empresa deve desenvolver sua própria abordagem customizada para assegurar que a qualidade de serviço torne-se e mantenha-se um objetivo fundamental.

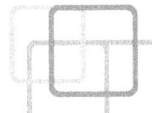

Medindo e melhorando a qualidade de serviço

Agora que compreendemos o modelo de gaps e as prescrições gerais sobre como preenchê-los, vamos discutir como usar métricas para direcionar nossos esforços de melhoria da qualidade de serviço. Costuma-se dizer que o que não é medido não é gerenciado. Sem métricas, os gerentes não podem saber se existem gaps de serviço e, muito menos, de quais tipos, onde existem e quais as potenciais ações corretivas que podem ser executadas. Além disso, é claro que é preciso medir para determinar se as metas de melhoria estão sendo alcançadas após a implementação das mudanças.

Métricas de qualidade de serviço tangíveis e intangíveis

Padrões e métricas de qualidade de serviço orientados para o cliente podem ser agrupados em duas categorias gerais: tangíveis e intangíveis. *Métricas intangíveis* (*soft measures*) não podem ser observadas diretamente e devem ser coletadas em conversas com clientes, funcionários e outros, para que eles verbalizem suas avaliações. Como observaram Valarie Zeithaml e Mary Jo Bitner: "Padrões intangíveis proporcionam aos funcionários diretrizes, orientação e retorno sobre modos de conseguir satisfação do cliente e podem ser quantificados medindo percepções e crenças deles".[9] O SERVQUAL (veja Apêndice 14.1) é um exemplo de sistema sofisticado de métrica intangível.

Padrões e métricas tangíveis (*hard measures*) são relacionados com características e atividades que podem ser obtidas diretamente, contadas, cronometradas ou medidas por meio de instrumentos. Exemplos dessas medições podem ser quantas ligações telefônicas foram

Tabela 14.3 Prescrições para preencher gaps de qualidade de serviço

Tipos de gap de qualidade	Soluções propostas
Gap 1 — o gap do conhecimento	*Eduque a gerência para que ela saiba o que os clientes esperam:* > refine procedimentos de pesquisa de mercado, incluindo elaboração de questionários e entrevistas, amostragem e implementação de campo, e repita as pesquisas de vez em quando; > implante um sistema eficaz de *feedback* de clientes que inclua pesquisa de satisfação, análise de reclamações e painéis de clientes; > aumente as interações diretas entre gerentes e clientes; > facilite e estimule a comunicação entre o pessoal de atendimento e a gerência.

Gap 2 — o gap da política	*Estabeleça os processos corretos de serviço e especifique padrões.*
	> Acerte os processos de atendimento ao cliente:
	   > utilize um processo rigoroso, sistemático e centrado no cliente para planejar e replanejar processos de serviço ao cliente;
	   > padronize tarefas repetitivas de modo a garantir consistência e confiabilidade, substituindo tecnologia tangível por contato humano e melhorando métodos de trabalho (tecnologia intangível);
	> Desenvolva categorias de serviços que atendam às expectativas dos clientes:
	   > considere tipos de produto *premium*, padrão e econômico para permitir a autossegmentação de clientes de acordo com suas necessidades;
	   > ofereça a clientes níveis diferentes de serviço a preços diferentes.
	> Estabeleça, comunique e reforce padrões mensuráveis de serviço orientado ao cliente para todas as unidades de trabalho:
	   > para cada etapa da entrega de serviço, estabeleça um conjunto de metas claras de qualidade de serviço desafiadoras, realistas e explicitamente elaboradas para satisfazer às expectativas dos clientes;
	   > assegure que os funcionários compreendam e aceitem metas, padrões e prioridades.

Gap 3 — o gap da entrega	*Assegure que o desempenho de serviço cumpra os padrões.*
	> Esforce-se para que as equipes de atendimento ao cliente estejam motivadas e sejam capazes de seguir os padrões de serviço:
	   > aprimore o processo de recrutamento com foco no ajuste funcionário-cargo;
	   > selecione funcionários de acordo com as competências e habilidades necessárias para desempenhar bem uma função;
	   > treine funcionários nas habilidades técnicas e humanas necessárias para desempenhar suas tarefas com eficácia, incluindo habilidades interpessoais, sobretudo para lidar com clientes sob condições estressantes;
	   > deixe claro o papel dos funcionários e assegure que eles compreendam como suas funções contribuem para a satisfação do cliente; informe-os sobre as expectativas dos clientes, suas percepções e problemas;
	   > forme equipes multifuncionais que possam oferecer entrega de serviço centrada no cliente e resolução de problemas;
	   > delegue autonomia a gerentes e funcionários de campo, passando o poder decisório para os níveis mais baixos da hierarquia;
	   > meça o desempenho: ofereça *feedback* constante e recompense o desempenho de equipes bem como o individual de funcionários e gerentes pelo atingimento de metas.
	> Instale a tecnologia, os equipamentos, os processos de suporte e a capacidade corretos:
	   > selecione as tecnologias e os equipamentos mais adequados para aumento de desempenho;
	   > assegure que funcionários que ocupam cargos de suporte interno prestem bom serviço para seu próprio cliente interno, o pessoal de linha de frente;
	   > equilibre demanda e capacidade produtiva.
	> Oriente os clientes para qualidade de serviço:
	   > eduque-os para que possam desempenhar seus papéis e responsabilidades na entrega de serviços.

Gap 4 — o gap das comunicações	*Preencha o gap de comunicações internas assegurando que as promessas da comunicação sejam realistas e corretamente compreendidas pelos clientes.*
	> Treine os gerentes responsáveis por vendas e comunicações de marketing em competências operacionais:
	   > busque insumos com o pessoal de linha de frente e de operações para a criação de novos programas de propaganda;
	   > apresente uma versão prévia dos anúncios aos fornecedores de serviços antes de exibi-los aos clientes;
	   > faça o pessoal de vendas envolver o pessoal de operações em encontros face a face com clientes;
	   > desenvolva campanhas internas educacionais, motivacionais e publicitárias para fortalecer vínculos entre departamentos de marketing, de operações e de recursos humanos e para padronizar a entrega de serviço em diferentes locais.
	> Garanta que o conteúdo da propaganda gere expectativas realistas nos clientes.
	> Seja específico quanto a promessas e monitore o entendimento dos clientes quanto ao conteúdo da comunicação:
	   > faça pré-teste de anúncios publicitários, folhetos, roteiros de telemarketing e conteúdo de sites antes da divulgação externa, para verificar se o público-alvo interpretará cada peça como a empresa pretende [caso contrário, revise e repita o teste]. Certifique-se de que o conteúdo da propaganda reflita com precisão as características de serviços mais importantes para os clientes em seus encontros com a organização. Gerencie as expectativas dos clientes permitindo que eles saibam o que é e o que não é possível e por quê;
	   > identifique e explique em tempo real as razões de deficiências no desempenho de serviço, realçando aquelas que escapam ao controle da empresa;
	   > documente antecipadamente as tarefas e as garantias de desempenho que estão incluídas em um acordo ou contrato. Após a conclusão do trabalho, explique o que foi executado em relação à fatura.

Gap 5 — o gap das percepções	*Tangibilize e comunique a qualidade de serviço entregue.*
	> Torne a qualidade de serviço tangível e comunique aquela efetivamente entregue:
	   > desenvolva ambientes de serviço e evidências físicas que sejam compatíveis com o nível de serviço prestado;
	   > para serviços complexos e credenciados, mantenha os clientes informados durante a entrega do serviço sobre o que está sendo feito e forneça explicações após a entrega para que os clientes possam apreciar a qualidade do serviço recebido;
	   > forneça evidência física (por exemplo, em consertos, mostre aos clientes os componentes danificados que foram removidos).

Gap 6 — o gap da qualidade de serviço	Preencha os gaps de 1 a 5 para satisfazer de modo consistente as expectativas dos clientes. O gap 6 é o resultado acumulado de todas as anteriores. Será preenchida quando as de número 1 a 5 tiverem sido atendidas.

Fontes: Adaptado de V. A. Zeithaml, A. Parasuraman e L. L. Berry. *Delivering quality service: balancing customer perceptions and expectations.* Nova York: The Free Press; V. A. Zeithaml, M. J. Bitner, M. J. e D. Gremler (2006). *Services marketing: integrating customer focus across the firm.* 5 ed. Nova York: McGraw-Hill, 2009, Capítulo 2. As demais prescrições foram desenvolvidas pelos autores.

interrompidas enquanto os clientes esperavam na linha, quantos pedidos foram preenchidos corretamente, o tempo necessário para concluir uma tarefa, quantos minutos os clientes esperaram em fila em algum estágio da entrega de serviço, quantos trens chegaram atrasados e quantas bagagens foram extraviadas. A determinação de padrões costuma referir-se à porcentagem de ocasiões em que determinada métrica foi alcançada. O desafio para profissionais de marketing de serviços é garantir que as métricas operacionais de qualidade reflitam insumos do cliente. O cliente deve ser a principal fonte de parâmetro para o desempenho do serviço.

Organizações conhecidas por excelência em serviço utilizam tanto métricas tangíveis quanto intangíveis. Elas sabem ouvir bem seus clientes, assim como seus funcionários de contato com clientes. Quanto maior a organização, mais importante é criar programas de *feedback* formalizados com vários procedimentos de pesquisa elaborados e implementados profissionalmente.

Apresentaremos uma abrangente análise das métricas intangíveis na próxima seção sobre *feedback* de clientes, seguida por uma seção sobre métricas tangíveis.

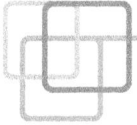

Aprendendo com o *feedback* de clientes[10]

Como as empresas podem medir seu desempenho em comparação com padrões intangíveis de qualidade de serviço? Segundo Leonard Berry e A. Parasuraman:

> As empresas precisam estabelecer sistemas contínuos de escuta utilizando vários métodos para diferentes grupos de clientes. Um estudo isolado da qualidade de serviço é um instantâneo tirado em certo ponto no tempo e de um ângulo particular. Percepção mais profunda e tomada de decisão mais informada resultam de uma série contínua de instantâneos tirados de vários ângulos e utilizando lentes diferentes, que formam a essência da escuta sistemática.[11]

Nesta seção, discutimos como o *feedback* de clientes pode ser coletado, analisado e disseminado por meio de um sistema institucionalizado (CFS, do inglês, *customer feedback system*) para atingir aprendizagem orientada ao cliente e melhorias de serviço.[12]

Principais objetivos de sistemas eficazes de *feedback* de clientes

"Não são as espécies mais fortes que sobrevivem, nem as mais inteligentes, mas aquelas mais adaptáveis às mudanças", escreveu Charles Darwin. De modo análogo, muitos estrategistas concluíram que, em mercados cada vez mais competitivos, a vantagem suprema para uma empresa é aprender a mudar antes da concorrência.[13] Sistemas eficazes de *feedback* facilitam a aprendizagem rápida. Os objetivos específicos desses sistemas costumam recair em três categorias principais.

1. **Avaliação e *benchmarking* de qualidade e desempenho de serviço.** O objetivo é responder à pergunta: 'Qual é o nível de satisfação dos clientes?'. Trata-se de aprender sobre o nível de desempenho de uma empresa em comparação com seus principais concorrentes e em relação ao ano (trimestre ou mês) anterior, se os investimentos em aspectos do serviço compensaram no tocante à satisfação do cliente e onde a empresa pretende estar no ano seguinte. Em geral, um objetivo de comparação com outras unidades (filiais, equipes, produtos de serviço, concorrentes) consiste em motivar gerentes e equipe a melhorar o desempenho, sobretudo quando os resultados são associados a alguma forma de compensação.

    O *benchmarking* não precisa ser feito com empresas do mesmo setor. A Southwest Airlines aprendeu com os *pit stops* da Fórmula 1 como agilizar o reabastecimento de aviões; a Pizza Hut com a Federal Express sobre entrega pontual; e a Ikea analisou o serviço militar quanto à excelência em coordenação e gestão logística.

2. **Aprendizagem e melhorias direcionadas aos clientes.** Aqui, o objetivo é responder às perguntas: 'O que deixa nossos clientes felizes ou infelizes?', 'Quais são os pontos fortes que desejamos sedimentar?' e 'Quais as fraquezas que necessitamos melhorar?'. Para isso, exigem-se informações detalhadas sobre processos e produtos para guiar os esforços de melhoria de serviço e identificar áreas com retornos potencialmente altos para investimentos em qualidade.

3. **Criação de uma cultura de serviço orientada ao cliente.** Esse objetivo refere-se ao foco da organização às necessidades e à satisfação de clientes, além de mobilizar toda a empresa para uma cultura de qualidade em serviços.

Desses três objetivos, as empresas parecem estar bem no primeiro, mas costumam perder grandes oportunidades nos outros dois. Neil Morgan, Eugene Anderson e Vikas Mittal concluíram em sua pesquisa sobre o uso das informações sobre satisfação de clientes (CSIU, do inglês, *customer satisfaction information usage*) o seguinte:

Muitas empresas de nossa amostra não parecem colher significativos benefícios da aprendizagem focada nos clientes, extraída de seus sistemas de SC [satisfação do cliente], porque eles são planejados para servir como mecanismo de controle [isto é, nossa availiação ou *benchmarking*]... [As empresas] podem tirar proveito da reavaliação de como aplicam os recursos disponíveis de CSIU. A maior parte desses recursos... é consumida na coleta de dados de SC. Isso geralmente faz restarem poucos recursos para análise, disseminação e utilização da informação e obtenção do pleno potencial de retorno do investimento em coleta de dados.[14]

Utilize uma combinação de ferramentas de coleta de *feedback* de clientes

Renée Fleming, soprano norte-americana de bela voz, disse certa vez: "Nós, cantores, infelizmente não podemos nos ouvir cantar. Você soa totalmente diferente para si mesmo. Precisamos dos ouvidos dos outros — de fora...". Assim também as empresas necessitam ouvir a voz do cliente. A Tabela 14.4 fornece uma visão geral das ferramentas de *feedback* mais comuns e sua capacidade de atender a vários requisitos. Cientes de que cada ferramenta possui vantagens e desvantagens, os profissionais de marketing devem selecionar a combinação que produza a informação necessária. Como Leonard Berry e Parasuraman observaram, "Combinar abordagens habilita uma empresa a explorar os pontos fortes de cada uma e compensar os pontos fracos".[15]

Panorama de serviços 14.1

Preocupações com qualidade e produtividade

O grau de competitividade em um mercado tem grande influência na forma como as empresas buscam com maior esforço vantagens competitivas sustentáveis. Quando o mercado não possui concorrentes, a empresa pioneira pode escolher entre duas estratégias: fixar preços altos e desnatar o mercado, reduzindo o preço conforme os que estão dispostos a pagar mais vão sendo atendidos, ou ter preços mais acessíveis e conquistar o mercado, antes que outros possam entrar. As empresas que se instalarem depois já terão como referência a pioneira e deverão oferecer mais qualidade e valor para poderem competir. Isso ocorreu da Revolução Industrial até o período após a Segunda Guerra Mundial, com empresas que desenvolveram processos de grande produtividade e qualidade razoável e que vendiam grandes quantidades em mercados diversos. Nesse período, para conquistar o mercado, bastavam a produção, para ter o que entregar, e a logística, para ter como entregar. Assim, os gerentes ligados a essas áreas estavam entre os executivos mais valorizados e bem pagos no mercado. Pesquisadores como Juran e Demingo não foram valorizados em seu país, os Estados Unidos, quando propuseram teorias de melhoria de qualidade, já que o país tinha amplo mercado em todo o mundo para se expandir. As empresas, desde 1945, utilizavam o controle estatístico de qualidade, avaliando-a com base em amostras do produto final. A amostragem pressupõe um erro estatístico, que era considerado aceitável para o padrão de qualidade da época.

Foi no Japão pós-guerra, que precisava reconstruir sua economia após a derrota, que seus conceitos forneceram a base competitiva para as empresas enfrentarem as norte-americanas. A opção estratégica foi oferecer qualidade superior, com base em livros como *Quality control handbook*, de Juran, publicado em 1951. Juran afirmou que qualidade é o desempenho do produto, sem defeitos, que gera satisfação ao cliente. Os produtos concorrentes na época tinham certo nível de qualidade, mas defeitos eram comuns. Juran identificou que o resultado final é o acúmulo da qualidade em cada etapa do processo e que, para que o cliente receba um produto satisfatório e sem defeito, todo o processo, desde o início, deve visar à eliminação de defeitos e à oferta da satisfação final. Para melhorar a qualidade, a empresa deve ter três preocupações: 1) planejamento, definindo as metas desejadas e as formas de obtê-las, 2) controle, verificando se as metas foram atingidas e 3) melhoria, identificando formas de melhorar a qualidade existente para se aproximar na satisfação das necessidades do consumidor.

Deming definiu sua nova filosofia de melhoria de qualidade em 14 princípios, que visam à redução das incertezas e variações no processo produtivo:

1. crie a constância de propósitos;
2. adote uma nova filosofia;
3. cesse a dependência da inspeção;
4. não selecione fornecedores com base apenas no preço;
5. melhore constantemente o sistema de produção e serviço;
6. institua o treinamento no trabalho;
7. institua a liderança;
8. elimine o medo;
9. rompa as barreiras interdepartamentais;
10. elimine slogans e exortações aos empregados;
11. elimine cotas ou padrões de trabalho;
12. remova as barreiras ao orgulho da execução;
13. institua um programa de educação e autoaperfeiçoamento;
14. execute as ações para a transformação.

Esses pontos visam criar uma nova cultura de qualidade, em que a satisfação é responsabilidade de todos os envolvidos, que passam a ter autoridade e responsabilidade e recebem treinamento e desenvolvimento de liderança para assumir as decisões necessárias à obtenção das metas finais (baseadas nas necessidades do cliente).

Em 1960, Philip Crosby propõe o sistema de gestão de qualidade Defeito Zero, onde se busca fazer certo da primeira vez, da maneira mais rápida, adequada, flexível e de menor custo.

Os Círculos de Controle da Qualidade foram desenvolvidos por Kaoru Ishikawa em 1962; trata-se de pequenos grupos dos envolvidos que se reúnem periodicamente para discutir problemas e alternativas de solução.

Em 1980, Juran, Ishikawa e Deming desenvolveram o sistema de Controle Total de Qualidade, em que a qualidade passa a ser responsabilidade de toda a empresa.

Outros marcos na evolução dos sistemas de qualidade são a criação, em 1987, do Prêmio Nacional da Qualidade Malcolm Baldridge, nos Estados Unidos, para as empresas que conseguiram entregar a seus clientes os mais altos padrões de qualidade, e a adoção da norma inglesa BS 5750 como padrão internacional de qualidade, como a ISO 9000. Essa norma estabelece padrões para a certificação de sistemas de garantia da qualidade de produtos e serviços, e foi subdividida, de acordo com o tipo de empresa onde é aplicada, em ISO 9001, ISO 9002 e ISO 9003. Ela teve novas versões em 1994, 2000, 2005 e 2008.

Levantamentos do mercado total, anuais e transacionais. Medem a satisfação com todos os principais processos de serviços e produtos.[16] Em geral, o nível de medição dá-se em alto nível, com o objetivo de obter um índice ou indicador global de satisfação geral com o serviço para a empresa como um todo. Isso pode basear-se em dados indexados (isto é, com uso de várias classificações de atributos) e/ou ponderados (por segmentos e/ou produtos principais).

Índices gerais revelam o nível de satisfação dos clientes, mas não o motivo de estarem (ou não) satisfeitos. Há limites para o número de perguntas sobre cada processo ou produto. Assim, um banco de varejo normal tem cerca de 30 a 50 processos principais de serviços (de financiamento de automóveis a depósitos em dinheiro no caixa). Por causa desse número, muitos levantamentos comportam apenas uma ou duas perguntas por processo (por exemplo, 'Qual é o seu nível de satisfação com nosso serviço de caixas eletrônicos?') e não podem abordar as questões em detalhes.

Em contraposição, *levantamentos transacionais*, também chamados de levantamentos de interceptação, costumam ser realizados após clientes terem concluído uma transação (Figura 14.5). Nesse ponto, se houver tempo, eles podem ser inquiridos com profundidade sobre o processo. No caso do banco, todos os principais atributos e aspectos dos serviços de caixa eletrônico poderiam ser incluídos no levantamento, abrangendo algumas perguntas abertas como 'gostou mais', 'gostou menos' e 'melhorias sugeridas'. Tal *feedback* é mais acionável, pode revelar à empresa por que os clientes estão satisfeitos ou não com o processo e em geral provê *insights* sobre como melhorar a satisfação do cliente.

Os três tipos de levantamento são representativos e confiáveis quando planejados adequadamente. Representatividade e confiabilidade são necessárias para:

1. avaliações precisas de onde está a empresa (ou um processo, filial, equipe ou indivíduo) em relação a metas de qualidade. Ter uma amostra representativa e confiável significa que variações observadas em classificações de qualidade não resultam de viés de amostragem e/ou erro randômico;

2. avaliações de cada funcionário de atendimento, equipe de entrega de serviço, filial e/ou processo, sobretudo quando planos de incentivo são vinculados a tais métricas. A metodologia deve ser impermeável, caso a equipe deva confiar nos resultados e aceitá-los, em especial quando os levantamentos trazem más notícias.

Tabela 14.4 Pontos fortes e fracos das principais ferramentas de coleta de *feedback* de clientes

Ferramentas de coleta	Nível de mensuração			Acionável	Representativo, confiável	Potencial para recuperação de serviço	Aprendizagem em primeira mão	Eficácia de custo
	Empresa	Processo	Específico de transação					
Levantamento de mercado total (incluindo concorrentes)	●	○	○	○	●	○	○	○
Levantamento anual sobre satisfação geral	●	◐	○	○	●	○	○	○
Levantamento transacional	●	●	◐	◐	●	○	○	○
Cartões de *feedback* de serviços	◐	●	●	◐	◐	●	◐	●
Comprador misterioso	○	◐	●	●	○	○	◐	○
Feedback espontâneo (por exemplo, reclamações)	○	◐	●	●	○	●	◐	●
Grupos de discussão	○	◐	●	●	○	◐	●	◐
Revisões de serviços	○	◐	●	●	○	●	●	◐

Legenda: ● atende aos requisitos plenamente; ◐ moderadamente; ○ raramente.
Fonte: Adaptado de Jochen Wirtz e Monica Tomlin, "Institutionalizing customer-driven learning through fully integrated customer *feedback* systems", *Managing Service Quality*, 10, n. 4, 2000, p. 210. © 2000 MCB UP Ltd. Usado com permissão de Emerald Publishing Group.

Figura 14.5 Levantamentos transacionais costumam ser conduzidos após a entrega dos serviços

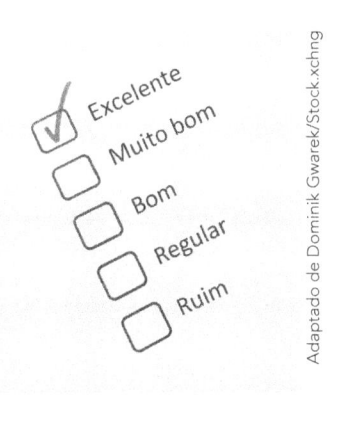

Adaptado de Dominik Gwarek/Stock.xchng

O potencial de recuperação de serviço é importante e deve ser incorporado a ferramentas de coleta de *feedback*. Entretanto, muitos levantamentos prometem anonimato, impossibilitando identificar e responder a entrevistados insatisfeitos. Em contatos pessoais ou por telefone, os entrevistadores podem perguntar aos clientes se eles gostariam que a empresa os procurasse para tratar de pontos de insatisfação.

Cartões de *feedback* de serviços. Consiste em entregar aos clientes um cartão de *feedback* (ou um formulário *pop-up* em um site, e-mail ou SMS) após a conclusão de um importante processo de serviço e solicitar que o devolvam por correio, ou outro meio, para uma central. Um cartão de *feedback* pode ser anexado a toda carta de aprovação de crédito imobiliário ou fatura hospitalar. Esses cartões são um bom indicador da qualidade do processo e proporcionam retorno específico sobre o que funciona bem e o que nem tanto. Todavia, clientes que estão encantados ou muito insatisfeitos tendem a ser desproporcionalmente representados entre os entrevistados, o que afeta a confiabilidade e a representatividade dessa ferramenta.

Comprador misterioso. Com frequência, empresas de serviços usam 'compradores misteriosos' para verificar se a equipe de atendimento se comporta como deveria (veja a seção Panorama de serviços 14.2). Bancos, lojas de varejo, locadoras de automóveis e hotéis estão entre os setores que usam a ferramenta. Centrais de reservas de uma rede global de hotéis contratam um levantamento mensal em grande escala com chamadas de compradores misteriosos, para avaliar as habilidades de cada funcionário no processo de vendas por telefone. São medidas ações como o correto posicionamento de vários produtos, vendas de atualizações de produtos ou vendas cruzadas e fechamento do negócio. Avalia-se também a qualidade da conversa telefônica em dimensões como 'uma saudação calorosa e amistosa' e 'estabelecer conexão com o cliente que liga'. O uso de compradores misteriosos provê *insights* acionáveis e profundos para fins de aconselhamento, treinamento e avaliação de desempenho.

Como o número de chamadas ou visitas de compradores misteriosos costuma ser pequeno, nenhum levantamento individual é confiável ou representativo. Entretanto, se um membro da equipe em particular tem bom (ou mau) desempenho em meses sucessivos, os gerentes podem inferir com razoável certeza que o desempenho dessa pessoa é realmente bom (ou mau).

***Feedback* espontâneo.** Reclamações, elogios e sugestões de clientes podem ser transformados em um fluxo de informações, que pode ser utilizado para ajudar a monitorar qualidade e realçar melhorias necessárias ao projeto e à entrega de serviços. Reclamações e elogios constituem fontes ricas de *feedback* detalhado sobre o que desagrada aos clientes e o que os encanta.

Assim como os cartões, o *feedback* espontâneo não é uma métrica confiável de satisfação geral do cliente, mas constitui uma boa fonte de ideias de melhoria. Se o objetivo de coletar *feedback* é principalmente obter retorno sobre o que deve ser aprimorado (em vez de fazer *benchmarking* e/ou avaliar funcionários), confiabilidade e representatividade não são necessárias, e ferramentas mais qualitativas — como reclamações/elogios ou grupos de discussão — geralmente bastam.

Cartas detalhadas de reclamação ou elogio podem servir como uma ferramenta para comunicar internamente o que os clientes desejam e capacitar funcionários e gerentes em todos os níveis a 'ouvir' os clientes em primeira mão. Essa aprendizagem é muito mais poderosa para modelar o pensamento e a orientação ao cliente da equipe do que usar estatísticas 'clínicas' e relatórios.

A Singapore Airlines, por exemplo, divulga trechos de cartas de reclamações e elogios em sua revista interna, *Outlook*. A companhia exibe vídeos com cenas de *feedback* de clientes em sessões de treinamento da equipe de atendimento. Ver clientes reais fazendo comentários (positivos ou negativos) sobre seu serviço deixa uma impressão muito mais profunda e duradoura na equipe do que qualquer análise estatística.

Para que reclamações, sugestões e consultas sejam úteis como insumos de pesquisa, elas devem ser canalizadas para um ponto de coleta, registradas, classificadas e analisadas.[17] Isso requer um sistema que capture o *feedback* onde ele for fornecido e em seguida o reporte a uma unidade central. É importante o atendimento ser centralizado, para que os procedimentos sejam os mesmos para todas as reclamações. Algumas empresas usam um site simples de Intranet para registrar todos os retornos recebidos por qualquer membro da equipe. Coordenar essa atividade não é tarefa fácil, por causa dos muitos pontos de entrada

Panorama de serviços 14.2

O cliente como inspetor de controle de qualidade?

Comprador misterioso é um bom método para verificar se os funcionários de linha de frente apresentam os comportamentos desejáveis e treinados e seguem procedimentos de serviço específicos sem usar levantamentos de clientes para isso. Ron Kaufman, fundador do Up Your Service! College, descreve uma recente experiência de serviço:

"Fizemos uma excelente viagem no carro do hotel que nos apanhou no aeroporto. O motorista era muito cordial; ele nos deu água gelada e um lenço umedecido refrescante. Perguntou que tipo de música gostaríamos de ouvir, conversou conosco sobre o clima e ajustou o ar-condicionado a uma temperatura agradável para nós. Seu sorriso e boa-vontade nos envolveu e eu gostei disso!

No hotel, preenchi a ficha de registro de hóspede e entreguei meu cartão de crédito. Então o funcionário da recepção me deu outro formulário para preencher. No formulário estava escrito:

Levantamento sobre o serviço de limusine

Para garantirmos a devida aplicação de nossos padrões de qualidade, valorizamos seu *feedback* sobre nosso serviço de limusine:

1. Você foi cumprimentado por nosso representante no aeroporto?	SIM/NÃO
2. Ele lhe ofereceu um lenço refrescante?	SIM/NÃO
3. Ele lhe ofereceu água gelada?	SIM/NÃO
4. Havia uma seleção de músicas disponível?	SIM/NÃO
5. O motorista consultou-o sobre o ar-condicionado?	SIM/NÃO
6. O motorista dirigiu a uma velocidade segura?	SIM/NÃO

Nº do quarto:_____ Nº da limusine:_____ Data:_____

Kaufman prossegue: "Enquanto eu lia o formulário, toda boa sensação que sentia foi desaparecendo. De repente o entusiasmo do motorista pareceu uma farsa. Sua preocupação com nosso bem-estar era apenas um *checklist* de ações a seguir. Suas boas maneiras somente um ato padrão, não uma conexão genuína com seus clientes. Senti-me como o 'inspetor de controle de qualidade' do hotel, e não gostei disso. Se o hotel quer saber minha opinião, faça de mim um conselheiro, não um inspetor. Pergunte-me: Do que mais gostou do trajeto do aeroporto até o hotel? (Eu teria comentado sobre seu excelente motorista.) O que mais podemos fazer para tornar esse trajeto ainda mais agradável? (Eu teria recomendado que oferecessem o uso de um telefone celular)."

Fonte: © 2009 Ron Kaufman. Usado com permissão.

— incluindo os funcionários de linha de frente (que têm contato com clientes pessoalmente, por telefone correspondência ou e-mail), intermediários que atuem em nome do fornecedor original e gerentes que trabalham de costume nos bastidores, mas são contatados por clientes que queiram falar com um funcionário de maior autoridade.

Grupos de discussão e revisões de serviços. Ambas as ferramentas fornecem *insights* muito relevantes sobre potenciais melhorias e ideias de serviços. É comum que grupos de discussão sejam organizados por segmentos de clientes ou grupos de usuários mais significativos para detalhar suas necessidades. Revisões de serviço são entrevistas profundas e individuais, geralmente conduzidas uma vez por ano com os clientes mais valiosos de uma empresa. Em geral, um alto executivo visita clientes e discute com eles questões como o nível de desempenho da empresa no ano anterior e o que deve ser mantido ou modificado. Em seguida, volta para a empresa e expõe a seus gerentes de conta o *feedback*, para juntos escreverem uma carta de retorno ao cliente, detalhando como a empresa atenderá às necessidades dele e como a conta será gerenciada no próximo ano.

Além de proporcionar uma excelente oportunidade de aprendizagem (sobretudo quando as revisões de todos os clientes são compiladas e analisadas), as revisões de serviço focalizam a retenção dos clientes mais valiosos e apresentam alto potencial de recuperação de serviço.

Análise, relatório e disseminação de *feedback* de clientes

Selecionar as ferramentas relevantes de *feedback* e coletá-lo de clientes serão ações inócuas se a empresa não disseminar as informações às partes envolvidas para tomada de ação. Portanto, para fomentar melhoria e aprendizagem contínuas, um sistema de relato deve entregar *feedback* e sua análise à equipe de linha de frente, aos donos de processos, aos gerentes de filiais ou departamentos e à alta gerência.

O repasse para a equipe de contato com o cliente deve ser imediato; muitas empresas discutem elogios e sugestões com a equipe em uma reunião diária. Todos os contatos devem ser logo processados para que as ações necessárias sejam tomadas com rapidez. Recomendamos ainda três relatórios para prover a informação necessária à gestão do serviço e à aprendizagem da equipe:

1. uma *atualização de desempenho de serviço* mensal fornece aos responsáveis, por processos, um *feedback* em tempo hábil sobre comentários de clientes e o desempenho do processo operacional. Nesse caso, o *feedback* literal é passado ao gerente do processo, que pode discuti-lo com suas equipes;

2. uma *revisão de desempenho de serviço* trimestral oferece aos responsáveis, por processos, e a gerentes de filiais ou departamentos as tendências em desempenho de processo e qualidade de serviço;

3. um *relatório de desempenho de serviço* anual dá à alta gerência uma avaliação representativa do *status* e das tendências de longo prazo da satisfação dos clientes com os serviços oferecidos pela empresa.

Tais relatórios devem ser breves e descomplicados, focar os principais indicadores e proporcionar um comentário de fácil compreensão para as pessoas tomarem as devidas ações.

Métricas tangíveis de qualidade de serviço

Após aprender sobre as várias ferramentas para coletar métricas intangíveis de qualidade de serviço, vamos explorar em detalhes as tangíveis. Estas se referem a resultados ou processos operacionais e incluem dados como tempo útil (de operação), tempos de resposta de serviço, taxas de falha e custos de entrega. Em operações de serviço complexas, serão registradas várias medições de qualidade de serviço em muitos pontos diferentes. Em serviços de baixo contato, nos quais os clientes não estão profundamente envolvidos no processo de entrega, muitas medições operacionais aplicam-se a atividades de bastidores que provocam nos clientes um efeito apenas secundário.

A FedEx foi uma das primeiras a entender a necessidade de um índice de qualidade de serviços no âmbito da empresa, que englobasse todas as atividades fundamentais que causassem impacto nos clientes. Seus gerentes de alto escalão esperavam que, com a divulgação frequente de um único índice composto, todos os funcionários se esforçassem para melhorar a qualidade. A empresa reconhecia o perigo de usar porcentagens como metas, porque elas poderiam levar à acomodação. Em uma organização do porte da FedEx, que expede milhões de encomendas por dia, até mesmo entregar 99 por cento das encomendas no prazo ou conseguir que 99,9 por cento dos voos chegassem com segurança levaria a tremendos problemas. Em vez disso, a alta administração decidiu abordar a medição da qualidade a partir de uma linha de base correspondente à falha zero. Como observou um dos executivos:

> É somente quando você examina os tipos de falha, a quantidade de ocorrências de cada uma delas e as razões por que ocorrem que você começa a melhorar a qualidade de seu serviço. Para nós, o truque foi expressar falhas de qualidade em números absolutos. Isso nos levou a desenvolver

Novas ideias em pesquisa 14.1

Eficácia ou eficiência?

A gestão da produtividade implica usar melhor os recursos disponíveis. Aumentar a produtividade representa usar mais as mesmas unidades de produção, ou usar menos unidades produtivas na mesma tarefa. Mas a produtividade não deve ser um fim em si mesma e, para aprofundar a questão, é importante compreender os conceitos de eficácia e eficiência. Definimos *eficiência* como o atingimento ou a superação de um padrão preestabelecido. Um processo eficiente é o que atende às expectativas predeterminadas. Não importa se o padrão está correto ou não: para ser eficiente basta atingir o que foi determinado. Definimos *eficácia* como a capacidade de atender aos objetivos finais da empresa. Atingidos ou não os padrões predeterminados, o processo atende a seus objetivos. O ideal em um processo, portanto, é que eficácia e eficiência sejam ambas atendidas. Os processos devem ser eficientes, alcançando padrões que garantam a eficácia, ou atendimento dos objetivos gerais da empresa. Se não estiverem ligados, a empresa terá perdas. Se para ser eficaz não é preciso ser eficiente, há desperdício de recursos; e se o processo é eficiente mas não eficaz, os objetivos finais de satisfação do cliente não serão atendidos, e os recursos terão sido usados de forma inadequada. Assim, todo processo de produtividade deve considerar os dois conceitos — estabelecer o que é necessário para ser eficaz, usando os recursos de forma eficiente. Com base nessas definições, as empresas de serviços podem analisar seus insumos — recursos físicos, humanos, técnicos, financeiros — e como utilizá-los para gerar satisfação do cliente.

Em serviços, principalmente os que envolvem o processamento de pessoas, pode ser difícil identificar todos os recursos envolvidos, considerando a participação do cliente na coprodução de muitos deles. Nos casos em que o uso de mão de obra é intensivo, os custos de salários e benefícios podem ser altos, e a seleção e treinamento do pessoal mais adequado podem ser gerar aumento de produtividade. Dependendo do setor, outros indicadores podem ser estabelecidos e avaliados.

Um setor com essas características que tem buscado aumentar a produtividade é o de saúde. No Brasil, o setor hospitalar é composto de mais de 70 mil estabelecimentos registrados na Anvisa, e a previsão é de que movimentem mais de 600 bilhões de dólares nos próximos dez anos. A forte concorrência, causada, em parte, pelo rápido crescimento do número de hospitais no início no século XXI — o que levou muitas cidades a terem uma oferta maior que a demanda — tem exercido pressão para melhoria da produtividade. Para controlá-la, o hospital deve estabelecer indicadores de produtividade cuja evolução possa medir e acompanhar.

No setor hospitalar, os custos de mão de obra representam em geral mais da metade do total e são o primeiro ponto de avaliação de produtividade, com eficiência e eficácia. Quase sempre se utiliza a relação de funcionários/leitos, que pode ser uma indicação de eficiência, mas não de eficácia (pois não avalia se o cliente está satisfeito). Diferentes segmentos de mercado podem ficar satisfeitos com maior ou menor número de funcionários, em função de preço e valor entregue, e indicadores como esses são pouco mais que meras curiosidades. O importante é o hospital determinar, para seu público-alvo, qual deve ser o nível que gere satisfação. Outros indicadores também devem ser avaliados com base no cliente. A média de permanência é a relação entre o total de pacientes-dia e o total de pacientes com alta. Se for grande, indica permanência longa do cliente, o que pode decorrer da especialidade médica, da preocupação maior de atendimento, ou da demora para a conclusão do tratamento. O índice de renovação ou rotatividade é a relação entre o número de saídas e número de leitos; pode indicar o grau de intensidade com que os recursos são utilizados pelo mesmo paciente, mas não se contribuíram para sua melhora.

O importante é acompanhar a evolução desses indicadores e relacioná-los com avaliações de satisfação, para identificar em cada caso qual nível de eficiência adequado leva à eficácia. Não basta buscar tornar o hospital mais produtivo pela redução do número de funcionários por leito ou dos índices de permanência e de renovação, mas sim identificar e manter, para cada segmento, os padrões que resultam em maior satisfação do cliente. A satisfação decorre da avaliação de valor recebido pelo custo incorrido, e clientes satisfeitos estão dispostos a pagar por acreditarem receber mais do que pagam. Mesmo na rede pública, o padrão deve ser a satisfação do paciente, e não o mero aumento da produtividade. O cliente também paga pelos serviços públicos, mediante taxas e impostos, e deve receber o serviço satisfatório, de acordo com sua avaliação. As entidades governamentais também devem avaliar constantemente a satisfação com os serviços médicos públicos e entregar serviços dentro de padrões adequados.

Entre os hospitais que atuam na saúde privada, podemos citar o Hospital São Luiz como exemplo de busca de produtividade com eficiência e eficácia. Em 1992, implantou seu programa de gestão de qualidade, envolvendo funcionários, clientes e fornecedores. Criou o Centro de Estudos São Luiz em 1996, para o desenvolvimento dos funcionários, foi certificado em 1999 pela ISO 9002 e em 2003 pela ISO 9001, versão 2000. Também promove com frequência palestras, *workshops* e cursos *in company* para seu pessoal.

o Índice de Qualidade de Serviço (SQI, do inglês, *Service Quality Index*) [pronuncia-se 'escái', como *sky* — céu, em inglês], que registra cada um dos 12 eventos diferentes que ocorrem todo dia, anota os números desses eventos e multiplica-os por um peso (...) baseado no nível de irritação causado — evidenciado pela tendência dos clientes de escreverem para a Federal Express reclamando dos eventos em questão.[18]

O projeto desse índice 'tangível' refletiu as descobertas de extensas pesquisas 'intangíveis' com consumidores. Adotando o ponto de vista dos clientes em relação às falhas de serviço, o SQI mede diariamente a ocorrência de 12 atividades que poderão provocar insatisfação. A cada atividade foi atribuído um peso que reflete a seriedade do evento para os clientes. O índice toma o número bruto de ocorrências diárias para cada evento e o multiplicando pelo peso correspondente para criar uma pontuação. Em seguida, as pontuações das 12 atividades são somadas para gerar o índice daquele dia (veja a seção Melhor prática em ação 14.1). Como no jogo de golfe, quanto mais baixo o índice, melhor o desempenho. Contudo, diferentemente do golfe, o SQI envolve números substanciais — em geral de seis dígitos — que refletem a imensa quantidade de encomendas despachadas diariamente. É determinada uma meta anual para o SQI médio diário, baseada na redução da ocorrência de falhas em relação ao total do ano anterior. Para garantir um foco contínuo sobre cada um dos componentes isolados do SQI, a FedEx montou uma equipe de qualidade (*Quality Action Teams*) para cada componente. As equipes foram encarregadas de entender e corrigir as principais causas subjacentes aos problemas. À luz de novas constatações de pesquisas, os componentes do SQI e seus pesos foram um pouco modificados ao longo do tempo a partir da versão mostrada aqui.

Melhor prática em ação 14.1

A abordagem da FedEx de ouvir a voz do cliente

"Acreditamos que a qualidade de serviço deva ser medida matematicamente", declarou Frederick W. Smith, presidente do conselho e CEO da FedEx Corporation. A empresa tem compromisso com metas claras de qualidade, monitoradas por mensuração contínua do progresso em relação a elas. Tal prática forma a base de sua abordagem à qualidade.

No início, a FedEx estabeleceu duas metas ambiciosas de qualidade: cem por cento de satisfação do cliente em toda interação e transação e cem por cento de desempenho em serviço em cada pacote manuseado. A satisfação do cliente era medida pela porcentagem de entregas pontuais. Entretanto, como se viu mais tarde, a porcentagem de entrega pontual era um padrão interno que não significava necessariamente satisfação do cliente.

Como havia catalogado de modo sistemático as reclamações de clientes, a empresa pôde desenvolver o que o CEO Smith chamou de 'Hierarquia dos Horrores', das oito queixas mais comuns: (1) entrega em data errada, (2) data certa, entrega atrasada, (3) coleta não efetuada, (4) pacote perdido, (5) cliente mal-informado, (6) erros de faturamento e documentação, (7) falha humana e (8) pacotes danificados. Essa lista foi a base sobre a qual a FedEx desenvolveu seu sistema de *feedback* de clientes.

A empresa refinou a lista de 'horrores' e desenvolveu o Índice de Qualidade de Serviço (SQI), uma métrica de satisfação e qualidade composta de 12 itens e baseada no ponto de vista do cliente. Pesos foram atribuídos a cada item com base em sua importância relativa na determinação da satisfação geral do cliente. Todos os itens são rastreados diariamente de modo que se pode computar um índice contínuo (ver Tabela 14.5).

Além do SQI, que foi modificado no decorrer do tempo para refletir mudanças em procedimentos, serviços e prioridades de clientes, a FedEx utiliza outros meios de capturar *feedback*.

Levantamento de satisfação do cliente — trimestralmente, é conduzido com milhares de clientes selecionados randomicamente e estratificados por seus principais segmentos. Os resultados são transmitidos à alta gerência em bases trimestrais.

Levantamento segmentado de satisfação do cliente — cobre processos específicos de atendimento ao cliente e é conduzido em bases semestrais com clientes que passaram por um dos processos específicos da FedEx nos últimos três meses.

Cartões de comentários do FedEx Center — coletados de cada loja FedEx, os resultados são tabulados duas vezes ao ano e transmitidos aos gerentes responsáveis pelas lojas.

Levantamentos de feedback *de clientes on-line* — a empresa patrocinou estudos periódicos para obter *feedback* de seus serviços on-line, como rastreamento de pacotes, assim como estudos *ad hoc* sobre novos produtos.

As informações dessas várias métricas de *feedback* ajudaram a FedEx a manter a liderança em seu setor e desempenharam um papel fundamental em sua premiação no prestigiado Malcolm Baldridge Nacional Quality Award.

Tabela 14.5 Composição do Índice de Qualidade de Serviço (SQI) da FedEx

Tipo de falha	Peso × nº de incidentes = pontos diários
Entrega atrasada — data certa	1
Entrega atrasada — data errada	5
Solicitações de rastreamento não atendidas	1
Reclamações reativadas	5
Comprovantes de entrega perdidos	1
Correções na fatura	1
Coletas não efetuadas	10
Pacotes perdidos	10
Pacotes danificados	10
Atrasos em voos (minutos)	5
Pacotes sem etiqueta	5
Chamadas abandonadas	1
Total de pontos de falha (SQI)	XXX,XXX

Fonte: Reproduzido de "The six sigma way", Peter Pande, Robert P. Neuman e Ronald R. Cavanagh. © 2000 McGraw-Hill Companies, Inc. Usado com permissão.

Fontes: "Blueprints for service quality: the Federal Express approach", *AMA Management Briefing*. Nova York: American Management Association, 1991, p. 51-64; Linda Rosencrance, "BetaSphere delivers FedEx some customer *feedback*", *Computerworld*, 14, n. 14, 2000, p. 36.

Gráficos de controle oferecem um método simples para apresentar o desempenho de métricas tangíveis ao longo do tempo em comparação com padrões de qualidade específicos. Os gráficos podem ser utilizados para monitorar e comunicar variáveis individuais ou um índice geral. Como são visuais, é fácil identificar tendências. A Figura 14.6 mostra o desempenho de uma companhia aérea referente ao importante padrão tangível de decolagens sem atraso. As tendências retratadas sugerem que essa questão precisa ser abordada pela gerência, pois o desempenho é inconstante e não muito satisfatório. É claro que a qualidade de gráficos de controle depende da qualidade dos dados nos quais eles se baseiam.

Ferramentas para analisar e tratar problemas de qualidade de serviço

Após avaliar a qualidade de serviço mediante métricas tangíveis e intangíveis, como podemos aprofundar a identificação das causas mais comuns de deficiências e tomar medidas corretivas? Quando um problema é causado por forças internas, controláveis, não há desculpa para que ele volte a ocorrer. Manter a boa vontade dos clientes

Figura 14.6 Gráfico de controle para atrasos em decolagens

[Gráfico de linhas mostrando a porcentagem de voos que decolam com atraso de até 15 minutos ao longo dos meses (J a D), variando de aproximadamente 65% em janeiro até um pico próximo a 95% em outubro, terminando em cerca de 80% em dezembro.]

após uma falha de serviço depende de cumprir promessas do tipo: 'Estamos tomando providências para que isso não ocorra novamente!'. Tendo a prevenção em mente, vamos examinar algumas ferramentas para determinar as principais causas de problemas de qualidade de serviço.

Análise das principais causas: o diagrama em espinha de peixe

A análise de causa e efeito usa uma técnica desenvolvida pela primeira vez pelo especialista em qualidade Kaoru Ishikawa. Grupos de gerentes e funcionários reúnem-se para discutir em detalhes todas as razões que poderiam causar um problema específico. Em seguida, os fatores resultantes são categorizados em um de cinco agrupamentos — equipamentos, mão de obra, materiais, procedimentos e outros — em um gráfico de causa e efeito conhecido como *diagrama em espinha de peixe*. Essa técnica vem sendo utilizada há muitos anos na indústria manufatureira e, há pouco tempo, em serviços.

Para ajustar o valor da análise para utilização em organizações de serviços, mostramos uma estrutura ampliada que compreende oito agrupamentos.[19] O de 'pessoas' foi dividido em linha de frente e bastidores para destacar que problemas de serviços na linha de frente muitas vezes são experimentados diretamente por clientes, ao passo que falhas de bastidores aparecem de maneira mais oblíqua, por meio de um efeito de propagação. 'Informação' foi desmembrada a partir de 'procedimentos', considerando que muitos problemas resultam de falhas de informação, em especial porque o pessoal de cena não informa aos clientes o que fazer e quando.

Na indústria manufatureira, clientes causam pouco impacto em processos operacionais, mas, em serviços de alto contato, eles são envolvidos em operações de cena. Se não desempenharem seus papéis corretamente, podem reduzir a produtividade de serviço e causar problemas de qualidade para si e para outros clientes. Uma decolagem pode ser atrasada se um passageiro tentar embarcar no último minuto com uma mala grande demais para levar na cabine e que precisa ser guardada no compartimento de carga. Um exemplo da espinha de peixe ampliada é mostrado na Figura 14.7, que apresenta 27 razões possíveis para atrasos em partidas de aviões de passageiros.[20]

Identificadas todas as principais causas potenciais, é necessário avaliar o impacto de cada uma nos atrasos ocorridos. Isso pode ser estabelecido por meio de contagens de frequência em combinação com análise de Pareto, que discutiremos a seguir.

Figura 14.7 Gráfico de causa e efeito para atrasos em voos

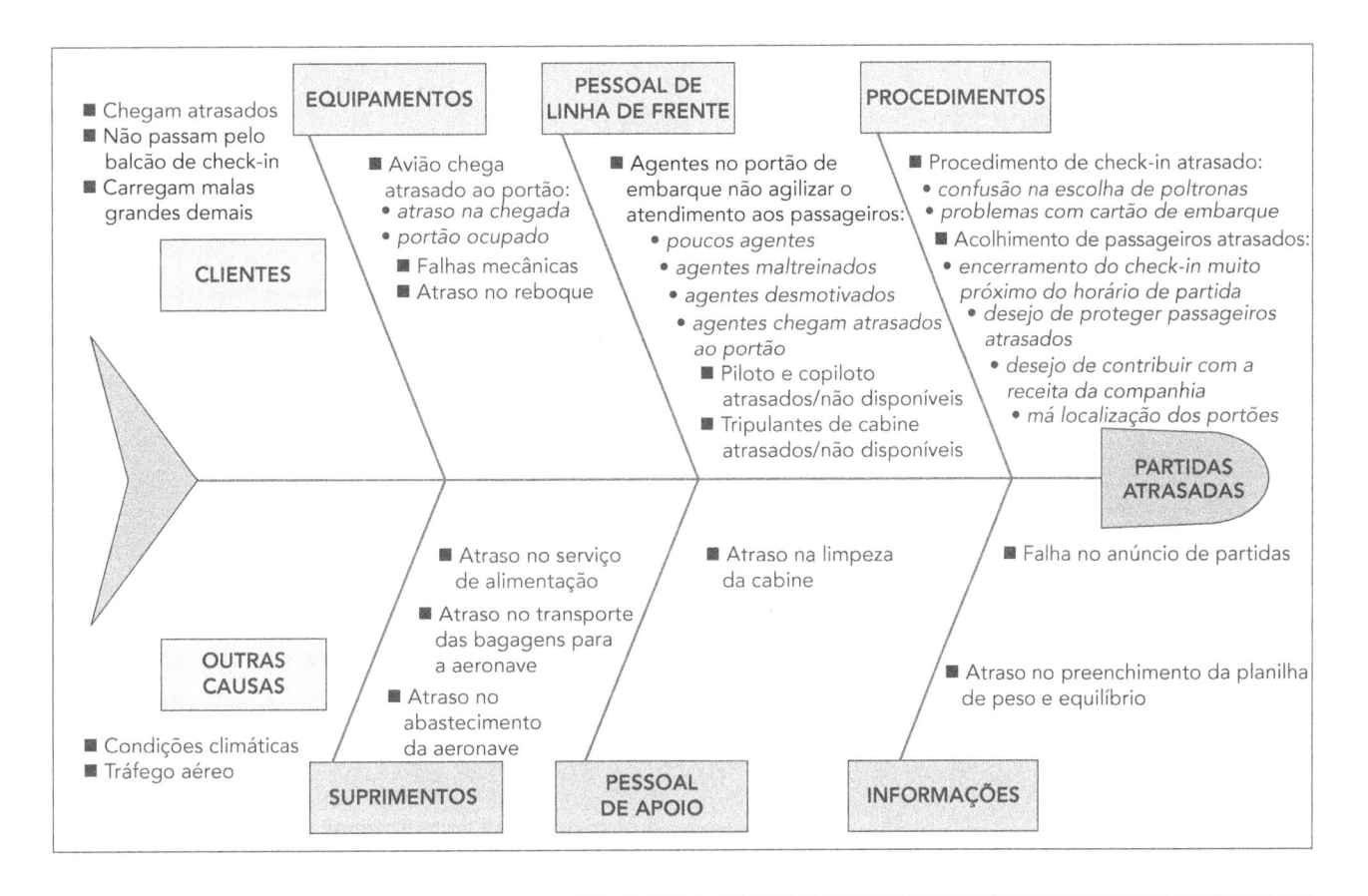

EQUIPAMENTOS
- Avião chega atrasado ao portão:
  - *atraso na chegada*
  - *portão ocupado*
- Falhas mecânicas
- Atraso no reboque

PESSOAL DE LINHA DE FRENTE
- Agentes no portão de embarque não agilizar o atendimento aos passageiros:
  - *poucos agentes*
  - *agentes maltreinados*
  - *agentes desmotivados*
  - *agentes chegam atrasados ao portão*
- Piloto e copiloto atrasados/não disponíveis
- Tripulantes de cabine atrasados/não disponíveis

PROCEDIMENTOS
- Procedimento de check-in atrasado:
  - *confusão na escolha de poltronas*
  - *problemas com cartão de embarque*
- Acolhimento de passageiros atrasados:
  - *encerramento do check-in muito próximo do horário de partida*
  - *desejo de proteger passageiros atrasados*
  - *desejo de contribuir com a receita da companhia*
  - *má localização dos portões*

CLIENTES
- Chegam atrasados
- Não passam pelo balcão de check-in
- Carregam malas grandes demais

PARTIDAS ATRASADAS

OUTRAS CAUSAS
- Condições climáticas
- Tráfego aéreo

SUPRIMENTOS
- Atraso no serviço de alimentação
- Atraso no transporte das bagagens para a aeronave
- Atraso no abastecimento da aeronave

PESSOAL DE APOIO
- Atraso na limpeza da cabine

INFORMAÇÕES
- Falha no anúncio de partidas
- Atraso no preenchimento da planilha de peso e equilíbrio

Análise de Pareto

A *análise de Pareto* (nome do economista que a desenvolveu) procura identificar as principais causas de resultados observados. Esse tipo de análise fundamenta a regra 80/20, assim denominada por muitas vezes revelar que cerca de 80 por cento do valor de uma variável (nesse caso, o número de falhas de serviço) deve-se a somente 20 por cento da variável causal (número de causas possíveis), conforme identificado pelo diagrama em espinha de peixe. A combinação desse diagrama com a análise de Pareto serve para destacar as principais causas da falha de serviço.

No exemplo da companhia aérea, as constatações demonstraram que 88 por cento dos voos que partiram com atraso foram causados por apenas quatro (15 por cento) de todos os possíveis fatores. Na verdade, mais da metade dos atrasos foi causada por um único fator: aceitação de passageiros atrasados (situações em que os funcionários atrasaram um voo por causa de um ou mais passageiros que faziam check-in após o horário oficial de encerramento do embarque).

Nessas ocasiões, a empresa ganhou um amigo no passageiro atrasado — e provavelmente estimulou a repetição dessa ocorrência indesejável — mas correu o risco de indispor-se com todos os que já estavam a bordo, esperando pela decolagem. Outros atrasos relevantes deviam-se à espera do reboque (o veículo que retira a aeronave do portão de embarque), espera de abastecimento de combustível e atrasos na assinatura da planilha de peso e equilíbrio (um requisito de segurança referente à distribuição da carga na aeronave e que o comandante deve observar em cada voo). Contudo, análise posterior mostrou algumas variações significativas nas razões de um aeroporto para outro (veja a Figura 14.8).

Figura 14.8 Análise de causas de atrasos em voos

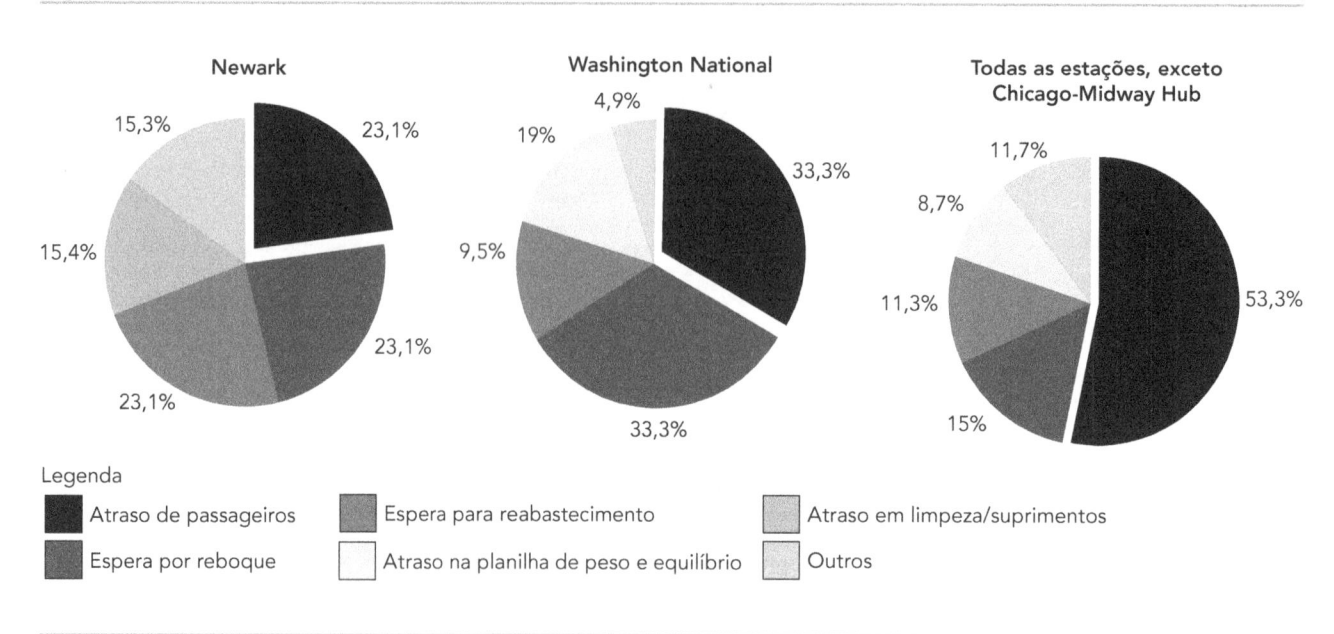

Newark
- 23,1%
- 23,1%
- 23,1%
- 15,4%
- 15,3%

Washington National
- 33,3%
- 33,3%
- 19%
- 9,5%
- 4,9%

Todas as estações, exceto Chicago-Midway Hub
- 53,3%
- 15%
- 11,3%
- 8,7%
- 11,7%

Legenda
- Atraso de passageiros
- Espera para reabastecimento
- Atraso em limpeza/suprimentos
- Espera por reboque
- Atraso na planilha de peso e equilíbrio
- Outros

Blueprinting — uma ferramenta poderosa para identificação de pontos de falha

Diagramas em espinha de peixe e análises de Pareto revelam as causas e a importância dos problemas de qualidade. A técnica de *blueprinting* permite-nos um exame minucioso para identificar o ponto exato em que um problema foi causado. Como descrito no Capítulo 8, um *blueprinting* habilita-nos a visualizar o processo de entrega de serviço, retratando a sequência de interações de cena que os clientes experimentam quando encontram provedores de serviços, instalações e equipamentos, junto com atividades de suporte de bastidores, que ficam ocultas e não fazem parte de sua experiência de serviço.

Blueprints podem ser usados para identificar pontos com maior potencial de ocorrência de falhas e ajudam-nos a entender como as falhas ocorridas em um ponto (como o registro incorreto da data de uma consulta) podem causar um efeito de propagação em um estágio posterior do processo (o cliente chega ao consultório e é informado de que o médico não pode atendê-lo). Mediante contagens de frequências, os gerentes podem identificar os tipos de falha que ocorrem mais vezes e que, por isso, precisam de atenção urgente.

Uma solução desejável é eliminar pontos de falha do sistema (veja no Capítulo 8 uma discussão sobre a técnica dos *poka-yokes*). No caso de falhas que não podem ser eliminadas ou não podem ser evitadas com facilidade (como problemas referentes às condições climáticas ou à infraestrutura pública), as soluções podem se concentrar no desenvolvimento de planos de contingência e diretrizes de recuperação de serviços. Saber o que pode dar errado e onde é o primeiro passo importante para evitar problemas de qualidade. Volte ao Capítulo 8 para rever uma discussão mais detalhada sobre os *blueprints* e como eles podem ser usados para planejar e replanejar processos de serviço ao cliente.

Retorno sobre a qualidade

Agora sabemos como conduzir um exame minucioso para especificar problemas de qualidade e podemos usar o que aprendemos no Capítulo 8 para planejar e redesenhar processos de serviço aprimorados. Entretanto, o cenário não estará completo sem a compreensão das implicações financeiras relacionadas às melhorias de qualidade. Apesar da atenção dada à melhoria da qualidade, muitas empresas ficam desapontadas com os resultados. Mesmo aquelas reconhecidas por seus esforços nessa direção às vezes encontram dificuldades financeiras, em parte porque gastam muito com melhorias na qualidade. Em outros casos, esses resultados refletem má execução ou execução incompleta do programa de qualidade em si.

Avalie custos e benefícios de iniciativas de qualidade. Roland Rust, Anthony Zahonik e Timothy Keiningham defendem uma abordagem de retorno sobre a qualidade (ROQ, do inglês, *return on quality*) baseada nas seguintes premissas: (1) qualidade é um investimento, (2) esforços de qualidade devem ser justificáveis em termos financeiros, (3) é possível gastar excessivamente em qualidade e (4) nem todos os dispêndios em qualidade têm igual validade.[21] Assim, gastos em melhoria da qualidade devem estar associados a aumentos em lucratividade. Uma importante implicação da perspectiva ROQ é que esforços de melhoria de qualidade podem beneficiar-se quando coordenados com programas de melhoria de produtividade.

Para determinar a viabilidade de novos esforços de melhoria de qualidade, é preciso calcular seus custos cuidadosamente com antecedência e então compará-los com a resposta que se espera do cliente. O programa habilitará a empresa a atrair mais clientes (por exemplo, por meio do boca a boca)? Aumentar a participação na carteira dos clientes e/ou reduzir deserções? Em caso positivo, qual será a receita líquida adicional gerada?

Se uma empresa que tem várias unidades espalhadas dispuser de boa documentação, será possível estudar experiências anteriores e determinar se existe uma relação entre qualidade de serviço e receitas. (Veja a seção Novas ideias em pesquisa 14.2)

Determine o nível ótimo de confiabilidade. Até onde devemos ir para melhorar a qualidade de serviço? Muitas vezes, uma empresa cuja qualidade de serviço é precária pode obter grandes saltos em confiabilidade com investimentos relativamente modestos em melhorias. Como ilustrado na Figura 14.9, investimentos iniciais para a redução de falhas de serviço costumam gerar resultados notáveis, mas em algum ponto do processo começam a ocorrer retornos decrescentes, pois mais melhorias exigem investimentos cada vez mais altos, a ponto de se tornarem proibitivos. Qual é o nível de confiabilidade a que devemos visar?

O custo de recuperação de serviço costuma ser mais baixo do que o de um cliente descontente. Isso sugere uma estratégia de aumentar a credibilidade até o ponto em que

Figura 14.9 Quando a melhoria da confiabilidade de serviço torna-se economicamente inviável?

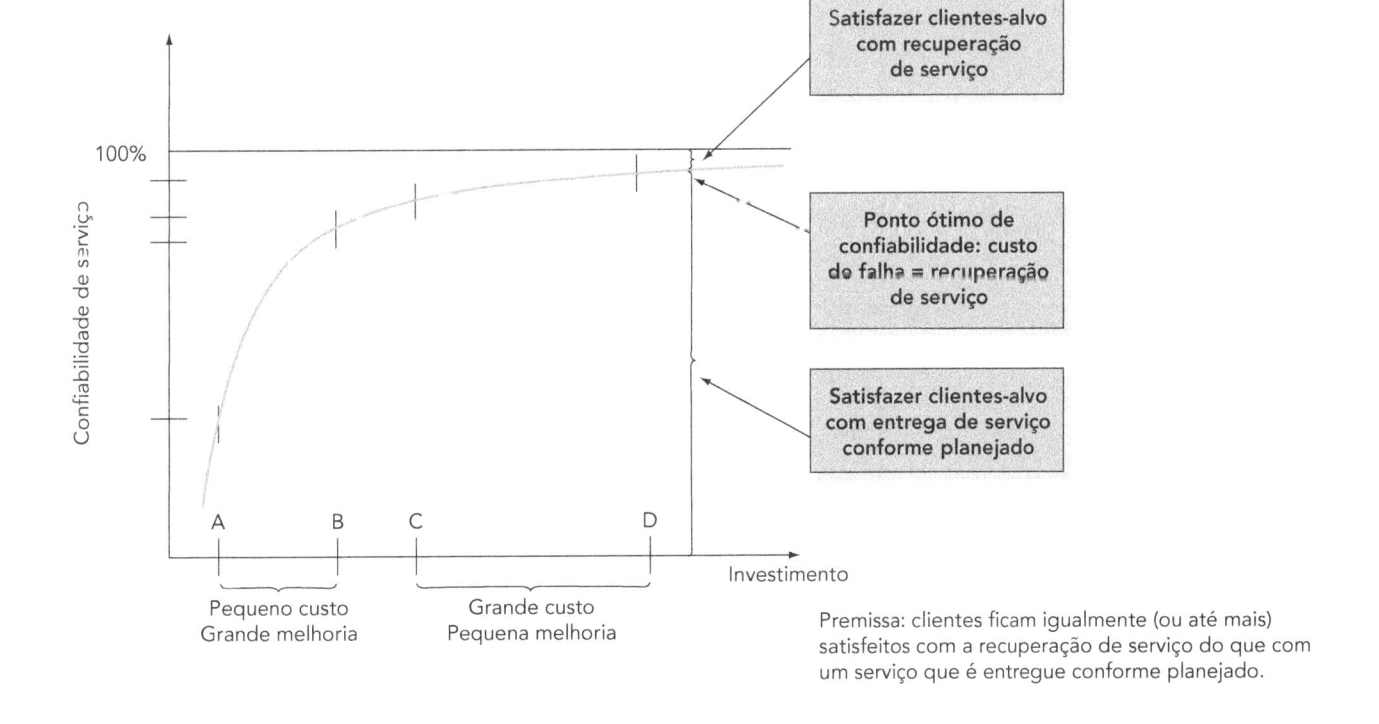

Premissa: clientes ficam igualmente (ou até mais) satisfeitos com a recuperação de serviço do que com um serviço que é entregue conforme planejado.

Novas ideias em pesquisa 14.2

Qualidades das instalações e receitas de quartos na rede Holiday Inn

Para determinar a relação entre qualidade de produto e desempenho financeiro no contexto de um hotel, Sheryl Kimes analisou três anos de dados de qualidade e desempenho operacional de 1.135 hotéis da franquia Holiday Inn, nos Estados Unidos e no Canadá.

Os indicadores de qualidade vinham dos relatórios de garantia de qualidade do franqueador. Eles eram baseados em inspeções semestrais não anunciadas por auditores de qualidade, que faziam rodízio entre as regiões, e passavam quase um dia inteiro inspecionando e avaliando 19 áreas de cada hotel. Doze delas foram incluídas no estudo: duas referentes às acomodações para hóspedes (quarto e banheiro) e dez às áreas comerciais (exterior, saguão, banheiros de uso comum, restaurante e saguão, corredores, área de reuniões, área de recreação, cozinha e fundos do edifício). Cada área abrangia entre dez e doze itens que poderiam ser aprovados ou reprovados. O inspetor anotava o número de defeitos para cada área e o número total para o hotel.

A cadeia Holiday Inn Worldwide também forneceu dados de receita por quarto disponível (*revenue per available room* — RevPAR) em cada hotel. Para ajustar as diferenças entre condições locais, Kimes analisou estatísticas de vendas e receitas publicadas no *Smith Travel Accommodation Reports* (um serviço muito utilizado no setor de viagens). Os dados a habilitaram a calcular a RevPAR para os concorrentes imediatos de cada hotel Holiday Inn situados no meio da escala. As informações resultantes foram então utilizadas para normalizar o desempenho de RevPARs para todos os Holiday Inns na amostra, de modo a permitir uma verdadeira comparação. A diária média por quarto na época era de aproximadamente 50 dólares.

A análise foi realizada para intervalos de seis meses ao longo de três anos. Para a finalidade da pesquisa, um hotel que falhasse pelo menos em um item em uma área era considerado 'deficiente' naquela área. Em seguida, foi feita uma comparação média de área por área da RevPAR entre hotéis deficientes em uma área e hotéis que não apresentavam nenhuma 'deficiência'.

As análises mostraram que, à medida que o número de defeitos de um hotel aumentava, a RevPAR diminuía. As áreas que mostraram forte impacto na RevPAR foram o exterior, o quarto e o banheiro. Até mesmo uma única deficiência resultava em uma redução estatisticamente significativa na RevPAR, mas a combinação de deficiências nas três áreas revelou um efeito ainda maior ao longo do tempo. Kimes calculou que o impacto na renda média anual de um hotel deficiente era de 204 mil dólares.

Adotando uma perspectiva de ROQ, a implicação era de que o foco primário do aumento de gastos em serviços internos e manutenção preventiva deveria ser concentrado no exterior do hotel e nos quartos e banheiros dos hóspedes.

Fonte: Sheryl E. Kimes, "The relationship between product quality and revenue per available room at Holiday Inn", *Journal of Service Research*, 2, nov. 1999, p. 138-144.

---

a melhoria incremental equivaler ao custo de recuperação de serviço ou ao custo da falha. Embora essa estratégia resulte em um serviço que não é cem por cento à prova de falhas, a empresa ainda pode visar satisfazer cem por cento de seus clientes-alvo assegurando que eles recebam o serviço como planejado ou, se ocorrer uma falha, obtenham uma recuperação de serviço satisfatória (veja o Capítulo 13).

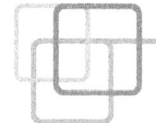

Identificando e medindo a produtividade

Na introdução deste capítulo, destacamos a necessidade de analisar as estratégias de melhoria da qualidade e da produtividade em conjunto e não isoladamente. Uma empresa deve se certificar de que é capaz de prover experiências de qualidade com mais eficiência, visando melhorar sua lucratividade no longo prazo. Primeiramente, vamos discutir o que é produtividade e como medi-la.

Definindo a produtividade em um contexto de serviço

Por uma definição simples, a produtividade mede a quantidade de produto resultante em relação à quantidade de insumos utilizados. Por conseguinte, melhorias de produtividade exigem um aumento na razão produtos/insumos. Pode-se atingir uma melhoria nessa razão reduzindo-se os recursos requeridos para criar dado volume de produto ou aumentando-se o produto obtido de determinado nível de insumos.

O que quer dizer 'insumo' no contexto de serviços? Insumos variam conforme a natureza do negócio, mas podem incluir mão de obra (física e intelectual), materiais, energia e capital (consistindo em terreno, edificações, equipamentos, sistemas de informação e ativos financeiros). A natureza intangível dos desempenhos em serviços faz com que fique mais difícil medir a produtividade de empresas de serviços do que a de empresas manufatureiras. Esse problema é especialmente crítico em serviços baseados em informação.

Medindo a produtividade

É difícil medir a produtividade em serviços, porque seu produto costuma ser difícil de definir. Em um serviço de processamento de pessoas, como um hospital, podemos considerar o número de pacientes tratados em um ano e a taxa de 'ocupação', ou média de leitos ocupados. Mas como tratar os diferentes tipos de intervenção, como remoção de tumores, tratamento de diabetes ou reparação de ossos fraturados? E as diferenças entre pacientes? Como avaliar as inevitáveis diferenças entre resultados? Alguns pacientes melhoram, outros desenvolvem complicações e alguns outros morrem. Ainda são poucos os procedimentos médicos padronizados que oferecem resultados altamente previsíveis.

A tarefa da medição talvez seja mais simples em serviços de processamento de posses, pois muitos são organizações quase manufatureiras, que executam tarefas rotineiras com insumos e produtos de fácil medição. São exemplos: oficinas mecânicas que fazem troca de óleo e balanceamento de pneus ou restaurantes de *fast-food* que oferecem cardápios limitados e simples. Contudo, a tarefa complica-se quando a oficina mecânica tem de descobrir e consertar um vazamento de água ou quando se trata de um restaurante francês conhecido por sua cozinha variada e excepcional. E o que dizer dos serviços baseados em informação? Como devemos definir o produto de um banco ou de uma empresa de consultoria?

Eficiência, produtividade e eficácia de serviço

É preciso distinguir entre eficiência, produtividade e eficácia.[22] *Produtividade* envolve avaliação financeira de produtos e insumos. *Eficiência* envolve comparação com um padrão que em geral é baseado em tempo. *Eficácia*, por sua vez, pode ser definida como até que ponto a organização está cumprindo suas metas.

As técnicas clássicas de medição de produtividade focalizam os *resultados* em vez dos *insumos*, enfatizando a eficiência, mas negligenciando a eficácia. Outro grande problema na medição de produtividade de serviço refere-se à variabilidade. Como mostra James Heskett, medições tradicionais de serviço tendem a ignorar variações na qualidade ou valor do serviço, desse modo desconsiderando a eficácia. No caso do transporte de cargas, por exemplo, o resultado de uma tonelada-quilômetro de carga entregue com atraso é tratado, no tocante à produtividade, do mesmo modo que uma carga semelhante entregue no prazo.[23]

Outra abordagem — contar o número de clientes atendidos por unidade de tempo — apresenta a mesma deficiência. O que acontece quando há um aumento no rendimento de clientes à custa da qualidade percebida de serviço? Suponha que um cabeleireiro que atende três clientes por hora aumente seu rendimento para um cliente a cada 15 minutos — mantendo o que seria tecnicamente um bom corte de cabelo —, mas com um secador mais rápido, porém mais barulhento, sem conversar e trabalhando com pressa. Ainda que o corte em si tenha a mesma qualidade, o processo de entrega pode ser percebido como inferior, o que levaria os clientes a uma avaliação menos positiva da experiência geral de serviço. Nesse exemplo, produtividade e eficiência foram atingidas, mas não a eficácia.

A longo prazo, organizações mais eficazes na entrega consistente de resultados desejados pelos clientes poderão cobrar preços mais altos por seu produto e formar uma base fiel e lucrativa de clientes. A necessidade de enfatizar eficácia e resultados sugere que questões de produtividade não podem ser dissociadas de questões de qualidade e valor.

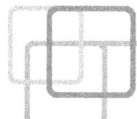

Melhorando a produtividade de serviço

A intensa concorrência em muitos setores de serviço obriga as empresas a procurar continuamente modos de melhorar sua produtividade.[24] Esta seção discute várias abordagens potenciais para ganhos de produtividade e suas fontes.

Estratégias genéricas para a melhoria da produtividade

A tarefa de melhorar a produtividade de serviço tem sido atribuída a gerentes de operações, cuja abordagem costumar concentrar-se em ações como:

- efetuar cuidadoso controle de custos em todas as etapas do processo;
- reduzir desperdício de materiais ou de mão de obra;
- ajustar a capacidade produtiva a níveis médios de demanda e não a níveis de pico, de modo que trabalhadores e equipamentos não enfrentem extensos períodos de ociosidade;
- substituir trabalhadores por máquinas automatizadas e tecnologias de autosserviço (SSTS) operadas pelos clientes;
- fornecer equipamentos e bancos de dados aos funcionários a fim de capacitá-los a trabalhar com mais rapidez ou com nível superior de qualidade;
- ensinar os funcionários como trabalhar mais produtivamente (mais rápido não será necessariamente melhor, se gerar erros ou trabalho insatisfatório que precise ser refeito);
- ampliar o conjunto de tarefas que um profissional de serviço pode executar (o que pode exigir a revisão de acordos trabalhistas) a fim de eliminar gargalos e tempo ocioso e permitir que os gerentes distribuam os profissionais onde forem mais úteis;
- instalar sistemas especializados que permitam a assistentes assumir o trabalho que antes era realizado por indivíduos com mais experiência e salários mais altos.

Embora a melhoria da produtividade possa ser abordada de modo incremental, obter ganhos maiores quase sempre exige recorrer à reengenharia de processos de serviço, também conhecida como redesenho do projeto de processos de serviço. Assim, é hora de redesenhar o processo quando os clientes enfrentam tempos de espera longos demais, como costuma ocorrer em serviços de saúde (veja Figura 14.10). Discutimos o redesenho do processo de serviço em profundidade no Capítulo 8.

Abordagens da melhoria da produtividade impulsionadas pelo cliente

Se houver profundo envolvimento de clientes no processo de produção de serviço, os gerentes de operação devem estudar como os insumos podem tornar-se mais produtivos. Os gerentes de marketing precisam pensar quais estratégias de marketing devem ser utilizadas para influenciar clientes de modo que seus comportamentos sejam mais produtivos. Algumas dessas estratégias incluem:

- **mudar o momento da demanda do cliente.** Ao estimular clientes a usar um serviço fora dos períodos de pico e oferecer-lhes incentivos para isso, gerentes podem fazer melhor uso de seus ativos de produção e proporcionar melhor serviço. A questão do gerenciamento de demanda em empresas de serviços com capacidade limitada é discutida em detalhes no Capítulo 9; as estratégias de gerenciamento de receita são exploradas no Capítulo 6;
- **estimular o uso de canais alternativos de entrega de serviço e autosserviço.** Transferir a entrega a canais mais eficientes em custo — como Internet ou máquinas de

Figura 14.10 Muitas vezes, longa espera indica necessidade de redesenho do processo de serviço

autosserviço — melhora a produtividade e facilita a gestão da demanda ao reduzir a pressão sobre funcionários e certos tipos de instalação física em horários de pico. Muitas inovações tecnológicas são projetadas para fazer os clientes executarem tarefas antes realizadas por profissionais de serviços (por exemplo, veja Figura 14.11). As questões relacionadas a clientes que desempenham um papel mais ativo como coprodutores do serviço são discutidas em detalhes no Capítulo 8;

- **peça aos clientes que usem terceiros.** Em algumas ocasiões, os gerentes podem melhorar a produtividade de serviço delegando a terceiros uma ou mais funções de suporte de marketing. Intermediários especializados podem gozar de economias de escala que os habilitam a realizar a tarefa com menos custo do que o provedor do serviço principal, permitindo que este focalize a qualidade e a produtividade em sua própria especialização. Alguns intermediários são organizações locais identificáveis, como agências de viagens, que os clientes podem visitar pessoalmente. Outras, como centrais de reservas de hotéis, muitas vezes subjugam sua própria identidade à da empresa de serviços do cliente. Discutimos sobre o uso de intermediários em detalhes no Capítulo 5, no contexto da distribuição.

Figura 14.11 Bombas de autosserviço com leitores de cartão de crédito aumentaram a produtividade de postos de gasolina americanos

Como melhorias na produtividade causam impacto na qualidade e no valor

Seria bom que os gerentes considerassem a produtividade pela perspectiva mais ampla dos processos de negócios usados para transformar insumos de recursos em resultados desejados por clientes — processos que não apenas cruzam fronteiras departamentais e, às vezes, geográficas, mas também ligam as áreas de bastidores e de cena da operação de serviço. Assim, à medida que as empresas obtêm melhorias de produtividade, elas necessitam examinar o impacto sobre a experiência do cliente.

Esforços de cena para melhorar a produtividade. Em serviços de alto contato, muitas melhorias de produtividade são bastante visíveis. Algumas mudanças requerem uma simples aceitação passiva dos clientes, outras exigem que eles adotem novos padrões de comportamento em suas negociações. Se as mudanças propostas forem substanciais, faz sentido realizar antes uma pesquisa de mercado para determinar qual seria a resposta dos clientes. Não pensar nos impactos sobre eles pode resultar na perda de negócios e na anulação de ganhos de produtividade esperados. Reexamine o Capítulo 8 sobre como administrar e superar a relutância de clientes em modificar os processos de serviço.

Como mudanças nos bastidores podem causar impacto em clientes. As implicações de mudanças nos bastidores para o marketing dependem de elas afetarem os clientes ou serem percebidas por eles. Se mecânicos de aviões desenvolverem um procedimento mais rápido de manutenção em motores, sem incorrer em aumentos de salário ou de custo de materiais, a companhia aérea obtém uma melhoria de produtividade que não causa impacto na experiência de serviço do cliente.

Entretanto, outras mudanças nos bastidores podem causar um efeito de propagação que se estende à linha de frente e afeta clientes. Profissionais de marketing devem acompanhar essas mudanças para não apenas identificar propagações, mas também preparar os clientes. Assim, a decisão de instalar novos computadores e impressoras em um banco pode ser motivada por planos para melhorar controles de qualidade internos e reduzir o custo de preparação de extratos. Contudo, o novo equipamento pode modificar a aparência dos extratos e a época em que são enviados. Se é provável que os clientes percebam tais modificações, é bom dar-lhes uma explicação. Se os novos extratos forem mais fáceis de ler e entender, talvez valha a pena promovê-los como um aperfeiçoamento do serviço.

Uma advertência quanto às estratégias de redução de custo. Na ausência de nova tecnologia, grande parte das tentativas de melhorar a produtividade tende a se concentrar em esforços para eliminar desperdício e reduzir custos de mão de obra.

Reduções no pessoal de linha de frente significam que os remanescentes terão de trabalhar mais e com maior rapidez, ou que seu número será insuficiente para atender os clientes com presteza em épocas de maior movimento. Embora esses profissionais talvez consigam trabalhar com mais rapidez durante um breve período, poucos podem manter um ritmo acelerado durante períodos extensos; ficam exaustos, cometem erros e tratam clientes de maneira superficial. Profissionais que tentam fazer duas ou três coisas ao mesmo tempo — atender clientes pessoalmente, falar ao telefone e lidar com a papelada, por exemplo — podem executar mal cada tarefa. Pressão excessiva gera descontentamento e frustração, em especial entre o pessoal de contato, que é apanhado entre procurar satisfazer às necessidades do cliente e tentar atingir as metas de produtividade estabelecidas pela gerência.

Uma alternativa melhor é buscar oportunidades de redesenho que levem a melhorias radicais em produtividade e ao mesmo tempo aumentem a qualidade de serviço. A biométrica configura-se como uma nova tecnologia capaz de permitir ambos — veja a seção Panorama de serviços 14.3.

Panorama de serviços 14.3

Biometria – a próxima fronteira no estímulo à produtividade e à qualidade de serviço?

Em muitos setores, intensa pressão competitiva e margens mínimas não permitem às empresas o luxo de aumentar custos para melhorar a qualidade. Em vez disso, o truque é continuamente buscar meios de atingir saltos em qualidade de serviço ao mesmo tempo que em produtividade — o que Wirtz e Heracleous chamam de *excelência de serviço eficiente em custo*. No passado a Internet permitiu a muitas empresas fazer exatamente isso e redefiniu setores como o de serviços financeiros, varejo de livros e música e agências de viagem. A biometria pode ser a próxima grande tecnologia a impulsionar mais aperfeiçoamentos de serviço e produtividade.

A biometria é a autenticação ou identificação de indivíduos com base em uma característica ou um traço físico, como impressão digital, reconhecimento facial, geometria da mão ou configuração da íris; os traços abrangem formação da assinatura, padrões de digitação e reconhecimento de voz. A biometria, como algo que faz parte de você, é tanto mais conveniente quanto mais segura do que algo que você saiba (senhas ou partes de informação pessoal) ou algo que você tenha (chaves, cartões ou fichas). Não há risco de esquecer, perder, copiar, emprestar ou ter sua biometria roubada (Figura 14.12).

As aplicações biométricas variam de controle de acesso a instalações de serviço, reconhecimento de voz em centrais de atendimento e acesso por autosserviço a cofres em bancos e desconto de cheques em supermercados.

Fontes: Jochen Wirtz e Loizos Heracleous, "Biometrics Meets Services," *Harvard Business Review*, Fev. 2005, 48-49; Loizos Heracleous e Jochen Wirtz, "Biometrics: The Next Frontier in Service Excellence, Productivity and Security in the Service Sector", *Managing Service Quality*, 16, nº. 1, 2006.

Figura 14.12 Clientes não têm como esquecer ou perder seus dados biométricos!

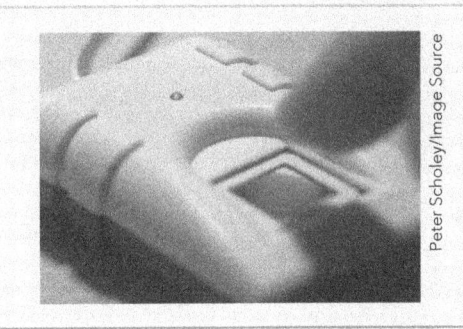

CONCLUSÃO

Aumentar a qualidade de serviço e melhorar sua produtividade costumam ser duas faces de uma mesma moeda, com grande potencial para intensificar o valor para clientes e para a empresa. Um desafio para qualquer empresa de serviços é entregar a seus clientes resultados satisfatórios com eficiência de custos. Estratégias de melhoria da qualidade de serviço e da produtividade devem reforçar em vez de neutralizar uma à outra. Em um mundo de inovação contínua e mercados competitivos, são poucas as empresas que podem se dar ao luxo de gastar mais (isto é, permitir menor produtividade) por melhor qualidade. Portanto, o negócio é buscar melhorias que proporcionem saltos extraordinários em qualidade de serviço e produtividade ao mesmo tempo.

Resumo do capítulo

OA1. Qualidade e produtividade caminham lado a lado na criação de valor para clientes e a empresa. A qualidade enfoca os benefícios criados para os clientes enquanto a produtividade afeta os custos financeiros para a empresa.

OA2. Existem várias definições para qualidade de serviço. Neste livro, adotamos a baseada no usuário, em que qualidade significa atender ou superar de modo consistente as expectativas dos clientes.

A qualidade de serviço percebida consiste em cinco dimensões principais: (1) tangibilidade, (2) confiabilidade, (3) responsividade, (4) segurança e (5) empatia.

OA3. O modelo de gaps (*gaps model*) é uma ferramenta importante para diagnosticar e tratar problemas em qualidade de serviço. Identificamos seis gaps que podem ser a causa de falhas de qualidade:
- *gap 1 — o do conhecimento;*
- *gap 2 — o da política;*
- *gap 3 — o da entrega;*
- *gap 4 — o das comunicações internas;*
- *gap 5 — o das percepções;*
- *gap 6 — o da qualidade de serviço*. É o mais importante. Antes de preenchê-lo, todos os outros devem ser preenchidos.

Resumimos uma série de causas potenciais para cada gap e fornecemos prescrições genéricas para tratar e, desse modo, preencher os gaps.

OA4. Há métricas tangíveis e intangíveis da qualidade de serviço. De modo geral, as *métricas intangíveis* baseiam-se nas percepções de clientes e funcionários e seus *feedbacks*.

OA5. Retornos de clientes devem ser sistematicamente coletados por meio de um *sistema de feedback de clientes* (CFS, do inglês, *customer feedback system*). Os principais objetivos de um CFS são:
- avaliação e *benchmarking* de qualidade e desempenho de serviço;
- aprendizagem e melhorias direcionadas aos clientes;
- criação de uma cultura de serviço orientada ao cliente;

OA6. As empresas podem utilizar várias ferramentas de coleta de *feedback* de clientes: (1) levantamentos do mercado total, (2) levantamentos anuais sobre satisfação geral, (3) levantamentos transacionais, (4) cartões de *feedback* de serviço, (5) comprador misterioso, (6) *feedback* espontâneo de clientes, (7) grupos de discussão e (8) revisões de serviço.

É necessário um sistema de relatórios para canalizar o *feedback* e sua análise para que os responsáveis tomem a devida ação.

OA7. As *métricas tangíveis* referem-se a processos e resultados operacionais e podem ser contadas, cronometradas ou observadas. *Gráficos de controle* são um método simples de mostrar o desempenho de métricas tangíveis ao longo do tempo em relação a padrões de qualidade específicos.

OA8. Ferramentas importantes analisam e tratam problemas de qualidade de serviço:
- *diagramas em espinha de peixe* identificam as causas de problemas de qualidade;
- *análise de Pareto* avalia a frequência dos problemas de qualidade;
- *blueprinting* permite um exame minucioso para determinar com exatidão a localização de pontos de falha em um processo de serviço ao cliente, ajudando a redesenhar o processo.

OA9. Existem implicações financeiras relativas a melhorias de qualidade de serviço. A metodologia de *retorno sobre a qualidade* (ROQ, do inglês, *return on quality*) avalia os custos e benefícios de iniciativas de qualidade.

OA10. Além da qualidade, a produtividade é outro caminho importante que leva ao aumento de valor.

OA11. É importante entender a diferença entre estes três conceitos:
1. *produtividade* envolve a avaliação financeira dos produtos em relação aos insumos (por exemplo, razão insumo/produto);
2. *eficiência* envolve a comparação em relação a um padrão, como uma média setorial (por exemplo, rapidez na entrega);
3. *eficácia* refere-se ao grau de atingimento de uma meta, como satisfação de cliente.

Produtividade e eficiência não podem ser dissociadas da eficácia. Empresas que se esforçam para ser mais produtivas, eficientes e eficazes na geração consistente de satisfação do cliente terão mais sucesso.

OA12. Métodos genéricos para melhorar a produtividade incluem: (1) controle de custos; (2) redução de desperdício de materiais ou de mão de obra; (3) ajuste da capacidade à demanda; (4) substituição de trabalhadores por máquinas e SSTs; (5) fornecimento de equipamentos e bancos de dados aos funcionários a fim de capacitá-los a trabalhar mais rapidamente e melhor; (6) treinamento de funcionários para trabalharem mais produtivamente; (7) ampliação do conjunto de tarefas dos funcionários para eliminar gargalos e tempo ocioso; (8) instalação de sistemas especializados que permitam a assistentes assumir o trabalho antes realizado por indivíduos com mais experiência e salários mais altos.

Métodos orientados ao cliente para melhoria da produtividade incluem: (1) mudar o momento da demanda do cliente; (2) estimular o uso de canais alternativos de entrega de serviço e autosserviço; (3) fazer os clientes usarem terceiros para obter serviço.

OA13. Quando se atingem melhorias em produtividade, as empresas precisam ter em mente que tanto as de cena quanto as de bastidores podem impactar a qualidade do serviço e a experiência do cliente.

OA14. TQM, ISO 9000, Abordagem de Malcolm-Baldrige e Seis Sigma constituem métodos sistemáticos e muitas vezes complementares para gerenciar e melhorar a qualidade de serviço e a produtividade.

Questões para revisão

1. Explique a relação entre qualidade, produtividade e lucratividade.
2. Cite os gaps que podem ocorrer na qualidade de serviço e as providências que os profissionais podem tomar para evitá-los.
3. Por que são necessárias métricas tangíveis e intangíveis da qualidade de serviço?
4. Quais são os principais objetivos de um sistema de *feedback* de clientes eficaz?
5. Quais são as principais ferramentas de coleta de *feedback* de clientes? Quais são as vantagens e desvantagens de cada uma delas?
6. Cite as principais ferramentas que as empresas de serviço podem utilizar para analisar e atacar problemas de qualidade de serviço.
7. Por que a produtividade é uma questão mais difícil para empresas de serviços do que para as manufatureiras?
8. Cite as principais ferramentas para melhorar a produtividade de serviços.
9. De que modo conceitos como TQM, ISO 9000, Abordagem de Malcolm-Baldrige e Seis Sigma estão relacionados com gerenciar e melhorar a qualidade de serviço e a produtividade? (Consulte o Apêndice.)

Exercícios

1. Reveja as cinco dimensões de qualidade de serviço. O que elas significam no contexto de (a) uma oficina de consertos industriais, (b) um banco de varejo e (c) uma importante empresa de contabilidade?
2. Como você definiria 'excelente qualidade de serviço' para um serviço de consultas/informações oferecido por sua empresa de telefonia ou de fornecimento de energia elétrica? Telefone para uma organização de serviços, percorra todas as etapas de uma experiência de serviço e avalie essa experiência comparando-a com sua definição de 'excelência'.
3. Reúna alguns formulários e ferramentas de *feedback* de clientes (cartões de *feedback*, questionários e formulários on-line) e explique como as informações coletadas por esses meios podem ser usadas para atingir os principais objetivos de sistemas eficazes de *feedback* de clientes.
4. Considere suas próprias experiências recentes como consumidor de serviços. Em quais dimensões de qualidade de serviço você experimentou mais vezes um grande gap entre suas expectativas e percepções? Em sua opinião, quais poderiam ser as causas subjacentes? Que providências a gerência deveria tomar para melhorar a qualidade?
5. De que maneiras você, como consumidor, pode ajudar a melhorar a produtividade de pelo menos cinco organizações de serviço que utiliza? Cite as características de cada serviço que possibilitam algumas dessas ações.
6. Que métricas importantes poderiam ser utilizadas para monitorar a qualidade de serviço, a produtividade e a lucratividade em uma grande rede de pizzarias? Cite métricas específicas que você recomendaria a essa empresa, considerando os custos administrativos. Quem deve receber qual tipo de retorno sobre os resultados? Por quê? Em quais métricas você basearia uma parte do esquema de remuneração do pessoal de cada filial? Por quê?
7. Pesquise a literatura relevante e identifique os principais fatores para uma implementação bem-sucedida da ISO 9000, do Modelo de Malcolm-Baldrige e dos Seis Sigma em empresas de serviço. (Consulte o Apêndice 14.3.)

Apêndice 14.1

Medição da qualidade de serviço usando SERVQUAL

Para medir a satisfação do cliente com aspectos da qualidade de serviço, Valarie Zeithaml e seus colegas desenvolveram um instrumento de pesquisa por levantamento denominado SERVQUAL.[25] Ele se baseia na premissa de que os clientes podem avaliar a qualidade do serviço, comparando suas percepções desse serviço com suas próprias expectativas. SERVQUAL é considerado uma ferramenta de medição genérica que pode ser aplicada em um amplo espectro de setores de serviço. Em sua forma básica, a escala contém 21 itens de percepção e uma série de itens de expectativa que refletem as cinco dimensões da qualidade de serviço descritas no Quadro 14.1.

Quadro 14.1 Escala SERVQUAL

> A escala SERVQUAL inclui cinco dimensões: tangibilidade, confiabilidade, responsividade, segurança e empatia. Em cada uma há diversos itens medidos em uma escala de sete pontos, que vai de "concordo fortemente" a "discordo fortemente", para um total de 21 itens.

Tópicos do SERVQUAL

Observação: No caso de pesquisa real, também deve conter instruções para os entrevistados, e cada afirmação é acompanhada de uma escala de sete pontos que vai de 'concordo fortemente = 7' até 'discordo fortemente = 1'. Somente os pontos extremos da escala são identificados; não há títulos para os números de 2 a 6.

Tangibilidade

> Bancos excelentes (refira-se a operadoras de TV a cabo, hospitais ou empresas de serviço semelhantes em todo o questionário) terão equipamentos que parecem modernos.
> Instalações físicas de bancos excelentes terão aspecto visualmente agradável.
> Funcionários de bancos excelentes terão uma aparência bem cuidada.
> Materiais (por exemplo, folhetos ou extratos) associados ao serviço terão aspecto visualmente agradável em um banco excelente.

Confiabilidade

> Quando bancos excelentes prometem fazer algo em certo horário, eles cumprirão a promessa.
> Quando clientes têm um problema, bancos excelentes mostram sincero interesse em resolvê-lo.
> Bancos excelentes farão o serviço certo da primeira vez.
> Bancos excelentes prestarão seus serviços no horário prometido.
> Bancos excelentes insistirão em registros isentos de erros.

Responsividade

> Funcionários de bancos excelentes informarão aos clientes exatamente quando o serviço será realizado.
> Funcionários de bancos excelentes prestarão serviços imediatos aos clientes.
> Funcionários de bancos excelentes sempre estarão dispostos a ajudar os clientes.
> Funcionários de bancos excelentes nunca estarão atarefados demais para atender pedidos de clientes.

Segurança

> O comportamento de funcionários de bancos excelentes incutirá confiança nos clientes.
> Clientes de bancos excelentes se sentirão seguros em suas transações.
> Funcionários de bancos excelentes serão sempre amáveis com os clientes.
> Funcionários de bancos excelentes terão o conhecimento necessário para responder às perguntas de clientes.

Empatia

> Bancos excelentes darão atenção individual aos clientes.
> Bancos excelentes terão horários de funcionamento convenientes para todos os clientes.
> Bancos excelentes terão funcionários que darão atenção pessoal aos clientes.
> Os funcionários de bancos excelentes entenderão as necessidades específicas de seus clientes.

Fonte: Adaptado de A. Parasuraman, Valarie A. Zeithaml e Leonard Berry, "SERVQUAL: a multiple item scale for measuring consumer perceptions of service quality", *Journal of Retailing*, 64, 1988, p. 12-40.

Os entrevistados completam uma série de escalas que medem suas expectativas em relação às empresas de um setor para um conjunto de características específicas de serviços. Em seguida, utilizando essas mesmas características, registram suas percepções em relação a uma empresa cujos serviços usaram. Quando as notas atribuídas ao desempenho percebido são mais baixas do que a expectativa, é um sinal de má qualidade. O contrário indica boa qualidade.

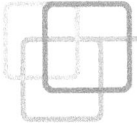

Limitações do SERVQUAL

Embora o SERVQUAL seja muito utilizado por empresas de serviços, há uma série de limitações nesse método.[26] Por isso, a maioria dos pesquisadores que o utiliza omite, enriquece ou altera a lista de afirmativas que visam medir a qualidade de serviço.[27] Outra pesquisa sugere que o SERVQUAL mede sobretudo dois fatores: qualidade de serviço intrínseca (semelhante ao que Grönroos denominou qualidade funcional) e qualidade de serviço extrínseca (que se refere aos aspectos tangíveis da entrega de serviço e assemelha-se com o que Grönroos denomina qualidade técnica).[28]

Essas constatações não diminuem o valor da realização de Zeithaml, Parasuraman e Berry na identificação dos constructos fundamentais subjacentes à qualidade de serviço, mas destacam a dificuldade de medição das percepções de qualidade do cliente e a necessidade de customizar dimensões e métricas ao contexto pesquisado.

Apêndice 14.2

Medição da qualidade de serviço em ambientes on-line

O SERVQUAL foi desenvolvido para medir a qualidade de serviço sobretudo em um contexto de contato pessoal. No atual ambiente on-line, diferentes dimensões de qualidade de serviço com novos itens de medição ganharam relevância. Para medir a qualidade de serviço eletrônico em sites, Parasuraman, Zeithaml e Malhorta criaram uma escala de 22 itens chamada E-S-QUAL, que reflete as quatro principais dimensões de *eficiência* (a navegação é fácil? As transações são concluídas rapidamente? O site é carregado sem demora?); *disponibilidade de sistema* (o site está sempre disponível? Inicia-se de imediato? É estável e não cai?); *cumprimento* (se os pedidos são entregues conforme prometido e as ofertas descritas com veracidade); e *privacidade* (se a privacidade das informações é protegida e dados pessoais não são compartilhados com outros sites).[29] A seção Novas ideias em pesquisa 14.3 oferece as mais recentes perspectivas sobre esse tópico e aborda o desafio de integrar métricas de qualidade de serviço por todos os canais, tanto virtuais quanto físicos.

Novas ideias em pesquisa 14.3

Novo pensamento sobre definição e medição de qualidade de serviço eletrônico

"Para gerentes de empresas com presença na Internet", segundo Joel Collier e Carol Bienstock, "compreender como os clientes percebem a qualidade de serviço é essencial para entender o que [eles] valorizam em uma transação on-line de serviços". A qualidade de serviço eletrônico envolve mais do que meras interações com um site, descrita como qualidade de processo, e estende-se à qualidade de resultado e à qualidade de recuperação. E cada qual deve ser medida. A separação entre clientes e fornecedores nas transações on-line realça a importância de avaliar como uma empresa lida com as questões, preocupações e frustrações dos clientes quando surgem problemas.

- **Qualidade de processo.** Inicialmente os clientes avaliam suas experiências com um site de comércio eletrônico quanto a cinco dimensões de qualidade de processo: *privacidade, design, informação, facilidade de uso* e *funcionalidade*. Esse último constructo refere-se a carregamentos rápidos de páginas, links que sempre levam a um destino, opções de pagamento, execução precisa dos comandos do cliente e capacidade de atender a um público universal (incluindo os deficientes e aqueles que falam outros idiomas).

- **Qualidade de resultado.** Avaliações de clientes quanto à qualidade de processo influenciam a avaliação da qualidade de resultado, composta de *pontualidade do pedido*, *exatidão do pedido* e *condição do pedido*.

- **Qualidade de recuperação.** Na ocorrência de um problema, os clientes avaliam o processo de recuperação em relação à *justiça interativa* (capacidade de encontrar e interagir com suporte tecnológico para um site, incluindo assistência por telefone), *justiça processual* (políticas, procedimentos e responsividade no processo de reclamação) e *justiça do resultado*. A maneira como a empresa responde possui um efeito significativo sobre o nível de satisfação dos clientes e suas futuras intenções.

Questões de multiplicidade de canais

Rui Sousa e Christopher Voss observam que muitos serviços oferecem uma opção de canais virtuais e físicos. As avaliações de clientes quanto à qualidade de serviço são formadas por meio de todos os pontos de contato com a empresa. Em um cenário de múltiplos canais, os pesquisadores devem medir *qualidade física, qualidade virtual* e *qualidade de integração* — a capacidade de proporcionar aos clientes uma experiência de serviço impecável por vários canais. Atingir consistência mediante tais interações é de grande relevância quando uma empresa acrescenta novos canais virtuais, em conjunto com sistemas de suporte especializado (quase sempre são mal-integrados com os sistemas disponíveis). Para evitar tal fragmentação e obter qualidade de serviço consistente, Sousa e Voss defendem vínculos explícitos entre as funções de marketing e operações da empresa.

Fontes: Joel E. Collier e Carol C. Bienstock, "Measuring service quality in e-retailing", *Journal of Service Research*, 8, fev. 2006, p. 260-275; Rui Sousa e Christopher A. Voss, "Service quality in multichannel services employing virtual channels", *Journal of Service Research*, 8, maio 2006, p. 356-371.

Apêndice 14.3

Abordagens sistemáticas para melhoria de qualidade e de produtividade e a padronização de processos

Grande parte do material deste capítulo — o raciocínio, as ferramentas e os conceitos — origina-se de diversos programas formais de qualidade: Gestão da Qualidade Total, ISO 9000, Seis Sigma e Modelo de Malcom-Baldrige. Este apêndice discute cada um deles e relaciona-os com o contexto de qualidade de serviço e produtividade.

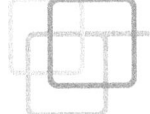

Gestão da qualidade total

Os conceitos de TQM, desenvolvidos de início no Japão, são muito usados na indústria manufatureira e, há pouco tempo, começaram a ser usados também em empresas de serviços, incluindo instituições de ensino (veja a seção Panorama de serviços 14.4). O TQM pode ajudar as empresas a atingir excelência de serviço, aumentar a produtividade de processos de entrega de serviço e ser uma fonte contínua de criação de valor por meio da alimentação de processos inovadores para a empresa.[30]

Alguns conceitos e ferramentas de TQM podem ser aplicados a serviços. Como vimos neste capítulo, ferramentas como gráficos de controle, fluxogramas e diagramas em espinha de peixe têm sido utilizadas por empresas de serviço, com ótimos resultados, para monitorar qualidade e determinar as causas básicas de problemas específicos.

Sureshchander et al. identificaram 12 dimensões cruciais para a implementação bem-sucedida de TQM em um contexto de serviço: (1) compromisso e liderança visionária da alta administração, (2) gestão de recursos humanos, (3) sistema técnico, incluindo projeto de processo de serviço e gerenciamento de processo, (4) sistema de informação e análise, (5) padrões de comparação, (6) melhorias contínuas, (7) foco no cliente, (8) satisfação do funcionário, (9) intervenção de sindicatos e relações com funcionários, (10) responsabilidade social, (11) cenários de serviço e (12) cultura de serviço.[31]

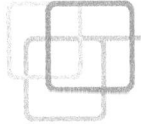

Certificação ISO 9000

Mais de 90 países são membros da International Organization for Standardization (ISO), com sede em Genebra, Suíça. A ISO promove padronização e qualidade para facilitar o comércio internacional. A ISO 9000 compreende requisitos, definições, diretrizes e padrões para prover avaliação e certificação independentes do sistema de gerenciamento de qualidade de uma empresa. A definição oficial de qualidade da ISO 9000 é: "A totalidade de aspectos e características de um produto ou serviço que influenciam sua capacidade de satisfazer uma necessidade declarada ou implícita. Em termos simples, qualidade significa satisfazer ou exceder as necessidades e os requisitos de seu cliente". Para garantir qualidade, a ISO 9000 utiliza muitas ferramentas de TQM e implanta uma rotina de utilização nas empresas participantes.

As empresas de serviço tardaram a adotar os padrões ISO 9000, e os pioneiros incluem empresas atacadistas e varejistas, fornecedores de serviços de TI, provedores de serviços de saúde, empresas de consultoria e instituições educacionais. Adotando padrões ISO 9000, empresas de serviço, em especial as pequenas, não apenas garantem que seus serviços estejam de acordo com as expectativas do cliente, mas também realizam melhorias na produtividade interna.

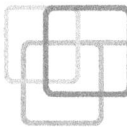

Modelo Malcolm-Baldrige

O Malcolm-Baldrige National Quality Award (MBNQA) é um prêmio desenvolvido pelo National Institute of Standards and Technology (NIST) com o objetivo de promover melhores práticas em gerenciamento de qualidade, bem como de reconhecer e divulgar realizações na área de qualidade entre empresas dos Estados Unidos. Outros países possuem prêmio de qualidade semelhantes que seguem esse modelo.

Embora a estrutura seja genérica e não faça distinção entre organizações de manufatura e serviços, o prêmio tem uma categoria específica de serviços, e o modelo pode ser usado para criar uma cultura de melhorias contínuas em serviços. Importantes empresas de serviço que receberam o prêmio são: Ritz-Carlton, FedEx e AT&T. Pesquisas confirmaram que utilizar essa estrutura pode melhorar o desempenho organizacional.[32]

O Modelo Baldrige avalia empresas em sete áreas:

1. compromisso da liderança com uma cultura de qualidade de serviço;
2. planejamento de prioridades para melhorias, incluindo padrões de serviços, metas de desempenho e medição da satisfação do cliente, defeitos, duração de ciclos e produtividade;
3. informação e análises que ajudarão a organização a coletar, medir, analisar e divulgar indicadores estratégicos e operacionais;

Panorama de serviços 14.4

TQM em instituições de ensino

Cada vez mais, instituições de ensino superior competem por estudantes talentosos e começaram a aceitar que precisam ser mais orientadas ao cliente em sua abordagem, se quiserem aumentar a satisfação de seus alunos. O que significa qualidade de serviço em instituição de ensino superior? Sakthivel, Rajendran e Raju propuseram um modelo de TQM com cinco variáveis que medem diferentes dimensões de qualidade de serviço em uma instituição de ensino superior e eles sugerem que essas variáveis aumentarão a satisfação dos alunos.

- **Comprometimento da alta administração.** A alta administração precisa cumprir promessas com ações concretas e garantir que o que se prega no tocante à excelência educacional e qualidade de serviço esteja realmente sendo praticado.

- **Ministrar aulas.** Embora as instituições de ensino superior contratem pessoas com conhecimento especializado, é necessário que esse conhecimento possa ser transmitido habilmente, com paixão.

- **Instalações do campus universitário.** Deve-se focalizar atenção na criação de infraestrutura e instalações excelentes para fomentar a aprendizagem dos alunos e também para suas atividades extracurriculares. Essas instalações também devem ser adequadamente mantidas.

- **Cortesia.** Trata-se de uma atitude positiva em relação aos alunos, que criará um ambiente de aprendizagem amistoso.

- **Feedback de clientes e melhorias.** Feedback contínuo de alunos pode levar a melhorias.

Pesquisadores analisaram estudantes de engenharia de instituições com e sem certificado ISO. Eles constataram que aquelas com ISO 9001:2000 adotaram o TQM mais rapidamente e ofereciam uma educação de melhor qualidade do que as que não possuíam essa certificação.

Além disso, suas constatações demonstraram que, embora as cinco variáveis juntas previssem a satisfação dos alunos, duas delas eram mais relevantes: compromisso da alta administração e instalações do campus. A alta administração precisa estar comprometida com a garantia da qualidade, certificando-se de que as outras variáveis estejam vigentes para melhorar a experiência dos alunos.

4. gerenciamento de recursos humanos que permita à empresa entregar excelência em serviços, desde contratação das pessoas certas até envolvimento, fortalecimento e motivação;

5. gerenciamento de processos, incluindo monitoração, melhoria contínua e reelaboração de processo;

6. foco no cliente e no mercado que permita à empresa determinar requisitos e expectativas de clientes;

7. resultados em negócios.[33]

Seis Sigma

A abordagem dos Seis Sigma foi desenvolvida por engenheiros da Motorola para lidar com o número crescente de reclamações de sua força de vendas em relação ao acionamento de garantias. O programa foi logo adotado por outras empresas manufatureiras para reduzir defeitos em diversas áreas.

Mais tarde, as empresas de serviços adotaram várias estratégias dos Seis Sigma para reduzir defeitos, duração de ciclos e para melhorar a produtividade.[34] Desde 1990, a GE Capital já aplicava essa metodologia para reduzir custos da retaguarda de operações de venda de crédito ao consumidor, seguro para cartões de crédito e proteção contra inadimplência. O presidente e diretor executivo de operações, Denis Nayden, declarou:

> Embora tenha sido projetada originalmente para a indústria manufatureira, a tecnologia dos Seis Sigma pode ser aplicada a serviços transacionais. Um exemplo óbvio é assegurar que milhões de cartões de crédito e outras faturas enviadas pela GE aos clientes estejam corretas, o que reduz nossos custos de ajuste. Um de nossos maiores custos em negócios financeiros é conquistar novos clientes. Se os tratarmos bem, eles ficarão conosco, o que reduz nossos custos de captação de clientes.[35]

Estatisticamente, a abordagem dos Seis Sigma significa alcançar um nível de qualidade de apenas 3,4 defeitos por milhão de oportunidades (DPMO, do inglês, *defects per million opportunities*). Para entender esse grau de rigor, considere a entrega de correspondência pelos Correios. Se a precisão de entrega de um serviço postal for de 99 por cento, ele erra 3 mil itens em 300 mil entregas. Mas, se atingir um nível de desempenho Seis Sigma, somente um desses itens será extraviado!

Com o tempo, os Seis Sigma evoluíram para uma abordagem geral de melhorias na empresa. Como definiram Peter Pande, Robert Neuman e Ronald Cavanagh:

> Seis Sigma é um sistema abrangente e flexível para atingir, sustentar e maximizar sucesso empresarial. Esse programa é orientado exclusivamente para o entendimento minucioso das necessidades dos clientes, utilização disciplinada de fatos, análise estatística e de dados e cuidadosa atenção ao gerenciamento, à melhoria e à reinvenção de processos de negócios.[36]

Duas estratégias — melhoria de processo e elaboração/redesenho de processo — são os fundamentos básicos da abordagem. Estratégias de melhoria de processo visam identificar e eliminar as principais causas dos problemas de entrega e, com isso, melhorar a qualidade de serviço. Estratégias de elaboração/redesenho de processo agem como um suplemento da estratégia de melhorias. Se não for possível identificar, ou eliminar de maneira eficaz, uma das causas principais nos processos, são *elaborados* outros novos ou os atuais são *redesenhados* a fim de atacar o problema parcial ou totalmente.

O modelo de melhoria Seis Sigma mais utilizado para analisar e melhorar processos empresariais é o DMAIC, mostrado na Tabela 14.6, que representa as seguintes providências: definição das oportunidades; medição das principais etapas/insumos; análise para identificar as principais causas; melhora do desempenho e controle para mantê-lo.

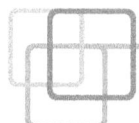

Escolhendo uma metodologia

Como são várias as abordagens, surge a questão de qual delas adotar: TQM, ISO 9000, Modelo Malcolm-Baldrige ou Seis Sigma? O TQM pode ser aplicado em diferentes níveis de sofisticação e ferramentas básicas, como fluxogramas, diagramas de frequência e diagramas em espinha de peixe, que são provavelmente adotados por qualquer tipo de empresa de serviços. A ISO 9000 parece ser o nível seguinte de compromisso e complexidade, seguida pelo Modelo Malcolm-Baldrige e, por fim, os Seis Sigma.

Qualquer uma dessas abordagens pode ser útil para entender as necessidades de clientes, analisar processos e melhorar a qualidade de serviço e a produtividade. As empresas podem escolher determinado programa conforme suas necessidades e nível de sofisticação desejado. Cada programa tem méritos próprios, e as empresas podem adotar mais de um. Por exemplo, o programa ISO 9000 pode ser utilizado para padronizar os procedimentos e a documentação de processo, o que talvez resulte em redução da variabilidade. Os programas Seis Sigma e Malcolm-Baldrige podem ser usados para melhorar processos e focalizar melhoria de desempenho no âmbito da organização.

Um fator fundamental de sucesso para qualquer desses programas depende de seu grau de integração com a estratégia geral da empresa. Organizações que adotam um desses programas por causa da pressão de concorrentes, ou como ferramenta de marketing, têm menos probabilidade de sucesso do que as que consideram esses programas ferramentas úteis de desenvolvimento.[37] Na verdade, as campeãs de serviço adotam melhores práticas em gerenciamento de qualidade de serviço como parte fundamental de sua cultura organizacional.[38]

Tabela 14.6 Aplicação do modelo DMAIC para melhoria e redesenho de processos

	Metodologia Seis Sigma para melhorar e redesenhar processos	
	Melhoria de processo	**Elaboração/redesenho de processo**
Definição	Identifique o problema Defina os requisitos Estabeleça as metas	Identifique problemas específicos ou gerais Defina a meta/mude a visão Esclareça o escopo e os requisitos de clientes
Medição	Valide o problema/processo Refine o problema/meta Meça as principais etapas/insumos	Meça o desempenho para os requisitos Colete os dados de eficiência do processo
Análise	Desenvolva hipóteses causais Identifique as 'poucas e vitais' principais causas Valide hipóteses	Identifique as melhores práticas Avalie o projeto de processo: > agrega/não agrega valor; > gargalos/desconexões; > rotas alternativas. Refine requisitos
Melhora	Desenvolva ideias para eliminar as principais causas Teste soluções Padronize a solução/meça resultados	Elabore o novo processo: > conteste as premissas; > aplique a criatividade; > princípios de fluxograma. Implemente novos processos, estruturas e sistemas
Controle	Estabeleça medições padronizadas para manter o desempenho Corrija os problemas conforme necessário	Estabeleça medições e revisões para manter o desempenho Corrija os problemas conforme necessário

Fonte: Reproduzido de Peter Pande, Robert P. Neuman e Ronald R. Cavanagh. *The Six Sigma way*. Nova York: McGraw-Hill, 2000.

O National Institute of Standards and Technology (NIST), que organiza o programa Malcolm-Baldrige Award, acompanhou um índice hipotético, denominado 'Baldrige-Index', para ações em bolsa de empresas ganhadoras do Malcolm-Baldrige Award e observou que os desempenhos dessas empresas eram melhores do que os das componentes do índice S&P 500.[39] Ironicamente, a Motorola, que ganhara duas vezes esse prêmio e fora a pioneira dos Seis Sigma, passou por dificuldades financeiras e perdeu participação de mercado para suas principais rivais, em parte por não ter conseguido acompanhar o avanço de novas tecnologias. O sucesso não pode ser dado como certo e, para sucesso sustentado, implementação, compromisso e adaptação contínua às mudanças nos mercados, tecnologias e ambientes são fundamentais.

Notas

1. Adaptado de Audrey Gilmore, "Service marketing management competencies: a ferry company example", *International Journal of Service Industry Management*, 9, n. 1, 1998, p. 74-92. Disponível em: <www.stenaline.com>. Acesso em: 2 jun. 2009.
2. Claes Fornell, "ACSI commentary: federal government scores". Special Report: Government Satisfaction Scores. Michigan: CFI Group, 15 dez. 2005. Disponível em: <www.theacsi.com>. Acesso em: 21 jan. 2006.
3. Martin Neil Baily, Diana Farrell e Jaana Remes, "Where US productivity is growing", *The McKinsey Quarterly*, n. 2, 2006, p. 10-12.
4. David A. Garvin. *Managing quality*. Nova York: The Free Press, 1988 (em especial o Capítulo 3).
5. Christian Grönroos. *Service management and marketing*. 3 ed. Chichester, NY: Wiley, 2007.
6. Valarie A. Zeithaml, A. Parasuraman e Leonard L. Berry. *Delivering quality service*. Nova York: The Free Press, 1990.
7. A. Parasuraman, Valarie A. Zeithaml e Leonard L. Berry, "A conceptual model of service quality and its implications for future research". *Journal of Marketing*, 49, outono 1985, p. 41-50; Valarie A. Zeithaml, Leonard L. Berry e A. Parasuraman, "Communication and control processes in the delivery of services", *Journal of Marketing*, 52, abr. 1988, p. 36-58.
8. Os sub-gaps desse modelo baseiam-se no modelo de sete gaps. Christopher Lovelock. *Product Plus*. Nova York: McGraw-Hill, 1994, p. 112.
9. Valarie A. Zeithaml, Mary Jo Bitner e Dwayne D. Gremler. *Services Marketing*. 4 ed. Nova York: McGraw-Hill, 2006, p. 292.
10. Esta seção baseia-se parcialmente em Jochen Wirtz e Monica Tomlin, "Institutionalizing customer-driven learning through fully integrated customer *feedback* systems", *Managing Service Quality*, 10, n. 4, 2000, p. 5-215.
11. Leonard L.Berry e A. Parasuraman, "Listening to the customer — the concept of a service quality information system", *Sloan Management Review*, primavera 1997, p. 65-76.
12. Foi demonstrado que práticas de aprendizagem de clientes afetam o desempenho do serviço, seu crescimento e lucratividade. Veja William J. Glynn, Sean de Búrca, Teresa Brannick, Brian Fynes e Sean Ennis, "Listening practices and performance in service organizations", *International Journal of Service Industry Management*, 14, n. 3, 2003, p. 310-330.
13. W. E. Baker e J. M. Sinkula, "The synergistic effect of market orientation and learning orientation on organizational performance", *Journal of the Academy of Marketing Sciences*, 27, n. 4, 1999, p. 411-427.
14. Neil A. Morgan, Eugene W. Anderson e Vikas Mittal, "Understanding firms customer satisfaction information usage", *Journal of Marketing*, 69, jul. 2005, p. 131-151.
15. Leonard L. Berry e A. Parasuraman fornecem uma excelente visão geral de todas as principais abordagens discutidas nesta seção, além de uma série de outras ferramentas, em seu artigo. "Listening to the customer: the concept of a service quality information system", *Sloan Management Review*, primavera 1997, p. 65-76.
16. Para uma discussão sobre métricas de satisfação adequadas, veja Jochen Wirtz e Lee Meng Chung, "An examination of the quality and context-specific applicability of commonly used customer satisfaction measures", *Journal of Service Research*, 5, maio 2003, p. 345-355.
17. Robert Johnston e Sandy Mehra, "Best-practice complaint management", *Academy of Management Executive*, 16, n. 4, 2002, p. 145-154.
18. Comentários de Thomas R. Oliver, então vice-presidente sênior da Federal Express em vendas e atendimento ao cliente; relatado em Christopher H. Lovelock. *Federal Express: Quality Improvement Program*. Lausanne: International Institute for Management Development, 1990.
19. Christopher Lovelock. *Product plus: how product + service = competitive advantage*. Nova York: McGraw-Hill, 1994. p. 218.
20. Essas categorias e os dados de pesquisas apresentados em seguida foram adaptados de D. Daryl Wyckoff, "New tools for achieving service quality", *Cornell Hotel and Restaurant Administration Quarterly*, ago./out. 2001, p. 25-38.
21. Roland T. Rust, Anthony J. Zahonik e Timothy L. Keiningham, "Return on quality (ROQ): making service quality financially accountable", *Journal of Marketing*, 59, abr. 1995, p. 58-70; Roland T. Rust, Christine Moorman e Peter R. Dickson, "Getting return on quality: revenue expansion, cost reduction, or both?", *Journal of Marketing*, 66, out. 2002, p. 7-24.
22. Kenneth J. Klassen, Randolph M. Russell e James J. Chrisman, "Efficiency and productivity measures for high contact services", *The Service Industries Journal*, 18, out. 1998, p. 1-18.
23. James L. Heskett. *Managing in the service economy*. Nova York: The Free Press, 1986.
24. Para uma discussão mais aprofundada sobre produtividade em serviços, consulte Cynthia Karen Swank, "The lean service machine", *Harvard Business Review*, 81, n. 10, 2003, p. 123-129.
25. A. Parasuraman, Valarie A. Zeithaml e Leonard Berry, "SERVQUAL: A multiple item scale for measuring consumer perception of service quality", *Journal of Retailing*, 64, 1988, p. 12-40.

26. Veja, por exemplo, Francis Buttle, "SERVQUAL: review, critique, research agenda", *European Journal of Marketing*, 30, n. 1, 1996, p. 8-32; Simon S. K. Lam e Ka Shing Woo, "Measuring service quality: a test-retest reliability investigation of SERVQUAL", *Journal of the Market Research Society*, 39, abr. 1997, p. 381-393; Terrence H. Witkowski e Mary F.Wolfinbarger, "Comparative service quality: German and American ratings across service settings", *Journal of Business Research*, 55, 2002, p. 875-881; Lisa J. Morrison Coulthard, "Measuring service quality: a review and critique of research using SERVQUAL", *International Journal of Market Research*, 46, Quarter 4, 2004, p. 479-497.

27. Anne M. Smith, "Measuring service quality: is SERVQUAL now redundant?", *Journal of Marketing Management*, 11, jan./fev./abr. 1995, p. 257-276.

28. Gerhard Mels, Christo Boshoff e Denon Nel, "The dimensions of service quality: the original European perspective revisited", *The Service Industries Journal*, 17, jan. 1997, p. 173-189.

29. A. Parasuraman, Valarie A. Zeithaml e Arvind Malhotra, "E-S-QUAL: a multiple-item scale for assessing electronic service quality", *Journal of Service Research*, 7, n. 3, 2005, p. 213-233.

30. C. Mele e M. Colurcio, "The evolving path of TQM: towards a business excellence and stakeholder value", *International Journal of Quality and Reliability Management*, 23, n. 5, 2006, p. 464-489; C. Mele, "The synergic relationship between TQM and marketing in creating customer value", *Managing Service Quality*,17, n.3, 2007, p. 240-258.

31. G. S. Sureshchandar, C. Rajendran e R. N. Anantharaman, "A holistic model for total service quality", *International Journal of Service Industry Management*, 12, n. 4, 2001, p. 378-412.

32. Susan Meyer Goldstein e Sharon B. Schweikhart, "Empirical support for the Baldrige Award Framework in U.S. hospitals", *Health Care Management Review*, 27, n. 1, 2002, p. 62-75.

33. Allan Shirks, William B. Weeks e Annie Stein, "Baldrige based quality awards: veterans health administration's 3 year experience", *Quality Management in Health Care*, 10, n. 3, 2002, p. 47-54; National Institute of Standards and Technology, "Baldrige FAQs". Disponível em: <www.nist.gov./public_affairs/factsheet/baldfaqs.htm>. Acesso em: 12 jun. 2009.

34. Jim Biolos, "Six Sigma meets the service economy", *Harvard Business Review*, nov. 2002, p. 3-5.

35. Mikel Harry e Richard Schroeder. *Six Sigma — the breakthrough management strategy revolutionizing the world's top corporations*. Nova York: Currency, 2000, p. 232.

36. Peter S. Pande, Robert P. Neuman e Ronald R. Cavanagh. *The Six Sigma way: how GE, Motorola, and other top companies are honing their performance*. Nova York: McGraw-Hill, 2000.

37. Gavin Dick, Kevin Gallimore e Jane C. Brown, "ISO 9000 and quality emphasis: an empirical study of frontroom and back room dominated service industries", *International Journal of Service Industry Management*, 12, n. 2, 2001, p. 114-136; Adrian Hughes e David N. Halsall, "Comparison of the 14 deadly diseases and the business excellence model", *Total Quality Management*, 13, n. 2, 2002, p. 255-263.

38. Cathy A. Enz e Judy A. Siguaw, "Best Practices in Service Quality", *Cornell Hotel Restaurant Administration*, 41, out. 2000, 20-29.

39. "Eight NIST stock investment study". Gaithersburg: National Institute of Standards and Technology, mar. 2002.

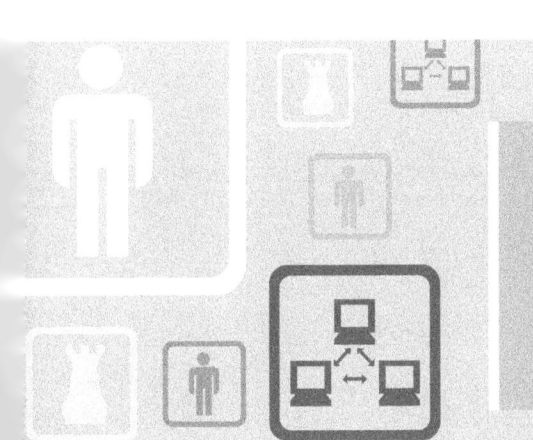

CAPÍTULO 15

Buscando a liderança em serviços

O marketing é algo tão básico que não pode ser considerado uma função isolada (...). Ele é a empresa inteira vista da perspectiva de seu resultado final, isto é, do ponto de vista do cliente. Portanto, a preocupação e a responsabilidade com o marketing devem permear todas as áreas da empresa.
— Peter Drucker[1]

Quanto mais o foco de uma empresa for voltado ao curto prazo, mais provável será que ela adote um comportamento que efetivamente destruirá valor.
— Don Peppers e Martha Rogers

Objetivos de aprendizagem (OAs)

Ao final deste capítulo, você será capaz de:

OA1 Entender as implicações da cadeia de lucro em serviços para a gestão de serviços.

OA2 Reconhecer que as funções de marketing, operações e gestão de recursos humanos precisam ser intimamente integradas nas empresas de serviços e compreender como isso pode ser feito.

OA3 Conhecer os quatro níveis de desempenho de serviço.

OA4 Compreender quais são as ações necessárias para transformar uma empresa perdedora em uma líder em serviços.

OA5 Explicar o que envolve a liderança em um contexto de serviço.

OA6 Avaliar as qualidades necessárias aos líderes eficazes em empresas de serviço.

OA7 Compreender o papel que líderes, em todos os níveis da organização, desempenham na criação de sucesso em serviços.

OA8 Entender a relação entre liderança de serviço, cultura e clima.

Liderança e cultura corporativa da IKEA North America[2]

A IKEA North America fez parte da lista da revista *Fortune* das 100 melhores empresas onde trabalhar em 2007. Quem liderava essa empresa? Pernille Spiers-Lopez, uma dinamarquesa que começou a trabalhar em 1990 como gerente de mercado das lojas da Costa Oeste e foi promovida até chegar a presidente em 2001. Ela possui certos valores pessoais que influenciaram a cultura da empresa.

A cultura da IKEA está fortemente voltada a cuidar de seus funcionários. Spiers-Lopez espera que os funcionários da empresa tenham a família como a prioridade número um em suas vidas e procura dar o exemplo tentando não trabalhar além do expediente normal e evitar viagens de negócios em fins de semana. Em reconhecimento a sua preocupação pela vida familiar de seus funcionários, Spiers-Lopez foi premiada com o Family Champion Award pela *Working Mother*. Sob sua liderança, a IKEA North America também ofereceu benefícios proporcionados por algumas lojas de varejo dos Estados Unidos. Por exemplo, mesmo os funcionários de tempo parcial que trabalhavam 20 horas por semana recebiam plano médico e odontológico extensivo a cônjuges e filhos. Em virtude de suas fortes habilidades de liderança, Spiers-Lopez foi promovida a gerente global de recursos humanos em 2009, supervisionando 135 mil funcionários em 24 países. Quais são, de acordo com Spiers-Lopez, as características de uma liderança eficaz de serviço?

- Ser autêntico e não ter receio de assumir os erros e mudar de ideia;
- confiar nas pessoas ao redor e ter a confiança delas;
- autoavaliação e valores pessoais.

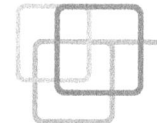

A cadeia de lucro em serviços

Em nossa seção de abertura, apresentamos o forte foco de Spiers-Lopez no bem-estar de seus funcionários. Já outros líderes do setor de serviço concentram-se nos clientes. "O sucesso das empresas está em conquistar, manter e aumentar a base de clientes", afirmam os respeitados consultores e autores Don Peppers e Martha Rogers.[3] Argumentando que a contínua obsessão de Wall Street por receitas e lucros correntes pode destruir valor, eles declaram:

> Hoje, os investidores querem que os executivos demonstrem que suas empresas podem ganhar dinheiro e crescer do modo antigo — a partir da proposição de valor que oferecem aos consumidores. Querem que os clientes de uma empresa comprem mais, com maior frequência e permaneçam fiéis por mais tempo. Querem que uma empresa mostre que pode ir ao mercado e conquistar mais clientes [...].
>
> O crescimento abastece a inovação e a criatividade, gerando novas ideias e iniciativas e estimulando gerentes em todas as áreas a 'pensar fora da caixa'. O crescimento mantém uma empresa vibrante e viva, tornando-a um bom lugar onde trabalhar — um lugar que proporcione aos funcionários benefícios econômicos e oportunidades de progresso.[4]

Por todo este livro, examinamos como gerenciar empresas prestadoras de serviço para atingir satisfação dos clientes e desempenho lucrativo. Um dos focos tem visado o marketing, a única função que de fato gera receita operacional para um negócio. Entretanto, temos enfatizado de modo consistente que o leque de atividades de marketing em organizações de serviço, envolvendo cada um dos sete Ps, estende-se para além das responsabilidades delegadas a um departamento tradicional. Assim, tanto o planejamento quanto a implementação de estratégias de marketing requerem colaboração ativa com a gestão de operações e de recursos humanos.

Qual é a ligação entre o foco de Spiers-Lopez nos funcionários e o de Peppers e Rogers nos clientes? Na verdade, ambos têm importância crucial, e o sucesso de um está ligado ao de outro. Isso é demonstrado com clareza no modelo de Cadeia de lucro em serviços que discutiremos a seguir. Reuniremos temas e *insights* de capítulos anteriores — principalmente sobre como gerenciar funcionários, desenvolver fidelidade de clientes e melhorar qualidade e produtividade de serviço — ao examinarmos a tarefa desafiadora de liderar uma empresa de serviço que busca o foco no cliente e a orientação de mercado. Empresas vencedoras têm clientes satisfeitos, que garantem a continuidade das compras e entendem o valor que recebem. Têm também funcionários contentes, que sabem a importância de seu trabalho para manter o cliente satisfeito. Se um dos dois não estiver contente, os resultados sentirão essa insatisfação, como Heskett descreve no modelo da Cadeia de lucro em serviços.

Ligações importantes na Cadeia de lucro em serviços

James Heskett e seus colegas de Harvard argumentam que, quando empresas de serviços colocam funcionários e clientes em primeiro lugar, uma transformação radical ocorre no modo como elas administram e medem o sucesso. Elas relacionam lucratividade, fidelidade do cliente e satisfação do cliente ao valor criado por funcionários satisfeitos, fiéis e produtivos:

> Altos executivos de empresas proeminentes passam pouco tempo estabelecendo metas de lucro ou focando a participação de mercado [...]. Em vez disso, eles compreendem que na nova economia de serviços os funcionários de linha de frente e os clientes devem estar no centro das atenções da alta gerência. O foco se concentra na gestão da satisfação de clientes e funcionários. Gestores bem-sucedidos prestam atenção aos fatores que impulsionam a lucratividade [...] ao investimento em pessoas, à tecnologia que dá suporte aos funcionários de contato com cliente, às práticas renovadas de recrutamento e treinamento e à remuneração associada ao desempenho do pessoal em todos os níveis [...].
>
> A Cadeia de lucro em serviços, desenvolvida a partir da análise de empresas de serviço bem-sucedidas, agrega valores 'tangíveis' aos 'intangíveis'. Ajuda gerentes a visar novos investimentos para desenvolver níveis de serviço e satisfação com vistas ao máximo impacto competitivo, ampliando a lacuna entre líderes de serviço e concorrentes meramente bons.[5]

A Cadeia de lucro em serviços, exibida na Figura 15.1, mostra várias relações baseadas em hipóteses em um processo gerencial capaz de conduzir empresas de serviços ao sucesso.

O Quadro 15.1 fornece um resumo útil, que destaca os comportamentos exigidos de líderes em serviços para que possam administrar suas empresas com eficácia. Trabalhando em sentido reverso, a partir dos resultados finais desejados de crescimento e lucratividade de receita, as relações 1 e 2 focalizam clientes e destacam a identificação e o entendimento de suas necessidades, os investimentos para garantir sua retenção e um compromisso com a adoção de novas medições de desempenho que monitoram variáveis, como satisfação e fidelidade, entre clientes e funcionários. A relação 3 focaliza o valor para os clientes criado pelo conceito de serviço e salienta a necessidade de investimentos para melhorias contínuas de qualidade e produtividade.

Figura 15.1 A Cadeia de lucro em serviços

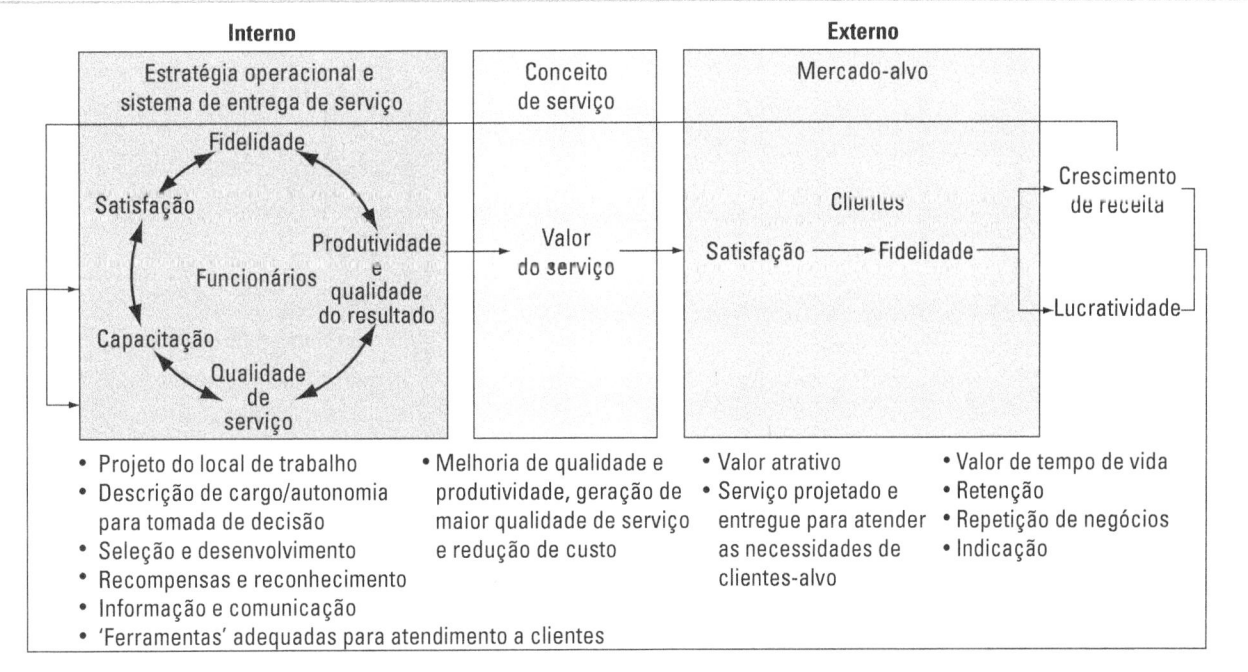

Interno
- Estratégia operacional e sistema de entrega de serviço
  - Fidelidade
  - Satisfação
  - Funcionários
  - Produtividade e qualidade do resultado
  - Capacitação
  - Qualidade de serviço
- Projeto do local de trabalho
- Descrição de cargo/autonomia para tomada de decisão
- Seleção e desenvolvimento
- Recompensas e reconhecimento
- Informação e comunicação
- 'Ferramentas' adequadas para atendimento a clientes

Conceito de serviço
- Valor do serviço
- Melhoria de qualidade e produtividade, geração de maior qualidade de serviço e redução de custo

Externo
- Mercado-alvo
  - Clientes
  - Satisfação → Fidelidade
- Valor atrativo
- Serviço projetado e entregue para atender as necessidades de clientes-alvo
- Crescimento de receita
- Lucratividade
- Valor de tempo de vida
- Retenção
- Repetição de negócios
- Indicação

Fonte: Reproduzido por permissão de *Harvard Business Review*. Extraído de Heskett, J. L., Jones, T. O., Loveman, G. W., Sasser Jr., W. E. & Schlesinger, L. A., "Putting the service profit chain to work", mar./abr.1994, p.166.© 1994 Harvard Business School Publishing Corporation. Todos os direitos reservados.

Outro conjunto de comportamentos de liderança de serviço (relações 4 – 7) refere-se a funcionários e inclui dedicar tempo à linha de frente, investindo na definição de cargos que permitam maior autonomia aos funcionários e fomentando o desenvolvimento de gerentes promissores. Nessa categoria também está o conceito de que pagar salários mais altos reduz custos de mão de obra quando se leva em conta redução de rotatividade, maior produtividade e qualidade superior resultantes. Dando suporte à cadeia de sucesso (relação 8) está a liderança da alta gerência.

Uma Cadeia de lucro em serviços eficiente cria valor ao acionista

Para as empresas que implementarem corretamente essa cadeia, no final das contas o sucesso será recompensado por um aumento no valor atribuído à própria organização, expresso nas empresas de capital aberto pelo preço de suas ações. Como foi demonstrado por uma pesquisa da ACSI, a maior parte dos setores de serviços revela uma forte relação entre a satisfação do cliente — aquilo que todos na empresa deveriam visar — e o valor para o acionista (Figura 15.2). Uma distinção relevante entre líderes em serviços e empresas de outras categorias está no modo como os primeiros abordam a criação de valor. Os primeiros buscam criar valor pela satisfação dos clientes e seus antecedentes, enquanto as outras buscam aumentar o valor para seus acionistas com medidas para aumentar vendas, cortes de custos a curto prazo, redução do patrimônio líquido com vendas seletivas de ativos da empresa e a busca de resultados mediante oportunidades do mercado financeiro, e não nas atividades operacionais.

Quadro 15.1 Ligações na Cadeia de lucro em serviços

1. Fidelidade do cliente estimula lucratividade e crescimento.
2. Satisfação do cliente estimula sua fidelidade.
3. Valor impulsiona satisfação do cliente.
4. Qualidade e produtividade estimulam valor.
5. Fidelidade do funcionário estimula qualidade de serviço e produtividade.
6. Satisfação do funcionário estimula fidelidade.
7. Qualidade interna estimula satisfação do funcionário.
8. Liderança da alta gerência dá suporte à cadeia de sucesso.

Fontes: James L. Heskett et al., "Putting the service-profit chain to work", *Harvard Business Review*, mar./abr. 1994; James L. Heskett, W. Earl Sasser e Leonard L. Schlesinger. *The service profit chain*. Boston: Harvard Business School Press, 1997.

Melhor prática em ação 15.1

Magazine Luiza: quando as pessoas fazem a diferença[1*]

O setor de varejo tem sido um dos principais responsáveis pelo bom desempenho da economia brasileira nos últimos anos. O comércio varejista brasileiro fechou o ano de 2010 com aumento de 10,9 por cento em volume de vendas — a maior alta acumulada desde 2001 —, segundo o Instituto Brasileiro de Geografia e Estatística (IBGE).

Hipermercados, supermercados, produtos alimentícios, bebidas e fumo exerceram o principal impacto no resultado anual do setor varejista, representando 39,9 por cento da taxa anual do varejo. Esse desempenho se deve ao aumento do poder de compra da população em razão da melhora na renda e nos níveis de emprego, além da expansão do crédito.

Os segmentos de móveis e eletrodomésticos também tiveram aumento expressivo — 18,3 por cento em relação ao ano anterior, sendo a atividade com o segundo maior impacto (27 por cento) na taxa anual. Além das razões já citadas, o bom desempenho se deveu à estabilidade de preços, principalmente no que tange aos eletrodomésticos.

[1*] Colaboração da Profa. Dra. Daniela Khauaja.

Competir no setor varejista de bens duráveis é um desafio para poucos. Por ser um setor que pratica margens baixas, há a necessidade de obter alto volume de vendas para garantir a lucratividade e crescer. Como atalho para o crescimento, muitas empresas do mercado varejista têm optado pela aquisição de outras empresas que complementem e façam expandir sua operação.

A gigante Globex alcançou a liderança ao reunir os ativos das empresas Casas Bahia, Ponto Frio e Extra Eletro. As três bandeiras contavam com quase mil lojas em 11 estados e no Distrito Federal, com faturamento de 18 bilhões de reais. No fim de 2010, o Grupo Pão de Açúcar, detentor da Globex, anunciou reestruturação, com a extinção da marca Extra, o reposicionamento do Ponto Frio para as classes A e B com lojas principalmente em shoppings e a manutenção das Casas Bahia como marca popular, privilegiando o comércio de rua.

Outra grande empresa do setor é a Máquina de Vendas, que reúne as marcas City Lar do Centro-Oeste, Insinuante do Nordeste e Ricardo Eletro do Sudeste. A *holding* surgiu da fusão entre as três marcas com forte apelo regional.

Este foi justamente o caso da compra da rede Lojas Maia pelo Magazine Luiza, que almejava expandir sua atuação na região Nordeste do país. Após a aquisição das Lojas Maia, a rede passou a contar com 611 lojas em 16 estados brasileiros e faturamento esperado de quase 6 bilhões de reais em 2010, um significativo crescimento em relação aos 3,8 bilhões de 2009. Após a aquisição, o desafio é transferir para a Lojas Maia o estilo vitorioso de gestão do Magazine Luiza, especialmente quanto à gestão de pessoas.

Inaugurado há mais de 50 anos em Franca (São Paulo), o Magazine Luiza ocupa o segundo lugar no varejo do país, atrás da Globex. Em 2008, a empresa entrou no mercado da capital de São Paulo, por meio de uma megaoperação, na qual abriu simultaneamente 44 lojas. Com a compra da rede nordestina Lojas Maia, a empresa aumentou ainda mais sua penetração no país. E continua com muito apetite, pois anunciou a intenção de atuar em todo o território nacional até 2015.

O Magazine Luiza adota estratégia multicanal, com os seguintes formatos:

- lojas convencionais, que são estabelecimentos com estoque completo e produtos em exposição;
- lojas que seguem o mesmo formato mas localizam-se em shoppings;
- lojas virtuais, em cidades menores, cujo tamanho não comporta uma loja convencional; nelas um número reduzido de funcionários apresenta os produtos aos clientes em computadores pelo sistema multimídia da empresa;
- televendas;
- e-commerce via site próprio.

A administração de seus recursos humanos já rendeu diversos prêmios à empresa e à presidente Luiza Trajano, além de reconhecimento internacional em gestão de pessoas. A rede está entre as dez melhores empresas para se trabalhar no Brasil por dez anos consecutivos. Esta é, sem dúvida, uma vantagem competitiva no setor varejista brasileiro e talvez mundial, haja vistas as severas críticas recebidas pelo Walmart devido ao tratamento dispensado a seus funcionários.

A crença de que os colaboradores são a 'alma do negócio' foi disseminada pela presidente. Com estilo parecido ao do comandante Rolim, que recolhia cartões de embarque dos passageiros da TAM no aeroporto de Congonhas, Luiza Helena está presente no dia a dia da empresa, tanto para os funcionários como para os clientes. No site, além do texto de 'boas-vindas da presidente', divulga e-mail e telefone para contato.

Seguindo o exemplo da presidente, a liderança da empresa se comporta de maneira descontraída e aberta. Todos os funcionários têm acesso direto à superintendência. A gestão participativa é parte da cultura organizacional e tem a finalidade de que cada funcionário se sinta responsável pelo resultado global da empresa, dado que tem a chance de sugerir as metas de seu núcleo ou diretoria.

A gestão dos mais de 10 mil funcionários baseia-se na capacitação técnica, melhora da qualidade de vida e evolução pessoal. Os funcionários que se destacam recebem bolsa de estudos e auxílio para educação dos filhos, além de participação nos lucros. Apesar de realizar campanhas com premiações para os melhores vendedores, o Magazine Luiza não paga comissão pelo resultado individual, mas da loja, incentivando o trabalho em equipe e evitando minar o clima da organização.

Os funcionários contam com benefícios pouco comuns no setor varejista: previdência privada, 'cheque-mãe' para quem tem filhos pequenos e 'cheque educação especial' para quem tem filhos com alguma deficiência.

Dado o crescimento da rede, para continuar garantindo acesso às estratégias corporativas, à informação e ao treinamento, foi feito investimento em comunicação corporativa: rádio interna, canal de TV via satélite e portal de intranet. Além disso, os funcionários reúnem-se às segundas-feiras para conhecer as metas da semana e discutir o que for necessário.

A cada dois anos, a empresa realiza um evento, batizado de 'Encontrão', com todos os colaboradores, terceirizados, carreteiros e montadores. A logística é impressionante e o objetivo é mais uma vez cultivar a alma da empresa.

O Magazine Luiza acredita que sua forma de gerenciar as pessoas constrói o principal diferencial da rede de lojas, que é o tratamento amigável dispensado aos clientes e a impressão dada pelos vendedores de que sempre buscam a melhor solução para o consumidor.

Como vimos no Capítulo 12, a empresa também mostra a mesma preocupação com os consumidores. Dois domingos a cada ano, convida seus melhores clientes — os clientes ouro — a visitá-los, em todas suas 245 unidades. Ao entrar, são recebidos com um tapete vermelho e aplaudidos pela equipe de vendedores. Tomam o café da manhã, recebem serviços de cabelereiro e maquiagem, brindes e folhetos com ofertas especiais exclusivas.

A preocupação constante com funcionários e clientes tem sido uma das forças motrizes por trás do crescimento que a rede tem apresentado nos últimos anos.

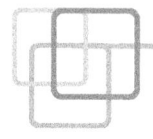

Integrando marketing, operações e recursos humanos

Os temas e as relações subjacentes à Cadeia de lucro em serviços ilustram a forte dependência mútua entre marketing, operações e recursos humanos no que se refere ao atendimento das necessidades de clientes de serviços. A Figura 1.17 no Capítulo 1 mostra como os departamentos dependem uns dos outros.

Embora os gerentes de cada função tenham responsabilidades exclusivas, coordenação eficaz é a regra geral. Todos devem participar do planejamento estratégico, e a execução de tarefas específicas tem de ser bem coordenada. A responsabilidade pelas tarefas atinentes a cada função pode estar contida em uma única empresa ou distribuída entre a organização que origina o serviço e suas subcontratadas, que devem trabalhar em íntima parceria se quiserem atingir os resultados desejados. A necessidade de integração não é tão grande para outras funções, como contabilidade ou controle financeiro, porque elas estão menos envolvidas nos processos contínuos de criação e entrega de serviço.

Figura 15.2 A satisfação do cliente está intimamente relacionada com o valor para o acionista na maioria dos setores de serviços

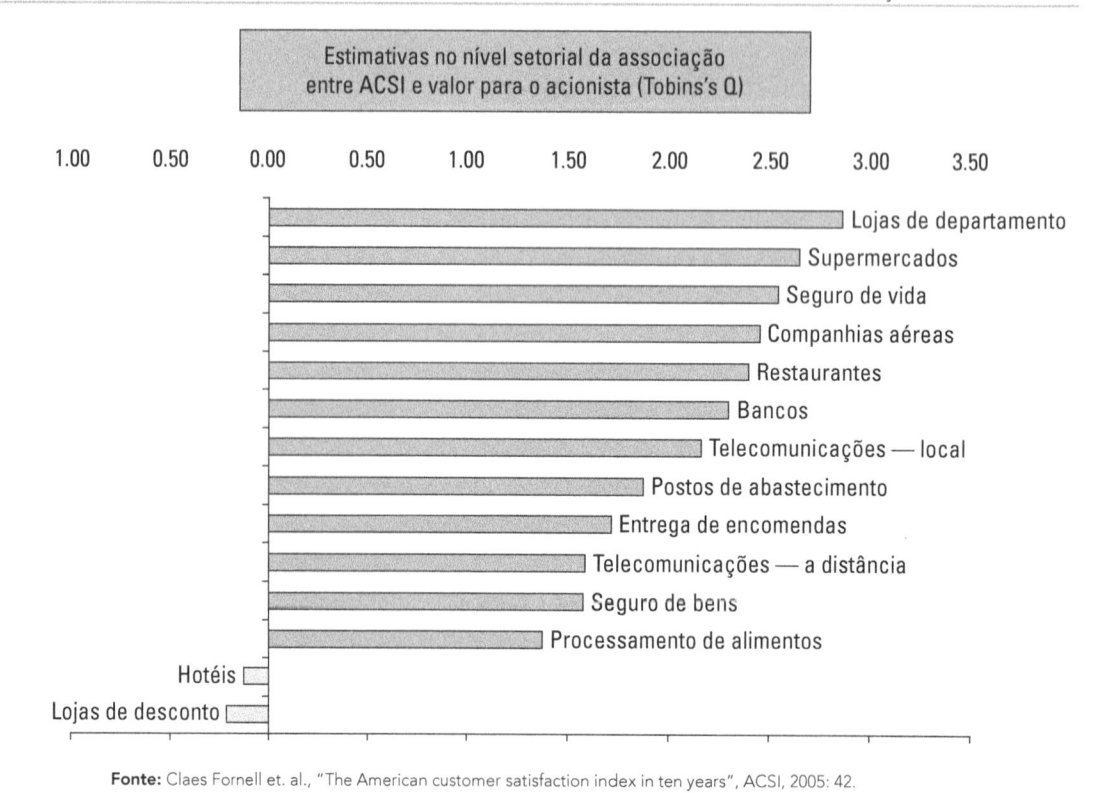

Estimativas no nível setorial da associação entre ACSI e valor para o acionista (Tobins's Q)

Lojas de departamento	~2.75
Supermercados	~2.60
Seguro de vida	~2.50
Companhias aéreas	~2.40
Restaurantes	~2.30
Bancos	~2.20
Telecomunicações — local	~2.10
Postos de abastecimento	~2.00
Entrega de encomendas	~1.90
Telecomunicações — a distância	~1.80
Seguro de bens	~1.60
Processamento de alimentos	~1.50
Hotéis	~0.10
Lojas de desconto	~0.05

Fonte: Claes Fornell et. al., "The American customer satisfaction index in ten years", ACSI, 2005: 42.

Como marketing, operações e recursos humanos estão ligados?

De que maneira os departamentos dependem uns dos outros? Como já vimos, muitas operações de serviço — em especial as que envolvem serviços de processamento de pessoas — são 'fábricas no ponto', nas quais os clientes entram sempre que precisam do serviço. Quando há envolvimento ativo de clientes na produção e o resultado do serviço é consumido à medida que é produzido, a função do marketing passa a ter estreita inter-relação com procedimentos, pessoal e instalações gerenciados pelas funções de operação — e a depender deles. Em serviços de alto contato, resultados competitivos podem surgir ou morrer com base no calibre do pessoal de serviço recrutado e treinado pelo RH. As organizações não podem se permitir ter especialistas de RH que não entendam os clientes e suas necessidades. Quando os funcionários compreendem e sustentam as metas organizacionais, possuem habilidades e o treinamento necessários para o bom desempenho de seus cargos e reconhecem a importância de criar e manter a satisfação dos clientes, tanto a atividade de marketing quanto a operacional devem ser mais fáceis de gerenciar.

Cada uma das três funções devem possuir requisitos e metas que se relacionem com clientes e contribuam para a missão da empresa. Elas podem ser expressas de modo geral como:

- **a função de marketing.** Visar tipos de cliente a quem a empresa esteja bem equipada para atender e criar relacionamentos duradouros com eles graças à entrega de um serviço bem projetado em troca de um preço que ofereça valor e potencial de lucros para a empresa. Os clientes reconhecerão que essa proposição de valor tem qualidade consistente que proporciona soluções para suas necessidades e é superior à dos concorrentes;

- **a função de operações.** Criar e entregar o serviço especificado a clientes-alvo pela seleção das técnicas operacionais que permitam satisfazer metas de qualidade, cronograma e custo e produtividade voltadas para o cliente, além de capacitar a empresa a reduzir custos por meio de melhorias contínuas em produtividade. Os métodos operacionais devem corresponder às habilidades que funcionários e intermediários ou terceirizados possuam ou que possam ser treinados a desenvolver. A empresa terá recursos para sustentar essas operações com instalações, equipamentos e tecnologia necessários ao mesmo tempo em que evitará impactos negativos sobre os funcionários e a comunidade;

- **a função de recursos humanos.** Recrutar, treinar e motivar o pessoal da linha de frente, os líderes da equipe de entrega de serviço e os gerentes a trabalhar bem em equipe mediante um pacote de remuneração realista para equilibrar as metas paralelas de satisfação do cliente e eficiência operacional. Funcionários desejarão permanecer na empresa e intensificar as próprias habilidades porque valorizam o ambiente, apreciam as oportunidades que lhes são apresentadas e orgulham-se dos serviços que ajudam a criar e entregar.

Que outras habilidades são necessárias?

Sistemas de serviços estão se tornando cada vez mais complexos. Muitos serviços dependem de modo crucial de infraestruturas de tecnologia da informação e de comunicações (como as empresas de serviços financeiros globais), instalações de grande porte e complexidade (como as infraestruturas aeroportuárias integradas), complexa engenharia de processo (como cadeias de suprimentos globalmente integradas em um contexto B2B) e assim por diante. Em um nível superior, sistemas de serviços estão evoluindo para se tornar uma ciência em que seja necessário ter especialistas em seus próprios campos, com conhecimento que envolva diferentes disciplinas, como tecnologia da informação, engenharia e gestão de serviços (veja a seção Panorama de serviços 15.1).

Integrando áreas funcionais em empresas de serviços

Embora exista uma longa tradição de especialização funcional em empresas, essa perspectiva estreita atrapalha o gerenciamento eficaz de serviços. Um dos desafios para gerentes seniores em qualquer organização é evitar a criação dos assim chamados 'silos funcionais', nos quais cada função existe isoladamente das outras, defendendo ciosamente sua independência.

À medida que as empresas priorizam o desenvolvimento de uma forte orientação para o mercado e para o bom atendimento de clientes, cresce o potencial de conflito entre as três funções, em especial entre marketing e operações. Até que ponto essas três funções podem coexistir em uma empresa de serviços com certo grau de conforto e como seus respectivos papéis são percebidos? Sandra Vandermerwe afirma que empresas que criam alto valor devem pensar em termos de *atividades*, e não de funções.[6]

No entanto, ainda encontramos em muitas empresas indivíduos com vivência profissional de marketing e de operações que não se entendem. Profissionais de marketing podem achar que seu papel é sempre agregar valor à oferta de produto, para realçar seu apelo e aumentar as vendas. Já o ponto de vista de gerentes de operações é que seu trabalho é reduzir 'extras' para refletir a realidade das limitações de serviço — como pessoal e equipamentos — e a necessidade de contenção de custos. Afinal de contas — eles podem argumentar —, nenhum valor será criado se a empresa operar no prejuízo. Também podem ocorrer conflitos entre recursos humanos e as outras duas funções, em especial quando funcionários têm papéis que cruzam fronteiras e exigem que eles equilibrem a satisfação do cliente e a eficiência operacional.

Não é fácil para gerentes que sempre se sentiram bem com abordagens já estabelecidas mudar de repente suas perspectivas organizacionais tradicionais. No entanto, enquanto uma empresa de serviço continuar a ser organizada por linhas funcionais (e muitas ainda o são), conseguir a coordenação e a sinergia estratégicas necessárias requer que a alta ge-

Panorama de serviços 15.1

A iniciativa de ciência de serviços da IBM

Empresas possuem muitos departamentos funcionais como marketing, logística e pesquisa que atuam de forma independente, em vez de em conjunto. Até as escolas de administração educam seus alunos em disciplinas específicas, como contabilidade, finanças, marketing e gestão operacional, mas muitas vezes carecem do conhecimento sobre como integrá-las. Além disso, eles tendem a saber menos ainda sobre outras disciplinas importantes, como tecnologia da informação ou engenharia de processo, igualmente necessárias para desenvolver e gerenciar bem sistemas de serviços complexos.

A IBM reconheceu esse problema e tem liderado o mundo na iniciativa de desenvolvimento de uma ciência de serviços, que denominou de Service Science, Management and Engineering (SSME) [Ciência, Gestão e Engenharia de Serviços]. A SSME combina conhecimento em ciências da computação, pesquisa operacional, engenharia, estratégia de negócios e ciências da gestão, social e cognitiva e jurídica, de modo que as habilidades necessárias sejam desenvolvidas para a economia de serviços. A IBM tem mobilizado a colaboração de universidades e centros de pesquisa.

Hoje essa ciência está no currículo de muitas universidades pelo mundo. Essas universidades enfocam a pesquisa e o ensino interdisciplinares e são capazes de produzir graduados 'T' — que têm não somente conhecimento profundo em uma especialidade, mas também conhecimento que perpassa várias disciplinas para que os respectivos especialistas delas trabalhem bem em equipe.

A ciência de serviços é uma abordagem que nos habilita a estudar, elaborar e administrar sistemas eficazes de serviços, que criam valor a nossos clientes. As empresas que o reconhecem contratarão diplomados com o conhecimento e as habilidades demandadas em ciência de serviços, de modo a terem vantagem competitiva. Ao estudar marketing de serviços, você deu o primeiro passo para familiarizar-se com a ciência de serviços, mas precisará ter consciência de que todas as disciplinas são importantes e os principais conceitos nesses campos devem ser assimilados.

Fontes: "Are we ready for 'SERVICE'?", *ThinkTank*, 10 out. 2005. Disponível em: <www.research.ibm.com/ssme/20051010_services.shtml>. Acesso em: 29 abr. 2009; M. M. Davis e I. Berdrow, "Service science: catalyst for change in business school curricula", *IBM Systems Journal*, 47, n. 1, 2008, p. 29-39; R. C. Larson, "Service science: at the intersection of management, social, and engineering sciences", *IBM Systems Journal*, 47, n. 1, 2008, p. 41-51; Paul P. Maglio e Jim Spohrer, "Fundamentals of service science", *Journal of the Academy of Marketing Science*, 36, n. 1, 2008, p. 18-20.

rência estabeleça diretrizes claras para cada função. Cada diretriz deve estar relacionada a clientes e definir como determinada função contribui para a missão geral. Parte do desafio da gerência de serviços é assegurar que cada uma dessas três diretrizes funcionais seja compatível com as outras e que todas se reforcem mutuamente.

Potenciais meios de reduzir conflitos interfuncionais e quebrar barreiras culturais entre departamentos incluem:

1. transferências interfuncionais de indivíduos, que desenvolverão uma perspectiva mais holística e serão capazes de analisar problemas do ângulo dos vários departamentos;
2. estabelecimento de equipes de projeto integradas (por exemplo, para desenvolvimento de novos serviços ou redesenho do processo de serviço ao cliente);
3. formação de equipes interfuncionais de entrega de serviços;
4. nomeação de indivíduos designados para a função de integrar objetivos, atividades e processos específicos entre departamentos. Robert Kwortnik e Gary Thompson sugerem criar um departamento com a responsabilidade de 'gerenciamento da experiência de serviço' que integre marketing e operações;[7]
5. marketing e treinamento interno (veja Capítulo 11);
6. por fim, comprometimento da alta gerência que garanta que os objetivos que transcendem a todos os departamentos sejam integrados (veja seção sobre liderança humana mais adiante neste capítulo).

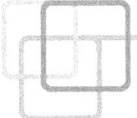

Criando uma organização líder em serviços

Até aqui, discutimos a Cadeia de lucro em serviços, que prescreve as melhores práticas gerenciais sobre como administrar uma empresa e a necessidade de integrar funções e disciplinas. A seguir, exploraremos o que é preciso para transformar uma empresa perdedora em uma líder em serviço.

De perdedores a líderes: quatro níveis de desempenho de serviços

A liderança em serviços não se baseia em desempenho extraordinário em uma única dimensão, mas ao contrário, reflete a excelência em múltiplas. Para capturar todo esse espectro, é preciso avaliar a organização em cada uma das três áreas: marketing, operações e recursos humanos. A Tabela 15.1 modifica e amplia uma estrutura voltada para operações proposta por Richard Chase e Robert Hayes.[8] Ela categoriza as prestadoras de serviço em quatro níveis: perdedoras, não entidades, profissionais e líderes. Em cada nível, há uma breve descrição de uma organização típica segundo 12 dimensões.

Em marketing, examinamos o papel, o apelo competitivo, o perfil de clientes e a qualidade de serviço. Em operações, consideramos o papel, a entrega de serviço (cena), as operações de bastidores, a produtividade e a introdução de novas tecnologias. Por fim, em recursos humanos, consideramos o papel do gerenciamento, a força de trabalho e a gestão da linha de frente. É óbvio que haverá sobreposições entre as dimensões e entre as diversas funções. Além disso, pode variar a importância relativa de algumas dimensões conforme o setor de serviços. A gestão de RH, por exemplo, desempenha um papel estratégico mais proeminente em serviços de alto contato. A meta dessa estrutura de desempenho geral de serviços é obter algumas percepções sobre o que precisa ser mudado em organizações cujo desempenho não é tão bom quanto poderia ser.

Para avaliar em profundidade uma empresa de um setor específico, pode ser útil usar a Tabela 15.1 como ponto de partida, modificando alguns de seus elementos para criar uma estrutura customizada de análise.

Perdedoras em serviços. Essas organizações estão no fundo do poço — do ponto de vista do cliente e da gerência — e seu desempenho é reprovado em marketing, operações e recursos humanos. Os clientes as utilizam por razões outras que não o desempenho; em geral por não existir alternativa viável — que é uma das razões de conseguirem sobreviver.

Essas organizações consideram a entrega de serviço um mal necessário. Adotam novas tecnologias somente sob pressão e sua força de trabalho desatenta e relaxada é uma limitação negativa do desempenho. A insatisfação do cliente é sempre alta e as reclamações, constantes, mas não resolvidas. O ciclo do fracasso apresentado no Capítulo 11 (Figura 11.4) descreve como essas organizações comportam-se e quais são as consequências para os clientes.

Não entidades em serviços. Embora o desempenho deixe muito a desejar, não entidades eliminaram as piores características das perdedoras. Como mostra a Tabela 15.1, nessas empresas domina a mentalidade tradicional de operações, baseada em conseguir economias de custo por meio de padronização. As estratégias de marketing não são sofisticadas, e os papéis de recursos humanos e operações resumem-se às filosofias 'adequado já está bom' e 'se não está quebrado, não precisa consertar'. Os consumidores não procuram nem evitam essas organizações. Os gerentes repetem chavões sobre melhoria da qualidade e outras metas, mas não conseguem estabelecer prioridades claras, traçar um curso explícito de ação ou obter o respeito e o compromisso dos subordinados. Muitas vezes, diversas dessas empresas concorrem sem garra em um mercado e cada uma delas quase não se distingue das outras. Descontos periódicos de preços tendem a ser o meio primordial de tentar atrair novos clientes. O cliente aproveita a primeira oportunidade para mudar para um fornecedor melhor, mas a empresa não acompanha essas mudanças e considera normal que os clientes sejam pouco fiéis. O ciclo da mediocridade (Figura 11.6) retrata o ambiente de recursos humanos de muitas de tais organizações e suas consequências para os clientes.

Profissionais em serviços. Pertencem a uma divisão diferente das não entidades e têm uma clara estratégia de posicionamento no mercado. Clientes as procuram por sua reputação firme de satisfazer a expectativas. O marketing é mais sofisticado, com comunicações dirigidas e apreçamento por valor para o cliente. Utiliza pesquisa para medir a satisfação do cliente e obter ideias para a melhoria de serviços. Operações e marketing trabalham juntas para introduzir novos sistemas de entrega e reconhecem o *trade-off* entre produtividade e qualidade como definida pelo cliente. Há ligações explícitas entre atividades de bastidores e de cena e uma abordagem de gerenciamento de recursos humanos muito mais proativa e voltada para investimento do que a encontrada em não entidades. O Ciclo do sucesso (Figura 11.7) realça as estratégias de RH que levam a um nível superior de desempenho da maioria dos funcionários na categoria (e por todos os que trabalham para líderes em serviços), em conjunto com seu impacto positivo sobre a satisfação e a lealdade do cliente. Acreditam estar protegidas, embora concorrentes mais inovadores, da categoria a seguir, possam roubar seu mercado rapidamente. Se não se atualizarem, correm o risco de pouco a pouco cair para as categorias anteriores.

Tabela 15.1 Quatro níveis de desempenho em serviços

Nível	1. Perdedora	2. Não entidade
Função de marketing		
Papel do marketing	Papel tático apenas; propaganda e promoção não têm foco definido; nenhum envolvimento com produto ou decisão de preço.	Usa um misto de vendas e comunicações de massa, utilizando simples estratégia de segmentação; faz uso seletivo de descontos de preço e promoções; realiza e faz tabulação de levantamentos básicos de satisfação.
Apelo competitivo	Clientes preferem a empresa por outras razões que não o desempenho.	Clientes não procuram nem evitam a empresa.
Perfil do cliente	Não especificado; um mercado de massa a ser atendido com custo mínimo.	Um ou mais segmentos cujas necessidades básicas são entendidas.
Qualidade de serviço	Muito variável, normalmente insatisfatória. Subordinada às prioridades da operação.	Satisfaz algumas das expectativas de clientes; consistente em uma ou duas dimensões fundamentais, mas não em todas.

	Função de operações	
Papel de operações	Reativo; orientado para custo.	A principal função da gerência de linha: criar e entregar produto, focalizar padronização como fundamental para a produtividade e definir qualidade de uma perspectiva interna.
Entrega de serviço (cena)	Um mal necessário. Localizações e programações não têm relação com preferências de clientes, que são rotineiramente ignorados.	Apega-se à tradição: "Se não está quebrado, não conserte"; regras estritas para clientes; cada etapa da entrega é executada independentemente.
Operações de bastidores	Desencontradas das operações de cena; engrenagens de uma máquina.	Contribuem para etapas individuais de entrega da linha de frente, porém organizadas separadamente; não estão familiarizadas com clientes.
Produtividade	Indefinida; gerentes são punidos por não cumprirem o orçamento.	Baseada em padronização; recompensada por manter custos abaixo do orçamento.
Introdução de nova tecnologia	Adota tecnologia com atraso, sob pressão, quando necessário para a sobrevivência.	Segue a maioria quando justificada por economias de custo.
	Função de recursos humanos	
Papel de recursos humanos	Fornece funcionários de baixo custo dotados dos requisitos mínimos de habilidades para o trabalho.	Recruta e treina funcionários que podem executar o trabalho com competência.
Força de trabalho	Limitação negativa: maus profissionais, desinteressados, desleais.	Recurso adequado; segue procedimentos, mas sem imaginação; costuma apresentar alta rotatividade.
Gerência da linha de frente	Controla os profissionais.	Controla o processo.

3. Profissional	4. Líder
Função de marketing	
Apresenta clara estratégia de posicionamento em relação à concorrência; usa comunicações dirigidas com apelos distintivos para esclarecer promessas e instruir clientes; o preço é baseado em valor; monitora a utilização do cliente e executa programas de fidelidade; usa uma variedade de técnicas de pesquisa para medir a satisfação do cliente e obtém ideias para aprimorar serviços; trabalha com operações para introduzir novos sistemas de entrega.	Líder inovadora em segmentos selecionados, conhecida por habilidades de marketing; promove marcas em nível de produto/processo; realiza sofisticada análise de bancos de dados relacionais como insumos para marketing *one-to-one* e gerenciamento de contas; usa técnicas de pesquisa de última geração; usa teste de conceito, observação e clientes de vanguarda como insumos para desenvolvimento de novos produtos; intimamente ligada a operações/RH.
Clientes procuram a empresa com base em sua reputação sustentada de satisfação das necessidades de clientes.	O nome da empresa é sinônimo de excelência em serviços; sua capacidade de encantar clientes eleva expectativas a níveis que os concorrentes não podem alcançar.
Grupos de indivíduos cuja variação em necessidades e valor para a empresa é entendida com clareza.	Indivíduos são selecionados e conservados com base em seu valor futuro para a empresa, incluindo seu potencial para novas oportunidades de serviço e sua capacidade de estimular inovação.
Satisfaz ou excede consistentemente as expectativas de clientes em várias dimensões.	Eleva expectativas de clientes a novos níveis; melhorias são contínuas.
Função de operações	
Desempenha papel importante na estratégia competitiva; reconhece *trade-off* entre produtividade e qualidade definida pelo cliente; disposta a terceirizar; monitora operações de concorrentes em busca de ideias, ameaças.	Reconhecida por inovação, foco e excelência; parceira igualitária de marketing e gerenciamento de RH; tem capacidade de pesquisa e contatos acadêmicos na própria empresa; está sempre experimentando.
Orientada pela satisfação do cliente, não pela tradição; disposta a customizar, adotar novas abordagens; ênfase na rapidez, conveniência e conforto.	A entrega é um processo sem descontinuidade organizado ao redor do cliente; os funcionários sabem a quem estão prestando serviços; focaliza melhorias contínuas.

O processo está ligado explicitamente a atividades de cena; vê papéis como se estivesse atendendo 'clientes internos' que, por sua vez, atendem clientes externos.	Intimamente integrada com a entrega de cena, ainda que afastada em termos geográficos; entende como seu papel está relacionado com o processo geral de atendimento de clientes externos; diálogo contínuo.
Focaliza reengenharia de processos de bastidores; evita melhorias de produtividade que degradarão a experiência de serviço de clientes; refina continuamente processos em busca de eficiência.	Entende o conceito de retorno sobre a qualidade; procura obter o envolvimento com clientes para melhorar produtividade; está sempre testando novos processos e novas tecnologias.
Adota rapidamente a TI, quando esta promete realçar o serviço para clientes e proporcionar um diferencial de concorrência.	Trabalha com líderes em tecnologia para desenvolver novas aplicações que criam vantagem do primeiro no mercado; procura desempenhar papéis em níveis que concorrentes não podem alcançar.
Função de recursos humanos	
Investe em recrutamento seletivo e treinamento contínuo; mantém-se próxima dos funcionários, promove mobilidade para cima; esforça-se para realçar a qualidade de vida no trabalho.	Considera a qualidade de funcionários uma vantagem estratégica; a empresa é reconhecida como um lugar excelente onde trabalhar; o RH ajuda a alta gerência a desenvolver a cultura.
Motivada e trabalhadora, tem permissão para usar bom senso na escolha de procedimentos; oferece sugestões.	Inovadora e fortalecida; muito fiel; comprometida com valores e metas da empresa; cria procedimentos.
Ouve clientes; instrui funcionários.	Fonte de novas ideias para a alta gerência; serve de mentor para profissionais que desejam promover o crescimento na carreira; valor para a empresa.

Líderes em serviços. Essas organizações são *crème de la crème* em seus respectivos setores. Enquanto empresas profissionais são boas, líderes em serviços são excepcionais. Seus nomes são sinônimos de excelência em serviços e capacidade de encantar seus clientes. Líderes em serviços são reconhecidos por sua inovação em cada área funcional de gerenciamento, bem como por suas excelentes comunicações internas e coordenação entre essas três funções — com frequência, resultantes de uma estrutura organizacional achatada e da utilização extensiva de equipes. O resultado é que a entrega de serviço é um processo sem descontinuidade organizado ao redor do cliente. São empresas que acreditam em inovação contínua, sempre voltada para a criação de valor para seus clientes, aperfeiçoamento de processos e melhor ambiente de trabalho para seus funcionários. São mais comuns nos mercados mais competitivos, onde a qualidade excepcional pode fazer a diferença para sobrevivência e os resultados da empresa. É o estágio mais difícil, exige contínua excelência e não aceitação da acomodação.

Os esforços de marketing de líderes em serviços fazem uso amplo de sistemas de relacionamento com clientes (CRM) que oferecem percepções estratégicas, o que permite tratá-los individualmente. Teste de conceito, observação e contatos com clientes de vanguarda são utilizados no desenvolvimento de novos serviços avançados, que satisfazem necessidades não reconhecidas antes. O cliente torna-se um prossumidor, que participa do processo de criação do serviço, junto com a empresa, usando sua experiência como consumidor. Especialistas em operações trabalham com líderes em tecnologia para desenvolver aplicações que criarão vantagem por ser pioneiras no mercado e capacitarão a empresa a desempenhar serviços em níveis que seus concorrentes não poderão alcançar por muito tempo. Executivos seniores veem a qualidade de funcionários como uma vantagem estratégica. A gestão de RH trabalha com eles para desenvolver e manter uma cultura voltada para serviços e criar um ambiente de trabalho excelente que simplifica a tarefa de atrair e reter os melhores profissionais.[9] Os próprios funcionários estão comprometidos com os valores e as metas da empresa. Como estão fortalecidos e adotam mudanças com rapidez, são uma fonte contínua de novas ideias.

Figura 15.3 A Microsoft é um exemplo de empresa líder em serviços, através do acompanhamento contínuo de seus clientes e no compromisso de seus funcionários com seus valores e metas

Passando para um nível superior de desempenho

Empresas podem subir ou descer a escada do desempenho. Algumas das que tenham alcançado o nível de estrelas podem tornar-se complacentes e morosas. Outras dedicadas a satisfazer seus clientes atuais podem deixar escapar importantes mudanças no mercado e tornarem-se sucessos do passado. Continuam a atender uma faixa fiel, mas minguante, de clientes conservadores, e não conseguem atrair novos clientes exigentes com expectativas diferentes. Organizações cujo sucesso original baseava-se no domínio de um processo tecnológico podem descobrir que, ao defenderem o controle sobre aquele processo, estimularam concorrentes a procurar alternativas de desempenho superior. E aquelas cujas gerências trabalharam anos a fio para montar uma força de trabalho fiel, com forte ética de serviço, talvez descubram que essa cultura pode ser destruída em uma fusão ou aquisição que traz novos líderes que enfatizam lucros a curto prazo. Infelizmente, gerentes seniores às vezes se iludem pensando que suas empresas atingiram um nível superior de desempenho quando, na verdade, as fundações do sucesso estão ruindo.

Em grande parte dos mercados também podemos encontrar empresas subindo a escada do desempenho por meio de esforços conscientes para coordenar marketing, operações e gerenciamento de recursos humanos, a fim de estabelecer posições competitivas mais favoráveis e satisfazer melhor seus clientes. Por exemplo, a Microsoft reconheceu que a experiência de clientes e parceiros é cada vez mais importante para obter altos níveis de satisfação e fidelidade. Ela está passando de uma empresa centrada no desenvolvimento para uma cultura focada no cliente por meio de um programa chamado Customer and Partner Experience (CPE) (Figura 15.3). O objeto do CPE é monitorar, administrar e melhorar cada ponto de percepção que clientes e parceiros encontrarem enquanto experimentam, compram, fazem *download*, usam, integram e atualizam um software Microsoft. Vários programas impulsionam o CPE, e um deles é o Up Your Service! College, destinado ao treinamento em atendimento ao cliente e ao desenvolvimento de uma cultura de serviço superior e uma mentalidade de excelência em serviço.

Liderando a mudança em direção a um nível de desempenho superior

A transformação de uma empresa e a ascensão de desempenho podem ocorrer de duas maneiras: evolução ou virada. *Evolução* em um contexto empresarial envolve mutações contínuas destinadas a garantir a sobrevivência do mais apto. A alta gerência deve promover ativamente a evolução do foco e da estratégia da empresa para aproveitar as vantagens das mudanças de condições e do advento de novas tecnologias. Sem uma série continuada de mutações, é improvável que uma empresa consiga preservar seu sucesso em um mercado dinâmico. Ocorre um tipo diferente de transformação em situações de *virada*, nas quais os líderes (geralmente novatos) buscam resgatar organizações à beira da falência e devolvê-las a um curso mais saudável.

Os professores Chan Kim e Renée Mauborgne, do INSEAD, identificaram quatro barreiras enfrentadas pelos líderes na reorientação e formulação de estratégia:[10]

- *barreiras cognitivas* estão presentes quando as pessoas não podem chegar a um acordo quanto às causas de problemas correntes e à necessidade de mudança;
- *barreiras de recursos* ocorrem quando a organização é restringida por fundos limitados;
- *barreiras motivacionais* impedem a rápida execução de uma estratégia quando os funcionários relutam em fazer as mudanças necessárias;
- *barreiras políticas* podem tomar a forma de resistência organizada de poderosos interesses e direitos adquiridos que tentam proteger suas posições.

Promover a virada em uma organização que tem recursos limitados requer concentrar esses recursos onde a necessidade e o retorno financeiro provavelmente serão maiores. John Kotter, talvez a autoridade mais conhecida em liderança, argumenta que, na maioria dos processos bem-sucedidos de mudança de gerenciamento, os envolvidos precisam passar por oito estágios complicados e muitas vezes demorados:[11]

- criar um sentido de urgência para desenvolver o ímpeto da mudança;
- reunir uma equipe suficientemente forte para dirigir o processo;
- criar uma visão adequada de aonde a empresa precisa ir;
- comunicar essa nova visão a todos;
- fortalecer funcionários para que ajam conforme essa visão;
- produzir resultados suficientes em curto prazo para criar credibilidade e combater o ceticismo;
- criar ímpeto e usá-lo para atacar os problemas mais difíceis da mudança;
- ancorar os novos comportamentos na cultura organizacional.

Segundo Rosabeth Moss Kanter, em situações de virada, pode ser vantajoso trazer um novo CEO externo.[12] Esses indivíduos, argumenta, são mais capazes de desembaraçar a dinâmica do sistema — porque não estavam presos a ela — e de enunciar problemas e mudar hábitos. Além disso, novos CEOs também têm mais credibilidade para representar e respeitar clientes. Líderes de virada exemplares, segundo ela, entendem o poderoso efeito unificador de focalizar clientes. Esse foco pode facilitar a difícil tarefa de obter colaboração em todos os departamentos e divisões. Além de derrubar barreiras entre marketing, operações e recursos humanos, ou entre vários produtos ou divisões geográficas, executivos de virada talvez também precisem imprimir nova orientação às prioridades financeiras a fim de habilitar grupos colaborativos a atacar novas oportunidades de negócios.

Cenário brasileiro 15.1

Liderança no setor textil e de confecção

Segundo dados de 2010 da ABIT — Associação Brasileira da Indústria Têxtil e de Confecção —, o setor representa 5,5 por cento do PIB da Indústria de Transformação, englobando 30 mil empresas que geram 1,7 milhão de empregos diretos; possui o quinto maior parque têxtil do mundo; faturou 53 bilhões de reais e exportou 1,4 bilhões de reais. Grande parte das empresas é de pequeno porte, com marcas regionais, mas a tendência de aquisições que tem caracterizado a economia mundial também se observa no setor.

Na área da moda, por exemplo, temos três grandes conglomerados internacionais que a partir dos anos 1980 adquiriram dezenas das marcas mais conhecidas. O LVMH (Louis Vuitton, Möet e Henessy) atua, além do setor de vestuário, no segmento de perfumes, bebidas e lojas, e possui, entre outras, as marcas Louis Vuitton, Dior, Donna Karan, Emilio Pucci, Fendi, Givenchy, Kenzo e Marc Jacobs, e faturamento global de cerca de 20 bilhões de euros.

O conglomerado PPR (Pinault, Printemps, Redoute) tem entre suas marcas mais conhecidas: Alexander McQueen, Balenciaga, Bottega Veneta, Boucheron, Gucci, Stella McCartney e Yves Saint Laurent. O faturamento do grupo em 2009 foi de 16,9 bilhões de euros, embora 65 por cento provenha de sua atuação na área de varejo, com as redes Fnac, a Redcats e a Conforama.

O grupo Richemont, criado em 1988 por Johann Rupert, fatura anualmente cerca de 6 bilhões de euros, com marcas como Cartier, Chloé, Montblanc e Polo Ralph Lauren, embora parte do faturamento venha da participação na British American Tobacco.

Esses grupos adquiriram empresas conhecidas pela criatividade e qualidade artesanal de seus produtos e adicionaram seus conhecimentos em gestão de marketing, produção e logística para torná-las marcas globais.

No Brasil, esse processo de formação de conglomerados ainda está no início, com alguns grupos buscando seguir os passos das três grandes holdings globais do luxo. Aqui, muitas empresas ainda são informais, a sonegação é prática corriqueira e não existem profissionais de gestão e design suficientes para crescimento sustentado.

A InBrands, parceria da Ellus, de Nelson Alvarenga, e o banco UBS Pactual, posiciona-se como uma holding voltada para a aquisição de marcas fortes, com potencial de crescimento e que precisem de suporte gerencial mais estruturado. Suas principais marcas são 2nd Floor, Alexandre Herchcovitch, Ellus, Richards, Bintang, Salinas, Isabela Capeto, SPFW e VR Menswear, e seu faturamento em 2010 foi de 530 milhões de reais.

Outra empresa que está se posicionando com gestora de marcas é a Marisol S.A. Ela começou em 1964 como uma pequena malharia em Jaraguá do Sul, Santa Catarina, e foi fundada por Vicente e Florilda Donini, que já haviam começado uma fábrica de chapéus. A empresa mudou para o mercado de massa de camisetas e teve sucesso com a marca infantil Lilica Ripilica, que hoje se tornou uma empresa que fatura 500 milhões de reais anualmente, com atuação nos Estados Unidos e na Europa. Nos anos 1990, profissionalizou sua estrutura e abriu seu capital na bolsa. A empresa está estruturada em três unidades de mercado, a partir da análise de oportunidades que identificou nos setores da linha infantil, com as marcas Lilica Ripilica e Tigor T. Tigre e Marisol, a linha jovem, com a marca Pakalolo — famosa nos anos 1980, adquirida por baixo valor em 2005 — e Mineral, e no mercado *premium* adulto, as marcas Rosa Chá, adquirida em 2006, e Stereo, criada em 2009. Também criou a cadeia One Store de lojas multimarcas que se associam em rede, recebem planejamento visual, plano de marketing e central de compras, em troca de estocar 50 por cento com produtos da empresa e pagar uma porcentagem mensal sobre as vendas.

Além da ligação próxima com o mercado, a empresa investiu em tecnologia e recursos humanos para se manter competitiva com a abertura do mercado no início da década de 1990. Reestruturou seu parque industrial, abriu novas unidades fabris, todas no estado de Santa Catarina, e implantou a gestão colaborativa. Implementou comitês executivos e operacionais, onde todos os funcionários participam da discussão de suas atividades e enviam relatórios com recomendações para seus diretores. Também utiliza os círculos de controle de qualidade, reunindo funcionários de diferentes áreas para discutir ambiente de trabalho e processos, e estabeleceu grupos de planejamento estratégico que trabalham a partir do planejamento estratégico corporativo; grupos de gestão do clima organizacional, que desenvolvem e analisam pesquisas de clima; e o programa Panorama Marisol, que semanalmente reúne todos os líderes setoriais para alinhamento com objetivos da empresa, que são repassados aos demais funcionários durante a semana. Em 2009, a Marisol foi escolhida como a melhor empresa na categoria Recursos Humanos da revista *IstoÉ Dinheiro*.

A Marisol S.A. é um caso de empresa que busca a integração de suas atividades de marketing, gestão de recursos humanos e tecnologia, para atingir um nível superior de desempenho. Ao investir na satisfação do cliente e do funcionário, busca criar as condições ideais da cadeia de lucro em serviços.

Em 2008, a segunda geração assumiu o controle, e o filho Giuliano Donini, que já atuava na empresa desde 1999, se tornou o novo presidente.

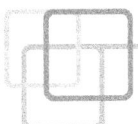

Em busca da liderança

Até aqui, discutimos como podemos transformar uma empresa perdedora em uma líder em serviços. Mas ainda é preciso líderes humanos para guiá-las na direção correta, determinar as prioridades estratégicas certas e assegurar que as estratégias relevantes sejam implementadas em toda a organização. Nas próximas seções, vamos abordar as seguintes questões: 'O que é liderança?', 'Quais são as qualidades da liderança?' e 'Qual é o papel dos líderes na modelagem de uma cultura e um clima organizacional favoráveis à excelência de serviço?'.

Liderança *versus* gerenciamento. *Liderança* refere-se ao desenvolvimento de visão e estratégias e ao fortalecimento de pessoas para superar obstáculos e fazer a visão se tornar real. *Gerenciamento*, por sua vez, consiste em manter a situação corrente por meio de planejamento, orçamento, organização, pessoal, controle e resolução de problemas. Kotter diz:

> A liderança funciona por meio de pessoas e cultura. É suave e calorosa. O gerenciamento funciona por hierarquia e sistemas. É mais rígida e mais fria [...]. O propósito fundamental do gerenciamento é manter o sistema atual funcionando. O da liderança é produzir mudança útil, principalmente não incremental. É possível ter demasiado ou muito pouco de qualquer uma das duas. Forte liderança sem nenhum gerenciamento corre o risco de gerar caos; a organização pode cair em um precipício. Forte gerenciamento sem nenhuma liderança tende a entrincheirar a organização em uma burocracia mortal.[13]

A liderança é um aspecto essencial e crescente do trabalho gerencial, porque a taxa de mudança está aumentando. Como reflexo do estímulo da concorrência acirrada, bem como dos avanços tecnológicos, novos serviços ou novas características de serviços são introduzidos a uma taxa mais rápida e seus ciclos de vida útil tendem a ser mais curtos. Enquanto isso, o ambiente competitivo continua em mudança, resultado da entrada de empresas internacionais em novos mercados geográficos, de fusões e aquisições e da saída de antigos concorrentes. O próprio processo de entrega de serviço se acelerou, pois os clientes exigem serviço veloz e respostas mais rápidas aos erros. O resultado, declara Kotter, é que, agora, executivos de alto escalão podem passar 80 por cento de seu tempo liderando, o dobro da quantidade requerida pouco tempo atrás. Mesmo os da base da hierarquia de gerenciamento podem gastar no mínimo 20 por cento de seu tempo em liderança. Isso significa que o grande papel do líder é o de comunicador: deve falar com todos os funcionários, representando sua visão e objetivos. Deve ser capaz de apontar o caminho correto e auxiliar cada um a se voltar para a mesma direção. Sua credibilidade vai depender muito de sua capacidade de argumentar e mostrar consistência em suas ideias, valores e ações.

Estabelecer direção *versus* planejamento. As pessoas costumam confundir essas duas atividades. *Planejamento*, de acordo com Kotter, é um processo de gerenciamento projetado para produzir resultados ordenados, e não mudança. Já *estabelecer uma direção* é uma ação mais indutiva do que dedutiva. Líderes procuram padrões, relações e ligações que ajudem a explicar coisas e sugerir tendências futuras. Estabelecer direção cria visões e estratégias que descrevem uma empresa, uma tecnologia ou uma cultura corporativa em termos do que ela deve se tornar a longo prazo, e que articulam um modo viável de atingir essa meta. Líderes eficazes têm talento para a simplicidade na comunicação com quem talvez não tenham a mesma formação ou o mesmo conhecimento; eles conhecem seu público e são capazes de destilar suas mensagens e transmitir até mesmo conceitos complicados em apenas algumas frases.[14]

Muitas das melhores visões e estratégias não são brilhantes inovações; ao contrário, elas combinam algumas percepções básicas e as traduzem em uma estratégia competitiva realista que satisfaz os interesses de clientes, funcionários e acionistas. Algumas visões, entretanto, classificam-se na categoria que Gary Hamel e C.K.Pralahad descrevem como 'elásticas' — um desafio para alcançar novos níveis de desempenho que, à primeira vista, parecem estar além do alcance da organização.[15] Tornar-se elástica e 'esticar-se' para alcançar tais metas requer reavaliação criativa das maneiras tradicionais de fazer negócios e alavancagem de recursos por meio de parcerias (veja a seção Panorama de serviços 15.2). Requer também criar a energia e a vontade entre gerentes e funcionários para levar o desempenho a níveis mais altos do que eles mesmos pensam que podem alcançar.

Qualidades de liderança individuais

Muitos comentaristas escreveram sobre o tópico da liderança, que foi descrita até mesmo como um serviço em si. Sam Walton, lendário fundador da rede de varejo Walmart, ressaltava o papel dos gerentes como 'líderes servidores'.[16] Existem muitas definições de liderança e várias delas contêm três elementos em comum: (1) envolve um grupo, visto que não pode existir liderança sem a cooperação dos funcionários; (2) é voltada a objetivos por meio dos quais líderes influenciam seus seguidores para o atingimento de certas metas e visões; e (3) tende a haver uma hierarquia no grupo. Em alguns casos, é aquela em que o líder está claramente no topo enquanto, em outros casos, ela é informal.[17] No entanto, é raro a liderança ser reconhecida apenas por causa do *status* formal. Líderes eficazes em uma empresa de serviços devem possuir as seguintes qualidades:

- amor pelo negócio. Esse entusiasmo estimulará os indivíduos a ensinar o trabalho aos outros e a transmitir-lhes a arte e os segredos de operá-lo;
- líderes em serviço precisam considerar a qualidade de serviço como a base da competição;[18]
- reconhecendo o papel fundamental dos funcionários na entrega de serviço, os líderes devem acreditar nas pessoas que trabalham para eles e prestar especial atenção à comunicação com seu pessoal;
- muitos líderes de destaque são movidos por um conjunto de valores essenciais que disseminam na organização.[19] Por exemplo, na seção de abertura, Pernille Spiers-Lopez coloca sua família como prioridade. Essa também é a cultura da IKEA North America, onde há forte ênfase no equilíbrio trabalho-vida pessoal;
- líderes eficazes possuem talento para comunicar-se de um modo fácil de compreender. Eles conhecem seus públicos e são capazes de comunicar ideias complicadas com termos simples e acessíveis.[20] A comunicação eficaz é talvez a habilidade mais importante de um líder para inspirar uma organização a criar sucesso;
- líderes eficazes sabem fazer perguntas relevantes e obter respostas de sua equipe, em vez de meramente confiar em si para dominar o processo decisório;[21]
- os melhores CEOs são capazes de redefinir metas e não se apegarão a decisões que foram certas em um momento, mas deixaram de sê-lo;[22]
- líderes eficazes precisam conhecer a razão de ser de sua empresa e formular e implementar uma estratégia, supervisionando-a diariamente e convivendo com ela ao longo do tempo.[23]

Rakesh Kharana adverte contra a ênfase excessiva ao carisma na seleção de CEOs, argumentando que isso leva a expectativas irreais.[24] Ele também destaca o risco de comportamento antiético quando líderes carismáticos, mas sem princípios, induzem obediência cega — citando o comportamento ilegal estimulado pela liderança da Enron, que por fim levou a empresa ao colapso financeiro. Jim Collins concluiu ainda que ser líder não requer uma personalidade de qualidades exacerbadas. Pelo contrário, o importante para o líder conduzir uma empresa à grandeza é a humildade pessoal mesclada com vontade profissional intensa, feroz determinação e tendência a dar créditos a outros e assumir toda a culpa.[25] Tal abordagem à liderança é ilustrada na virada da American Express, que passou por várias transformações durante seus mais de 150 anos de história (Panorama de serviços 15.3).

Por fim, em organizações hierárquicas, estruturadas em modelo militar, costuma-se admitir que a liderança do topo da hierarquia é suficiente. Mas, como salienta Sandra Vandermerwe, empresas de serviços que pensam no futuro precisam ser mais flexíveis. Ela argumenta que a maior ênfase existente hoje em utilizar equipes em empresas de serviço significa que:

> Líderes estão por toda parte, disseminados pelas equipes. Eles são encontrados principalmente em trabalhos face a face com o cliente ou que fazem interface com ele, de modo que a tomada de decisão levará a um relacionamento de longa duração com os clientes [...]. Líderes são defensores de clientes e projetos que energizam o grupo em virtude de seu entusiasmo, interesse e conhecimento.[26]

Panorama de serviços 15.2

O *Cirque du Soleil* pode se reinventar mais uma vez?

Em meados da década de 1980, quem acreditaria que o *Le Club des Talons Hauts* (O Clube dos Saltos Altos), um pequeno grupo de artistas de rua que falava francês, andavam em pernas de pau e viviam em um albergue para jovens próximo à cidade de Quebec, no Canadá, algum dia se tornaria o mundialmente famoso *Cirque du Soleil* (Circo do Sol)? Como sua combinação única de música, dança e acrobacias, o *Cirque du Soleil* criou uma nova categoria de entretenimento ao vivo, apresentando um pacote de shows variados, assistidos por milhões ao redor do mundo (Figura 15.4). "As pessoas disseram que reinventamos o circo – nós não fizemos isso", declara o presidente Guy Laliberté:

"Nós modernizamos a forma de apresentar o espetáculo circense [...]. Pegamos uma forma de arte conhecida, que estava tão empoeirada que as pessoas tinham se esquecido de que podia ser algo além do que elas conheciam, e organizamos para nós mesmos uma nova plataforma criativa."

Para atingir sua atual posição de destaque, apresentando seis turnês e seis show permanentes em parceria com cinco hotéis-cassinos de Las Vegas e um resort da Disney World na Flórida, o *Cirque* teve de enfrentar desafios financeiros, gerenciais e artísticos. Para os artistas bem remunerados, entre os quais há muitos ex-atletas olímpicos, a noção de elasticidade (tanto física quanto metafórica) é essencial a sua vida profissional. "Pessoas criativas sempre necessitam de novos desafios", diz o diretor de operações Daniel Lamarre. Por outro lado, muitas vezes as empresas acham mais fácil repousar sobre os louros. Entretanto, essa abordagem poderia conter as sementes do fracasso para o *Cirque*.

Atualmente o *Cirque du Soleil* enfrenta novos concorrentes, incluindo dois que surgiram em seu próprio território, o *Cirque Éloize* e o *Cirque Éos*, ambos criados com a crescente leva de graduados de duas escolas de circo recém formadas em Quebec. Imitadores também surgiram na França e na Argentina. Um desafio ainda maior vem da empresa norte-americana Feld Enterprises, proprietária dos famosos *Ringling Bros* e *Barnum & Bailey Circus*. A Feld criou um novo espetáculo, o Barnum's Kaleidoscope, que substitui os tradicionais artistas de circo por um misto de acrobatas e música ao vivo a ingressos bem mais caros.

O *Cirque du Soleil* cresceu nos últimos anos acrescentando novos shows com novos parceiros. Em 2006, lançou *Love*, baseado na música dos Beatles, tornando o cassino Mirage seu quinto parceiro em Las Vegas. Mas uma questão fundamental para o *Cirque* é de onde virá o crescimento futuro, visto que seu principal mercado torna-se mais abarrotado. Não só novos concorrentes elevam o custo de encontrar e reter artistas de alto nível, mas também não se sabe por quanto tempo mais a empresa privada canadense continuará a lotar seus teatros de mil lugares a ingressos de alto valor com o que alguns críticos veem como basicamente variações do mesmo produto. Uma evolução contínua faz-se necessária.

Figura 15.4 O *Cirque du Soleil* enfrenta o desafio de se manter na liderança

Fonte: Robert J. David e Amir Motamedi, "Cirque du Soleil: can it burn brighter?", *Journal of Strategic Management Education*, 1, n. 2, 2004, p. 369-382. Disponível em: <www.cirquedusoleil.com>. Acesso em: 2 jun. 2009.

Modelo exemplar do comportamento desejado

Uma das características de líderes bem-sucedidos é a capacidade de ser modelo para o comportamento que eles esperam de gerentes e de outros funcionários. Muitas vezes, isso requer a abordagem conhecida como 'passeio de gerenciamento', popularizada por

Thomas Peters e Robert Waterman no livro *In search of excellence*.[27] Quando Herb Kelleher era CEO da Southwest Airlines, ninguém se surpreendia ao vê-lo no hangar de manutenção da empresa às duas horas da manhã ou até mesmo ao encontrá-lo ocasionalmente a bordo de uma aeronave desempenhando tarefas de um comissário de bordo. Passeio de gerenciamento envolve visitas regulares, às vezes não anunciadas, a diferentes áreas de operação de uma empresa. Essa abordagem proporciona percepções de operações de bastidores e de cena, capacidade de observar e conhecer funcionários e clientes e uma oportunidade de ver como a estratégia corporativa é implementada na linha de frente.

Realizada periodicamente, essa abordagem pode resultar no reconhecimento de que há necessidade de mudanças na estratégia. Encontrar o CEO em uma dessas visitas também pode ser motivador para o pessoal de serviço. A seção Melhor prática em ação 15.2 descreve como o CEO de um grande hospital conheceu o poder do modelo exemplar no início de sua gestão.

Panorama de serviços 15.3

Reinvenção e liderança na American Express

"Francamente, não se pode enganar no negócio de serviços e ter sucesso prolongado", disse Kenneth Chenault, CEO da American Express. "Quando se está no setor de serviços, reputação é tudo." Entretanto, também adverte: "Às vezes, quando somos bem-sucedidos, tornamo-nos arrogantes, e o que venho tentando injetar [aqui] é uma forte sensibilidade às necessidades dos clientes [e] respeito aos colegas".

A American Express, mais conhecida como ícone na área de viagens e serviços financeiros, evoluiu por um processo que descreve como "150 anos de reinvenção e serviço ao cliente". Fundada em 1850 em Nova York, esteve entre as primeiras e mais bem-sucedidas empresas de entrega expressa criadas na expansão para o oeste dos Estados Unidos. Entregadores intrépidos, geralmente a cavalo ou conduzindo carruagens, transportavam cartas, pacotes, mercadorias, ouro e papel-moeda das cidades do leste para a fronteira oeste. Os maiores e mais assíduos clientes eram os bancos. Entregar seus pequenos pacotes – certificados de ações, notas, moedas e outros instrumentos financeiros – era muito mais lucrativo do que transportar cargas maiores. À medida que as ferrovias se expandiram, a empresa reformulou seu negócio de entregas e passou a criar e vender seus próprios produtos financeiros, lançando ordens de pagamento em 1882 e os primeiros cheques de viagem (*traveller's cheques*) em 1891. O nome American Express ganhou crescente visibilidade no exterior, e escritórios foram abertos na Europa.

A partir de 1920 a empresa concentrou-se em serviços de viagens, sustentados pela venda de cheques de viagem e ordens de pagamento (e pelos lucros de investir a substancial flutuação (*float*) desses produtos). O primeiro cartão de crédito American Express foi emitido em 1958. O negócio logo cresceu e incluía portadores individuais e corporativos. Seguiram-se os cartões Gold e Platinum, que ofereciam benefícios e privilégios adicionais por uma anuidade mais alta.

Visando à diversificação, a American Express buscou criar um 'supermercado financeiro' por meio da aquisição de outras empresas de serviços financeiros. No entanto, as sinergias esperadas nunca se realizaram e a empresa 'tropeçou' no início da década de 1990. Enquanto isso, o negócio de cartões enfrentava acirrada concorrência de Visa e MasterCard, que cobravam taxas menores dos comerciantes.

Em 1991, um grupo de donos de restaurante de Boston, contrariados com as altas taxas, protagonizou uma revolta que ficou conhecida como Boston Fee Party* e recusou-se a aceitar cartões American Express. Outros juntaram-se ao movimento, tanto em nível nacional quanto internacional. Chenault, na época um jovem executivo em ascensão, liderou o esforço bem-sucedido de reconciliação e redução de taxas. Promovido a presidente e diretor de operações, ampliou a divisão de cartões com a oferta de novos benefícios e programas de fidelidade, criação de novos tipos de cartão e pela obtenção da adesão de varejistas de massa, como o Walmart. As compras com cartões American Express, antes concentradas em viagens e lazer, hoje predominam em gastos no varejo e despesas cotidianas, incluindo materiais de escritório por pequenas empresas que possuem o cartão.

Logo após ser nomeado CEO em 2001, Chenault enfrentou o enorme desafio de ajudar a empresa a se recuperar tanto do trauma humano de ver destruído o World

---

* Uma alusão ao movimento conhecido como "Boston Tea Party", de 1773, quando foi destruído o chá como forma de protesto contra os impostos que eram aplicados pelos britânicos.

Trade Center, vizinho de sua sede corporativa, quanto do acentuado declínio em viagens que se sucedeu aos atentados de 11 de Setembro. Amplamente reconhecido por sua capacidade de liderança, Chenault apresentou um roteiro para tornar a empresa mais enxuta e capaz de responder com mais presteza às oportunidades de negócios à medida que a economia se recuperasse. Em 2005, ele concluiu o desmantelamento do 'supermercado financeiro' e voltou a concentrar o negócio em suas atividades principais de serviços de cartão e viagens, com operações em 130 países, e saiu-se comparativamente bem durante a crise financeira global de 2009.

Em retrospecto, Chenault avalia 2001 como "crucial e fundamental para o sucesso de nossa empresa. Foi um teste para nossa administração de maneiras inimagináveis". Quando um repórter pediu-lhe para descrever sua filosofia de liderança, ele respondeu: "O papel de um líder é definir a realidade e dar esperanças".

Fontes: Nelson D. Schwartz, "What's in the cards for Amex?", *Fortune*, 22 jan. 2001, p. 58-70; Greg Farrell, "A CEO and a gentleman", *USA Today*, 25 abr. 2005, 1B, 3B; "Our history. Becoming American Express: 150+ years of reinvention and customer service". Disponível em: <home.americanexpress.com> e <http://home3.americanexpress.com/corp/os/history/circle.aspm>. Acesso em: 13 jun. 2009.

Para uma empresa com limitados recursos conseguir dar uma virada, é necessário concentrá-los onde a necessidade e os retornos prováveis forem maiores. Como exemplo de liderança eficaz nessas condições, Kim e Mauborgne destacam o trabalho de William Bratton, que conquistou fama em seus 20 anos de carreira como policial em Boston e Nova York. Bratton acreditava que tinha de colocar seus principais agentes em contato direto com os problemas com que o público mais se preocupava. Quando se tornou chefe da Polícia de Trânsito de Nova York, constatou que nenhum policial mais graduado utilizava o metrô. Portanto, exigiu que todos os oficiais de trânsito, incluindo ele mesmo, tomassem o metrô para ir trabalhar e participar de reuniões, mesmo à noite, em vez de usar carros da prefeitura. Desse modo, os oficiais mais graduados ficavam expostos à realidade dos problemas enfrentados por milhões de cidadãos comuns e pelos policiais que se empenhavam em manter a ordem.

Melhor prática em ação 15.2

O presidente de um hospital conhece o poder de um modelo de conduta

Em seus 30 anos de gestão como presidente do Beth Israel Hospital de Boston, o Dr. Mitchell T. Rabkin ficou conhecido por fazer visitas informais regularmente a todas as partes do hospital. "Você aprende muito com o 'passeio de gerenciamento'", afirmou ele. "E você também é visto. Quando visito outro hospital e seu CEO dá uma volta comigo, observo como ele interage com as outras pessoas, e como é a linguagem corporal em cada caso. É muito revelador. Mais do que isso, é muito importante como modelo de conduta." Para reforçar esse ponto, o Dr. Rabkin gostava de contar esta história:

"As pessoas aprendem a fazer em decorrência do modo como elas veem você e os outros comportarem-se. Um exemplo do Beth Israel que hoje em dia parece forjado — mas é real — é a história do lixo no chão.

Um de nossos curadores, o finado Max Feldberg, presidente da Zayne Corporation, certo dia me pediu para dar uma volta pelo hospital com ele e perguntou: 'Por que você acha que tem tanto pedaço de papel jogado pelo chão desta unidade de tratamento de pacientes?'.

'Bem, é porque as pessoas não pegam o lixo que cai', respondi.

Ele argumentou: 'Ouça, você é um cientista. Vamos fazer uma experiência. Vamos caminhar por este andar e apanhar alguns pedaços de papel que encontrarmos no chão. Depois subiremos para a outra unidade, com a mesma localização e estatisticamente a mesma quantidade de papel, mas não apanharemos nada'.

Então eu e aquele homem de 72 anos saímos catando um ou outro papelzinho em um andar e nada no outro. Quando voltamos dez minutos depois, todo o restante de lixo no chão do primeiro andar havia sido removido e nada, é claro, havia mudado no segundo.

E o 'Sr. Max' me disse: 'Viu? Não é porque as pessoas não pegam o lixo que cai, é porque você não faz isso. Se você é tão importante que não pode se curvar e pegar um pedaço de papel caído, porque os outros o fariam?'."

Fonte: Christopher Lovelock. *Product plus: how product + service = competitive advantage*. Nova York: McGraw-Hill, 1994.

Os antecessores de Bratton organizaram um lobby por mais verba para elevar o policiamento no metrô, acreditando que a única maneira de conter os assaltantes era a presença de policiais em cada linha e o patrulhamento das 700 saídas e entradas do sistema. Bratton, ao contrário, solicitou uma análise dos lugares onde eram cometidos crimes. Como a vasta maioria ocorria em apenas algumas estações em duas ou três linhas, ele redistribuiu os oficiais de modo a focalizar as áreas problemáticas e utilizou policiais à paisana. Essa drástica realocação de efetivos, aliada a inovações que agilizavam os procedimentos de prisão, resultou em significativa redução de crimes no metrô sem nenhum novo investimento em recursos.

É claro que há o risco de um líder proeminente ficar muito visado, a ponto de colocar em risco sua eficácia interna. Um CEO cuja receita pessoal seja enorme (muitas vezes pelo exercício da opção de compra de ações da companhia) e que mantenha um estilo de vida principesco e goze de grande publicidade pode até desmotivar empregados de baixos salários na base da hierarquia organizacional.

Liderança, cultura e clima

Para encerrar, vamos dar uma olhada rápida em um tema que permeou todo este capítulo e, na verdade, o livro inteiro: o papel do líder no fomento a uma cultura eficaz dentro da empresa.[28] Podemos definir *cultura organizacional* como aquela que inclui:

- percepções ou temas compartilhados referentes ao que é importante na organização;
- valores compartilhados sobre o que é certo e errado;
- entendimento compartilhado sobre o que funciona e o que não funciona;
- crenças e premissas compartilhadas sobre *por que* essas coisas são importantes;
- estilos compartilhados de trabalho e relativos a outras pessoas.

John Hamm acredita que a comunicação eficaz é a ferramenta mais importante de um líder para a tarefa essencial de inspirar a organização a assumir responsabilidade pela criação de um futuro melhor. Segundo ele, os líderes mais eficazes se perguntam: "O que precisa acontecer hoje para chegarmos aonde queremos chegar? Qual crença ou noção vaga posso esclarecer ou debelar?". CEOs capazes de se comunicar com precisão terão mais condições de alinhar o comprometimento e a energia da empresa a uma visão bem compreendida de suas reais metas e oportunidades.[29]

Transformar uma empresa para que desenvolva e fomente uma nova cultura nessas cinco dimensões não é tarefa fácil nem para o mais talentoso dos líderes. É mais difícil ainda quando a organização faz parte de um setor que se orgulha de suas tradições arraigadas. Entre elas, a multiplicidade de departamentos administrados por profissionais com espírito independente e de diferentes campos, sintonizados com o modo como são percebidos por seus pares de outras instituições. Com frequência encontramos essa situação em instituições que não visam lucros como faculdades e universidades, grandes hospitais e museus. A seção Panorama de serviços 15.4 descreve os desafios enfrentados por um novo diretor no processo de transformação do Museum of Fine Arts de Boston em um momento de decadência em sua história.

O *clima organizacional* é a camada superficial tangível que recobre a cultura subjacente. Entre os seis fatores que influenciam o ambiente de trabalho em uma organização estão sua *flexibilidade* (grau de liberdade que os funcionários têm para inovar); seu senso de *responsabilidade* para com a organização; o nível de *padrões* estabelecidos pelas pessoas; a adequação percebida das *recompensas*; a *clareza* das pessoas quanto à missão e aos valores e o nível de *compromisso* com um propósito em comum.[30]

Considerando que os valores organizacionais fazem parte dos corações e mentes de seus funcionários, estes podem atuar de forma independente e no entanto ser colaborativos, já que todos pensam na missão e nas metas.[31] Da perspectiva de um funcionário, o clima relaciona-se diretamente com políticas e procedimentos gerenciais, em especial com os de recursos humanos. Em suma, representa as percepções compartilhadas por funcionários em relação a práticas, procedimentos e tipos de comportamento recompensados e apoiados em determinado cenário.

Panorama de serviços 15.4

Revertendo o curso no Museum of Fine Arts de Boston

O Museum of Fine Arts (MFA) de Boston, fundado em 1870, estava em decadência havia vários anos, quando o conselho recrutou um novo diretor em junho de 1994. Sua escolha foi o historiador de arte Malcom Rogers, então vice-diretor do National Portrait Gallery em Londres. Ao chegar a Boston, Rogers encontrou uma instituição desalentada. Como reflexo de dificuldades financeiras e recentes cortes de pessoal, o moral estava baixo. As filiações corporativas haviam caído e a visitação diminuíra.

Um dos primeiros atos do novo diretor foi oferecer um café da manhã para toda a equipe e introduzir o que se tornaria um tema central:

"Somos um museu, não uma coleção de departamentos. O museu consiste em guardas de segurança, curadores, técnicos, benfeitores, voluntários, pessoal de relações públicas. Cada um de nós tem sua própria experiência profissional. E, trabalhando em cooperação com os colegas, todos nós temos áreas a serem aprimoradas."

O tema do 'um museu' de Rogers, repetido a intervalos regulares, enviou a mensagem de que essa pauta do diretor tinha precedência sobre a de tradicionais curadores independentes, que administravam os departamentos e estabeleciam prioridades para aquisições e exposições. Um curador logo pediu demissão. Embora conhecido por seu bom humor e cordialidade, o novo diretor demonstrou que podia ser ríspido e decidido. Adotou rigor com gastos e iniciou um programa de 20 por cento de corte de pessoal. Mas os cortes não afetaram os serviços aos visitantes do museu. Em vez disso, ele se esforçou em criar um ambiente mais acolhedor. Rogers afirmou:

"Estou firmemente comprometido com a ideia de que os museus existem para servir à comunidade, e esse será o princípio fundamental de meu trabalho aqui em Boston: estimular o MFA a se voltar para seu público e a satisfazê-lo ao máximo."

Ele logo reabriu a entrada principal da Huntington Avenue, que havia sido fechada por economia, e reverteu a tendência de restringir o horário de visitação, outra das iniciativas de corte de seu predecessor. Foi ampliada a programação diária e instituído o funcionamento de sete dias. Três noites por semana, o museu permanecia aberto até as 22 horas. Nos '*community days*', em três domingos por ano, o MFA abria com entrada gratuita.

A cada ano, Rogers lançava atividades para melhorar as instalações e a imagem do museu: nova iluminação externa para destacar a imponente fachada à noite; ampliação do restaurante principal; e abertura de novo terraço no topo do prédio. Tornar o MFA uma opção de lazer noturno, sobretudo para os que moravam na cidade ou em suas proximidades, era outro objetivo. A maior variedade de exposições (para estimular várias visitas ao ano), a melhoria dos restaurantes e uma atmosfera mais agradável, tudo isso desempenhava um papel importante. Uma ambiciosa campanha de aporte financeiro de 500 milhões de dólares foi lançada, e uma parte desse valor financiaria uma expansão significativa do prédio.

Externamente, Rogers exibia mais perfil público do que seus predecessores. Segundo Pat Jacoby, então diretor de marketing e desenvolvimento: "Malcolm personifica o marketing: ele é acessível, defensor do RP, preocupa-se com os visitantes e acredita que o MFA pode tornar-se um padrão de referência aos demais museus". Rogers declarou:

"O marketing é essencial à vida de um grande museu que queira levar sua mensagem ao público. Faz parte de nossa expansão educacional, nossa expansão social. Infelizmente, algumas pessoas não gostam da palavra 'marketing'. O que vejo por aí — e até certo ponto dentro do museu — é uma cultura muito conservadora que não aceita que instituições antes consideradas de 'elite' devam realmente tentar atrair um público mais amplo e também ouvir o que seu público tem a dizer. Mas tudo isso tem a ver com cumprir nossa missão.

É evidente que a missão de um museu consiste na guarda de objetos preciosos, mas a menos que sejamos eficazes na comunicação sobre esses objetos e que nossos visitantes os apreciem — e também o ambiente em que são exibidos e interpretados — operaremos com uma eficácia de 50 por cento ou menos. Tendo dito isso, gostaria de ressaltar que a missão vem em primeiro lugar e que o marketing é, sem dúvida alguma, um instrumento para realizá-la. Não estamos somente no negócio de descobrir o que as pessoas querem e dar isso a elas."

Rogers buscou selecionar um leque de exposições que combinasse conteúdo erudito com apelo popular. Sua visão, compartilhada pela alta administração e apoiada pelo conselho, era a de que uma exposição em cada cinco deveria ser um 'campeão de bilheteria', o que significava sediar uma mostra dessa natureza em bases bienais. Ele também buscou tirar o máximo proveito da coleção permanente, incluindo pequenas mostras rotativas. Os quadros nas 15 galerias europeias foram pendurados de um modo inovador, visando estimular o público e envolvê-los mais ativamente. No entanto, houve muita crítica da comunidade de arte quando 27 pinturas de sua celebrada coleção de Monet foram emprestadas (a uma cifra declarada de 1 milhão de dólares) a uma galeria no cassino Bellagio em Las Vegas, onde foram vistas por 450 mil visitantes.

Em 2002, o conselho adotou um plano estratégico de longo prazo, intitulado *One Museum — Great Museum — Our Museum* (Um Museu — Grande Museu — Nosso Museu). O plano foi organizado em torno de dez metas estratégicas (Tabela 15.2), cada qual sustentada por um conjunto de programas e mais de 200 planos de ação detalhados.

Em meados de 2006, muitos desses programas estavam bem encaminhados. O esforço de levantamento de fundos para a nova ampliação passara da marca do 335 milhões de dólares. A visitação voltara a aumentar, após despencar em todo o país em seguida ao 11 de Setembro. O MFA continuou sua estratégia de exibir formas e coleções de arte não tradicionais, incluindo *Speed, style and beauty: cars for the Ralph Lauren Collection* (Velocidade, estilo e beleza: carros da coleção Ralph Lauren), que apresentou 16 carros europeus de propriedade do estilista. Rogers argumentou que os veículos eram obras de arte tanto quanto o mobiliário, um componente há muito tempo aceito como parte de coleções de museus de arte. Apesar de críticas como a do *New York Times* intitulada "Art with lousy mileage but shiny celebrity gloss" (Arte com quilometragem inferior, mas celebridade cintilante), a visitação superou as metas e atingiu o importante objetivo de atrair uma parcela muito maior de visitantes masculinos do que a de costume.

Tabela 15.2   Dez metas estratégicas para o MFA

Coleções	1. Continuar a melhorar a qualidade da coleção.
	2. Melhorar o gerenciamento, o cuidado e o conhecimento referente à coleção.
	3. Prover e promover acesso eletrônico mundial à coleção.
Vivências	4. Engajar, educar e encantar os visitantes.
	5. Reter e aumentar o público, compreendendo suas necessidades.
	6. Montar uma programação de exposições que atenda a uma variedade de objetivos.
Instalações	7. Ampliar e melhorar a planta física.
Finanças	8. Perseguir o levantamento de fundos exigido pelo Plano Mestre e outras metas estratégicas.
	9. Garantir a estabilidade fiscal.
Organização	10. Adotar uma atitude experimental sensível ao público e orientada a resultados e realinhar a organização para sustentar essas atividades.

Fontes: Christopher Lovelock, "Museum of Fine Arts, Boston", *Services Marketing*, 4 ed. Upper Saddle River, NJ: Prentice Hall, 2001. p. 625-638; V. Kasturi Rangan e Marie Bell, "Museum of Fine Arts Boston", *Harvard Business School Case 9-506-027*; site do Museum of Fine Arts. Disponível em: <www.mfa.org>. Acesso em: 4 jun. 2009.

Como costumam existir vários climas ao mesmo tempo na mesma organização, determinado clima deve referir-se a algo específico — por exemplo, serviço, suporte, inovação ou segurança. Um clima para serviços refere-se às percepções dos funcionários em relação às práticas, procedimentos e comportamentos esperados referentes ao serviço prestado ao cliente e à qualidade de serviço que são recompensados quando bem desempenhados. Entre as características essenciais de uma cultura orientada para serviços, figuram metas de marketing claras e um forte impulso para ser a melhor na entrega de valor superior ou qualidade de serviço.[32]

> **Novas ideias em pesquisa 15.1**
>
> ## O impacto de estilos da liderança sobre o clima
>
> Daniel Goleman, doutor em psicologia aplicada da Rutgers University, é conhecido por seu trabalho em inteligência emocional — a habilidade de nos gerenciarmos e aos nossos relacionamentos, de maneira eficaz. Após identificar seis estilos de liderança, o autor investigou o grau de sucesso comprovado com que cada estilo afetava o clima ou a atmosfera de trabalho, com base em um estudo sobre o comportamento de milhares de executivos e o efeito que causaram em suas empresas.
>
> *Líderes coercitivos* demandam obediência imediata ('Faça o que eu mando'), e a pesquisa demonstrou que causam impacto negativo no clima. Goleman comenta que esse estilo controlador, muitas vezes de confrontação, tem valor somente durante uma crise ou no tratamento de funcionários com problemas. *Líderes que impõem um ritmo* estabelecem altos padrões de desempenho e dão o exemplo por seu próprio comportamento cheio de energia; esse estilo pode ser resumido como 'Faça o que eu faço, agora'. Porém, é de certa forma surpreendente constatar que também causa impacto negativo. Na prática, o líder que impõe um ritmo pode destruir o moral por esperar demais, muito cedo, de seus subordinados — esperar que eles já saibam o que fazer, e como. Ao perceber que os outros são menos capazes do que o esperado, o líder pode ficar obsessivo com detalhes e microgerenciamento. Esse estilo funciona quando se buscam resultados rápidos de uma equipe muito motivada e competente.
>
> A pesquisa constatou que o estilo mais eficaz para uma mudança positiva no clima é o dos *líderes autoritários*, que possuem a capacidade e a personalidade para mobilizar pessoas em torno de uma visão, desenvolvendo confiança e utilizando uma abordagem 'Venha comigo'. Constatou ainda que três outros estilos causam impactos bastante positivos: *líderes afiliativos*, que acreditam que 'Pessoas vêm em primeiro lugar' e buscam criar harmonia e desenvolver vínculos emocionais; *líderes democráticos*, que forjam consenso pela participação ('O que você acha?'); e *líderes instrutores*, que desenvolvem pessoas e cujo estilo pode ser resumido como 'Experimente isso'.
>
> **Fonte:** Daniel Goleman, "Leadership that gets results", *Harvard Business Review*, 78, mar./abr. 2000, p. 78-93.

Líderes são responsáveis pela criação de culturas e pelos climas de serviço que as acompanham. Liderança transformacional pode exigir mudar uma cultura que se tornou disfuncional no contexto do que é preciso para ter sucesso. Por que alguns líderes são mais eficazes do que outros em criar uma mudança de clima? Como apresentado na seção Novas ideias em pesquisa 15.1, estudos sugerem que seria uma questão de estilo.

Criar um novo clima para serviço com base no entendimento do que é necessário para o sucesso no mercado pode exigir uma reavaliação radical de atividades de gerenciamento de recursos humanos, de procedimentos operacionais e de políticas de premiação e recompensa. Os recém-chegados a uma organização devem familiarizar-se logo com a cultura existente; caso contrário, descobrirão que são liderados por ela, em vez de liderar por meio dela, e, se necessário, deverão mudar isso.

CONCLUSÃO

A Cadeia de lucro em serviços salienta relações diretamente associadas a lucro e crescimento voltados não só à satisfação e fidelidade de clientes mas também à satisfação e fidelidade de funcionários e à produtividade. Esse modelo reúne os temas e as percepções dos capítulos anteriores deste livro, sobretudo aqueles sobre gestão de funcionários, desenvolvimento de fidelidade e melhoria da qualidade de serviço e da produtividade. Neste capítulo examinamos os desafios de levar um negócio à liderança de serviço, tanto do ponto de vista organizacional quanto da perspectiva dos indivíduos que lideram essa jornada.

Transformar uma organização e manter a liderança em serviços não é tarefa fácil nem para o mais talentoso dos líderes. Esperamos que o estudo deste livro contribua para formar profissionais de marketing e líderes mais eficazes em qualquer empresa de serviços. Também esperamos ter conseguido não só equipar os leitores com o necessário conhecimento, compreensão e *insights,* mas também com as crenças e atitudes sobre o que impulsiona uma empresa à liderança em serviços.

Resumo do capítulo

OA1. A Cadeia de lucro em serviços mostra que a liderança em serviços em um setor requer alto desempenho em diversas áreas correlatas:
- relações com clientes devem ser administradas eficazmente e devem haver estratégias para construir e sustentar fidelidade;
- valor deve ser criado e entregue aos clientes de modo a levá-los a considerar a oferta da empresa superior à da concorrência;
- qualidade de serviço e produtividade devem ser continuamente aprimoradas;
- funcionários de atendimento devem ser capacitados e motivados;
- liderança da alta gerência necessita impulsionar e sustentar todos os componentes da Cadeia de lucro em serviços.

OA2. Para obter sucesso, as funções de marketing, operações e gestão de recursos humanos precisam ser intimamente integradas e atuar em conjunto de maneira bem coordenada.
- Integração significa que os principais resultados e objetivos das várias funções não sejam apenas compatíveis, mas também mutuamente reforçadores.
- Meios de melhorar a integração incluem: (1) transferências internas entre áreas funcionais, (2) equipes de projeto multifuncionais, (3) marketing e treinamento interno, (4) comprometimento da gerência que assegure a integração entre os objetivos abrangentes de todas as funções.

OA3. Existem quatro níveis de desempenho de serviço, e somente os dois últimos seguem os princípios da Cadeia de lucro em serviços. São eles:
- perdedores em serviços. Eles seguem o ciclo do fracasso e apresentam mau desempenho em marketing, operações e recursos humanos. As empresas perdedoras em serviços sobrevivem porque situações de monopólio dão aos clientes pouca opção, além de comprar delas;
- não entidades em serviços. Seu desempenho deixa muito a desejar, mas eliminaram as piores características das perdedoras. Costumam operar no ciclo da mediocridade;
- profissionais em serviços. Têm uma clara estratégia de posicionamento no mercado, e clientes dos segmentos visados as procuram porque elas têm uma reputação firme de satisfazer a expectativas. Costumam operar no ciclo do sucesso;
- líderes em serviços. São a *crème de la crème* em seus setores e costumam aperfeiçoar e internalizar o ciclo do sucesso para seu negócio.

OA4. Comparamos a descrição e as ações de um líder em serviços em relação aos níveis profissionais, não entidades e perdedores, de acordo com três áreas funcionais na Tabela 15.1:
- liderança em serviços exige alto desempenho em dimensões como gestão e motivação de funcionários, melhoria contínua de qualidade de serviço e produtividade, criação e entrega de uma proposição superior de valor para clientes-alvo e desenvolvimento de estratégias para construir e sustentar fidelidade de clientes;
- nenhuma organização pode querer galgar degraus do desempenho e obter sucesso prolongado sem mudanças, que podem ocorrer sob a forma de evolução ou de virada;
- a força primordial por trás da gestão de mudanças é a liderança;
- a alta gerência deve comunicar uma visão e ao mesmo tempo estabelecer metas estratégicas, desenvolver estratégias para atingi-las e a seguir garantir a implementação bem-sucedida dessa estratégia;
- um dos desafios da alta gerência é criar uma cultura que estimule os funcionários a correr riscos, compartilhar ideias e estar disposto a tentar novas abordagens;
- para superar barreiras, a liderança deve navegar por oito etapas para uma gestão de mudança eficaz, começando com a criação de um senso de urgência para desenvolver o ímpeto por mudança e terminando com a ancoragem de novos comportamentos na cultura organizacional.

OA5. A liderança é necessária ao desenvolvimento e à implementação de uma estratégia. Essas tarefas diferenciam a liderança do gerenciamento, que enfoca a manutenção da situação corrente. A liderança é uma parte crescente do trabalho gerencial.

OA6. As qualidades necessárias aos líderes em empresas de serviços devem abranger:
- amor pela empresa;
- a perspectiva de que a qualidade de serviço é a principal fundação para o sucesso;
- uma forte crença nas pessoas de sua equipe e o reconhecimento da importância do pessoal de linha de frente;

- um conjunto de valores essenciais que eles passarão adiante na empresa;
- habilidade de comunicação, talvez a mais importante para um líder, para inspirar a organização ou uma equipe a criar sucesso;
- capacidade de fazer grandes perguntas e obter respostas de sua equipe;
- compreensão do propósito e da existência da empresa e reformulação de suas metas para mudar quando for preciso;
- capacidade de servir de exemplo, comportando-se como eles esperam que os outros se comportem.

OA7. Líderes exemplares compreendem o efeito poderoso e unificador do foco nos clientes e da criação de uma cultura de serviços. É, portanto, um papel importante dos líderes desenvolver uma cultura organizacional forte de modo que seus funcionários compartilhem:

- percepções sobre o que é importante para a empresa e por que é importante;
- valores sobre o que é certo e o que é errado;
- compreensão do que funciona e do que não funciona;
- crenças e premissas sobre por que essas crenças são importantes;
- estilos de trabalho compartilhados e relacionamento com os outros.

OA8. O clima organizacional é a camada superficial por cima da cultura. Representa as percepções compartilhadas pelos funcionários sobre as práticas e condutas recompensadas em uma empresa. Um aspecto essencial de uma cultura orientada a serviços é o forte impulso para ser o melhor na entrega de valor superior e excelência de serviço.

Questões para revisão

1. Quais são as implicações da Cadeia de lucro em serviços para a gestão de serviços?
2. Defensores da Cadeia de lucro em serviços argumentam que vínculos fortes estabelecem uma conexão entre satisfação e retenção de funcionários, qualidade de serviço e produtividade, valor e satisfação e fidelidade de clientes. Você acha que as mesmas correlações prevalecem em ambientes de baixo contato em que os clientes usam tecnologia de autosserviço? Por quê?
3. Por que as funções de marketing, operações e gestão de recursos humanos necessitam ser intimamente coordenadas em organizações de serviços?
4. Quais são as causas de tensão entre as funções de marketing, operações e recursos humanos? Dê exemplos de como essas tensões variam de um setor de serviço para outro.
5. Como são definidos os quatro níveis de desempenho de serviços? Tendo como base suas próprias experiências com serviços, dê um exemplo de uma empresa para cada categoria.
6. Qual é a diferença entre liderança e gerenciamento? Ilustre com exemplos.
7. O que quer dizer liderança transformacional? Explique as diferenças dos desafios de marketing e de gerenciamento de serviços entre uma organização que passa por uma mudança evolucionária e outra que precisa de uma mudança de virada.
8. "Líderes exemplares de mudança de virada entendem o efeito poderoso e unificador do foco nos clientes." Comente essa afirmativa. A adoção por um CEO de um foco em clientes tem mais probabilidade de causar efeito unificador em uma empresa sob condições de virada do que em outras condições?
9. Por que servir de exemplo é uma qualidade desejável aos líderes?
10. Qual é a relação entre liderança, clima e cultura?

Exercícios

1. Analise uma empresa de serviços de acordo com os principais aspectos da Cadeia de lucro em serviços. Avalie o desempenho da empresa nos vários componentes dessa cadeia e dê sugestões de melhoria.
2. Compare os papéis de marketing, operações e recursos humanos em (1) uma rede de postos de gasolina, (2) uma corretora de valores na Internet e (3) uma seguradora.
3. Selecione uma empresa que você conheça bem e obtenha informações adicionais pesquisando literatura, sites, publicações da empresa etc. Avalie-a sob o máximo de dimensões de desempenho de serviço que puder, identificando, em sua opinião, o lugar onde essa empresa se encaixa no espectro de desempenho de serviço mostrado na Tabela 15.1.
4. Qual é o papel da alta gerência para realizar a ascensão consistente de uma empresa rumo à excelência em serviços?
5. Trace o perfil de um indivíduo cujas capacidades de liderança desempenharam papel significativo no sucesso de uma organização de serviços, identificando características pessoais que você considera importantes.
6. Com base no que você aprendeu neste livro, dê sua opinião sobre os principais fatores impulsionadores de sucesso para organizações de serviço. Teste e desenvolva um modelo causal integrativo que explique os fatores impulsionadores de sucesso relevantes para uma empresa de serviços.

Notas

1. Peter Drucker não se considerava um homem de marketing, mas sua obra exerceu profundo impacto sobre o campo e a disciplina. A citação de abertura é discutida em profundidade em Frederick E. Webster Jr., "Marketing IS management: the wisdom of Peter Drucker", *Journal of the Academy of Marketing Science*, 37, n. 1, 2009, p. 20-27.
2. "100 best companies to work for 2007" *Fortune*. Disponível em: <http://money.cnn.com/maganizes/fortune/bestcompanies/2007/>. Acesso em: 3 jun. 2009; "Ikea: furnishing good employee benefits along with dining room sets". Disponível em: <http://knowledge.wharton.upenn.edu/article.cfm?articleid=959>. Acesso em: 3 jun. 2009; J. Wang, "Learning from the best: speaker profiles for August 8 women´s leadership exchange conference", *Long Beach Business Journal*, jul. 2006, p. 3-4. Para um excelente livro sobre a Ikea e seus valores, consulte Bo Edvardsson e Bo Enquist. *Values-based service for sustainable business: lessons from Ikea*. Nova York: Routledge, 2009.
3. Don Peppers e Martha Rogers. *Return on customer*. Nova York: Currency Doubleday, 2005. p. 1.
4. Don Peppers e Martha Rogers. *Return on customer*. Nova York: Currency Doubleday, 2005. p. 7-8.
5. James L. Heskett, Thomas O. Jones, Gary W. Loveman, W. Earl Sasser Jr. e Leonard A. Schlesinger, "Putting the service-profit chain to work", *Harvard Business Review*, mar./abr. 1994; James L.Heskett,W.Earl Sasser Jr. e Leonard A. Schlesinger. *The service profit chain*. Nova York: The Free Press, 1997.
6. Sandra Vandermerwe. *From tin soldiers to Russian dolls*. Oxford: Butterworth-Heinemann, 1993. p. 82.
7. Robert Kwortnik e Gary Thompson, "Unifying service marketing and operations with service experience management", *Journal of Service Research*, 11, n. 4, 2009, p. 389-406.
8. Richard B. Chase e Robert H. Hayes, "Beefing up operations in service firms", *Sloan Management Review*, outono 1991, p. 15-26.
9. Claudia H. Deutsch, "Management: companies scramble to fill shoes at the top". Disponível em: <nytimes.com>. Acesso em: 1º nov. 2000.
10. W. Chan Kim e Renée Mauborgne, "Tipping point leadership", *Harvard Business Review*, 81, abr. 2003, p. 61-69.
11. John P. Kotter. *What leaders really do*. Boston: Harvard Business School Press, 1999. p. 10-11
12. Rosabeth Moss Kanter, "Leadership and the psychology of turnaround", *Harvard Business Review*, 81, jun. 2003, p. 58-67.
13. John P. Kotter. *What leaders really do*. Boston: Harvard Business School Press, 1999. p. 10-11.
14. Deborah Blagg e Susan Young, "What makes a leader?", *Harvard Business School Bulletin*, fev. 2001, p. 31-36.
15. Gary Hamel e C. K. Prahlahad. *Competing for the future*. Boston: Harvard Business School Press, 1994.
16. Leonard L. Berry, Venkatesh Shankar, Janet Turner Parish, Susan Cadwallader e Thomas Dotzel, "Creating new markets through service innovation", *MIT Sloan Management Review*, 47, inverno 2006, p. 56-63.
17. James L. Heskett, W. Earl Sasser e Leonard L. Schlesinger. *The service profit chain*. Nova York: The Free Press, 1997. p. 236.
18. A. Nahavandi. *The art and science of leadership*. Upper Saddle River, NJ: Pearson Education Inc., 2006.
19. Leonard L. Berry. *On great service: a framework for action*. Nova York: The Free Press, 1995. p. 9.
20. Leonard L. Berry. *Discovering the soul of service*. Nova York: The Free Press, 1999. p. 44, 47. Veja também D. Michael Abrashoff, "Retention through redemption", *Harvard Business Review*, fev. 2001, p. 136-141, que proporciona um fascinante exemplo de liderança bem-sucedida na Marinha dos Estados Unidos.
21. Deborah Blagg e Susan Young, "What makes a leader?", *Harvard Business School Bulletin*, fev. 2001, p. 31-36.
22. J. Hamm, "The five messages leaders must manage", *Harvard Business Review* 84, maio 2006, p. 115-123.
23. D. A. Nadler, "The CEO´s 2nd act", *Harvard Business Review* 85, jan. 2007, p. 66-72.
24. C. A. Montgomery, "Putting leadership back into strategy", *Harvard Business Review* 86, jan. 2008, p. 54-60.
25. Rakesh Karma, "The curse of the superstar CEO", *Harvard Business Review* 80, set. 2002, p. 60-66.
26. Jim Collins, "Level 5 leadership: the triumph of humility and fierce resolve", *Harvard Business Review*, jan. 2001, p. 66-76.
27. Sandra Vandermerwe. *From tin soldiers to Russian dolls*, Oxford: Butterworth-Heinemann, 1993. p. 82.
28. Thomas J.Peters e Robert H.Waterman. *In search of excellence*. Nova York: Harper and Row, 1982. p. 122.
29. Esta seção é parcialmente baseada em Benjamin Schneider e David E. Bowen. *Winning the service game*. Boston: Harvard Business School Press, 1995; David E. Bowen, Benjamin Schneider e Sandra S. Kim, "Shaping service cultures through strategic human resource management". In: T.Schwartz e D.Iacobucci (eds.). *Handbook of services marketing and management*. Thousand Oaks: Sage Publications, 2000. p. 439-454
30. J. Hamm, "The five messages leaders must manage", *Harvard Business Review* 84, maio 2006, p. 114-123.
31. Daniel Goleman, "Leadership that gets results", *Harvard Business Review*, 78, mar./abr. 2000, p. 78-93.
32. Rosabeth Moss Kanter, "Transforming giants", *Harvard Business Review*, 86, jan. 2008, p. 43-52.

Glossário de serviços de marketing e termos de administração

Este glossário define os principais termos utilizados neste livro e, de modo mais geral, em marketing de serviços e em administração.

Tenha em mente que nem todos atribuem exatamente o mesmo significado ao mesmo termo. Por isso é importante você conhecer e ter clara sua própria compreensão ao empregar uma palavra ou frase em particular. Como costuma ocorrer em um campo em evolução, os mesmos termos podem ser definidos e usados de maneiras diversas por acadêmicos e profissionais e entre gerentes de diferentes setores econômicos. Cada empresa também pode atribuir significados distintos a determinados termos.

A

abandono: a decisão de um cliente de sair de uma fila antes de chegar ao final porque a espera é mais longa ou mais incômoda do que originalmente previsto.

activity-based costing **(ABC):** uma abordagem a custos baseada em identificar as atividades executadas e a seguir determinar os recursos que cada uma consome.

adesão: a capacidade de um site em estimular visitas e compras repetidas ao fornecer aos usuários uma navegação fácil e uma execução de tarefas livre de problemas, além de manter seu público engajado em uma comunicação interativa apresentada de um modo atrativo.

análise conjunta (*conjoint anlysis*): um método de pesquisa que determina os valores utilitários que os consumidores atribuem conferem a vários níveis de atributos de um produto.

análise de Pareto: um procedimento analítico para identificar qual proporção da ocorrência de problemas é causada por cada um dos diversos fatores a considerar.

armazenagem de dados (*data warehouse*): uma base de dados abrangente que contém informações de clientes e dados transacionais.

atitude: avaliações, sentimentos e tendências de ação de uma pessoa consistentemente favoráveis ou desfavoráveis em relação a um objeto ou ideia.

atributos de busca: características de produtos que os consumidores podem avaliar de imediato antes da compra.

atributos de credenciais: características de produto que os clientes podem não ser capazes de avaliar, mesmo após a compra e o consumo.

atributos de experiência: aspectos do desempenho de um produto que os clientes podem avaliar somente durante a entrega do serviço.

atributos de produto: todas as características (tanto tangíveis quanto intangíveis) de um bem ou serviço que podem ser avaliadas pelos clientes.

B

balde de preço decrescente por volume (*price bucket*): uma alocação de capacidade de serviço (por exemplo, assentos) para venda a um determinado preço.

banners publicitários: em sites, caixas pequenas e geralmente retangulares que contêm texto e, por vezes, uma imagem para divulgar uma marca.

barreiras de tarifas (*rate fences*): técnicas de separação de clientes, de modo que os segmentos para quem o serviço oferece alto valor não conseguem tirar proveito de ofertas de preço inferior.

bastidores (ou núcleo técnico): aspectos de operação de serviços não revelados aos clientes.

benchmarking: procedimento de comparação de produtos e processos de uma empresa aos de concorrentes ou empresas líderes de outros setores, para identificar meios de melhoria de desempenho, qualidade e eficácia de custo.

benefício: uma vantagem ou um ganho que os clientes obtêm a partir da execução de um serviço ou do uso de um bem físico.

bens: objetos ou acessórios físicos que oferecem benefícios aos clientes por sua posse ou uso.

blog: um 'registro na Web' de acesso público, que costuma conter páginas atualizadas sob a forma de periódicos, diários, novas listas etc.; em geral, os autores — conhecidos como blogueiros — focam tópicos específicos.

blueprint **de serviço:** (ver *blueprint*, fluxograma).

blueprint: um mapa visual da sequência de atividades exigidas para a entrega de um serviço, que especifica os elementos de linha de frente e de bastidores e as conexões entre eles.

boca a boca: comentários positivos ou negativos sobre um serviço, feitos por um indivíduo (geralmente um cliente atual ou ex-) para outro.

busca de informações: fase no processo de tomada de decisão do comprador, em que busca informações que contribuam para sua decisão de compra.

C

cadeia de lucro do serviço: uma estrutura estratégica, que vincula a satisfação do funcionário com o desempenho dos atributos de serviço à satisfação dos clientes e, subsequentemente, à retenção dos clientes e aos lucros.

cadeia de valor: série de departamentos em uma empresa, ou parceiros externos e fornecedores, que conduzem atividades de criação de valor para projetar, produzir, comercializar, entregar e dar suporte a uma oferta de produto ou serviço.

canais de entrega: meios pelos quais uma empresa de serviço (às vezes assistida por intermediários) entrega um ou mais elementos de produto a seus clientes.

capacidade máxima: limite máximo da capacidade de uma empresa em atender à demanda de consumidores em um dado momento.

capacidade ótima: o ponto além do qual os esforços de uma empresa para atender a clientes adicionais levarão a um declínio perceptível em qualidade de serviço.

capacidade produtiva: a disponibilidade de instalações, equipamentos, mão de obra, infraestrutura e outros ativos de uma empresa destinados a gerar produtos para seus clientes.

capacitação: prover os funcionários com os conhecimentos, ferramentas e recursos de que necessitam para usar sua própria capacidade de discernimento com confiança e eficácia.

cargos de transposição de fronteiras: funções que transpõem a fronteira entre o ambiente externo, em que se encontram os consumidores, e as operações internas da organização.

ciberespaço: um termo usado para descrever a ausência de uma localização física definível, em que transações ou comunicações eletrônicas ocorrem.

ciclo de demanda: o período de tempo durante o qual o nível de demanda de um serviço aumentará ou diminuirá de um modo relativamente previsível antes de se repetir.

Ciência, Gestão e Engenharia de Serviço (SSME, do inglês, *service science, management and engineering*): combina ciências de gestão (inclusive o marketing de serviço), ciências da computação, pesquisa operacional, engenharia industrial, ciências sociais e cognitivas, ciências jurídicas e outras para inovar e desenhar sistemas complexos de serviços.

clientes inoportunos: um cliente que age de forma imprudente ou abusiva, causando problemas à empresa, seus funcionários e outros clientes.

clientes internos: funcionários que recebem serviços de um fornecedor interno (outro funcionário ou departamento) como um insumo necessário à execução de suas próprias funções.

clima organizacional: as percepções compartilhadas pelos funcionários sobre práticas, procedimentos e tipos de comportamento que são recompensados e estimulados em um ambiente em particular.

cliques e concreto (*clicks and mortar*): a estratégia de oferecer serviço tanto em lojas físicas quanto em vitrines virtuais.

coerência de papel: até que ponto tanto os clientes quanto os funcionários agem de acordo com papéis predeterminados durante a aquisição de um serviço.

comércio eletrônico: compra, venda e outros processos de marketing encontrados na Internet (*ver também* **varejo eletrônico**).

competência central: representa uma fonte de vantagem competitiva.

mix composto de comunicações de marketing: o conjunto completo de ferramentas de comunicação (tanto pagos quanto e não pagos) disponíveis aos profissionais de marketing, tais como propaganda, promoção de vendas, eventos, relações públicas, marketing direto e vendas pessoais.

mix composto de marketing de serviço: sete elementos estratégicos, cada qual começando com a letra P, no mix composto de marketing de serviço, que representam os principais ingredientes exigidos para criar estratégias viáveis que atendam às necessidades dos clientes de modo lucrativo em um mercado competitivo.

comprador misterioso: uma técnica de pesquisa em que indivíduos se passam por consumidores comuns a fim de obter *feedback* sobre o ambiente de serviço e as interações cliente-funcionário.

comunicações impessoais: comunicações de mão única dirigidas a públicos-alvo que não têm contato pessoal com a fonte da mensagem (incluindo propaganda, promoções e relações públicas).

comunicações integradas de marketing (IMC, do inglês, *integrated marketing communications*): um conceito em que uma empresa cuidadosamente integra e coordena seus diversos canais de comunicação de modo a transmitir uma mensagem clara, consistente e estimulante sobre a organização e seus produtos.

comunicações internas: todas as formas de comunicação, desde a gerência até os funcionários, em uma organização de serviços.

comunicações pessoais: comunicações diretas entre profissionais de marketing e clientes individuais envolvendo um diálogo (inclusive conversas pessoais, telefonemas e troca de e-mails).

configuração de fila: a forma como uma fila de espera é organizada.

consumo: a compra e o uso de serviços ou bens.

cultura corporativa: as crenças, normas, experiências e histórias compartilhadas, que caracterizam uma organização.

cultura organizacional: compartilhamento de valores, crenças e estilos de trabalho com base na compreensão do que é importante à organização e por quê.

curva de demanda: uma curva que mostra o número de unidades que o mercado comprará a preços diferentes.

custo de oportunidade: o valor potencial da receita ou outros benefícios desprezados em favor de um curso de ação, em detrimento de outras alternativas.

customização em massa: oferta de um serviço com alguns elementos de produto individualizados para um grande número de clientes, a um preço relativamente baixo.

customização: personalizar características de serviços, de modo que atendam às necessidades e preferências específicas de cada cliente.

custos fixos: custos que não variam de acordo com a produção ou a receita de vendas.

custos não monetários: os dispêndios de tempo, esforço físico e mental e as experiências sensoriais indesejadas associadas com a a busca, compra e utilização de um serviço.

custos totais: a soma dos custos fixos e variáveis para qualquer nível de produção.

custos variáveis: custos diretamente dependentes do volume de transações de produção ou serviço.

D

database marketing: o processo de construir, manter e usar bases de dados de clientes e outras bases para contatar, vender, fazer venda cruzada e venda de atualização de produtos e desenvolver relacionamento com clientes.

declaração de missão: descrição sucinta do que a empresa faz, seus padrões e valores, a quem atende e o que pretende realizar.

delegação de poder (*empowerment*): autorização para que funcionários encontrem soluções para problemas de serviços e tomem as decisões necessárias para atender aos interesses dos clientes sem ter de pedir a aprovação de um supervisor.

demanda indesejável: solicitações de serviço que conflitam com a missão, as prioridades ou as competências da empresa.

desconto: a estratégia de reduzir o preço de um item abaixo do nível normal.

desembolsos financeiros: todos os gastos monetários incorridos por clientes na compra e no consumo de um serviço.

desembolsos não financeiros: (*ver* **custos não monetários**).

deserção: a decisão de um cliente de transferir a fidelidade à marca de um fornecedor de serviço atual para um concorrente.

diagrama de espinha de peixe: uma técnica baseada em gráficos, que associa problemas específicos de serviço a diferentes categorias de causas subjacentes (também conhecida como diagrama de causa e efeito).

dispêndios de tempo: tempo gasto pelos clientes durante todos os aspectos do processo de entrega de serviço.

E

efeito halo: a tendência de que a classificação de um consumidor quanto a uma característica proeminente de produto influencie as classificações de muitos outros atributos do mesmo produto.

elasticidade de preço: a proporção em que uma alteração em preço leva a uma mudança correspondente em demanda na direção oposta. (A demanda é descrita como 'inelástica em preço', quando mudanças em preço exercem pouco ou nenhum impacto sobre ela).

elementos de produto: todos os componentes do desempenho de um serviço que criam valor aos clientes.

encontro de serviço: o período de tempo em que os clientes interagem diretamente com um serviço.

marketing interno endomarketing: o marketing de uma empresa de serviços direcionado a seus funcionários, para treinar e motivá-los, além de incutir neles o foco no cliente.

equipe de atendimento ao cliente: profissionais de serviços que interagem diretamente com os clientes, seja em pessoa, seja por meio de correspondências ou telecomunicações.

esforço físico: consequências físicas indesejáveis a um cliente em decorrência de seu envolvimento no processo de entrega de um serviço.

espera em processo: uma espera que ocorre durante a entrega de um serviço.

espera pós-processo: uma espera que ocorre depois de completada a entrega do serviço.

espera pré-processo: uma espera antes que a entrega do serviço se inicie.

estacar: decisão de um cliente de não entrar em uma fila porque a espera parece longa demais.

estoque: para *produção*, produtos físicos empilhados após a produção, para venda em um momento posterior; para *serviços*, produção futura não reservada com antecedência, como o número de acomodações em um hotel ainda disponíveis para venda em determinada data.

estratégia de perseguição da demanda: ajustar o nível de capacidade para que atenda ao nível de demanda em um determinado momento.

evidência física: pistas visuais ou outras tangíveis que forneçam evidências de qualidade de serviço.

excesso de capacidade: a capacidade de uma empresa de criar produtos de serviço que não é plenamente utilizada.

excesso de demanda: a demanda por um serviço que em um dado momento excede a capacidade da organização de atender às necessidades dos consumidores.

expectativas: padrões internos que os clientes adotam para avaliar a qualidade de uma experiência de serviço.

exposição no varejo: apresentações em vitrines de lojas e outros locais de mercadorias, experiências de serviços e benefícios.

F

fábrica de serviços: o local físico em que se dá a operação dos serviços.

falha de serviço: a percepção de clientes de que um ou mais aspectos específicos da entrega do serviço não atenderam a suas expectativas.

fase de encontro de serviço: a segunda fase do processo de aquisição de serviço, em que a entrega do serviço ocorre por meio das interações entre clientes e o provedor de serviço.

Fase pós-encontro de vendas (*post-encounter*): a fase final do processo de aquisição de serviço, em que os clientes avaliam o serviço experimentado e formam seu julgamento de satisfação/insatisfação com o serviço prestado.

fase pré-compra: a primeira fase do processo de aquisição de serviço, em que os clientes identificam alternativas, pesam os benefícios e riscos e tomam a decisão de compra.

fidelidade: o comprometimento de um cliente em continuar a favorecer uma empresa em particular, por um longo período de tempo.

fila: um alinhamento de pessoas, veículos, outros objetos físicos ou itens intangíveis, à espera de sua vez para serem atendidos ou processados.

Flor de serviço: uma estrutura visual que ajuda a compreender os elementos de um serviço suplementar que cercam o produto essencial e agregam valor a ele.

fluxograma: uma representação visual dos passos envolvidos na entrega de serviço a clientes (*ver também* **blueprint**).

foco de mercado: em que medida uma empresa atende a poucos ou a muitos mercados.

foco em serviço: em que medida uma empresa oferece poucos ou muitos serviços.

foco: a provisão de um mix composto relativamente estrito de produto para um segmento de mercado em particular.

franquia: uma associação contratual entre um franqueador (geralmente um fabricante, atacadista ou prestador de serviço) e empreendedores independentes (franqueados) que adquirem o direito de posse e operação de uma ou mais unidades no sistema de franquia.

G

garantia de serviço: a promessa de que, se houver falha na entrega do serviço em atender a padrões predeterminados, o cliente terá direito a uma ou mais formas de compensação.

gestão de receita: uma estratégia de preço e design de produto baseada na cobrança de diferentes preços de diferentes segmentos para maximizar a receita, que pode ser obtida da capacidade disponível de uma empresa em qualquer período de tempo específico (*também conhecida como gestão de rentabilidade*).

gestão de recursos humanos (RH): a coordenação de tarefas relacionadas à descrição de cargos e ao recrutamento, seleção, treinamento e motivação de pessoal; também inclui o planejamento e a administração de outras atividades referentes aos funcionários.

gestão de relacionamento com clientes (CRM): o processo geral de construir e manter relações lucrativas com clientes, entregando-lhes valor e satisfação superiores ao cliente.

gestão de rentabilidade: (*ver* **gestão de receita**).

gráficos de controle: gráficos que apresentam variações quantitativas de uma variável específica em relação a um padrão predefinido, na prestação de um serviço.

grupos de discussão (*focus groups*): grupos de seis a dez pessoas cuidadosamente selecionadas quanto a certas características (por exemplo, demográficas, psicográficas ou de posse do produto), que são reunidas por pesquisadores para discussões aprofundadas e conduzidas por um moderador sobre tópicos específicos.

I

imagem corporativa: a aplicação consistente de distintas cores, símbolos e tipologia para dar a uma empresa uma identidade facilmente reconhecida.

imagem: um conjunto de crenças, ideias e impressões mantidas em relação a um objeto.

implementação de marketing: o processo que transforma planos de marketing em projetos e assegura que eles sejam executados, de modo a atingir os objetivos declarados no plano.

incidente crítico: um encontro específico entre cliente e provedor de serviço em que o resultado comprova ser satisfatório ou insatisfatório para uma das partes ou ambas.

insumos: todos os recursos (mão de obra, materiais, energia e capital) necessários para criar ofertas de serviços.

intangibilidade física: elementos do serviço não suscetíveis a exame por qualquer um dos cinco sentidos; elementos que não podem ser tocados ou retidos pelos clientes.

intangibilidade mental: dificuldade dos clientes em visualizar uma experiência antes da compra e compreender o processo e até a natureza do produto (*ver também* **intangibilidade física**).

intangibilidade: uma característica distintiva de serviços que torna impossível tocar ou retê-los, como se faz com os bens físicos.

intangível: algo que se experimenta, mas que não se pode tocar ou reter.

interface com clientes: todos os pontos em que os clientes interagem com uma empresa de serviços.

Internet: uma grande rede pública de computadores que conectam usuários de todo o mundo entre si e a um vasto repositório de informações.

iTV: (televisão interativa) procedimentos que permitem aos telespectadores alterar sua experiência ao controlar a entrega de programas e/ou conteúdo de TV (por exemplo, TiVo, vídeo sob demanda).

L

leilão: um procedimento de venda administrado por um intermediário especializado, em que o preço de um produto oferecido por um vendedor é definido por meios de lances efetuados por um grupo de compradores interessados.

líder de custo: uma empresa que baseia sua estratégia de preço na obtenção dos custos mais baixos em seu setor.

líder de preço: uma empresa que toma a iniciativa em mudanças de preço em seu mercado e é copiada pelos outros.

linha de frente: os aspectos da operação de serviços e entregas que são visíveis ou de alguma forma aparentes aos clientes.

local, ciberespaço e tempo: decisões gerenciais sobre quando, onde e como entregar serviços aos clientes.

Lógica Dominante de Serviço: defende que todos os produtos (bens e serviços) são valorizados pelo serviço que prestam e que o valor resulta de uma cocriação. Por exemplo, em última instância, uma lâmina oferece um serviço de barbear que é criado em conjunto com o usuário, e o valor resulta do serviço e não do bem em si.

Lógica S-D: (*ver* **Lógica Dominante de Serviço**)

M

mapa perceptual: uma ilustração visual de como os clientes percebem serviços concorrentes.

marca: um nome, frase, desenho, símbolo ou alguma combinação desses elementos que identifica os serviços de uma empresa e a diferencia de seus concorrentes.

marketing de permissão: uma estratégia de comunicação de marketing que estimula os clientes a concederem permissão voluntária para que uma empresa se comunique com eles por meio de canais específicos, de modo que possam conhecer mais seus produtos e continuar a receber informações úteis e ofertas específicas de valor para eles.

marketing de relacionamento: atividades que visam a desenvolver vínculos de longo prazo e economicamente viáveis entre uma empresa e seus clientes, para benefício mútuo.

marketing recíproco: uma tática de comunicação de marketing em que um varejista on-line permite que seus clientes pagantes recebam promoções de outro varejista on-line e vice-versa, sem nenhum custo inicial a qualquer das partes.

marketing social: faz uso das redes sociais para aumentar a presença on-line de uma empresa, variando de propaganda em sites de redes sociais a marketing viral, além de prover sites de rede social focados no serviço promovido.

marketing viral: uso da Internet para criar efeitos de boca a boca em sustentação a ações de marketing.

mercado: uma localização física em que fornecedores e consumidores encontram-se para fazer negócio.

mercado-alvo: uma parte do mercado qualificado disponível com necessidades ou características comuns, ao qual uma empresa decide atender.

mineração de dados (*data mining*): a extração de informações úteis sobre indivíduos, tendências e segmentos a partir de uma massa de dados de consumidores.

modelo de controle gerencial: uma abordagem baseada em papéis bem definidos, sistemas de controle de cima para baixo, uma estrutura organizacional hierárquica e a premissa de que a alta gerência sabe o que é melhor.

modelo de gravidade do varejo: uma abordagem matemática à seleção da localização de uma loja, que envolve o cálculo do centro geográfico de gravidade da população-alvo, para que se possa definir onde instalá-la de modo a otimizar a facilidade de acesso dos clientes.

modelo de serviço: uma declaração integradora que especifica a natureza do conceito do serviço (o que a empresa oferece, a quem e por meio de quais processos), o *blueprint* do serviço (como o conceito é entregue aos clientes-alvos) e seu modelo de negócio (como as receitas serão geradas de modo suficiente a cobrir os custos e assegurar a viabilidade financeira).

modelo gerencial de envolvimento: uma metodologia baseada na premissa de que os funcionários são capazes de autodirecionamento e — se devidamente treinados, motivados e informados — podem tomar decisões sobre operação e entrega de serviços.

modelo molecular: um processo que utiliza uma analogia química para descrever a estrutura das ofertas de serviço.

modelo trifásico de consumo de serviço: uma estrutura que descreve como os consumidores se movem da fase pré-compra (em que reconhecem suas necessidades, buscam e avaliam as alternativas de solução e tomam uma decisão) para a busca do encontro de serviço (em que obtêm a entrega do serviço) e uma fase *pós encontro de vendas* (em que avaliam o desempenho do serviço em comparação com suas expectativas).

momento da verdade: um ponto na entrega de serviços em que os clientes interagem com a equipe de atendimento ou com o equipamento de autosserviço, e cujo resultado pode afetar as percepções da qualidade de serviço.

N

necessidades: desejos subconscientes, profundamente arraigados, que geralmente se referem à existência de longo prazo e às questões de identidade.

níveis de contato com clientes: o nível de interação direta entre clientes e os elementos da empresa de serviços.

O

ônus psicológico: estados mentais ou emocionais indesejados experimentados pelos clientes em decorrência do processo de entrega de um serviço.

ônus sensorial: sensações negativas experimentadas por meio dos cinco sentidos de um cliente durante o processo de entrega do serviço.

OTSU (do inglês, '*opportunity to screw up*'): (*ver* **ponto de falha**).

P

pacote de preço: a prática de cobrar um preço básico por um serviço essencial mais tarifas adicionais por elementos suplementares opcionais.

padronização: redução da variação na operação e entrega de serviços.

pagamentos de terceiros: pagamentos destinados a cobrir todo o custo da parte de um serviço ou bem executado por um terceiro que não seja o usuário (que pode ou não ter a efetiva decisão de compra).

papel: uma combinação de dicas sociais que orientam o comportamento em um cenário ou contexto específico.

patrimônio (*equity*) de clientes: a combinação total de valores do tempo de vida (*lifetime values*) de cliente de toda a base de clientes de uma empresa.

percepção: o processo pelo qual os indivíduos selecionam, organizam e interpretam informações para formar uma imagem significativa do mundo.

pesquisa de mercado: o processo sistemático de estruturação, coleta, análise e relato de dados de consumidores e da concorrência, bem como as descobertas relevantes a algum problema específico de marketing enfrentado por uma empresa.

pesquisas pós-transações: técnicas para medir a satisfação e as percepções do cliente quanto à qualidade de serviço, enquanto uma experiência específica de serviço ainda está fresca em sua mente.

pessoas: clientes e funcionários envolvidos na geração de um serviço.

ponto de falha: um ponto em um processo em que há um risco significativo de ocorrência de problemas que podem prejudicar a qualidade de serviço.

posicionamento: estabelecimento de um local de destaque nas mentes dos clientes em relação aos produtos concorrentes.

preço baseado em custo: a prática de associar o preço cobrado aos custos de produção, entrega e comercialização de um produto.

preço baseado em valor: a prática de definir preços com base no que os clientes se dispõem a pagar pelo valor que acreditam que receberão.

preço baseado na concorrência: a prática de definir preços em relação aos cobrados pela concorrência.

preço dinâmico: uma técnica, empregada principalmente pelo varejo eletrônico, de cobrar preços diferentes de clientes diferentes pelos mesmos produtos, com base em informações coletadas sobre seu histórico de compras, preferências e sensibilidade ao preço.

preço direcionado por benefício: a estratégia de associar o preço ao aspecto do serviço que cria benefícios diretos aos clientes.

preço e outros desembolsos do usuário: dispêndios de dinheiro, tempo e esforço em que os clientes incorrem na compra e consumo de serviços.

preço fixo: a estratégia de cotar um preço fixo para um serviço, antes da entrega.

prévia do serviço: uma demonstração de como um serviço funciona, para educar os clientes sobre as funções que se espera que eles desempenhem na entrega do serviço.

processamento de estímulo mental: ações intangíveis direcionadas à mente das pessoas.

processamento de informações: ações intangíveis dirigidas aos ativos de clientes.

processamento de pessoas: serviços que envolvem ações tangíveis às pessoas.

processamento de posse: ações tangíveis para bens e outras possessões físicas pertencentes aos clientes.

processo de compra: as fases pelas quais um cliente passa ao escolher, consumir e avaliar um serviço.

processo: um método específico de operações ou série de ações, geralmente envolvendo etapas que devem ocorrer em uma determinada sequência.

produtividade: o grau de eficiência com que os insumos de serviços são transformados em produtos que agregam valor aos clientes.

produto ampliado: um produto essencial (um bem ou um serviço) acrescido de elementos suplementares que agregam valor aos clientes.

produto: o produto central (seja um serviço, seja um bem manufaturado) produzido por uma empresa.

programas de frequência (FPs, do inglês, *frequency programs*): programas destinados a recompensar clientes que compram com frequência e em grande quantidade.

promoção de vendas: um incentivo de curto prazo oferecido a clientes e intermediários para estimular uma compra mais rápida ou maior.

promoção e educação: todas as atividades e incentivos de comunicação destinados a desenvolver a preferência dos clientes por um serviço ou prestador de serviço específico.

propaganda: qualquer forma paga de comunicação não pessoal utilizada por um profissional de marketing, com o objetivo de educar ou persuadir membros de determinado público-alvo.

proposição de valor: o conjunto completo de benefícios que uma empresa promete entregar.

Q

qualidade de serviço: avaliações de longo prazo, cognitivas, da entrega de serviço de uma empresa.

qualidade: o grau de satisfação de um cliente por com um serviço que atenda a suas necessidades, desejos e expectativas.

R

reclamação: uma expressão formal de insatisfação com qualquer aspecto da experiência proporcionada por um serviço.

rede de valor: um sistema de parcerias e alianças que uma empresa cria para suprir, ampliar e entregar sua oferta de serviço.

redes de lojas: duas ou mais lojas com um mesmo proprietário, controle e marca, que vendem bens e produtos semelhantes.

reengenharia: a análise e redesenho de processos de negócios para criar melhorias de desempenho expressivas em áreas como custos, qualidade, agilidade e experiências de serviços dos clientes.

registro de reclamações: um registro detalhado de todas as reclamações de clientes recebidas por um provedor de serviço.

relacionamento de filiação: uma relação formal entre a empresa e um cliente específico que pode oferecer benefícios especiais a ambas as partes.

relações públicas: ações que visam a estimular o interesse positivo por uma empresa e seus produtos por meio do envio de *press-releases*, da realização de coletivas de imprensa, da organização de eventos especiais e do patrocínio de atividades significativas realizadas por terceiros.

rentabilidade: a renda média recebida por unidade de capacidade oferecida para venda.

reparação de serviço: esforços sistemáticos da empresa, após uma falha de serviço, para corrigir um problema e reter a boa-vontade do cliente.

reposicionamento: mudar a posição que uma empresa sustenta na mente de um cliente em relação a serviços concorrentes.

retorno sobre qualidade: o retorno financeiro obtido do investimento em melhorias na qualidade de serviço.

Roda da Fidelidade (*Wheel of Loyalty*): uma metodologia sistemática e integrada para segmentar, adquirir, desenvolver e reter uma base de clientes valiosos.

rotatividade (*churn*): perda de contas de clientes existentes e a necessidade de substituí-las por novas.

rotatividade de clientes: clientes que cancelam um contrato e assinam um novo, seja com o mesmo prestador de serviço, seja com outro.

roteiros: sequências aprendidas de comportamentos obtidas por meio de experiência pessoal ou comunicações com outros.

S

satisfação do cliente: uma reação emocional de curto prazo ao desempenho de um serviço específico.

satisfação: a sensação de prazer ou decepção de uma pessoa resultante de uma experiência de consumo, ao comparar o desempenho ou resultado percebido de um produto com suas expectativas.

segmentação de mercado: o processo de dividir um mercado em grupos distintos, nos quais todos os clientes compartilham características relevantes que os distinguem de outros segmentos e que reagem de modo semelhante a um dado conjunto de ações de marketing.

segmentação demográfica: divisão do mercado em grupos baseados em variáveis demográficas, como idade, gênero, ciclo de vida familiar, tamanho da família, renda, ocupação, educação, religião e raça.

segmentação geográfica: divisão de um mercado em diversas unidades geográficas, como países, regiões ou cidades.

segmentação psicográfica: divisão de um mercado em diferentes grupos, com base em características de personalidade, classe social ou estilo de vida.

segmento: um grupo de clientes atuais ou em potencial que compartilham características, necessidades, comportamento de compra ou padrões de consumo comuns.

segmentos-alvos: segmentos selecionados porque suas necessidades e outras características ajustam-se bem às metas e competências de uma determinada empresa.

***servicescape*:** o projeto de qualquer local físico para os quais os clientes se dirigem para fazer pedidos e obter serviços.

serviço adequado: o nível mínimo de serviço que deixará um cliente satisfeito.

serviço desejado: o nível 'desejado' de qualidade de serviço que um cliente acredita que pode e deve ser entregue.

serviço previsto: o nível de qualidade de serviço que um cliente acredita que uma empresa efetivamente entregará.

serviço: uma atividade econômica oferecida por uma parte a outra, em geral se empregando desempenhos baseados no tempo, para gerar resultados desejados naqueles que a recebem ou nos objetos e outros ativos pelos quais os compradores têm responsabilidade. Em troca de seu dinheiro, tempo e esforço, os clientes de serviços esperam obter valor a partir de acesso a bens, mão de obra, habilidades profissionais, instalações, redes e sistemas; mas eles não costumam deter a posse de qualquer dos elementos físicos envolvidos.

serviços baseados em informações: todos os serviços em que o valor principal advém da transmissão de dados a clientes (incluindo o processamento tanto de estímulo mental quanto de informações).

serviços de alto contato: serviços que envolvem significativa interação entre clientes, equipe de atendimento e equipamentos e instalações.

serviços de baixo contato: serviços que exigem contato mínimo ou nulo entre clientes e a empresa de serviços.

serviços de médio contato: serviços que envolvem somente um contato limitado entre clientes e os elementos da empresa de serviço.

serviços internos: elementos de serviço no âmbito de qualquer tipo de negócio que facilite a criação de seu produto final ou agregue valor a ele.

serviços suplementares agregadores: serviços suplementares que podem agregar valor extra aos clientes.

serviços suplementares facilitadores: serviços suplementares que auxiliam no uso do produto essencial ou são requeridos para a entrega de um serviço.

SERVQUAL: um par de escalas padronizadas de 22 itens que medem as expectativas e percepções dos clientes em relação a cinco dimensões de qualidade de serviço.

Sete (7) Os: (*ver* **mix composto de marketing de serviço**).

setor de serviços: a parcela da economia de uma nação representada por serviços de todos os tipos, incluindo aqueles os oferecidos por organizações públicas e sem fins lucrativos.

setor global: um setor em que as posições estratégicas dos concorrentes em vastos mercados geográficos ou nacionais são fundamentalmente afetadas por suas próprias posições globais.

sistema de CRM (do inglês, *customer relationship management***):** sistemas e infraestrutura de TI que dão suporte à implementação e entrega de uma estratégia de gestão de relacionamento com clientes.

sistema de entrega de serviço: a parte do sistema total de serviço em que a 'montagem' final dos elementos ocorre e o produto é entregue ao cliente; inclui os elementos visíveis da operação do serviço.

sistema de informações da qualidade de serviço: um processo contínuo de pesquisa de serviços que provê dados oportunos e úteis aos gerentes sobre a satisfação dos clientes, suas expectativas e percepções quanto à qualidade.

sistema de marketing de serviços: a parte do sistema total de serviço em que a empresa possui alguma forma de contato com seus clientes, de propaganda a faturamento; inclui contatos feitos no ponto de entrega.

sistema de operação do serviço: a parte do sistema total de serviço em que os insumos são processados e os elementos do produto de serviço são criados.

sistemas especialistas: programas de computação interativos que reproduzem o raciocínio de um especialista humano, para extrair conclusões a partir de dados, solucionar problemas e fornecer recomendação customizada.

SSME: (*ver* **Ciência, Gestão e Engenharia de Serviço**).

T

tangível: capaz de ser tocado, mantido ou preservado na forma física ao longo do tempo.

técnica de incidente crítico (CTI, do inglês, *critical incident technique***):** uma metodologia para coletar, classificar e analisar incidentes críticos ocorridos entre clientes e provedores de serviços.

trabalho emocional (*emotional labour***):** o ato de expressar emoções socialmente aceitáveis (embora por vezes falsas) em relação a clientes durante transações de serviços.

transação: um evento durante o qual uma troca de valor ocorre entre duas partes.

transações à distância: interações entre clientes e prestadores de serviços em que as correspondências ou as telecomunicações minimizam a necessidade do encontro face a face.

treinamento de clientes: cursos de treinamento formal oferecidos por prestadores de serviços, para instruir clientes sobre produtos de serviço complexos.

troca de valor: transferência de benefícios e soluções oferecidos por um vendedor em troca de valor financeiro ou outro oferecido por um comprador.

Twitter: um serviço de rede social e microblog que permite a seus usuários enviar e ler as atualizações de outros usuários, compostas de até 140 caracteres de extensão e são enviados ou recebidos por meio do site do Twitter, serviço de mensagem de texto (SMS) ou aplicativos externos.

V

valor de tempo de vida do cliente (CLV, do inglês, *customer lifetime value***):** o valor presente líquido do fluxo de contribuições ou lucros futuros esperados em relação às compras de cada cliente, durante seu tempo de vida previsto como cliente da organização.

valor líquido: a soma de todos os benefícios percebidos (valor bruto) menos a soma de todos os desembolsos percebidos.

vantagem competitiva sustentável: uma posição de mercado que não pode ser usurpada ou minimizada pelos concorrentes no curto prazo.

vantagem competitiva: a capacidade de uma empresa realizar algo de uma ou mais maneiras que os concorrentes não podem ou não querem copiar.

varejo eletrônico: varejo pela Internet em vez de por lojas físicas.

variabilidade: uma falta de consistência nos insumos e produtos durante o processo de produção do serviço.

vendas pessoais: comunicações de duas vias entre funcionários de atendimento e clientes, que visam a influenciar diretamente o processo de compra.

Z

zona de tolerância: a faixa em que os clientes estão dispostos a aceitar variações na entrega de um serviço.

Índice remissivo

4 Ps do marketing, 33, 37
7 Ps do marketing, 29, 36

A

ABC. *Veja* Activity-based costing
Abstração, 205. *Veja também* Intangibilidade
Abuso de drogas, 434
Aconselhamento, 113
ACSI. *Veja* American Customer Satisfaction Index
Activity-based costing (ABC), 172
Ações tangíveis, 205
Aderência, 221
Agentes de recomendação on-line, 269
Agilidade de serviço, 30
Alcoolismo, 434, 437
Ambiente de serviço
   dimensões de, 319-327
   do setor de saúde, 311, 314
   do setor hoteleiro, 312
   estrutura integrativa de, 318
   expectativas de clientes de, 318
   fatores ambientais de, 319-325, 332
   ferramentas de orientação para, 333-334
   projeto de, 309, 320, 327-335
   propósito de, 309-314
   psicologia de, 315-317, 318-319
   reação dos profissionais de serviços a, 318, 319
   reações de clientes a, 314-319
Ambiente físico, 34, 61-62, 278-279. *Veja também* Ambiente de serviço
American Customer Satisfaction Index (ACSI), 68, 395, 450, 492
Análise
   conjunta (conjoint analysis), 130
   de causa-raiz, 468-469
   de emprego, 266
   de Pareto, 469-470
   de ponto de equilíbrio, 171, 173
Apresentação prévia do emprego, 356
Aquisições, 448-449
Aromaterapia, 323
Arquitetura, 309
Artefatos, 326
Atendimento domiciliar, 140, 143
Atendimento interativo por voz (IVR – interactive voice response), 341
Atendimento telefônico automatizado, 143, 341
Atravessando fronteiras, 342
Atributos, 51-52, 82
   determinantes, 82
Auditoria, 85, 87, 171
Autocobrança, 111
Avaliação de serviços, 51-59

B

Banco eletrônico, 143, 149
Bancos de dados, 180, 379, 385, 397
Banner publicitário, 221
Barreiras
à entrada, 162-163. *Veja também* Concorrência
físicas de taxas, 183, 184
não físicas de taxas, 183, 184
Base de usuários, 168, 170, 211
Bastidores, 62, 144-145, 204, 251, 476, 498
Benchmarking, 455-457
Bens
   índice de falha de, 129
   serviços *versus*, 128-129
Bens físicos. *Veja* Bens
Biométrica, 477
Blogs, 227, 232, 233
Blueprint e *Blueprinting*, 251-261, 264, 334, 470
Boca a boca (WOM – word of mouth), 229-233
Brigas familiares de clientes inconvenientes, 437
Busca
   atributos de, 51
   custos de, 175, 178
   impossibilidade de, de intangíveis, 205

C

Caixas eletrônicos, 4, 30, 144, 187, 341
Caixas expresso, 111-112
Caixas, expressos, 111-112
Call centers, 149, 297, 341, 344
Capacidade
   de sistema de reservas, 302-303
   demanda *versus*, 34, 180, 184, 204-205, 279-280, 281-283
   desperdiçada, alternativas para, 303
   em excesso, 280
   fixa, condições de, 279-280
   flexível, 190, 281-283
   gestão de demanda por (estudo de caso), 205, 284-290
   gestão de, 281-283
   produtiva, definição, 278, 279
   tempo de espera e, 281, 291-294
Cartões de crédito, 187, 188, 195, 364, 506, 507
Casa de marcas, 118
Categorização
   de clientes, 390-394, 401
   de produto de serviço, 122-124
Centrais de atendimento ao cliente (CSCs – customer service centers), 139
CFS. *Veja* Sistema de *feedback* de clientes
China, 7
Ciclo
   de demanda, 280
   de falha, 346-348, 498
   de mediocridade, 349-350
   de talento para serviço, 347
   sazonais, 283. *Veja também* Períodos de pico
   sucesso, 350, 498
Clareza, 509
Cliente(s)
   agressivos, inconvenientes, 438
   atraindo novos, 168, 170, 203, 382, 388-390
   caloteiros, 438
   categorização de, 390-394, 401
   ciclo de fracasso de, 346
   como funcionários parciais, 34, 265-268
   como inspetores de controle de qualidade, 462
   cultura organizacional focada em, 459, 490, 501
   deserção de, 68, 268-269, 389-390, 393-394, 396
   encantamento de, 68
   errado, 268-269, 389-390
   existentes, alvo identificado como, 211
   feedback de cliente para, 32, 268
   fracassos, redução de, 265, 266
   hotel, tipos de, 32
   importar, 161-162
   inoportuno que rouba, 433
   interface de, 32-34. *Veja também* SSTs
   pontos de contato com, 59, 61-62
   potenciais, 210-211
   relutância a mudança de, administrar, 272, 273
   terminar relacionamento com, 268-269, 393-394
   treinamento de, 32, 32, 204, 225, 227, 266-269, 273
Clientes inconvenientes
   beligerantes, 434-437
   brigas familiares, 437
   caloteiros, 437
   estatística de, 439
   que roubam, 433
   quebra de regras, 433-434
   trapaceiros, 433, 440-442
   treinamento de funcionários para lidar com, 434, 437-438
   vândalos, 437-438
Clima, 249, 283
Clima organizacional, 509-512
Coaching, 358
Comércio
   barreiras a, 162-163
   influência da globalização sobre, 163
Comércio/varejo eletrônico, 30, 175, 269
Compensação. *Veja* Garantias; reparação de serviço
Compensação/efeito duvidoso, 424

Competência, 453. *Veja também* Conhecimento; Treinamento
Componentização, 265
Comportamento. *Veja também* Comportamento do cliente
de liderança, 490-492, 506, 508-509
de raiva, 417, 434
irado, 434-437
modelo de conduta, 506, 508-509
observação de, 355
Comportamento disfuncional do cliente, 438, 439. *Veja também* Clientes inconvenientes
Comportamento do cliente. *Veja também* Clientes inconvenientes
consequências de, 318
de reclamação, 416-420
despertar das necessidades de, 49, 315-318
despertar de, 49, 315-318, 332
disfuncional, 438, 439
estudo sobre uso de e-mail, 231
fase de encontro de serviços de, 46, 47, 59-66
fase pós-encontro de, 47, 66-69
fase pré-compra de, 46, 47-59
influência de fatores ambientais em, 319-325
irritado, 333
modelagem de, 310, 392-393
oportunista, 433-442
regras de, 433-434
teoria da reação ao ambiente de serviço para, 314-319
Comportamentos irados, 434-437
fronteiras de taxas, 181-184, 189
Comprador misterioso, 461, 462
Compras
aeroportos como centro comercial para, 145, 145
em um único local, 396
minilojas para, 144
mistério, 461, 462
pela Internet, 150, 175
robôs, 175
Comunicação. *Veja também* Comunicação de marketing
blog, 227, 232, 233
boca a boca, 229-233
acesso em, 453, 457
cobertura editorial, 233
consulta, 112-113, 204
detinição, 202
fontes de origem de, 213
IMC, 36, 235
impessoal, 224-225
interpessoal, 221
marketing direto, 214-219
no mix de marketing, 212-233
papel de marketing de, 201-205
pessoal, 212, 224
questões éticas em, 233
RP, 212, 214, 233
valor agregado pelo conteúdo de, 204
Comunicações de marketing. *Veja também* Propaganda; Promoção e educação
4 Ps do marketing, 33, 37
7 Ps do marketing, 29, 36
banco de dados para, 378, 385, 397
benefícios de gestão de recursos e, 189
de relacionamento, 378, 385
desafios de, 28-32, 205-206
direto, 214-219
educação como, 32, 32

elementos de produto de, 30
em Stena Line, 448
estratégias de qualidade e produtividade com, 449-451
estrutura para eficácia de, 36
gestão de interface com clientes e, 32-34
integração operações/recursos humanos com, 36, 492-497
integrado, 36, 235
interação de, 385
interno, 221-227
materiais de, 54
metas de, 495
mix de, 30-32, 212-233
níveis de desempenho e, 499-500
objetivos de especificação, 212
papel de posicionamento em, 202-203
papel de, 201-205
papel do desenho corporativo em, 233-235
permissão de, 219
pesquisa de, 82
planejamento eficaz de, 206-212
plano de ação falha em, 87-86
por sistema de entrega de serviços, 225
preço de, 196
rede de, 385
serviço ao cliente como, 225-226
sob demanda, 219, 226-227
SSTs para, 229
telemarketing, 224, 233
tradicional, 30-32, 213-221, 233
transacional, 384-385
viral, 231
Comunicações impessoais, 224-225
Comunicações integradas de marketing (IMC – integrated marketing communications), 36, 235
Concorrência. *Veja também* Estratégia de posicionamento
análise de, 86-88
impulsionadores de, 156-157
mapas de posicionamento de, 91-96
preço baseado em, 170, 178-179
reação de, prevendo, 88, 94-94
vantagem sobre, 11, 75
Confiança, 273, 384
Conflito
fontes de, 343
entre clientes, 343
resolução de, interfuncional, 497
Conhecimento
de produto, 358
gap em, 452, 456
Conjunto
considerado, 51
evocado, 51
Consultas, 112-113, 204
Contratação, 6, 7-11, 350-359
Cor
como fator ambiental, 324-325
de marca, 97, 235
Cordialidade, 34, 113-114, 247. *Veja também* Setor hoteleiro; Restaurantes
Creches, 75
Credenciais, 54
Crimes, multas para, 187, 188. *Veja também* Clientes inconvenientes
Cultura organizacional, 357-358, 367-370, 459, 490, 501, 509-512
Custo(s)
baseado em atividades, 171
análise de ponto de equilíbrio de, 171, 173

corte de, 345
de análise de qualidade de serviço, 471
de busca, 175, 178
de compras e encontro de serviços, 175, 178
de gestão de RH, 347
de novo cliente, 382
de tempo, 175
de troca, 404
impulsionadores de, 157
estabelecimento de, 171
físico, 175, 437-438
fixos, 173
minimização de, 178
monetários relacionados, 175
não monetário, 176, 178, 179, 288
pós-compra, 175, 178
Custos pós-consumo, 175, 177
preço baseado em, 170-173
psicológico, 175
redução de, 18, 175, 477
semivariáveis, 173
sensorial, 175
uso total, 178
valor *versus*, 173
variáveis, 173
Customização
de multas, 188
de preços, 168, 175, 183
vínculos, 401-402

D

Delegação a terceiros, 150-152, 476
Delegação de autoridade (empowerment), 359-362, 426
Demanda
análise de padrão, 283
capacidade *versus*, 34, 180, 184, 204-205, 279-280, 281-283
ciclo de, 280
curva de, 184
desenvolvimento de, 168, 170
estoque de, 291-294, 299-304
excesso de, 279-280
gestão de, 205, 284-290
indesejável, 291
lucratividade ameaçada por flutuações em, 278-281
períodos de pico de, 474
previsão banco de dados para, 180
Desconto, 173, 189, 192, 283
Desempenho
corporativo, 68-69, 86, 88, 258-261
medição de, 345, 455, 464-468
melhoria de, 501-502
metas, 258-261
níveis de quatro, 497-500
relação da satisfação com, 68-69
relatórios de tipos, 464
Desenvolvimento de novos serviços, 126-131
Deserção, 394, 395, 405, 421. *Veja também* Reparação de serviço
Design corporativo, 212, 233-235
Despertar, 47, 315-318, 332
Determinação de preços dinâmica, 168, 175, 183
Diagramas de espinha de peixe, 469, 470
Diferenciação, 202-203, 303, 310-311
Dilema de dois patrões, 343
Direcionamento, 505
Distribuição. *Veja também* Sistema de entrega de serviços
canais de, 138-144

de senhas, 294
de serviços públicos, 141
　doméstica em grandes mercados, 152-156
　eletrônica, 4, 30, 30, 144, 148-150
　fluxo de, 137
　global, 137, 148-150, 154-163
　intermediários de, 150-152
　internacional, 154-163
　por localização, 144-145
　preferências de, 143-144

E

Educação. *Veja* Promoção e educação
Eficácia
　de estratégia de posicionamento, 85-91
　definição, 473
de liderança, 490
　de marketing, 36
　de preços, 168-170
　de publicidade, 213-214
　de reparação de serviço, 421-427
　produtividade *versus* eficiência e, 473
Elasticidade preço, 180-181
Emprego escravizante, em serviços, 344
Emprego. *Veja* Contratação; Profissionais de serviços
Encontro de serviços
　de ir ao cinema, 334
　estudo sequencial de, 261
　facilitação de, 312
　fase de consumo de serviço, 46, 47, 59-66
　pirâmide organizacional de, 368
Encontro. *Veja* Encontro de serviços
Enferrujamento de instituições, 261-262
Entrega. *Veja* Setor de entrega de encomendas; sistema de entrega de serviços
Entrega de refeições, 127, 128
Entrevistas de emprego, 355, 357
Equipamento, 279
Equipes, 362-364, 403
de resgate, 403
Escritórios de vendas globais (GSOs – global sales offices), 138
Espera
　capacidade e, 281, 291-294
　como fenômeno universal, 291
　configuração de linha de, 284, 293-295
　em restaurantes, 258, 295
　fila e, 291-295
　gestão de, 292-293
　percepções de minimização, 297-299
　psicologia de, 298-299
　virtual, 295, 297
Estimulação visual, 95
Estímulo, mental processamento de, 27, 249
Estratégia(s)
de energização, 364-366
de foco, 76-79
de "house of brands", 122
transnacionais, 154-163
Estratégia de posicionamento
　análise como ferramenta diagnóstica de, 86
　atributos e níveis de serviço de, 82
　como distinção de marca, 85
　de creches, 75
　desenvolvimento de eficácia em, 85-91
　inovação como, 96
　mapas de posicionamento para, 91-96
　mudança de, 96, 97
　nível de desempenho profissional, 498, 500

propósito de ambiente de serviço de, 310-311
requisitos para, 76
segmentação de mercado para, 202-203
serviço múltiplo, 77
Eventos especiais, 143, 214
Evolução, 501-502
Expectativas do cliente
　ao ir ao cinema, 334
　em restaurantes, 253
　fatores influenciadores de, 57-59
　formação de, 54-57
　satisfação como padrão para, 66-68
　sobre ambiente de serviço, 318
　sobre multas, 188
　sobre serviços do setor público, 450
Experiências do cliente
　atributos de, 51-52
　e marcas, 118-122, 124-126
　fazer o *blueprint* de um restaurante, 252-257
　interatividade de, 49
　modelagem de, 310, 311, 321
　sistema *servuction* de, 62-63
Extensões de linha de processos e de produtos, 126-127
Extensões de linha de processos, 126

F

Fábricas de serviço, 61, 140
Falhas. *Veja também* Reclamações; Deserção
　categorias de reclamações de clientes sobre, 416-417
　ciclo de, 346-348, 498
　de SSTs, 269-272
　em implementação de CRM, 407-408
　índice de, 129
　psicologia de, 317
　redução de, 258, 265, 266, 271-272
　SQI por tipo de, 466
　técnica poka-yoke para, 259, 266, 470
Fase de pré-compra de consumo de serviço, 46, 47-59
Fase pós-encontro de consumo de serviço, 47, 66-69
Fatores ambientais, 319-325, 332
Feedback. *Veja também* Reclamações; Sistema de *feedback* de clientes
　aprender com, 455-464
　cartões de, 461-462, 466
　de cliente para cliente, 32, 268
　facilidade de fornecer, 424-425
　ferramentas de coleta, 459-462
　motivação dos profissionais de serviços por, 365
Feiras comerciais, 221
Fidelidade
　à marca, 396, 397
　bases construção de, 388-396
　benefícios de, 179, 384
　lucratividade de, 379-381, 382
　no setor de transporte aéreo, 399-401
　pré-requisito de qualidade para, 394-396
　pré-requisito de satisfação para, 394-396
　profissionais de serviços como fonte de, 340-341
　programas de filiação a, 179, 386-387
　razões para, 381
　recompensas à, 189, 396-399
　reparação de serviço e, 421
　roda de, 387
　valor de, 381, 382, 388-390

vínculos estratégias de desenvolvimento para, 396-402
Filiações, 386-387
Flexibilidade do clima organizacional, 509
Flor de serviço, 107-118, 137-138, 151
Fluxo de negociação, 137
Fluxograma, 244-250. *Veja também* Blueprint
Fragrância, 323-324, 332
Franquia (estudo de caso), 151-152
Fraude de consumidores, 433, 440-442
Funcionalidade espacial, 325
Furtos em lojas, 433

G

Gap
　de percepções, 455, 457
　da política, 454, 456
Generalidade, 205
　cadeia de lucro em serviços, 491-497
　da percepção do ambiente, 54
de conta programas, 221
　de demanda (estudo de caso), 205, 284-290
　exceções monitoradas por, 116-117
　liderança *versus*, 502-505
　melhoria de produtividade de, 474-477
　níveis de desempenho e, 497-500
　reparação de serviços erros de, 422
　serviços suplementares, 117-118
　silos funcionais de, 496-497
Gestão da Qualidade Total (TQM – total quality management), 259
Gestão de marcas. *Veja também* Estratégia de posicionamento
　cor de, 97, 235
　estratégias de, 118-122, 201
　experiencial, 124-126
　logomarcas e, 235
　no setor hoteleiro, 118, 121, 201
　reposicionamento de, 201
　sensorial, 324
Gestão de receita
　benefícios de marketing de, 189
　capacidade *versus* demanda, 180, 184
　customização de preço em, 183
　elasticidade de preço e, 181, 183
　no setor de transporte aéreo, 180, 184, 185
　papel do gerente em, 185
　software para, 181
Gestão de recursos humanos (RH)
　baixo salário/alta rotatividade, 347
　controle *versus* envolvimento, 360-362
　custos de, 347
　equilíbrio entre demanda *versus* capacidade como, 34
　integração marketing/operações com, 36, 492-497
　metas de, 495
　níveis de desempenho de, 497-500
　recrutamento e seleção por, 266, 350-356
Gestão do relacionamento com clientes (CRM – customer relationship management), 150, 219, 233, 378, 405-409, 499-500. *Veja também* Fidelidade
Globalização, 14, 17, 137, 148-150, 154-163
Governo
　impulsionadores de, 157-158
　política de, 14, 15
Gravador de vídeo digital (DVR – digital video recording), 225
GSOs. *Veja* Escritórios de vendas globais

H
Habilidades interpessoais, 221, 358
Hospitais, 57, 114, 250, 262, 314, 473, 508. *Veja também* Setor de saúde

I
Impalpabilidade, 168, 205. *Veja também* Intangibilidade
mental, 205
Importar clientes, 161-162
Impossibilidade de busca, 205. *Veja também* Intangibilidade
Impulsionadores
de afeto, 315-317
de concorrência, 156-157
de custo, 157
de globalização, 159
de mercado, 156
de rotatividade, 402-403
de tecnologia, 157
governamentais, 157-158
setoriais, 156
Impulsionadores setoriais, 156
Inconveniência, 424
Índice de qualidade de serviço (SQI – service quality index), 464-468
Indústria
do café, 103
do entretenimento, 51-52
Indústria automobilística
seguro de, 30, 69
serviço ao cliente *versus* produtos de serviço em, 22, 23
serviço de locação de, 122, 187, 262, 263, 292
Informações
busca por antes da compra, 51
facilitação de serviços suplementares por meio de, 108-109
fluxo de distribuição de, 137
meio de prover, 108-109
painel de globalização por meio de, 159
processamento de, 27-28, 250
requisito de para estoque de demanda, 304
valor agregado a partir de, 204
vívidas, 206
Inovação
como estratégia de posicionamento, 96
processo de, 127
propaganda de, 210
serviço de, 127
serviços suplementares, 103, 126
treinamento de clientes para, 273
Instalações. *Veja* Arquitetura
multipropósito, 144
Intangibilidade, 32, 118, 205-206, 310
Interatividade de experiências, 49
Internet
agentes de recomendação on-line em, 269
banco eletrônico, 143, 149
cafés com, 168
como opção para reclamações, 417
compras por, 150, 175
comunicações de marketing via, 221-227
determinação de preço dinâmica, 168, 175
distribuição internacional por meio de, 137, 148-150
e-mails, 150, 219, 231
empreendedores índice de fracasso de, 129
links patrocinados, 223

marketing de permissão usando, 219
modelos de leilão por, 175, 231
privacidade em, 226, 233
propaganda em, 221-223
sistema de entrega de serviços remodelado por, 30
Interno(a)
análise corporativa, 86, 88
marketing, 131, 368-370
Irritação, 331

J
Jornalismo, 233
Justiça interacional, 420

L
Layout e funcionalidade espacial, 325
Liderança
carismática, 367, 505
clima organizacional e. 433-436
coercitiva, 512
comportamentos bem-sucedidos de, 490-492, 506, 508-509
cultura organizacional e, 367-370, 509-512
eficaz características de, 490
estratégias de melhoria do desempenho de, 501-502
evolução *versus* reviravolta, 501-502
gestão de mudança, 501-502
gestão *versus*, 502-505
humana, 502-512
modelo de conduta de, 506, 508-509
níveis de desempenho e, 497-500
orientada por valor, 367, 509
papel do marketing interno em, 367-370
preço de, 178
qualidades de, 505, 506
redução de conflito interfuncional, 497
transformacional, 509-512
Líderes coercitivos, 512
Linha de frente, 63, 204, 225-229
ações de melhoria da produtividade de, 476
bastidores *versus*, 144-145, 251, 498
em serviços de baixo contato, 341
estresse de, 343-345
principal papel de, 340-341
sabotagem por, 348
Linhas de espera dedicadas, 293
Links patrocinados, 223
Lista de espera, 295
Locação, 18-20, 141, 143, 283. *Veja também* Indústria automobilística
Localização, 30, 30, 144-145, 191. *Veja também* Ambiente físico
Lucratividade, 168-170, 278-281, 379-381, 382
Lucro
cadeia de em serviço, 341, 490-497
objetivos de, 168-170

M
Manufatura
de serviços, 21-22, 118
'fábrica' de serviços *versus*, 61
perspectiva de qualidade de serviço baseada em, 343
quasi-, 24, 473
Mapas de posicionamento, 91-96
Marcas
casa de, 121-122

conjunto evocado de, 51
distintivas, 85
endossadas, 121
endossadas, 121
fidelidade a, 396, 397
registradas, 235
reposicionamento de, 201
sub, 118-121, 124
Marketing
de interação, 385
de permissão, 219
de rede, 385
direto, 214-219
transacional, 384-385
viral, 229-231
Materiais instrucionais, 212. *Veja também* Promoção e educação
Mensagens de texto, 223, 225-226, 402
Mercado. *Veja também* Mercados internacionais; Mercado-alvo
análise de, 86, 88
ciclos sazonais, 283
declaração de posicionamento, 88-91
impulsionadores de, 156
doméstico grande, 152-154
entrada em internacional, 113-114
foco de, 76
satisfação do cliente e, 395
segmentação de, 79-80, 154, 283, 295-297
sinergia, 131
valor do acionista em, 492
Mercado-alvo
acertar, 388
especificidade de, 202
fontes de mensagens recebidas por, 213
identificar e selecionar, 79-80, 210-211
Mercados internacionais
barreiras ao comércio em, 162-163
distribuição em, 154-163
Meta(s)
de marketing operações e recursos humanos, 495
realização de, 365-366
Metáforas em propaganda, 206
Métricas intangíveis de qualidade de serviço, 455
Métricas tangíveis de qualidade de serviço, 455, 464-468
Modelo(s)
de Afeição de Russell, 315-317
de estímulo-resposta Mehrabian-Russell, 315
de gap's em qualidade de serviço, 452-454, 456-457
de leilão, 175, 231
de negócio, 168
de serviço de alto contato, 59, 61-62
de simulação, 204
militar, 505
Momentos de verdade, 59
Motivação, 268, 360, 364-366, 157
Móvel
localização, 289
propaganda, 226
telefones. *Veja* Telefones celulares
Mudança. *Veja também* Evolução
administração da relutância dos clientes a, 272, 273
bastidores de impacto sobre o cliente de, 476
estilo de, 126
liderança transformacional para, 367, 501-502

Mudanças de estilo, 126
Multas, 187, 188
Mundos virtuais, 227
Música, 319-320, 332

N

NAICS (North American Industry Classification Standard), 12, 14
Não entidades, 498, 499
Necessidades, 49, 315-318
Níveis de serviço previstos, 57, 59
Nível
de desempenho de perdedores, 497-498, 499
de desempenho do líder, 499-500
de serviço desejado, 57, 68

O

Operações de quasi-manufacturing, 24, 473
Operações. *Veja também* Bastidores; Linha de frente
confiabilidade variável de, 32-34
conflito interfuncional de, 497
metas de, 495
níveis de desempenho de, 497-500
qualidade em, 259-260
Stena Line, 448
Organizações sem fins lucrativos
liderança transformacional de, 510-511
Otimização de mecanismo de busca (SEO – search engine optimization), 224
Overbooking, 187

P

Pacote, 118, 189, 192, 263
Padrões, 66-68, 258-261, 455, 456, 509. *Veja também* Qualidade de serviço
Padronização, 258-261, 349
Pagamentos, 112, 191-195, 297, 438
antecipados, 193
Papéis
como modelo de conduta, 506, 508-509
conflito de, 343
teoria, 63-66
Perspectiva teatral, 63-66, 252-257. *Veja também* Ida ao cinema
Perspectiva transcendental de qualidade, 451
Pesquisa transacional, 459-461
Pesquisas, 459-461, 466
de mercado total, 459-461
PIB (produto interno bruto), 6-7, 11-13
Podcasting, 226
Pontos
de contato, 59, 61-62
de falha, 258, 259, 470
Posse, 18-20, 128-129
Preço
base específica para, 190-192
baseado em atividades, 171
baseado em custos, 170-173
baseado em valor, 30-32, 170, 173-178
baseado na concorrência, 170, 178-179
colocar em prática, 190-196
complexidade de, 186
customizado, 168, 175, 183
de telefonia celular, 186, 196, 393
desconto em, 173, 189, 192, 283
dinâmico, 168, 175, 183
efetivo, 168-170
fronteiras de taxas e, 181-184, 189
mapas de posicionamento de hotéis e, 94
marketing de, 196
máximo, 190
modelo tripé, 171
objetivos de, 168-170
personalizado, 168, 175, 183
questões éticas em de serviço, 175, 184-190
relacionamento pessoal, 179
taxa fixa, 190, 192
Preferências de canal, 143-144
Privacidade, 226, 233, 233, 408, 409
Processamento de estímulo mental, 27, 249
Processos cognitivos, 317-318, 501
Processos de serviços
categorias de, 23-28
de SSTs, 269-273
Fazendo o *blueprint*, 250-261
fluxograma, 244-250
inovação, 127
redesenho de, 245, 261-264
reengenharia, 127
resultados (outputs) *versus*, 452
Produtividade, 263-264, 312, 449, 473-477
Produto interno bruto. *Veja* PIB
Produto(s)
conhecimento, 358
definição, 118
elementos de, 30, 289
extensões de linha de, 127
fluxo de, 137
posicionamento de. *Veja* Estratégia de posicionamento
Produtos de serviço
categorização, 122-124
definição, 30, 103-105
estratégia de marca para, 118-122
planejamento e criação, 103-107
Produtos essenciais, 21, 30, 105, 137-14, 253. *Veja também* Serviços suplementares
Produtos "Isca" (produto vendido com perda para atrair consumidores), 172
Profissionais de serviços
alvo identificado como, 211
avaliação de desempenho de, 345, 455, 464
bons qualidades inatas de, 355
ciclo de falha de, 346
clientes como em parte, 34, 265-268
como agente de transposição de fronteiras, 343
contratação de, 6, 7-11, 350-359
cordialidade de, 113-114
cultura organizacional focada em, 490
delegação de poder para, 359-362, 426
diretrizes para tratamento de reclamações para, 428
estratégias de energização de, 364-366
fidelidade de clientes ocasionada por, 340-341
fontes de conflito para, 343
formação de equipes, 362-364
motivação de, 268, 360, 364-366
níveis de envolvimento de, 362
promoção e educação de, 204, 227
reação ao ambiente de serviço de, 318, 319
roteiros de, 64-66, 252
SSTs e, 341
teoria de representação de papéis de, 63-66
treinamento de, 281, 356-359, 501
treinamento multifuncional, 281
vantagem competitiva decorrente de, 340-341
Programas
de gestão de contas, 221
de graduação universitária, 127
Projeto holístico, 328-330
Promoção e educação. *Veja também* Comunicações
boca a boca, 229-232
como treinamento para participação de clientes, 32, 32, 204, 229, 266-269, 273
de operações de bastidores, 204
de vendas, 212, 219, 233, 273
diferenciação por meio de, 202-203
fluxo de, 137
funcionários e, 204, 229
materiais de, 212
objetivos de, 183, 212
para gestão de demanda, 205, 289-290
propósito de, 32
Propaganda. *Veja também* Comunicações
banner de, 221
boca a boca, 229-233
comparativa, 208
de empresas de auditoria, 87
de setor de seguros, 30, 206
de setor financeiro, 225
dicas tangíveis em, 206
eficácia de, 213-214
em mecanismo de busca (search engine), 221-232
em vídeo, 225, 226, 268
inovação de, 210
metáforas em, 206, 211
mudança de percepção por meio de, 96, 97
pela Internet, 221-232
percepção de redução de risco por, 54
tipos de, 212, 213-214
visibilidade de, 214
visualização em, 206, 208
Proteção/salvaguarda, 115
Provedores de acesso à Internet (ISPs – Internet service providers), 404
Psicologia
ambiental, 315-317, 318-319
custos e, 175
de espera, 298-299
de falha, 317
fatores de SST de, 269

Q

Qualidade de serviço. *Veja também* Feedback
biométrica para, 477
clientes como inspetores de, 462
como pré-requisito de fidelidade, 394-396
correção de, 452-454
dimensões de, 452, 453
estratégias de produtividade integradas com, 449-451
ferramentas de análise, 468-473
impacto da melhoria da produtividade sobre, 476-477
gap em, 452-454, 456-457
medição de, 454-455, 464-468
melhoria de, 448-449, 454-455
no setor de viagens, 448-449
operacionalização de, 259-260
perspectivas sobre, 451-452
redesenho do processo de serviço para melhorar, 263-264
retorno sobre, 470-471
Questões éticas, 175, 184-190, 233

R

Recebimento de pedido, 109-110
Reclamações, 116, 403. *Veja também* Reparação de serviço
    barreiras a, redução, 424
    categorias de opção de, 416-417
    diretrizes para lidar com, 428
    estatística de, 418, 420
    expectativas após, 420-421
    razões para, 417-420
Recompensas, 189, 360, 396-399, 509
Recompensas financeiras para fidelidade do cliente, 396-398
    intangíveis, 398
    não financeiras para fidelidade de clientes, 398-399
Reconhecimento, 398
Recrutamento, 267, 350-356
Recuperação. *Veja* Recuperação de serviço
Redes sociais, 227, 233
Referências/recomendações, 231, 382
Relacionamento(s). *Veja também* Gestão do relacionamento com clientes (CRM customer relationship management)
    aprofundamento de, 396
    benefícios de bom, 384
    estratégias de marketing para, 378, 385
    filiação a, 386-387
    pessoal, 179
    terminar com clientes, 268-269, 393-394
Relações pessoais, 179
Relações-públicas (RP), 212, 214, 232
Remuneração, 345, 347, 477
Rentabilidade, 302-303
Reparação de serviço. *Veja também* Falha; *Feedback*
    compensação por, 116, 189-190, 417, 420, 426-427, 439
    componentes, 272, 424
    definição, 421
    definição, 421
    eficaz, 421-427
    erros de comuns, 422
    fidelidade após, 421
    garantias para, 427-433, 440, 442
    implementação de procedimento para, 403
    no setor de transporte aéreo, 189-190, 416, 418-420
    no setor hoteleiro, 425
    paradoxo de, 421-422
    pesquisas de, 459-461
    planejamento de, 425, 426
    princípios de, 422-427
    problemas de qualidade como correção, 452-454
Resolução de conflitos interfuncionais, 150-152, 476
Resorts de esqui, 162, 278, 304, 433-434
Restaurantes
    ambientação de, 320-321
    de fast-food, 34, 118, 145, 235, 473
    espera em, 258, 295
    fazendo o *blueprint* da experiência de, 252-257
    inovações em serviço suplementar de, 126
    metáfora teatral de, 252-257
    processo de entrega de, 127, 128
    projeto de ambiente de serviço de, 320-321, 327, 331
    sistema de reservas em, 108, 109, 111, 295, 302
Retorno sobre qualidade (ROQ – return on quaility), 470-471
Risco, 52-54, 143, 427
    percebido, 52-54, 143, 427
Roda da fidelidade, 387
Rotatividade (churn), 402-404
Roteiros, 64-66, 252

S

Sabotagem em serviço, 348
Saídas (outputs), 118, 452, 473. *Veja também* Pacote
Satisfação do cliente. *Veja também* Reparação de serviço
    como pré-requisito da fidelidade, 394-396
    desempenho corporativo associado a, 68-69
    fase pós-encontro de, 66-68
    fatores influenciadores de, 32
    garantias, 427-433, 440, 442
    mercado e, 395
    padrão de expectativas para, 66-68
    pesquisas, 459-461, 466
    valor do acionista *versus*, 492
Satisfação. *Veja* Satisfação do cliente
Sem transferência de posse benefícios de, 18-20
Servicescape, 35, 225, 252, 318-319. *Veja também* Ambiente de serviço
Serviço ao cliente. *Veja também* Profissionais de serviços
Serviços
    atributos de, 51-52, 82
    avaliação pré-compra de, 51-59
    baseados em informações, 269-269
    bens *versus*, 128-129
    cadeia de lucro de, 341, 490-497
    categorização de, 122-124, 390-394
    ciência de, 495, 496
    conceitos de, 105-107
    de processamento de pessoas, 23-24, 114, 247, 473
    de reparo, 143
    definição, 20-21
    desafios de marketing de, 28-30
    fazendo o *blueprint* de. *Veja* Fazendo o *Blueprint*
    garantias, 427-433, 440, 442
    hedonistas, 208
    manufatura de, 21-22, 118
    marketing de *versus* por meio de, 21
    níveis de, 57-59, 68, 82, 92, 94
    on-line. *Veja* Internet
    sabotagem de, 348
    sistema de entrega. *Veja* sistema de entrega de serviço
    suplementar. *Veja* Serviços suplementares
    troca de, 402-404
    visão histórica de, 13-14, 18
Serviços de processamento de posse, 24-27, 114-116, 128
    fluxograma, 247-249
    impacto dos impulsionadores de globalização sobre, 159
    medição de produtividade de, 473
Serviços suplementares
    agregadores, 107-108, 112-117
    comércio eletrônico como principalmente, 30
    definição, 105
    elementos de, 21-22
    embalagem de, 118
    exceções em, 116-117
    facilitadores, 107-112
    flor de serviço, 107-118, 137-138, 151
    fluxo de distribuição de, 137-138
    implicações gerenciais de, 117-118
    inovação, 103, 126
    Internet como, 126
    serviços essenciais *versus*, 30, 102-133
    sistema de entrega de, 30
Setor
    bancário, 143, 149, 187, 225-226, 232, 388, 393-394, 397. *Veja também* Setor de serviços financeiros
    de esportes, 30, 51, 214
    de viagens, 51, 137, 138, 190, 232, 448-449. *Veja também* Setor de transporte aéreo; Setor hoteleiro
Setor de entrega de encomendas, 97, 115, 127, 234
    garantias de serviço de, 430
    medição de produtividade em, 473
    métrica tangível de qualidade de serviço em, 464-468
Setor de saúde
    ambiente de serviço em, 311, 314
    cirurgia, 311, 364
    contato com pacientes pela Web, 271
    custos não monetários em, 178, 179
    exemplo de modelo de conduta em, 508
    expectativas de clientes em, 57
    hospitais em, 57, 114, 250, 262, 314, 473, 508
    produtividade em, 473
    serviço odontológico, 65, 252, 321
    TLContact: CarePages Service (estudo de caso), 271
    treinamento de envolvimento do cliente para, 204
Setor de seguros
    de automóveis, 30
    propaganda de, 30, 206
Setor de serviços financeiros, 49, 80, 126, 131, 225, 232, 389
Setor de transporte aéreo, 22, 30, 59, 283, 402, 442
    análise de Pareto de qualidade de serviço de, 469-470
    categorização em, 122-124
    feedback espontâneo em, 462
    gestão de receita em, 180, 184, 185
    práticas de contratação de pessoal de, 357
    propaganda boca a boca em, 231
    recompensas por fidelidade em, 399-401
    recuperação de serviço em, 189-190, 416, 418-420
    sistema de reservas de, 189-190
Setor hoteleiro
    ambiente de serviço de, 312
    análise da qualidade de serviço de, 471
    clientes inconvenientes trapaceiros em, 440
    estratégias de marca (estudo de caso), 118, 121, 201
    estruturação do conceito de serviço para, 106, 107
    fluxo de distribuição e promoção de, 138
    fluxograma de processamento de pessoas de, 247
    garantias de serviço de, 429-430, 432, 440
    gestão de receitas (estudo de caso), 185
    globalização da distribuição para, 161, 162
    mapas de posicionamento de, 91-96
    nível de serviço em, 82, 92, 94
    pesquisa de novos serviços de, 129, 130, 131
    promoções de vendas de, 219

rastreamento de clientes inconvenientes trapaceiros em, 440
sistema de reservas de, 190
tipos de cliente de, 32
zona de tolerância em, 59
Sistema de entrega de serviços
alternativos para refeições, 127, 128
canais alternativos para, 474-476
como componente do desenho do conceito de serviço, 105, 106
de setor de transporte aéreo, 30
documentação da sequência de, 105-107
fase de encontro de, 46, 47, 59-66
gap em, 452, 456
metáfora teatral para, 63-66
pontos de falha em, 258, 259, 470
remodelagem pela Internet, 30
serviços essenciais *versus* suplementares, 30
telefones celulares como, 150, 223, 226, 402
tempo e, 30
visibilidade de, 62-63
Sistema de *feedback* de clientes (CFS – customer feedback system), 418
análise de, 462-464
ferramentas de coleta para, 459-462
objetivos de, 455-459
Sistema de reservas
de companhia aérea, 189-190
de hotéis, 190
de restaurantes, 108, 109, 111, 295, 302
demanda de estoque por meio de, 299-304
overbooking em, 189-190
Sistemas de segurança, 437-438
Sites Web
aderência a, 221
blog em, 226, 229, 232
falha em redução, 271
rede social, 227, 232
TLContact: CarePages Service (estudo de caso), 271
SSTs (tecnologias de autosserviço)
benefícios de, 269, 273
cafés com Internet como, 168
como canal de marketing, 225
coprodução *versus*, 34
falha de, 269-272
fatores psicológicos de, 269
flexibilidade de capacidade usando, 281
gestão de mudança para, 272, 273
para melhoria da produtividade, 474-476
preferência por, 143
processo de serviço de, 269-273
profissionais de serviços e, 341
treinamento de clientes para, 204
Submarcas, 120-122, 124
Sugestões, 116, 362. *Veja também* Cartões de comentários

T

Tangibilidade
como dimensão de qualidade de serviço, 453
de clima organizacional, 509
valor agregado por, 20-21, 208
Taxas
bancárias, 187
de franquia, 152
de penalidade, 187, 188
de telecomunicações, 186

lisura de, 188, 189
locação de automóveis, 187
ocultas questões éticas de, 187
Técnica poka-yoke, 259, 266, 470
Tecnologia
da informação (TI), 14, 17, 343
de reconhecimento de voz, 341, 477
Tecnologia. *Veja também* SSTs
ciência de serviço, 495, 496
da informação, 14, 17, 343
de reconhecimento de voz, 341, 477
de Web 2.0, 226
impulsionadores de, 157
pagamento por, 195
redesenho de processo, 245
reparo fluxograma de processamento de posse de, 247-249
sob demanda, 219, 226-227
software de, 122, 124, 181
suporte a, 122, 124
treinamento de clientes para, 229
Tecnologias sob demanda, 219, 226-227
Telecomunicações. *Veja também* Telefones celulares
como alternativa a falha de SST, 272
serviço automatizado por, 143, 341
tarifas de, 186
teoria de fila em, 291-292
treinamento de clientes para, 229
Telefones celulares
agentes de recomendação on-line para, 269
categorização de clientes para, 393
como propaganda móvel, 226
como sistema de entrega de serviço, 150, 223, 226, 402
mensagem de texto em, 223, 226, 402
Telemarketing, 221, 233
Tempo. *Veja também* Espera
agilidade de serviço, 30
custos de, 175
de distribuição, 145
documentação da sequência de entrega, 106-107
medição de desempenho por, 345
modificação de, para gestão de demanda, 289
sistema de entrega de serviço e, 106-107, 144-145
Terceirização, 4, 14, 15, 18, 22
Teste gratuito, 54, 273
Testemunhos, 231
Testes de personalidade, 356
TiVo, 219, 226
TQM, Total Quality Management
Trabalho
capacidade de produtividade definida por, 279
corte de, 477
emocional (emotional labor), 343
sindicatos de, 366-367
Transações remotas, 143
Treinamento
de clientes, 32, 32, 204, 225, 266, 273
de cultura organizacional, 357-358
de serviço ao cliente, 501
especial, 384
método de coaching para, 358
multifuncional, 495

multifuncional, 495
para lidar com clientes inoportunos, 434, 437-438
profissionais de serviços, 281, 356-359, 501
Troca, 402-404

U

Uso de informação sobre satisfação de cliente (CSIU – customer satisfaction information usage), 458-459

V

Valor
conteúdo de comunicação que agrega, 204
criação de, 492
custos *versus*, 173-174
de acionista, 492
de fidelidade de cliente, 381, 382, 388-390
de recompensas, 397-398
de referências, 382
durável, 19
impacto da melhoria de produtividade sobre, 476-477
informação que agrega, 204
instilando cultura e clima organizacional, 509
liderança direcionada por, 367, 509
líquido, 174
percebido, 174-175
percepção de gestão, 174-175
perspectiva de qualidade de serviço baseada em, 452
preço baseado em, 30-32, 170, 173-178
presente líquido (VPL), 382
proposição de, 311-312, 403
propósito de ambiente de serviço de, 311-312
redes de, 264
Vantagem competitiva
foco em, 76-79
mudança de posição para, 96, 97
profissionais de serviços como, 340-341
Varejo eletrônico (e-tailing), 175. *Veja também* Internet
Vendas
como fonte de conflito organizacional, 343
cruzadas, 225, 450
de atualização de produto (up-selling), 225
pessoais, 221
Vendas, escritório de global, 138
promoções de, 212, 219, 233, 273
Vínculos, 384, 396-402
estruturais, 402
sociais, 384, 399

W

Web 2.0, 226

Z

Zona
de afeição, 395
de indiferença, 395
de tolerância, 57-58
Zonas, 57-58, 394, 395

Sobre os autores

Em equipe, Christopher Lovelock e Jochen Wirtz oferecem uma combinação de habilidades e experiências que se revela ideal para escrever uma obra competente e envolvente sobre marketing de serviços. Desde que se conheceram, em 1992, eles têm trabalhado juntos em diversos projetos, incluindo estudos de caso, artigos, publicações em congressos, duas adaptações de edições anteriores de *Marketing de serviços* para o mercado asiático, e o novo livro *Essentials of services marketing*. Em 2005, ambos se envolveram ativamente no planejamento da Service Research Conference, um evento bienal realizado pela American Marketing Association, que foi patrocinado pela National University of Singapore e que contou com a participação de 22 países de cinco continentes.

O falecido **Christopher Lovelock** foi um dos pioneiros em marketing de serviços. Ele prestou consultoria e ministrou seminários e *workshops* para gestores de todo o mundo, com especial ênfase em planejamento estratégico de serviços e gestão da experiência do cliente. De 2001 a 2008, foi professor adjunto da Yale School of Management, onde lecionou a matéria de marketing de serviços no curso de MBA.

Após obter bacharelado e mestrado em economia pela Universidade de Edimburgo, trabalhou com publicidade no escritório de Londres da J. Walter Thompson Co. e depois com planejamento corproativo na Canadian Industries Ltd., em Montreal. Mais tarde, obteve MBA em Harvard e doutorado na Universidade de Stanford, onde também fez pós--doutorado.

A distinta carreira acadêmica do professor Lovelock incluiu 11 anos como docente da Harvard Business School e dois anos como professor visitante do IMD, na Suíça. Ocupou funções acadêmicas em Berkeley, Stanford e na Sloan School do MIT, além de ter sido professor visitante do INSEAD, na França, e da Universidade de Queensland, na Austrália.

Autor ou coautor de mais de 60 artigos, mais de 100 estudos de caso e de 27 livros, o professor Lovelock já teve trabalhos traduzidos para 14 idiomas. Atuou nos conselhos editoriais do *Journal of Service Management*, *Journal of Service Research*, *Service Industries Journal*, *Cornell Hospitality Quarterly* e *Marketing Management*, além de leitor crítico *ad hoc* para o *Journal of Marketing*.

Amplamente reconhecido por suas ideias inovadoras na área de serviços, Christopher Lovelock foi homenageado com o prestigioso Award for Career Contributions in the Services Discipline, da American Marketing Association (AMA). Um artigo escrito com Evert Gummesson — "Whither services marketing? In search of a new paradigm and fresh perspectives" — rendeu-lhe o prêmio Best Services Article, da AMA, em 2005. Antes disso, ele já havia recebido um prêmio de melhor artigo do *Journal of Marketing*. Com frequência é reconhecido pela excelência de seus estudos de caso, e por duas vezes recebeu a honraria máxima no prêmio European Case of the Year, da *Business Week*. Para obter mais informações, consulte <www.lovelock.com>.

Jochen Wirtz é Ph.D. em marketing de serviços pela London Business School e atua na área de serviços há mais de 20 anos. É professor associado da National University of Singapore (NUS), onde leciona a matéria de marketing de serviços em cursos de MBA e de graduação. Também é diretor-fundador do curso de MBA executivo de dupla certificação UCLA-NUS, é membro da Academia de Ensino da NUS e é membro associado de educação executiva na Saïd Business School, da Universidade de Oxford.

As pesquisas do professor Wirtz concentram-se em marketing de serviços e foram publicadas em mais de 80 artigos em revistas acadêmicas, 100 palestras e cerca de 30 capítulos de livros. É coautor de mais de 10 livros, incluindo os mais recentes *Essentials of services marketing* (Prentice Hall, 2009) e *Flying high in a competitive industry: secrets of the world's leading airline* (McGraw Hill, 2009).

Em reconhecimento à sua excelência em ensino e pesquisa, o professor Wirtz recebeu 20 prêmios, incluindo o prestigioso prêmio Outstanding Educator, da NUS, e o prêmio Best Practical Implications de 2009, da Emerald Group Publications. Ele faz parte do conselho editorial de dez revistas acadêmicas, entre elas *Journal of Service Management*, *Journal of Service Research*, *Journal of Service Science* e *Cornell Hospitality Quarterly*, além de ser leitor crítico *ad hoc do Journal of Consumer Research* e *Journal of Marketing*. O professor Wirtz presidiu o Service Research Conference, evento bienal da AMA, quando foi realizado pela primeira vez na Ásia, em 2005.

Tem atuado ativamente como consultor em gestão, trabalhando com empresas de consultoria internacionais, como Accenture, Arthur D. Little e KPMG, bem como com as maiores empresas de serviços nas áreas de estratégia, desenvolvimento de negócios e sistemas de feedback de clientes. Nascido na Alemanha, o professor Wirtz passou sete anos em Londres antes de se mudar para a Ásia. Para obter mais informações, consulte <www.JochenWirtz.com>.

Miguel Angelo Hemzo é professor da Escola de Artes, Ciências e Humanidades da Universidade de São Paulo (USP), onde leciona Marketing de Serviços e Marketing Estratégico e desenvolve pesquisa em Marketing de Luxo. É graduado em Administração de Empresas pela Faculdade de Economia e Administração (FEA) da USP, e em Engenharia Civil pela Escola Politécnica da USP. Tem mestrado e doutorado pela FEA-USP, e M.Phil. pela London Business School, da Inglaterra. Já atuou como professor de MBA e graduação em diversas instituições, como ESPM, FAAP, Mackenzie, Business School São Paulo, Fundação Instituto de Administração (FIA), entre outras. Também atuou como consultor na FIA durante 15 anos, em diversos projetos relacionados a marketing, estratégia e pesquisa. Realizou diversas palestras, seminários e congressos sobre marketing nas mais variadas empresas e instituições. Pode ser contatado por e-mail: mahemzo@usp.br ou mahemzo@uol.com.br.